ACCROCHE-TOI A TON RÊVE

BARBARA TAYLOR BRADFORD

ACCROCHE-TOI A TON RÊVE

*Traduit de l'américain
par Solange Lecomte*

UNÈ ÉDITION SPÉCIALE DE LAFFONT CANADA LTÉE,
EN ACCORD AVEC LES ÉDITIONS PIERRE BELFOND

Ce livre a été publié sous le titre original
HOLD THE DREAM
par Doubleday, New York

ISBN 2.7144.1881.3

ISBN 2-89149-375-3

TABLE DES MATIÈRES

LES PERSONNAGES

L'AÏEULE TOUTE-PUISSANTE

EMMA HARTE LOWTHER, dite Emma Harte

SES ENFANTS

EDWINA, COMTESSE DOUAIRIÈRE de DUNVALE, fille illégitime d'Emma et d'Edwin Fairley
CHRISTOPHER LOWTHER, dit «Kit», fils d'un premier mariage d'Emma avec Joe Lowther
ROBIN AINSLEY, fils d'un second mariage d'Emma avec Arthur Ainsley
ELISABETH de RAVELLO, jumelle de Robin, fille d'Arthur Ainsley
DAISY MCGILL AMORY, fille illégitime d'Emma et de Paul McGill

SES PETITS-ENFANTS

PAULA MCGILL AMORY FAIRLEY, fille de Daisy, petite-fille de Paul McGill
PHILIP MCGILL AMORY, fils de Daisy, petit-fils de Paul McGill
EMILY BARKSTONE, fille d'Elisabeth, petite-fille d'Arthur Ainsley
ALEXANDRE BARKSTONE, fils d'Elisabeth, petit-fils d'Arthur Ainsley
SARAH LOWTHER, fille de Christopher, petite-fille de Joe Lowther
JONATHAN AINSLEY, fils de Robin, petit-fils d'Arthur Ainsley
ANTHONY STANDISH, COMTE de DUNVALE, fils d'Edwina, petit-fils d'Edwin Fairley
AMANDA LINDE, fille d'Elisabeth, petite-fille d'Arthur Ainsley
FRANCESCA LINDE, jumelle d'Amanda, petite-fille d'Arthur Ainsley

SES ARRIÈRE-PETITS-ENFANTS

LORNE MCGILL HARTE FAIRLEY, fils de Paula, arrière-petit-fils de Paul McGill et d'Edwin Fairley
TESSA MCGILL HARTE FAIRLEY, fille de Paula, arrière-petite-fille de Paul et d'Edwin

LES PERSONNAGES

LA FAMILLE HARTE

RANDOLPH HARTE, neveu d'Emma, fils de son frère Winston et de Charlotte

WINSTON HARTE, petit-neveu d'Emma, fils de Randolph, petit-fils de Winston

SALLY HARTE, petite-nièce d'Emma, fille de Randolph

VIVIENNE HARTE, petite-nièce d'Emma, fille de Randolph

CHARLOTTE HARTE, belle-sœur d'Emma, veuve de Winston et mère de Randolph

NATALIE HARTE, belle-sœur d'Emma, veuve de son frère Frank

ROSAMUND HARTE ELLSWORTHY, nièce d'Emma, fille de Natalie et de Frank

LES AUTRES PARENTS

DAVID AMORY, gendre d'Emma, époux de Daisy, père de Paula et de Philip, grand-père de Lorne et de Tessa

JAMES ARTHUR FAIRLEY, époux de Paula et petit-fils d'Edwin

MARGUERITE REYNOLDS, épouse d'Alexandre

LA FAMILLE O'NEILL

SHANE PATRICK DESMOND O'NEILL, dit Blackie

BRYAN SHANE PATRICK O'NEILL, fils unique de Blackie

GÉRALDINE INGHAM O'NEILL, épouse de Bryan

SHANE DESMOND INGHAM O'NEILL, petit-fils de Blackie et de Laura, fils de Bryan et de Géraldine

MIRANDA O'NEILL, petite-fille de Blackie, fille de Bryan et Géraldine

LAURA O'NEILL, petite-fille de Blackie, fille de Bryan et de Géraldine

LA FAMILLE KALLINSKI

RONALD KALLINSKI, fils de David, petit-fils d'Abraham et de Janessa

MARK KALLINSKI, fils de David, petit-fils d'Abraham et de Janessa

MICHAEL KALLINSKI, fils de Ronald, petit-fils de David, arrière-petit-fils d'Abraham et de Janessa

LIVRE UN

LA GRANDE AÏEULE

1

Emma Harte approchait de ses quatre-vingts ans. Elle ne paraissait pas son âge car elle avait su vieillir avec grâce. Et en ce matin ensoleillé du mois d'avril 1969, assise à sa table de travail dans son petit salon de Pennistone, elle avait elle-même l'impression d'être beaucoup plus jeune.

Elle se tenait très droite dans son fauteuil, et ses yeux verts, pleins de vivacité, de sagesse et de malice, étaient toujours aussi attentifs. Sa superbe chevelure, autrefois d'or sombre et depuis longtemps argentée, restait coiffée à la dernière mode. Encadré par la curieuse plantation des cheveux — en pointe au milieu du front —, le visage ovale était désormais marqué par la vie mais avait conservé toute sa netteté, et la peau avait encore la finesse de la jeunesse. C'est pourquoi, en dépit du passage du temps, Emma ne laissait pas d'être impressionnante, d'autant qu'elle avait gardé grande allure.

En prévision des multiples activités qui l'attendaient ce jour-là, elle avait revêtu une robe en lainage admirablement coupée, mais d'une forme très simple et de cette nuance bleu doux qu'elle affectionnait et qui allait si bien à son teint. Un col de dentelle vaporeuse ajoutait à sa tenue l'indispensable petite touche féminine qui en atténuait l'austérité. Aux lobes de ses oreilles brillaient deux diamants discrets ; elle ne portait par ailleurs d'autres bijoux que ses bagues et sa montre en or.

Après la broncho-pneumonie qui l'avait abattue l'année précédente, elle avait vite recouvré la santé florissante, l'énergie et l'allant qui l'avaient toujours caractérisée par le passé.

Mon problème, se dit-elle en posant son stylo et en s'appuyant au dossier du fauteuil, c'est bien de ne savoir que faire de toute cette vitalité. Puisque le diable, paraît-il, trouve toujours du vilain ouvrage à proposer aux fainéants, je ferais mieux de m'atteler à un nouveau projet avant qu'il ne vienne me tenter. Elle ne put alors s'empêcher de rire : aux yeux de la plupart des gens, elle avait largement de quoi s'occuper à plein temps ! Elle continuait, en effet, à diriger son vaste empire industriel et commercial, et ses affaires, avec leurs ramifications internationales, requéraient ses soins constants. Mais, dans l'ensemble, cela ne l'amusait plus guère. Tout marchait trop bien et, comme elle avait toujours adoré prendre des risques, elle ne trouvait pas très excitant de se contenter de jouer les chiens de garde. Cela n'enflammait pas autant l'imagination ni ne faisait battre le pouls aussi vite que de mettre sur pied quelque nouveau projet compliqué. Employer son intelligence à battre ses concurrents ou à lutter pour le pouvoir et la suprématie mondiale, c'était devenu chez elle comme une seconde nature.

Elle se leva avec vivacité et traversa la pièce à petits pas rapides pour aller ouvrir l'une des hautes fenêtres. Elle respira profondément et contempla avec satisfaction le ciel d'un bleu parfait, sans le moindre nuage, où brillait le soleil printanier. De jeunes bourgeons d'un vert tendre commençaient à poindre sur les branches dénudées par l'hiver et, sous le grand chêne, au bout de la pelouse, d'innombrables jonquilles agitaient leurs petites têtes jaune vif dans la brise.

« J'errais, solitaire comme un nuage flottant très haut au-dessus des vallons et des collines, quand je vis une multitude, une myriade de jonquilles d'or... » C'était à Fairley, à l'école de son village, qu'elle avait appris autrefois cette poésie de Wordsworth. Il y avait si longtemps ! Elle trouva extraordinaire de s'en souvenir encore.

Lorsqu'elle leva la main pour refermer la fenêtre, la superbe émeraude McGill qu'elle portait à la main gauche étincela dans la froide lumière. Cela faisait quarante-quatre ans qu'elle avait cette bague. Elle la portait depuis ce jour de 1925 où Paul McGill la lui avait mise au doigt. Après lui avoir retiré son alliance, symbole de son désastreux mariage avec Arthur Ainsley, il avait fait glisser l'énorme émeraude le long de son annulaire et lui avait déclaré : « Il nous manque sans doute la présence du clergé, mais la cérémonie n'en a pas moins pour moi la même valeur. Désormais, je te considère comme mon épouse et cela jusqu'à ce que la mort nous sépare. »

C'était la veille de ce jour de 1925 que leur enfant était venu au monde. Daisy, l'enfant de l'amour, élevée avec amour. C'était la fille préférée d'Emma, de même que Paula, fille de Daisy, était sa petite-fille préférée. Paula, à qui reviendrait le gigantesque héritage : la chaîne des Grands Magasins et la moitié de la fabuleuse fortune que Paul McGill avait laissée à Emma, à sa mort, en 1939. Or, il se trouvait que Paula, quatre semaines plus tôt, quand elle avait donné le jour à des jumeaux, avait permis à Emma de devenir arrière-grand-mère. Et ces jumeaux, c'était le lendemain, justement, qu'on allait les baptiser dans la vieille église de Fairley.

Brusquement, Emma fit une petite moue. Elle se demandait si elle n'avait pas commis une erreur en accédant au vœu de Jim. Jim Fairley, le mari de Paula, très traditionaliste, avait voulu que ses enfants fussent portés sur les mêmes fonts baptismaux que tous les Fairley... et que tous les Harte, en fait, y compris Emma elle-même.

Ma foi, se dit-elle, je ne peux plus revenir là-dessus. Peut-être est-ce aussi bien ainsi. Après tout, elle avait pris sa revanche. La vendetta qu'elle avait entretenue contre les Fairley pendant la plus grande partie de sa vie était désormais terminée, puisque les deux familles s'étaient réconciliées grâce au mariage de Paula avec Jim Arthur Fairley, le dernier rejeton de la branche aînée.

Pourtant, lorsqu'on avait avisé Blackie O'Neill du choix de l'église, il avait levé un sourcil neigeux et prétendu qu'avec l'âge Emma la cynique devenait sentimentale. C'était un reproche qu'il lui faisait fréquemment depuis quelque temps. Il n'avait sans doute pas tort. Le passé n'avait plus pour elle la même importance : il lui semblait comme enseveli avec les morts. Maintenant, seul l'avenir l'intéressait. Et l'avenir, c'était Paula, Jim et leurs enfants.

Quand Emma revint à sa table de travail, ses pensées se concentrèrent sur le village de Fairley. Elle regarda un des papiers qui se trouvaient devant elle. Il s'agissait d'une note de son petit-fils Alexandre qui dirigeait les filatures avec la collaboration de Kit, un des fils d'Emma. Cette note était très directe, bien dans la manière d'Alexandre. L'usine de Fairley avait de sérieux problèmes. Cela faisait déjà longtemps qu'elle allait mal, mais elle était, cette fois, au bord du désastre. Emma devait donc prendre une décision cruciale : ou bien fermer la filature, ou bien continuer à la faire marcher en perdant une petite fortune. Au fond d'elle-même, Emma la pragmatique était persuadée que le plus sage serait de mettre un terme à ce gâchis, mais elle répugnait à cette mesure radicale qui allait apporter le malheur à son village natal. Elle avait chargé Alexandre d'étudier le dossier et elle espérait encore qu'il lui proposerait une solution efficace. Cela, elle allait bientôt le savoir car elle lui avait demandé de passer : il n'allait pas tarder.

Emma avait bien une petite idée de ce qui pourrait redresser la situation de la filature, mais elle tenait à donner à Alexandre l'occasion de résoudre le problème par lui-même. Elle en faisait une sorte de test, elle s'en rendait compte. Elle agissait toujours ainsi avec ses petits-enfants. Pourquoi pas ? N'était-ce pas son droit et son devoir ? L'ensemble de ce qu'elle possédait avait été chèrement acquis, au cours d'une vie tout entière tournée vers un but unique. Elle ne s'était épargné aucune peine, avait montré une résolution à toute épreuve, sans jamais relâcher son effort. L'empire qu'elle avait constitué, au prix de terribles sacrifices, était son œuvre : elle avait le droit d'en disposer à sa guise.

C'est pour cette raison qu'après mûres réflexions elle avait fait un an plus tôt un second testament où elle avait décidé d'écarter de sa succession quatre de ses cinq enfants pour favoriser, à leur place, ses petits-enfants. Cependant, elle continuait à suivre de son regard avisé tous les faits et gestes des représentants de la troisième génération. Elle s'interrogeait sans cesse sur leur valeur réelle et cherchait à dépister chez eux quelques traces de faiblesse tout en faisant des vœux pour n'en point trouver.

Ils ont jusqu'ici répondu à mon attente, se dit-elle pour se rassurer. Puis, dans un bref accès d'angoisse, elle songea : non, ce n'est pas tout à fait vrai pour l'un d'entre eux. Bien que je ne sois sûre de rien, il y en a un au moins qui ne me paraît pas digne de confiance.

Emma ouvrit alors le premier tiroir de son secrétaire pour en sortir une feuille de papier où étaient inscrits les noms de ses petits-enfants. Elle en avait fait la liste la veille au soir en prenant conscience de l'inquiétude qui la tenaillait. Y a-t-il un tricheur dans le groupe, comme je le crains ? se demanda-t-elle, soucieuse. Si c'est le cas, que vais-je faire ?

Elle ne pouvait détacher les yeux d'un des noms. Elle hocha la tête avec tristesse.

Depuis bien longtemps, la déloyauté humaine ne la surprenait plus, car sa finesse naturelle et sa connaissance intuitive d'autrui l'avaient trop souvent avertie du danger au cours de sa longue vie. En fait, peu de choses la surprenaient désormais et, devenue lucide jusqu'au cynisme, elle s'attendait généralement au pire, même au sein de sa propre famille. Elle n'en avait pas moins été stupéfaite l'année précédente en découvrant, grâce à Gaye Sloane, sa secrétaire, que ses quatre premiers enfants avaient ourdi contre elle une machination sordide, tentant de lui arracher son empire. Mais, en cela, ils l'avaient singulièrement sous-estimée. La surprise de cette découverte et la douleur d'être trahie avaient bientôt fait place chez elle à un accès de férocité froide. Avec l'habileté et l'imagination qui lui étaient coutumières, elle avait réussi à retourner rapidement la situation. Elle avait alors fait son deuil des émotions et des sentiments, de peur qu'ils ne vinssent obscurcir son jugement. C'était, en effet, grâce à son intelligence exceptionnelle qu'elle s'était tirée jusque-là des situations les plus désastreuses.

Áprès avoir déjoué les plans de ces stupides conspirateurs et les avoir fait sombrer dans le ridicule et le désarroi, Emma en était arrivée à l'amère conclusion que la voix du sang ne parle pas bien haut et que l'amour filial ne pèse guère dans la balance en présence d'un enjeu constitué non seulement par une fortune énorme, mais encore par un pouvoir gigantesque. Elle ne s'était jamais fait beaucoup d'illusions, mais malgré le dégoût que lui avait toujours inspiré le comportement de sa famille, elle avait tout de même cru jusque-là que ses enfants avaient de l'attachement pour elle.

Elle se remit à réfléchir à ce nom qui la tourmentait. Peut-être se trompait-elle. Elle l'espérait, du moins. Elle n'avait pas de preuves. Seuls, son instinct et sa prescience la mettaient en garde et ils ne l'avaient jamais induite en erreur.

Chaque fois qu'Emma se trouvait devant ce genre de dilemme, elle choisissait de rester dans l'expectative. De nouveau, elle décida d'adopter cette attitude.

Elle examina plusieurs hypothèses. Son visage se durcit, son regard s'assombrit. Il ne lui plaisait guère de croiser le fer pour protéger ses intérêts et ceux des autres héritiers.

Elle songea avec mélancolie que l'histoire se répétait de bien curieuse façon, en particulier dans sa propre vie. Mais elle se refusait à anticiper. C'était trop dangereux. Délibérément, elle remit la liste dans son tiroir, le referma et glissa la clé dans sa poche.

Les affaires courantes la rappelaient à l'ordre. Elle consulta son carnet de rendez-vous. Elle allait recevoir ce jour-là trois des six petits-enfants qui travaillaient pour elle.

C'était Alexandre qui viendrait le premier.

Emma regarda sa montre. Elle l'attendait pour 10 h 30, dans quinze minutes. Il serait à l'heure, sinon en avance. Elle eut un sourire amusé. Alexandre était devenu un fanatique de la ponctualité. La semaine précédente, il avait même réprimandé sa grand-mère pour l'avoir fait attendre et il se chamaillait constamment avec sa mère qui, elle, ne pouvait se plier à aucun horaire. En pensant à sa seconde fille, Emma fit soudain la grimace.

Elisabeth l'exaspérait à force de courir le monde en accumulant les scandales, les mariages et les divorces inconsidérés. Mais les inconséquences et l'instabilité de sa fille avaient cessé de surprendre Emma. Elle avait compris depuis longtemps qu'Elisabeth avait certains des pires défauts de son père. Arthur Ainsley avait été un être faible et égoïste, uniquement soucieux de son propre plaisir. Les traits les plus inquiétants de son caractère se retrouvaient chez sa fille, exacerbés, et la belle Elisabeth bafouait toutes les conventions avec un entêtement sauvage. Elle était impossible à apprivoiser et terriblement malheureuse. Emma savait bien que son cas était devenu tragique et qu'elle était probablement plus à plaindre qu'à blâmer.

Emma aurait aimé savoir où se trouvait sa fille, mais elle chassa cette préoccupation de son esprit. Cela n'avait sans doute pas d'importance puisqu'elles ne se parlaient pratiquement plus depuis la modification du testament. Et, pour avoir été élu par Emma à la place de sa mère qui jusque-là l'adorait, le pauvre Alexandre avait été lui aussi, à ce moment-là, plus ou moins rejeté par Elisabeth. Mais, en voyant l'indifférence que son fils opposait à ses récriminations, celle-ci avait compris qu'elle perdait son temps et elle avait fini par capituler devant sa froideur, sa désapprobation et son mépris à peine voilé. Incapable de vivre sans son estime et sans son affection, elle s'était réconciliée avec lui et même légèrement amendée. Pas pour longtemps, songea Emma avec dépit. Elle a bien vite repris ses mauvaises habitudes... Ce n'était sûrement pas à cette mère frivole et fantasque qu'Alexandre devait d'avoir si bien tourné.

En songeant aux qualités de son petit-fils, Emma se sentit un peu réconfortée. Si Alexandre était ce qu'il était, il le devait à sa force de caractère et à son honnêteté. Sérieux, courageux, digne de confiance, il n'avait pas l'intelligence brillante et l'extraordinaire habileté en affaires de sa cousine Paula, mais il possédait un jugement sûr. Le côté conservateur de sa personnalité était compensé par une certaine souplesse. Il s'efforçait toujours de peser le pour et le contre et, si besoin était, de trouver un compromis. Alexandre avait le talent de garder à toute chose ses justes proportions. Cela rassurait Emma, qui était une réaliste.

L'année précédente, Alexandre lui avait donné la preuve qu'il méritait son estime. Elle n'avait aucun regret d'avoir fait de lui son principal héritier en lui donnant cinquante-deux pour cent de ses parts personnelles dans *Harte Enterprises*. Tout en assumant la direction des filatures, il avait un droit de regard sur toutes les activités du holding. Emma lui servait de mentor et guidait ses progrès pour qu'il pût un jour lui succéder dignement.

Harte Enterprises, c'était les filatures, les usines de prêt-à-porter, les propriétés foncières, les réseaux de distribution et la *Yorkshire Consolidated Newspaper Company*. Cela représentait plusieurs milliards. Emma avait compris depuis longtemps qu'Alexandre ne donnerait sans doute guère d'expansion au holding : il avait tendance à être trop prudent. Mais c'était pour cela même qu'il ne le mènerait pas à la ruine par des décisions inconsidérées et des spéculations hasardeuses. Il se contenterait de lui conserver l'importance que l'acharnement de sa grand-mère lui avait donnée en observant scrupuleusement les règles qu'elle avait édictées des années auparavant. Emma ne souhaitait rien d'autre.

Elle reprit son carnet de rendez-vous : elle avait réservé l'heure du déjeuner pour Emily, la sœur d'Alexandre.

Emily serait là vers une heure.

Cette semaine, lorsqu'Emma lui avait téléphoné, la jeune fille était restée quelque peu énigmatique. Elle avait seulement déclaré qu'elle voulait discuter d'un problème très sérieux. Mais ce n'était pas un mystère pour Emma. Elle connaissait depuis longtemps le problème d'Emily. Pourtant, elle s'étonnait que sa petite-fille ne lui en eût pas encore parlé. Elle releva la tête, pensive, regarda un moment dans le vague, puis fronça les sourcils. Deux semaines auparavant, elle avait pris une décision concernant Emily et elle était sûre de ne pas se tromper. Emily serait-elle d'accord ? Oui, sûrement. La petite comprendrait, c'était évident... Emma reporta les yeux sur son agenda.

Paula passerait la voir en fin d'après-midi.

Ensemble, elles allaient discuter du projet Cross. Si Paula avait manœuvré assez habilement pour parvenir à une conclusion favorable, Emma aurait enfin quelque chose d'intéressant à se mettre sous la dent. Son menton se durcit quand elle se remit à examiner les bilans d'*Aire Communications,* la compagnie des Cross. C'était un véritable désastre. En dehors même des problèmes financiers, la situation était consternante. Selon Paula, néanmoins, les difficultés étaient surmontables. Elle avait évoqué à ce propos un plan si simple et pourtant si prometteur qu'Emma en avait été aussi intriguée qu'impressionnée.

— Achetons la société, grand-mère, lui avait dit Paula. Je me rends compte qu'elle est dans un état catastrophique, mais c'est évidemment parce qu'elle est tout à la fois mal dirigée et mal organisée. Elle est beaucoup trop diversifiée. Les secteurs qui font des bénéfices ne peuvent jamais investir parce qu'il leur faut aider ceux qui sont au bord de la faillite.

Dès que Paula lui eut donné plus de détails, Emma comprit comment on pouvait rapidement tirer d'affaire *Aire Communications,* et elle encouragea sa petite-fille à commencer aussitôt les négociations.

Ce serait un vrai plaisir de mettre la main sur cette compagnie. Si l'analyse de la situation était aussi juste qu'elle le paraissait, on y parviendrait peut-être. Et pour négocier avec John Cross et son fils Sébastien, personne n'était mieux armé que Paula. Elle avait fini par se montrer aussi persévérante qu'astucieuse et elle ne tergiversait jamais quand Emma la lançait sur quelque affaire délicate qui demandait finesse et réflexion, deux qualités qu'elle possédait au plus haut degré. Enfin, se dit Emma, elle a pris de l'assurance, ces derniers temps.

Emma regarda de nouveau sa montre, mais résista à l'envie d'appeler son grand magasin de Leeds pour donner à Paula certains tuyaux de dernière minute sur John Cross et sur la manière de l'amener à composition. Après tout, Paula avait fait la preuve qu'elle se débrouillait très bien toute seule et Emma ne voulait pas lui donner l'impression qu'elle n'était pas libre de ses mouvements.

Le téléphone sonna. Elle décrocha.

— C'est moi, tante Emma. Shane. Comment allez-vous ?

— Oh, Shane, comme je suis contente de t'entendre ! Je vais bien, merci. Tu sembles en forme, toi aussi. Je me réjouis de te voir au baptême.

Elle retira ses lunettes, les posa sur la table et se détendit.

— J'espère bien vous voir avant, tante Emma. Que penseriez-vous d'une petite sortie, ce soir, en compagnie de deux célibataires qui sont de vrais boute-en-train ?

— Qui donc est l'autre boute-en-train ? demanda-t-elle en riant.

— Grand-père, évidemment. Qui voulez-vous que ce soit ?

— Un boute-en-train, lui ? Ce sera un vrai bonnet de nuit, si tu veux mon avis.

— A ta place, je surveillerais mes paroles, *Mavourneen*[1] ! hurla soudain la voix de Blackie qui avait pris la place de son petit-fils au bout du fil. Parions que je pourrais encore t'en donner pour ton argent si tu me laisses une petite chance.

— J'en suis sûre, mon ami, répliqua Emma, attendrie. Mais je crains que tu n'en aies pas l'occasion ce soir. Je ne peux accepter ton invitation, très cher Blackie. Il faut que je sois à la maison : mes enfants arrivent dans la soirée.

— Non ! s'écria Blackie d'un ton impérieux. Tu peux très bien les voir demain. Allons, ma chérie, ne me refuse pas ce plaisir. En plus du charme de ta présence, j'ai besoin de ton avis pour une affaire importante.

— Vraiment ?

Elle était assez étonnée. Blackie avait pris sa retraite et laissé la direction de ses affaires à son fils Bryan et à Shane. Mais comme la requête avait piqué sa curiosité, elle voulut en savoir plus.

— De quoi s'agit-il ?

— Je n'ai pas envie d'en discuter au téléphone, répondit Blackie, un peu vexé. Ce n'est pas un problème qu'on puisse résoudre en quelques minutes. Il faut l'examiner de long en large, figure-toi. Je crois que nous y parviendrions plus facilement au cours d'un bon dîner.

Emma ne put s'empêcher de rire sous cape. Elle ne croyait guère à l'importance de cette fameuse affaire, mais elle eut envie de céder.

— Bon, dans ce cas, je vais peut-être les laisser se débrouiller seuls, répliqua-t-elle. A vrai dire, je n'ai pas une folle envie de les voir, à l'exception de Daisy et de David. Mais une réunion familiale, ce n'est jamais spécialement amusant. Alors, j'accepte. Où comptez-vous donc m'emmener ? Les occasions de se distraire sont plutôt rares à Leeds !

---

1. Mavourneen (gaélique) : Ma chérie.

— C'est vrai, mais ne t'inquiète pas. Nous allons bien trouver quelque chose. Je te jure que tu ne t'ennuieras pas.

— A quelle heure?

— Shane viendra te prendre vers six heures. Ça te convient?

— Parfaitement.

— Très bien! Alors, à ce soir... Oh, dis donc, Emma?

— Oui, Blackie?

— As-tu réfléchi à ma petite proposition?

— Oui, mais je doute fort que ça marche.

— Tu n'as pas changé, à ce que je vois! Tu es toujours Emma l'Incrédule. Bon, nous en discuterons aussi ce soir. Peut-être arriverai-je à te convaincre.

— Peut-être, murmura-t-elle au moment où il raccrochait.

Elle s'appuya au dossier de son fauteuil en songeant à ce que venait de lui dire Blackie O'Neill. Emma l'Incrédule? Quand lui avait-il donc donné ce nom pour la première fois? En 1904 ou en 1905? Elle ne savait plus exactement, mais c'était dans ces années-là. Cela faisait soixante-cinq ans, en effet, que Blackie était son plus cher, son meilleur ami: l'ami de toute une vie. Loyal et dévoué, il était toujours là quand elle avait besoin de lui, pour lui offrir aide et affection. Ils en avaient vu de toutes les couleurs. Ils s'étaient soutenus l'un l'autre dans le malheur, ils avaient partagé leurs peines et leurs angoisses et fêté ensemble leurs triomphes et leurs joies. Des amis de leur génération, il ne restait plus qu'eux deux. Cela les avait encore rapprochés, ils étaient devenus inséparables. Emma ne savait pas ce qu'elle deviendrait si quelque chose arrivait à Blackie... A quatre-vingt-trois ans, il était toujours plein de vitalité. Pourtant, personne n'est immortel, se dit-elle avec une légère anxiété en songeant à l'inévitable. Au bout d'un certain nombre d'années, on attend la visite de la mort comme celle d'une vieille connaissance.

On frappa à la porte.

Emma leva les yeux et reprit son masque de froideur et d'insensibilité.

— Entrez.

La porte s'ouvrit toute grande devant Alexandre. Long, mince et élégant, il avait la beauté mélancolique et les grands yeux lumineux de sa mère, mais son expression grave et même austère le vieillissait et lui donnait un air solennel qui n'allait pas très bien avec ses vingt-cinq ans. Son costume gris foncé sorti de chez le bon faiseur, sa chemise blanche impeccable et sa cravate de soie bordeaux accentuaient encore la sévérité de son aspect.

— Bonjour, grand-mère, dit-il en s'approchant. Oh, vous êtes splendide, aujourd'hui!

— Bonjour, Alexandre. Merci du compliment, mais tu sais que je n'aime pas les flatteurs, répliqua-t-elle d'un ton un peu cassant que démentait la gaieté affectueuse de son regard.

Alexandre l'embrassa sur la joue et s'installa en face d'elle.

— Je n'essaie pas de vous flatter, grand-mère. Vous êtes vraiment épatante, ce matin. Cette couleur vous va à ravir et votre robe est on ne peut plus chic.

Emma hocha la tête avec un peu d'impatience et ses yeux pénétrants s'attardèrent sur le jeune homme.

— Alors, où en es-tu ?

— Eh bien, à mon avis, il n'y a qu'une solution au problème de Fairley, répondit-il aussitôt, soucieux d'entrer dans le vif du sujet.

Il savait qu'Emma détestait les tergiversations, sauf quand elles servaient ses buts secrets. Dans ce cas, elle avait l'art de faire traîner les choses en longueur. Mais, en règle générale, elle ne supportait pas les atermoiements d'autrui.

— Il faut que nous changions notre production, reprit Alexandre. Je veux dire que nous devons arrêter la fabrication des pure laine et de tous les tissus de grand luxe devenus trop chers pour la plupart des gens. Il faut que nous nous mettions aux textiles modernes, aux fibres artificielles comme le nylon et le polyester mélangés à la laine. Nous avons tout à y gagner.

— Tu crois que ce sera suffisant pour sauver l'usine ?

— Oui, j'en suis sûr, grand-mère ! A Fairley, un de nos plus grands problèmes est la concurrence des textiles modernes qui envahissent le marché. Personne ne veut plus des tissus pure laine, excepté une élite qui ne représente pas une clientèle suffisante. Voyez-vous : ou bien nous fabriquons des fibres mélangées ou bien nous fermons boutique — ce dont vous ne voulez pas entendre parler. C'est aussi simple que ça.

— La transformation peut-elle se faire très vite ?

— Oui... Et la fabrication de tissus plus abordables va nous ouvrir des marchés énormes, tant ici qu'à l'étranger. Naturellement, il faudra des prix très étudiés pour nous permettre une implantation solide et massive. Mais je suis sûr du succès.

Il fouilla dans la poche intérieure de sa veste et en retira une feuille de papier.

— J'ai analysé chaque aspect du projet, poursuivit-il. Je suis certain de n'avoir rien laissé passer. Voyez vous-même.

Emma chaussa ses lunettes et vit au premier coup d'œil qu'il avait accompli sa tâche avec sa rigueur habituelle : il avait eu la même idée qu'elle, l'idée qu'elle s'était complu, de son côté, à envisager sans vouloir lui en faire part de peur de l'influencer ou de diminuer son mérite. Elle releva la tête et ôta ses lunettes avant de le gratifier d'un sourire radieux.

— Bien joué, Sandy ! s'écria-t-elle, satisfaite. Tu as analysé la situation avec beaucoup de discernement. Je suis très, très contente.

— Et moi, très soulagé ! dit-il en souriant à son tour.

Un peu trop réservé de nature, Alexandre ne se sentait à l'aise qu'auprès d'Emma. Elle était sans doute la seule personne qu'il aimât de tout son cœur.

— Je dois vous l'avouer, grand-mère, je me suis vraiment torturé les méninges. J'ai retourné la question dans tous les sens, je l'ai examinée sous tous les angles et j'en suis revenu à mon idée initiale : la production des fibres mélangées. Mais, vous connaissant comme je vous connais, j'ai l'impression que vous aviez trouvé la solution avant même de me poser le problème.

Amusée par son intuition, Emma étouffa un petit rire. Sans quitter du regard les yeux bleus d'Alexandre, elle fit un signe de dénégation.

— Pas du tout ! Mais j'y serais peut-être parvenue, le cas échéant.

— Je n'en doute pas.

Il s'agita un peu sur sa chaise et croisa les jambes en se demandant comment lui annoncer le reste en douceur. Puis il décida de se jeter à l'eau.

— Il y a autre chose, grand-mère, dit-il, le visage assombri. Réduire les coûts de production va nous obliger à nous restreindre si nous tenons à gagner la partie. Je suis très ennuyé d'avoir à vous le dire, mais nous devons mettre en chômage un certain nombre d'ouvriers... En chômage permanent.

— Oh, mon dieu ! murmura-t-elle, accablée. A vrai dire, Alexandre, je m'y attendais un peu... Si tu ne peux faire autrement, fais-le. Je suppose que tu ne te sépareras que des plus âgés, de ceux qui sont près de la retraite.

— Oui, je crois que c'est la meilleure solution.

— Arrange-toi pour qu'ils obtiennent une prime spéciale, une indemnité de licenciement, quelque chose de ce genre... Et, bien entendu, la pension de retraite commencera à leur être versée immédiatement. Pas de mesquinerie, pas de temporisation sous prétexte qu'ils n'ont pas encore l'âge réglementaire. Evite les drames, Sandy !

— Comptez sur moi. Sachant bien que ce serait votre réaction, j'ai commencé à établir une liste de noms avec, en regard, les sommes que nous devons verser aux uns et aux autres. Je vous l'apporterai la semaine prochaine. Qu'en dites-vous ?

Il se recula un peu sur son siège et attendit la réponse de sa grand-mère. Mais Emma resta muette. Elle se leva et se dirigea à pas lents vers la fenêtre en encorbellement d'où l'on pouvait voir le parc dans toute sa splendeur. L'expression de son visage ridé reflétait ses préoccupations. Elle songeait au village de Fairley et aux liens qui l'unissaient à l'usine depuis toujours. C'était là, autrefois, qu'avaient travaillé son père et son frère, Frank, qui n'était alors qu'un enfant rêvant de poursuivre ses études. On l'employait à la récupération des bobines. De l'aube à la nuit, il menait une existence de forçat. A la fin de sa longue journée de travail, ses petites jambes pouvaient à peine le porter et il rentrait à la maison pâle et épuisé, anémié par l'air confiné et le manque de soleil.

L'arrière-grand-père de Jim, Adam Fairley, était en ce temps-là le châtelain du village et le propriétaire de la filature. Emma l'avait détesté de toutes ses forces quand elle était petite. En fait, elle l'avait haï presque toute sa vie. Maintenant, avec la sagesse que lui conférait son grand âge, elle comprenait qu'Adam n'avait pas été le tyran qu'elle imaginait. Mais il s'était montré irréaliste et cela, en soi, était un crime à ses yeux. La négligence monstrueuse de cet homme, son égoïsme et son égocentrisme, enfin sa folle passion pour Olivia Wainright avaient eu des conséquences catastrophiques pour tous ceux qui dépendaient de lui. Oui, Adam Fairley avait été coupable d'oublier ses responsabilités et il avait témoigné d'autant d'insouciance que de cynisme. Il n'avait pas eu la moindre considération pour les malheureux qui travaillaient dans ses ateliers, qui lui permettaient justement de mener une existence de privilégié et dont il avait, dans l'absolu, la charge morale. Il y a un demi-siècle de cela, songea-t-elle. Maintenant, je parviens à comprendre un peu mieux cet homme, mais je n'oublierai jamais ce qu'il a fait. Jamais !

Elle baissa les yeux sur ses petites mains à la peau douce et aux ongles soignés. Autrefois, ces mains-là étaient rougies et abîmées par les gros travaux. Elles s'usaient à frotter, à cirer les parquets, à laver le linge et à éplucher les légumes pour les Fairley depuis que, toute jeune, on l'avait placée comme domestique au château. Elle leva la main droite, effleura sa figure et se souvint avec une précision stupéfiante des gifles cuisantes de Murgatroyd, l'horrible Murgatroyd, le majordome d'Adam Fairley, qu'on laissait gouverner à sa guise la maison maudite et mener le personnel avec une cruauté confinant à la sauvagerie. En dépit de sa dureté et de son acharnement, il n'avait jamais réussi à terroriser Emma. Mais la maison monstrueuse l'emplissait d'une épouvante sans nom, une épouvante qu'elle avait voulu fuir à tout prix.

Et voilà qu'un beau jour elle était devenue la propriétaire de ce gigantesque mausolée. « La Folie Fairley », comme l'appelaient les villageois. Elle avait tout de suite compris qu'elle ne pourrait jamais y vivre et jouer les châtelaines. Alors, brusquement, elle avait eu la vision de ce qu'il fallait faire : le manoir devait disparaître de la surface de la terre comme s'il n'avait jamais existé. Emma l'avait donc fait détruire, brique par brique, jusqu'à ce qu'il n'y eût plus trace de l'édifice. Elle se rappelait le sombre plaisir qu'elle avait pris à cette disparition.

Maintenant, quarante ans plus tard, elle entendait encore l'écho de sa propre voix quand elle avait dit à Blackie : « Détruis aussi le jardin. Je ne veux pas qu'il subsiste un seul bouton de rose, une seule feuille d'arbre. » Blackie lui avait obéi. Il avait anéanti cette roseraie où Edwin Fairley, d'une façon aussi inhumaine qu'humiliante, l'avait abandonnée avec l'enfant qu'elle portait et dont il était le père. Et, comme par miracle, en l'espace de quelques heures, le parc avait disparu à son tour de la surface de la terre. Ce n'est qu'alors seulement qu'elle s'était sentie délivrée des Fairley.

A la même époque, Emma avait acquis la filature. Elle s'était efforcée de donner aux ouvriers des salaires convenables, du temps libre et divers autres avantages. Elle s'était acharnée à aider les gens du pays à survivre pendant bien des années et cela lui avait souvent coûté très cher. Mais le monde ouvrier faisait partie d'elle-même, en quelque sorte, puisque c'était de ce monde-là qu'elle venait. Il gardait encore dans son cœur une place de choix. La pensée de laisser tomber un seul des ouvriers de Fairley la désespérait. Malheureusement, il n'y avait rien d'autre à faire, cette fois.

Mieux valait faire tourner la filature avec la moitié de ses employés que de la fermer définitivement.

— Au fait, Alexandre, en as-tu parlé à Kit ? demanda-t-elle en se retournant à demi.

— A l'oncle Kit ?... Non, je n'en ai rien fait, pour la bonne raison qu'il n'était pas là. De toute façon, les filatures ne semblent pas l'intéresser beaucoup, et celle de Fairley moins que les autres. Il paraît s'en ficher complètement depuis que vous l'avez bazardé.

— Eh bien, en voilà une façon de parler ! s'écria Emma un peu choquée en revenant vers sa table de travail. Je ne l'ai pas « bazardé », je l'ai écarté de ma succession au profit de sa fille, souviens-t'en. Tout comme j'ai écarté ta mère à ton profit et au profit d'Emily. Et ton oncle Robin au profit de Jonathan. Tu sais très bien pourquoi. Je n'ai pas besoin de m'étendre à nouveau là-dessus. N'oublie pas, enfin, que mon testament ne prendra effet qu'à ma mort... et que je ne suis pas pressée !

— Oh ! moi non plus ! s'écria vivement Alexandre, consterné par l'allusion.

Emma lui sourit. Elle connaissait trop l'affection qu'il lui portait pour douter de sa sincérité.

— Bon, reprit-elle d'une voix grave, ne parlons plus de Kit. Bien entendu, je m'étais rendu compte de ses absences. J'espérais pourtant qu'il faisait une petite apparition de temps en temps pour sauver les apparences.

— Oh ! ça, il le fait !... Mais il est lugubre et si renfrogné qu'il ferait mieux de s'en abstenir. Par ailleurs, je n'arrive vraiment pas à savoir à quoi il occupe ses journées.

— Si je connais bien mon fils aîné, il n'en fait pas grand-chose, déclara-t-elle, sarcastique. Il n'a jamais eu d'imagination.

Elle se promit d'avoir, au plus vite, une conversation avec Sarah, la fille de Kit, pour lui demander ce qui arrivait à son père. Il a de quoi être lugubre ! songea-t-elle. Mais il ne peut s'en prendre qu'à lui-même... Non, ce n'était pas exact : Robin l'avait aidé ainsi qu'Elisabeth et Edwina. Ils avaient tous été complices dans la conspiration ourdie contre leur mère.

— Puisque Kit n'est pas dans les parages, reprit Emma, au moins ne te mettra-t-il pas de bâtons dans les roues. Pour toi, la voie est libre. Tu peux agir immédiatement. Tu as ma bénédiction.

— Merci, grand-mère. Je sais que nous prenons la bonne décision. Et ne vous inquiétez pas au sujet des ouvriers à licencier. Ils auront le maximum de compensations, je vous le promets.

Elle lui lança un coup d'œil scrutateur. Je suis bien heureuse, se dit-elle, qu'il ne s'agisse pas d'Alexandre. Je ne pourrais supporter de le soupçonner de traîtrise et de duplicité. Cela me tuerait.

— Je suis contente que tu te sentes si concerné par la filature de Fairley et que tu en fasses une question personnelle, Sandy. C'est important pour moi. Je suis soulagée que tu me comprennes. Je veux dire... que tu comprennes pourquoi cette filature-là me tient à cœur. Le passé, vois-tu, est toujours avec nous. Il continue à revendiquer une partie de nous-mêmes. J'ai compris depuis longtemps que nous ne pouvions lui échapper.

— C'est vrai, répliqua seulement le jeune homme avec un regard ému.

— J'ai l'intention de me rendre à Fairley la semaine prochaine. C'est moi qui expliquerai aux ouvriers tout ce qui va changer. Je leur parlerai moi-même des mises à la retraite, à ma façon. Je leur dois bien ça.

— Vous avez raison, grand-mère. Ils seront très heureux de vous voir. Ils ont tous de la vénération pour vous.

— Hum !... Ne dis pas de bêtises, Alexandre. N'exagère pas. Tu sais que je ne supporte pas l'exagération.

Alexandre se retint de sourire. Il la regarda en silence mettre de l'ordre dans ses papiers, la tête penchée sur la table. Bien qu'elle eût protesté d'un ton presque irrité, il avait perçu un étrange émoi à travers la rudesse de ses propos. Ce qu'il venait de dire l'avait touchée, mais il était amusé par son dernier reproche. Franchement, il y avait de quoi rire, étant donné que la vie tout entière d'Emma n'était qu'une énorme exagération. Avec elle, la réalité dépassait la fiction.

— Quoi, tu es toujours là ? dit-elle soudain en relevant la tête et en fronçant les sourcils. Tu devrais être presque arrivé au bureau à l'heure qu'il est avec tout le travail que tu as aujourd'hui. Allez, fiche le camp !

Alexandre obéit avec bonne humeur. Il se leva d'un bond, puis fit le tour de la table pour la serrer dans ses bras et mettre un baiser sur ses beaux cheveux argentés.

— Vous êtes vraiment unique au monde, Emma Harte ! lui dit-il tendrement. Vraiment, vraiment unique !

2

— A part Emma Harte, personne n'aurait pu nous faire une proposition aussi ridicule ! rugit Sébastien Cross.

— Ce n'est pas elle qui vous la fait, mais moi, répliqua Paula d'un ton glacial en le dévisageant sans ciller.

— Balivernes ! C'est votre grand-mère qui parle, ce n'est pas vous !

Paula se raidit sur sa chaise et retint la protestation qui lui montait aux lèvres. En affaires, il fallait savoir garder son sang-froid. Surtout avec un personnage aussi odieux. Elle n'allait pas se laisser démonter par un individu qui voulait la persuader que sa grand-mère tirait les ficelles à sa place.

— Peu importe ce que vous pensez, dit-elle après un petit silence. Peu importe de qui vient la proposition que je vous fais. C'est à prendre ou à laisser.

— Alors, je vous la laisse, rétorqua Sébastien, plein de rancœur.

Il haïssait tout ce que représentait la jeune femme : une personnalité exceptionnelle, une beauté singulière, la fortune et le pouvoir.

— Qui diable se soucie d'avoir votre aide ou celle de votre grand-mère ? reprit-il avec un éclair de fureur dans ses yeux noirs.

— Allons, allons, Sébastien, ne précipitons rien ! s'écria John Cross. Je t'en prie, calme-toi.

Du regard, il intima à son fils l'ordre d'être prudent. Puis, devenu étonnamment conciliant, il se tourna vers Paula.

— Veuillez excuser mon fils. Il est assez bouleversé, c'est naturel. Après tout, votre proposition ne pouvait que le surprendre. Il est très attaché à *Aire Communications,* comme je l'ai toujours été moi-même, et il n'a pas plus que moi envie de quitter la compagnie. Bref, nous restons fermes sur nos propositions et nous espérons tous les deux que notre statut actuel ne changera pas. Je serai toujours président du conseil d'administration et Sébastien directeur général : *Harte Enterprises* doit l'accepter !

— Je ne crois pas que ce soit possible, monsieur.

— Laisse tomber, papa ! hurla Sébastien. Nous trouverons de l'argent ailleurs.

— Nous sommes votre seul recours, ne put s'empêcher de répliquer froidement Paula.

Elle tendit la main vers son porte-documents et se leva.

— Puisque nous sommes dans l'impasse, reprit-elle d'un ton ferme, il n'y a rien à ajouter. Il vaut mieux que je m'en aille.

John Cross se leva à son tour précipitamment et la retint par le bras.

— Je vous en prie, rasseyez-vous. Parlons encore un peu.

Paula hésita et le regarda bien en face. Au cours de leur brève discussion, le fils n'avait cessé de tempêter et de fulminer. John Cross, lui, avait feint une attitude inflexible. S'il avait louvoyé, c'était pour tenter d'amener Paula à composition, et cela en dépit des engagements qu'il avait pris préalablement. Maintenant, pour la première fois, elle décelait en lui un signe de fléchissement. Peut-être n'en était-il pas conscient, mais les tensions et les angoisses qu'il avait connues ces derniers mois l'avaient marqué. Il avait le visage amaigri, l'air épuisé. On lisait une sorte de désespoir résigné dans ses yeux. Il sait que j'ai raison, pensa Paula en le dévisageant. Mais il ne veut pas l'admettre, l'imbécile! Immédiatement, elle rectifia son jugement : l'homme qu'elle avait devant elle n'était pas un imbécile. Il était parti de rien quand il avait fondé *Aire Communications*. Malheureusement, il était maintenant dans l'erreur et il souffrait de cette grave maladie qu'est l'aveuglement paternel. Il attribuait à son fils des qualités que celui-ci ne possédait pas et qu'il ne posséderait vraisemblablement jamais. C'était là la cause de sa chute.

— Très bien, finit-elle par dire en se rasseyant. Je vous accorde quelques minutes de plus. Mais, franchement, je suis sûre que nous sommes dans l'impasse.

— Ce n'est pas tout à fait mon avis, répliqua Cross avec un vague sourire.

Il ne parvenait pas à cacher son soulagement de la voir rester et il alluma une cigarette pour se donner une contenance.

— Votre proposition est tout de même déconcertante, reprit-il. Nous avons besoin d'un apport financier, c'est un fait, mais nous refusons d'être chassés de notre propre compagnie. En nous adressant à vous, nous n'avions rien envisagé de tel.

Il se tut après avoir souligné son discours de quelques hochements de tête. Paula le regarda avec étonnement et elle eut un sourire bizarre.

— Eh bien, dit-elle, vous venez de rappeler l'essentiel : c'est vous qui êtes venus nous trouver et non le contraire. Vous en savez sans doute assez sur *Harte Enterprises* et sa façon de procéder pour comprendre que nous ne tenions pas à investir dans une compagnie en difficulté. Nous préférons acheter l'affaire, la réorganiser et lui donner une nouvelle direction. En d'autres termes, nous la relançons en douceur, avec efficacité et profit. Nous ne tenons pas à financer les opérations désastreuses des autres. Ce n'est pas rentable.

John Cross accusa le coup, mais se garda de protester.

— Je l'admets, je l'admets, se contenta-t-il de dire. Je pensais cependant... que nous pourrions trouver un compromis.

— Papa, je t'en prie ! s'écria Sébastien en s'agitant sur sa chaise.

Son père arrêta ses protestations d'un geste.

— Écoute-moi jusqu'au bout, Sébastien !... Paula, voici ce que nous devrions faire. Nous pourrions parfaitement arriver à un accord si *Harte Enterprises* acquérait cinquante-deux pour cent des parts de *Aire Communications*. Vous auriez ainsi le contrôle auquel vous tenez tant. Vous mettrez alors votre propre équipe pour faire la réorganisation que vous souhaitez et nous pourrons rester à...

— Papa ! Que racontes-tu ? Tu es fou ? hurla Sébastien. Où nous retrouverions-nous dans ce cas ?... Moi, je vais te le dire : à la rue !

— Je t'en prie, Sébastien ! glapit à son tour John Cross en perdant son sang-froid. Pour une fois, laisse-moi dire ce que j'ai à dire.

— Une minute, monsieur ! intervint Paula d'une voix légèrement exaspérée. Avant de poursuivre, j'insiste pour déclarer que cette solution ne nous intéresse pas. Nous voulons la totalité. C'est tout ou rien. Je vous le dis depuis...

— Voilà encore le vieux monstre qui parle par sa bouche ! s'exclama Sébastien d'un ton sarcastique. C'est toujours Emma Harte ! Allons, papa, laisse tomber ces bonnes femmes : ce sont des vautours, l'une comme l'autre. Celle-ci a été à bonne école ! Elle compte nous avaler tout crus. Elle est comme sa grand-mère qui a englouti tant de sociétés au cours des années ! Je te l'ai dit, nous pouvons bien nous passer d'elles.

Paula préféra ignorer cette sortie grossière dictée par la rancœur. Elle concentra son attention sur John Cross. Aussi stupéfaite qu'irritée de sa déloyauté, elle parvint pourtant à se contrôler.

— Monsieur, dit-elle d'une voix aussi calme que possible, bien avant notre présente rencontre, je vous ai laissé clairement entendre qu'il s'agissait pour nous de racheter la totalité des actions. J'ai du mal à croire que vous avez oublié nos précédentes conversations.

Elle le dévisagea froidement. La croyait-il stupide ?

John Cross rougit sous ce regard inquisiteur. Il ne se souvenait que trop bien des termes de la proposition, mais il avait espéré que l'affaire éveillerait suffisamment la convoitise d'Emma pour qu'il pût conclure la vente à son propre avantage. C'est avec soulagement qu'il avait appris que Paula était chargée de la négociation car il croyait pouvoir la manipuler. Maintenant, il voyait que son plan avait échoué. Peut-être Sébastien avait-il raison, après tout : ce devait être Emma qui tirait les ficelles. Un accès de colère aveugle le submergea.

— Tout de même, ce n'est pas honnête de votre part ! s'écria-t-il violemment.

— Honnête ?... répéta Paula d'une voix sèche. Il ne s'agit ni d'honnêteté, ni de malhonnêteté. Mais je suis surprise que vous osiez employer ce mot. Je vous ai dit aujourd'hui même que *Harte Enterprises* vous offrait deux millions de livres pour *Aire Communications*. C'est plus que de l'honnêteté, c'est de la générosité ! Votre société est au bord de la faillite... Bon, je suppose que c'est votre affaire, monsieur, et non la mienne. Cette fois, nous n'avons plus rien à nous dire.

— Au cas où nous accepterions, resterions-nous dans la compagnie, mon fils et moi ?

Elle fit signe que non.

Après quelques instants de réflexion, John Cross prit une décision douloureuse, mais apparemment inévitable.

— J'accepterais de me retirer, reprit-il. Après tout, j'ai presque atteint l'âge de la retraite. Mais il faut que vous reconsidériez votre décision en ce qui concerne Sébastien. Personne ne connaît la compagnie aussi bien que mon fils. Il vous rendra des services inestimables. J'insiste pour qu'il fasse partie du nouveau comité directeur et pour que vous l'engagiez comme expert avec un contrat de cinq ans. Avant d'aller plus loin, il me faut votre garantie là-dessus, et par écrit.

— Non, dit-elle fermement. Il n'y aura aucun poste réservé à votre fils si nous achetons *Aire Communications*.

John Cross demeura silencieux.

Plein de rancœur et de mépris, Sébastien se tourna vers son père. L'autre baissa les yeux, incapable d'affronter ce regard accusateur, et il se mit à tripoter son stylo en or. Sébastien se leva, bouillant de rage, et traversa la pièce en direction de la fenêtre. Il resta planté là, le dos raidi, à regarder dehors en maudissant intérieurement Paula.

Elle sentait qu'il la haïssait bien qu'elle ne pût voir son visage. Elle se tourna de nouveau vers le père. Ils se dévisagèrent en attendant mutuellement que le vis-à-vis fît le premier geste.

Paula avait devant elle un homme au visage émacié et aux cheveux grisonnants qui avait franchi le cap de la soixantaine et qui, parti du bas de l'échelle, avait fini par acquérir un certain vernis et un air distingué. Mais c'était un homme aux abois. La compagnie qu'il avait fondée était en train de sombrer comme un vaisseau de guerre à la coque déchirée par les torpilles. Il semblait prêt à accepter la bouée de sauvetage qu'elle lui avait lancée. S'il se résignait à cette solution, c'était par amour pour son fils, ce fils indigne qui avait ruiné son œuvre. En voyant tressaillir le visage de Cross, Paula détourna le regard.

John Cross, de son côté, avait en face de lui une jeune femme impressionnante de raffinement et d'élégance. Le tailleur rouge qu'elle portait sur son chemisier de soie blanche venait, de toute évidence, de chez un grand couturier, mais elle n'avait d'autres bijoux que son alliance et sa montre en or. Cross savait que Paula McGill Amory Fairley ne devait guère avoir plus de vingt-cinq ans, bien que son air réservé et distant la fît paraître plus âgée. Dans son genre, elle était aussi remarquable que sa célèbre grand-mère. Ses cheveux noirs et luisants, ses yeux bleus aux reflets violets et son teint de nacre étaient sans doute admirables, mais alors que l'aspect d'Emma, par son éclat de rousse et ses cheveux d'or brun, avait autrefois suggéré une douceur et une féminité ensorcelantes, la beauté de Paula était un peu glaçante — du moins, selon les critères de Cross. Et ses traits n'avaient pas la perfection de ceux d'Emma. Néanmoins, les deux femmes possédaient la même autorité. La petite-fille avait hérité, semblait-il, du caractère inflexible de l'aïeule, tout comme de sa curieuse plantation de cheveux en pointe sur le front et de son regard acéré, pénétrant, brillant d'intelligence. Avec accablement, Cross continua d'examiner ce beau visage qui ne souriait pas.

Il n'arriverait jamais à la fléchir... En prenant conscience de cette évidence déplaisante, il fit une nouvelle volte-face et prit une autre décision, définitive, cette fois. Tant pis ! Il allait chercher des capitaux ailleurs et exiger le maintien de Sébastien dans la compagnie. Il avait le devoir d'assurer l'avenir de son fils. C'était la seule chose à faire, la seule chose convenable et juste. S'il ne protégeait pas d'abord son fils, sa vie n'aurait plus de sens.

Ce fut lui qui, finalement, rompit le long silence.

— Nous sommes dans une impasse, Paula. Je dois l'admettre. Pardon pour le temps que je vous ai fait perdre. Dites à votre grand-mère, je vous prie, que ses conditions sont trop dures.

Paula eut un petit rire quand ils se levèrent tous les deux.

— Ce sont mes conditions et non les siennes, monsieur, déclara-t-elle en lui tendant poliment la main. Mais vous ne me vexez pas. Je vous souhaite beaucoup de chance.

— Merci, répondit-il d'une voix un peu tremblante. Je vais vous reconduire jusqu'à l'ascenseur.

— Au revoir, Sébastien, dit Paula en passant près de la fenêtre.

Le jeune homme se retourna et fit un petit salut courtois, mais elle ne put s'empêcher de frissonner en voyant son expression amère. Il y avait tant de haine sur ce visage glacé qu'elle entendit à peine ce qu'il murmurait. Elle venait de se faire un ennemi mortel.

3

Paula était vraiment folle de rage.

Tout en s'éloignant rapidement d'*Aire Communications*, elle s'empressa d'analyser la situation. Elle avait accusé le coup en découvrant la personnalité vindicative du fils Cross et en se rendant compte qu'il lui vouait désormais une haine absolue, mais elle préféra s'attarder sur le cas du père, bien plus déconcertant. Depuis le début, John Cross avait paru à peu près d'accord sur les termes du marché et ce n'était qu'à la dernière minute qu'il avait tourné casaque.

Elle n'avait pas besoin de chercher bien loin pour comprendre sa manière d'agir. Il n'avait évidemment pas voulu perdre la face devant ce fils ambitieux dont la présence même lui faisait perdre tous ses moyens. Cependant, Paula était certaine que l'honneur et l'intégrité morale comptaient plus que tout pour cet homme. Comment avait-il pu, dans ce cas, adopter devant son fils une conduite déshonorante ? Mais peut-être était-il vain de se poser la question. Un garçon aussi malhonnête que Sébastien ignorait ce qu'étaient l'honneur et la parole donnée. Au cours de l'entretien, en s'apercevant qu'elle ne pouvait faire confiance à John Cross, Paula avait eu un moment de stupéfaction. En tant qu'homme d'affaires, sa réputation était excellente dans le Yorkshire. S'il ne passait pas toujours pour un aigle, on le jugeait au moins digne d'estime. Qu'il fût revenu sur sa parole semblait inconcevable.

Elle pressa le pas et sa colère s'accrut quand elle se remémora toute la discussion. Sa grand-mère allait être furieuse, elle aussi. Emma Harte ne tolérerait pas d'avoir été dupée par un imbécile, d'autant qu'elle ne supportait pas qu'on manquât de parole. Elle se contenterait peut-être de hausser dédaigneusement les épaules et de se détourner avec hauteur. Mais elle pouvait aussi claironner l'opinion qu'elle avait de Cross et ruiner à jamais sa réputation par des remarques cinglantes. Elle était intransigeante sur les questions d'honneur. Cela, tout le monde le savait.

La pensée qu'Emma Harte allait remettre cet hypocrite à sa place amena un éclair de gaieté dans les yeux de Paula. Franchement, il ne l'aurait pas volé ! Mais ce qui l'attendait était pire encore. C'était la faillite, la ruine totale, la disparition... Il se payait de mots en affirmant qu'il trouverait aisément un autre financement. Paula était au courant des rumeurs. Personne ne viendrait au secours d'*Aire Communications*. Pas même la bande de vautours qui rachetait les sociétés en difficulté et les rongeait jusqu'à l'os avant d'en abandonner le squelette.

Au croisement d'Albion Street, Paula se fit la réflexion que John Cross n'avait aucune idée précise de ce qui allait arriver. La ruine d'*Aire Communications* allait faire de nouveaux chômeurs. Nous aurions pu sauver la compagnie et, mieux encore, sauver ces gens, murmura-t-elle. Cet homme est inconscient! Depuis sa petite enfance, sa grand-mère à elle lui avait inculqué le sens des responsabilités. C'était, en effet, une des règles d'or d'Emma Harte.

« La fortune et le pouvoir impliquent d'énormes responsabilités. Ne l'oublie jamais, lui avait-elle dit maintes fois. Nous devons toujours nous préoccuper du sort de ceux qui travaillent pour nous. » C'était uniquement par jalousie que les autres industriels, adversaires ou concurrents d'Emma Harte, la dépeignaient comme une femme dure, impitoyable et assoiffée de puissance. Aucun, pourtant, n'aurait eu l'audace de lui dénier sa rigoureuse équité. Et tous les employés de *Harte Enterprises* connaissaient d'expérience son esprit de justice.

Paula s'arrêta pour reprendre son souffle et tenter de se calmer. Elle tenait à se débarrasser de la colère qui l'avait envahie. Quand elle reprit sa marche, son allure était plus paisible. En atteignant Commercial Street, elle avait presque retrouvé son calme. Elle musa un peu le long des vitrines avant d'arriver devant le grand magasin E. HARTE, au bout de la rue.

— Bonjour, Alfred, dit-elle en souriant au portier en uniforme qu'elle connaissait depuis son enfance.

— Bonjour, mademoiselle Paula, répliqua-t-il aimablement en mettant le doigt à sa casquette. Il fait drôlement beau, aujourd'hui. Un temps superbe, c'est le cas de le dire. Espérons que ça se maintiendra demain pour le baptême de vos petits.

Il lui ouvrit la porte avec un large sourire. Elle traversa rapidement le rayon des parfums et prit l'ascenseur pour le quatrième étage. A son arrivée, Agnès, sa secrétaire, leva les yeux.

— Oh! mon dieu, madame, vous avez manqué M. O'Neill, dit-elle d'un air ennuyé. De quelques minutes seulement. Quel dommage! Shane O'Neill... Il vous a attendue un bon moment, mais il vient de partir car il avait un rendez-vous.

Paula s'arrêta, brusquement émue. Puis elle se ressaisit.

— A-t-il dit ce qu'il voulait? A-t-il laissé un message?

— J'ai cru comprendre qu'il était passé au magasin pour vous dire bonjour. Il m'a seulement demandé de vous confirmer qu'il viendrait au baptême.

— Ah bon! Rien d'autre, Agnès?

— M. Fairley a téléphoné de Londres. Vous pouvez le rappeler : il déjeune au Savoy. Il arrivera ce soir à six heures avec vos parents. Il y a d'autres messages sur votre bureau, mais rien d'urgent... A propos, comment s'est passé votre rendez-vous à *Aire Communications*?

Le visage de Paula s'assombrit.

— Assez mal. Je devrais même dire très mal.

— J'en suis désolée, madame. Quand je pense au nombre d'heures que vous avez passé à examiner les bilans et à préparer les contrats!...

A trente-huit ans, Agnès Fuller avait déjà les cheveux grisonnants. Elle avait un visage banal, mais son expression renfrognée cachait un cœur d'or.

D'abord simple employée du magasin, elle était sortie du rang et, quand Paula l'avait choisie comme secrétaire particulière, elle avait été aussi flattée qu'angoissée. Car Paula était l'héritière présomptive et la petite-fille préférée d'Emma Harte. Certains membres du personnel la trouvaient froide, hautaine, inflexible et assez snob. Ils prétendaient qu'elle n'avait pas la classe d'Emma. Mais Agnès avait vite découvert que Paula ne correspondait pas à la description qu'en faisaient ses détracteurs. Elle n'était que réservée et même un peu timide. Ses scrupules, sa prudence et son acharnement au travail la faisaient sans doute mal juger. Agnès, depuis trois ans, avait appris à l'aimer, à l'admirer et à la considérer non seulement comme une directrice remarquable, mais encore comme une personne chaleureuse, aimable et soucieuse du bien-être d'autrui.

En regardant sa jeune patronne à travers ses lunettes à double foyer, Agnès s'aperçut que Paula était plus pâle que d'habitude et qu'elle semblait épuisée. Elle lui lança un regard compatissant.

— Tout ça est très ennuyeux, dit-elle en hochant la tête. J'espère que vous n'allez pas laisser cette histoire vous empoisonner la vie, surtout pendant ce week-end.

— Je vous le promets. Comme dit ma grand-mère : un coup l'on gagne, un coup l'on perd... Ce coup-ci, nous avons perdu ! Mais, quand on y songe, ça vaut peut-être mieux. Bon, excusez-moi, Agnès, je vous verrai plus tard.

Paula entra dans son bureau et s'installa devant la grande table de travail. Après avoir sorti le dossier Cross de son porte-documents, elle prit un stylo à encre rouge et écrivit «CLOS» en majuscules sur la chemise. Puis elle se leva pour mettre le dossier dans un classeur. De retour à sa table, elle se dit qu'en effet l'affaire était close en ce qui la concernait. C'était un fiasco. Il fallait l'oublier.

Elle eut envie d'appeler sa grand-mère pour la mettre au courant, puis elle y renonça, sachant qu'Emma était occupée ce matin-là avec Alexandre et Emily. Elle se promit de faire un saut à Pennistone, plus tard dans la journée, pour lui exposer la situation. Emma serait déçue, bien entendu, mais cela ne durerait pas, car Paula lui trouverait vite quelque chose d'autre à se mettre sous la dent.

Elle prit le téléphone pour rappeler les gens qui lui avaient laissé des messages. Puis elle signa une pile de lettres tapées par Agnès. Enfin, plus détendue, elle jeta un coup d'œil à ses communications personnelles.

Sa mère avait téléphoné. «Rien d'urgent. Inutile de me rappeler. A ce soir.» Agnès avait ajouté un post-scriptum de son cru : «Mme Amory avait l'air en grande forme et ravie de venir demain. Conversation très agréable. Elle a changé de coiffure et portera pour la circonstance un costume gris de chez Dior.»

Après avoir souri aux commentaires d'Agnès, Paula examina le message laissé par sa cousine, Sarah Lowther. Celle-ci faisait dire qu'elle avait un rhume et craignait de ne pas être d'aplomb pour le lendemain. «Mais elle ne semble pas malade du tout », avait ajouté Agnès. Comme c'est bizarre! se dit Paula. Il était évident que Sarah n'avait pas envie de venir. Et pourquoi donc? Perplexe, Paula passa au dernier message : Miranda O'Neill était à Leeds, au siège de *O'Neill Hotels International*. « Prière de la rappeler avant déjeuner. »

Paula s'exécuta. Mais la ligne était occupée, comme chaque fois que Miranda était en ville. A l'instar de Blackie, son grand-père, elle avait la langue bien pendue et ses appels pouvaient durer plus d'une heure. Machinalement, les pensées de Paula allèrent à Shane, le frère de Miranda. Elle était très déçue d'avoir manqué sa visite. Il passait si rarement, ces derniers temps. Il avait eu l'habitude de venir la voir pendant des années, soit à Leeds, soit à Londres, et quand il avait arrêté ses visites sans crier gare, elle avait été aussi surprise que vexée.

Shane O'Neill, fils de Bryan et petit-fils de Blackie, était l'ami d'enfance de Paula. Ils avaient grandi côte à côte, ils étaient allés en classe ensemble, ils étaient restés si longtemps inséparables qu'Emma avait fini par surnommer Paula « l'Ombre ». Mais cela faisait des mois que Paula n'avait pas revu Shane. Il voyageait beaucoup entre l'Espagne et les Caraïbes, où se trouvaient la plupart des hôtels de la chaîne O'Neill. Quand il était en Angleterre et qu'elle le rencontrait par hasard, il avait toujours l'air préoccupé et distant. Comme c'était étrange que leur amitié se fût rompue si brusquement un an plus tôt! Lorsqu'elle avait eu l'occasion d'interroger Shane à ce sujet, il l'avait regardée d'un air bizarre en prétendant qu'elle se faisait des idées. Il avait mis son éloignement sur le compte des affaires. Mais peut-être avait-il mûri plus vite qu'elle. Dommage! se dit Paula. Il me manque. Je regrette bien d'avoir été absente tout à l'heure.

La sonnerie du téléphone la ramena à la réalité. Elle décrocha.

— C'est Mademoiselle O'Neill, madame, dit Agnès.

— Merci. Passez-la-moi, s'il vous plaît.

Presque aussitôt, la voix mélodieuse de Miranda résonna dans l'appareil.

— Bonjour, Paula. J'ai trouvé préférable de te rappeler car mon téléphone est occupé depuis une éternité.

— Comme de bien entendu! répliqua Paula avec un rire complice. Quand es-tu arrivée de Londres?

— Hier soir, avec Shane. C'est la dernière fois que je fais le trajet avec lui, je te l'avoue. Il est devenu un maniaque du volant. J'ai cru que nous finirions dans le fossé. C'est un miracle que je sois encore entière. J'étais tellement secouée en arrivant que maman a compris tout de suite. Elle m'a défendu de remonter dans sa voiture et elle lui a passé un de ces savons!...

— J'ai du mal à te croire! Ta mère est en admiration devant Shane.

— Pas en ce moment, ma chérie. Il en a pris pour son grade.

— Shane est passé au bureau, aujourd'hui.

— Ça c'est épatant! Je me suis demandé, moi aussi, pourquoi il te battait froid. C'est un drôle de numéro, mon grand frère. Alors, que t'a-t-il raconté?

— Rien. Je n'étais pas là.

— Eh bien, rassure-toi, il va assister au baptême. Tu avais des doutes, mais il m'a juré qu'il viendrait. Tiens-toi bien, il m'a même offert de m'y emmener! J'ai refusé. Je pensais partir avec grand-père, mais il préfère la voiture de tante Emma. Tant pis! Je me débrouillerai... Écoute, Paula, pourquoi ne pas déjeuner ensemble aujourd'hui? Je dois passer au magasin prendre un paquet pour ma mère. On pourrait se retrouver à «La Cage aux Oiseaux» dans une demi-heure. Qu'en penses-tu?

— J'en serais ravie.

— Alors, à tout à l'heure.

Paula mit un peu d'ordre sur son bureau. Elle se réjouissait de retrouver Miranda: c'était une fille délicieuse et vraiment peu banale, un mélange de douceur, de gaieté et de vivacité. Elle avait un caractère insouciant. On la sentait toujours prête à rire.

Paula se demanda quelle tenue extravagante Miranda avait bien pu arborer ce jour-là. A vingt-trois ans, elle avait gardé un goût prononcé pour les déguisements. Elle aimait les vêtements époustouflants, qu'elle portait d'ailleurs avec beaucoup d'esprit et de chic alors que, sur n'importe qui d'autre, ils eussent été parfaitement ridicules. En fait, ils convenaient généralement à merveille à sa taille élancée et à son allure un peu garçonnière. Ils accentuaient le côté fantasque de sa personnalité. Paula avait des trésors d'indulgence pour cette charmante originale, car elle admirait avant tout sa liberté d'esprit. Emma adorait Miranda, elle aussi, et prétendait que la petite-fille de Blackie était pour eux tous un vrai remède à la mélancolie. «C'est quelqu'un de bien, avait-elle dit récemment à Paula. Elle me rappelle de plus en plus sa grand-mère. Oui, Miranda ressemble beaucoup à Laura et Laura était la meilleure des femmes. En plus, cette petite a beaucoup de jugeote et je suis très heureuse que vous soyez devenues de si bonnes amies. Toute femme a besoin d'une véritable amie, je m'en rends compte. Après la mort de Laura, moi, j'ai dû faire mon deuil de l'amitié.»

Tout de même, songea Paula, elle a eu Blackie et elle l'a toujours. Alors que, moi, je n'ai plus Shane. Il est étrange pourtant que Miranda et moi nous soyons rapprochées à ce point depuis que Shane s'est éloigné...

On frappa à la porte. Agnès entra.

— Voici des épreuves qui viennent d'arriver du service de publicité. Pouvez-vous y jeter un coup d'œil?

Paula les examina et les rendit à la secrétaire après y avoir apposé son paraphe.

— Oh! Agnès!... Pouvez-vous téléphoner à «La Cage aux Oiseaux»? Retenez ma table habituelle, s'il vous plaît. Pour midi.

Autrefois, quand Emma Harte avait choisi d'installer un restaurant-salon-de-thé au second étage de son grand magasin, elle l'avait décoré dans le style d'un jardin campagnard anglais, avec des papiers peints panoramiques représentant des scènes pastorales, un mobilier de rotin, des feuillages artificiels sur des treillis blancs et des cages à oiseaux de facture ancienne.

Au cours des ans, chaque fois qu'elle transformait son petit bistrot, la nouvelle décoration incluait toujours quelque élément de nature, parfois avec un certain exotisme, car elle laissait souvent vagabonder son imagination. Après un voyage sur le Bosphore avec Paul McGill, elle s'était amusée à reconstituer une cour de sérail : mosaïques, papier peint représentant des paons sur fond argenté, palmiers en pots et fontaine jaillissante. Elle avait été ravie de constater que l'endroit devenait rapidement le rendez-vous favori non seulement des clientes du magasin, mais encore de beaucoup d'hommes d'affaires qui s'y retrouvaient pour déjeuner. Une autre fois, ce fut au folklore régional qu'Emma emprunta son motif décoratif. La cour de sérail devint cour d'honneur d'un château écossais avec un mobilier rustique et des tartans de couleurs vives. Puis, à cette ambiance des Highlands, elle fit curieusement succéder celle d'une maison de thé extrême-orientale. Vint ensuite une évocation de la Russie du XIXe siècle, qui finit par céder la place à une « vue » sur la Riviera... En 1960, Emma réalisa encore un nouveau décor. Cette fois, elle trouva son inspiration dans les gratte-ciel new-yorkais. Elle couvrit les murs de photos gigantesques de Manhattan pour recréer l'ambiance d'une terrasse en plein ciel. Mais, à la fin de l'été 1968, elle s'était enfin lassée de jouer les décoratrices. Et comme l'endroit avait besoin d'être complètement refait, elle en laissa tout le soin à Paula en lui recommandant d'avoir une idée originale.

Étant donné que Paula n'ignorait rien de l'histoire des grands magasins HARTE, elle se souvint des photos du premier décor. Elle fit un tour aux archives, retrouva les esquisses et les plans d'origine et fut frappée par la singulière beauté des cages anciennes. Sachant qu'on les avait soigneusement entreposées dans les sous-sols, elle les fit remonter. Ce fut ainsi que le petit restaurant devint « La Cage aux Oiseaux ».

Après avoir fait repeindre et vernir les vieux barreaux de bois et de cuivre, Paula avait installé sa petite collection de cages le long de murs retapissés de papier peint couleur de citron vert, où figuraient les fins croisillons d'un treillage. Des tables et des fauteuils de rotin laqués blanc complétaient le décor. Par ailleurs, Paula adorait le jardinage. Cela lui donna l'idée d'agrémenter « La Cage aux Oiseaux » d'une quantité de plantes vertes, de petits arbres et d'arbustes à fleurs. Une profusion d'azalées et d'hortensias constituèrent ainsi un véritable jardin, fleuri en toutes saisons, au cœur du grand magasin. Quand Emma vint le voir et reconnut certains éléments de son premier décor, elle prit cela à bon escient comme un discret hommage rendu à son propre talent et elle en fut passablement flattée.

A midi passé de quelques minutes, ce vendredi matin, Paula entra d'un pas alerte dans « La Cage aux Oiseaux ». Elle s'avança au milieu des tables où s'installaient déjà les clientes et aperçut presque aussitôt les beaux cheveux auburn de Miranda O'Neill. La masse cascadante d'ondulations et de boucles qui encadrait son visage en forme de cœur semblait capter toute la lumière ambiante et brûler comme une grande flamme. Miranda leva le nez du menu qu'elle parcourait et fit un signe de reconnaissance.

— Excuse-moi d'être en retard, lui dit Paula. J'ai un petit problème avec l'éclairage d'un salon et j'ai tenu à ce qu'on fasse des essais. Mais ça ne va toujours pas, je le crains.

— Oh! là là!... repartit Miranda avec malice. C'est sûrement un calvaire de diriger un grand magasin, mais j'échangerais volontiers mon métier contre le tien. Tu n'imagines pas les tracas que donnent les relations publiques dans une chaîne d'hôtels.

— Si je me souviens bien, tu as pourtant longtemps harcelé ton père pour obtenir ce poste-là.

— C'est vrai, mais si j'avais su...

Miranda prit un air accablé, puis elle eut la bonne grâce de rire.

— Bah! je crois que j'aime ça! reprit-elle. Seulement de temps en temps, ça m'assomme. Pourtant, en ce moment, je suis dans les petits papiers de papa. Il est très satisfait de ma dernière campagne publicitaire et, l'autre jour, il est allé jusqu'à dire que j'avais eu une bonne idée. Pour lui, c'est un grand compliment. Il m'a même promis que, si je continuais sur ma lancée, il m'enverrait quelques semaines à La Barbade pour m'occuper de l'hôtel que nous venons d'acheter là-bas. Nous l'avons réaménagé et redécoré. Nous allons en faire un Quatre Étoiles, un établissement de grand luxe. Pour la chaîne, il s'agit d'un investissement de prestige.

— C'est merveilleux, Miranda. Je suis ravie pour toi. Maintenant, dis-moi, qu'allons-nous manger? Je ne veux pas te bousculer, mais aujourd'hui je dois quitter le magasin plus tôt que d'habitude.

— Pas de problème. Je suis assez pressée moi-même... Je crois que je vais prendre un carrelet.

— Bonne idée. Moi aussi.

Après avoir passé la commande, Paula se retourna vers Miranda avec un regard admiratif. Cette fois, la jeune fille s'était déguisée en chasseresse. Sa veste au grand col largement ouvert et aux manches trois-quarts était lacée par-devant sur une chemise de soie blanche à manches longues.

— Tu fais concurrence à Robin des Bois, ma chérie. Avec ce daim vert forêt, il ne te manque plus qu'un petit carquois et un chapeau de feutre à grande plume.

— Figure-toi que j'ai le chapeau! répliqua Miranda en éclatant de rire. Mais je n'ai pas osé le mettre de peur que tu me prennes pour une cinglée.

Elle se recula sur sa chaise pour montrer le pantalon collant et les bottes de daim vert qui lui montaient jusqu'au dessus des genoux.

— En me voyant ce matin, reprit-elle, Shane m'a demandé dans quel mélo je jouais le rôle d'un travesti. C'est raté, j'en ai peur. Ai-je vraiment l'air déguisée?

— Pas tout à fait. Moi, je regrette que tu n'aies pas mis le chapeau. Tu sais bien que j'adore tes fantaisies vestimentaires.

— Venant d'une personne aussi élégante, ça me flatte!... A propos, que faites-vous ce soir, Jim et toi? Puis-je vous emmener dîner?

— Impossible. Mais, si tu ne crains pas de t'ennuyer à Pennistone, pourquoi ne pas te joindre à nous ? Grand-mère préside un dîner de famille.

— Tu retardes, Paula ! Ce soir, ta grand-mère a un rendez-vous d'amour avec mon grand-père... Imagine un peu, à leur âge !

— Tu dois te tromper ! s'écria Paula. Grand-mère ne peut pas nous faire ce coup-là.

— Non, non. J'ai entendu Shane le dire à mon père : grand-père emmène tante Emma dîner dehors. Mais je plaisantais en parlant de rendez-vous d'amour, puisque Shane les accompagne.

— Eh bien, grand-mère a dû changer ses projets, dit Paula assez effrayée à la perspective d'un dîner familial sans son aïeule. J'espère que ma mère jouera les maîtresses de maison à sa place, mais je ne comprends pas pourquoi grand-mère ne m'en a pas parlé.

— En effet, ce n'est pas son genre, admit Miranda en riant. Mais quand mon grand-père est de mèche avec ta grand-mère, ils deviennent impossibles. Je lui ai dit l'autre jour qu'il était grand temps pour lui de régulariser sa situation et de faire enfin de tante Emma une femme honnête.

— Si quelqu'un est impossible, c'est bien toi, Miranda ! Que t'a répondu l'oncle Blackie ?

— Il a prétendu n'avoir attendu que mon approbation et s'est déclaré prêt à faire sa demande. Après tout, ça ne serait pas une mauvaise idée, n'est-ce pas ?

Paula ne répondit à la question que par un sourire.

— Pour en revenir au dîner de ce soir, reprit-elle, tu seras la bienvenue. Viens vers sept heures pour les cocktails. Nous dînerons à huit heures et demie.

— Merci, ma chérie. Tu m'évites une soirée barbante avec papa et maman. En ce moment, ils sont incapables de parler d'autre chose que du bébé.

— Je crains que ce ne soit pas plus amusant chez nous. Ma mère est devenue gaga depuis la naissance des jumeaux.

— Je te défends de critiquer tante Daisy ! Elle est adorable, elle ne vous ressemble pas du tout...

Miranda s'arrêta brusquement, très gênée de son lapsus. Sa peau claire piquetée de taches de rousseur avait viré à l'écarlate.

— Que veux-tu donc dire ? demanda Paula en essayant de prendre l'air vexé.

— Rien de ce que j'ai eu l'air de dire ! protesta Miranda, embarrassée. Je ne faisais référence ni à toi, ni à tante Emma, mais à tes oncles et tantes. Excuse ma grossièreté.

— Tu sais, je suis du même avis que toi.

Paula demeura un moment silencieuse. Elle pensait à sa tante Edwina, comtesse douairière de Dunvale, qui devait arriver d'Irlande dans la soirée. C'était elle qui avait été le prétexte de sa première dispute avec Jim, quelques semaines plus tôt. A la grande surprise de Paula, Jim avait décidé qu'Edwina serait invitée au baptême. Paula lui avait rappelé le peu d'estime que sa grand-mère avait pour Edwina, mais Jim n'avait pas tenu compte de sa remarque. Pour lui, Paula disait des bêtises et il lui avait rappelé de son côté qu'Edwina désirait faire la paix avec la famille. « D'accord, avait dit Paula avec résignation. Mais attends au moins que j'en aie parlé à grand-mère. » Emma, mise au courant, avait feint l'indifférence. Elle avait seulement recommandé à Paula de faire contre mauvaise fortune bon cœur. Mais elle avait pris ensuite un air si étrange que Paula la soupçonnait d'en vouloir un peu à Jim, elle aussi. Cependant, par amour pour son mari, la jeune femme avait fini par dominer sa déception et trouver des excuses à Jim : il n'avait plus de parents proches qu'il pût inviter au baptême de ses enfants et après tout la comtesse de Dunvale était à moitié Fairley. Si seulement Edwina n'avait pas eu tant de rancœur vis-à-vis de Paula et d'Emma !

Miranda, qui observait son amie, s'aperçut de son trouble.

— Tu es bien pensive, tout d'un coup, Paula. Qu'est-ce qui ne va pas ?

— Rien, absolument rien... Dis-moi plutôt comment va ta mère.

— Bien mieux, merci. Elle a finalement surmonté le choc de se retrouver enceinte à quarante-cinq ans et de donner le jour à une charmante enfant. La petite Laura est adorable. Si tu voyais mon grand-père jouer avec elle ! Il en est fou et il est aux anges qu'on lui ait donné le prénom de grand-mère... Ils avaient failli m'appeler comme ça, figure-toi.

— Ah bon ?

— Je ne sais pourquoi ils ont changé d'avis, mais j'aurais aimé m'appeler Laura. Je regrette tant de ne pas avoir connu ma grand-mère. C'était une femme extraordinaire que tout le monde adorait, surtout tante Emma.

— Oui, grand-mère ne s'est jamais consolée de la mort de Laura.

— Nous sommes tous embarqués sur le même bateau, tu ne crois pas ?

— Que veux-tu dire ?

— Les Harte et les O'Neill. Et les Fairley. Nos vies sont inextricablement mêlées. Nous ne pouvons pas nous débarrasser les uns des autres.

— Je crois que tu as raison.

— Moi, j'en suis heureuse. C'est plutôt bien de vous avoir comme seconde famille, toi, tante Emma et tante Daisy.

— Et c'est bien agréable, pour moi aussi, d'avoir les O'Neill comme parents, dit Paula avec émotion.

L'arrivée de leur commande interrompit leurs effusions. Pendant le quart d'heure qui suivit, la conversation roula principalement sur les nouveau-nés de Paula, le baptême du lendemain et la réception que donnerait Emma après la cérémonie.

— J'ai quelque chose d'important à te soumettre, déclara soudain Miranda d'une voix grave.

— Tu as des ennuis ? demanda Paula, inquiète.

— Pas du tout. Mais j'aimerais ton avis sur une idée que j'ai eue.

— De quoi s'agit-il ?

— Voilà : que dirais-tu d'une association d'affaires entre nous ?

— Je ne comprends pas, répliqua Paula, abasourdie.

Miranda reprit aussitôt la parole pour prévenir d'autres réactions.

— La semaine dernière, j'ai eu une inspiration en étudiant les plans du nouvel hôtel que nous créons à Marbella. L'architecte a projeté la construction d'une galerie marchande et l'idée m'est venue tout de suite que nous devrions y inclure une boutique de luxe. Alors, j'ai pensé à HARTE. Puis je me suis dit qu'une simple boutique ne t'intéresserait pas et je suis allée plus loin... Il s'agirait d'installer une boutique HARTE dans chacun de nos hôtels. Il y a celui que nous aménageons à La Barbade, celui de Torremolinos que nous refaisons de fond en comble et tous les autres... En fait, toute la chaîne a besoin d'un rajeunissement. Chacun pourrait avoir sa boutique et ce serait HARTE qui en prendrait la direction.

Miranda s'arrêta et tempéra un peu son enthousiasme pour scruter le visage de Paula, mais celui-ci restait indéchiffrable.

— Eh bien, qu'en dis-tu ? demanda-t-elle avec impatience.

— Pas grand-chose, répondit Paula sans se compromettre. En as-tu discuté avec l'oncle Bryan ?

— Oui. Papa approuve mon idée. Il a l'air assez emballé et il m'a demandé de t'en parler. Alors, prendrais-tu le risque avec nous ?

— Peut-être. Mais, bien entendu, il me faut l'avis de grand-mère.

Sans se départir de son habituelle prudence, Paula ne pouvait cacher que la proposition l'intéressait. Secrètement ravie, elle se disait : ce pourrait être formidable pour grand-mère. Qui sait si ce n'est pas exactement ce que je cherche pour l'occuper et lui faire oublier notre échec auprès des Cross ?

— Donne-moi un peu plus de détails, Miranda, déclara-t-elle alors d'une voix ferme.

Elle se redressa sur sa chaise et écouta avec attention les explications de la jeune fille. Il ne lui fallut que quelques minutes pour entrevoir tous les avantages de cette proposition.

4

Emma sursauta.

C'est incroyable, j'ai failli m'assoupir, songea-t-elle exaspérée. Il n'y a que les vieilles dames pour s'endormir ainsi au beau milieu de la journée... Puis elle rit. Après tout, elle était une vieille dame, même si elle refusait de parfois se l'avouer.

Elle changea de position sur le canapé, s'étira, arrangea sa jupe et prit aussitôt conscience que le feu était trop ardent dans la cheminée. Cette chaleur était insupportable, même pour quelqu'un d'aussi frileux. Rien d'étonnant à ce qu'elle se sentît fatiguée !

Rassemblant toute son énergie, elle se releva et se dirigea vers la fenêtre la plus proche. Elle l'ouvrit et respira à fond en s'éventant de la main. La vivacité de l'air lui fit du bien. Puis elle revint sur ses pas.

Elle s'attarda un peu à contempler les deux grands canapés disposés au milieu de la pièce, puis elle hocha la tête avec satisfaction devant la beauté de ce salon éclairé par la lumière dorée qui venait du dehors. Même sans soleil, elle en aimait le décor et c'était l'endroit qui lui plaisait le plus au monde.

Est-ce l'âge, je me le demande, qui nous fait nous attacher aux lieux familiers, à ceux que nous connaissons le mieux ? Est-ce le souvenir des années disparues et des êtres que nous avons tant aimés autrefois qui nous y retient et nous les rend si chers ? Oui, songea-t-elle, du moins en ce qui me concerne.

Pennistone était bien pour elle un lieu de prédilection. C'était en 1932 qu'elle avait acheté cette vieille demeure des environs de Ripon. La pièce qu'elle préférait était sans doute ce salon du premier étage où elle se tenait à présent et où elle avait éprouvé tant de douces émotions au cours des ans. Elle se demandait souvent pourquoi l'on avait baptisé cet endroit « le petit salon » ou « le salon du premier » alors qu'il n'avait rien d'un salon. Une nouvelle fois, elle se posa la question en laissant son regard errer sur ce qui l'entourait.

Par ses dimensions mêmes, la pièce avait une singulière beauté avec son haut plafond mouluré du début du XVIIe siècle, ses longues fenêtres étroites de chaque côté de l'unique porte-fenêtre au balcon en encorbellement et sa gigantesque cheminée sculptée en chêne cérusé. En dépit de l'aspect solennel de la pièce et de ses proportions, Emma y avait introduit une douceur, un charme et un confort faits d'élégance discrète et de raffinement subtil.

Le décor était resté le même pendant plus de trente ans. Emma savait bien qu'aucun tableau ne pouvait surpasser le précieux paysage de Turner ou les deux beaux portraits de Reynolds représentant un couple de jeunes aristocrates. Les trois tableaux s'accordaient à merveille avec le gracieux ameublement du XVIIIᵉ siècle qu'elle avait rassemblé avec autant de soin que d'amour. Et quoi de plus délicat que ce tapis de La Savonnerie aux teintes fanées et que ce cabinet de Chippendale ?... Les murs aussi avaient toujours été repeints du même jaune pâle et lumineux, et cette exquise couleur de primevère mettait en valeur la patine du mobilier ancien.

Ce matin-là, cette ambiance printanière, soulignée par les couleurs de la percale glacée qui recouvrait les canapés, était encore accentuée par les coupes débordantes de jonquilles, de tulipes et de jacinthes dont les jaunes, les rouges, les roses et les mauves se reflétaient dans la surface miroitante et sombre des meubles. De délicieuses fragrances embaumaient l'atmosphère.

Emma fit quelques pas et s'arrêta devant le feu. Elle ne se lassait jamais d'admirer les brumes bleues et vertes du Turner qui surmontait la grande cheminée. Le tableau, qui représentait un paysage bucolique, constituait un splendide exemple du génie visionnaire de l'artiste.

Mais c'est le rendu de la lumière qui est admirable ! se dit-elle pour la centième fois. Elle était toujours fascinée par la luminosité des ciels de Turner. Personne, selon Emma, n'avait mieux que le grand peintre su capter cette clarté froide et légère qu'elle ne pouvait s'empêcher d'associer à l'éclat subtil et changeant de ce ciel septentrional sous lequel elle était née et avait passé presque toute sa vie.

Son regard se posa ensuite sur le cartel qui ornait le dessus de la cheminée. Il marquait près d'une heure. Elle se dit qu'elle ferait mieux de se préparer car Emily allait arriver. Personne n'avait intérêt à rester dans les nuages quand l'impétueuse jeune fille était dans les parages... Surtout pas les vieilles dames, ajouta intérieurement Emma avec un petit rire.

Elle se hâta de passer dans la chambre voisine et s'assit à sa coiffeuse. Après s'être poudré le nez, elle remit un peu de rose sur ses lèvres et retoucha sa mise en plis. Je suis passable, songea-t-elle en se regardant dans la glace. Même plus que passable. Je suis vraiment « très chic » aujourd'hui, comme l'a dit Alexandre. Puis elle se tourna vers la photo de Paul posée sur la coiffeuse et s'adressa à lui mentalement. C'était l'une de ses vieilles habitudes, devenue même une sorte de rituel.

Je me demande ce que tu penserais de moi si tu me voyais en ce moment. Reconnaîtrais-tu ta « superbe Emma » ? Trouverais-tu comme moi que j'ai vieilli avec élégance ?

Elle prit la photo, la tint à deux mains et regarda Paul dans les yeux. Au bout de tant d'années, le souvenir qu'elle gardait de lui était aussi précis et aussi vivant que si elle l'avait vu la veille. Qu'il était beau autrefois en habit et en cravate blanche ! Cette photo était la dernière qu'on eût prise de lui, à New York, le 3 février 1939. Elle ne pouvait oublier la date : il avait eu cinquante-neuf ans ce jour-là. Elle avait invité un groupe de bons amis à prendre un cocktail dans leur appartement de la Cinquième Avenue avant de les entraîner tous au Metropolitan Opera pour écouter Risë Stevens et Ezio Pinza chanter *Mignon*. Puis, le dîner d'anniversaire avait eu lieu au

Delmonico. La soirée avait été assombrie vers la fin par les menaces de guerre rapportées par Daniel Nelson et par les lugubres prédictions de Paul lui-même sur la situation mondiale. Mais, dans l'ensemble, ce soir-là, il s'était montré très gai et avait profité avec insouciance de cette soirée de fête. La dernière.

Elle effleura du doigt ses beaux cheveux argentés en souriant à demi. Les jumeaux qu'on baptisait le lendemain étaient ses premiers arrière-petits-enfants. La lignée continuait. A la mort de Paul, c'est Emma qui avait eu la charge de protéger la dynastie McGill. Elle l'avait fait avec le soin et l'ardeur qu'elle mettait par ailleurs à conserver et à accroître l'énorme fortune laissée par Paul. Elle avait été fidèle à son serment.

Seize ans, songea-t-elle, nous n'avons vécu ensemble que seize ans !... Bien peu d'années, en fait, dans l'espace d'une vie, d'une longue vie comme la sienne.

Elle déclara soudain, sans se rendre compte qu'elle parlait à voix haute : « Si seulement tu avais vécu plus longtemps, si seulement nous avions pu vieillir ensemble, comme c'eût été merveilleux ! » Soudain, ses yeux s'embrumèrent et sa gorge se serra. Espèce de folle, espèce de vieille folle ! se dit-elle avec irritation. Inutile de pleurer sur le passé. D'un geste vif, elle remit la photo à sa glace.

— Grand-mère, êtes-vous seule ?

Cette voix hésitante était celle d'Emily qui venait de traverser le salon. Emma sursauta et se retourna. Puis son visage s'éclaira.

— Bonjour, ma chérie. Je ne t'avais pas entendue venir. Bien sûr que je suis seule !

Emily se précipita et, après lui avoir donné un baiser sonore, elle la regarda avec curiosité.

— J'aurais juré que vous parliez à quelqu'un, grand-mère, dit-elle avec un petit rire gêné.

— Tu ne t'es pas trompée. C'est à lui que je parlais, répliqua-t-elle en montrant la photo. Mais si tu crois que je deviens gâteuse, alors tu te trompes. Il y a trente ans que je parle à cette photo.

— Bon sang, grand-mère, vous êtes la dernière personne que je taxerais de gâtisme ! protesta Emily avec une franchise rassurante. Maman pourrait devenir gâteuse, mais pas vous.

— Où est ta mère en ce moment, Emily ? demanda sèchement Emma. Le sais-tu ?

— A Haïti, en train de se dorer au soleil. Enfin, je crois.

— Haïti ? s'exclama Emma en passant de la surprise au rire. N'est-ce pas le pays du vaudou ? Je suppose qu'elle a fait faire une poupée de cire nommée Emma Harte, pour y enfoncer des épingles en prononçant des vœux de mort.

Emily rit à son tour en secouant la tête.

— Franchement, grand-mère, vous êtes un phénomène. Maman n'aurait pas idée de faire une chose pareille. Je crois qu'elle ignore tout du vaudou. Et elle a bien d'autres chats à fouetter. Elle a un Français dans sa vie, maintenant.

— Oh, elle fait un nouvel essai ! Et avec un Français, cette fois. Eh bien, ma chérie, on peut dire que ta mère est une fidèle adepte des Nations Unies !

— C'est vrai, grand-maman. Elle a l'air d'adorer les étrangers.

Les yeux verts d'Emily brillaient de malice. Elle fit à Emma un clin d'œil complice : il n'y avait vraiment personne comme elle pour se moquer du monde !

— Connaissant ta mère, je suppose que c'est encore un être faible et sans doute affublé d'un titre d'emprunt. Comment s'appelle-t-il ?

— Marc Deboyne. Vous avez sûrement lu son nom quelque part. On le mentionne toujours dans les potins mondains. Et vous ne vous trompez pas sur son caractère, mais il n'a pas de titre, vrai ou faux.

— Quel soulagement ! Je suis fatiguée de tous les comtes, princes et barons au nom imprononçable, aux idées grandioses et au portefeuille plat dont ta mère fait collection. Et qu'elle finit inévitablement par épouser. Ce Deboyne est une espèce de play-boy, sans doute ?

— Je crois que c'est un membre éminent de la R.B.I.

— De quoi parles-tu ?

— De la Racaille Blanche Internationale.

— Voilà une association dont je n'avais jamais entendu parler, dit Emma en s'esclaffant. Maintenant, dis-m'en un peu plus, Emily.

— Pour moi, il s'agit d'arrivistes au passé douteux et plus que douteux, et qui ne peuvent donc faire carrière qu'en dehors de leur pays d'origine, c'est-à-dire là où on ne les connaît ni d'Eve ni d'Adam. Exemples : un Anglais à Paris, un Russe à New York ou, en l'occurrence, un Français à Londres... Il y a des années que Marc Deboyne fait le beau dans les salons élégants de Mayfair et ça ne m'étonne pas que maman ait succombé à son charme. Plus personne ne se fait d'illusions sur lui. Il fallait être aussi naïve que maman pour se laisser avoir. Personnellement, je le trouve puant !

— Tu l'as rencontré ?

— Oui, et bien avant maman.

Elle se tut brusquement, car elle ne voulait pas avouer que Deboyne lui avait fait de sérieuses avances. Emma en eût été scandalisée.

— C'est un sale type, se contenta-t-elle de dire.

Emma soupira en se demandant ce que ce nouvel amour allait coûter à sa fille. A coup sûr, l'aventure serait ruineuse. Ce genre d'homme-là coûtait souvent cher affectivement et toujours financièrement. Elle songea avec accablement au million de livres qu'elle avait donné à Elisabeth l'année précédente. Il ne devait plus en rester grand-chose. Cependant, l'usage que cette écervelée faisait de son argent n'était pas son principal souci. L'important, c'était d'avoir la paix avec Elisabeth pour protéger Alexandre, Emily et les deux jumelles de quinze ans.

— Ta mère est impossible, dit enfin Emma d'un ton amer. Impossible ! Qu'est-il donc arrivé à son dernier mari, le charmant Italien ?

— Voyons, grand-maman, qu'est-ce qui vous prend ? Vous l'aviez toujours traité de gigolo. Du reste, vous étiez tout à fait injuste à son égard. Jusqu'ici, j'étais sûre que vous le détestiez.

— J'ai changé d'opinion. Je me suis aperçue que ce n'était pas un coureur de dot et qu'il était gentil avec les jumelles... Viens, retournons dans le salon et buvons quelque chose avant de déjeuner.

Elle prit le bras de sa petite-fille et l'entraîna.

— Alors, reprit-elle, dis-moi où est passé Gianni Je-ne-sais-qui.

— Il n'est pas loin. Il a quitté l'appartement de maman, bien sûr, mais il est toujours à Londres. Il a trouvé un emploi dans une compagnie italienne qui importe des meubles anciens. Il me téléphone souvent pour me demander des nouvelles d'Amanda et de Francesca. Je crois qu'il les aime beaucoup.

— Ah bon ! dit Emma en lâchant le bras d'Emily pour s'installer sur un canapé. Aujourd'hui, ma chérie, sers-moi donc un gin tonic plutôt que du xérès.

— Entendu, grand-mère, j'en prendrai un aussi.

Emily s'approcha de la console du XVIIIe siècle où étaient disposés, sur un plateau d'argent, les bouteilles et les verres de Baccarat. Tout en préparant les cocktails et sans se retourner, elle posa une question à Emma.

— A propos de mes petites sœurs, grand-maman, allez-vous les laisser en pension à Harrogate ?

— Oui, pour le moment. Mais à partir de septembre, j'ai l'intention de les envoyer finir leurs études en Suisse. Elles n'ont pas l'air malheureuses au collège. Je sais bien que c'est parce que je ne suis pas loin. Je les gâte sûrement un peu trop en les laissant venir sans arrêt à la maison.

Elle se tut en songeant aux drames de l'année précédente. Les deux petites l'avaient suppliée avec des cris et des larmes de les laisser vivre près d'elle. Emma avait fini par céder à moitié : les jumelles seraient pensionnaires dans les environs. Elles avaient accepté de bon cœur le compromis et leur mère avait été enchantée de se débarrasser d'elles.

Appuyée sur les coussins du canapé, Emma poussa un petit soupir.

— Bah ! gâtées ou non, dit-elle enfin, ces pauvres gosses ont besoin d'affection et de vie de famille. Avec ta mère, elles n'ont pratiquement rien eu de ce genre.

— C'est vrai, admit Emily en apportant les cocktails. Elles me font de la peine, à moi aussi. Nous avons eu beaucoup de chance, Alexandre et moi, que maman ait eu le loisir de s'occuper de nous dans notre enfance. Mais les petites sont venues trop tard... Juste au moment où elle s'est mise à collectionner les maris. Il me semble que c'est à partir du jour où elle a quitté le père des jumelles que maman s'est engagée sur la mauvaise pente. Mais vous n'y pouvez rien, grand-mère...

Elle haussa les épaules, résignée, et son expression refléta son découragement.

— Vous et moi, poursuivit-elle avec tristesse, il n'y a pas grand-chose que nous puissions faire pour votre fille, pour ma mère. Elle ne changera sûrement jamais... Le problème avec elle, c'est une angoisse perpétuelle. Elle a peur de son ombre, de son reflet, de ses propres désirs... de tout, en fait.

— Crois-tu ? s'écria Emma, surprise.

Puis son visage changea et il y eut un éclair malicieux dans ses yeux verts.

— A ta santé, ma chérie !

— A votre santé, chère grand-maman.

Emma concentra son attention sur sa petite-fille de vingt-deux ans. Elle avait pour Emily une affection toute particulière, non seulement à cause de sa franchise et de sa simplicité, mais encore à cause de sa gaieté et de son optimisme. Emily était d'une nature dynamique et enthousiaste. Sa charmante blondeur et son teint de lait lui donnaient l'apparence fragile d'une porcelaine que semblaient démentir sa vivacité et la rapidité de ses réactions. Emma savait qu'aux yeux de certains membres de la famille elle passait pour une écervelée. Cela l'amusait secrètement car elle avait compris que la jeune fille donnait le change en affectant une frivolité qui n'était nullement dans son caractère. Si ses oncles la détestaient, c'était à cause de son franc-parler et de ses opinions bien tranchées. Sa sincérité les mettait mal à l'aise. L'intrépide Emily avait souvent eu le dessus dans les disputes avec Kit et Robin.

Emma regarda les grands yeux verts qui ressemblaient aux siens et où se lisait une interrogation anxieuse. Mais elle fut rassurée par le sourire tranquille de la jeune fille.

— Pour quelqu'un qui a des problèmes graves, ma chérie, lui dit-elle avec un petit rire, tu n'as pas l'air trop bouleversée. Tu es radieuse, aujourd'hui.

— Je ne crois pas que mes problèmes soient bien graves, du moins en ce moment même.

— Je suis heureuse de l'apprendre. L'autre jour, au téléphone, tu avais l'air accablée.

— Vraiment ?... Sans doute que tout me paraît plus facile quand je suis avec vous. Vous trouvez toujours une solution à tout.

— J'ai compris depuis quelque temps que tu avais envie de retourner travailler à Paris. C'est ça, ton problème ?

— Oui, grand-mère.

Emma reposa son verre sur la table basse et se renfonça dans les coussins.

— Je crains de ne pouvoir t'envoyer à Paris, dit-elle d'une voix grave et mesurée. Ça m'ennuie beaucoup de te décevoir, mais il faut que tu restes ici.

Le sourire d'Emily disparut.

— Mais pourquoi, grand-mère ? demanda-t-elle d'une voix brisée. Vous étiez contente de mon travail à Paris l'an dernier.

— C'est exact, très contente. C'est justement pour ça que j'ai de nouveaux projets pour ton avenir, un avenir qui ne peut se dissocier de *Harte Enterprises.*

Emily se raidit et regarda sa grand-mère avec incrédulité.

— Que pourrais-je faire à *Harte Enterprises* ? Vous avez déjà Alexandre, Sarah et Jonathan. Je serai la cinquième roue du carrosse. J'ai toujours travaillé aux magasins. J'adore le commerce, vous le savez. Je serais horriblement malheureuse si je m'occupais de questions administratives. Vous m'avez toujours dit qu'il fallait aimer son travail. Alors, laissez-moi partir pour Paris. Je vous en prie, je vous en supplie, grand-maman, revenez sur votre décision.

— Voyons, ne prends pas les choses au tragique ! s'écria Emma avec une dureté inhabituelle. N'essaie pas de m'apitoyer. Le magasin de Paris marche comme sur des roulettes et, moi, j'ai besoin de toi ici.

— Vous avez besoin de moi, vous, grand-mère ? Que voulez-vous dire ?

Les yeux d'Emily s'agrandirent, remplis d'anxiété. Emma avait-elle des ennuis, un problème de santé ? Cela semblait hors de question. Alors, de quoi s'agissait-il ?

— Qu'est-ce qui ne va pas, grand-maman ?

— Rien, ma chérie, répondit Emma avec un sourire rassurant. Ecoute, je sais bien que tu aimes nos magasins, mais ça ne te mènera pas loin. C'est Paula qui en héritera. Elle a beaucoup de considération pour tes talents, elle veut bien te garder, mais dans ce cas tu seras toujours une simple salariée.

— Je sais, mais...

— Laisse-moi parler, bon sang ! Tu sais que je te laisserai seize pour cent des actions de *Harte Enterprises* et que ça te fera beaucoup, beaucoup d'argent. Du bon argent, aussi solide que celui de la Banque d'Angleterre. Alors, il est temps de t'initier aux affaires.

Emma ne put ignorer l'inquiétude d'Emily et lui tendit une main compatissante.

— N'aie pas l'air aussi accablée. Et ne crois pas que je manque de confiance en ton frère. Tu sais bien que ce n'est pas le cas. Au contraire, je suis sûre de son intelligence et de son courage autant que de son dévouement. Mais je tiens à ce que tu t'intéresses, toi aussi, à la gestion et que tu emploies à bon escient ton dynamisme et tes multiples qualités dans une société où tu as des intérêts considérables et d'où tu tireras d'énormes bénéfices.

Emily médita longuement ces paroles.

— Oui, je comprends que c'est pour mon bien, finit-elle par dire. Mais ça ne me plaît pas tellement. C'est Sarah qui s'occupe du prêt-à-porter et elle ne m'abandonnera aucune part de responsabilité. Quant à Jonathan, il va monter sur ses grands chevaux si vous lui imposez ma présence : il considère le secteur immobilier comme son royaume. Alors, qu'est-ce que je vais devenir ?...

Sa voix se brisa. Au bord des larmes, elle se tourna vers la fenêtre. Elle était accablée à la pensée de ne plus travailler avec Paula pour la chaîne des grands magasins. «On» ne tenait pas compte de ses goûts, «on» lui disait ce qu'il fallait faire !... Mais elle comprit que sa grand-mère serait inébranlable. L'air fermé et résolu d'Emma ne lui laissait aucun doute. Mortifiée, Emily ravala ses larmes et tenta de cacher sa détresse car les pleurs, comme toute autre manifestation d'émotion, faisaient horreur à sa grand-mère.

Emma, qui l'observait, s'aperçut de son trouble.

— Ne prends pas la chose aussi mal, ma chérie, dit-elle d'un ton affectueux. Je ne vais pas te faire travailler avec tes cousins. Ce ne serait juste ni pour toi ni pour eux. Et tu ne seras pas non plus l'assistante de Sandy, si c'est ce que tu crains. C'est ici que j'ai besoin de toi, ici dans le Yorkshire. Tu t'occuperas des réseaux de distribution et tu apprendras tout ce qu'il faut savoir pour pouvoir un jour les diriger à ma place.

Emily crut avoir mal entendu. Muette de surprise, elle regarda sa grand-mère avec incrédulité.

— Parlez-vous sérieusement ?

— Voyons, Emily, quelle question absurde ! Crois-tu que je puisse plaisanter quand il s'agit de mes affaires ?

Gênée, Emily se mordit les lèvres. On lui offrait de s'occuper d'un secteur particulièrement florissant de *Harte Enterprises,* celui qui rapportait le plus, en fait. Quand elle comprit la signification de cette promotion, un flot d'émotions diverses la submergea. Elle se sentit flattée, comblée et effrayée tout à la fois. Avant tout, elle était stupéfaite.

— Pourquoi avez-vous besoin de moi si soudainement ? demanda-t-elle d'une voix inquiète. Depuis des années, vous avez Léonard Harvey. Vous avez toujours dit que c'était un homme extraordinaire.

— Je n'ai dit que la vérité. Mais Léonard m'a rappelé il y a quelques semaines qu'il était à trois ans de sa retraite. Il tient à la prendre car il veut profiter un peu de la vie. Il a des projets : faire le tour du monde, par exemple. Je ne peux pas le garder de force. Il y a trente-cinq ans qu'il travaille pour moi sans un seul jour d'absence.

Emma se leva pour aller s'adosser à la cheminée.

— A son avis, reprit-elle d'une voix neutre, il est grand temps que je le remplace et je me suis dit aussitôt que c'était ta chance. Depuis des mois, je cherchais pour toi la situation idéale. Cette fois, Emily, je suis sûre d'avoir trouvé.

Emma marqua une pause, puis elle reprit d'un ton autoritaire.

— Je tiens à ce que tu t'y mettes immédiatement. Léonard est pressé. Trois ans, ça doit te paraître très long, à ton âge, mais il s'agit d'un secteur gigantesque et tu auras mille choses à apprendre. Alors ?

— Etes-vous bien sûre de votre décision, grand-mère ? demanda la jeune fille avec un sourire timide.

— Oui, sans quoi je ne t'en aurais pas parlé, rétorqua Emma un peu vexée.

— Mais à la direction... va-t-on m'accepter ?

— La direction, c'est moi, Emily ! L'aurais-tu oublié ?

— Non, non, bien sûr. Je me demandais seulement si Léonard et ses collaborateurs allaient m'admettre. Léonard a peut-être un protégé qu'il aimerait former.

— Absolument pas. Il approuve entièrement mon choix et ce n'est pas pour me faire plaisir. Il est trop avisé et trop honnête pour m'encourager dans l'erreur, le cas échéant. Il me dirait sans ménagements de prendre un étranger à la famille. S'il soutient ma décision, c'est à cause de tes expériences précédentes, de tes connaissances en matière de distribution et de tes qualités personnelles. Le fait que tu sois ma petite-fille ne joue aucun rôle. Il sait que tu as l'esprit vif, Emily, et que tu as beaucoup appris depuis cinq ans.

— Alors, tant mieux ! déclara Emily. Et Alexandre ?... En avez-vous discuté avec lui ?

— Bien sûr. Il te trouve épatante.

— Et Paula ?

— Elle est contente pour toi, elle aussi, mais tu lui manqueras beaucoup.

— Dans ce cas, j'accepte, bien que ce soit une terrible responsabilité. Maintenant, je suis impatiente de commencer. Je ferai tout mon possible. Je ne veux pas vous décevoir.

— Je le sais, ma chérie.

Emma était soulagée, quoiqu'elle n'eût pas douté un instant du consentement d'Emily. C'était une fille qui aimait le risque et qui était bien trop intelligente pour laisser échapper la chance d'occuper un poste de premier plan.

Avec un soudain embarras, Emily tint à s'excuser d'avoir si mal réagi au début.

— Je vous demande pardon, dit-elle d'un ton contrit. Je me suis comportée comme une gosse capricieuse. C'était ridicule.

— Oh, j'ai compris que tu étais déçue ! Mais tes nouvelles fonctions t'obligeront à aller très souvent à Paris et même à parcourir le monde entier.

— Merci pour la confiance que vous me témoignez, grand-mère, et pour la chance que vous m'offrez. Vous avez eu une idée géniale. C'est drôle, avec vous, rien ne semble impossible. Tout devient une aventure formidable. Figurez-vous que j'ai envie de me précipiter chez Léonard pour me mettre au travail !

— Léonard s'est passé de toi jusqu'à maintenant, alors tu peux sûrement attendre quelques jours, dit Emma en réprimant son envie de rire. Pour l'instant, j'ai une bien meilleure idée : nous devrions descendre déjeuner. Je meurs de faim !

5

Elles n'avaient pas encore quitté la table. Emma buvait son café en écoutant Emily. Elle souriait et ponctuait de quelques hochements de tête les déclarations exubérantes de sa petite-fille. Pendant tout le repas, Emily l'avait accablée de questions sur ses futures fonctions.

Ensuite, la jeune fille s'était mise à lui rapporter les potins familiaux. Comme d'habitude, Robin et Kit étaient ses cibles favorites et elle les avait déjà gratifiés de quelques légers coups de griffe.

Mais sa moquerie n'allait jamais jusqu'à la cruauté. Incontestablement bavarde, elle n'était pourtant pas malveillante. Elle se refusait à colporter médisances ou calomnies.

Brusquement, la jeune fille changea de sujet et se lança dans une éblouissante description des robes qu'elle avait achetées aux jumelles pour la cérémonie du lendemain. Depuis quelque temps, elle se complaisait dans son rôle de sœur aînée, répondant en cela aux vœux d'Emma qui l'avait chargée de s'occuper des petites.

Mais l'attention d'Emma fléchit assez vite. Préoccupée par l'entrevue de Paula avec les Cross, elle se demandait comment la jeune femme s'en était tirée. Si elle avait enlevé l'affaire, il y aurait d'innombrables détails à régler. Du reste, cela n'inquiétait pas trop Emma. Elle aimait l'action, elle avait travaillé toute sa vie et elle avait une confiance absolue dans les projets de réorganisation que Paula avait présentés.

Trois raisons principales avaient suscité l'intérêt d'Emma et de Paula pour *Aire Communications*: les magazines, les radios locales et le gigantesque immeuble moderne de Headrow, où siégeait la compagnie. Emma avait bien l'intention d'englober *Aire Communications* dans son propre groupe de presse, la *Yorkshire Consolidated Newspaper Company*. Dès qu'elle aurait regroupé tout le personnel dans les bureaux de la *Yorkshire Morning Gazette* — son Q.G. de Leeds —, elle revendrait l'immeuble. Cela lui permettrait de rentrer dans ses débours, peut-être même de récupérer une bonne moitié de son investissement, lequel se monterait à deux millions de livres. Oui, cet immeuble vaut un million au bas mot, se dit Emma, quoique Jonathan prétende le contraire!... Elle se promit d'avoir le lendemain matin une conversation sérieuse avec son petit-fils: il n'en finissait pas de lui donner les chiffres qu'elle lui réclamait depuis plusieurs jours sur l'estimation des avoirs immobiliers d'*Aire Communications*. Qu'est-ce que cela voulait dire?

— Grand-mère, vous ne m'écoutez pas!

— Excuse-moi, ma chérie. Tu me disais donc que tu avais choisi des robes bleu marine pour les jumelles. C'est sûrement...

— Bon sang, grand-maman, je parle d'autre chose depuis cinq minutes!
De tante Edwina, très exactement.

— Pourquoi t'intéresser à elle?

— C'est une vieille grincheuse et elle est ennuyeuse comme la pluie,
mais elle pourrait bien faire un scandale au cours du week-end.

— A quel propos?

— A propos de cette histoire de divorce.

— Alors, toi aussi tu as entendu parler de ça? Y a-t-il quelque chose
que tu ne saches pas sur cette famille?

— Pas grand-chose, admit Emily en riant. Mais je n'espionne personne,
vous le savez bien. Tout le monde me fait spontanément des confidences.
On doit me savoir compatissante! Je vous transmets les informations, mais
pas les secrets. Je ne trahis jamais un secret.

— Je l'espère bien. Mais qui t'a parlé du divorce d'Anthony?

— Jim. Il y a fait allusion incidemment quand il est passé me voir
dimanche dernier. C'est tante Edwina qui l'avait mis au courant. Il paraît
qu'elle est tout à fait bouleversée. Elle a peur d'un scandale qui éclabousse-
rait le noble nom des Dunvale. Comme si, de nos jours, le divorce scanda-
lisait encore quelqu'un! Mais vous verrez qu'elle va nous en rebattre les
oreilles ces jours-ci.

— J'en doute, puisque Anthony sera là, lui aussi. Au fait, il est déjà là.

— Ici?

— Non, il est à Middleham, chez ton oncle Randolph, mais il va passer
toute la semaine prochaine ici.

Un éclair de malice brilla dans les yeux d'Emma et elle ne résista pas à
l'envie de faire enrager sa petite-fille.

— De toute évidence, reprit-elle aussitôt, il y a encore des nouvelles
que tu ignores, Emily. Si notre jeune comte est reçu dans la famille, c'est
parce qu'il fait la cour à Sally. Une cour tout à fait sérieuse.

D'abord abasourdie, Emily se remit vite de sa surprise.

— Je parie que tante Edwina n'en sait rien non plus. Sans quoi, elle y
aurait déjà mis le holà.

— Elle ne peut rien y faire, déclara Emma d'un ton sec. Non seulement
Anthony est majeur, mais encore il n'a pas à tenir compte, à trente ans, de
l'avis de sa mère ni de qui que ce soit d'autre. Je le lui ai rappelé hier soir
en lui donnant ma bénédiction. Franchement, je suis ravie qu'il épouse
Sally. C'est une fille charmante et ils seront bien assortis.

— Moi aussi, grand-maman, je la trouve charmante, mais tante Edwina
ne manquera pas de préjugés défavorables à son égard. Oh, mon dieu, je
voudrais bien voir la tête qu'elle fera en découvrant que son fils est amoureux de Sally! Elle va être furieuse, elle qui a la folie des grandeurs. Car,
entre Sally et la classe ouvrière, il n'y a pas plus d'une génération.

— Mais pour qui Edwina se prend-elle donc?

— D'abord pour une comtesse, répliqua Emily en riant. Ensuite, pour
une Fairley. Ça lui a monté à la tête d'apprendre que Sir Edwin Fairley
était son père. Un avocat de la Couronne, par-dessus le marché! Elle est

devenue la pire des snobs. Vous n'auriez jamais dû lui avouer vos relations d'autrefois avec le vieil Edwin, grand-maman !

— Tu as peut-être raison.

Emma évita le regard d'Emily en se tournant vers la fenêtre et sa pensée se reporta sur l'aîné de ses petits-enfants, Anthony, le fils de sa première fille. Anthony Standish était l'unique rejeton du mariage d'Edwina avec le comte de Dunvale. Pendant des années, Emma avait eu si peu de relations avec sa fille qu'elle n'avait pas vraiment fait la connaissance du jeune homme avant 1951, date à laquelle son frère Winston avait tenu à réconcilier la mère et la fille. Une paix armée, se dit Emma, voilà ce qui existe entre nous. Mais elle s'était tout de suite entendue avec Anthony, qui venait d'avoir dix-huit ans. Elle avait une grande affection pour lui. Elle lui trouvait beaucoup de caractère, sous des dehors un peu distants. A la mort de son père, Anthony avait hérité du titre et des terres. Depuis lors, il vivait la plupart du temps dans son domaine d'Irlande. Mais, chaque fois qu'il en avait l'occasion, il venait en Angleterre voir sa grand-mère. C'était au cours d'une de ses visites dans le Yorkshire, six mois plus tôt, qu'il avait fait la connaissance de Sally, sa cousine au second degré, la petite-fille de Winston. Ils étaient aussitôt tombés amoureux. « Un véritable coup de foudre, grand-mère, avait-il avoué timidement à son aïeule, la veille au soir. Dès que mon divorce sera prononcé, j'épouserai Sally. » Enchantée de la nouvelle, Emma l'avait approuvé chaleureusement en l'assurant de son soutien total.

Emma jeta un coup d'œil à Emily.

— A ta place, je ne m'en ferais pas trop pour Anthony. Il est assez grand pour se tirer d'affaire. Je lui ai conseillé de tout avouer à sa mère et d'être le plus naturel possible au baptême. Il est grand temps pour lui de jouer cartes sur table.

— Tante Edwina sera hors d'elle, grand-maman. Ce sera absolument infernal !

— Si elle a pour deux sous de bon sens, elle se tiendra tranquille. Bon, passons à autre chose. Tu me disais que Jim était venu te voir. Que te voulait-il ?

— Savoir ce que je pensais du cadeau qu'il fait à Paula. C'est un rang de perles. Il craignait de s'être trompé. Mais ce sont des perles de toute beauté. Je l'ai rassuré : elle sera ravie.

— Comme c'est gentil ! dit Emma en jetant un coup d'œil inquiet à sa montre. Eh bien, je vais reprendre un peu de café et je remonterai. J'ai un petit travail à faire avant l'arrivée de Paula.

— Je vais vous resservir, déclara Emily en se levant. Au fait, j'ai dîné avec T.B. quand je suis allée à Londres mardi dernier. Il vous envoie ses meilleures pensées.

Le visage d'Emma s'adoucit considérablement. Elle avait toujours eu beaucoup d'affection pour Tony Barkstone, le premier mari d'Elisabeth, qui était le père d'Emily et d'Alexandre.

— Comment va-t-il ? demanda-t-elle avec un grand sourire.

— Très bien. Il est toujours aussi gentil. Il a l'air heureux... Enfin, c'est une façon de parler. Bref, il est résigné.

Quelle sentimentale ! se dit Emma. Oui, Emily était bien trop sentimentale : elle ne cessait d'espérer la réconciliation de ses parents, en dépit de toute vraisemblance. Emma la regarda d'un air songeur.

— C'est tout de même curieux de parler de résignation à propos de ton père.

— Non, je crois vraiment qu'il est résigné à sa nouvelle vie de famille, mais qu'il ne s'est jamais consolé d'être séparé de maman. Pour être tout à fait franche, je crois qu'il l'aime encore, grand-mère.

— Quelle blague !

— Elle a été la femme de sa vie. Il me l'a dit.

— Tu exagères beaucoup, Emily. Ils sont divorcés depuis des lustres.

— Ça n'empêche pas l'amour. Une espèce d'amour sans espoir. Pourquoi cet air sceptique, grand-maman ? Vous ne croyez pas ça possible ?

— Possible, si. Mais difficile à vivre. Ton père a sûrement trop de bon sens pour regretter Elisabeth.

— J'espère que vous dites vrai. Aimer sans espoir pendant des années quelqu'un qui ne fait même pas attention à vous, ce doit être très douloureux, très difficile à vivre... Si seulement Sarah pouvait l'admettre !

Emma reposa bruyamment sa tasse de café et regarda Emily avec stupéfaction.

— Notre Sarah ?... Serait-elle tombée amoureuse de quelqu'un qui ne l'aime pas ?

— Oh ! zut ! grand-mère, je n'aurais pas dû parler d'elle ! Ça ne me regarde pas du tout. Je vous en prie, ne lui dites rien. Elle serait bouleversée.

— Tu sais bien que je ne lui dirai rien. Mais de qui est-elle amoureuse ? Explique-toi, maintenant.

Emily hésita, très gênée. Elle était tentée d'inventer un mensonge, bien qu'elle eût toujours été d'une franchise absolue avec sa grand-mère. Mais ne fallait-il pas, cette fois, recourir à un pieux mensonge ?

— Eh bien, qui est-ce ? reprit impatiemment Emma.

Il y eut un moment de silence. Puis Emily avala sa salive et prit son courage à deux mains.

— Shane, finit-elle par murmurer.

— Ça alors !... Ah, ah !...

— Oh ! grand-mère, ne prenez pas cet air-là, je vous en prie, je vous en supplie.

— Quel air ?

— Un air ravi. Un air de conspiratrice. Je sais que l'oncle Blackie et vous, vous avez longtemps espéré que l'une d'entre nous épouserait Shane O'Neill pour que nos deux familles soient alliées. Mais il ne s'intéresse à aucune, excepté...

Emily s'arrêta au bord de l'aveu. Elle aurait préféré s'être mordu la langue : elle en avait déjà trop dit ! Elle se leva brusquement pour aller examiner le compotier d'argent qui était sur la desserte.

— J'ai envie d'une banane, dit-elle d'une voix désinvolte. En voulez-vous une, grand-maman ?

— Non, merci, dit Emma en se retournant vers sa petite-fille. Excepté à qui, Emily ?

— A personne, grand-maman.

Très embarrassée, elle se demanda comment se tirer d'affaire assez habilement pour rassurer sa grand-mère. Elle revint s'asseoir et, tête baissée, elle attaqua la banane avec son couteau et sa fourchette à dessert.

Emma se remit à l'observer. Non seulement Emily évitait de la regarder, mais encore elle évitait de répondre.

— Tu étais sur le point de me dire à qui s'intéressait Shane, Emily. Si quelqu'un doit le savoir, c'est bien toi. C'est toujours toi qui m'as informée de ce qui se passait dans la famille et au-dehors. Alors, vas-y, finis ta phrase.

Emily, qui continuait à peler sa banane avec un soin extrême, finit par relever la tête et prit l'air innocent de l'enfant qui vient de naître.

— Je n'avais aucune intention d'en parler. Je ne suis pas dans les confidences de Shane. Je ne connais rien de sa vie amoureuse. Ce que je voulais dire, c'est qu'il ne s'intéresse à aucune de nous, excepté... excepté pour une aventure sans lendemain.

— Voyons, Emily !...

— Pardon, reprit la jeune fille en épiant Emma à l'abri de ses longs cils. Vous ai-je choquée, grand-mère ?

— A mon âge, plus rien ne me choque, ma chérie. Mais je suis plutôt surprise de ce que tu me dis de Shane. Ce n'est pas très élégant de ta part. C'est même injurieux. A moins que... Dis-moi, aurait-il eu quelque attitude déplacée ?

— Non, non, jamais, s'écria chaleureusement Emily, honteuse d'avoir calomnié quelqu'un d'aussi charmant que Shane. J'ai parlé sans réfléchir, grand-mère, je vous le jure. Mais, de toute façon, qui pourrait le blâmer de jouer au séducteur quand toutes les femmes sont folles de lui ? Ce n'est pas tout à fait sa faute.

— C'est vrai, reconnut Emma. Mais, pour en revenir à Sarah, j'espère qu'elle va vite l'oublier. Je ne peux supporter de la savoir malheureuse. Dis-moi sincèrement ce qui lui arrive, ma chérie.

— Je n'en sais rien. Un jour, il y a déjà longtemps, elle m'a parlé de Shane et puis elle a dû regretter de l'avoir fait. Mais rien qu'en la regardant, je sais quels sont ses sentiments. Dès qu'on prononce son nom, elle rougit et, quand il est là, elle est tellement paralysée par l'émotion qu'on la croirait droguée. Oh, elle n'avouera jamais rien ! Elle est bien trop renfermée.

Consciente de la gêne d'Emily, Emma se hâta de la rassurer.

— N'aie pas peur, ma chérie. Pour rien au monde je n'en parlerai à Sarah. Je ne voudrais pas la faire souffrir davantage. Mais elle va sûrement se reprendre, si ce n'est déjà fait.

Elle resta un moment en contemplation devant la coupe de jacinthes sauvages qui ornait la table, et réfléchit à ce qu'elle venait d'apprendre. Puis elle releva le front et sourit à sa petite-fille.

— Ne crois pas que je doute de ton sens de l'observation ni de ton jugement. Mais n'as-tu pas tendance à laisser vagabonder ton imagination ? Tu pourrais te tromper... Parions que Sarah a déjà oublié Shane. C'est une fille qui a les pieds sur terre, tu sais.

— Sans doute, grand-maman, admit Emily sans trop y croire.

Elle n'était pas tout à fait de l'avis d'Emma : Sarah pouvait bien avoir à la fois les pieds sur terre et la tête dans les nuages. Elle regrettait ses confidences. Avec quelqu'un d'aussi malin qu'Emma, c'était le genre de sottise à éviter à tout prix. Malheureusement pour elle, Emily avait l'habitude de faire des gaffes devant sa grand-mère car elle aimait se confier à elle. Elle se félicitait pourtant de s'être arrêtée à temps et de n'avoir pas trahi Shane pour lequel Emma avait une grande estime.

La certitude d'avoir protégé le secret du jeune homme la rassura un peu. Elle aimait et admirait, elle aussi, le petit-fils de Blackie. Pour une fois, elle avait été assez astucieuse pour déjouer la curiosité de sa grand-mère. Pauvre Shane, songea-t-elle avec tristesse, quelle terrible épreuve !

— Je crois que je n'ai plus faim, déclara-t-elle enfin en repoussant son assiette à dessert.

— Parfait, dit Emma, impatiente de quitter la table. Moi, il faut que je me remette au travail. Quels sont tes projets pour l'après-midi ? Tu as terminé l'inventaire du magasin d'Harrogate, n'est-ce pas ?

— Oui, grand-maman, et j'ai aussi sélectionné les nouveaux articles. Cet après-midi, je vais traînasser dans ma chambre. Hilda voulait demander à l'une des femmes de chambre de défaire mes valises, mais je préfère m'en occuper moi-même.

— Tes valises ? Combien en as-tu donc ?

— Dix, grand-maman.

— Juste pour un week-end ?

Emily s'éclaircit la voix et gratifia sa grand-mère de son sourire le plus charmeur.

— Pas exactement. Je me suis dit que je pourrais rester un moment auprès de vous, si vous y consentiez. Vous voulez bien ?

— Oui, enfin, je crois, répliqua Emma un peu déconcertée. Mais que fais-tu de ton appartement d'Headingley ?

— Je vais m'en débarrasser. J'y pense depuis un certain temps. Je compte le vendre ou plutôt, si vous le permettez, demander à Jonathan de me trouver un acquéreur. Hier soir, comme j'étais persuadée que vous m'expédiiez à Paris la semaine prochaine, j'ai emballé tout un tas de vêtements et d'objets. Mais puisque je ne pars plus, autant m'installer à Pennistone. Je vous tiendrai compagnie. Vous vous sentirez moins seule.

Emma n'avait pas l'impression de souffrir de solitude, mais elle ne protesta pas.

— Je crains d'avoir l'esprit obtus, se contenta-t-elle de dire. Quand je t'ai acheté cet appartement en novembre dernier, tu semblais ravie. Tu ne l'aimes déjà plus ?

— C'est un appartement charmant, je le sais bien. Mais pour être franche, grand-mère chérie, j'avoue que je m'y ennuie. Je préférerais vivre ici, avec vous. C'est plus amusant.

— Eh bien, moi, murmura Emma, je trouve ça plutôt lugubre. Oui, plutôt lugubre.

Elle se leva et se dirigea vers la porte, puis ajouta sans se retourner : « Mais tu es quand même la bienvenue, Emily ! » Elle espérait que son manque d'enthousiasme n'était pas trop visible. D'abord, les jumelles et maintenant, Emily ! songea-t-elle en soupirant. Tout le monde se réfugiait chez elle. Et juste au moment où elle croyait, pour une fois dans sa vie, pouvoir se reposer un peu.

Elle traversa le vaste hall et prit l'escalier. Emily s'empressa de la suivre. Emma se dit alors qu'en fin de compte elle aurait sûrement tort de refuser la petite proposition de Blackie.

Emma écoutait Paula.

Elles prenaient le thé dans un service de porcelaine fine qui datait du XVIIIe siècle. Emma avait à peine touché à sa tasse. Elle restait immobile sur le canapé. On l'aurait cru changée en statue tant elle était attentive à ce que disait Paula.

La jeune femme lui faisait un compte rendu fidèle de son entretien avec les Cross et la narration en était si vivante et si précise qu'elle avait l'impression d'y avoir assisté. A plusieurs reprises, elle avait eu une petite réaction d'agacement ou de colère, mais sans que son visage impassible la trahît. Pas une fois elle n'interrompit le récit.

Bien avant que Paula ne lui rapportât la scène finale, Emma avait tout compris : John Cross était revenu sur sa parole. Elle fut d'abord aussi abasourdie que l'avait été Paula, mais elle surmonta vite sa déconvenue. Elle s'y était attendue inconsciemment, elle connaissait mieux John Cross qu'elle ne l'avait cru. Cela faisait des années, en effet, qu'elle le soupçonnait d'égocentrisme, de suffisance, de sottise et de faiblesse. Cette fois, sous le coup de la peur et du désespoir, en proie à une panique grandissante, il avait été capable du pire. C'était finalement un homme sans scrupules. En outre, il avait été manipulé par son vaurien de fils. Les deux font la paire, se dit-elle avec dégoût.

Paula termina son rapport avec un petit soupir de regret.

— Voilà, vous savez tout, grand-mère. Je suis désolée que l'affaire ait eu un tel dénouement. J'ai vraiment fait ce que j'ai pu.

— Je le sais, dit Emma avec une certaine fierté. Tu n'as rien à te reprocher. Ce n'est qu'une expérience dont il faut tirer la leçon.

— Oui, grand-maman. Mais maintenant, qu'allons-nous faire ?

— Rien, rien du tout.

Paula ne s'étonna pas trop de la réponse, mais elle ne put se retenir de protester.

— Je pensais bien que vous réagiriez ainsi. Pourtant, il faudrait que John Cross sache ce que vous pensez de lui. Songez à tout le travail que nous a donné cette affaire. Non seulement il nous a fait perdre un temps précieux, mais encore il nous fait passer pour des imbéciles.

— C'est lui qui passe pour un imbécile, déclara Emma d'une voix basse et dénuée d'émotion. Très franchement, je ne gaspillerai pas le prix d'une communication ni même mon souffle pour lui dire ce que je pense de lui. Il n'y a plus rien à en tirer et je ne lui donnerai pas la satisfaction de constater que je suis en colère. L'indifférence est une arme redoutable. Je ne sais quel est le jeu de M. Cross, mais je n'y entrerai pas. Il se sert peut-être de notre offre pour faire monter les enchères, mais il ne trouvera personne d'autre.

Elle eut un sourire un peu cruel et un petit gloussement de satisfaction.

— Il va nous revenir en rampant, reprit-elle. Sur les mains et sur les genoux. Très vite. Dans ce cas, que comptes-tu faire, Paula ? Tout le problème est là.

Pendant une fraction de seconde, Paula resta hésitante. Elle se demanda comment sa grand-mère agirait en pareille circonstance, puis elle se dit que la question n'était pas là. C'était à elle de prendre une initiative.

— Je le congédierai poliment, dit-elle d'un ton résolu. Il sera à ma merci et je pourrai obtenir *Aire Communications* pour un prix bien plus avantageux. Coincé comme il le sera, il sera forcé d'accepter les termes du marché que je lui imposerai. Mais je préfère qu'il ne soit plus question d'affaires entre cet homme et moi. Je n'ai pas confiance en lui.

— Félicitations ! s'écria Emma, ravie de la réponse. Je t'ai toujours dit qu'il importait peu de sympathiser avec ses partenaires, mais que toute transaction exigeait une part de confiance mutuelle. J'ai la même opinion que toi sur Cross et son fils. Leur conduite déshonorante est inqualifiable.

En dépit de ce jugement impitoyable, la réaction d'Emma avait été dans l'ensemble si mesurée et si calme que Paula en était déconcertée.

— Je m'attendais à ce que vous soyez très contrariée, grand-mère. Et vous ne semblez même pas déçue.

— Ma colère s'est presque aussitôt transformée en mépris. Quant à ma déception, elle existe bien dans une certaine mesure. Mais je ne peux me défendre d'une impression de grand soulagement. Dieu sait que je tenais à *Aire Communications,* mais maintenant je suis heureuse que l'affaire ne se fasse pas.

— Moi aussi... L'ennui, grand-mère, c'est que Sébastien Cross est devenu mon ennemi déclaré.

— Et alors ?... S'il est le premier, il ne sera sans doute pas le dernier...

Elle s'arrêta soudain en voyant de l'angoisse dans les beaux yeux aux reflets violets. Avoir des ennemis troublait encore Paula. Elle tendit la main et serra doucement celle de sa petite-fille.

— Aussi désagréable que ce soit, ma Paula, il faut t'attendre à avoir des ennemis comme j'en ai eu moi-même. C'est très triste car, bien souvent, ce n'est pas notre faute. Il existe des gens jaloux et envieux. Ce sont ceux-là qui essaieront de t'atteindre et de te blesser, parce que tu possèdes tout ce qu'ils voudraient avoir. La fortune et le pouvoir, sans compter ta beauté et ton intelligence. Comment ne ferais-tu pas des envieux? Il faut apprendre à ignorer les mesquineries, ma chérie, comme je l'ai toujours fait. Oublie Sébastien Cross. Il n'a guère d'importance.

— Vous avez tout à fait raison, dit Paula un peu rassérénée.

Elle voulait chasser de sa mémoire le regard haineux que Sébastien lui avait jeté le matin même, mais elle ne put s'empêcher de frissonner. Ce garçon lui ferait du mal s'il le pouvait! Pourtant, elle finit par se moquer d'elle-même et se dire qu'elle avait trop d'imagination.

Elle se leva et alla jusqu'à la cheminée, où elle resta adossée un moment pour se réchauffer. Elle laissa son regard errer à travers le charmant décor de la pièce. La lumière de cette fin d'après-midi embellissait les précieux objets qui l'ornaient. Le bois brûlait gaiement dans l'âtre. Le vieux cartel faisait entendre son tic-tac habituel. Ici, rien n'avait changé depuis sa petite enfance. Elle avait toujours adoré le salon du premier, ce havre de paix et de beauté. Tout y était délicat et harmonieux. On avait l'impression d'y vivre hors du temps et de pouvoir oublier le monde extérieur et sa laideur. Cette pièce est à l'image de celle qui l'a créée, se dit-elle. Ses yeux se portèrent alors sur Emma, calmement adossée aux coussins du canapé. Comme elle est jolie dans cette robe bleu clair! songea-t-elle. C'est une vieille dame de quatre-vingts ans maintenant, mais pour moi elle est toujours jeune. J'ai l'impression qu'elle a mon âge, à cause de son énergie, de sa force, de sa vivacité d'esprit et de son enthousiasme. Elle est ma meilleure amie.

Paula sourit pour la première fois depuis son arrivée.

— J'avais l'intention de gagner une bataille et ce n'était qu'une escarmouche, dit-elle enfin.

— Oui, tant pis pour notre dernier projet! Maintenant, si je n'en trouve pas un autre, je vais devoir me mettre au tricot.

— Je voudrais bien voir ça, répliqua Paula en éclatant de rire.

Elle alla se rasseoir, prit sa tasse de thé et en but une gorgée.

— Aujourd'hui, reprit-elle d'une voix neutre, j'ai déjeuné avec Miranda O'Neill.

— Tiens, ça me rappelle que j'ai bien peur de ne pouvoir dîner en famille. Je sors avec Blackie et Shane.

— Oui, Miranda me l'a dit.

— Seigneur! Je ne peux pas faire un pas sans que tout le monde soit au courant! Bon, je sens que ça ne t'affecte guère. Tu ne vois pas d'inconvénient à ce que je te laisse te débrouiller avec Edwina, n'est-ce pas? Rassure-toi, elle se conduira bien.

— Ce n'est pas mon affaire, c'est celle de Jim. J'ai eu tort de m'en mêler. Puisqu'il l'a invitée, c'est à lui de s'occuper d'elle. En tout cas, maman sait très bien s'y prendre avec tante Edwina. Elle sait la remettre à sa place en douceur... Ecoutez, grand-maman chérie, Miranda a eu une idée. Une idée qui pourrait vous plaire. Il se peut même que ce soit pour vous le projet rêvé.

— Ah bon ? Eh bien, raconte-moi ça.

Paula s'exécuta. Mais, à la fin de son exposé, elle fit une moue désabusée.

— Je vois que vous n'êtes pas très enthousiaste. Vous ne trouvez pas que ce soit une bonne idée ?

— Si, si, répliqua Emma, amusée par son air déçu. Seulement, ce n'est pas un projet pour moi. Bien entendu, il faut continuer la discussion avec Miranda pour voir où ça nous mènera. Ce serait de la bonne publicité pour les magasins. Nous en reparlerons.

— Je vais prendre rendez-vous avec Miranda pour la semaine prochaine. Mais pardonnez à ma curiosité, grand-mère : pourquoi ne serait-ce pas un projet pour vous ?

— Parce que c'est pratiquement sans risques. J'ai besoin de m'attaquer à une affaire difficile.

— Où diable vais-je vous trouver ça ?

— Je peux sûrement m'en occuper toute seule, tu sais. Je te trouve un peu trop maternelle à mon égard, ces temps-ci.

— C'est bien possible, grand-mère, admit Paula en riant. Excusez-moi... Bon, je crois que maintenant je ferais mieux de rentrer materner mes petits jumeaux. Si j'arrive à temps, je pourrai aider la nurse à leur donner le bain.

— Vas-y, ma chérie. Il est indispensable de s'occuper de ses enfants pendant leurs premières années. Ce sont celles qui comptent le plus. Ne les sacrifie pas.

Paula se leva, remit sa veste de tailleur et prit son sac à main.

— Amusez-vous bien, ce soir, dit-elle en embrassant Emma. Et faites mes amitiés à Shane et à l'oncle Blackie.

— Entendu.

Paula se dirigeait vers la porte quand Emma la rappela.

— Au fait, Paula, à quelle heure vont arriver Jim et tes parents ?

— Vers six heures. Jim doit se poser à cinq heures sur le terrain de Leeds-Bradford.

— Comment ? C'est lui qui les amène dans son vieux coucou ? Je vous ai pourtant déjà dit, à toi et à Jim, que je ne voulais plus vous voir utiliser ce tas de ferraille.

— Oui, mais Jim n'en fait qu'à sa tête, vous le savez bien. Vous feriez mieux de lui en reparler.

— Compte sur moi.

6

C'est un Celte authentique !... Voilà ce que tout le monde disait de lui.

Shane Desmond Ingham O'Neill s'était finalement persuadé que le sang des glorieux ancêtres coulait encore dans ses veines et qu'il devait se montrer digne de cet héritage. A vrai dire, cela le remplissait de fierté. Quand certains membres de sa famille l'accusaient de se conduire avec extravagance, d'être impétueux, bavard et vaniteux, il se contentait d'acquiescer comme si leurs critiques eussent été des compliments. Mais il aurait voulu leur rétorquer qu'il avait aussi de l'énergie, de l'intelligence et de la créativité, et leur faire remarquer que ces qualités-là étaient, elles aussi, caractéristiques des anciens Bretons.

Il était encore enfant quand on l'avait obligé à prendre conscience de sa singularité. Il en avait été d'abord intimidé, puis ennuyé, perplexe et blessé. La crainte d'être rejeté le tourmentait. Il avait l'impression d'être anormal quand les adultes le traitaient de visionnaire, d'hyperémotif et de mystique.

A seize ans, cependant, quand il en vint à mieux comprendre ce qu'on disait de lui, il chercha à s'informer par le seul moyen qu'il avait à sa disposition : la lecture. Il voulut tout apprendre sur ce peuple d'autrefois dont il semblait descendre en droite ligne. Il dévora les livres historiques qui décrivaient son ancienne splendeur et, bientôt, les temps glorieux des vieux rois et du légendaire Arthur de Camelot lui devinrent aussi familiers que l'époque contemporaine.

Par la suite, son intérêt pour l'Histoire ne s'était jamais démenti et l'étude des documents du passé était restée l'un de ses passe-temps favoris. Comme ses ancêtres celtes, il était fasciné par les mots et croyait au pouvoir du verbe. Mais ce qui faisait sans doute la séduction de ce garçon à la fois instinctif et réfléchi, c'étaient ses contradictions. Si ses rancunes et ses inimitiés étaient indéracinables, il était aussi d'une fidélité et d'une loyauté à toute épreuve envers ceux qu'il aimait. Et sa nature expansive coexistait harmonieusement avec son goût pour la contemplation.

A vingt-sept ans, Shane O'Neill était en effet un personnage d'une grande séduction. Ce charme tout-puissant, il le devait autant à sa beauté physique qu'à sa personnalité. Il subjuguait toutes les femmes. Il captivait aussi les hommes et ses nombreux amis appréciaient autant la pertinence de ses idées politiques que son sens de l'humour. Il avait en outre une superbe voix de baryton qui faisait merveille dans les vieilles ballades irlandaises ou dans les chansons de marins. Il était enfin très doué pour la poésie. Mais tout cela ne l'empêchait pas d'être réaliste. Il n'avait pas l'habitude de mâcher ses mots et sa franchise allait parfois jusqu'à la cruauté. Il avait de hautes ambitions personnelles et un sens inné de la grandeur. La grandeur en soi l'attirait autant qu'il attirait les regards. Ses ennemis eux-mêmes — car il en avait — ne pouvaient lui dénier une séduction hors du commun. La plupart de ses qualités lui venaient de son grand-père paternel, un Irlandais plus vrai que nature.

Ce vendredi après-midi, Shane O'Neill, debout près de son cheval War Lord, se tenait dans le petit vent froid sur les hauteurs qui dominaient la ville de Middleham et son château en ruine. Ce château avait encore fière allure en dépit de ses remparts délabrés, de ses toits effondrés et de ses pièces que l'on disait hantées. Il abritait en cette saison d'innombrables petits oiseaux qui nichaient dans les vieilles pierres dressées au milieu des jonquilles, des perce-neige et des chélidoines.

Comme d'habitude, Shane rêvait à ce qu'avaient été ces ruines, des siècles plus tôt, à l'époque où Warwick et Gareth Ingham, ses ancêtres du côté maternel, vivaient dans cette forteresse. Il lui semblait voir se dérouler des scènes d'autrefois, des banquets solennels et des fêtes d'une munificence royale. Pendant quelques instants, perdu dans sa vision du passé, il crut avoir remonté le temps.

Puis il se reprit et détourna son regard des ruines pour contempler la nature environnante. Il éprouvait toujours la même exaltation devant la majesté singulière de ce paysage. L'étendue des landes se déployait devant lui comme une gigantesque bannière où se succédaient jusqu'à l'horizon le vert et l'or, la terre d'ombre et l'ocre, et où la lumière argentée du soleil déclinant donnait au bleu du ciel un chatoiement de miroir. Pour Shane, nul endroit au monde ne valait celui-là. Chaque fois qu'il devait s'en éloigner, il était pris de nostalgie. Il avait l'impression d'être coupé de ses racines. Et pourtant, cette fois encore, il allait volontairement s'exiler.

Il soupira, appuya la tête contre l'encolure de son étalon et ferma les yeux. Il savait bien qu'il ne pouvait continuer à vivre dans ce pays où celle qu'il aimait resterait à jamais hors de son atteinte.

Brusquement, il se redressa et remonta en selle. Puis, éperonnant son cheval, il le lança au galop au milieu de la lande.

Un peu plus loin, il croisa en chemin deux lads qui entraînaient deux superbes pur-sang et qui le saluèrent gaiement. Il leur fit en retour un signe de tête amical, puis continua sa route vers Allington Hall, la propriété de Randolph Harte. Il y avait à Middleham une bonne douzaine des meilleures écuries de courses d'Angleterre et Allington Hall était considérée comme l'une des premières du pays. Randolph, dont la réputation n'était plus à faire, était l'entraîneur des chevaux de Blackie O'Neill et il s'occupait en même temps de ceux de Shane.

En arrivant devant le grand portail de fer, Shane avait presque réussi à chasser ses idées noires. Quand il fut au bout de la longue allée de gravier et qu'il s'engagea sur le chemin des écuries, derrière la maison, il reprit son souffle et se composa un visage serein. A sa grande surprise, la cour était déserte. Mais un lad apparut bientôt en entendant résonner les sabots de War Lord sur les pavés ronds et, peu après, Randolph Harte en personne sortit des écuries et vint au-devant de Shane.

Grand, assez lourd, Randolph était un homme d'une grande cordialité et sa voix de stentor allait avec sa corpulence.

— Salut, Shane! rugit-il. J'espérais bien te voir. As-tu une minute? J'aimerais te dire un mot.

— Rien qu'une minute, alors! dit Shane en descendant de cheval. Ce soir, j'ai un dîner important et je suis déjà en retard.

Après avoir confié son cheval au lad, il s'approcha de Randolph et lui serra la main.

— Rien de grave, j'espère?

— Non, non, répliqua vivement Randolph en l'entraînant vers la maison. Entre un moment... Tu ne vas pas prétendre que tu n'as pas cinq minutes à m'accorder, mon vieux! La belle que tu brûles de rejoindre ne rechignera pas à t'attendre le temps qu'il faudra.

— La belle en question, c'est tante Emma, dit Shane en riant. Vous savez aussi bien que moi qu'elle n'aime pas attendre.

— C'est malheureusement vrai! grogna Randolph en ouvrant la porte devant Shane. As-tu quand même le temps de prendre une tasse de thé ou de boire un verre?

— Oui, un scotch, s'il vous plaît.

Aussitôt entré, Shane alla s'adosser à la cheminée et regarda le décor familier. Il connaissait depuis toujours le cabinet de travail de Randolph et il s'y sentait comme chez lui. C'était la pièce qu'il préférait dans la maison, à cause de son atmosphère un peu rude et de sa simplicité. Il en aimait le mobilier : la grande table du XVIIIᵉ siècle qui servait de bureau, le cabinet vitré de Chippendale, le canapé et les fauteuils de cuir rouge sombre, et la petite table basse couverte de journaux et de magazines où se trouvaient de nombreux numéros de *Country Life* et de *Horse and Hounds*. Un étranger qui serait entré là pour la première fois n'aurait eu aucune peine à deviner les goûts et les occupations du maître de maison. Des gravures anciennes représentant des scènes de chasse égayaient les murs vert sombre et, sur les étagères, trônaient tous les trophées qu'avaient rapportés à Randolph ses meilleurs pur-sang. Le dessus-de-cheminée était orné d'un râtelier à pipes, d'un vieux pot à tabac, de deux petits chevaux de bronze et d'une paire de chandeliers d'argent. C'était une pièce sans décorum où il faisait bon vivre. Certains de ses éléments étaient un peu fatigués par l'usage, mais Shane trouvait que le tapis élimé et le cuir éraflé des fauteuils ajoutaient encore à l'impression d'intimité et de chaleur amicale.

Randolph apporta deux verres et Shane s'installa dans un fauteuil.

— Non, non, pas celui-là! s'écria Randolph. Les ressorts sont à bout de course.

— Oh! ça fait des années qu'ils le sont! répliqua Shane en riant et en changeant de place.

— Cette fois, ils sont pratiquement morts. J'oublie toujours d'emporter ce fauteuil chez le tapissier.

Shane posa son verre et sortit ses cigarettes de sa poche.

— De quoi vouliez-vous donc me parler? demanda-t-il.

— D'Emerald Bow. A ton avis, que dirait Blackie si je la faisais courir l'année prochaine dans le *Grand National*?

Shane sursauta presque sous l'effet de la surprise.

— Vous savez bien qu'il serait aux anges. Mais aurait-elle une chance? Il a beau s'agir d'une excellente jument, c'est une course...

— Oui, une course difficile, admit Randolph en prenant une de ses pipes pour la bourrer de tabac. Disons que c'est l'épreuve suprême pour un cavalier et son cheval. Mais je crois sincèrement qu'Emerald Bow pourrait gagner le plus grand steeple-chase du monde. Elle s'est très bien comportée ces derniers temps. A mon avis, la coquine a plus d'un tour dans son sac. Sérieusement, elle est en train de devenir un des meilleurs jumpers que j'aie jamais entraînés!

— Ça, c'est formidable. Grand-père a toujours rêvé de gagner le *National*. Qui la montera?

— Steve Larner. C'est un sacré bonhomme, un cavalier hors de pair, tout à fait ce qu'il faut à Emerald Bow pour une pareille course.

— Pourquoi ne pas en avoir parlé à grand-père?

— J'attendais d'avoir ton avis. Tu le connais mieux que moi.

— Vous savez bien que, pour lui, c'est votre avis qui compte. Il vous a toujours fait confiance et il n'a eu qu'à s'en féliciter.

— C'est gentil de me le dire. Mais pour être franc, je n'ai jamais vu Blackie se faire autant de souci pour un cheval. S'il pouvait, il garderait cette jument dans du coton. Quand il est venu la semaine dernière, on aurait dit qu'elle était le grand amour de sa vie.

— Eh bien, n'oubliez pas qu'Emerald Bow est un présent de la dame de ses pensées. Et, à propos d'Emma, dites-moi, vous aviez l'air de lui en vouloir tout à l'heure...

— Oh! n'exagérons rien! Hier soir, elle m'a un peu irrité, mais je ne lui en veux jamais bien longtemps. C'est notre chef de clan, notre bonne mère à tous... Dommage qu'elle soit aussi autoritaire! Bon, pour en revenir à Emerald Bow, j'avais l'intention d'en parler à Blackie demain. Qu'en penses-tu? Faut-il attendre la semaine prochaine?

— Non, non, allez-y. Il sera heureux comme un roi et tante Emma sera ravie, elle aussi. Je ne vous cache pas que je suis moi-même très enthousiaste... Maintenant, permettez-moi de vous quitter. Je veux passer à l'écurie dire adieu à mes chevaux. C'est que je repars en voyage, Randolph. Lundi matin.

— Mais tu viens de rentrer! Où vas-tu donc, cette fois?

— A la Jamaïque, puis à La Barbade où nous venons d'acheter un nouvel hôtel. Je vais avoir un travail fou et je serai absent pour des mois.

Ils se dirigèrent vers les écuries. Shane passa un moment avec chacun de ses chevaux. Et, tandis qu'il leur caressait l'encolure et leur murmurait des mots doux, Randolph, qui le regardait, ressentit soudain de la pitié pour lui sans savoir pourquoi — peut-être à cause de la tristesse de ses yeux noirs. Il connaissait Shane depuis l'enfance, il l'avait toujours aimé comme un fils et il avait même espéré, un temps, que le jeune homme s'intéresserait à l'une de ses deux filles, Sally ou Vivienne. Mais c'était leur frère Winston qui était devenu le meilleur ami de Shane. Ensemble, ils avaient un peu surpris leur famille, deux ans plus tôt, en achetant un vieux manoir de la région pour le restaurer et s'y installer. Mais nul ne pouvait les soupçonner d'entretenir une amitié particulière car ils avaient une réputation de coureurs de jupons impénitents et ils avaient brisé bien des cœurs.

Lorsque Shane se décida enfin à se séparer de ses chevaux pour rejoindre Randolph à la porte, celui-ci fut frappé par sa beauté et sa ressemblance avec Blackie. Quel magnifique garçon ! se dit-il.

— Merci pour tout, Randolph, lui dit le jeune homme.

— Je t'en prie, mon petit gars. Ça me fait plaisir de m'occuper de tes chevaux. Surtout, ne t'en fais pas pour eux, pars tranquille... Oh ! à propos, demande donc à Winston de m'appeler ce soir !

— Entendu, répliqua Shane.

En le regardant monter en voiture, Randolph s'étonna à nouveau de son air mélancolique. Voilà un garçon malheureux alors qu'il a tout pour être heureux ! songea-t-il perplexe. La santé, la beauté, la position sociale, la fortune... Il essaie de faire bonne figure, mais je suis convaincu qu'il se ronge les sangs et je me demande bien pourquoi.

Beck House, le manoir de Shane et de Winston, devait son nom à la jolie rivière qui traversait le domaine. Il était situé au pied d'une colline, près du village de West Tanfield, à mi-chemin d'Allington Hall et de Pennistone.

Caché au creux du vallon, abrité à l'arrière par un bois de vieux chênes, Beck House datait de la fin de la période élisabéthaine. C'était une charmante demeure sans prétention avec des murs à colombages, de hautes cheminées et de nombreuses fenêtres à petits carreaux.

Quand Winston et Shane l'avaient achetée, ils avaient eu l'intention de la revendre dès qu'ils auraient relevé les parties en ruine, aménagé la vieille cuisine, installé des salles de bains, ajouté des garages et défriché le parc laissé à l'abandon. Mais la rénovation de la maison avait exigé d'eux tant de patience et tant d'énergie qu'ils avaient fini par s'y attacher et par la garder. Les deux jeunes gens avaient le même âge, ils étaient allés à Oxford en même temps et ils étaient amis d'enfance. Aussi avaient-ils grand plaisir à se retrouver à Beck House pour passer le week-end ensemble après leur semaine de travail à Leeds, où ils conservaient l'un et l'autre un appartement.

Winston Harte était l'unique petit-fils du frère aîné d'Emma, Winston. Depuis qu'il était sorti d'Oxford, il travaillait pour sa grand-tante à la *Yorkshire Consolidated Newspaper Company*. Comme Emma ne lui avait attribué ni titre ni fonction particulière, elle l'appelait son « ministre sans portefeuille ». Elle l'employait comme une sorte de médiateur ou d'ambassadeur extraordinaire et c'était lui qui avait le dernier mot dans la plupart des décisions à prendre, car il ne devait de comptes qu'à elle seule. Derrière son dos, les autres l'appelaient le Grand Manitou et cela le faisait rire. Il était mieux placé que personne pour savoir que le Grand Manitou, c'était sa tante Emma. Elle représentait la loi, il la respectait et la vénérait. Il lui était dévoué corps et âme.

Winston junior, comme sa famille l'appelait encore très souvent, avait été très proche de Winston son aïeul et celui-ci l'avait élevé dans le culte d'Emma, qui avait tant fait pour les siens. Jusqu'à sa mort au début des années soixante, il lui avait maintes fois fait le récit des difficultés de jeunesse d'Emma, des épreuves qu'elle avait subies et de l'acharnement qu'elle avait déployé pour parvenir au sommet de l'échelle sociale. Le jeune Winston, bercé pendant toute son enfance par l'histoire des aventures légendaires d'Emma Harte, avait souvent l'impression de la connaître mieux que ses propres descendants. Il l'admirait tant qu'elle aurait pu lui demander la lune.

Son grand-père lui avait laissé la totalité des parts qu'il détenait dans le groupe de presse. La veuve de son oncle Frank — le plus jeune frère d'Emma — avait hérité d'une autre partie des actions. Mais c'était Emma elle-même, avec ses cinquante-deux pour cent, qui restait l'actionnaire majoritaire. Depuis quelque temps, pourtant, elle ne voulait plus se passer de l'aide de Winston. Elle le consultait à tout propos et déférait toujours à ses vœux quand elle les trouvait raisonnables.

Ce jour-là, lorsque sa voiture entra dans le parc de Beck House, Winston avait quelques soucis, mais ses préoccupations ne l'empêchèrent pas de remarquer que les pluies diluviennes qui étaient tombées dans la semaine avaient fait monter dangereusement le niveau de la petite rivière. Il se promit d'en parler à Shane. Si les berges n'étaient pas de nouveau consolidées, les pelouses risquaient, comme au printemps précédent, d'être inondées d'un moment à l'autre. Il fallait qu'*O'Neill Construction* s'en occupât sans tarder. Winston arrêta sa Jaguar devant la maison, prit son porte-documents, puis alla chercher sa valise dans la malle arrière.

Mince et élancé, le jeune homme ressemblait beaucoup à Emma. Il avait ses traits finement ciselés, son teint, ses yeux verts et sa chevelure flamboyante d'autrefois. En outre, lui et Paula étaient les seuls de la famille à avoir hérité de cette curieuse plantation de cheveux en pointe sur le front qui leur venait de leur bisaïeule, Esther Harte.

En montant les marches du perron, Winston leva la tête pour regarder le ciel. De sombres nuages venus de l'est annonçaient la pluie. Le vent était tombé et le temps semblait à l'orage. Un éclair blanc illumina soudain la cime des arbres. Au moment où il introduisait sa clé dans la serrure, de grosses gouttes tombèrent sur sa main.

Derrière la lourde porte sculptée, le téléphone se mit à sonner, puis il s'arrêta presque aussitôt. Une fois entré, Winston attendit quelques secondes près de l'appareil, mais il n'y eut pas de nouvel appel. Il déposa sa valise au pied de l'escalier et traversa le vestibule pour entrer dans son bureau, qui donnait sur l'arrière de la maison. Il trouva sur la table un message de Shane qui lui demandait d'appeler son père, mais il commença par jeter un coup d'œil à son courrier. Rien d'important : des factures de commerçants et des cartons d'invitation. Il les mit de côté, s'installa sur sa chaise, posa les pieds sur la table et ferma un moment les yeux pour réfléchir.

Il avait un problème qui le tourmentait beaucoup. La veille, au cours d'une discussion à Londres avec Jim Fairley, il avait senti chez le mari de Paula un mécontentement évident. A vrai dire, il n'en avait pas été très surpris. Quelques mois plus tôt, il s'était aperçu que Jim détestait s'occuper de gestion. Et le soir même, en revenant de Londres au volant de sa voiture, Winston en était arrivé à la conclusion que Jim avait envie d'être relevé de ses fonctions. De toute évidence, Jim était mal dans sa peau. C'était un journaliste avant tout. Il n'était heureux que dans l'atmosphère survoltée des salles de rédaction, quand il avait l'impression exaltante de se trouver au cœur de l'actualité et de se surpasser chaque jour pour sortir deux quotidiens. Un an auparavant, quand il avait épousé Paula et qu'Emma l'avait nommé directeur général, il n'en avait pas moins continué à être rédacteur en chef de la *Yorkshire Morning Gazette* et du *Yorkshire Evening Standard*. Mais c'était trop pour lui, d'autant que seul lui convenait le travail de journaliste. Peut-être devrait-il donner sa démission, songea Winston. Il ne peut en même temps être au four et au moulin.

Winston rouvrit les yeux, remit les pieds par terre et continua de réfléchir. Il admirait le talent de Fairley, pour qui il avait aussi de la sympathie bien qu'il déplorât parfois sa faiblesse de caractère. Jim cherchait naïvement à plaire à tout le monde et c'était là une erreur. Mais, par ailleurs, Winston n'avait jamais compris la fascination qu'il exerçait sur Paula : ils étaient aussi différents que le jour et la nuit. Paula avait beaucoup trop de personnalité pour un homme de ce genre. Quel aveuglement de la part de Paula ! se dit encore Winston. Puis il eut honte de penser du mal de sa cousine car il l'aimait beaucoup.

Soudain, il eut envie d'appeler Emma pour lui demander son avis. Puis il se ravisa. Inutile de l'inquiéter en cette veille de fête. Mieux valait attendre le lundi matin pour la consulter.

Il regretta alors sa propre stupidité. C'était à Jim lui-même qu'il aurait dû poser la question de sa démission. Mais qui pourrait-on bien nommer à sa place ? Personne ne semblait qualifié pour d'aussi lourdes responsabilités, du moins à l'intérieur du groupe de presse. Tout au fond de lui, Winston avait la plus grande crainte que sa tante voulût l'en charger.

Contrairement aux autres membres de la famille d'Emma, Winston Harte n'était pas particulièrement ambitieux. Il n'était pas plus avide de pouvoir que de richesse. Il avait plus d'argent qu'il ne pouvait en dépenser. Son grand-père avait, avec l'aide d'Emma, accumulé une fortune immense qui assurait l'avenir de la lignée.

Winston était aussi sérieux qu'il était courageux. Il aimait le monde de la presse et s'y sentait dans son élément, mais cela ne l'empêchait pas d'aimer aussi l'existence. Il s'était juré depuis longtemps de ne jamais sacrifier son bonheur personnel à sa carrière. Cependant, il détestait trop le parasitisme chez les autres pour ne pas travailler lui-même d'arrache-pied. Seulement, il voulait garder du temps pour avoir des loisirs et fonder une famille. Comme son père Randolph, il avait une vocation de gentilhomme campagnard. Il adorait la nature et ses week-ends à la campagne étaient indispensables à son équilibre. L'équitation, le cricket et les randonnées dans les collines lui permettaient de faire provision d'énergie. En bref, il était décidé à profiter des agréments d'une vie paisible et bien organisée. L'âpreté habituelle des discussions d'affaires et l'atmosphère tendue des salles de conférences l'ennuyaient tant pour sa part qu'il n'arrivait pas à comprendre l'intérêt que Paula y prenait. Comme sa grand-mère, elle était véritablement droguée par l'excès de travail et le goût du pouvoir. Dernièrement, Emma avait demandé à Winston de venir en aide à Paula dans ses négociations avec *Aire Communications,* mais elle n'avait pas insisté quand il avait répliqué que Paula était bien assez grande pour se débrouiller seule. Il en avait été très soulagé.

Bon sang, se dit-il avec impatience, je ne vais tout de même pas gâcher mon week-end à me faire du mauvais sang pour Jim Fairley ! Je réglerai ça la semaine prochaine quand le projet *Aire Commmunications* sera déjà sur les rails. Bien résolu cette fois à oublier ses soucis, il appela son père à Allington Hall et bavarda avec lui une vingtaine de minutes. Puis il composa le numéro d'Allison Ridley, sa petite amie du moment. Il lui confirma que Shane et lui seraient à la réception du lendemain et organisa la journée du dimanche qu'il passerait avec elle. Ensuite, il monta rapidement se changer.

Dix minutes plus tard, vêtu d'un confortable pantalon de velours côtelé, d'un gros pull de laine, de bottes de caoutchouc et d'un vieil imperméable, il traversait la salle à manger pour se rendre sur la terrasse dallée qui bordait le vivier. Après une courte averse, le ciel s'était éclairci. Les arbres, les buissons et les pelouses, encore humides de pluie, luisaient dans la douce lumière du couchant. Déjà, le crépuscule bordait d'un rose incandescent le ciel d'un bleu très pâle. L'atmosphère était embaumée par l'odeur des jeunes arbres, de l'herbe et de la terre mouillée. Il resta un moment sur la terrasse à respirer à pleins poumons, heureux de vivre, oublieux des ennuis quotidiens. Puis il descendit les marches d'un pas léger pour s'enfoncer dans le parc en direction de la rivière. Il voulait s'assurer que la récente averse n'avait pas davantage abîmé les berges.

7

Edwina était là.

Elle venait d'arriver de l'aéroport de Manchester et prenait un verre dans la bibliothèque, au rez-de-chaussée, pour se remettre de son voyage. Emma le savait car quelques minutes plus tôt Hilda, puis Emily, étaient entrées pour lui annoncer la nouvelle.

Seul compte le présent, murmura Emma en finissant de s'habiller pour sortir avec Shane et Blackie. Vouloir écarter l'inévitable est non seulement stupide, mais encore débilitant. Je sais qu'à l'intérieur d'Edwina se trouve une bombe prête à exploser et je ferais mieux de la désamorcer avant le début du week-end.

Elle attacha son collier de perles, regarda l'effet qu'il faisait dans le miroir, prit son sac du soir et sa veste de zibeline, puis quitta la pièce.

Elle descendit sans se presser le long escalier tournant pour avoir le temps de réfléchir à ce qu'elle allait dire et à la manière dont elle devait s'y prendre avec Edwina. Elle avait horreur des affrontements. Pour arriver à ses fins, elle préférait la douceur ou même la ruse. Cependant, en approchant de la bibliothèque, elle se dit qu'avec Edwina la seule méthode efficace, c'était l'attaque. Le bonheur d'Anthony était à ce prix.

Comme la porte de la bibliothèque était entrouverte, Emma s'arrêta sur le seuil et resta un moment, la main sur le montant, à regarder sa fille assise devant la cheminée, dans le fauteuil à oreillettes. Il n'y avait qu'une lampe d'allumée et le reste de la pièce était dans l'ombre. Soudain, une flamme jaillit au milieu des bûches de l'âtre et éclaira le visage de la visiteuse. Saisie, Emma battit des paupières : de loin, sa fille était le vivant portrait d'Adèle Fairley. Mêmes cheveux blond pâle, même profil délicat et précis, même port de tête. C'était l'Adèle d'autrefois, installée auprès du feu, dans sa chambre de Fairley Hall, avec cet air lointain et rêveur qu'elle avait toujours. Mais Adèle avait disparu avant ses trente-huit ans alors qu'Edwina en avait déjà soixante-trois et que sa beauté n'avait jamais été aussi éthérée et aussi attachante que celle de son aïeule. Leur ressemblance était néanmoins frappante et Emma l'avait déjà décelée à la naissance d'Edwina, qui devait toujours se montrer par la suite bien plus Fairley que Harte.

Emma s'éclaircit la voix.

— Bonsoir, Edwina, dit-elle bien haut en entrant.

Edwina, surprise, redressa la tête.

— Bonsoir, mère, répliqua-t-elle avec froideur.

Emma ne se formalisa pas de son accueil. Elle y était habituée. Elle posa sa veste et son sac sur un fauteuil, puis elle s'approcha de la cheminée en allumant plusieurs lampes au passage.

— Je vois qu'on t'a donné à boire, dit-elle en s'asseyant en face de sa fille. Veux-tu te resservir ?

— Non, merci, pas pour le moment.

— Comment vas-tu ?

— Très bien... Vous, inutile de vous demander comment vous allez. Vous êtes resplendissante.

Emma eut un petit sourire. Elle s'enfonça dans son fauteuil et croisa les jambes.

— Je suis désolée, Edwina, mais je ne vais pas pouvoir rester. Je dîne dehors. Une obligation de dernière minute...

— Encore un dîner d'affaires, sans doute ? répliqua Edwina d'une voix sarcastique.

Emma tiqua légèrement. Elle avait toujours eu du mal à supporter l'insolence et le mépris d'Edwina. Ce soir, pourtant, elle était bien résolue à ne pas se laisser gagner par l'irritation. On n'attrape pas les mouches avec du vinaigre, se dit-elle. Elle devait à tout prix se montrer aimable et diplomate. Elle dévisagea sa fille et nota tout de suite l'amertume de la bouche aux coins tombants ainsi que la lourdeur des paupières voilant à demi les beaux yeux gris remplis de tristesse. Edwina avait maigri, elle semblait nerveuse et angoissée. Il était évident que la comtesse douairière de Dunvale, généralement si sûre d'elle-même, n'était pas dans son assiette.

Emma fut prise d'une brusque compassion et c'était un sentiment si nouveau pour elle qu'elle en fut vaguement déconcertée. Pauvre Edwina, songea-t-elle, elle est vraiment tombée bien bas ! Malheureusement, elle ne peut s'en prendre qu'à elle-même. Si seulement je pouvais l'en convaincre et l'amener à changer... Emma s'aperçut alors que sa fille l'observait de son côté avec une attention extrême.

— Pourquoi me regardes-tu comme ça ? lui demanda-t-elle. Y a-t-il quelque chose qui ne va pas dans ma toilette ?

— Oui. Votre robe, mère, répliqua sèchement Edwina. Ne fait-elle pas un peu trop jeune sur vous ?

Emma se raidit et regretta presque la pitié que venait de lui inspirer sa fille. Décidément, Edwina ne pouvait s'empêcher d'être odieuse ! Cependant, bien décidée à garder son sang-froid, elle éclata de rire.

— J'aime le rouge, déclara-t-elle tranquillement. C'est une couleur tellement vivante ! Que voudrais-tu me voir porter ? Du noir ? Je ne suis pas encore en deuil de moi-même. Mais puisque nous parlons chiffons, dis-moi pourquoi tu tiens tant à tes affreux costumes de tweed... Tu es une jolie femme, Edwina. Essaie donc de te mettre en valeur.

Edwina se garda de réagir à ce compliment. Elle s'en voulait déjà d'avoir accepté l'invitation de Jim et de s'être ainsi exposée aux méchancetés de sa mère.

Emma serra les lèvres et cligna les yeux. Elle cherchait à évaluer le degré d'irritation d'Edwina.

— J'aimerais te parler d'Anthony, finit-elle par dire en pesant ses mots.

— Il n'en est pas question ! s'écria Edwina, brutalement tirée de ses réflexions. Depuis qu'Emily m'a dit que vous alliez descendre, je m'attendais au pire. Mais je refuse de parler de mon fils avec vous. Vous vous arrangez toujours pour que les autres fassent vos quatre volontés.

— En t'écoutant, Edwina, j'ai l'impression d'entendre un disque rayé. Je suis fatiguée de ce genre d'accusations et j'en ai assez de tes sarcasmes. Il est impossible d'avoir une conversation sensée avec toi, quel qu'en soit le sujet ! Tu es hostile à priori.

Malgré la dureté de la réplique, le ton en était resté aimable. Le visage impassible, Emma se leva pour aller se servir un verre de xérès, puis elle revint s'asseoir devant la cheminée.

— Je suis une vieille femme, reprit-elle, une très vieille femme. Je sais parfaitement qu'il y aura toujours des dissensions dans la famille, mais j'aimerais finir mes jours dans le calme. C'est pourquoi je suis prête à passer l'éponge sur toutes tes manifestations d'agressivité. A mon avis, il serait temps d'enterrer la hache de guerre. Pourquoi n'essaierions-nous pas d'être amies, toi et moi ?

Edwina resta bouche bée. Elle croyait rêver.

— Pourquoi moi et pas les autres ? finit-elle par dire. Comptez-vous les gratifier du même petit discours pendant le week-end ?

— Je crois que personne ne les a invités. Dans le cas contraire, j'espère qu'ils auront le bon sens de ne pas venir. Je n'ai pas de temps à perdre.

— Mais pourquoi moi ? répéta Edwina, décontenancée par l'amabilité inattendue de sa mère.

— Eh bien, il me semble que tu étais la moins coupable dans le ridicule complot de l'année dernière. Tu t'es laissé influencer. Jusqu'ici, Edwina, tu n'as jamais montré beaucoup de duplicité, d'avarice ou de vénalité. Je regrette notre éloignement de ces dernières années. Nous aurions dû faire la paix depuis longtemps.

Bien qu'Emma fût sincère, sa tentative de réconciliation avait un but bien précis. Elle voulait retrouver la confiance d'Edwina pour que celle-ci consentît à adopter une autre attitude envers Anthony.

— Je crois que nous devrions faire un essai, poursuivit-elle. Si nous ne pouvons devenir de vraies amies, peut-être parviendrons-nous au moins à établir entre nous des relations plus confiantes.

— N'y comptez pas trop, mère.

Emma poussa un soupir de lassitude.

— Je te plains, Edwina, sincèrement. Que tu aies déjà rejeté une des choses les plus importantes de ta vie...

— Quelle chose ?

— Mon amour pour toi.

— Je vous en prie, mère, taisez-vous ! Vous ne m'avez jamais aimée.

— Mais si.

— Je ne vous crois pas !

Edwina s'agita sur son fauteuil et prit une gorgée de scotch.

— Il m'est impossible de vous croire, reprit-elle. Vous êtes là à me tenir des propos inhabituels et vous espérez que je vais acquiescer ! C'est à mourir de rire. Je suis peut-être sotte, mais pas à ce point... C'est vous qui m'avez rejetée quand j'étais petite.

Emma releva la tête avec dignité, mais son expression était terrible et ses yeux avaient l'éclat de l'acier.

— C'est faux! Ne redis jamais une chose pareille! Jamais, entends-tu? Si je t'ai confiée à ta tante Freda, c'est que j'ai dû travailler comme une bête de somme pour t'élever. Tu le sais aussi bien que moi... Après tout, pense donc ce que tu veux! Je n'ai pas l'intention, au nom du passé, de te faire grâce des reproches que j'ai à te faire aujourd'hui.

Edwina voulut répliquer, mais Emma secoua la tête.

— Non, laisse-moi finir! s'écria-t-elle. Tu ne feras pas deux fois la même erreur. Tu ne rejetteras pas l'amour d'Anthony comme tu as rejeté le mien. Or, c'est ce que tu t'apprêtes à faire.

— Je n'ai jamais rien entendu d'aussi absurde!

— C'est pourtant la vérité.

— Mais vous ignorez tout de mes relations avec mon fils.

— Tu te trompes. En dépit de tout son amour filial, il va être obligé de se brouiller avec toi. Hier soir encore, il me disait à quel point tes réactions l'inquiétaient. Il en est très malheureux.

— Alors, il est ici? J'ai essayé de le joindre à son club, hier, à Londres, mais on m'a dit qu'il était déjà parti. Je ne savais pas qu'il viendrait au baptême. Il est dans la maison, n'est-ce pas?

— Non, il n'y est pas.

— Dans ce cas, où est-il?

Emma fit celle qui n'entendait pas.

— Anthony ne te comprend pas, se contenta-t-elle de répliquer. Pourquoi t'opposes-tu à son divorce? Pourquoi le tourmentes-tu continuellement pour qu'il se réconcilie avec Min? Il n'en peut plus, Edwina.

— Min est très perturbée, elle aussi. Elle est désespérée et elle ne comprend pas plus que moi son attitude. Il est en train de détruire notre existence à toutes les deux. Je me sens aussi perdue qu'elle.

— C'est compréhensible. Un divorce n'est agréable pour personne. Mais c'est à Anthony qu'il faut penser en tout premier lieu. D'après ce qu'il m'a dit, il ne s'est jamais très bien entendu avec...

— C'est très exagéré! protesta Edwina d'un ton acrimonieux. Quoi qu'il puisse dire, Min et lui ont un tas de choses en commun. Naturellement, il est déçu qu'elle n'ait pas d'enfant. Mais ils ne sont mariés que depuis six ans. Min est la femme idéale pour lui. Ne me regardez pas comme ça, de cet air supérieur et méprisant! Je connais mon fils mieux que vous. Vous avez beau clamer sur tous les toits qu'Anthony a de la force de caractère, en de nombreuses circonstances, il n'a su faire la preuve que de sa faiblesse.

Edwina se tut quelques instants, indécise. Puis elle choisit d'être plus précise.

— Dans ses relations sentimentales, par exemple, reprit-elle d'une voix neutre. Il est incapable de résister à un joli visage. Avant son mariage avec

Min, il s'est mis dans des situations désastreuses... Et depuis deux ans — je ne sais pas trop si Min est au courant — il a eu plusieurs aventures. Bien entendu, toujours avec des filles impossibles.

Emma ne parut ni très surprise ni très intéressée par cette révélation. Elle ne voulait pas mordre à l'hameçon.

— Qu'entends-tu par filles impossibles, Edwina?

— Vous le savez bien, mère. Des filles sans la moindre éducation, sorties d'on ne sait où. Anthony est pair du Royaume. Sa position dans la société lui donne d'énormes responsabilités. Il lui faut une épouse issue de l'aristocratie, c'est-à-dire de son propre milieu, une femme capable de comprendre sa façon de vivre.

Devant tant de snobisme, Emma se retint de rire.

— Pour l'amour du Ciel, Edwina, cesse de parler comme une douairière de l'époque victorienne! Nous sommes presque au vingt et unième siècle. Tes idées sont passées de mode.

— J'aurais dû me douter de votre réaction, répliqua Edwina avec hauteur. Je dois admettre que vous me surprendrez toujours, mère. Pour quelqu'un d'aussi riche et puissant que vous, vous me semblez bien laxiste dans certains domaines. En ce qui concerne la classe sociale, par exemple.

Emma prit un air amusé. Les yeux brillants de malice, elle but une gorgée de xérès.

— On ne parle pas de corde dans la maison d'un pendu, dit-elle en riant.

Edwina rougit légèrement, puis elle fit une moue de dégoût.

— D'avance, je suis bouleversée à la pensée que, si ce divorce est prononcé, il va ramener n'importe qui à la maison.

— Eh bien, il le sera, repartit Emma de sa voix la plus douce. Tu ferais mieux de te résigner tout de suite car tu ne pourras rien y changer.

— Nous verrons bien. Il lui faudrait l'accord de Min et il ne l'aura pas.

— Il l'a déjà!

Edwina parut stupéfaite. Elle fixa sur sa mère un regard horrifié et incrédule. Puis elle finit par admettre qu'Emma disait la vérité: elle avait beaucoup de défauts, mais elle n'était pas menteuse. Elle prit alors son verre d'une main tremblante, puis le reposa sans y avoir trempé les lèvres.

— Mais Min ne m'a rien dit hier soir quand nous avons dîné ensemble, finit-elle par dire d'une voix brisée. Comme c'est bizarre! Nous avons toujours été si proches l'une de l'autre. Je l'ai toujours considérée comme ma fille. Pourquoi ne s'est-elle pas confiée à moi comme d'habitude?

Soudain, Emma comprit la véritable raison du comportement de sa fille. Edwina, apparemment, avait une grande amitié pour Min, dont la présence affectueuse l'aidait à supporter la vie. En voulant rompre son mariage, Anthony bouleversait le petit monde de sa mère. Edwina était prise de panique à la pensée de voir arriver dans l'existence de son fils une femme qui lui serait peut-être hostile et qui tenterait de la séparer d'Anthony.

— Min a dû avoir peur de te faire de la peine, dit Emma avec bonté.

Écoute, il ne faut pas te sentir menacée par ce divorce. Ta vie ne va pas changer pour autant et Anthony ne verra sans doute aucun inconvénient à ce que tu restes en bons termes avec Min... Après tout, c'est de Min qu'Anthony veut se séparer et non de toi. Il ne fera jamais rien pour te blesser.

— C'est déjà fait. Sa conduite est impardonnable, rétorqua Edwina avec amertume.

Cette fois, Emma laissa éclater la colère qu'elle s'efforçait de dominer. Sa bouche se pinça et son regard devint de glace.

— Tu n'es qu'une égoïste, Edwina! Tu ne penses même pas à ton fils. Tu prétends que c'est son bonheur qui t'importe avant tout, mais tu as une curieuse façon de le montrer. C'est de ton amour et de ton aide qu'il a besoin en ce moment et non de ton animosité. Tu es pleine de ressentiment et d'hostilité envers le monde entier. Je ne te comprends pas. Tu as eu une vie agréable et un mariage heureux. Du moins, je l'espère. Car Jeremy t'adorait et tu semblais l'aimer! Comment se fait-il que tu sois dévorée par cette rage destructrice? Reprends-toi, je t'en prie, et chasse ton amertume une fois pour toutes.

Edwina se renferma dans le silence.

— Aie confiance dans ton fils et dans son jugement, reprit Emma. Fais comme moi. Il est bien inutile de te tourmenter à propos de ce divorce car tu perdras la partie et Anthony ne te le pardonnera jamais.

Elle scruta le visage de sa fille, essayant d'y découvrir un signe de fléchissement. Mais Edwina garda son air sombre et buté.

J'abandonne! songea Emma en soupirant. Elle voulut pourtant faire une dernière tentative.

— Ta vieillesse risque d'être bien solitaire. Ce n'est pas ce que tu veux, n'est-ce pas? Si tu crois que je te tends un piège, tu es dans l'erreur. Je n'ai rien à gagner à tout ça. J'essaie seulement de t'épargner un nouveau drame.

Blottie dans son fauteuil, Edwina resta apparemment sans réaction. Elle évitait le regard de sa mère, mais elle l'avait écoutée avec attention. Et, tout au fond d'elle-même, elle était émue. Elle avait maintenant la triste certitude de s'être trompée. Elle avait honte d'elle-même et de son égoïsme, un égoïsme dont elle n'avait jamais soupçonné l'ampleur jusqu'à présent. Il était exact qu'elle aimait Min comme sa propre fille et qu'elle était affolée à l'idée de la perdre, mais elle avait encore plus peur de perdre Anthony.

Edwina n'était ni très intuitive ni très subtile, mais elle était assez intelligente pour comprendre qu'Anthony ne s'était adressé à sa grand-mère qu'en désespoir de cause. Elle était encore dévorée de jalousie, mais, avec une sagesse qui ne lui était pas coutumière, elle s'efforça de regarder la vérité en face: Anthony ne l'avait pas trahie. C'était elle qui, par son incompréhension, l'avait éloigné d'elle. Elle était obligée d'admettre qu'Emma tenait sincèrement à la réconcilier avec son fils. Elle s'étonnait un peu, pourtant, d'en être arrivée à cette conclusion et elle ne put s'empêcher d'avoir un élan de gratitude envers sa mère.

— J'ai été vivement émue par cette histoire de divorce, dit-elle d'une voix sourde. Mais je crois que vous avez raison. Je dois songer avant tout au bonheur d'Anthony.

C'était la première fois de sa vie qu'elle admettait qu'Emma pouvait lui être utile. Son visage s'était radouci.

— Que faut-il que je fasse ? reprit-elle. Il doit m'en vouloir beaucoup.

D'abord un peu surprise par le retournement de la situation, Emma reprit vite ses esprits.

— Tu te trompes, dit-elle. Il ne t'en veut pas. Il est peut-être blessé et angoissé, mais il t'aime énormément, tu le sais bien. Il ne voudrait pour rien au monde se brouiller avec toi. Je crois que tu dois lui dire ce que tu viens de me dire... que tu songes avant tout à son bonheur et qu'il a ta bénédiction, quoi qu'il décide de faire.

— Eh bien, c'est entendu, balbutia Edwina. Merci... d'avoir tenté de m'aider...

Emma se sentit un peu soulagée. Mais elle n'était pas au bout de ses peines. Il faut encore que je lui parle de Sally, songea-t-elle. Si je ne lui apprends pas qu'il est amoureux d'elle, cela fera un drame demain et tous mes efforts auront été inutiles. Elle pourra cuver sa colère cette nuit. Quand elle sera calmée, elle admettra sûrement que la vie de son fils ne regarde que lui.

— J'ai encore quelque chose à te dire, Edwina. Il faut m'écouter sans m'interrompre.

— Qu'y a-t-il ? demanda Edwina avec inquiétude.

Emma ne répondit pas tout de suite, mais son expression ne laissait place à aucun doute: elle annonçait une catastrophe. Essayant de dominer son appréhension, Edwina fit signe à sa mère de poursuivre.

— Anthony est tombé amoureux, reprit alors Emma. Il s'agit de Sally... Sally Harte. Maintenant, Edwina, je...

— Oh non ! s'écria Edwina, la mine décomposée, en agrippant les bras de son fauteuil.

— Je t'ai demandé de ne pas m'interrompre. Anthony compte épouser Sally dès qu'il sera libre et tu es...

— Dire que vous prétendiez que vous n'aviez rien à gagner dans cette affaire !

— C'est exact. Si tu crois que je les ai encouragés, tu fais erreur. Je ne te cache pas que je savais qu'il sortait avec elle quand il venait dans le Yorkshire. Mais je ne pensais pas que c'était sérieux. Lorsque Anthony est venu m'annoncer ses intentions, il ne m'a pas demandé la permission d'épouser ma petite-nièce. Et je sais qu'il a tenu le même langage à Randolph. Il l'a mis devant le fait accompli. Or, Randolph est un peu vieux jeu. Hier soir au téléphone, j'ai eu l'impression qu'il en était très choqué. J'ai dû le remettre à sa place.

Edwina, folle de rage, lança à sa mère un regard meurtrier. Elle espérait découvrir sur son visage quelque signe de duplicité, mais en vain. Le regard d'Emma restait limpide. Brusquement, Edwina revit alors Sally, neuf mois plus tôt, lors de l'exposition que la jeune fille avait faite à la

Royal Academy. Sally s'était montrée charmante et Edwina avait été très étonnée qu'elle fût devenue aussi jolie. Une vraie Harte, c'était incontestable, qui avait hérité de la séduction exceptionnelle, des yeux lumineux et des superbes cheveux bruns qui avaient caractérisé son grand-père Winston.

Mais ce souvenir parut à Edwina chargé de menaces bien précises et elle préféra le chasser pour concentrer son attention sur sa mère, qui l'observait sans complaisance. C'était à elle seule qu'elle aurait voulu attribuer la responsabilité de ce... désastre. Cela lui parut pourtant impossible car, cette fois, elle était convaincue qu'Emma était innocente et que le vrai, l'unique coupable, c'était son fils. Anthony était évidemment incapable de résister à une ensorceleuse, mais peut-être était-ce son destin de se laisser séduire par les femmes qui n'étaient pas de son rang.

Avec un petit frisson, elle se leva de son fauteuil.

— Eh bien, mère, dit-elle sèchement, vous êtes presque arrivée à me convaincre que vous n'étiez pour rien dans cette malheureuse histoire. Alors, je vous accorde le bénéfice du doute.

— Merci infiniment !

— Il est cependant de mon devoir de dire à mon fils que je le désapprouve. C'est une mésalliance. Sally n'est pas faite pour lui, ne serait-ce que parce qu'elle tient à faire une carrière personnelle. Sa peinture aura toujours pour elle la priorité et elle sera incapable de s'adapter à notre existence de Clonloughlin et aux obligations qu'implique la vie d'un grand propriétaire terrien. Anthony est sur le point de commettre une erreur monstrueuse qu'il pourrait regretter toute sa vie. En conséquence, je vais immédiatement interrompre cette aventure.

Comment ai-je pu mettre au monde une fille aussi butée qu'un âne ? se demanda Emma en quittant son fauteuil.

— Maintenant, il faut que je te laisse, déclara-t-elle d'un ton ferme. Shane va arriver. Mais avant de partir, j'ai deux observations à te faire. La première concerne Sally. Tu ne peux rien lui reprocher. C'est une fille au-dessus de tout soupçon, dont la réputation est absolument sans tache. Quant à sa carrière de peintre, elle peut aussi bien la poursuivre à Clonloughlin qu'ici. Et je veux également te rappeler, puisque tu es si snob, qu'elle est non seulement acceptée par ces pauvres fantoches du prétendu grand monde devant lesquels tu fais des courbettes, mais encore que ces gens-là la portent aux nues. Grâce à Dieu, elle a plus de bon sens que toi. Elle ne se laisse pas impressionner par leurs grands airs et leurs chichis.

— Comme d'habitude, mère, vous êtes insultante !

Emma fit une grimace irritée. Décidément, Edwina avait le chic pour interrompre une conversation sérieuse sous prétexte qu'on blessait sa sensibilité !

— Vois-tu, reprit-elle avec un sourire grave, l'âge donne sans doute le droit de dire ce qu'on pense sans se préoccuper des réactions de son interlocuteur. Si je ne mâche pas mes mots ces temps-ci, Edwina, c'est que je dis la vérité. Je continuerai à la dire jusqu'à ma mort. Tout le reste est une perte de temps. Pour en revenir à Sally, je voudrais te rappeler encore que c'est un bon peintre, que ses tableaux sont cotés et qu'au cas où tu l'aurais oublié, elle sera très riche, car mon frère Winston a laissé à ses petits-enfants une fortune immense. Je sais que ni toi ni Anthony n'attachez beaucoup d'importance à l'argent, mais il faut regarder les choses en face. Tu vas te rendre ridicule en prétendant que Sally n'est pas une femme pour ton fils. C'est au contraire l'épouse idéale. Et n'oublions pas qu'ils s'aiment.

— Comment pouvez-vous parler d'amour alors qu'il ne s'agit que de désir sexuel ? s'écria Edwina, indignée. Néanmoins... vous avez raison sur un point : l'argent n'a aucune importance pour les Dunvale !

— Anthony a du caractère et je l'en féliciterai toujours. Il fera exactement ce qu'il voudra. Si ce mariage est une erreur, il en sera responsable, voilà tout. Ce ne sera ni ta faute ni la mienne. Il a trente-deux ans, ce n'est plus un gamin. Tu ferais mieux de l'admettre... Et, en conclusion, ma chère Edwina, si tu as une conversation avec Anthony, je te suggère de ne lui montrer que ton amour maternel et ton désir de le voir heureux. Quand il te parlera de Sally, garde ton calme, car il ne supporterait sûrement pas que tu le critiques ou que tu critiques leurs projets.

A ce moment, on entendit un coup de klaxon sous la fenêtre. Emma regarda au-dehors et vit Shane sortir de sa superbe Ferrari rouge. Elle se retourna vers Edwina et désigna un carnet d'adresses sur le secrétaire.

— Tu trouveras là-dedans le numéro de Randolph. Anthony est à Allington Hall. Suis mon conseil, appelle ton fils et réconcilie-toi avec lui... avant qu'il soit trop tard.

Edwina resta clouée sur son siège. Pas un mot ne sortit de ses lèvres tremblantes. Emma se contenta de lui jeter un vague coup d'œil, puis elle reprit sa veste et son sac avant de sortir de la bibliothèque. Elle referma doucement la porte derrière elle en se disant qu'elle venait de faire le maximum pour se montrer compréhensive. Mais ce qui importait, ce n'était pas une réconciliation superficielle entre mère et fille, c'était l'avenir d'Anthony et de Sally.

Elle se redressa de toute sa taille pour traverser le hall en direction de la porte d'entrée. Elle voulait continuer d'espérer, malgré tout, qu'Edwina aurait l'intelligence d'accepter la décision de son fils et de lui donner sa bénédiction.

7

Blackie O'Neill avait un projet.

Ce projet enfiévrait son imagination chaque fois qu'il y pensait et il y pensait souvent depuis quelque temps. Cela le passionnait d'autant plus qu'il n'en avait jamais conçu jusqu'à présent.

Faire des projets, c'était plutôt l'affaire d'Emma. Elle n'était encore qu'une gamine aux vêtements rapiécés et aux bottines éculées quand elle avait imaginé son Projet avec un P majuscule, si grandiose qu'il ne laissait place à aucune dérobade. Lorsqu'elle l'avait mis à exécution, il l'avait menée de son village jusqu'au bout du monde pour y chercher gloire et fortune. Par la suite, elle en avait formé de nombreux autres — celui de sa première boutique, de la deuxième et de la troisième, par exemple. Puis elle avait décidé d'acquérir les Entrepôts Gregson et les Usines Fairley, ainsi que de créer avec David Kallinski la maison de couture « Lady Hamilton ». Bien entendu, elle avait eu aussi son Plan Immobilier, le plus grandiose de tous, finalement, et c'était là qu'il était intervenu, lui Blackie, en tant qu'architecte-concepteur. Il avait construit pour elle le gigantesque magasin qui se dressait toujours à Knightsbridge, inébranlable et fier, comme un monument érigé à la gloire de sa propriétaire.

Oui, depuis que Blackie connaissait Emma, elle avait toujours eu en tête un ou plusieurs projets, qu'elle avait mis à exécution avec autant de détermination que d'habileté. Ensuite, elle regardait Blackie avec un petit sourire de triomphe et lui disait calmement : « Tu vois, je t'avais bien dit que ça marcherait ! » Il éclatait de rire, il la félicitait, il insistait pour fêter l'événement et elle prenait l'air vaguement attendri. Elle était aux anges, mais ne voulait pas le montrer.

Blackie, quant à lui, n'avait jamais eu de plan précis dans son existence. En fait, tous les événements de sa longue vie n'étaient attribuables qu'au simple hasard.

Quand il était arrivé de son Irlande natale pour travailler comme simple apprenti de son oncle Pat à la construction des canaux de Leeds, il n'aurait jamais envisagé, même dans ses rêves les plus fous, de devenir un jour milliardaire. Il s'était bien vanté devant la jeune Emma, alors servante à Fairley Hall, d'avoir l'étoffe d'un grand bourgeois, mais c'était sans y croire. Bizarre, pourtant, que cette vantardise eût été prémonitoire !

Au cours des ans, Emma lui avait souvent rappelé en riant qu'on disait « veinard comme un Irlandais » et que l'expression lui allait assez bien. Ce n'était pas faux, il devait l'admettre. Il avait sans doute travaillé assez dur, mais il avait toujours été, incontestablement, le favori de Dame Fortune, en dépit des terribles épreuves de sa vie privée. Il y avait eu surtout la mort prématurée de Laura, sa bien-aimée. Cependant, elle lui laissait un fils,

Bryan. Et pour Blackie, ce fils avait été le plus beau cadeau de la chance. Enfant, Bryan était un petit garçon docile et affectueux. Plus tard, il avait fait preuve d'une intelligence et d'une audace hors de pair. En affaires, c'était un véritable génie. Il avait fondé avec son père *O'Neill Construction*, devenue depuis l'une des premières entreprises de bâtiment en Europe. Lorsque Géraldine, la femme de Bryan, avait hérité deux hôtels de son père, Léonard Ingham, il avait eu l'astuce de ne pas les vendre. Et, de ces deux petits hôtels de tourisme, l'un à Scarborough et l'autre à Bridlington, il avait fait le noyau de la grande chaîne des Hôtels O'Neill qui s'étendait à travers le monde entier.

Mais Blackie y était-il, lui, pour quelque chose ? Non, absolument pas. Tout cela n'était qu'un effet merveilleux du hasard. Bien entendu, il avait été assez malin pour prendre le train en marche et exploiter la situation. Ce faisant, il avait, comme Emma, fondé un empire et créé une dynastie.

Ce soir-là, la suite de ces événements lui était revenue à la mémoire tandis qu'il s'habillait pour dîner. Mais il ne pouvait s'empêcher de rire en songeant qu'il avait maintenant, lui aussi, son plan personnel, son premier Plan avec un grand P. Comme par hasard, son projet initial impliquait la présence d'Emma, qu'il voyait de plus en plus souvent ces temps-ci : il avait décidé tout simplement de l'emmener faire le tour du monde. Lorsqu'il y avait fait allusion quelques semaines plus tôt, elle l'avait presque regardé de travers et elle s'était moquée de lui. Elle se prétendait trop occupée et trop soucieuse de ses affaires pour aller faire du tourisme dans les pays lointains. Il avait eu beau déployer tous ses talents de diplomate et tout son charme d'Irlandais, elle s'était montrée inébranlable. Mais il n'avait pas cédé, lui non plus, et après s'être torturé l'esprit, il croyait avoir trouvé le moyen de l'amener à composition. En effet, il savait qu'Emma rêvait secrètement d'aller en Australie voir son petit-fils, Philip McGill Amory, qu'elle avait récemment nommé à la tête du fabuleux empire McGill. Si elle ne l'avait pas fait jusque-là, c'est qu'elle hésitait à entreprendre seule, à son âge, un aussi long voyage.

Qu'à cela ne tienne ! s'était dit Blackie. C'est donc moi qui l'y emmènerai et dans les meilleures conditions du monde !

Elle ne pourrait plus refuser quand elle saurait que ce voyage se ferait avec le maximum de confort et de luxe. Ils prendraient d'abord l'avion pour New York, où ils séjourneraient une semaine avant d'aller passer la suivante à San Francisco. Une fois bien reposés, ils feraient un saut jusqu'à Hong Kong, puis se dirigeraient doucement, tout en visitant l'Extrême-Orient par petites étapes, vers leur destination officielle : l'Australie.

Comme il avait l'intention de lui offrir tous les agréments et toutes les distractions possibles, il se demandait sans cesse si Emma avait jamais pris le temps de s'amuser au cours de son existence. Elle avait le goût des affaires, c'était un fait, mais Blackie avait des doutes sur la qualité de ce plaisir-là, qui devait être bien exténuant. A tout hasard, il faisait une liste exhaustive des amusements qu'il pourrait lui proposer. Car, dans son esprit, la visite au jeune Philip ne constituait que l'appât indispensable pour la faire céder.

Blackie noua sa cravate de soie bleue et se regarda dans la glace d'un œil critique. A coup sûr, la malicieuse Emma se serait moquée de lui s'il avait adopté une tenue plus tape-à-l'œil. Autrefois, Laura avait montré quelque indulgence pour les excentricités vestimentaires de son mari : ses gilets brodés, ses élégants complets cintrés et ses bijoux trop voyants. Mais, par la suite, Emma avait guéri Blackie de ses extravagances. Enfin, presque. A l'occasion, il cédait bien encore à la tentation d'arborer des cravates bariolées ainsi que des pochettes et des foulards aux couleurs ahurissantes, mais il se gardait de les porter en sa présence. Il enfila sa veste bleu marine, passa le doigt sur son impeccable col blanc et se fit un signe d'approbation dans le miroir. Même si je ne suis qu'un vieux gâteux, se dit-il ironiquement, j'ai l'impression d'avoir vingt ans, ce soir.

Ses cheveux étaient devenus d'un blanc de neige, mais ses yeux noirs pétillaient toujours de gaieté et d'humour. Il se tenait encore bien droit et il avait conservé fière allure. Sa santé était excellente. Il paraissait dix ans de moins que son âge. Enfin, à quatre-vingt-trois ans, il gardait toute sa tête. Il avait l'esprit aussi vif et agile qu'autrefois. La sénilité, il ignorait ce que c'était, tout comme Emma.

Debout au milieu de sa chambre, il se mit à songer à la soirée qui l'attendait et à la discussion d'affaires qu'il aurait avec Emma, puisque Shane était d'accord pour aborder le sujet. Quand le problème serait réglé et qu'ils se retrouveraient tous les deux, Emma et lui, il amènerait doucement la conversation sur son projet de voyage. Ce ne serait pas facile, étant donné l'entêtement d'Emma. Dans le temps, quand il avait fait sa connaissance, il s'était tout de suite aperçu que c'était la personne la plus obstinée du monde. Et cette obstination n'avait fait qu'empirer avec les années.

Un souvenir lointain lui revint brusquement. 1906. Un jour de janvier, un froid glacial. Emma assise près de lui dans le tramway qui allait vers Armley. Elle était d'une beauté stupéfiante avec son manteau de grosse laine noire et son béret écossais vert et noir, assorti à son écharpe. Le vert du tartan s'accordait à merveille à celui de ses yeux et le noir mettait en valeur la perfection de son teint de nacre.

Mais comme elle était pâle, ce dimanche-là ! Elle avait seize ans, elle était enceinte et elle s'était montrée tellement entêtée qu'il avait fallu à Blackie des trésors de persuasion pour la faire monter dans ce tramway. Elle refusait obstinément d'aller à Armley et de faire la connaissance de Laura Spencer. Pourtant, dès cette première rencontre, les deux jeunes filles s'étaient liées d'une amitié indéfectible et la terrible épreuve que traversait Emma s'était vite allégée quand elle avait emménagé dans la confortable maison de Laura. De son côté, Blackie avait été bien soulagé à la pensée que Laura allait désormais la soigner et s'occuper d'elle. Ce jour-là, il avait fini par gagner la partie et il avait bien l'intention de réussir, cette fois encore, à soixante-trois ans de distance.

Il alla jusqu'à son secrétaire et ouvrit le tiroir supérieur pour en retirer un petit écrin de cuir noir. Après l'avoir regardé pensivement, il le glissa dans sa poche, puis descendit au rez-de-chaussée en chantonnant.

Blackie O'Neill continuait à vivre dans la grande demeure de style géorgien qu'il avait édifiée en 1919. Le bel et large escalier, aux lignes si légères qu'il semblait flotter dans l'espace, donnait sur un vestibule circulaire aux harmonieuses proportions, où la couleur abricot des murs faisait un heureux contraste avec le dallage de marbre noir et blanc. De chaque côté de la porte d'entrée, dans des niches à l'éclairage indirect, se dressaient deux statues antiques, l'une d'Artémis et l'autre d'Hécate. Contre un des murs, sous un miroir ancien au cadre doré et entre deux fauteuils Sheraton recouverts de velours abricot, se trouvait une ravissante console marquetée de bois fruitiers exotiques. Du plafond en coupole pendait un lustre gigantesque de cristal et de bronze. Mais, pour précieux que fût l'ameublement, il restait d'une élégance discrète, sans le moindre soupçon d'ostentation.

Blackie traversa le vestibule pour pénétrer dans le salon. Un feu de bois brûlait gaiement dans la belle cheminée, qui était une œuvre des frères Adam. La lumière des lampes, à travers la soie des abat-jour, réchauffait les murs vert pâle et le tissu vert sombre qui recouvrait divans et fauteuils. Des tableaux de prix et des objets de collection complétaient ce décor, lequel restait un des meilleurs exemples des talents de Blackie, de son style personnel, de son sens de la couleur et de ses choix décoratifs.

Il tripota nerveusement la bouteille de champagne mise à rafraîchir dans un seau d'argent. Il la retourna plusieurs fois et remua les glaçons, puis il prit un cigare dans l'humidificateur et s'installa dans son fauteuil favori. Il venait de couper le bout du cigare quand il les entendit entrer. Il se leva précipitamment.

— Enfin, te voilà, *Mavourneen*! s'écria-t-il en s'élançant à la rencontre d'Emma. Quel bonheur de te revoir!

Il la serra dans ses bras, puis s'écarta pour l'admirer.

— Tu ressembles toujours à une petite fiancée irlandaise!

— Merci, mon ami, répliqua Emma, le visage rayonnant. Mais je dois avouer que tu n'es pas trop mal non plus dans ce beau costume.

Elle passa le doigt sur l'étoffe.

— Hum!... reprit-elle en riant. Très belle qualité de tissage! On dirait qu'il vient de chez moi.

— Tu ne te trompes pas, dit Blackie en faisant un clin d'œil à Shane par-dessus l'épaule d'Emma. Je ne porte jamais rien d'autre. Mais viens t'asseoir, ma très chère, je t'apporte un verre de champagne.

Emma se laissa guider jusqu'au canapé.

— Fêtons-nous quelque chose, ce soir? demanda-t-elle.

— Rien de particulier, si ce n'est notre florissante santé de vieillards. Mais je sais que tu adores le champagne... Shane, mon garçon, tu veux bien faire le service?... Pour moi, ça sera plutôt une goutte de whisky irlandais.

— Tout de suite, grand-père.

Blackie s'installa en face d'Emma et reprit son cigare.

— Je parie que tu t'es encore surmenée aujourd'hui. Prendras-tu jamais ta retraite ?

— Oh, ça m'étonnerait !... Tu sais bien que je tiens à mourir sans avoir dételé.

— Moi, je ne veux pas entendre parler de mourir, dit Blackie en lui lançant un regard de reproche. Je ne suis pas pressé. J'ai encore un tas de bêtises à faire.

Emma se mit à rire avec lui. Shane les imita. Il leur tendit deux verres, puis alla rechercher le sien pour trinquer avec eux. Après avoir goûté à son scotch, il les pria de l'excuser un moment.

— Il faut que j'appelle Winston.

— J'espère que tu auras plus de chance que moi, dit Emma. J'ai essayé pendant des heures.

— Il était peut-être parti faire un tour au village. Avez-vous un message pour lui, tante Emma ?

— Non, merci, mon petit. C'est sans importance. Je le verrai demain.

Resté seul avec Emma, Blackie lui prit la main avec émotion.

— C'est merveilleux de te retrouver, ma chérie. Tu m'as manqué.

— Ne me raconte pas d'histoires, vieux fou, répliqua-t-elle, les yeux brillants de gaieté. Tu es venu dîner avant-hier à Pennistone.

— Oui, mais comme je ne pense qu'à toi, il me semble qu'il y a un siècle... Sais-tu que tu as vraiment l'air d'une jeune fille dans cette robe ? Elle est époustouflante.

— Je suis heureuse qu'elle te plaise. Je l'ai reçue la semaine dernière de chez Balmain. Mais, à ce propos, Edwina a été moins aimable que toi, ce soir. Elle trouve que cette couleur rouge est bien trop jeune pour moi.

— Ce n'est jamais qu'une de ses rosseries habituelles ! Elle ne changera plus.

Voyant le visage d'Emma s'assombrir, il fronça le front en maudissant intérieurement Edwina. Et, pourtant, se dit-il, ce n'est pas la pire. Il y a deux autres enfants d'Emma que j'aimerais étrangler de mes propres mains !

— J'espère qu'elle ne t'a pas fait sortir de tes gonds, reprit-il avec inquiétude.

— Pas tout à fait.

Elle semblait hésitante, contrairement à ses habitudes. Exaspéré, Blackie secoua sa belle crinière blanche.

— Je ne comprends pas pourquoi Jim l'a invitée, déclara-t-il. C'est une sottise !

— Oui. Paula, elle aussi, est contrariée, mais je ne veux pas m'en mêler. Pourtant...

Avec un haussement d'épaules, elle raconta l'entretien qu'elle venait d'avoir avec sa fille. Blackie la félicita de son attitude.

— Tu as raison, Emma. Sally est charmante et Anthony est un garçon épatant. Il a les pieds sur terre et il n'est pas snob pour deux sous. On ne peut en dire autant d'Edwina. Elle est devenue vraiment bizarre. Mais, même enfant, elle t'en voulait déjà. Je n'ai jamais pu oublier son manège avec Joe Lowther. C'était odieux ! Elle s'est toujours conduite comme une peste... Je t'en prie, promets-moi de ne plus t'occuper des démêlés d'Anthony avec sa mère. Edwina n'en vaut pas la peine.

— Oui, oublions-la... Dis-moi, où comptez-vous m'emmener dîner ? Shane est resté très mystérieux dans la voiture.

— A vrai dire, Emma, je n'ai pas trouvé d'endroit assez beau pour toi. Alors, j'ai demandé à ma bonne Mme Padgett de nous préparer quelque chose, car je sais que tu aimes sa cuisine. Sur mes conseils, elle a fait rôtir un joli morceau d'agneau de lait avec, en accompagnement, des pommes de terre nouvelles, des choux de Bruxelles et du Yokshire pudding — tout ce que tu aimes. Ça te plaît ?

— C'est parfait. Je suis bien contente de ne pas avoir à sortir. Je me sens un peu lasse, ce soir.

Les yeux noirs de Blackie se fermèrent à demi sous ses sourcils broussailleux.

— Ah ! tu admets enfin ta fatigue ! dit-il doucement. Tu n'as pourtant plus de raisons de te surmener, n'est-ce pas ?

Emma se contenta de sourire en guise de réponse. Mais incapable de réprimer plus longtemps sa curiosité, elle lui demanda d'un ton grave :

— Sur quoi tenais-tu à avoir mon avis ? Tu t'es montré bien cachottier au téléphone.

— Excuse-moi, ma très chère, mais si ça ne t'ennuie pas, je préfère attendre que Shane revienne, puisque ça le concerne aussi.

— Qu'est-ce qui me concerne ? demanda Shane en réapparaissant.

— L'affaire dont je veux discuter avec Emma.

— Et comment ! s'écria le jeune homme avec vigueur. C'est moi qui en ai eu l'idée.

Il s'installa près d'Emma sur le canapé, croisa les jambes et se tourna vers elle :

— Winston vous prie de l'excuser. Il était dans le parc à examiner la rivière qui risque de déborder... A propos, grand-père, je viens d'appeler Derek et je lui ai demandé d'envoyer deux de nos hommes à Beck House pour consolider les berges.

— Très bien ! Mais il faudra que ce soit fait un peu mieux que l'année dernière. Si l'on m'avait écouté, ce ne serait pas à refaire. Laisse-moi t'expliquer certaines choses.

Sans donner au jeune homme le temps de la réplique, Blackie lui exposa pendant quelques minutes les diverses techniques de renforcement des rives. Emma perdit bientôt tout intérêt pour la discussion et ne s'occupa que de la présence de Shane à côté d'elle. Il lui sembla que, pour la première fois, elle le regardait d'un œil neuf, non plus en vieille amie de la famille, mais comme l'aurait fait une jeune femme inconnue. Il était plus beau que jamais dans son habit de soirée gris, avec sa chemise de voile bleu pâle et sa cravate de soie argent. Il avait les larges épaules de son grand-père, ses yeux noirs comme jais et les boucles brun foncé du Blackie d'autrefois. Pourtant, bien qu'il eût le teint hâlé, ce bronzage doré ne lui venait pas, comme celui de son grand-père au même âge, de longues heures passées à faire du terrassement en plein air, mais de l'exposition au soleil des Caraïbes ou de la réverbération de la neige dans les montagnes suisses.

S'il ne ressemblait pas trait pour trait à Blackie, il avait cependant la même petite fente au milieu du menton, les mêmes fossettes au creux des joues et cette longue lèvre supérieure qui trahissait leur origine celte à tous deux. Je parie qu'il a brisé plus d'un cœur, se dit-elle avec une indulgence amusée. Puis elle songea à Sarah avec tristesse : il ne fallait pas s'étonner que la jeune fille fût amoureuse de lui. Quel garçon splendide ! Non seulement, il était l'image même de la virilité, mais il savait se montrer aimable et chaleureux. Autrefois, Emma avait aimé un homme de cette trempe. Il avait failli lui briser le cœur, mais il lui avait finalement donné un bonheur immense. Oui, Shane avait le même genre de séduction que Paul McGill.

— Tu rêves tout éveillée, mon Emma, dit alors Blackie.

Elle changea de position sur le canapé.

— Non, répliqua-t-elle avec un sourire. J'attends patiemment que vous en ayez terminé avec votre rivière et que vous passiez aux choses sérieuses.

— Tu as raison, nous perdons notre temps !... Shane, mon garçon, veux-tu bien remplir le verre d'Emma et me redonner une goutte de whisky ? Ça nous aidera à bavarder gentiment.

Shane les resservit. Puis, sans plus tarder, il exposa l'affaire :

— Depuis plusieurs années, nous avions l'intention d'acheter ou de faire construire un hôtel à New York. Nous y avons consacré beaucoup de temps et d'efforts, papa et moi. Et, récemment, nous avons découvert notre idéal dans l'East Side. Une très belle construction, mais dont l'intérieur est complètement démodé : il faudra refaire toute la décoration... Nous avons donc fait une offre, elle a été acceptée et l'affaire est pratiquement conclue. Nous en sommes à établir l'acte de vente.

— Félicitations à tous les deux ! Mais en quoi puis-je vous être utile ? Je n'y connais rien.

— Mais tu connais New York, Emma ! C'est pourquoi Shane a besoin de toi.

— Je ne comprends toujours pas.

— Il nous faudrait votre aide pour réussir le lancement, reprit Shane avec un peu d'impatience. Vous connaissez cette ville, vous l'avez marquée de votre empreinte, vous savez sûrement ce qui pourrait séduire les New-Yorkais. Bref, nous avons besoin de vos conseils et de vos relations là-bas.

Les yeux d'Emma brillaient de sympathie amusée. Elle avait toujours aimé l'audace et la franchise de Shane.

— Bon, je vois. Continue.

— Voilà : nous ne sommes pas une société américaine et, là-bas, on est plutôt méfiant envers les étrangers. Nous risquons de nous heurter à certaines oppositions. Nous cherchons donc des conseillers sûrs et des relations efficaces. Dans le monde politique, d'abord. Puis du côté des syndicats. Alors, que faut-il faire ? Qui faut-il voir ?

— Tu as très bien analysé la situation, répliqua Emma sans hésiter. En effet, ce serait de la folie de partir à l'assaut de New York sans mettre tous les atouts dans ton jeu. Il faut que tu aies l'appui de gens importants et cet appui, tu ne peux l'obtenir que par l'intermédiaire de mes relations. Tu as besoin de te faire des amis. De bons amis, des amis influents. Je crois pouvoir t'aider.

— J'en étais sûr, tante Emma. Merci.

— Oui, nous te sommes très reconnaissants, ma chérie, dit Blackie. Vas-y, Shane, continue.

— Pour cette transaction, nous avons le concours d'hommes de loi de tout premier plan, reprit le jeune homme. Ce sont des spécialistes des questions immobilières. Mais il nous manque encore de bons avocats d'affaires pour résoudre un certain nombre de difficultés. Nous voudrions trouver un cabinet juridique où l'on soit très au fait des problèmes politiques. Avez-vous des suggestions à nous faire ?

— Oui, bien sûr, dit Emma àprès réflexion. Je vais vous adresser à mes propres avocats et à quelques amis. Mais je crois connaître une personnalité qui vous serait encore plus utile que moi, mes avocats et mes amis réunis. C'est un banquier, Ross Nelson. Il est en relation avec tout ce qui compte à New York et dans l'ensemble des États-Unis.

— Croyez-vous qu'il accepterait de nous aider ?

— Oui, si c'est moi qui le lui demande. Je lui téléphonerai lundi. J'espère qu'il pourra venir à votre secours sans tarder. Qu'en pensez-vous ?

— Moi, je suis d'accord. Nous sommes d'accord... N'est-ce pas, grand-père ?

— Je me range à ton avis, mon petit. C'est toi qui décides... Mais ce nom de Nelson me dit quelque chose. Est-ce que je le connaîtrais ?

— Certainement, Blackie. Il y a des années, Ross est venu en Angleterre avec son grand-oncle, Daniel P. Nelson. Dan était l'ami intime et l'associé de Paul, tu t'en souviens ? Les Nelson n'avaient qu'un fils, Richard, et il a été tué dans le Pacifique. Dan ne s'en était jamais remis tout à fait. Il avait fait de Ross son héritier. Et, à la mort de Dan, celui-ci s'est retrouvé majoritaire dans sa banque de Wall Street. Il a hérité de bien d'autres choses encore. Non pas de millions, mais de billions ! Daniel P. Nelson était l'un des hommes les plus riches d'Amérique.

— Ce Ross Nelson, c'est un homme de quel âge ? demanda Shane, impressionné.

— Il doit avoir autour de quarante ans.

— Êtes-vous sûre qu'il nous accueillera sans réticences ? Ce serait gênant qu'il ne le fasse que pour vous faire plaisir.

— Il est un peu mon obligé, répliqua Emma avec un petit rire tranquille. Néanmoins, je connais Ross. Il s'attendra à ce que tu lui renvoies l'ascenseur. Les affaires sont les affaires. Pourquoi ne pas lui confier, par exemple, la gestion de vos avoirs Outre-Atlantique ? Vous pourriez plus mal tomber... Mais il y a quelque chose que tu ne dois pas oublier : on n'a jamais rien pour rien en ce bas monde.

— Je le sais. Ce qu'on obtient pour rien est généralement sans intérêt. Pour en revenir à Ross Nelson, je saurai lui témoigner ma gratitude, ne vous inquiétez pas.

Blackie, qui avait suivi la conversation avec attention, se donna une claque sur la cuisse et éclata de rire.

— Tu vois, Emma, dit-il avec fierté, il a plus d'un tour dans son sac, ce petit gars ! Il n'est pas tombé de la dernière pluie, je suis heureux de le constater. Mais je me demande ce que je vais faire sans lui... Ça me fend le cœur, Shane, de te voir repartir si vite.

— Quand pars-tu donc, Shane ? demanda Emma.

— Je prends l'avion pour New York lundi matin. Je resterai là-bas six mois au moins, peut-être davantage, pour surveiller l'aménagement de l'hôtel de Manhattan. Et, de temps en temps, je ferai un saut aux Caraïbes pour m'assurer que tout va bien de ce côté-là.

— Six mois ! Comme c'est long ! Tu vas nous manquer.

— Vous aussi, vous me manquerez tous les deux. Tante Emma, je vous confie mon vieux gredin de grand-père. C'est que je tiens à lui, figurez-vous.

— Moi aussi, je tiens à lui, Shane, et je te promets de m'en occuper.

— Nous nous occuperons mutuellement de notre bien-être, déclara Blackie d'un ton satisfait. Nous en avons l'habitude depuis près d'un siècle.

— Je veux bien le croire, dit Shane, attendri.

Il reprit son verre et contempla la transparence ambrée du scotch. Il en but un peu et se tourna à nouveau vers Emma :

— A propos de Ross Nelson, dites-moi, quel genre de type est-ce donc ?

— Il est assez surprenant, parfois. Et même un peu faux jeton. Il a un certain charme, mais il ne faut pas s'y laisser prendre. J'ai toujours eu l'impression qu'il n'avait pas beaucoup de cœur. Il est assez calculateur. Il se complaît à observer l'effet qu'il produit sur autrui. C'est un abominable égoïste, surtout vis-à-vis des femmes. Car c'est plutôt un homme à femmes. Il vient de divorcer pour la seconde fois. Bien sûr, ça ne veut rien dire, mais je me suis souvent demandé s'il était très scrupuleux dans sa vie privée.

Elle se tut un moment et regarda Shane dans les yeux.

— Tout ça n'a rien à voir avec toi ni avec moi, reprit-elle. Sur le plan des affaires, on peut absolument lui faire confiance. Cependant, reste sur tes gardes. Il est aussi astucieux que redoutable. C'est un monstre d'orgueil et d'égoïsme.

— Vous n'êtes pas tendre pour lui, tante Emma. De toute évidence, je n'ai pas intérêt à perdre les pédales devant ce monsieur.

— Ni devant qui que ce soit d'autre, Shane !... Mais enfin, tu ne vas solliciter de Ross qu'un conseil, tu ne te présentes pas en adversaire. Et n'oublie pas qu'il me doit quelques faveurs et que ça le rendra forcément coopératif.

— Je sais que votre jugement n'est jamais en défaut, répliqua le jeune homme.

Il se leva et fit le tour du canapé pour se resservir à boire. Il avait envie d'être déjà à New York pour se replonger dans le travail et oublier ses problèmes personnels.

Blackie jeta un coup d'œil à son petit-fils, puis à Emma.

— Ce Ross Nelson ne me dit rien qui vaille...

— Shane n'est plus un gamin ! s'écria Emma. Il est capable de se tirer d'affaire. Très capable, Blackie. J'irai même jusqu'à dire qu'avec Shane, Ross Nelson trouvera enfin à qui parler.

Shane sourit et ne fit aucun commentaire.

Pour lui, qui que fût ce fameux Ross Nelson, la rencontre du personnage ajouterait sûrement un peu de piquant à son aventure new-yorkaise.

9

Restés seuls après le départ de Shane, Emma et Blackie s'étaient installés dans la bibliothèque. Assis devant la cheminée, ils regardaient flamber les bûches.

Blackie réchauffait entre ses mains un verre de fine Napoléon et Emma buvait son thé au citron. Il lui avait versé aussi un petit verre le Bonnie Prince Charlie, la liqueur qu'elle préférait, mais elle l'avait laissé sur la table Sheraton, près de son fauteuil. Après l'excellent dîner de Mme Padgett, ils étaient calmes, perdus dans leurs pensées, satisfaits d'être ensemble.

Les flammes dansaient dans l'âtre et projetaient des ombres mouvantes sur les boiseries de pin clair que rosissait la lumière du foyer. Dans le jardin, un chêne centenaire craquait, bruissait et agitait ses branches dans le vent qui soufflait en tempête depuis une heure et secouait portes et fenêtres. La pluie battait les vitres. A travers ce rideau ruisselant, il était difficile de voir quelque chose au-dehors. Mais, à l'intérieur de la pièce, tout n'était que luxe, calme et confort. Le bois craquetait et sifflait, et la vieille horloge, dressée dans un coin comme une sentinelle, faisait entendre son tic-tac régulier.

Depuis un moment, les yeux de Blackie ne quittaient pas le visage d'Emma. Au repos, il était empreint de douceur. Ses cheveux semblaient d'argent pur. Elle ressemblait à une délicate poupée ancienne, impassible et ravissante.

Pour Blackie, elle restait la sauvageonne des landes, la petite fille courageuse qu'il avait rencontrée à l'aube, un matin de 1904, en route pour Fairley Hall où elle récurait les planchers et faisait le ménage. Ce jour-là, lui aussi se rendait au château car Adam Fairley l'avait engagé pour faire des travaux de maçonnerie. Mais il s'était égaré dans le brouillard, il ne retrouvait plus son chemin au milieu des landes désolées...

Dès qu'il avait vu Emma, il était tombé amoureux d'elle et pour sa vie entière. Il n'avait que dix-huit ans et elle n'était qu'une petite maigrichonne de quatorze ans aux grands yeux couleur d'émeraude.

Une fois, il lui avait demandé de l'épouser.

Elle avait refusé, croyant qu'il n'agissait que par pitié. Le visage baigné de larmes, elle l'avait remercié avec douceur. Elle ne voulait à aucun prix imposer à son meilleur ami la charge de subvenir à ses besoins et de servir de père à l'enfant qu'elle portait.

Plus tard, il avait épousé Laura Spencer et l'avait aimée tendrement, mais Emma n'avait jamais cessé d'être son grand amour perdu, bien qu'il n'osât pas se l'avouer, ni le lui avouer, ni surtout le montrer aux autres.

Ensuite, il avait vaguement espéré qu'Emma se marierait avec David

Kallinski, mais elle avait tourné ses regards ailleurs, car elle ne voulait pas créer de dissensions dans la famille de David. Les Kallinski étaient juifs orthodoxes et Mme Kallinski, malgré sa bonté, ne tenait pas à ce que son fils choisît une épouse d'une autre confession.

Puis Joe Lowther était apparu. A son grand étonnement, Blackie avait vu Emma tentée par un mariage de raison. Il n'avait jamais compris cette union. A son avis, on ne pouvait atteler un pur-sang avec un cheval de trait. Joe n'était ni brillant, ni particulièrement attirant, mais il s'était montré très bon. Blackie et lui étaient devenus des amis. Ensemble, ils étaient partis à la guerre. Et Joe avait été tué sous les yeux de Blackie dans les tranchées boueuses et ensanglantées de la Somme. Blackie l'avait pleuré de tout son cœur. Joe était bien trop jeune pour mourir.

Des années plus tard, Emma avait confié à Blackie qu'elle n'avait épousé Joe que pour échapper aux Fairley et protéger Edwina de Gérald, qui avait tenté d'enlever le bébé, un soir, dans sa petite boutique d'Armley. « C'était moins égoïste que tu ne peux le croire, lui avait-elle expliqué. J'avais beaucoup d'affection pour Joe et j'ai été une épouse fidèle. »

La seconde fois où Blackie crut avoir une chance d'obtenir la main d'Emma, c'était peu de temps après la Première Guerre mondiale. Ils étaient veufs tous les deux. En fin de compte, pourtant, intimidé par la fulgurante réussite d'Emma et incertain d'être aimé d'elle, il n'avait même pas osé se déclarer. Hélas, elle avait soudain pris ses distances et accepté d'épouser Arthur Ainsley, un être indigne de dénouer le cordon de ses chaussures ! Il lui avait fait souffrir mille morts et l'avait affreusement humiliée. Finalement, dans les années vingt, alors que Blackie n'attendait que l'occasion de faire une nouvelle demande, Paul McGill était revenu en Angleterre et Emma était tombée dans ses bras.

Blackie avait donc au moins trois fois laissé passer sa chance.

A l'âge qu'ils avaient maintenant tous les deux, il n'était plus question de mariage, mais il y avait entre eux quelque chose qui valait autant : une amitié, un sentiment d'intimité, une merveilleuse compréhension mutuelle. Au crépuscule de leur vie, ils s'étaient parfaitement accordés l'un à l'autre. Que pouvaient-ils désirer de plus désormais ?

Pourtant, il avait encore cette bague...

Blackie ne savait pas trop pourquoi il avait conservé la bague de fiançailles qu'il avait jadis achetée pour Emma. Il n'avait sans doute jamais rencontré d'autre femme qui lui en parût digne. Et, pour une raison mystérieuse, il n'avait pas voulu la vendre.

Ce soir-là, il avait l'impression que l'écrin brûlait la poche de son veston. Il posa son verre et se pencha pour remuer les bûches à l'aide du tisonnier. Il se demandait encore si le moment était bien choisi. Mais pourquoi pas ?

— J'ai quelque chose pour toi, Emma.

— Vraiment ? Qu'est-ce que c'est ?

Il fouilla dans sa poche, en sortit l'écrin et le garda au creux de sa large paume.

— Serait-ce déjà mon cadeau d'anniversaire ? demanda Emma, intéressée.

— Oh non, bien sûr que non ! Le moment n'est pas venu.

Il se tut un moment en songeant à la fête qu'ils lui préparaient en secret, Daisy et lui.

— Tu n'auras ton cadeau qu'à la fin du mois, reprit-il. Le jour de tes quatre-vingts ans, pas avant... Ceci, c'est autrefois que je voulais te le donner. Il y a cinquante ans !...

Elle lui lança un coup d'œil inquiet.

— Cinquante ans ? Mais pourquoi avoir tant attendu ?

— Oh ! c'est une longue histoire ! répliqua-t-il, gêné.

Comme elle lui avait paru belle au cours de cette soirée, avec ses cheveux roux nattés en chignon au sommet de sa tête ! Elle portait une robe de velours blanc qui laissait ses épaules nues. A son corsage brillait la broche d'émeraude qu'il lui avait offerte pour son trentième anniversaire, précieuse réplique du bijou de pacotille en verre coloré qu'il lui avait donné le jour de ses quinze ans. Cependant, en voyant aux oreilles d'Emma les superbes émeraudes McGill, Blackie s'était dit que la broche, toute précieuse qu'elle fût, avait l'air d'une babiole sans valeur à côté du cadeau de Paul.

— Alors, dit Emma avec impatience, vas-tu me la raconter, ta fameuse histoire ?

Il revint à la réalité et lui sourit.

— Te souviens-tu, Emma, de la première soirée que j'ai donnée dans cette maison ? C'était à Noël...

— Oui, le soir du réveillon. Tu venais juste de t'installer. Tu étais si fier du merveilleux décor que tu avais créé ! Bien sûr que je m'en souviens ! C'était en 1919.

Blackie acquiesça, regarda le petit écrin et le tripota quelques instants. Quand il releva la tête, l'amour parut redonner à son visage ridé l'éclat de la jeunesse.

— Je venais de l'acheter, dit-il. J'étais allé chez le meilleur joaillier. Je l'avais dans la poche de mon smoking et j'avais l'intention de te l'offrir à la fin de la soirée.

— Et tu ne l'as pas fait ! Pourquoi as-tu changé d'idée ?

— Je voulais au préalable avoir une conversation avec ton frère Winston. Et nous l'avons eue, ici, dans cette pièce même. Nous avons parlé de toi...

— Pourquoi ?

— J'étais inquiet à ton sujet, Emma. Je me faisais beaucoup de souci en te voyant aller toujours, toujours de l'avant. J'avais l'impression que tu commettais de terribles imprudences.

— J'ai toujours aimé le risque, murmura-t-elle. D'une certaine façon, c'est le secret de ma réussite.

— Peut-être, admit-il. De toute manière, ce soir-là, Winston m'a rassuré sur ton sort. Il m'a avoué que tu étais déjà milliardaire ! Et, au fur et à mesure de la conversation, j'ai compris que tu étais infiniment plus redoutable en affaires que David Kallinski et moi, qui n'étions que des enfants de chœur en comparaison. Alors, je me suis dit que tu étais devenue hors d'atteinte et je n'ai pas osé te donner cette bague. Car figure-toi que je voulais te demander d'être ma femme.

— Oh, Blackie, Blackie, mon chéri !...

Stupéfaite, au bord des larmes, elle ne put rien dire d'autre, tant elle était émue. La tendresse qu'elle avait pour Blackie se mêlait à la tristesse et aux regrets quand elle imaginait la souffrance qu'il lui avait cachée pendant de longues années. Il avait tout supporté en silence et c'était tragiquement absurde. Car elle se souvenait aussi qu'en cette soirée de 1919 elle était persuadée que Paul McGill ne reviendrait jamais d'Australie. Sans doute ne serait-elle pas restée insensible à l'amour de Blackie. S'il s'était montré plus audacieux, leurs vies eussent été bien différentes ! Mais elle n'avait jamais imaginé qu'il l'aimait en secret... et, surtout, qu'il songeait au mariage.

Tout à ses souvenirs, Blackie demeurait immobile dans son fauteuil. Il regardait le feu sans dire un mot. Comme c'est bizarre, songeait-il, que les événements de ma jeunesse aient gardé toute leur puissance d'évocation ! Ils sont bien plus présents à ma mémoire que ceux de la semaine dernière ou même d'hier ! Ce doit être un effet de l'âge.

Emma fut la première à réagir.

— Cela signifie-t-il, reprit-elle d'une voix bouleversée, que c'est ma réussite même qui t'a fait fuir ?

— Oui, je le crains, ma bien-aimée. Je me suis dit que tu ne pourrais jamais oublier les affaires, qu'elles faisaient partie de ta vie... J'avais perdu toute confiance en moi. A ce moment-là, je n'étais pas moitié aussi riche que toi. J'ai cru que tu ne voudrais pas de moi.

— Tu t'es bien trompé, mon très cher ami, dit Emma en poussant un grand soupir.

— Veux-tu dire que tu m'aurais épousé, Emma Harte ?

— Oui, j'en ai l'impression, Blackie O'Neill.

Blackie n'en croyait pas ses oreilles. Pendant quelques minutes, il eut l'air sidéré.

— C'est réconfortant à entendre, dit-il enfin d'une voix qui tremblait un peu. Mais il ne faut peut-être rien regretter. Tu m'aurais laissé tomber au retour de Paul et je ne m'en serais jamais remis.

— Pour qui me prends-tu ? s'écria-t-elle, indignée. Jamais je n'aurais voulu te faire souffrir. Je t'adorais et je me faisais constamment du souci pour toi, tu le sais bien. Si tu ne me fais pas des excuses immédiatement, je ne te parlerai plus de toute ma vie.

Sa véhémence était telle qu'il en fut abasourdi. La honte et la confusion se peignirent sur son visage. Puis il déclara d'une voix pleine de tendresse :

— Je te demande pardon, Emma. Je retire ce que je viens de dire. Je sais que tu ne m'aurais pas laissé tomber pour Paul. Si j'en suis sûr ce n'est pas par vanité personnelle. C'est parce que je te connais. Tu n'es jamais cruelle avec ceux que tu aimes. Je sais aussi que ton honnêteté, ta loyauté et ton sens des responsabilités auraient joué en ma faveur. Par ailleurs, il me semble que... je t'aurais rendue heureuse.

— Oui, Blackie, je le crois, répliqua-t-elle avec une vivacité surprenante.

Désireuse que tout fût clair entre eux désormais, elle s'efforça de lui expliquer pourquoi elle s'était autrefois réfugiée dans les bras de Paul.

— Bien avant son retour en Angleterre, mon mariage avec Arthur Ainsley était compromis. J'allais divorcer quand Paul est rentré d'Australie. Mais il ne serait jamais intervenu dans ma vie s'il m'avait su remariée et heureuse. Ce n'est qu'après avoir appris par Frank que j'étais malheureuse et séparée d'Ainsley qu'il s'est rapproché de moi. C'est aussi parce qu'il me savait libre. Il me l'a dit. Si tu avais été mon mari, il n'en aurait rien fait. As-tu oublié l'estime et l'amitié qu'il avait pour toi ?

— Non. Tu as raison. Paul était un homme d'honneur et un chic type... Mais c'est bien loin, tout ça. Il est inutile de ressasser des regrets. J'aimerais pourtant te donner cette bague : elle t'a toujours été destinée.

Il se pencha. Elle leva les yeux, puis les baissa sur le petit écrin de cuir qu'il lui présentait.

Quand il l'ouvrit, elle en eut le souffle coupé.

C'était une merveille. La bague étincelait de tous ses feux contre le velours noir. Au centre, un diamant de la plus belle eau, taillé à facettes et d'au moins vingt carats, était entouré de brillants plus petits, mais d'une égale pureté.

Bien qu'Emma fût habituée aux bijoux les plus précieux, elle ne put s'empêcher d'être éblouie.

— Quelle splendeur, Blackie ! s'écria-t-elle. C'est une des plus belles bagues que j'aie jamais vues.

— La monture date un peu, bien sûr, répliqua-t-il, très ému. Mais je ne tiens pas à ce qu'on la change. Passe cette bague à ton doigt, *Mavourneen*.

— Non, c'est à toi de le faire, mon bel Irlandais, dit-elle en tendant la main gauche. Mets-la à mon annulaire, près de l'anneau de platine.

Il lui obéit.

Emma leva alors sa petite main ferme pour admirer le scintillement des brillants à la lueur du feu de bois. Puis elle regarda Blackie en riant.

— Serions-nous enfin fiancés ? demanda-t-elle avec malice.

Blackie rit à son tour et se pencha pour l'embrasser sur la joue :

— Disons du moins que nous nous engageons solennellement à rester amis intimes et à passer ensemble la fin de nos jours.

— Oh ! Blackie, que c'est joliment dit ! Merci du fond du cœur pour ce précieux gage d'affection.

Elle lui prit la main et la serra avec force. Il rayonnait de bonheur.

— Mon ami, mon merveilleux ami, reprit-elle, tu as toute ma tendresse.

— Comme toi, la mienne, mon Emma.

Il fit quelques pas, puis s'arrêta en secouant sa crinière blanche :

— Je souhaite que tu portes cette bague... Tu ne vas pas la mettre au coffre, n'est-ce pas ?

— Bien sûr que non ! Je ne m'en séparerai jamais plus.

— Je suis heureux de te l'avoir enfin donnée, mon amie. J'hésitais toujours. J'avais peur que tu n'en veuilles pas. Moi qui t'accuse constamment de faire du sentiment en prenant de l'âge, je crois bien que je suis aussi devenu un vieux sentimental.

Il resta silencieux un moment. Puis il s'éclaircit la voix :

— Maintenant, Emma, si nous reparlions de la proposition que je t'ai faite ? Ce matin, au téléphone, tu semblais encore sceptique...

— Oh ! j'y ai repensé cet après-midi ! s'écria-t-elle gaiement. Figure-toi qu'Emily a décidé de venir habiter avec moi. Alors, je me suis dit que le seul moyen d'avoir la paix, ce serait de répondre à ton invitation.

— C'est bien vrai ? Voilà une nouvelle qui réchauffe mon vieux cœur... Tiens, Emma, prends ton verre de Bonnie Prince Charlie et trinquons ensemble.

— Attends une minute ! Je n'ai pas encore accepté. Si je dois m'absenter pour des mois, il faut que tu m'accordes un délai de quelques semaines pour régler certains problèmes.

— Entendu, dit-il, un peu déçu. Mais ce genre de voyage ne s'improvise pas. Je dois l'organiser d'avance. Alors, donne-moi ta réponse assez vite.

— Tu l'auras, je te le promets.

Il but un peu de son cognac et, soudain, un éclair de malice brilla dans son regard.

— A propos, Emma, j'ai fait un plan et je parie qu'il t'étonnera. C'est la première fois que ça m'arrive... Dis-moi, te rappelles-tu ton premier plan, à toi ?

— Non. Tout ça m'est sorti de l'esprit.

— Moi, au contraire, je m'en souviens comme si c'était hier. J'étais très impressionné parce que tu n'étais rien qu'une gamine. Si tu as encore quelques minutes, je vais te parler du mien. Il est superbe, lui aussi, tu verras.

— Je t'écoute, dit-elle en refrénant une envie de rire.

Il s'enfonça dans son fauteuil avec une satisfaction visible.

— Eh bien, je connais une personne... qui est la créature la plus têtue du monde. Mais il se trouve que je l'adore et que cette femme volontaire, obstinée et déconcertante, aimerait beaucoup aller voir son petit-fils en Australie. J'ai donc pensé que ce serait merveilleux de l'emmener là-bas. Et, à ce propos, j'ai fait un plan épatant dont voici les grandes lignes...

Emily s'était endormie sur l'un des canapés du petit salon. C'est là qu'Emma la découvrit, recroquevillée dans son peignoir de bain blanc. Elle lui parut toute petite, fragile et sans défense. Une vague de tendresse la submergea. Elle se pencha pour écarter une mèche de cheveux blonds et déposa sur la joue de la jeune fille un léger baiser. Comme elle hésitait à la réveiller, elle décida de se changer pour la nuit et elle s'éloigna sur la pointe des pieds vers sa chambre.

Après avoir rangé sa veste de zibeline, elle ôta son collier de perles et ses boucles d'oreilles, puis sa montre et l'émeraude de Paul McGill. Elle s'apprêtait à faire glisser de son doigt la bague de Blackie quand elle se ravisa. Cette bague l'avait attendue en secret pendant un demi-siècle et elle avait promis à Blackie de ne plus s'en séparer. Elle la fit remonter le long de son doigt contre l'anneau de platine et entreprit de se déshabiller. Elle venait d'enfiler sa chemise de nuit quand on frappa à la porte. Emily, souriante, passa la tête dans l'entrebâillement.

— Vous êtes rentrée, grand-mère. Vous voyez, je vous ai attendue.

— Tu n'aurais pas dû.

— J'en avais envie. Mais, franchement, je ne pensais pas que vous rentreriez si tard. Il est minuit et demi passé.

— Je m'en rends très bien compte, Emily. Seulement, mets-toi dans la tête que si tu viens habiter ici, tu n'auras pas à surveiller mes allées et venues. Je n'ai pas besoin d'un mentor.

— Je ne pensais pas à vous surveiller, grand-mère. Je constatais simplement qu'il était tard.

— N'oublie pas ce que je viens de te dire.

— Promis, grand-maman !

Apercevant les bijoux posés sur la coiffeuse, Emily tourna son regard vers les mains d'Emma.

— Oh ! montrez-moi donc la bague de Blackie !

— Comment sais-tu qu'elle vient de Blackie ?

— Il nous avait mises dans la confidence, Miranda et moi. Il y a une quinzaine de jours, Miranda m'a demandé de sa part de vérifier la taille de votre doigt. Il craignait qu'il ne soit amaigri.

— Ça, par exemple ! Et comment trouves-tu cette bague ?

Emily prit la main d'Emma et écarquilla ses grands yeux verts.

— C'est stupéfiant, grand-maman ! Une pure merveille ! Est-ce que ça veut dire... que vous êtes fiancés ?

— Bien sûr que non, petite sotte ! A quoi vas-tu penser ? Tu es bien romanesque ! On ne se fiance plus à nos âges. Comme le dit Blackie, nous nous sommes seulement promis de rester des amis intimes jusqu'à la fin de nos jours. Veux-tu que je te raconte l'histoire de cette bague ?

— Oh, oui, je vous en prie ! Allons au salon. J'ai un Thermos de chocolat chaud en réserve.

D'un geste impératif, elle prit la main de sa grand-mère et l'entraîna comme un petit enfant. Emma se laissa faire sans protester.

Après avoir rempli deux tasses de chocolat, Emily se blottit à nouveau sur le canapé et s'écria d'un ton ravi :

— On s'amuse vraiment bien chez vous. J'ai l'impression que je viens de quitter mon pensionnat et que je peux enfin me coucher tard.

— Ne t'emballe pas. C'est un soir exceptionnel. A cette heure-ci, je suis couchée, d'habitude. Et je ne vais pas te faire un long discours car, demain, nous aurons une journée épuisante.

Quand son aïeule lui eut raconté l'histoire de la bague, Emily ne put s'empêcher de dire :

— Eh bien, pour vous qui ne croyez pas à l'amour platonique, c'est une bonne leçon !

Emma sourit avec indulgence et ne fit pas de commentaires.

— Songez un peu, reprit Emily avec émotion, que si vous aviez épousé Blackie à la place de l'affreux Arthur, vos enfants seraient différents — peut-être plus aimables ! C'est une question de gènes, vous savez. Je me demande aussi comment seraient vos petits-enfants. Paula, par exemple. Et moi. Bon sang, grand-maman, je n'aurais peut-être pas été moi du tout, mais quelqu'un d'autre !

— Eh bien, je t'aurais aimée tout autant ! Mais cesse de rêver sur des problèmes auxquels tu ne comprends rien. Tout ça paraît bien compliqué, surtout en pleine nuit... Pour en revenir à la famille, comment s'est donc passée la soirée ?

Emily se redressa brusquement et se pencha vers Emma.

— Vous n'allez pas me croire, mais Edwina s'est conduite d'une façon extraordinaire.

— Que veux-tu dire ? demanda Emma, alarmée.

— Ne prenez pas cet air de catastrophe. Il n'y a pas eu de drame. Edwina a été si gentille que nous n'en revenions pas, Paula et moi. Le charme en personne ! Enfin, j'exagère un peu. En fait, elle était dans ses petits souliers, mais elle s'est montrée courtoise. Je ne sais ce que vous lui avez dit ce soir, mais vos paroles ont eu un effet salutaire. Vous lui avez passé un savon, n'est-ce pas ?

— Ne sois pas indiscrète, Emily. Ça ne regarde qu'Edwina et moi. Et c'est sans importance. Ce qui compte, c'est qu'elle ait été raisonnable.

— Elle n'a pas bu une goutte d'alcool de la soirée ! Autre chose encore... Vous ne devineriez jamais !

— Alors, tu ferais mieux de me le dire.

— Elle a demandé à tante Daisy si elle pouvait téléphoner à Anthony chez l'oncle Randolph pour l'inviter à venir prendre le café avec nous.

— Il est venu ? demanda Emma, très étonnée.

— Bien sûr. Avec Sally. Ils s'adorent tous les deux, grand-maman. C'est formidable.

— Sally était là aussi !... Comment Edwina l'a-t-elle accueillie ?

— Si cordialement que j'en ai été époustouflée. Bref, grand-maman, la soirée était très réussie.

— Eh bien, c'est un vrai roman ! finit par dire Emma revenue de sa surprise. Je ne m'attendais pas à cette volte-face de la part d'Edwina.

Ainsi, ses mises en garde avaient porté. Elle s'en félicita en espérant que l'agressivité d'Edwina ne reprendrait pas le dessus. Soulagée, elle se pencha pour embrasser Emily.

— Sur cette excellente nouvelle, je vais aller me coucher, ma petite chérie. Bonne nuit.

— Je vous adore, grand-mère, répliqua Emily en la serrant dans ses bras. Dormez bien. Je crois que je vais aller en faire autant. Demain, je dois ramener les jumelles d'Harrogate et j'ai mille autres choses à faire. C'est fou, je n'ai pas une minute à moi.

Emma s'éloigna rapidement, de peur d'être obligée d'en écouter davantage.

— A propos, grand-mère, lui cria la jeune fille, je suis heureuse que vous ne soyez pas contrariée par l'échec des négociations avec *Aire Communications.*

Emma se retourna sur le seuil :

— Je dirai que c'est tant pis pour eux et tant mieux pour nous.

— C'est aussi ce que dit Paula... Ce Sébastien Cross est vraiment un sale type ! J'espérais que Jonathan lui ferait entendre raison. Mais s'il n'y est pas parvenu, personne d'autre n'y arrivera.

— Qu'est-ce que tu racontes, Emily ?

— Les négociations avec *Aire Communications...* C'est bien vous qui avez demandé à Jonathan d'en parler à Sébastien ?

— Pas du tout.

— Ah bon ! dit Emily d'un ton embarrassé.

— Qu'est-ce qui a pu te faire croire ça ?

— Eh bien, mardi dernier, en dînant avec papa à Londres, je les ai aperçus tous les deux au bar des Ambassadeurs, au moment où nous partions. Papa avait un rendez-vous et il avait une telle peur d'être en retard que je n'ai même pas eu le temps de dire bonjour à Jonathan.

— Mais pourquoi as-tu pensé que Jonathan serait capable d'influencer Sébastien ?

— Ce sont de vieux copains. Ils étaient à Eton ensemble. Rappelez-vous, grand-mère, vous m'aviez emmenée là-bas voir Jonathan.

— C'est exact. Mais j'ignorais que le jeune Cross y était aussi à cette époque et qu'ils étaient bons amis.

— Ils le sont toujours.

Atterrée de ce qu'elle venait d'apprendre, Emma se força pourtant à sourire.

— Jonathan a peut-être voulu nous aider discrètement et faciliter la tâche de Paula, déclara-t-elle en essayant d'y croire.

Malheureusement, son intuition lui disait le contraire. Elle s'appuya au montant de la porte et reprit de son ton le plus naturel :

— Jonathan t'a-t-il vue, ce soir-là, Emily ?

— Non, il était trop absorbé par la conversation. C'est important ?

— Pas vraiment. En as-tu parlé à Paula ?

— Je n'en ai pas eu le temps.

— Dans ce cas, j'aimerais mieux que tu ne lui dises rien. Je ne voudrais pas qu'elle s'imagine que Jonathan se mêle de ses affaires. Même pour l'aider. Et n'en parle pas davantage à Jonathan. Je vais tâcher de savoir dans quel but il l'a fait, à supposer qu'il l'ait fait. Il parlait peut-être de tout autre chose avec Sébastien.

— Comptez sur moi, dit Emily.

Voyant que sa grand-mère semblait interdite, la jeune fille la regarda avec appréhension. Emma avait pâli en l'écoutant. Ses yeux avaient perdu toute gaieté. Ils étaient devenus étrangement mornes. Alarmée, Emily courut vers elle.

— Vous allez bien, grand-maman ?

Emma ne répondit pas. Elle réfléchissait rapidement et la vérité lui apparut bientôt dans toute sa clarté. Un instant, elle refusa d'y croire. Ce ne sont que des suppositions, se dit-elle. Mais elle était trop réaliste pour se voiler la face devant l'évidence.

Quand elle se rendit compte de l'inquiétude de sa petite-fille, elle s'efforça de la rassurer.

— Je suis fatiguée, c'est tout, dit-elle avec un sourire.

Mais elle avait l'impression d'avoir senti passer le froid de la mort.

10

On se pressait en foule dans la petite église médiévale qui dominait Fairley.

La famille et les amis occupaient les premiers rangs. Les gens du pays étaient venus en grand nombre assister au baptême des arrière-petits-enfants d'Emma Harte et un goûter de fête les attendait après la cérémonie dans la salle paroissiale qui se trouvait en face de l'église.

A l'intérieur des vieux murs de pierre, tout n'était que paix et sérénité. Les rayons du soleil, au travers des vitraux, illuminaient de toutes les couleurs du prisme le dallage gris et les vieux bancs de bois ciré. Une multitude de bouquets ornaient les marches du chœur. Jacinthes, narcisses, freesias, mimosa et lilas embaumaient l'air.

Assise au premier rang, Emma se tenait fière et digne dans un ensemble de crêpe de laine bleu nuit. Une petite toque de velours, du même bleu profond, surmontait ses beaux cheveux argentés. Elle avait mis ses boucles d'oreilles d'émeraude et son long rang de perles d'un orient inégalable. Blackie était à sa gauche et Daisy à sa droite. Edwina, passablement guindée comme à son habitude, se trouvait entre David Amory et Sarah Lowther.

En descendant de voiture, Emma avait été surprise de trouver Sarah à la porte de l'église, puisque la jeune fille s'était plus ou moins décommandée sous le prétexte d'un mauvais rhume. Mais elle paraissait se porter comme un charme, à croire qu'elle avait guéri par miracle au cours de la nuit. Le plus probable, se dit Emma, c'est qu'elle ne tenait pas à voir Shane. On ne pouvait pas lui en vouloir. Mais il fallait reconnaître qu'elle savait se maîtriser : elle n'avait pas cillé quand Shane s'était approché.

De sa place, Emma se tourna légèrement pour regarder le jeune homme.

Il était assis avec ses parents de l'autre côté de la nef. Elle le voyait de profil. Soudain, comme s'il avait senti qu'elle l'observait, il bougea la tête vers la droite et lui fit un petit sourire.

Paula et Jim étaient debout près des fonts baptismaux, bel ouvrage de pierre sculptée qui datait de 1574. Le pasteur, le Révérend Geoffrey Huntley, commença par baptiser le garçon, Lorne McGill Harte Fairley, puis il se tourna vers la petite fille, prénommée Tessa, qu'Emily, sa marraine, tenait dans les bras. Un peu plus loin, Sally Harte, marraine de Lorne, berçait son filleul pour l'empêcher de pleurer.

Les yeux d'Emma brillaient de bonheur. Mais elle ne pouvait s'empêcher de songer aussi aux disparus : ses propres parents, son frère Winston, Arthur Ainsley, Paul McGill, Adèle et Adam Fairley... C'était miraculeux qu'elle fût encore là avec Blackie pour se réjouir en famille de ce beau jour.

Puis elle jeta les yeux sur Paula et sur Jim.

Ils vont bien ensemble, se dit-elle. Lui, grand et blond, le vivant portrait de son grand-père Adam. Et Paula, souple et élancée, avec ses doux cheveux noirs et le charme des McGill. La grâce naturelle de la jeune femme était rehaussée par l'élégance de son tailleur violet, un violet bleuté qui allait avec la couleur de ses yeux. Elle est un peu trop mince, se dit Emma, mais elle est vraiment en beauté, aujourd'hui.

Emma adorait sa petite-fille et elle en était très fière. Paula ne lui avait donné que de la joie depuis sa naissance.

Paul, lui aussi, en aurait été fier, car la jeune femme possédait les qualités qu'il admirait le plus : le sens de l'honneur, l'esprit de justice, la loyauté, l'honnêteté et l'intelligence. Douce et plutôt timide, Paula ne manquait pourtant pas de sang-froid et elle avait hérité de l'humour de Paul, tout comme sa mère Daisy. C'était bien une McGill, mais c'était également une vraie Harte par son opiniâtreté, sa sagacité, sa résistance et sa vigueur. Avec ce qu'Emma lui laisserait en héritage, elle allait avoir bien besoin de tout cela dans les années à venir.

La petite Tessa se mit à pousser des cris perçants dont l'écho se répercuta sous les voûtes. Emma se pencha pour regarder du côté des fonts baptismaux. Le pasteur tenait le bébé et lui versait de l'eau sur le front. Puis il rendit la nouvelle baptisée à Emily avec un certain soulagement.

Emma trouva réjouissant que l'enfant eût crié avec tant de violence. Il est évident, se dit-elle, que Tessa McGill Harte Fairley sera la rouspéteuse de la famille.

La cérémonie tirait à sa fin. Bientôt, chacun quitta sa place. Emma sortit au bras de Blackie en saluant aimablement à droite et à gauche.

La famille, les invités et les villageois se retrouvèrent sous le porche pour féliciter les jeunes parents.

Certaines gens du pays s'approchèrent pour parler à Emma, mais elle s'excusa de ne pouvoir s'attarder et s'éloigna en compagnie de Blackie.

— Je vais m'éclipser un moment, lui dit-elle. Mais je ne m'attarderai pas et nous repartirons pour Pennistone.

— Veux-tu que je vienne avec toi ?

— Non, merci. J'en ai pour une minute.

Au moment où Emma se retournait, le chauffeur de Blackie se précipita pour lui tendre une corbeille de fleurs. Elle la prit en le remerciant et s'en alla au cimetière qui était près de l'église.

Ses pas la conduisirent vers un coin retiré, ombragé par un vieil orme. C'était là que se trouvaient, à l'abri du mur couvert de mousse, les tombes de ses parents, John et Elisabeth Harte. Près d'eux étaient enterrés ses frères, Winston et Frank. Elle prit quelques fleurs et en déposa une sur chaque tombe. La main sur la pierre tombale de sa mère, elle regarda au loin les collines arides et le ciel bleu pervenche où le soleil jouait à cache-cache avec de blancs nuages filant à toute allure. Il faisait chaud pour la saison. C'était le jour idéal pour grimper au Sommet du Monde. Elle scruta l'horizon et soupira. Puis ses yeux allèrent d'une tombe à l'autre, d'un nom à l'autre. Je vous ai gardés dans ma mémoire tous les jours de ma vie, murmura-t-elle. Je n'ai oublié aucun d'entre vous... Soudain, elle eut l'étrange certitude qu'elle ne reviendrait jamais plus se recueillir sur ces tombes.

Elle reprit en sens inverse la petite allée pavée qui serpentait à travers le cimetière et, au passage, elle s'arrêta le long des murs de l'église devant un espace carré entouré d'une grille. C'était un cimetière privé, celui des Fairley. Elle en ouvrit la petite barrière et y pénétra. Elle jeta un coup d'œil à chacune des sépultures et son regard s'attarda sur la dalle de marbre blanc qui recouvrait la tombe d'Adam Fairley. De chaque côté de lui gisaient ses deux épouses, Adèle et Olivia. Deux sœurs, deux femmes ravissantes qui avaient aimé et épousé successivement le même homme. Chacune à sa façon avait été bonne pour Emma dans son adolescence.

Eh bien, Adam Fairley, songea-t-elle, c'est moi qui ai gagné! J'ai fini par triompher. Votre famille ne possède plus rien dans le village, si ce n'est ce petit coin de terre. Tout le reste m'appartient et l'église elle-même est tributaire de mes largesses. Vos arrière-arrière-petits-enfants viennent d'être baptisés. Ils portent votre nom l'un et l'autre, mais c'est de moi seule qu'ils tiendront leur fortune et leur position dans le monde...

Mais Emma ne ressentait plus de haine pour les Fairley et, quand elle sortit du cimetière, son visage calme et souriant reflétait sa paix intérieure.

Elle rejoignit Blackie qui conversait à l'écart avec les jumelles, Amanda et Francesca.

— Il faut que tu saches, s'écria-t-il en riant, que ces deux petites futées t'ont vue disparaître! J'ai dû les empêcher de te courir après.

— Nous voulions aller sur les tombes, dit Amanda. Nous adorons les cimetières.

— C'est bien sinistre! répliqua Emma en faisant la grimace.

— Mais non, c'est intéressant, expliqua Francesca. On lit ce qui est écrit sur les tombes et on essaie d'imaginer à quoi ressemblaient ces gens-là et quel genre de vie ils ont eu. C'est comme de lire un livre.

— Vous m'en direz tant!... Maintenant, je crois que nous devrions retourner à la maison.

Francesca glissa son bras sous celui d'Emma.

— Nous repartons avec vous, murmura-t-elle. La voiture d'oncle Blackie est bien plus belle que la vieille Jag d'Emily.

— Ce ne serait pas gentil pour Emily. Tu es venue avec elle et tu dois repartir avec elle. Et puis, il faut que je parle à ton oncle Blackie.

Ce n'était pas tout à fait vrai. Emma voulait seulement avoir la paix pendant le trajet de retour pour reprendre son souffle avant la réception.

Dans la voiture, Blackie commenta la cérémonie religieuse.

— C'était un baptême formidable, Emma. Vraiment très beau. Mais je t'ai regardée quand le pasteur a baptisé Lorne et tu m'as paru bizarre. A quoi pensais-tu donc?

— A un autre baptême, celui où tu as officié, quand tu as ondoyé

Edwina avec l'eau du robinet dans la cuisine de Laura... Je n'ai pas pu m'empêcher de songer au passé. Tu sais, finalement, quand j'ai découvert que j'étais enceinte, on n'aurait jamais permis à Edwin Fairley de m'épouser, même s'il l'avait voulu. Aujourd'hui, c'est un juste retour des choses.

— Oui, on le lui aurait interdit.

— En songeant à tout ce qui m'était arrivé dans ma longue vie, cette cérémonie m'est apparue comme une ironie du sort. Je crois qu'Adam Fairley, plus que tout autre, y aurait été sensible.

Elle se tut quelques instants, puis conclut avec un léger sourire :

— La roue de la fortune a fait un tour complet.

11

Orphelin dès l'âge de dix ans et élevé par un grand-père veuf, Jim Fairley avait eu une enfance solitaire. Aussi avait-il été très heureux en 1968 de faire désormais partie de la tribu d'Emma. En épousant Paula, il s'était retrouvé au sein d'un véritable clan. Quoiqu'il fût resté assez lucide sur les qualités et les défauts de sa nouvelle famille, il se gardait bien de la juger. Il savait se tenir à l'écart des animosités et des intrigues qui se multipliaient autour d'Emma.

Jim n'était pas d'une nature agressive et il était souvent inquiet en voyant Paula s'en prendre à l'un ou l'autre de ses oncles et tantes. Il estimait qu'elle exagérait quand elle lui énumérait tous les torts qu'ils avaient envers sa grand-mère. Dès qu'il s'agissait de son aïeule adorée, elle se montrait férocement protectrice et Jim ne pouvait s'empêcher d'en rire car, pour lui, si quelqu'un au monde pouvait se passer de défenseur, c'était bien Emma Harte.

Depuis quelque temps, Jim avait décrété que les mises en garde de sa femme vis-à-vis de la comtesse de Dunvale étaient absurdes et il pouvait se féliciter à présent de l'avoir invitée au baptême puisqu'au dîner de la veille Edwina s'était parfaitement comportée.

Il la chercha des yeux. Elle était au milieu du salon, occupée à bavarder avec son fils Anthony et Sally Harte. Pour une fois, elle a l'air parfaitement à son aise, se dit-il. La pauvre vieille, elle n'est pas si mauvaise qu'on le prétend ! Son regard fit le tour de la pièce et s'arrêta au passage sur le magnifique tableau qui était au-dessus de la cheminée de marbre blanc. C'était celui qu'il préférait.

Pennistone, cet ensemble architectural où l'art de la Renaissance se mêlait si bien au classicisme du XVIIᵉ siècle, s'enorgueillissait de deux salons d'apparat et, des deux, Paula avait choisi le Salon Rose pour donner la réception qui suivit le baptême.

Aux yeux de Jim, c'était la plus belle pièce de toute la maison. Le beige rosé des murs y mettait parfaitement en valeur la célèbre collection de tableaux d'Emma. Bien qu'elle eût vendu l'année précédente une partie de ses Impressionnistes, il lui en restait encore quelques-uns, parmi lesquels deux Monet et trois Sisley.

Debout près de la porte d'entrée, Jim continua de contempler le Sisley qu'il aimait. Et lui qui n'avait jamais été envieux de sa vie, il savait qu'il mourait d'envie de le posséder. Il ne l'aurait jamais, évidemment, puisque Emma avait spécifié dans son testament que le Sisley ne devrait jamais quitter le Salon Rose. Mais il savait aussi que la maison deviendrait un jour la propriété de Paula et qu'il pourrait alors admirer ce paysage aussi librement que s'il en était l'heureux possesseur. C'est pourquoi il n'arrivait pas à comprendre la folle convoitise que lui inspirait le tableau. Il n'avait jamais rien désiré avec autant d'ardeur si ce n'était d'épouser Paula.

Comme il ne voyait pas sa femme, il commença de s'inquiéter. Il ne s'était éloigné que dix minutes pour aider le photographe à installer son matériel dans le Salon Gris et, pendant sa courte absence, la pièce s'était remplie de monde. Il décida d'aller à la recherche de Paula et se fraya un chemin dans la foule des invités.

Grand et mince, avec de larges épaules et de longues jambes, James Arthur Fairley était un très beau garçon. Il avait surtout de l'allure en costume d'équitation, mais en toute occasion il se faisait remarquer par l'extrême raffinement de ses tenues. Comme son arrière-grand-père autrefois, il avait un goût un peu excessif pour le luxe vestimentaire. Mais son teint clair, sa blondeur, ses yeux grie expressifs et son visage sensible attiraient aussi les regards. Aristocrate de naissance et d'éducation, il possédait une aisance qui lui permettait d'être naturel en toute circonstance. Il avait un charme certain et il souriait facilement.

Il regarda de tous les côtés en traversant le Salon Rose, mais Paula restait introuvable. Il prit une coupe de champagne et tenta de se rapprocher de David Amory, son beau-père. Malheureusement, Edwina l'arrêta au passage pour lui faire des commentaires enthousiastes sur la cérémonie du baptême et elle poursuivit la conversation en l'interrogeant sur le village de Fairley. Il l'écouta patiemment et s'étonna encore une fois qu'elle attachât tant d'importance au fait d'être une Fairley, elle aussi. Dès leur première rencontre, elle l'avait accablé de questions sur Adam et Adèle, et même sur le père d'Adèle, le comte de Carlsmoor, mort depuis bien longtemps. Elle s'était même intéressée aux propres parents de Jim, disparus tragiquement dans un accident d'avion en 1948.

Chaque fois que Jim avait eu l'occasion de rencontrer sa « presque » tante, il avait senti à quel point elle était gênée d'être une bâtarde et cela l'avait ému. C'était un peu par compassion qu'il se montrait aimable avec elle et tentait de l'inclure dans certaines réunions de famille. Heureusement pour lui, sa belle-mère et Edwina s'entendaient assez bien, peut-être parce qu'elles avaient été toutes deux des enfants illégitimes. Mais les deux femmes n'avaient guère en commun que la bâtardise car elles se ressemblaient aussi peu que le jour et la nuit. Daisy Amory était une personne douce, compatissante et attentive aux autres. Jim l'appréciait aussi pour son calme, sa gaieté et son sens de l'humour. Edwina, au contraire, était une femme aigrie, aux nerfs malades. Son snobisme et ses ambitions paraissaient incompréhensibles à Jim. Mais il y avait en elle une sensibilité qui le touchait et lui inspirait de la sympathie. Il se disait que c'était peut-être un trait de caractère familial, mais Paula, pour sa part, ne croyait pas aux liens du sang et elle s'irritait des bons rapports d'Edwina et de son mari. Jim s'étonnait toujours de sa colère. A son avis, Edwina n'était qu'une vieille dame inoffensive.

— Excusez-moi, tante Edwina, je n'ai pas compris ce que vous venez de dire.

— Je disais que je regrettais que ma mère ait fait détruire Fairley Hall. Une demeure aussi ancienne a toujours une valeur historique. Et c'était votre maison de famille. Vous auriez pu y vivre avec Paula.

— Sûrement pas ! répliqua Jim en riant. D'après les photos, c'était un affreux mélange de styles disparates, une vraie monstruosité. Mon grand-père était de cet avis-là, lui aussi.

Daisy, qui n'était pas loin, avait surpris la fin de la conversation.

— Je pense comme toi, Jim, déclara-t-elle. Mère a très bien fait de transformer le domaine en jardin public.

Puis elle désigna le pasteur de Fairley qui était en conversation avec son mari.

— Regardez le Révérend Huntley, poursuivit-elle. Il rayonne de satisfaction. Il sait, lui, que mère est la bienfaitrice du village. Elle vient encore de donner un gros chèque pour la restauration de l'église.

Après ce discret reproche à sa demi-sœur, Daisy félicita Edwina sur sa tenue.

— Tu es très élégante, ma chérie. Cet ensemble te va à ravir.

— Oh !... dit Edwina, surprise.

Elle ne recevait jamais de compliments et une petite lueur de contentement anima ses yeux pâles. Soucieuse de se montrer aussi aimable que Daisy, elle reprit précipitamment :

— Tu es magnifique, toi aussi, mais tu l'es toujours ! Moi, j'ai beaucoup hésité à choisir ce modèle de Hardy Aimes. Je croyais qu'il ne m'allait pas.

Elles parlèrent chiffons un petit moment, puis Daisy s'excusa :

— Je vois mère qui me fait signe. Il faut que je vous quitte.

Restée seule avec Jim, Edwina se mit à lui vanter les beautés de sa propriété d'Irlande.

— J'aimerais que vous voyiez Clonloughlin à cette époque de l'année. C'est une splendeur. Tout y est si vert ! Pourquoi n'y viendriez-vous pas passer un week-end avec Paula ?

— Ce serait avec plaisir, tante Edwina, mais je crains que Paula ne consente pas à s'éloigner de ses enfants avant quelque temps.

— Oui, je comprends, murmura Edwina, déçue.

Pour cacher sa confusion, elle se mit à parler comme un moulin. Jim continua de l'écouter en essayant de trouver un prétexte pour lui échapper. Sa haute taille lui permettait de regarder les autres au-dessus des cheveux platinés d'Edwina. Il cherchait toujours Paula dont l'absence commençait à se remarquer.

Il vit Sarah Lowther qui arrivait au bras de son cousin, Jonathan Ainsley, puis Bryan et Géraldine O'Neill qui parlaient à Alexandre Barkstone et à sa petite amie. Il aperçut aussi Blackie, debout près de la fenêtre, en conversation avec Randolph Harte. Miranda tentait de les rejoindre et se frayait un chemin parmi les invités. Sa tenue excentrique, sa beauté radieuse et l'éclat de ses cheveux auburn attiraient tous les regards.

Jim changea légèrement de position pour en voir davantage. Emma, assise sur le bras d'un des canapés, s'occupait de ses belles-sœurs, Charlotte et Natalie, deux charmantes vieilles dames qui paraissaient bien fragiles à côté d'elle. Il l'observa un moment. Cela faisait des années qu'il travaillait pour elle et il l'avait toujours vénérée. Mais, en entrant dans sa famille, il avait découvert son âme généreuse et lui vouait depuis une espèce d'adoration. Elle avait des trésors de compréhension et de tendresse pour autrui. C'était aussi la personne la plus juste qu'il eût jamais rencontrée. Comme mon grand-père a été stupide de la laisser partir! se dit-il. Il soupira en songeant aux absurdes préjugés d'autrefois sur les différences sociales. Puis il se prit à regretter qu'Edwin Fairley ne fût plus de ce monde. Il se serait réjoui de voir les Fairley et les Harte enfin réconciliés grâce au mariage de son petit-fils avec Paula.

Il se rendit compte qu'Edwina s'était tue et l'observait, intriguée.

— Laissez-moi aller vous chercher encore un peu de champagne, ma tante. Mais j'aimerais bien savoir aussi où est passée Paula.

— Merci, j'ai assez bu pour le moment... Oh, Jim, je voudrais vous demander autre chose. Auriez-vous la gentillesse de me montrer votre maison d'Harrogate? Je sais que mon père... votre grand-père... y a vécu pendant des années. J'aimerais tant la connaître!

— Bien sûr, venez donc un soir prendre un verre, répliqua Jim avec politesse en espérant que Paula n'exploserait pas de rage.

Il allait s'éloigner quand Emily et les jumelles s'approchèrent pour leur dire bonjour.

— Salut! s'écria Emily en lui prenant le bras. Que penses-tu de la fête? C'est plein à craquer et ça va être très marrant!

Jim lui sourit avec indulgence:

— Dis-moi, Emily, as-tu vu ma femme quelque part?

— Elle est montée avec la nurse. Les petits avaient besoin d'être changés. Il étaient trempés comme une soupe. Tu as de la veine qu'ils n'aient pas fait pipi sur ton beau complet.

— Voyons, Emily! s'écria Edwina avec une moue d'indignation. Ne sois pas aussi vulgaire!

— Mais les bébés font vraiment pipi, ma tante, rétorqua Emily d'un ton moqueur. Ce n'est pas de la vulgarité de le dire, c'est du réalisme.

Jim faillit éclater de rire. Il fit signe à la jeune fille de se taire et regarda sa tante avec inquiétude.

Edwina, vexée, s'apprêtait à répliquer vertement quand Winston vint rejoindre le petit groupe.

— Jim, excuse-moi de te déranger, mais j'aimerais discuter de certaines affaires urgentes avec toi, lundi matin. Aurais-tu une heure pour me recevoir?

— Evidemment. Qu'y a-t-il donc de si urgent? C'est grave?

— Non, non. J'aimerais seulement te voir rapidement·car je dois aller ensuite à Doncaster et à Sheffield.

— Lundi, 10 h 30, ça te va? A cette heure-là, la première édition sera bouclée.

— Parfait.

— Ton père a l'air bien content de lui aujourd'hui, Winston! Regarde-le avec Blackie. On dirait deux gamins. Qu'est-ce qui leur arrive?

— Mon père a l'intention de faire courir Emerald Bow dans le *National* de l'année prochaine et Blackie ne se sent plus de joie. Tante Emma doit être ravie, elle aussi.

— Ça se comprend!

— Quelle bonne nouvelle! dit Emily. J'espère que grand-maman nous invitera tous à Aintree au mois de mars.

Ils se mirent à discuter avec ardeur des chances d'Emerald Bow et les jumelles elles-mêmes firent des pronostics.

Seule, Edwina restait silencieuse. Elle aspira la dernière goutte de champagne restée au fond de son verre et regarda Winston sans aménité. Elle n'aimait pas beaucoup les Harte. Pour elle, ces gens-là avaient beau être riches, ils n'avaient rien d'intéressant. Elle leur concédait pourtant une certaine beauté. Soudain, avec un pincement au cœur, elle s'aperçut de la ressemblance frappante qui existait entre Winston et Emma. Par-delà les années, le jeune homme était sa réplique masculine. Il avait les traits fins et réguliers de sa grand-tante, ses cheveux d'or sombre, ses yeux couleur d'émeraude et son regard pétillant d'intelligence. Il avait même ses mains, trop petites pour un homme. Dieu, que c'est bizarre! pensa-t-elle. Elle se détourna un peu, inquiète.

Jim, qui continuait à écouter Winston, l'interrompit tout à coup.

— Ah, voilà enfin Paula! déclara-t-il en faisant de loin un grand signe à sa femme. Excusez-moi, vous tous!

En le voyant accourir, Paula se força à sourire pour cacher qu'elle lui en voulait un peu. Bien qu'elle adorât Jim et s'estimât heureuse de l'avoir épousé, elle avait le cœur serré d'être obligée, à cause de lui, de faire bonne figure à Edwina.

— Tu en as mis un temps! dit-il en lui prenant la main. Je m'ennuyais de toi.

— Les petits, eux aussi, avaient besoin de moi, répliqua-t-elle gentiment. J'espère que tu ne vas pas devenir jaloux de tes enfants.

— Pas question! Je les adore. Mais je t'adore aussi. Ecoute, ma chérie, pourquoi ne pas filer en douce tout à l'heure et aller dîner en amoureux? Tes parents ne diront rien.

— Eh bien...

— Je n'admettrais pas de refus, ma belle chérie.

Il se pencha pour lui murmurer quelque chose à l'oreille. Paula rougit et se mit à rire.

— Quel sale type tu fais! Tu es un vrai démon... Je voudrais tout de même que vous sachiez, monsieur, que je suis une honnête femme. Ce que vous me proposez est de la dernière indécence.

— Le crois-tu vraiment?

— Voici maman, dit Paula un peu gênée. On dirait qu'elle nous cherche.

— Alors, tu acceptes? Dis-moi oui.

— Oui, oui, oui !

Daisy s'approcha et les regarda avec attendrissement.

— Pardon d'interrompre votre tête-à-tête, mes enfants, mais mère s'ennuie. Elle veut se débarrasser au plus vite du photographe. Alors, j'avertis tout le monde. Venez vite ! Rassemblons-nous dans le Salon Gris... A propos, mon cher Jim, j'ai suggéré qu'Edwina fasse partie d'une des photos du groupe familial et ma mère a accepté.

— C'est gentil de votre part, Daisy, dit Jim, émerveillé qu'elle fût toujours aussi soucieuse de ne pas blesser son prochain.

Emma n'avait jamais été dupe de personne.

Cet après-midi, elle était aussi lucide que d'habitude. De l'endroit où elle était, près de la cheminée, elle avait observé tour à tour chacun de ses invités. Comme Jim, elle aimait rester à l'écart pour mieux examiner les autres.

Mais, au contraire de Jim qui était assez naïf pour ne s'attacher qu'aux apparences, Emma avait le don de voir les choses en profondeur. Rien ne lui échappait de ce qui se passait dans le Salon Rose. Elle perçait à jour les sentiments, bons ou mauvais, de tous ceux qui l'entouraient.

Elle eut un petit sourire amer. Comme de coutume, des coteries s'étaient formées et des intrigues se nouaient. Elle lisait sur les visages comme dans un livre ouvert.

Cependant, le comportement d'Edwina l'avait étonnée. Sa fille aînée avait donc eu l'intelligence d'accepter l'inévitable ! Assise avec Sally devant la fenêtre, Edwina semblait déborder de cordialité pour sa future belle-fille, tout en évitant soigneusement le reste de la famille Harte.

Ni Randolph, le père de Sally, ni ses autres enfants, Vivienne et Winston, n'avaient décidément l'heur de plaire à Edwina et elle dissimulait son antipathie pour eux sous des sourires de commande. Elle battait froid à Blackie également. Elle ne l'avait jamais aimé. Un jour, elle s'était moquée de lui en le traitant par dérision de «grand seigneur».

Emma en avait ri toute seule car le terme semblait convenir à merveille à Blackie. En effet, il se conduisait partout et toujours en parfait gentilhomme et sa courtoisie envers tous, égaux ou inférieurs, faisait bien de lui un très grand seigneur.

Il n'avait pas quitté Emma quand on avait porté les toasts et découpé le gâteau du baptême. A la suite du petit discours de Randolph, il avait à nouveau levé son verre. A son amie de toujours, à celle qu'il proclamait la plus jeune et la plus belle des arrière-grand-mères.

Emma le chercha des yeux et le vit près de Paula qui se penchait sur les jumeaux. Puis elle tourna la tête vers l'autre bout de la pièce et aperçut Alexandre.

En conversation avec Jonathan et Sarah, le jeune homme, qui n'était jamais très liant, semblait encore plus distant que d'habitude avec ses cousins. Il les avait à peine salués en arrivant et avait ensuite fait mine de les ignorer. Il était resté en compagnie de Bryan et Géraldine O'Neill jusqu'au moment des photos. Emma se demanda pourquoi il témoignait tant de froideur aux deux autres. Avait-il quelque chose à leur reprocher? Mais peut-être était-il simplement fatigué de les côtoyer trop souvent dans le travail... En tout cas, s'il existait un différend entre eux, Emma ne tarderait pas à l'apprendre. Pour le moment, elle aurait aimé savoir quelles étaient les intentions d'Alexandre vis-à-vis de la jeune fille qu'il courtisait, la charmante Marguerite Reynolds. Il était arrivé avec elle à la réception, mais elle n'était plus auprès de lui. Où se trouvait-elle donc?

Le regard d'Emma fit le tour du salon. Ah oui! se dit-elle, la voilà près de la porte, en train de rire avec Miranda O'Neill et Amanda! Seigneur, n'est-ce pas encore un verre de champagne que boit cette petite? Le troisième de la soirée!... Emily, chargée de surveiller ses sœurs, n'était apparemment pas dans la pièce. Emma décida d'aller gronder Amanda, puis elle se ravisa en voyant réapparaître Emily qui s'avança vers sa sœur en fronçant les sourcils.

La jeune fille était en compagnie de Winston et de Shane, mais Shane s'éloigna seul presque aussitôt et les yeux d'Emma suivirent sa progression à travers le salon. Il s'arrêta pour parler à David, le père de Paula. Emma s'étonna de son air lugubre. Cela lui fit penser à jeter un coup d'œil du côté de Sarah et elle constata que sa petite-fille aux cheveux roux semblait indifférente à la présence de Shane.

Emily avait-elle exagéré? Peut-être pas, après tout. Puisque Sarah ne quittait pas Jonathan d'une semelle, cela laissait supposer qu'elle cherchait à éviter Shane. Mais Jonathan et Sarah donnaient l'impression d'avoir conclu une espèce de pacte, ces temps-ci... Dans quel but? Jusque-là, ils n'avaient jamais été intimes.

Emma se mit ensuite à observer le visage trop affable de Jonathan, qui jouait l'insouciance. Elle le trouvait déconcertant. Intelligent, sans doute, mais pas autant qu'il l'imaginait. A l'exemple de son aïeule, il avait appris à dissimuler ses sentiments. Mais comme Emma était plus avisée que lui, il ne réussissait pas à lui donner le change. Bien qu'elle n'eût aucune preuve de sa déloyauté, elle était persuadée depuis quelque temps qu'il essayait de lui jouer un tour.

Cet après-midi, quand elle était arrivée devant l'église, Jonathan était accouru pour lui promettre de lui donner dès le surlendemain sa dernière estimation de l'immeuble d'*Aire Communications*. Elle avait acquiescé, impassible, tout en se demandant pourquoi il avait l'air de croire que cette affaire, qu'il savait urgente, pouvait désormais attendre jusqu'au lundi. Mais, s'il était au courant de l'échec des négociations, il ne pouvait tenir l'information que de Sébastien Cross.

Après la révélation d'Emily la veille au soir, cela semblait confirmer qu'il avait partie liée avec les Cross.

Emma n'allait pas tarder à savoir dans quel but. Mais elle n'avait aucune intention de recevoir le jeune homme le lundi matin et cela ne manquerait pas de le troubler. En outre, elle comptait se rendre à Londres sans tarder pour commencer une enquête. Il y avait des semaines qu'elle se méfiait de Jonathan. Non seulement il était déloyal, mais encore, erreur fatale de sa part, il s'était trahi : s'il avait été astucieux, il n'aurait pas laissé soupçonner qu'il connaissait l'échec de l'affaire.

Les yeux d'Emma croisèrent ceux de Jonathan. Il lui fit un grand sourire et vint aussitôt la trouver.

— Eh bien, grand-mère, comment se fait-il que vous soyez là toute seule ? Voulez-vous que je vous apporte un verre de champagne ou une tasse de thé ? Venez donc vous asseoir. Vous devez être fatiguée.

— Merci, je n'ai besoin de rien. Et je ne suis pas le moins du monde fatiguée. Je ne me suis jamais sentie aussi bien. Je viens de m'amuser à regarder l'assistance. Tu serais surpris de savoir tout ce que les gens révèlent d'eux-mêmes quand ils ignorent qu'on les regarde.

Il parut vaguement gêné, puis il arbora un air candide.

— Vous êtes vraiment un as, grand-mère ! dit-il avec un rire forcé.

Si je suis un as, songea-t-elle, tu pourrais bien, dans ce jeu, être le joker.

— Qu'est-ce qui ne va pas chez Sarah ? poursuivit-elle à haute voix. Elle fait la tête à tout le monde sauf à toi.

— Elle ne va pas bien. Elle a un mauvais rhume.

— On ne le dirait pas !

Emma fit quelques pas pour s'éloigner de Jonathan, puis elle s'arrêta pour le regarder à nouveau :

— Vous êtes venus de Londres ensemble ? Depuis quand êtes-vous arrivés ?

— Nous sommes venus séparément. Sarah par le train d'hier soir et moi, en voiture, ce matin.

Elle étudia brièvement le visage de son petit-fils et constata qu'il avait la bouche molle d'Arthur Ainsley.

— C'est gentil à toi de t'occuper de Sarah aujourd'hui.

Il ne fit aucun commentaire et changea de sujet.

— Ne devriez-vous pas vous asseoir un peu, grand-mère ?

— Oui, tu as raison.

Il lui prit le bras et la guida vers le canapé où étaient installées les deux plus vieilles dames de l'assemblée, Charlotte et Natalie. Voilà donc pour lui où est ma place : auprès des croulantes ! songea-t-elle avec amertume.

Il attendit qu'elle se fût assise et, après avoir dit quelques mots à ses grand-tantes, il alla rejoindre Sarah.

Triste et déçue, Emma le regarda s'éloigner. Il ne s'en rendait pas compte, mais il n'était pas plus malin que son père. En soupirant, Emma prit la tasse de thé que lui offrait un serviteur et se tourna vers ses belles-sœurs. Natalie, la veuve de Frank, semblait inhabituellement loquace. Elle se lança dans un discours interminable sur Rosamund, sa fille unique, qui avait épousé un diplomate et vivait à Rome. Charlotte et Emma l'écoutèrent en échangeant des regards amusés, mais Emma se lassa vite et se remit à penser à autre chose.

Soudain, sans savoir pourquoi, elle posa brusquement sa tasse de thé, se leva et tourna la tête, les yeux aux aguets.

Et son regard se posa sur Shane O'Neill. Il était un peu à l'écart, appuyé contre le mur. Il ne la voyait pas. Il observait intensément quelqu'un et, devant son expression de souffrance et de désir passionné, Emma tressaillit.

Car c'était Paula qu'il regardait avec tant d'ardeur!

Il n'y a pas à s'y tromper, se dit Emma, il l'aime. Rien ne lui fera entendre raison.

Mais Paula ne se rendait compte de rien. Penchée vers la nurse qui tenait Tessa dans ses bras, elle ajustait tendrement la petite robe de baptême.

Emma était si consternée de ce qu'elle venait de découvrir qu'elle en resta un moment médusée, incapable de détacher les yeux de Shane. Puis elle vacilla et se retint au montant du canapé.

Heureusement, l'expression du jeune homme se modifia bientôt. Il prit l'air détaché et s'éloigna pour se mêler aux invités. Il se mit à parler à Randolph et elle l'entendit éclater de rire.

Elle tenta de se remettre de sa surprise et jeta un coup d'œil autour d'elle. Elle espérait bien avoir été le seul témoin de la petite scène. Où donc était Jim? En le cherchant, elle aperçut Emily, immobile à quelques mètres d'elle, qui la regardait avec des yeux affolés.

En fronçant les sourcils, elle lui fit un vague signe et sortit du salon sans se presser. Elle était accablée pour Shane et, en traversant le hall, elle le plaignit de tout son cœur. Sitôt entrée dans la bibliothèque, elle se laissa tomber dans le premier fauteuil.

Emily entra quelques secondes plus tard. Elle referma soigneusement la porte derrière elle et s'y appuya, le souffle coupé. Elle était pâle, comme si elle avait vu un fantôme.

— Alors, tu as remarqué, toi aussi, la façon dont Shane a regardé Paula?

— Oui, murmura la jeune fille.

— Il en est complètement fou, reprit Emma d'une voix rauque. Mais, toi, tu le savais déjà, n'est-ce pas? Et, hier, tu as failli te trahir. Est-ce que je me trompe?

— Non, grand-maman.

— Viens t'asseoir près de moi. Il faut que nous en parlions. C'est vraiment très ennuyeux.

— Je suis désolée que vous vous en soyez aperçue, dit Emily en s'installant près d'Emma. J'aurais voulu que vous l'ignoriez, car j'étais sûre que ça vous ferait souffrir.

— C'est vrai, je suis accablée. Mais dis-moi maintenant comment tu as découvert qu'il était amoureux de Paula.

— Je l'ai lu sur son visage. L'année dernière, à Londres, le jour du mariage de Paula. A la réception du Claridge, il est resté dans son coin sans la quitter des yeux. Et puis, il y a son comportement actuel... Il ne veut plus la voir, il l'a pratiquement laissée tomber depuis qu'elle est mariée... A mon avis, c'est pour ça qu'il passe sa vie à voyager. Miranda me disait l'autre jour que tous les prétextes lui étaient bons pour sauter dans le premier avion.

— Lui, il ne t'a jamais fait de confidences?

— Non, il est bien trop orgueilleux!

— C'est un défaut de famille. Mais on peut parler d'orgueil mal placé. Que de temps gaspillé!

— Essayez de ne pas trop vous en faire, grand-maman. Je sais que vous aimez Shane comme un de vos petits-fils, mais vous n'y pouvez rien.

— C'est vrai, ma chérie... Pour en revenir à l'incident de tout à l'heure, crois-tu que quelqu'un d'autre s'en soit aperçu? Jim, par exemple?

— Jim venait de sortir du salon. Il était sur la terrasse avec Anthony et Sally... Mais il y a Sarah... Elle n'a cessé de jeter des coups d'œil furtifs à Shane tout l'après-midi.

— J'espère qu'elle n'a rien vu.

— Moi aussi... Seulement... il y a eu un autre témoin.

— Lequel?

— Winston.

— Dieu merci, ce n'est que lui! Va donc me le chercher discrètement.

Dès qu'Emily fut sortie, Emma se leva et alla contempler le parc à travers les vitres. Comme la nature était belle et paisible sous le soleil! Et dire qu'en ce jour merveilleux le pauvre Shane était désespéré! Pourrait-il jamais oublier Paula? C'était peu probable. De plus, un garçon de ce genre ne pouvait se contenter d'un amour platonique. Il était capable de lutter de toutes ses forces pour conquérir Paula. Cela risquait de mal finir.

Emma poussa un léger soupir. Elle ne voyait aucune solution au problème.

Elle repensa à Paula et fit des vœux pour que la jeune femme fût heureuse toute sa vie avec Jim. Leur première année de mariage avait été idyllique, mais il y avait ces temps-ci quelques signes inquiétants. Emma sentait que Jim n'était pas à la hauteur. Paula avait une grande force de caractère et une volonté de fer. Elle était aussi bien plus intelligente que Jim.

Emma admirait les talents professionnels de Jim. C'était un brillant journaliste. Elle avait beaucoup d'affection pour lui, mais elle s'était aperçue récemment qu'on ne pouvait se fier au jugement qu'il portait sur les gens. Il était trop naïf. Il aimait tout le monde. Pis encore, il voulait que tout le monde soit heureux, et tout le temps! Il détestait les discussions et tentait toujours de réconcilier les autres, même à son détriment. Son grand problème, c'était de vouloir absolument être aimé en retour, autant par la famille que par ses amis et ses subordonnés. Cela déconcertait et irritait Emma. Pour elle, un patron était forcément seul. Il devait se garder d'être trop familier avec ses employés! Oui, elle répugnait à l'admettre, mais Jim n'était pas de la même trempe que Paula.

Winston entra avec Emily. Il semblait nerveux et préoccupé.

— Vous vouliez me voir, tante Emma ?

Emma acquiesça et fit signe aux deux jeunes gens de s'asseoir. Winston, très inquiet, alluma une cigarette pour se donner une contenance.

— Il y a quelques minutes, j'ai vu Shane regarder Paula. Son expression ne m'a laissé aucun doute sur ses sentiments. Emily me dit que tu t'en es aperçu, toi aussi.

Le jeune homme sentit qu'il était inutile de biaiser ou de mentir. Il hocha la tête et attendit la suite.

— Ainsi, Shane est amoureux de Paula, poursuivit Emma d'une voix grave.

— Oui, désespérément.

Depuis un certain temps, Winston n'en pouvait plus de garder le secret. Il était plutôt soulagé qu'Emma fût au courant.

— Désespérément ! répéta-t-elle dans un murmure. Shane t'en aurait-il parlé ?

— Non, ma tante, jamais. Il est très discret et même très secret. Mais il y a longtemps que j'ai compris. Nous passons nos week-ends ensemble. Shane sait sûrement que je m'en suis rendu compte, mais il n'y a pas fait la moindre allusion.

— Shane et Paula ont été élevés ensemble, reprit Emma après un petit silence. Comment donc a-t-il pu laisser un autre la lui prendre ?

— La seule supposition plausible, répondit Winston en écrasant sa cigarette, c'est qu'il ne s'en est aperçu qu'au moment des fiançailles de Paula... précisément parce qu'ils ont été élevés ensemble. Ensuite, elle a épousé Jim si rapidement qu'il n'a pas eu le temps de réagir.

Il eut un haussement d'épaules désabusé et détourna les yeux. Il aimait trop Shane pour ne pas mesurer l'ampleur de son drame et il était presque soulagé de le voir partir pour les États-Unis.

— Je ne sais si mon analyse est juste, ma tante, reprit-il, mais je crois sincèrement qu'il a fallu la venue d'un autre homme pour que Shane prenne conscience de son amour.

— Penses-tu que Paula s'en soit rendu compte, Winston ? demanda Emily d'une voix étouffée.

— Je ne sais pas, mais...

Emma l'interrompit avec fermeté :

— Je suis sûre que non. Elle ne s'en doute absolument pas. C'est tragique pour Shane, mais vous n'y pouvez rien et je n'y peux rien. Ça ne regarde personne et je ne voudrais pas qu'on se mette à cancaner dans la famille. Je vous fais totalement confiance à tous les deux et je veux que vous me promettiez de n'en rien dire. C'est bien compris ?

— Évidemment ! s'exclama Emily, indignée. Vous savez bien que je ne dirai jamais rien sur Paula, que je ne ferai jamais rien pour lui nuire. Et c'est la même chose pour Shane.

— Je ne doute pas de toi, Emily. J'insiste seulement sur le fait que nous devons garder le silence à tout prix.

— Vous avez aussi ma parole, tante Emma, dit à son tour Winston.

J'aime Shane et Paula autant qu'Emily et je sais très bien qu'il peut y avoir des médisances dans la famille. Certains sont jaloux de Paula. Et de Shane également. Ils sont trop exceptionnels pour ne pas faire des envieux. Je n'ouvrirai pas la bouche, je vous le jure.

— Merci, dit Emma, rassurée. J'ajoute que j'aimerais autant que vous n'en parliez plus ensemble, vous deux !... Et oublions ça tous les trois, ça vaudra mieux. Quand Shane reviendra, dans six mois, il aura peut-être oublié Paula, lui aussi.

— C'est impossible ! s'écria Winston. Ce n'est pas dans sa nature...

Il s'arrêta brusquement, gêné d'en avoir trop dit. Oui, songea Emma, c'est bien ce que je craignais.

— Même s'il continue à l'aimer, déclara-t-elle aux deux jeunes gens, il ne se fera pas moine. Shane est un garçon tout à fait normal, j'en suis sûre. Il finira par trouver une femme qui lui fera oublier Paula et par recouvrer son équilibre.

— Je ne sais pas trop, murmura Winston, repris par le désir d'être sincère. Évidemment, il continuera à avoir des aventures à droite et à gauche. Toutes les femmes se jettent à sa tête et il est loin d'être un saint.

— N'exagérons rien, dit Emma, lançant un regard furtif et embarrassé en direction d'Emily.

— A mon avis, reprit Winston, Shane n'aimera jamais que Paula. Mais si c'est tragique pour lui, ça l'est tout autant pour elle. Elle aurait été plus heureuse avec Shane qu'avec un type comme Jim !

La dureté de ce jugement fit sursauter Emma. Elle regarda son petit-neveu avec surprise. Que reprochait-il à Jim ? Pourquoi cette fureur rentrée et ce ressentiment ?

— Pauvre Shane ! dit alors Emily. La vie est bien injuste pour certains !

— Allons, ma chérie, répliqua Emma en essayant de rire, il ne faut pas songer qu'à Shane ! Paula, elle, trouve peut-être que la vie est belle. Je suis sûre qu'elle aime Jim et qu'elle est heureuse avec lui. Bon, maintenant, vous deux, allez retrouver les autres. Je voudrais rester seule un moment.

Winston se leva pour l'embrasser et Emily l'imita. Ils se retirèrent sans un mot.

Après leur départ, Emma se sentit épuisée. Chaque fois qu'une difficulté semblait résolue, une autre surgissait. Mon pauvre.Shane, murmura-t-elle, je te plains de tout mon cœur. Le destin vient de te jouer un sale tour, mais tu t'en tireras. Comme nous tous !

Subitement, les larmes lui vinrent aux yeux. Elle chercha son mouchoir pour essuyer ses joues. Elle avait envie de répandre des torrents de larmes. Mais elle savait que pleurer ne servait à rien. Elle se moucha et se leva pour retourner près de la fenêtre. Elle finit par retrouver son calme, mais elle ne put s'empêcher de penser de nouveau à Shane. Pourquoi n'avait-il pas réagi dès qu'il s'était aperçu qu'il aimait Paula ? Qui sait si elle n'aurait pas rompu ses fiançailles ? Avait-il attendu l'occasion de se déclarer. en croyant qu'il avait encore du temps devant lui ? Quand on est jeune, se dit-elle, on s'imagine toujours avoir l'éternité devant soi et le temps s'écoule si vite...

Elle songea aussi à Blackie qui ignorait tout de ce drame. Craignant qu'il n'en fût bouleversé, elle décida de ne rien lui dire.

La veille, Blackie lui avait déclaré que la vie était trop courte pour tergiverser, surtout à leur âge. Emma comprit soudain que, pour sa part, elle n'avait plus à tergiverser et qu'elle allait accepter sans plus tarder l'invitation de Blackie à faire le tour du monde.

Elle retourna au salon, bien résolue à faire part de cette décision à son cher vieil ami. Elle se réjouissait d'avance de la bonne surprise qu'elle lui ferait en lui demandant de mettre enfin son Plan à exécution. Pour elle comme pour lui, il n'y avait pas une minute à perdre.

12

— Crois-tu que toutes les familles ressemblent à la nôtre ? demanda Emily.

— Que veux-tu dire ? répliqua Winston.

— Chez nous, il y a constamment des drames. On n'a jamais la paix. Quand ce ne sont pas mes oncles et tantes qui sèment la pagaille, c'est la jeune génération qui se chamaille ou provoque des catastrophes. On a l'impression d'être toujours sur le pied de guerre et, moi, je n'ai pas la fibre héroïque.

— Bah, tu ne t'en tires pas si mal, Emily ! dit le jeune homme, amusé du ton mélodramatique de sa cousine.

Ils se trouvaient tous les deux dans le parc, assis sur le vieux banc de pierre au bout de la pelouse. Derrière eux, la grande demeure se détachait majestueusement sur un ciel dont le bleu s'assombrissait.

— Pour répondre à ta question, reprit Winston d'un ton songeur, je crois que notre famille est unique en son genre. Car il n'y a qu'une seule Emma Harte au monde.

— Mais grand-maman n'est pour rien dans ces drames continuels ! Elle n'en est que le témoin innocent. Ça me met en rage de penser à ce qu'elle endure parfois de la part des autres !

— Calme-toi, je ne la critiquais pas. Je voulais seulement dire que c'est une des femmes les plus remarquables de son temps. Mais c'est aussi une originale et il est assez normal que tous ne soient pas d'accord avec elle. En plus, elle a une nombreuse famille et si tu veux bien y inclure les Harte, nous formons un véritable clan, auquel se rattachent deux autres clans, les O'Neill et les Kallinski. Quand on fait le compte, c'est presque une armée.

— Oui, mais j'en ai par-dessus la tête des bagarres. Je voudrais que la paix règne entre nous.

— Il y a quelque chose que tu oublies. L'agressivité, les jalousies et les intrigues sont suscitées par le pouvoir même d'Emma et par sa fortune. On ne peut pas changer grand-chose à la nature humaine. Les gens sont souvent abominables, Emily ! Égoïstes, avides, sans scrupules... Rien n'arrête certains quand leur intérêt est en jeu.

— Tu as sûrement raison. Cet après-midi, j'ai eu l'impression qu'il y avait deux camps dans le salon et qu'un mauvais coup se préparait.

— Quel genre de mauvais coup ? demanda Winston, intrigué.

— Écoute, Jonathan et Sarah avaient l'air de deux conspirateurs. C'est bizarre qu'elle s'entende avec lui car elle ne l'aime pas, d'habitude. Il m'a semblé qu'ils complotaient et qu'Alexandre en était conscient, lui aussi.

— Je n'aime pas Jonathan. Au fond, ce n'est qu'une brute et, comme toutes les brutes, c'est un lâche. Il a beau être maintenant tout sucre tout miel, je ne peux pas oublier l'époque où il me tapait sur la tête avec une batte de cricket. Le salaud ! Il a failli me tuer.

— Avec moi aussi, il était odieux quand nous étions petits. Je suis sûre que c'est lui qui avait cisaillé les pneus du vélo que grand-maman m'avait offert pour mes dix ans... Quant à Sarah, eh bien, elle n'a pas changé ! Elle est toujours renfermée et solitaire.

— Oui, mais il faut se méfier de l'eau qui dort. A certains moments, je me suis imaginé qu'elle avait le béguin pour Shane.

— Tu ne t'es peut-être pas trompé, mais c'est tant pis pour elle... Oh, je n'avais pas l'intention d'être méchante !... Je ne la déteste pas, au contraire, et je la plains d'habitude. C'est terrible d'aimer sans espoir. Mais quand je la vois avec Jonathan, elle m'inspire de la méfiance.

— Aujourd'hui, elle ne cherchait probablement qu'à éviter Shane.

— Ça se peut... Oh ! dis-moi, as-tu vu le manège de Jim tout à l'heure ? Il était aux petits soins pour tante Edwina et son fils. Depuis une heure, il est pendu aux basques d'Anthony. Les titres de noblesse doivent lui plaire. A propos, que penses-tu des amours d'Anthony et de ta sœur ?

— Anthony a l'air d'être un chic type, mais mon père n'est pas ravi de le voir courtiser Sally. Si Sally l'épouse, tante Edwina fera sûrement du scandale. Elle déteste les Harte.

— Parce que grand-maman en est une et que cette idiote ne peut pas sentir sa mère !

Il y eut un petit silence, puis Emily reprit :

— Tu n'aimes pas trop Jim Fairley, n'est-ce pas ?

— Tu te trompes. Il m'est plutôt sympathique et je lui trouve beaucoup de talent comme journaliste. Mais... il n'est pas fait pour Paula. Sous des dehors tranquilles, Paula a beaucoup de personnalité : elle est ambitieuse, enthousiaste et courageuse. C'est déjà une femme d'affaires exceptionnelle. Avec les années, elle ressemblera de plus en plus à tante Emma. Ce sera la nouvelle Emma Harte. C'est pourquoi je trouve qu'elle et Jim sont mal assortis. Évidemment, j'ai des préjugés à cause de mon amitié pour Shane. Il est mon meilleur copain et je trouve dommage...

— Je veux te dire quelque chose à propos de Jim. Il est bien moins superficiel qu'on ne le croit. Paula m'a confié que, s'il avait appris à piloter, c'était pour vaincre sa peur. Voler le terrifiait parce que ses parents ont disparu dans un accident d'aviation. C'est pourquoi il a voulu avoir son propre avion. Grand-maman n'aime pas du tout le savoir dans ce vieux coucou, mais il en a sûrement besoin pour son équilibre.

— Eh bien, je fais amende honorable ! répliqua Winston, étonné. Je ne lui croyais pas autant de courage. Et, tu sais, j'aime trop Paula pour ne pas souhaiter que son mariage soit heureux... De toute façon, personne ne sait ce qui se passe dans l'intimité d'un couple. On appelle ça les secrets d'alcôve. Jim doit savoir s'y prendre avec sa femme.

— Tais-toi, vilain garçon ! s'écria Emily en riant. Tu aurais dû regarder la tête de grand-maman quand tu as fait allusion aux frasques de Shane !

C'était à se tordre. Elle m'a lancé un de ces coups d'œil offusqué!... Tout de même, à mon âge!

— Parce que tu en as entendu d'autres, n'est-ce pas, ma petite ablette?

— Aurais-tu oublié que j'ai vingt-deux ans? Je ne suis pas tombée de la dernière pluie... Oh, sais-tu que tu ne m'as plus jamais traitée d'ablette depuis... depuis ma petite enfance?

— C'est que tu étais minuscule à cette époque-là.

— Eh bien, j'ai grandi depuis, Winston Harte! Figure-toi que je mesure un mètre soixante-cinq.

— Oui, et tu es devenue une jeune personne délurée! N'empêche que nous nous amusions bien autrefois! Tu te rappelles le jour où nous avons joué aux Bretons et où tu étais la Reine Bodicea?

— Comment l'oublier? Tu m'avais peinte en bleu de la tête aux pieds.

— Pas tout à fait, puisque tu avais tenu à garder ta chemise et ta culotte. Tu étais très pudique.

— Mais non! C'était le plein hiver et il faisait un froid de canard dans le garage de grand-maman. Et puis, à cinq ans, on n'a pas grand-chose d'intéressant à montrer.

Winston tourna les yeux vers elle et lui jeta un regard appréciateur.

— Je vois que tu as bien changé...

Il s'arrêta, intimidé, comme s'il prenait brusquement conscience qu'elle était une femme à présent. Elle avait un regard confiant, un visage innocent. Ses cheveux exhalaient un léger parfum citronné. Toute de charme et de douceur, elle lui parut avoir la délicatesse et la fraîcheur d'un bouton de fleur en train d'éclore, resplendissant sous la rosée d'un matin d'été.

Très troublé, il l'attira contre lui et lui dit d'une voix chargée d'émotion:

— C'est une chance que tu aies été si pudique autrefois, Emily. Autrement, je t'aurais peinte tout entière et tu en serais morte.

— Bah! nous étions trop jeunes tous les deux pour savoir que c'était dangereux! Et souviens-toi que je t'ai partiellement peinturluré, moi aussi.

Elle s'était blottie dans ses bras avec bonheur et savourait le plaisir de ce contact inattendu.

— Je n'oublierai jamais la fureur de tante Emma quand elle nous a découverts, reprit Winston en riant. Je m'attendais à recevoir la correction de ma vie! Sais-tu que, maintenant, dès que je sens l'odeur de la térébenthine, je repense au terrible récurage dont elle nous a gratifiés avec l'aide d'Hilda. Elle m'a frotté deux fois plus fort que toi pour me punir, sous prétexte qu'à dix ans on ne devrait plus être aussi bête. J'ai eu la peau à vif pendant des jours!

— Nous faisions beaucoup de bêtises, n'est-ce pas? C'est toi qui commençais et je te suivais comme un toutou. Je t'adorais, à cette époque-là.

Winston la regarda et tressaillit. Au fond des beaux yeux verts, il venait de lire la même adoration qu'autrefois. Aussitôt, le rythme de son cœur s'accéléra et il approcha ses lèvres de celles d'Emily.

Elle lui rendit son baiser avec tant de fougue qu'il en fut encore plus troublé.

116

Quand ils relâchèrent enfin leur étreinte, ils se dévisagèrent avec stupéfaction.

Emily était rouge et elle avait les yeux brillants. Il caressa sa joue brûlante. Puis, s'abandonnant à son désir, il la reprit dans ses bras et la serra contre lui.

Il se souvint alors obscurément qu'il avait dû souvent résister à l'envie de la dévêtir quand ils étaient enfants. Il revit leurs jeux d'autrefois dans les greniers... de petits jeux secrets, défendus. Il se rappela ses explorations maladroites et le désir lui vint de recommencer cette fois avec des mains d'homme, des mains d'amant. Fiévreusement, il couvrit de baisers son visage, son cou et ses cheveux, puis caressa ses seins tendus sous la soie du corsage.

Ce fut Emily qui rompit le charme, mais elle se dégagea avec douceur et comme à regret. Elle tendit la main vers lui et lui effleura amoureusement la bouche du bout des doigts. Il resta un moment sans bouger, ému et embarrassé. Puis il murmura d'une voix rauque :

— Emily, je ne...

— Tais-toi, répliqua-t-elle avec gentillesse. Ne dis rien, je t'en prie. En tout cas, pas maintenant.

Elle détourna les yeux, puis se leva et le prit par la main :

— Viens, il est tard. Il faut rentrer.

Aussi bouleversés l'un que l'autre, ils remontèrent en silence vers la maison, main dans la main.

Au fond d'elle-même, Emily était folle de joie. Enfin, se dit-elle, il s'est souvenu que j'existais ! Depuis mes seize ans, j'attendais qu'il me regarde autrement. C'est lui que je veux. Je l'aime depuis toujours. Je t'en supplie, Winston, aime-moi à ton tour. Il y a longtemps que je t'appartiens.

De son côté, Winston essayait d'analyser la situation. Comment en étaient-ils arrivés là ? Emily était sa cousine au second degré. Ils avaient passé leur enfance ensemble, mais il ne lui avait plus guère accordé d'attention depuis dix ans. De plus, il était officiellement amoureux d'Allison Ridley... Alors, qu'avait-il bien pu se passer en lui ? Cependant, au moment où ils approchaient de la maison, un, crissement de pneus le tira de ses réflexions. C'était Shane dans sa Ferrari rouge. Il s'arrêta dans l'allée à leur hauteur. Il baissa la vitre et se pencha en souriant :

— Où donc étiez-vous passés tous les deux ? Je vous ai cherchés pour vous dire au revoir.

— Emily avait envie de prendre l'air. Comment, se fait-il que tu t'en ailles si tôt ?

— Eh bien, moi aussi, je commençais à étouffer là-dedans. Alors, je vais faire un tour à Harrogate. J'ai des adieux à faire... A des copains.

Il va voir Dorothée Mallet, se dit Winston. Espérons que ça lui fera du bien.

— N'oublie pas que nous sommes invités à dîner chez Allison, déclara-t-il. A huit heures précises.

— J'y serai. Ne t'inquiète pas.

— Je te verrai demain, Shane? demanda Emily.

— Non, je ne crois pas, dit-il en descendant de voiture pour la serrer dans ses bras. Si tu ne viens pas me voir à New York, on ne se reverra que dans six mois... tante Emma vient de me dire qu'elle t'avait promue à la direction générale des ventes. Félicitations, petite fille!

— Oh, je suis très contente! Je vais peut-être aller aux États-Unis, en effet. Tu me serviras de guide.

— Promis. Porte-toi bien.

— Toi aussi, Shane.

— A ce soir, Winston, dit le jeune homme en remontant dans sa voiture.

Quand il se fut éloigné, Winston lança un regard de reproche à Emily.

— Tu ne m'avais pas parlé de ta promotion!

— Je n'en ai pas eu l'occasion.

— Alors, maintenant, tu seras toujours par monts et par vaux?

— Plus ou moins. Pourquoi me le demandes-tu?

— Pour rien, murmura-t-il, furieux à l'idée de la voir courir le monde.

Au moment d'entrer dans la maison, Emily l'interrogea d'un ton hésitant.

— C'est sérieux, Allison et toi?

— Non, bien sûr! répliqua-t-il avec vivacité.

Il était sur le point de se fiancer à Allison et il se demanda pourquoi il venait de mentir avec tant d'effronterie.

— Alors, je regrette que tu ne puisses pas dîner avec nous ce soir, dit Emily, un peu rassérénée.

Il lui prit le bras avec un petit sourire désabusé.

— Moi aussi. Mais, dis-moi, que fais-tu demain?

— Après le déjeuner dominical, je reconduis les jumelles à Harrogate. Dans la soirée, je serai libre.

— Ça te dirait de faire la popote pour un célibataire esseulé? Je te retrouverai à ton appartement d'Hedingley.

— Impossible! répliqua tristement Emily. Depuis hier, j'habite chez grand-mère, car je vais vendre l'appartement.

Winston la regarda un moment sans rien dire. Il était tiraillé par des émotions contradictoires. Il la désirait ardemment. De cela, il était absolument sûr. Mais il y avait Allison. Eh bien, tant pis pour Allison! pensa-t-il avec un brin d'inquiétude.

— Puisque nous sommes voisins, déclara-t-il gaiement, viens donc à Beck House. Qu'en dis-tu?

— Pourquoi pas? répliqua-t-elle, ravie. A quelle heure?

— Le plus tôt possible, ma chérie.

13

Les rideaux étaient tirés et les lampes éteintes. Il avait un besoin maladif d'obscurité. Dans le noir, il se sentait anonyme et cela le rassurait. Il ne supportait plus de faire l'amour à la lumière.

Allongé sur le dos, les yeux fermés et les jambes étendues, il restait sans bouger. La jeune femme respirait au même rythme que lui. Il sentait son épaule contre la sienne.

Entre eux, cela ne marcherait jamais, il le savait. Il savait aussi qu'il aurait dû partir. La quitter avec élégance. Immédiatement. Mais il luttait contre la nausée et sa tête était embrumée. Il se reprocha d'avoir avalé deux verres de whisky après tout le champagne de l'après-midi.

A plusieurs reprises, elle murmura son nom d'un ton suppliant en lui caressant le bras.

Il ne répondit pas. Il était dans une sorte de léthargie. L'émotion qu'il avait ressentie au cours de la réception l'avait privé de force.

Elle lui effleura timidement la poitrine, puis elle s'enhardit. Il tenta vaguement de la repousser, mais elle fit glisser doucement sa main le long de son corps et il n'eut pas la volonté de l'en empêcher.

Il perçut le froissement des draps quand elle se recula et s'accroupit. Il sentit ses longs cheveux lui balayer les cuisses, puis le contact de sa bouche tiède. C'était une amante pleine d'expérience. En dépit de son manque d'intérêt pour elle, il ne put s'empêcher de réagir. Quand elle releva la tête pour remonter à sa hauteur et coller son corps contre le sien, il répondit à son ardeur par pur réflexe.

Il se retrouva bientôt allongé sur elle. Il l'embrassait à pleine bouche. Mais il gardait les yeux fermés comme pour bien conserver son illusion secrète. Il glissa les mains sous ses hanches et la souleva. Quand elle lui entoura la taille de ses jambes, il eut l'impression de s'enfoncer de plus en plus profond au cœur d'une nuit tiède.

L'obscurité... accueillante... protectrice... Il tombait, tombait vertigineusement dans un abîme de velours. Paula, Paula, je t'aime. Prends-moi. Prends-moi tout entier, corps et âme.

— Shane, tu me fais mal !

Il était revenu à la réalité. Il savait maintenant où il se trouvait. Et avec qui. Son beau fantasme avait disparu et, avec lui, toute espèce de désir.

Il se laissa retomber sur le corps de sa partenaire et resta longtemps immobile.

Il était encore plus gêné pour elle que pour lui.

— Excuse-moi, Dorothée, murmura-t-il.

Et dire qu'on appelle cela faire l'amour ! songea-t-il. Il s'en voulait et il lui en voulait, bien qu'elle ne fût guère à blâmer.

— C'est ton bracelet-montre qui m'éraflait le dos, expliqua la jeune femme. Mais je n'aurais rien dû te dire. Je t'ai...

Il lui mit la main sur la bouche, excédé. Il resta un moment allongé contre elle, le cœur battant et la gorge nouée. Puis il lui caressa l'épaule et se releva.

Il se précipita dans la salle de bains, referma la porte à clé et s'appuya au mur. Il trouva l'interrupteur et la lumière brutale l'aveugla. Tout se mit à tourner autour de lui.

Il se regarda dans la glace et fut effrayé de sa mine. Il avait les paupières rouges, les yeux injectés de sang, le visage congestionné et les cheveux emmêlés. Un peu de rouge à lèvres était resté sur son menton. Il humidifia le gant de toilette et se frotta la peau avec fureur.

Cette fois, il n'était plus question pour lui de coucher avec Dorothée. Ni avec aucune autre. C'était toujours la même chose : dès qu'il se rendait compte qu'il ne tenait pas Paula dans ses bras, il devenait impuissant.

Il s'examina longuement dans le miroir et fut soudain pris d'épouvante. Cela allait-il durer le reste de sa vie ? Était-il condamné à la chasteté et lui faudrait-il rester célibataire pour sauver les apparences ?

Il savait bien, pourtant, que ce n'était qu'un trouble psychologique. C'était assez simple, en fait. Il suffisait que sa partenaire le rappelât à la réalité en sortant de son anonymat pour tuer en lui tout désir, alors qu'il avait eu jusque-là la réputation d'être un amant infatigable.

Il blasphéma en silence et ses yeux se remplirent de larmes de désespoir, de frustration et de rage. Puis il eut honte de sa faiblesse. Que Paula aille au diable ! se dit-il. Je ne veux plus que son image me hante, je veux oublier jusqu'à l'écho de sa voix et de son rire.

Quand il se sentit un peu mieux, il prit une douche et laissa couler longtemps l'eau chaude sur son corps comme pour se laver de toute souillure. Puis il sortit d'un placard une trousse de toilette. Après s'être brossé les dents, il se rasa et peigna ses cheveux mouillés.

En jetant un dernier coup d'œil à son image, il s'étonna encore qu'un garçon de vingt-sept ans comme lui, bâti en athlète, en bonne santé et en pleine possession de ses facultés pût être aussi fragile.

Mais il lui fallait se préparer à l'inévitable scène qu'allait lui faire Dorothée. Il noua une serviette autour de sa taille, puis rouvrit la porte et avança à tâtons dans l'ombre de la chambre silencieuse. Il crut qu'elle était endormie. Saisissant ses vêtements sur un fauteuil, il se rhabilla avec précipitation.

Soudain, la lampe de chevet s'alluma et l'éblouit.

— Comment, tu t'en vas ? s'exclama Dorothée, surprise et furieuse.

Il se détourna, incapable de la regarder en face et d'affronter son mépris.

— Il le faut, dit-il simplement en s'asseyant pour enfiler ses chaussures.

— Tu en as, un culot ! répliqua-t-elle en se redressant et en remontant le drap sur elle. Tu viens sans prévenir, tu bois mon whisky, tu veux faire l'amour et tu me laisses en plan ! Après, tu restes une demi-heure dans la salle de bains et tu reviens t'habiller en catimini sans même ouvrir la bouche. Tout ça parce qu'il faut que tu files pour ce fameux dîner!

Il se leva en soupirant et vint s'asseoir sur le bord du lit. Il tenait à la quitter sans dispute et il lui prit amicalement la main. Elle se dégagea aussitôt en refoulant ses larmes.

— Allons, allons, n'en fais pas un drame! lui dit-il. Il y a huit jours que je t'ai parlé de ce dîner et je t'en ai reparlé tout à l'heure en arrivant. Non seulement ça n'avait pas l'air de t'ennuyer, mais tu paraissais contente de me voir.

— Eh bien, ça m'ennuie maintenant, dit-elle d'une voix entrecoupée de sanglots. Comment oses-tu me laisser tomber le dernier soir? Moi qui croyais que tu passerais la nuit ici!

Mal à l'aise, il ne trouva rien à répondre.

— Pardonne-moi pour tout à l'heure, reprit-elle en se méprenant sur la raison de son silence. Je sais que c'est moi qui ai tout gâché à la dernière minute. Je t'en prie, pardonne-moi. Je t'aime et je ne supporte pas que tu m'en veuilles.

— Je ne t'en veux pas et tu n'as rien à te faire pardonner. Et, pour moi, ça n'a pas d'importance.

— Mais pour moi ça en a! rétorqua-t-elle, furieuse. Et ça ne fait que renforcer mes soupçons.

— Tes soupçons?

— Oui, si tu n'y arrives plus avec moi, c'est parce que tu en aimes une autre. Tu as été un beau salaud de me faire marcher.

— Je ne t'ai jamais fait marcher!

— Bien sûr que si! dit-elle avec amertume. Et ton ami Winston est, lui aussi, un beau salaud. Il aurait quand même pu m'inviter au dîner de ce soir.

— Ce n'est pas lui qui reçoit, c'est Allison Ridley. Elle ne te connaît pas, elle ne sait même pas que nous nous voyons. Et, jusqu'ici, c'est toi qui n'as jamais voulu voir mes amis!

— J'ai changé. Emmène-moi, je t'en prie. Je veux y aller, j'y tiens. C'est notre dernière soirée avant ton départ.

— On ne s'invite pas chez les gens à la dernière minute, tu le comprends bien.

— Ce que je comprends, c'est que ta petite coterie ne veut pas de moi! Avec vos chichis de grands bourgeois, vous me dégoûtez, les O'Neill, les Harte et les Kallinski. Il n'y a jamais de place parmi vous pour le tout-venant... Vous faites tellement de manières qu'on croirait que vous descendez au moins des Croisés. Mais vous n'êtes qu'un tas de snobs puants et de... dégénérés incestueux, incapables d'amour en dehors du clan familial. C'est écœurant!

Ahuri par tant de violence et de méchanceté, il lui opposa un dédain glacé.

— Je suis très en retard et je m'en vais, déclara-t-il avec un calme affecté.

Il noua posément sa cravate, puis reprit sa veste et la jeta sur son épaule. Elle le regarda faire en silence.

— Je suis désolé que nous nous séparions sur une dispute, reprit-il. J'espérais que nous resterions au moins amis.

— Amis ? Tu veux rire ! Fous le camp. Va retrouver la femme de ta vie. Je suis sûre qu'on l'a invitée à ce fameux dîner, elle ! Puisque tu en aimes une autre, pourquoi diable venais-tu toujours te réfugier dans mon lit avec un air de chien battu ? Ta princesse lointaine ne ferait-elle pas partie de ton clan ? Est-ce une belle dame sans merci ? Serait-elle si chaste, si virginale que tu craindrais de faire l'amour avec elle ? Ne peux-tu l'approcher sans l'avoir au préalable menée à l'autel avec la bénédiction de ta famille ? Ou bien ne ferait-elle pas attention à toi ? Qu'est devenu ton fameux charme ?...

Elle s'arrêta brusquement en voyant son expression de souffrance. Elle comprit que, sans le savoir, elle avait visé juste.

— Shane, je te demande pardon, murmura-t-elle avec inquiétude. Je ne voulais pas te blesser, je te le jure. Je t'aime, je t'ai aimé dès notre première rencontre. Oublie ce que je viens de dire.

Elle se remit à pleurer, mais il lui tourna le dos et sortit en claquant la porte.

Quand il fut arrivé au centre d'Harrogate, il arrêta un moment sa voiture près du parc, alluma une cigarette et se mit à réfléchir aux paroles cruelles de Dorothée. Il la savait jalouse et il aurait bien dû s'attendre à sa réaction violente. Cependant, elle ne s'était pas trompée en suggérant qu'il en aimait une autre. Bien qu'elle eût frappé à l'aveuglette, elle avait eu de l'intuition. Car personne ne pouvait savoir qu'il aimait Paula : c'était son secret.

Le cœur de Shane se serra. Il n'avait pas la moindre chance de conquérir un jour Paula. Il avait bien vu cet après-midi qu'elle était amoureuse de Jim. Et ils avaient des enfants, maintenant, ils formaient une « famille » !

Il ferma les yeux. Il était insensé de songer encore à elle, mais il ne pouvait s'empêcher d'espérer. Il se répéta que c'était absurde, qu'il devait à tout prix renoncer à elle et profiter de son séjour à New York pour reprendre goût à l'existence.

Il finit par revenir à la réalité et regarda par la portière de sa voiture. Sur le gazon verdoyant du parc, des jonquilles s'agitaient dans le vent. J'aurais dû acheter des fleurs pour Allison, songea-t-il. Il regarda l'heure à la pendule du tableau de bord. Déjà sept heures trente ! Il n'était pas en avance et, de toute façon, les fleuristes étaient fermés.

Il alluma l'autoradio et chercha de la musique classique. Il tomba sur le « Canon » de Pachelbel, diffusé par la B.B.C.

Quelques minutes plus tard, la Ferrari filait vers la vieille ville de Ripon où habitait Allison Ridley.

14

Shane O'Neill avait un vrai talent de comédien. Il l'avait hérité de Blackie et savait s'en servir à merveille chaque fois que besoin était. C'est justement ce qu'il fit, ce soir-là.

En franchissant le seuil de Holly Tree Cottage, il arbora son air le plus détendu et s'avança le long du couloir dallé jusqu'à la porte du salon. Lorsqu'il entra, il était devenu ce qu'on attendait qu'il fût : un jeune homme insouciant et charmeur, à qui rien ni personne ne pouvait résister.

Le rire aux lèvres, les yeux brillants de gaieté factice, il rejoignit ses amis, Winston Harte, Alexandre Barkstone et Michael Kallinski. Ils étaient tous les trois devant la fenêtre, près d'une longue table qui faisait, ce soir-là, office de bar. Aucune femme ne se trouvait dans la pièce, pas même la maîtresse de maison.

Shane jeta un regard admiratif autour de lui. Il était frappé par la beauté de cette grande salle, formée de la réunion de deux pièces dont on avait supprimé la cloison médiane. Allison venait d'en terminer la décoration et c'était une merveille avec son haut plafond aux poutres apparentes, sa grande cheminée de pierre d'époque Tudor et ses vieux meubles rustiques. Des percales aux teintes vives recouvraient divans et fauteuils et les murs étaient ornés de merveilleuses aquarelles faites par Sally Harte. C'était le type même du salon campagnard plein de charme et de simplicité, confortable et sans prétention.

Les trois amis de Shane l'accueillirent à grand renfort d'exclamations et de moqueries. Ils firent des suppositions saugrenues sur la cause de son retard et il leur répliqua sur le ton de la plaisanterie. Il commença bientôt à se sentir à l'aise et à se mettre au diapason de leur joyeuse humeur.

Au bout d'un moment, il alluma pensivement une cigarette car il venait de se souvenir de la condamnation virulente qu'avait prononcée Dorothée contre lui et les siens, contre leur monde. Elle n'avait pas tout à fait tort : ils avaient bien l'esprit de clan. Mais s'ils aimaient se retrouver entre eux, c'est qu'ils avaient été élevés ensemble et qu'ils vivaient de la même façon. Blackie, Emma et David Kallinski, le grand-père de Michael, avaient toujours fait en sorte de renforcer la cohésion de leur groupe, du fait même de leur amitié. Ce trio exceptionnel, qui était à l'origine de trois puissantes dynasties, avait gardé son esprit d'entraide. Et dans la mesure où ceux des générations suivantes ne s'étaient jamais perdus de vue, ils trouvaient très naturel, eux aussi, de rester des amis fidèles et de fervents alliés.

Au diable Dorothée ! se dit Shane avec impatience. Pourquoi tenir compte de son opinion ?

Winston se méprit au silence soudain de Shane.

— Dites donc, les amis, notre Irlandais a besoin d'un remontant!... Veux-tu un scotch, Shane?

— Non, merci. J'ai trop pris de champagne aujourd'hui. Mais, vous trois, au contraire, vous avez l'air en forme pour des types que j'ai vus boire comme des trous tout l'après-midi... A propos, Michael, tes parents n'étaient pas là. Ils sont donc toujours à Hong Kong?

— Ils reviennent dans quinze jours, juste au moment où je pars pour New York... J'espère que je te verrai là-bas. Où vas-tu habiter?

— Chez tante Emma. Dans son appartement de la Cinquième Avenue. Du moins, en attendant de trouver quelque chose. Appelle-moi dès ton arrivée...

Il s'interrompit en voyant rentrer du jardin la petite amie de Michael, Valentine Stone. Elle était avec Marguerite Reynolds et une jolie blonde qui devait être l'amie américaine d'Allison et l'invitée d'honneur de la soirée.

— Est-ce que je rêve? reprit-il en prenant le bras de Michael. Valentine a la bague au doigt?

— Oui, mais elle la porte à la main droite, pas à la gauche, répliqua le jeune homme en riant. Quand je me résignerai à faire une fin, tu seras le premier averti.

— Tais-toi donc, sale menteur! s'écria Alexandre. Nous savons tous qu'elle te mène par le bout du nez.

— Ça te va de faire le malin! Comme si Marguerite ne te tenait pas en laisse, toi aussi!

— N'en sois pas si sûr, rétorqua Alexandre un peu vexé. Mais j'admets que grand-mère voit Maggie d'un bon œil et qu'elle craint même qu'un autre ne me la souffle.

Il se tut et regarda Maggie du coin de l'œil. Elle était superbe avec son ensemble rouge et ses cheveux châtains relevés en chignon.

Shane, qui avait suivi son regard, lui murmura: — Ne la laisse surtout pas échapper, Sandy! Tante Emma a raison. Non seulement elle est magnifique, mais encore c'est une fille bien.

— Oui, et le monde est plein de cyniques séducteurs! ajouta Michael.

Shane se tourna vers Winston: — Où donc se cache la femme de ta vie?

— De qui parles-tu? demanda Winston en sursautant, car il rêvait à Emily.

— D'Allison. Où est-elle?

— Elle s'est précipitée à la cuisine juste avant ton arrivée. Elle va revenir. En attendant, viens donc que je te présente à notre Américaine. Elle habite New York. Si tu arrives à lui faire croire que tu es un type intéressant, elle consentira peut-être à sortir avec toi, là-bas.

— Si tu crois que j'aurai le temps de faire le joli cœur!... Mais pourquoi penses-tu que cette fille pourrait m'intéresser?

— Parce qu'elle n'est pas mal du tout!

Shane le suivit sans faire de commentaires. Les trois jeunes filles bavar-

124

daient devant la cheminée. La blonde inconnue, grande et élancée, les regarda s'approcher d'un air faussement indifférent. Mais elle avait remarqué la beauté de Shane dès qu'elle était entrée. Et Allison lui avait déjà vanté ses mérites... C'était le rejeton d'une grande famille, le plus séduisant des jeunes célibataires et l'héritier d'une fabuleuse fortune... Elle lui trouva aussi l'allure d'un homme qui savait ce qu'il voulait et se dit que l'éloge d'Allison n'avait sûrement rien d'exagéré.

Shane embrassa Valentine et Marguerite.

— Skye, dit alors Winston, je voudrais vous présenter Shane O'Neill... Shane, voici Skye Smith.

— Il paraît que c'est la première fois que vous venez dans le Yorkshire, dit Shane après avoir serré la main de la jeune fille. Comment trouvez-vous le pays?

— Très agréable. La campagne est magnifique. Allison et moi, nous avons fait la semaine dernière tous les antiquaires de la région et j'en ai profité pour admirer le paysage.

— Telle que je connais Allison, elle a dû vous faire découvrir des merveilles. Vous vous occupez d'antiquités, vous aussi?

—·Oui, j'ai une petite boutique dans Lexington Avenue. Et une foule de bons clients amateurs de vieux meubles et d'argenterie anglaise... J'ai déjà acheté la moitié du Yorkshire et je vais expédier tout ça aux États-Unis la semaine prochaine. Mais ma pauvre petite boutique risque d'éclater!

Valentine intervint: — Il paraît que vous avez trouvé à Richmond de l'argenterie victorienne de toute beauté. Ça va se vendre comme des petits pains.

— C'est certain, répliqua Skye.

Tandis qu'elle se lançait dans une description minutieuse des pièces qu'elle avait achetées, Winston en profita pour s'éclipser. Shane, adossé à la cheminée, continua d'écouter la jeune femme d'une oreille distraite. Il lui trouvait du charme et de l'allure, mais ce n'était pas son type. Il n'aimait pas beaucoup le genre princesse des neiges. Il préférait l'attrait exotique des brunes.

Il s'éloigna bientôt sous prétexte d'aller retrouver Allison à la cuisine. Mais, en passant devant la salle à manger, il l'aperçut qui vérifiait les derniers détails du couvert.

— Enfin, te voilà, chère cachottière! s'écria-t-il en la serrant dans ses bras. Félicitations pour ta maison! C'est ravissant... J'espère que tu ne m'en veux pas trop d'être arrivé en retard.

— Oh toi, tu peux venir à n'importe quelle heure, je ne t'en voudrais jamais! — Ne dis surtout pas ça devant Winston. C'est une nature jalouse.

Le visage d'Allison s'assombrit:

— Je n'en suis pas si sûre que toi.

— Que veux-tu dire?

Allison haussa les épaules et se pencha au-dessus de la table pour rectifier la position d'un petit oiseau d'argent.

Il attendit, perplexe, qu'elle voulût bien lui répondre. Puis, comme rien ne venait, il lui prit doucement le bras et la força à lever la tête. Elle avait l'air bouleversée.

— Qu'est-ce qui ne va pas ?

— Rien... Oh ! inutile de te mentir... Winston me paraît bizarre, ce soir. Il est préoccupé, distrait. Lui serait-il arrivé quelque chose cet après-midi ?

— Pas que je sache.

— Pourtant, j'en suis presque sûre. J'ai eu l'impression qu'il ne m'aimait plus.

— Tu as dû te tromper.

— Non, Shane, je connais Winston. Jusqu'ici, il n'y a jamais eu de nuages entre nous et nous étions pratiquement fiancés. Son père me voit d'un très bon œil et, ce qui est plus important, Emma Harte a l'air de m'apprécier. Mais, ce soir, il m'a fait faux bond alors qu'il avait promis d'arriver tôt pour m'aider. Et je ne l'ai pas reconnu... Il s'est montré très froid, presque brutal. Il a fallu l'arrivée d'Alexandre et de Maggie pour qu'il retrouve un comportement normal. Je n'y comprends rien.

— Il a peut-être eu des ennuis d'affaires. Je suis sûr que son comportement n'a rien à voir avec ses sentiments pour toi. Comment peux-tu croire qu'il ne t'aime plus ?

— Une femme sent toujours ces choses-là, répondit-elle avec un sourire navré.

— Tu imagines le pire ! Allons, viens au salon. Nous boirons un verre pour nous remonter le moral. Et tu verras que Winston n'a pas changé.

— Comme j'aimerais te croire ! répliqua-t-elle tristement.

Mais elle prit le bras de Shane et s'efforça de faire bonne figure en retrouvant ses hôtes.

Au cours du dîner, Shane comprit qu'Allison pouvait avoir partiellement raison. Winston n'était plus le même.

Il présidait la table et se montrait aimable, mais son rire sonnait faux et il avait l'air à cent lieues de là.

Pour lui venir en aide, Shane décida de jouer les boute-en-train et se mit à raconter des anecdotes humoristiques. Il était placé à la droite d'Allison et il vit qu'elle lui était reconnaissante de ses efforts.

— Allons prendre notre café au salon, dit-elle en se levant après le dessert.

— Bonne idée ! s'écria Winston, qui eut l'air très soulagé.

Sitôt qu'il fut au salon, il se précipita vers la longue table qui servait de bar et se mit en devoir de servir des liqueurs aux dames.

— Pour moi, lui dit Shane, ce sera un Bonnie Prince Charlie, s'il te plaît.

— Depuis quand bois-tu cette saleté ?

126

— Cette saleté? Tu aimais pourtant ça autant que moi quand nous étions petits et que tante Emma avait le dos tourné.

— Oui, mais nous en étions malades à chaque coup... Après tout, si tu y tiens...

Il remplit un verre à liqueur et le tendit à Shane, puis il versa des cognacs pour Michael, Alexandre et lui-même.

Shane, qui ne le quittait pas des yeux, finit par lui demander à voix basse : — Tu vas bien?

— Naturellement. Pourquoi?

— Tu n'as pas l'air dans ton assiette.

— Après une journée pareille, c'est normal d'être épuisé, non?... Tiens, fais-moi plaisir. Va trouver Skye et demande-lui si elle ne veut vraiment rien boire. Allison va revenir avec le café. Moi, je porte ça aux autres.

Il emporta les cognacs en sifflotant. Shane le suivit d'un regard pensif. Winston n'avait peut-être pas menti en déclarant qu'il n'était que fatigué... Shane se dirigea vers Skye Smith, assise à l'écart sur la pierre de la cheminée.

— Pourquoi ne buvez-vous pas? Essayez donc ça, dit-il en lui tendant un petit verre.

Elle le prit, le renifla délicatement et leva des yeux interrogateurs.

— C'est du Bonnie Prince Charlie.

— Du quoi?

— De la goutte, si vous préférez, répondit-il en riant. Allez y, ça ne vous empoisonnera pas.

Elle y trempa les lèvres et prit un air appréciateur :

— C'est surprenant, mais c'est bon. Merci, Shane.

— Ne bougez pas. Je reviens.

Il fut bientôt de retour avec un autre verre et s'assit auprès d'elle.

Elle le regarda du coin de l'œil. Il était beau, sans conteste. Trop beau, peut-être. Les hommes de ce genre lui faisaient toujours peur car ils étaient rarement fidèles.

Après avoir dégusté sa liqueur, Shane reposa son verre sur la pierre du foyer.

— Me permettez-vous de fumer un cigare?

— Bien sûr. Mais, dites-moi, pourquoi a-t-on donné à cette liqueur le nom de Bonnie Prince Charlie?

— Parce qu'en 1745, quand Bonnie Prince Charlie est venu en Écosse reconquérir le trône de ses ancêtres, il a reçu l'aide d'un certain MacKinnon, de l'Ile de Skye. En remerciement, le prince lui a donné la recette de sa liqueur favorite. Depuis lors, les MacKinnon ont gardé le secret de sa préparation. Et, puisque nous parlons de Skye, n'est-ce pas là votre prénom?

— En réalité, je m'appelle Schuyler... C'est un vieux prénom hollandais. Maman a voulu ajouter une petite note insolite à un patronyme aussi ordinaire que celui de Smith, je suppose.

— Skye vous va très bien!

— Vous êtes trop aimable, cher monsieur.

Ils se turent un moment et Skye se demanda si elle allait lui donner son numéro de téléphone à New York. Elle craignait qu'il ne la jugeât mal. Elle n'avait nulle intention de chercher à le séduire, mais elle le trouvait charmant et de bonne compagnie. Bien qu'il fût un peu trop sûr de lui à son goût, elle aurait aimé le revoir en toute amitié.

De son côté, Shane continuait à observer Winston, assis sur un divan à l'autre bout de la pièce : il avait l'air de rire d'aussi bon cœur que d'habitude et il taquinait Allison dont le visage était devenu radieux. Ce n'était qu'une tempête dans un verre d'eau, se dit Shane avec soulagement.

Soudain, Skye s'arma de courage et interrompit sa méditation :

— Shane, ne prenez pas ça en mauvaise part, mais si je peux vous être utile à New York, n'hésitez pas à me téléphoner... Ma boutique s'appelle *Brandt Smith Antiques*.

— Vous êtes gentille, je n'y manquerai pas, répondit-il sans réfléchir. En fait, je ne connais pas grand monde à New York. Juste deux avocats qui travaillent pour notre compagnie... Mais j'ai aussi une recommandation auprès d'un certain Ross Nelson, un banquier.

— Ah oui ? s'écria-t-elle vivement.

Shane la regarda, surpris de sa réaction.

— J'ai l'impression que vous le connaissez, dit-il, brusquement intéressé.

— Pas du tout, répliqua-t-elle un peu trop vite. Mais j'ai entendu parler de lui et j'ai vu son nom dans les journaux.

Shane fit semblant de la croire et changea de sujet. Mais, pendant tout le reste de la conversation, il ne put s'empêcher de penser que Skye Smith connaissait bien mieux Ross Nelson qu'elle ne voulait le laisser croire. Il aurait aimé savoir pourquoi elle tenait tant à le cacher.

Shane O'Neill quitta le Yorkshire le lendemain matin au lever du jour.

Le brouillard était descendu des collines et des landes pour répandre sur les prés un voile de tulle gris qui enveloppait aussi les arbres, les murs de pierre sèche et les petites chaumières tapies au creux des vallons. Un calme surnaturel régnait dans la campagne. On aurait dit un paysage de rêve.

Surgi de l'horizon obscur, le soleil monta peu à peu et illumina toute l'étendue du ciel pâle. Soudain, entre les cimes des arbres que l'aube blanchissait, apparurent comme un mirage les cheminées de Pennistone, cette maison de rêve. Et cela évoqua aussitôt dans l'esprit de Shane une autre maison de rêve : la villa du bord de mer où il avait joué autrefois, aux jours insouciants de son enfance, quand rien ne lui semblait devoir jamais changer et qu'il croyait avoir l'éternité devant lui.

En ce temps-là, elle était constamment avec lui, puisqu'ils habitaient tous deux la villa perchée sur la colline, devant la mer ensoleillée. Ses yeux étaient de la couleur du ciel d'été et son sourire avait une douceur qu'elle ne réservait qu'à lui seul. Petite fille de rêve, maison de rêve, paysage de rêve, surgis des brumes de l'enfance et de la mémoire...

Et voilà qu'il fuyait loin, très loin de tout ce qu'il aimait, en laissant ses rêves derrière lui. Paula, Pennistone et la maison d'été au bord de la mer.

La voiture filait sur la route de campagne. Elle passa devant les grilles de Pennistone, traversa le village et s'engagea sur la grand-route. South Stainley, Ripley, Harrogate, Alwoodley.

Il ralentit en entrant dans Leeds, bien qu'il n'y eût pas de circulation. A cette heure, la ville était déserte et l'on ne voyait pas un chat dans les rues. Leeds, triste et sombre, Leeds, la grande ville industrielle du Nord où régnaient Emma, Blackie et les descendants de David Kallinski.

Il longea le parc où trônait la statue du Prince Noir, passa devant la poste et le Queen's Hotel, puis obliqua vers la gare pour retrouver l'autoroute qui menait à Londres. A partir de là, il accéléra et ne ralentit pas avant d'être sorti des limites du comté.

15

Pour Paula, le jardin était un endroit magique.

Il éveillait en elle un sentiment de plénitude et d'euphorie. Elle avait l'impression qu'il la guérissait de ses déceptions et de ses fatigues. Et, chaque fois qu'elle organisait un jardin — petit ou grand —, la moindre parcelle de terre devenait, grâce à son imagination et à son amour de la nature, une pure merveille.

Oui, elle avait le sens des jardins. Et son talent faisait du savant assemblage des plantes florales, des arbres et des arbustes, une étonnante tapisserie colorée qui gardait toujours le charme du naturel.

Elle aimait surtout les jardins à l'ancienne, remplis de fleurs et d'arbrisseaux selon les règles de la vieille tradition anglaise. C'était justement un jardin de ce genre qu'elle s'ingéniait à composer depuis un an autour de sa maison.

Cependant, ce matin-là, elle était à peine consciente de ce qui l'entourait.

Immobile au bord de la terrasse, les yeux fixés sur la pelouse, elle ne pensait qu'à Jim et à leur terrible dispute de la veille au soir. Ils s'étaient encore querellés à propos d'Edwina. Jim avait fini par avoir le dessus. Elle l'aimait trop pour ne pas répondre à ses vœux. Elle avait donc accepté ce matin d'inviter sa tante à visiter la maison et le parc pour le soir même. Mais elle regrettait d'avoir été aussi faible. Aux premières heures du jour, en effet, après lui avoir fait l'amour, Jim l'avait gagnée à sa cause à force de plaisanteries et de cajoleries. Et, finalement, elle était absolument furieuse de lui avoir cédé encore une fois.

En soupirant, elle se dirigea vers la rocaille qu'elle était en train d'arranger. Je dois cesser de lui en vouloir, se dit-elle. Il faut absolument que j'arrive à me calmer avant son retour. Elle s'agenouilla pour rectifier la disposition des blocs de pierre et tenter de leur donner autant d'allure qu'à la rocaille du jardin d'Emma.

Comme d'habitude, sa tâche finit par l'absorber entièrement et, bientôt, la tranquille beauté de la nature environnante lui permit de retrouver la paix.

Paula n'avait que huit ans quand elle avait découvert son amour des jardins.

Cette année-là, pour les vacances de ses petits-enfants, Emma avait acheté « Heron's Nest », une villa qui dominait Scarborough, sa plage de sable blanc et sa baie couleur de plomb. La maison était une énorme pâtisserie de style victorien avec un portique baroque en bois sculpté, de grandes pièces ensoleillées et un jardin à l'abandon.

Ce n'était pas seulement pour la santé des petits qu'Emma l'avait acquise. Depuis longtemps déjà, elle ressentait le besoin de les prendre en main, de les éduquer, de les mettre en contact avec la réalité quotidienne et de leur apprendre la valeur de l'argent. Pendant des années, il lui avait paru intolérable que ses propres enfants eussent vécu dans le luxe et la facilité, assistés à tout moment par une armée de domestiques, sans jamais se demander d'où venait l'argent.

Lucide comme à son habitude, elle avait donc le projet bien arrêté de donner à ses petits-enfants le goût du concret et le sens des responsabilités. «On a coutume de dire, déclara-t-elle un jour à Henry Rossiter, son banquier, qu'il ne faut que trois générations pour qu'une famille de croquants en revienne à chausser ses gros sabots. Mais je vous jure que ça n'arrivera pas chez nous!»

Elle décida que Heron's Nest serait son école. A cette fin, elle ne voulut engager qu'une seule domestique, Mme Boniface, femme de ménage à la journée. Et elle précisa à la brave femme qu'elle n'avait la charge de la villa qu'en l'absence de ses habitants. En effet, Emma projetait, pour la durée des vacances, de s'occuper personnellement de tout avec l'aide de la jeune génération.

Elle s'était bien gardée de confier d'avance son programme à qui que ce fût. Elle n'en avait averti les enfants qu'au tout dernier moment en leur présentant la chose comme une aventure exceptionnelle et ils s'étaient alors montrés impatients de commencer l'expérience. Ils étaient surtout ravis à la perspective de se retrouver seuls avec Emma, loin de leurs parents.

Mais elle s'était vite aperçue que la discipline qu'elle leur imposait les déconcertait et cela l'avait amusée de les voir se démener avec des serpillières, des seaux, des balais, des aspirateurs, des boîtes d'encaustique et des planches à repasser. Il y avait eu beaucoup de catastrophes dans la cuisine — vaisselle brisée, casseroles brûlées et plats immangeables. A tour de rôle, ils s'étaient plaints de brûlures, d'ampoules, de migraines et de bien d'autres maux, vrais ou imaginaires.

Pour échapper aux corvées, c'était Jonathan qui s'était montré le plus inventif. Un jour, après avoir tondu la pelouse, il avait prétendu tant souffrir des tendons d'Achille qu'il devait être dispensé de travail pendant plusieurs jours. Ses ruses et sa débrouillardise étonnaient souvent sa grand-mère. Mais elle avait voulu montrer à ce petit futé qu'elle était encore plus maligne que lui. «Eh bien, si tu souffres à ce point, avait-elle dit, je t'emmène chez le docteur pour te faire opérer.» Jonathan avait aussitôt jugé préférable d'attendre un peu pour voir si la douleur ne disparaissait pas toute seule. Et la douleur s'en était allée aussi vite qu'elle était venue.

Dès les premières vacances à Scarborough, les enfants avaient pris l'habitude de se débrouiller seuls. Les filles s'étaient mises à la cuisine et au ménage. Les garçons avaient pris goût aux gros travaux et au jardinage. Aucun d'eux ne s'était permis d'échapper à ses responsabilités. Car, sur ce point, Emma était intraitable et se refusait à tout favoritisme.

« Je n'ai jamais entendu dire que quelqu'un soit mort d'avoir gratté le plancher ou nettoyé l'argenterie », disait-elle si l'un des enfants tentait de suivre l'exemple de Jonathan.

Quand ces vacances s'étaient terminées, elle s'était félicitée du succès de l'expérience. Tous avaient fait contre mauvaise fortune bon cœur pour s'efforcer de la satisfaire. A partir de là, chaque année, à la belle saison elle repartait avec eux pour Scarborough.

Régulièrement, elle invitait aussi les cousins Harte et les petits-enfants O'Neill et Kallinski. Pas plus que les autres, ils n'échappaient aux corvées. Ils avaient vite compris que, s'ils voulaient passer juillet et août au bord de la mer, ils avaient intérêt à marcher droit.

Derrière son dos, les enfants la surnommaient « le Général », car le règlement qu'elle avait établi leur donnait l'impression de vivre dans un camp militaire. Pourtant ils s'amusaient tellement que le travail obligatoire finissait par leur paraître un jeu. A l'étonnement de leurs parents et à la satisfaction d'Emma, ils attendaient tous avec impatience le retour des vacances et refusaient de les passer ailleurs qu'à Scarborough.

Mais Emma était trop fine psychologue pour ignorer que sa « petite bande de brigands » avait aussi besoin de se détendre. Aussi leur proposait-elle constamment de nouvelles distractions.

Elle les entraîna ainsi dans des expéditions passionnantes le long de la côte, à Whitby, à Robin Hood's Bay ou à Flamborough Head. Elle trouvait encore bien d'autres façons de récompenser leur bonne conduite : visites de musée, soirées théâtrales, pique-niques dans les rochers, promenades en bateau dans la baie et baignades dans la mer. Ils allaient également à la pêche avec les gens du pays et ils étaient triomphants quand ils rapportaient un ou deux petits poissons pour le dîner. Les jours où le temps était couvert, elle leur organisait des chasses au trésor dans le jardin et, très consciente de l'instinct de possession qui caractérise l'enfance, elle faisait en sorte que le trésor fût toujours à la hauteur de l'effort qu'il fallait pour le découvrir. Elle prévoyait aussi des lots de consolation pour les perdants. Quand il pleuvait, on jouait aux charades ou l'on improvisait des pantomimes à l'intérieur de la maison.

Une année, Shane et Winston formèrent un orchestre, dont Shane prit la direction. Il en était également le pianiste et le chanteur-vedette. Alexandre était à la batterie, Philip jouait de la flûte, Jonathan raclait du violon et Michael Kallinski faisait gazouiller son harmonica. Mais c'était Winston, avec sa trompette, qui se prenait pour le virtuose de l'ensemble. Il déclarait à tout bout de champ qu'il était le nouveau Bix Beiderbecke. Quand Sarah s'étonnait qu'il n'eût jamais pris de leçons, Emma répondait en riant que c'était bien là le problème. Parfois, elle se bouchait les oreilles pour échapper à la cacophonie d'interminables répétitions.

Lorsque les musiciens jugèrent leurs progrès satisfaisants, ils invitèrent Emma et les filles à un concert champêtre. Ils installèrent des fauteuils de jardin, édifièrent une petite estrade à l'aide de planches posées sur des briques et traînèrent le piano à roulettes devant la maison. Ils s'étaient choisi des «habits de scène»: chemise de soie écarlate, foulard de soie violet noué autour du cou et canotier mis de façon désinvolte au sommet du crâne.

Après avoir épié leurs préparatifs derrière sa fenêtre, Emma s'habilla comme pour une soirée de gala et s'empressa de faire enfiler aux filles leur plus jolie robe d'été. Peu après quatre heures de l'après-midi, cet auditoire choisi vint solennellement prendre place devant l'estrade.

Quand les concertistes-amateurs se mirent à jouer à leur manière chansons populaires et vieilles ballades, Emma ne les trouva pas si mauvais, finalement. Après la présentation, elle les félicita avec chaleur. Les garçons ne se sentaient plus de joie. Cela les vengeait des quolibets dont les accablaient depuis des semaines les filles excédées par des répétitions qu'elles déclaraient «insupportables».

Avec patience et obstination, Emma parvint au cours des années à inculquer aux enfants l'esprit d'équipe, la loyauté, la solidarité et le respect des règlements. Elle avait tenu à les armer pour l'avenir et à en faire des adultes responsables. Elle leur avait appris le sens de l'honneur en même temps qu'elle leur enseignait l'honnêteté et la droiture. Mais, comme elle s'était toujours montrée tendre et compréhensive, elle était devenue la grande amie de la jeune génération. Son seul regret était de ne pas avoir eu le temps de s'occuper autrefois de ses propres enfants.

De toutes les vacances passées dans la grande villa du bord de mer, c'étaient celles du premier printemps qui avaient été pour Paula une véritable révélation, car elles lui avaient fait prendre conscience de son amour pour la nature.

Un samedi d'avril 1952, elle errait dans le jardin en compagnie de la petite Emily qu'Emma lui avait donnée à garder, ce jour-là. Tout en se promenant, elle examinait avec attention ce qui l'entourait. Les mauvaises herbes avaient disparu, les haies étaient impeccablement taillées et le gazon, fraîchement tondu par les garçons, avait l'air d'un tapis de velours vert déroulé jusqu'au pied du grand mur de pierre. C'était presque trop beau. Elle sentait que cela manquait de naturel et de caractère.

Elle songea tout à coup à ce que pourrait devenir le jardin si on l'aménageait autrement. Elle eut alors une espèce d'illumination où formes et couleurs se mettaient en place spontanément: des roses tendres et des mauves délicats, des bleus profonds et des rouges éclatants, mêlés à des jaunes d'or et à des orangés, faisaient ressortir la pureté des blancs... Elle vit des massifs de pivoines et de rhododendrons, des azalées, des gueules-de-loup, des tulipes et des jonquilles... Des parterres de pensées, de primevères et de violettes... Des semis de perce-neige sous les arbres.

Revenue à la réalité, elle sut aussitôt ce qui lui restait à faire. C'était à elle, petite fille de huit ans, qu'incombait la charge de créer pour sa grand-mère le plus beau jardin du monde. Toutes les espèces florales y seraient représentées, à l'exception des roses. Car Emma, pour une raison connue d'elle seule, détestait les roses et disait que leur odeur la rendait malade.

Paula se précipita alors dans la maison, tout excitée, les joues empourprées et les yeux brillants. Puis elle alla chercher sa tirelire et la cassa.

— Tu vas te faire punir, s'écria Emily, affolée, grand-maman va voir que tu as cassé ta tirelire toute neuve pour voler tous les sous.

— Mais non, répliqua Paula, ce sont mes sous. Je les ai économisés sur mon argent de poche !

Chargée de son trésor, elle décida d'aller sur-le-champ faire un tour en ville.

Emily la suivit comme un petit chien, mais devint vite une véritable catastrophe ambulante. Elle voulut d'abord acheter des moules et des bigorneaux, puis réclama de la limonade. Elle ne cessait de pleurnicher et de taper du pied en criant qu'elle avait faim et soif.

— Comment pourrais-tu avoir faim ? demanda Paula, excédée. On vient de déjeuner. Et tu as encore mangé comme quatre ! Tu vas bientôt être aussi grasse qu'un petit cochon.

— Je ne t'aime plus ! hurla Emily qui trottinait pour la rattraper.

Sans ralentir, Paula jeta un coup d'œil par-dessus son épaule.

— Moi, je crois que tu as le ver solitaire !

A cette terrible révélation, Emily se figea sur place, épouvantée. Puis elle se remit à courir derrière Paula de toute la vitesse de ses petites jambes rondouillardes.

— Tu dis ça pour me faire peur, mais c'est pas vrai !... J'ai pas de ver, hein, Paula ?... Hein que c'est pas vrai ?... Est-ce que grand-maman pourra le sortir de mon ventre ?

— Tais-toi, tu dis des bêtises ! grommela Paula, impatiente de découvrir une boutique où on lui vendrait des plants et des oignons de fleurs.

— Paula, attends-moi, je suis malade... J'ai très mal au cœur.

— C'est que tu as trop mangé de pudding !

— Non, c'est le ver !... Je vais mal, mal, mal. J'ai envie de vomir.

Paula se retourna et vit que la petite était en larmes et pâle comme la mort. Elle s'attendrit aussitôt. Elle adorait sa jeune cousine et la rudoyait rarement. Elle se baissa pour caresser ses jolis cheveux blonds.

— Allons, ne pleure pas, ma chérie. Tu n'as pas le ver solitaire. Je te jure que tu ne l'as pas !

Emily, un peu rassurée, chercha son mouchoir pour s'essuyer le nez, puis elle prit la main de Paula et se mit à cheminer docilement à son côté. Le long du front de mer, elles passèrent devant une série de vieux magasins bizarres. Mais, au bout d'un moment, Emily reprit d'un ton anxieux :

— Et si je l'ai quand même ?... Est-ce qu'on pourra...

— Je t'interdis de me parler de ce ver dégoûtant ! s'écria Paula, de nouveau furieuse. Je vais te dire, Emily Barkstone, tu me casses les pieds ! Tu es un vrai poison !

— Alors, pourquoi tu dis toujours que je suis ta chouchoute ? demanda l'enfant, complètement perdue. Tu aimes les poisons ?

Paula se mit à rire et embrassa tendrement sa petite cousine de cinq ans : — Oui, tu es mon poison préféré, Petite Pomme. Maintenant, si tu arrêtes de faire le bébé, je vais te confier un secret très important.

Emily fut si flattée qu'elle se calma et ouvrit tout grands ses yeux verts :
— Qu'est-ce que c'est ?
— Eh bien, voilà ! Je vais faire un jardin pour grand-maman, un très, très beau jardin. Nous allons acheter des semences et tout ce qu'il faut. Mais tu ne dois en parler à personne. Tu me le jures ?
— Oh oui ! promit l'enfant avec fierté.

Pendant la demi-heure qui suivit, elles allèrent de fleuriste en fleuriste. Emily était aux anges en écoutant Paula évoquer les merveilles du futur jardin. Elle lui décrivit avec tant d'éloquence les fleurs, leurs couleurs, la forme de leurs pétales et de leurs feuilles, que la petite en oublia son ver solitaire.

A force de persévérance, Paula réussit à trouver les espèces préférées de sa grand-mère et, quand elle sortit de la dernière boutique, son sac était plein à craquer de bulbes, de paquets de semences et de catalogues de pépiniéristes.

Au tournant de la rue, Emily s'arrêta pour lui dire avec un sourire radieux :
— Maintenant, on peut acheter des bigorneaux !
— Quoi ? Tu recommences ! Veux-tu bien être raisonnable !
— Si t'aimes mieux, on peut aller manger des gâteaux.
— Je n'ai plus d'argent, déclara Paula avec la plus grande fermeté.
— T'as qu'à faire un chèque comme grand-maman.
— Nous n'irons pas manger des gâteaux, un point, c'est tout. Fiche-moi la paix. Et avance plus vite que ça. On est en retard.

De retour à Heron's Nest, les deux enfants se réconcilièrent et Emily proposa son aide à Paula, pour laquelle elle avait une admiration sans bornes. Accroupie dans le jardin, elle tint à donner son avis sur chaque plantation. Mais, après avoir regardé faire sa cousine, elle lui déclara gravement : — Je crois que tu as les doigts verts !
— C'est la main verte qu'il faut dire, répliqua Paula sans lever le nez.

Elle continua à creuser des trous et à planter ses premières fleurs avec une superbe assurance. Elle s'apprêtait à ranger ses outils de jardinage quand Emily se redressa en poussant un cri perçant et en secouant sa jupe avec épouvante.
— Qu'est-ce qui t'arrive, petite sotte ? Grand-maman va t'entendre et tu vas lui gâcher sa surprise.
— Un ver ! Regarde, il est à côté de ton pied. Il est tombé de ma jupe. Ah ! c'est dégoûtant !

En voyant la mine décomposée d'Emily, Paula eut sa deuxième grande idée de la journée. Elle prit la pelle et coupa le ver en deux. Puis elle l'enterra et tassa le sol.
— C'était ton ver solitaire, déclara-t-elle avec un sourire rassurant. Il est sorti tout seul et je l'ai tué. Maintenant, tout va bien.

Elle ramassa ses outils et, suivie d'Emily, se dirigea vers la resserre. Mais, après quelques pas, elle se retourna pour dire prudemment :

— Surtout, ne va pas raconter ça à grand-maman. Elle te ferait avaler une purge pour être sûre que le ver est bien parti.

Plus tard, cette année-là, quand Paula et Emily retournèrent à la villa pour les vacances d'été, des fleurs de toutes espèces et de toutes couleurs avaient éclos en leur absence.

Emma fut très émue en en faisant la découverte. Elle félicita Paula de ses talents et l'encouragea à continuer.

C'était donc de cette année-là que datait la passion de Paula pour le jardinage. Depuis lors, elle n'avait jamais cessé de semer, de planter, d'élaguer et de sarcler.

Avec l'approbation de sa grand-mère, elle avait organisé à Pennistone un potager et un jardin d'herbes aromatiques. C'était elle encore qui avait créé la magnifique Allée des Rhododendrons.

De tous les jardins qu'elle avait conçus, Paula continuait à préférer le premier, celui de Heron's Nest.

Elle y repensait cet après-midi, dix-sept ans plus tard. Elle ôta ses gants de jardinage, les posa sur la brouette et se recula pour mieux voir sa rocaille.

Cela commençait à prendre tournure. Cette fois encore, elle ressentait une grande joie à embellir ce jardin, qui avait été celui d'Edwin Fairley.

A la mort d'Edwin, c'était Jim qui avait hérité de sa maison d'Harrogate, « Long Meadow », et c'était là qu'un an plus tôt Paula était venue s'installer après son mariage. La maison était solide et en bon état, mais elle avait un sérieux besoin de rajeunissement. Du temps d'Edwin Fairley, le jardin avait été entretenu religieusement. Cependant, il manquait de couleur et de fantaisie.

En admirant ses bordures de plantes herbacées, Paula constata que ses efforts des onze derniers mois avaient été payants. Le jardin, c'était son domaine. Quand elle était là, elle oubliait tout souci personnel, toute préoccupation professionnelle. Du moins, pour un temps.

Cela faisait une bonne heure qu'elle ne pensait plus à sa dispute avec Jim. Mais le souvenir lui revint brusquement des propos désagréables qu'ils avaient échangés. Jim était têtu comme un mulet et, sur ce plan-là, elle ne valait pas mieux que lui. Il faut que nous soyons plus conciliants l'un et l'autre, se dit-elle. Sinon, nous serons toujours à couteaux tirés. Elle trouvait pourtant singulier qu'Edwina fût à l'origine de leur premier différend grave. Le problème, c'était qu'elle détestait sa tante et n'admettait pas que Jim la trouvât sympathique.

Subitement, Paula songea que pour éviter ces disputes il lui fallait faire taire sa rancune vis-à-vis d'Edwina.

Elle rouvrit les yeux et sourit. Elle se sentait mieux. Elle retira ses bottes de caoutchouc pleines de boue, remit ses chaussures et rentra dans la maison. Elle aimait Jim autant qu'il l'aimait. Rien ne comptait d'autre. Le cœur plus léger, elle monta l'escalier pour se rendre à la nursery.

16

La nurse cousait, assise dans le rocking-chair. En apercevant Paula, elle mit un doigt sur sa bouche pour l'engager au silence. Les jumeaux dormaient.

— Bon, je vais prendre un bain, dit Paula à voix basse. Je reviendrai tout à l'heure.

Après s'être prélassée dans sa baignoire pendant un bon quart d'heure, elle se sentit ragaillardie. Ce bien-être ne lui venait pas seulement du bain chaud, c'était la conséquence de sa décision d'être désormais conciliante quand Jim manifesterait de l'intérêt pour Edwina. Elle voulait prendre exemple sur sa grand-mère qui, elle, ne se montrait jamais mesquine.

Paula enfila son peignoir de tissu éponge et s'apprêta à retourner chez ses enfants. La nursery était une grande chambre au plafond élevé, éclairée d'une large baie donnant sur le parc. La pièce n'avait plus rien de commun avec ce qu'elle était à la mort d'Edwin. Quand Paula y était entrée pour la première fois, elle avait regardé avec horreur le papier peint bleu nuit et le lourd mobilier d'acajou. Du reste, tout le décor de la maison était démodé, sombre et triste, surchargé de vieux meubles victoriens, de lourds rideaux festonnés et d'horribles luminaires. Elle s'était alors demandé si elle s'habituerait jamais à vivre à Long Meadow et pourrait un jour élever des enfants dans cette atmosphère lugubre.

Mais Jim avait insisté pour s'y installer, refusant de visiter la vieille ferme que Winston leur avait trouvée à West Tanfield. Paula lui avait cédé pour avoir la paix, mais en échange de l'assurance formelle qu'elle aurait carte blanche pour rénover l'ensemble de la maison.

L'argent nécessaire à cette restauration avait constitué le cadeau de mariage offert par ses parents. Sa mère l'avait aidée avec enthousiasme à créer une ambiance aussi chaleureuse que la première était sinistre. Elles s'étaient débarrassées de toutes les vieilleries à l'exception de quelques tableaux anciens et de certains meubles de valeur comme le bureau d'Edwin, un miroir vénitien et une armoire campagnarde française en chêne clair. Elles avaient choisi pour les murs des tons pastel qui donnaient une impression de clarté et de légèreté, d'espace et de liberté. Des tissus aux teintes délicates, des lampes de jade et de porcelaine, ainsi que de jolis objets rustiques, ajoutaient à ce décor raffiné autant de charme que de confort.

L'ancienne chambre bleu nuit avait elle-même été tapissée d'un papier à fleurs légères dont les couleurs tendres, les jaunes, les verts, les blancs et les roses, se retrouvaient sur les rideaux des fenêtres et sur les pieds des lampes chinoises. Jim avait trouvé la pièce charmante et avait également approuvé la décoration du reste de la maison.

En sortant de la salle de bains, Paula traversa la chambre conjugale, ensoleillée et paisible, pour s'approcher de sa coiffeuse, éclairée par une grande baie vitrée en demi-cercle. Elle se brossa les cheveux, puis elle se maquilla rapidement pour le dîner.

Après s'être mis un peu de rouge à lèvres, Paula se détourna du miroir et resta un moment songeuse à se remémorer le soir où Jim l'avait emmenée à Long Meadow pour la présenter à son grand-père.

Sir Edwin Fairley, avocat de la Couronne, somnolait au coin du feu, dans la petite bibliothèque aux boiseries de pin. A leur arrivée, il s'était levé pour lui souhaiter la bienvenue avec un sourire radieux. C'était un vieil homme fragile, aux cheveux blancs, dont l'affabilité et la courtoisie étaient touchantes. Cependant, parvenu à deux pas d'elle, il avait sursauté en croyant voir un fantôme. Celui d'Emma Harte, de l'Emma d'autrefois. Mais il s'était vite ressaisi, pensant qu'il s'agissait d'une coïncidence. Après avoir offert un verre aux deux jeunes gens, il avait demandé à Paula ce qu'elle faisait dans la vie et elle lui avait dit qu'elle travaillait, comme Jim, pour Emma Harte, sa grand-mère. Il avait encore sursauté et il l'avait regardée avec une curiosité redoublée. Puis il avait voulu savoir qui étaient ses parents et elle avait répondu sans se faire prier. Il avait alors souri en hochant la tête et en lui caressant la main avant de déclarer qu'il la trouvait charmante et qu'il approuvait ce mariage. Par la suite, chaque fois qu'elle l'avait rencontré, il avait paru enchanté de la voir. Et, quand elle avait rompu avec Jim, il avait eu beaucoup de chagrin.

Sir Edwin était mort avant de les savoir réconciliés et mariés.

Paula avait posé d'innombrables questions sur Edwin quand sa grand-mère lui avait enfin révélé le drame de sa jeunesse.

Emma lui avait avoué avec la plus grande franchise l'amour qui l'avait liée à Edwin autrefois, lorsqu'elle était servante à Fairley Hall et qu'ils venaient tous deux de perdre leur mère. Elle avait évoqué la lande de leurs rendez-vous, le Sommet du Monde et la grotte où ils avaient trouvé refuge au cours d'un orage : « Oh, Edwin Fairley n'était pas un salaud, mais un faible. Il a eu peur de la colère paternelle et du qu'en-dira-t-on. J'aurais dû m'y attendre, surtout à cette époque. Il y a soixante ans de ça, vois-tu ! Mais j'ai souvent regretté qu'il n'ait pas eu assez de courage pour m'aider quand il a su que j'attendais un enfant. Je lui en aurais moins voulu par la suite. »

Après un haussement d'épaules, elle avait poursuivi : « J'avais seize ans, j'allais avoir un enfant illégitime et, comme je ne voulais pas faire honte à mon père, je me suis enfuie à Leeds. Chez Blackie. Il a été mon soutien dans cette pénible épreuve. Avec Laura, bien sûr, ma très chère Laura, qui n'avait pas encore épousé Blackie à cette époque. Tu connais la suite. »

Paula lui avait alors demandé pourquoi elle avait appelé sa fille Edwina. « Un malheureux lapsus ! avait répliqué Emma avec un rire amer. Un tour que m'a joué mon inconscient. »

Pour Paula, Edwin Fairley n'avait pas seulement été faible, il avait encore été fou de laisser tomber une telle femme. L'exceptionnel courage d'Emma avait vaincu tous les obstacles. Malheureusement pour elle, sa fille naturelle ne lui avait causé que du tourment depuis sa naissance. Pourquoi Jim ne le comprenait-il pas?

La pendule sonna la demie. Paula leva les yeux. Il était quatre heures trente. Le temps pressait. Elle se dépêcha d'enfiler un pantalon de flanelle grise et une blouse de soie blanche, puis elle retourna à la nursery.

Nora passa la tête derrière la porte du coin-cuisine aménagé dans un ancien cagibi.

— J'allais leur donner à boire, dit-elle en montrant les biberons.

Paula se pencha sur le berceau de Tessa. L'enfant ouvrit ses yeux verts, du même vert émeraude que ceux de son arrière-grand-mère. Paula la prit dans ses bras pour l'embrasser mais, dès qu'elle la reposa sur l'oreiller, la petite se mit à pleurer.

— Eh bien, eh bien, mademoiselle, quelle exigence! Apprenez que dans la famille on ne fait pas de favoritisme. Maintenant, je vais donner des baisers à votre petit frère.

Tessa se tut aussitôt, comme si elle avait compris.

Paula se pencha sur le second berceau et Lorne la regarda d'un petit air solennel. Elle le prit à son tour et le berça avec tendresse.

— Oh! mon trésor! murmura-t-elle en posant les lèvres sur la joue tiède du bébé. Ton père a raison, tu es à croquer! Mais pourquoi es-tu toujours aussi sérieux, mon bonhomme? On dirait que tu en sais déjà un peu trop sur la vie.

Elle alla s'asseoir avec lui devant la fenêtre et le cajola un moment. Le bébé, ravi, se mit à gazouiller en agitant ses petits poings.

— Je vais lui donner son biberon, Nora. Occupez-vous de cette petite rouspéteuse.

— Entendu, madame. Oui, c'est une vraie coquine, il faut l'admettre. Elle ne tient pas à ce qu'on l'oublie.

Elles échangèrent quelques propos décousus en nourrissant les enfants et Paula annonça qu'elle avait changé ses horaires de travail pour pouvoir leur consacrer plus de temps.

— Je pourrai revenir assez tôt pour vous aider à les changer, les baigner et leur donner le biberon. Malheureusement, ce soir, je ne peux rester pour le bain. Nous avons des invités pour l'apéritif et nous dînerons dehors.

Dans la vaste et confortable nursery, tout n'était que paix et douceur. La lumière dorée du soleil traversait les rideaux légers que la brise agitait. Paula regarda son fils terminer le biberon et caressa la petite tête blonde. J'ai de la chance, se dit-elle. Je suis comblée. Deux beaux enfants, grand-mère, mes parents, un travail que j'adore et, le plus important, un mari merveilleux!

Assise à son bureau, Paula s'appuya au dossier de son siège et rapprocha le téléphone pour continuer la conversation.

— Tant mieux, Emily. Je suis contente pour toi que ce premier jour se passe bien. Mais ne te surmène pas. Tu sembles à bout de forces.

— Bien sûr, ne t'en fais pas. Grand-maman m'a déjà dit de ne pas vouloir tout avaler d'un coup. Mais c'est passionnant et Len Harvey est un type formidable. Il m'a dit que nous irions sans doute à Hong Kong le mois prochain. Et peut-être même en Chine populaire... pour acheter des soies de porc ou quelque chose comme ça.

— Qu'est-ce que tu racontes ?

— Une histoire de brosses. Faites avec des soies de porc. Ce sont les meilleures, paraît-il. Je ne me rendais pas compte de tout ce que nous achetions à l'étranger. Nous sommes la première compagnie d'importation en Angleterre, ou presque. Nous stockons les choses les plus diverses... Des faux cils, des perruques, des cosmétiques, des soieries, des ustensiles de cuisine...

— Et des soies de porc ! Je suis sûre que tu te débrouilleras très bien, Petite Pomme. Mais je regrette déjà que tu ne travailles plus avec moi.

— Moi aussi, j'aimais travailler avec toi... Dis donc, pourquoi m'appelles-tu Petite Pomme aujourd'hui ? Il y avait des années que ça ne t'était pas arrivé.

— Aujourd'hui, j'ai fait du jardinage. Une rocaille, plus précisément. Et j'ai repensé à mon premier jardin. Te rappelles-tu le jour où je t'ai emmenée à Scarborough ?

— Et comment ! J'en ai gardé une peur bleue des vers ! J'étais vraiment très rondouillarde dans ce temps-là ?

— Oui, mais tu ne l'es plus. Ecoute, veux-tu dîner avec nous, ce soir ? Nous allons au *Granby*... Du moins, Jim en a l'intention.

— Je voudrais bien, mais c'est impossible. Qui d'autre sera du dîner ?

— Sally, Anthony et tante Edwina.

— Eh bien, je ne t'envie pas. Je serais bien venue te soutenir moralement, mais... j'ai un rendez-vous !

— Ah, ah !... Et avec qui ?

— Ça, c'est mon secret.

— Mais encore ?

— Si je te le dis, ce ne sera plus un secret. Sache seulement que c'est un garçon super.

— Je le connais ?

— Je refuse de dire un mot de plus. Pour changer de sujet, dis-moi plutôt pourquoi grand-maman est allée à Londres cet après-midi.

— Elle prétend avoir besoin de renouveler sa garde-robe pour partir faire le tour du monde avec Blackie.

— Elle m'a donné la même raison, mais elle t'en dit toujours plus qu'à moi et je croyais qu'il y avait autre chose.

— Autre chose ?

— Elle est passée me voir aujourd'hui et elle semblait sur le sentier de la guerre. Tu sais la tête qu'elle fait quand elle est prête à la bagarre.

Paula resta songeuse un instant, les sourcils froncés.

— Je crois qu'elle n'avait rien de bien important à faire à Londres, répliqua-t-elle en s'efforçant de rire. Elle était peut-être pressée quand tu l'as vue. Elle craignait sans doute de faire attendre papa et maman, elle est partie en voiture avec eux. Je sais qu'elle tenait à s'acheter des vêtements. Ils vont voyager pendant trois mois sous des climats très divers. Il lui faut des tenues appropriées.

— Tu dois avoir raison, admit Emily sans grande conviction. Elle a l'air enchantée de partir. Elle n'a parlé que de ce voyage pendant tout le week-end.

— Tant mieux ! Elle n'a pas pris de vraies vacances depuis des années. Et elle se réjouit d'aller voir Philip à Dunoon. Ecoute, Petite Pomme, puisqu'on parle de mon jeune frère, je vais être obligée de raccrocher. Hier, quand il m'a téléphoné de Sydney, j'ai promis de lui écrire pour lui raconter le baptême. Il faut que je fasse cette lettre avant le retour de Jim.

— Bien sûr... Merci de m'avoir appelée, Paula. On se verra cette semaine. Embrasse Philip pour moi. Au revoir.

Dès qu'elle eut raccroché, Paula se mit à sa lettre. Philip était à peine remis d'une pneumonie et la famille avait estimé dangereux de le faire venir d'Australie pour la seule journée du baptême.

Elle remplit trois pages de sa fine écriture pour lui décrire la cérémonie et la réception. Son frère lui manquait. Elle s'était toujours sentie très proche de lui. Philip, de son côté, regrettait d'être loin de tous ceux qu'il aimait, mais il était passionné par son travail en Australie, par son élevage de moutons à Coonamble, dans la Nouvelle-Galles du Sud. Il avait également la responsabilité des biens gigantesques que possédait là-bas la famille. L'héritage de Paul McGill n'était pas une petite affaire. Depuis un an, sa nouvelle vie l'occupait entièrement et lui donnait pleine satisfaction. Paula en était heureuse pour lui.

Après avoir terminé sa lettre, elle se leva pour aller ramasser quelques pétales tombés d'une azalée rose corail et les mettre dans un cendrier. Puis elle jeta un coup d'œil autour d'elle en se demandant s'il fallait servir les cocktails dans cette pièce ou dans le salon.

La pièce où elle se trouvait était son domaine réservé, mais Jim, lui aussi, en faisait souvent son cabinet de lecture et la plupart des invités s'y retrouvaient naturellement dès qu'ils entraient dans la maison. En fait, c'était une serre, bien caractéristique de celles des maisons construites dans la seconde moitié du XIXe siècle, à la suite de la révolution architecturale qu'avait provoquée Joseph Paxton en utilisant des poutrelles et des montants de fer comme supports pour des panneaux vitrés. Cette serre de style néo-gothique était remplie de plantes tropicales, de petits arbres, d'orchidées rares et d'arbustes fleuris. La moquette vert sombre et les meubles de rotin ajoutaient à l'impression de fraîcheur et de calme qui régnait dans la pièce. Paula, qui l'avait aménagée, avait voulu qu'on pût aussi bien s'y reposer qu'y travailler. Et c'était enfin un jardin toujours vert qui faisait entrer la nature dans la maison.

Alors qu'elle examinait ses hortensias, le téléphone se mit à sonner et la força à revenir sur ses pas.

— Allô... Comment va la jeune mère des jumeaux ?

— Très bien. Et toi, Miranda ?

— Moi, je suis épuisée. Je n'ai pas arrêté de la journée et, hier, j'ai passé pratiquement tout mon temps à faire des plans pour l'installation des boutiques HARTE dans nos hôtels. J'ai eu des idées formidables et je vais les exposer à mon père dès demain. Nous pourrions peut-être nous voir cette semaine.

— Bien sûr. J'avoue que tu ne perds pas de temps. Compliments !

— Samedi, quand j'en ai parlé à tante Emma, elle était ravie. Alors, je ne veux pas laisser traîner. Si ça marche, il faut prévoir l'emplacement des boutiques dans les plans de l'architecte.

— Bon, voyons-nous mercredi... A deux heures, ça te convient ?

— Parfait. A mon bureau, si tu n'y vois pas d'inconvénient... Dis donc, c'est fabuleux que tante Emma et grand-papa fassent le tour du monde. A la maison, nous sommes ravis.

— Nous aussi.

— Tu aurais dû voir grand-père, ce matin. Il est arrivé au bureau à la première heure alors qu'il n'y mettait plus les pieds depuis des mois. Il a donné coup de fil sur coup de fil en faisant un beau remue-ménage. Sa malheureuse secrétaire a failli devenir folle. Il lui répétait : « Première classe ! Première classe exclusivement sur tout le parcours, Gertie ! Ce doit être un voyage de rêve. » Mais figure-toi qu'il s'est mis en colère contre moi quand je lui ai parlé des boutiques. Il craignait qu'aux yeux d'Emma ce ne soit un obstacle à son grand projet. Il m'a fallu des heures pour le calmer.

— Je lui ai affirmé que nous étions assez grandes, toi et moi, pour nous débrouiller toutes seules. Il a fini par me dire que j'étais vraiment une fille épatante. Il était radieux. On croirait qu'il part en voyage de noces.

— Tu sais, il a fini par lui donner la fameuse bague !

— Ils sont charmants ! Deux vrais tourtereaux !

— Ils me font plutôt penser à un couple de garnements, dit Paula en éclatant de rire.

— Tu as raison, admit Miranda. A propos de tante Emma, j'ai beau réfléchir, je ne sais toujours pas quoi lui offrir pour ses quatre-vingts ans. Donne-moi une idée.

— Tu veux rire ! Nous en sommes tous au même point.

— Nous en reparlerons mercredi. Bon, je te quitte. Mon père m'attend. Il faut faire une déclaration à la presse sur l'hôtel que nous achetons à New York. J'espère qu'il acceptera une des versions que j'ai à lui proposer. Sans ça, je serai encore obligée de rester au bureau jusqu'à minuit.

— Tu ferais mieux de te ménager. Je viens de donner le même conseil à Emily.

— Ça te va bien de dire ça !

17

La serre communiquait avec le grand vestibule. Paula entendit s'ouvrir la porte d'entrée et elle reconnut aussitôt le pas de Jim sur les dalles de marbre. Heureuse de son retour, elle se précipita à sa rencontre.

— Bonsoir, mon chéri!

— Bonsoir.

Il lui donna un baiser rapide, puis se laissa tomber dans un fauteuil sans ajouter un mot.

Paula le regarda avec perplexité. Ce baiser sans chaleur et cet air morne?... Il n'était vraiment pas dans son état habituel.

— Qu'y a-t-il? demanda-t-elle, inquiète.

— Rien, je suis fatigué, voilà tout! répondit-il d'une voix un peu distante. Il y a eu un accident sur la route, un carambolage de plusieurs voitures et je suis resté coincé dans la circulation.

— Oh, mon pauvre chéri, tu n'avais pas besoin de ça! Veux-tu boire quelque chose?

— Bonne idée. Sers-moi un gin-tonic, s'il te plaît.

— Je vais te chercher de la glace.

— Sonne donc Meg! Ce n'est pas à toi de te déranger.

— Ça ira plus vite si je m'en occupe.

— On croirait que nous n'avons pas de bonne! s'écria-t-il, vaguement irrité, en levant sur elle ses yeux pâles.

Elle le regarda, un peu surprise, mais répliqua d'un ton tranquille:

— Elle a eu un travail fou, aujourd'hui. Et puis, grand-maman nous a appris à nous servir nous-mêmes.

En s'éloignant, elle l'entendit soupirer. Peut-être n'était-il que fatigué. Une journée de travail épuisante et un trajet pénible en voiture après un week-end agité... Elle essaya de se rassurer. Du calme, se dit-elle en ouvrant la porte de la cuisine. Jim n'est pas vraiment de mauvaise humeur. Il ira mieux quand il aura bu quelque chose.

— Madame croit-elle que j'ai préparé assez de canapés? demanda Meg en lui montrant le plateau d'argent.

— Oui, c'est parfait et très appétissant. Merci, Meg. Pouvez-vous me remplir le seau à glace, s'il vous plaît?

Quand elle revint dans la serre avec ses glaçons, Jim était debout. Il contemplait le jardin à travers la verrière. Elle ne le voyait que de profil, mais le pli amer de sa bouche avait de quoi faire peur et, quand il se retourna, elle lui trouva un drôle de regard.

Elle résista encore à l'envie de l'interroger et s'approcha de la table basse où se trouvaient les bouteilles et les verres. Après lui avoir servi son gin, elle lui demanda sans le regarder : — Pour les cocktails, veux-tu que nous restions ici ou préfères-tu le salon ?

— Ça m'est égal, répondit-il d'une voix neutre.

— As-tu réussi à réserver une table au *Granby* ?

— Oui, pour huit heures et demie. Anthony m'a appelé pour me dire que sa mère et lui n'arriveraient pas avant sept heures un quart. Nous avons tout notre temps.

— Très bien.

Son attitude l'inquiétait de plus en plus. Leur querelle de la veille au soir pouvait-elle y être pour quelque chose ? Sûrement pas, puisqu'elle lui avait cédé. Et, le matin même, au petit déjeuner, il avait bavardé gaiement... Pour se réconforter, elle se versa un peu de vodka, ce qui n'était pas dans ses habitudes.

De son côté, Jim commençait à se détendre sous l'effet de l'alcool. Il alluma une cigarette et lui demanda d'un ton désinvolte :

— On t'a téléphoné, aujourd'hui ?

— Oui. Émily et Miranda. Et grand-mère aussi, bien sûr. Elle m'a appelée ce matin après ton départ pour me dire qu'elle allait à Londres quelques jours... Mais pourquoi me poses-tu des questions sans intérêt alors que tu as visiblement des ennuis ? Dis-moi ce qui te préoccupe, mon chéri.

Il n'ouvrit pas la bouche. Elle se pencha et reprit d'une voix pressante :

— Je t'en prie, dis-moi ce qui ne va pas.

— J'ai eu une petite prise de bec avec Winston, finit-il par dire en soupirant.

— C'est donc ça ! s'écria Paula, soulagée. Eh bien, ce n'est pas la première fois !

— Cette fois, j'ai donné ma démission.

Elle le regarda, abasourdie :

— Ta démission ?

— Oui. Je ne suis plus directeur général.

Elle le regardait toujours sans comprendre :

— Mais pourquoi ? Pourquoi ne m'en as-tu pas parlé avant ? Tu aurais quand même pu me prévenir !

— Je ne pouvais pas t'en parler avant puisque je ne savais pas que j'allais la donner.

— Jim, c'est parfaitement absurde ! Ta dispute avec Winston ne justifie pas une telle décision. C'est à grand-mère qu'il appartient de régler cette question, en fin de compte. C'est elle qui t'a mis à ce poste et elle va t'y remettre tout de suite. Winston aura affaire à elle ! Écoute, je lui téléphonerai dès demain matin.

— Je crois que tu ne m'as pas compris. Winston ne m'a pas forcé à démissionner. C'est moi qui ai décidé de le faire. Sans m'en rendre compte, j'en avais envie depuis longtemps. Il n'est pas question de revenir là-dessus.

— Mais pourquoi, pourquoi, au nom du Ciel ?

— Parce que c'est un travail qui me déplaît et qui m'a toujours déplu. Ce matin, quand Winston m'a demandé tout à trac si je voulais continuer, j'ai compris aussitôt... Paula, je te le jure... que j'en avais assez. La gestion, ce n'est pas dans mes cordes. Winston s'en doutait depuis quelque temps. Il estime que je ferais mieux de me cantonner dans le journalisme. Je suis tombé d'accord avec lui. Voilà tout !

— Voilà tout ? s'exclama-t-elle, scandalisée. Je n'en crois pas mes oreilles. Je suis atterrée que ça te paraisse sans importance.

— Moi, très franchement, je suis bien soulagé.

— Tais-toi donc ! Et tes responsabilités ? Grand-mère t'a fait entièrement confiance, l'année dernière. Je trouve que tu la laisses tomber avec beaucoup de légèreté.

— Tu te trompes ! Je ne laisse pas tomber ta grand-mère. Je continue à diriger les deux plus importants journaux du groupe. Et, maintenant, je vais pouvoir m'y consacrer à fond.

— Et qui sera à la tête du groupe ?

— Winston, naturellement.

— Mais il n'en a aucune envie !

— Moi non plus.

La bouche de Paula s'était durcie.

— J'espère quand même, reprit-elle, furieuse, que ça ne va pas obliger grand-maman à renoncer à son voyage. Elle a absolument besoin de vacances. Qu'est-ce qu'elle en dit ? Elle est au courant ?

— Bien sûr. Nous sommes allés la trouver à l'heure du déjeuner. Elle a accepté ma démission et Winston a consenti sans rechigner à me remplacer. Alors, calme-toi. Eux, ils respectent ma décision !

— Tu auras mal interprété leurs réactions, murmura-t-elle.

— Maintenant, c'est toi qui es ridicule ! Je les connais bien et je t'assure qu'il n'y a pas de problème.

Stupéfaite de son manque d'intuition et de jugement, Paula s'abstint de répliquer. Elle savait bien, pour sa part, que Winston et sa grand-mère avaient été contraints d'accepter la situation et qu'ils feraient front commun. Nous sommes ainsi, se dit-elle. Le devoir avant tout. Nous ne nous dérobons pas à nos responsabilités, quelles qu'elles soient.

Jim l'observait. Mais, incapable de lire ses pensées dans ses beaux yeux violets, il reprit avec un peu d'anxiété : — Essaie de comprendre. Ta grand-mère et Winston m'ont bien compris, eux. C'est un fait accompli. Alors, à quoi bon discuter ?

Elle s'enfonça dans son fauteuil et tendit la main vers son verre.

— Je voudrais que tu réfléchisses, finit-elle par dire. Ce n'est pas si simple. Grand-maman voulait te le dire ces jours-ci : elle a l'intention de modifier son testament. Elle a décidé de laisser ses parts dans le groupe de presse à nos propres enfants, aux jumeaux... Alors, il était très important pour elle que tu restes à ton poste. Quoi que tu en penses, elle doit être terriblement déçue.

Jim éclata de rire et elle le dévisagea avec inquiétude.

— Que je sois directeur général, rédacteur en chef, ou les deux à la fois, ta grand-mère modifiera son testament de toute façon. Elle a ses raisons pour avantager nos enfants.

— Lesquelles ?

— D'abord, ils portent le nom de Fairley. Ensuite, il y a sa propre culpabilité.

— De quoi serait-elle donc coupable ? s'écria Paula, indignée.

— D'avoir arraché la *Yorkshire Morning Gazette* à mon grand-père, répliqua-t-il avec désinvolture.

— A t'entendre, on croirait qu'elle la lui a volée ! Ton grand-père a mené le journal à la faillite et ma grand-mère n'y est pour rien. Tu as toujours dit que c'était un avocat brillant, mais un homme d'affaires lamentable ! Et je n'ai pas besoin de te rappeler que ce sont les autres actionnaires qui ont supplié grand-maman de les tirer du pétrin. Par ailleurs, ton grand-père n'a pas eu à se plaindre de la transaction avec tout l'argent qu'il en a tiré.

— Ce n'était peut-être pas un bon administrateur, mais il aurait fini par remettre le journal à flot si ta grand-mère ne lui avait pas coupé l'herbe sous le pied.

Il but un peu de son gin et tira sur sa cigarette. Paula se mit en colère.

— C'est faux ! Le journal aurait coulé et ton grand-père se serait retrouvé ruiné !

— Ne monte pas sur tes grands chevaux, Paula. Inutile de nier les faits. Ta grand-mère a ruiné les Fairley. Nous ne sommes plus des enfants. Ce serait ridicule de prétendre, parce que nous sommes mari et femme, qu'il ne s'est rien passé. On ne peut rien changer à la réalité.

— Elle n'a pas plus que moi ruiné les Fairley ! s'écria Paula, complètement démontée par sa mauvaise foi. Adam et son fils aîné, Gérald, s'en sont chargés sans l'aide de personne. Ton arrière-grand-père et ton grand-oncle étaient négligents, bêtes et prétentieux. Si ma grand-mère les avait ruinés, je ne l'en blâmerais même pas. Au contraire, j'applaudirais, car les Fairley l'ont traitée d'une façon abominable. Quant à ton sacro-saint grand-père, son comportement envers elle a été... innommable ! Monstrueux, tu entends ? Pour toi, c'est peut-être chevaleresque de faire un enfant à une gosse de seize ans et de la laisser tomber ?... Quant à...

— Je sais, je sais. Mais je t'en prie...

— Tais-toi ! Tu ignores sans doute que ton grand-oncle Gérald a essayé de la violer ? Figure-toi qu'une femme n'oublie jamais une chose pareille ! Alors, ne plaide plus la cause des Fairley devant moi. Quand je pense aussi à tout ce que ma grand-mère a fait pour toi et qu'en guise de remerciements tu fuis tes responsabilités...

Elle se tut brusquement, effrayée de ce qu'elle venait de dire. Elle tremblait comme une feuille. Un silence glacé s'installa. Pendant un long moment, ils se regardèrent en chiens de faïence, aussi atterrés l'un que l'autre. L'extrême pâleur de Paula faisait ressortir l'éclat violet de ses yeux.

Jim était décomposé et le désarroi le rendait muet. Il ne s'était pas attendu à une telle explosion et il regrettait ses paroles imprudentes.

— Crois-moi, Paula, je t'en supplie, dit-il finalement. Je ne plaidais pas la cause des Fairley et je ne m'en prenais pas à Emma. Je l'ai toujours respectée et admirée. Et, depuis que je la connais mieux, j'ai appris à l'aimer. C'est une femme merveilleuse et je lui suis reconnaissant de ce qu'elle a fait pour moi.

— On ne le dirait pas!

Jim blêmit sous le sarcasme: — Voyons, Paula, ne me regarde pas comme ça. Tu as mal interprété ce que j'ai dit.

Sans un mot, elle se détourna. Il se leva d'un bond, lui prit les mains pour la forcer à se lever et la serra dans ses bras.

— Je t'en prie, ma chérie, écoute-moi. Je t'aime. Le passé n'a pas d'importance et ta grand-mère est la première à le dire. J'ai eu tort d'y faire allusion. Je ne sais pourquoi nous nous sommes éloignés du sujet, c'est-à-dire de ma démission. Je sais que mon grand-père a eu un comportement ignoble. Mais il en était conscient et les remords ont partiellement détruit son existence. Il n'a cessé de regretter d'avoir perdu Emma et son enfant. Il n'a pas non plus cessé de l'aimer. Pendant son agonie, il m'a supplié d'aller la trouver pour implorer son pardon. Rappelle-toi, je te l'ai dit et j'en ai parlé à ta grand-mère le soir où elle a annoncé nos fiançailles.

— C'est vrai.

— Je lui ai répété ses dernières paroles: «Jim, implore-la pour que mon âme torturée retrouve la paix.» En les entendant, elle a pleuré et m'a dit: «Ton grand-père a peut-être souffert plus que moi, après tout.» Si elle lui a pardonné, ainsi qu'à tous les Fairley, pourquoi leur garder rancune, toi?

— J'ai perdu mon sang-froid, mais tu m'as provoquée en parlant de sa culpabilité. Je la connais mieux que toi. Elle ne se sent pas coupable.

— Alors, pardonne-moi. Je me suis trompé.

— Tu t'es aussi trompé sur le passé. En disant qu'il ne comptait pas. Au contraire, le passé ne cesse de nous hanter et nous sommes ses prisonniers. Grand-mère voudrait nous faire croire qu'il est devenu inoffensif, mais elle dit aussi qu'il est immuable.

— Les pères ont mangé les raisins verts et les dents des fils en sont agacées... C'est ça?

— Oui.

Jim poussa un soupir et hocha la tête.

— J'ai une question à te poser, reprit Paula en lui lançant un regard scrutateur. Mais je crains qu'elle ne te fasse pas plaisir.

— Je suis ton mari et je t'aime. Tu peux me demander n'importe quoi.

— Eh bien, voilà... En veux-tu à grand-maman d'être propriétaire de la *Gazette*? Si ton grand-père l'avait gardée, tu serais son héritier.

Jim se mit à rire, étonné: — Si j'avais eu le moindre ressentiment, je n'aurais pas démissionné! J'aurais fait en sorte de récupérer le journal ou je t'aurais suggéré d'influencer ta grand-mère pour qu'elle le laisse à nos enfants, ce qui m'en aurait assuré à la mort d'Emma le contrôle absolu jusqu'à leur majorité.

— Oui, je suppose, répliqua-t-elle, subitement abattue.

— Tu t'es bien rendu compte que je n'étais pas avide d'argent ni dévoré d'ambition. J'aime le journalisme, mais la gestion de la compagnie ne m'intéresse pas.

— Pas même depuis que tu sais qu'elle appartiendra un jour à tes enfants, du moins en partie ?

— J'ai confiance en Winston. Il fera ce qu'il faudra. Après tout, c'est aussi son intérêt, puisque les Harte possèdent quarante-huit pour cent des parts, ne l'oublie pas.

Paula sentit que cela ne servirait à rien de prolonger la discussion pour le moment.

— Je crois que je vais faire un tour dans le jardin, dit-elle brusquement. J'ai besoin d'air.

Jim la regarda avec inquiétude : — Tu n'es pas malade, au moins ? Je te trouve affreusement pâle.

— Non, non, je vais bien... Pourquoi ne monterais-tu pas voir les enfants avant de t'habiller pour dîner ? Je te rejoindrai bientôt. Mais j'ai envie d'une promenade.

— Tu n'es plus fâchée ? demanda-t-il en la retenant par le bras.

— Non, ne t'inquiète pas.

Elle parcourut le jardin sans se presser. Après avoir examiné les jeunes arbres qu'elle avait plantés, elle prit l'étroite allée qui menait au bosquet de cytises et au bassin.

Encore bouleversée, elle alla s'asseoir sur les marches du petit pavillon et se sentit soulagée d'être seule. Elle regrettait de s'être emportée. Mais ce qu'avait suggéré Jim sur une culpabilité possible de sa grand-mère vis-à-vis des Fairley lui paraissait aussi absurde que sa décision de démissionner sans crier gare.

Elle était atterrée par la violence de leur querelle. Cette fois, le différend avait été bien plus grave que les petits accrochages précédents à propos d'Edwina. Quels étaient donc les véritables sentiments de Jim envers Emma ? Et que penser même de sa loyauté ? Peut-être lui en voulait-il inconsciemment de posséder ce qui avait été autrefois la propriété des Fairley. Si, comme il le prétendait, le passé ne comptait pas pour lui, pourquoi avait-il été le premier à y faire allusion ?

Elle tremblait à l'idée que la rancune et l'amertume fussent bien au fond du problème. Pour elle, c'étaient les deux sentiments les plus dangereux du monde, car ils finissaient par ronger le cœur. Pourtant, Jim avait semblé abasourdi quand elle lui avait demandé s'il en voulait à sa grand-mère. Il avait protesté spontanément et elle avait senti qu'il ne mentait pas.

Elle s'était imaginé qu'elle connaissait Jim, mais elle avait peut-être été trop sûre de son jugement pour une fois. Après tout, personne ne pouvait

148

se vanter de connaître parfaitement quelqu'un. Parmi ses proches, il lui était arrivé d'être ébahie par le comportement de ceux qui avaient été ses plus chers compagnons d'enfance. Alors, elle avait bien pu se tromper sur le compte d'un homme qu'elle connaissait depuis deux ans à peine et qui, tout en étant son mari, restait un étranger. La plupart des êtres étaient infiniment plus compliqués qu'ils ne le paraissaient et qu'ils ne le croyaient parfois eux-mêmes. Au fait, James Arthur Fairley se connaissait-il bien ? Et connaissait-il bien sa femme ?

Elle laissa en suspens ces questions irritantes auxquelles, pour le moment, elle ne parvenait pas à trouver de réponses satisfaisantes. Mais elle se sentait un peu moins tendue et elle voulait bien admettre qu'elle avait aussi des torts. C'était elle qui avait attaqué Jim et, quand il s'était défendu, elle avait perçu l'accent de la sincérité dans sa voix et lu de l'amour dans ses yeux. Soudain, il lui parut inconcevable que Jim pût en vouloir à sa grand-mère. Elle tenait à lui laisser le bénéfice du doute. Oui, elle voulait lui faire confiance, car si elle s'en révélait incapable, leur mariage ne vaudrait plus rien.

Quoiqu'elle lui en voulût toujours de cette démission, elle se jura de penser à autre chose et de ne plus aborder le sujet ce soir-là. Ils avaient des invités. Edwina n'allait pas tarder à arriver. Ce n'était vraiment pas le moment de laisser soupçonner que tout n'allait pas pour le mieux dans le meilleur des mondes.

De sa fenêtre, Jim avait aperçu Paula sur les marches du pavillon de jardin et il lui tardait de la voir rentrer pour lui faire de nouvelles excuses.

Il n'avait pas voulu la blesser en mentionnant qu'Emma Harte avait provoqué la ruine des Fairley. C'était une histoire bien connue. Mais il regrettait d'en avoir parlé. Paula vénérait trop sa grand-mère pour ne pas réagir violemment à ce qu'elle prenait pour une accusation. Elle se trompait lourdement, pourtant. Non seulement il ne critiquait pas Emma, mais encore il l'admirait, lui aussi.

Il ne mettait pas en doute ce que venait de lui révéler Paula : la tentative de viol faite autrefois par Gérald Fairley. Les rares fois où le nom de Gérald avait été prononcé devant son grand-père, Jim avait vu le dégoût et le mépris se peindre sur le visage du vieillard. Il savait désormais pourquoi. Cependant, il ne se sentait pas responsable de ce qu'avaient pu faire les Fairley au début du siècle.

Paula, toujours assise sur les marches du pavillon, semblait perdue dans la contemplation du jardin. Inquiet des disputes de plus en plus fréquentes qui éclataient entre eux, Jim se promit de lui parler dès qu'elle reviendrait s'habiller pour dîner.

Elle avait peut-être raison en affirmant que sa grand-mère ne regrettait aucun de ses actes. Emma était, en effet, bien trop réaliste pour se préoccuper d'événements révolus. Jim avait cependant cru déceler chez elle, de temps à autre, une espèce de gêne qui s'adressait peut-être davantage, finalement, à lui-même qu'aux Fairley. Mais, comme elle n'avait aucune raison de s'inquiéter à son sujet, il n'avait pas été très surpris en apprenant qu'elle voulait modifier son testament pour favoriser les jumeaux. Elle n'aurait pu laisser ses parts à leur père sans provoquer une réaction hostile de la famille. Scrupuleuse et juste comme elle l'était, elle avait donc choisi la meilleure solution en attribuant à Lorne et à Tessa ce qui leur serait revenu par héritage si Edwin Fairley avait gardé le contrôle du journal.

Jim était convaincu que les intentions d'Emma étaient pures : elle avait aimé le grand-père et, de ce fait, elle s'intéressait au petit-fils, un petit-fils qui aurait pu être le sien si les circonstances s'y étaient prêtées.

Emma lui avait déjà montré son affection de mille façons. Elle l'avait choisi pour diriger le groupe de presse parmi d'autres candidats tout aussi qualifiés que lui. Elle avait mis un terme à sa vendetta contre les Fairley en approuvant le mariage de Jim avec sa petite-fille préférée. Elle avait persuadé Paula d'aller vivre à Long Meadow pour faire plaisir à son mari. Elle avait accepté que les jumeaux fussent baptisés à l'église du village et qu'on invitât Edwina à la fête. Il n'y avait eu que Paula pour s'opposer à la venue d'une pauvre femme qui n'avait jamais fait de mal à personne.

Jim regarda sa montre avec irritation. Si Paula ne bougeait pas, il irait la chercher. Il tenait à lui assurer qu'Emma n'éprouvait aucune déception à son égard. Le matin même, en acceptant sa démission, elle lui avait dit avec un sourire : « Si tu le désires, il faut le faire. Je serai la dernière à vouloir t'en empêcher. »

A son grand soulagement, il vit enfin Paula revenir vers la maison. De si loin, il ne pouvait juger de son humeur. Et, de toute façon, il avait toujours du mal à deviner ce qu'elle pensait. Elle était instable, souvent difficile à vivre. Mais aucune femme ne lui avait jamais paru aussi fascinante et l'attirance physique qui les liait l'un à l'autre était d'une force exceptionnelle. Aux yeux de Jim, Paula était un être passionné, sincère et complexe. Avant de la connaître, il avait rencontré des femmes qui se plaignaient de ses désirs comme si ceux-ci avaient été anormaux. Paula, au contraire, l'accueillait à bras ouverts, docile à ces jeux de l'amour dont il ne se lassait pas.

Il était chaque jour plus conscient que sa passion pour Paula était ce qu'il avait de plus beau dans sa vie. C'était une chance pour lui d'avoir fait sa connaissance dans l'avion qui les ramenait un jour de Paris.

Il n'avait oublié aucun détail de leur première rencontre. De prime abord, son nom lui avait semblé familier et son beau visage avait aussitôt évoqué quelque chose dans sa mémoire, mais il ne savait pas alors qui elle était. Et, plus tard dans la nuit, incapable de s'endormir, il avait eu une brusque illumination. C'était la fille de David Amory et la petite-fille d'Emma Harte, pour laquelle il travaillait justement. Il en avait été déconcerté.

Le lendemain matin, inquiet de la situation qu'il avait créée la veille en lui proposant une invitation à dîner, il avait failli annuler leur rendez-vous. Mais il n'avait pas résisté au désir de la revoir et il était allé la retrouver au

« Mirabelle ». Lorsqu'un des serveurs avait respectueusement demandé à la jeune fille des nouvelles de sa grand-mère, il en avait profité pour s'enquérir d'un air innocent du nom de la prestigieuse aïeule. Paula n'en avait pas fait mystère et la simplicité de son aveu avait facilité les choses. Au cours du dîner, il était tombé amoureux fou et s'était promis de l'épouser, même si Emma le mettait à la porte et la déshéritait.

Un mois plus tard, elle était devenue sa maîtresse. Subitement, une foule d'images sensuelles lui revinrent en mémoire et le bouleversèrent. Il comprit aussitôt ce qui lui restait à faire. Les paroles et les longues explications étaient inutiles. En amour, seuls comptaient les actes. Leur dispute serait vite oubliée.

Quand Paula ouvrit la porte, il constata qu'elle était plus calme et que sa pâleur avait disparu.

— Je ne peux plus supporter nos affreuses bagarres, dit-il en lui prenant les mains.

— Moi non plus.

Il se pencha et l'embrassa longuement sur la bouche. Puis il la serra contre lui. Mais Paula se dégagea.

— Jim, je t'en prie, ils vont arriver d'une minute à l'autre. Nous n'avons pas le temps...

Il lui imposa le silence par un autre baiser et l'attira vers le lit. Il la renversa et s'allongea sur elle en lui murmurant d'une voix bouleversée : — Je te veux. Maintenant. Très vite. Nous avons le temps. Tu sais bien qu'après tout ira mieux entre nous. Déshabille-toi, ma chérie.

Paula continua de protester. Elle avait l'impression qu'encore une fois il faisait d'elle ce qu'il voulait. Mais il détachait déjà les boutons de son corsage et elle le laissa faire. Tout devenait plus facile quand elle se montrait docile. Depuis un an, elle avait eu le temps de s'en apercevoir.

Jim croyait que des caresses pouvaient résoudre tous leurs problèmes. Il se trompait, bien entendu.

18

Le lendemain matin à six heures et demie, vêtue d'un élégant tailleur de toile noire et d'un chemisier de soie blanche, Paula se prépara à quitter Long Meadow pour se rendre à son bureau.

Elle avait passé une mauvaise nuit et s'était levée plus tôt que d'habitude. A cette heure-là, seule Nora était déjà debout pour préparer les biberons. Paula passa un quart d'heure avec elle et avec les jumeaux avant de descendre prendre son thé. En bas, elle griffonna un mot d'explication à Jim : si elle partait plus tôt que les autres jours, c'est qu'elle avait un travail fou en perspective.

Elle n'était pas tout à fait sincère. Elle avait surtout envie de se retrouver seule pour faire le point. Et cela la détendait de conduire, presque autant que de jardiner.

Elle sortit la voiture avec un sentiment de soulagement. Dans cette maison, elle avait l'impression d'être un peu prisonnière. Elle aimait le jardin et la serre, mais Long Meadow, décidément, n'était pas l'endroit rêvé, en dépit des aménagements. Comme l'avait dit sa grand-mère : « Tu as fait le maximum, mais on ne peut pas transformer une porcherie en palais. » Et quoi qu'en pensât Jim, l'atmosphère de cette maison était oppressante. La preuve, c'était qu'Emma n'aimait pas y venir et qu'elle préférait les inviter à Pennistone. En outre, Long Meadow, avec ses escaliers interminables, ses couloirs biscornus et ses paliers sans fenêtres, était difficile à entretenir. La bonne et la femme de charge s'en plaignaient continuellement. Nora elle-même, pourtant plus jeune qu'elles, disait aussi qu'elle avait mal aux jambes. Jim ne les prenait pas au sérieux, car il adorait la maison. Pour lui, il n'était pas question de déménager.

Ce n'était qu'un égoïste.

En prenant conscience de ce qu'elle pensait vraiment de lui, Paula serra le volant avec nervosité. Je suis méchante et déloyale, songea-t-elle, soudain remplie d'amertume. Aussi s'efforça-t-elle de croire qu'elle se trompait. Depuis des mois, elle lui cherchait des excuses. Mais, cette fois, elle ne put y parvenir. Elle était bien obligée d'admettre qu'il n'en faisait qu'à sa tête. Quand l'enjeu était de faible importance, il donnait le change en essayant de faire plaisir aux autres, surtout s'il s'agissait de ses collègues ou de ses amis. Mais quand quelque chose lui tenait à cœur, les désirs d'autrui ne comptaient plus pour lui. Paula commençait à trouver inquiétants ces deux aspects contradictoires de sa personnalité.

Elle soupira. Elle était entêtée, elle aussi, mais on parvenait à lui faire entendre raison, tandis que Jim avait un caractère rigide. Elle passa en revue leur année de vie commune et elle se souvint d'une foule de petits faits qui étaient autant d'exemples de son obstination. Il avait refusé de laisser Emma lui acheter un nouvel avion alors que le sien était bon pour la ferraille. Il avait voulu obliger les parents de Paula à faire célébrer le mariage à l'église de Fairley. Tout le monde avait été stupéfait par cette exigence, Paula la première. Cette église villageoise était bien trop exiguë pour accueillir trois cents invités. De plus, la famille de Paula avait prévu la cérémonie à Londres avec une réception au Claridge. Emma, plus que tout autre, tenait à un mariage qui ferait date par sa splendeur et son élégance. Daisy, la mère de Paula, était la seule à avoir eu le courage de s'opposer à Jim en lui faisant remarquer que le choix du lieu était traditionnellement la prérogative des parents de la mariée.

Jim avait dû céder, mais il avait vite cherché sa revanche et Long Meadow avait été l'enjeu d'une nouvelle bataille. Cette fois, Jim avait gagné. Par défaut, en quelque sorte. Sur les conseils de sa grand-mère, Paula avait accepté d'y vivre uniquement pour avoir la paix. «Jim y met son point d'honneur, avait dit Emma. Cette maison est une monstruosité, je l'admets. Mais il tient à t'offrir une maison qui soit bien à lui. Alors, je te conseille d'accepter momentanément.»

C'était encore pour avoir la paix que, malgré ses réticences, Emma avait consenti à ce que Jim fît baptiser les jumeaux à Fairley.

Paula ralentit et s'arrêta à un feu rouge, tout en continuant à faire le bilan de sa première année de mariage. On dit que c'est la plus difficile, songea-t-elle. Il est normal d'avoir quelques désillusions. En s'engageant sur la grand-route qui menait à Leeds, elle se dit que sa lune de miel était bien terminée. Puis, avec un petit rire amer, elle repensa à leur voyage de noces. Là encore, il lui avait imposé la région des Lacs plutôt que la Côte d'Azur. Elle adorait le soleil du Midi, mais elle n'avait pas voulu le contrarier. Ils avaient eu un temps exécrable et n'étaient pas sortis de l'hôtel. Ils avaient passé leurs journées à grelotter devant la cheminée ou à faire l'amour.

Elle aimait Jim et elle le désirait. Mais elle avait bien fini par comprendre que Jim était un obsédé. Il ne pensait à rien d'autre. Ses prouesses finissaient par être lassantes. N'y avait-il pas d'autres joies dans le mariage? Non seulement il était insatiable, mais encore sa brutalité n'apportait de satisfaction qu'à lui seul. Il ne se souciait ni des désirs, ni des besoins de sa femme. Paula devait se l'avouer à contrecœur: il était aussi égoïste en amour que dans la vie quotidienne.

Paula se sentit brusquement révoltée en songeant qu'il lui faisait l'amour comme antidote à leurs disputes. Il abusait de la situation. Mais il était illusoire de croire que tout pouvait s'arranger sur l'oreiller.

Si seulement il se confiait à moi! se dit-elle encore. Malheureusement, chaque fois que j'essaie de lui parler sincèrement, il se contente de plaisanter et de se moquer de moi! Paula se rendait compte qu'ils étaient dans l'impasse et que leur couple était en danger. Après un an de mariage seulement... Était-ce sa faute à elle? Fallait-il déjà envisager un divorce?

Cette perspective l'épouvanta. Des gouttes de sueur perlèrent à son front. Elle ralentit, chercha où se garer et arrêta la voiture. La tête sur le volant, elle ferma les yeux. Le divorce était impensable. Elle aimait Jim de toutes ses forces et de tout son cœur. En dépit de ces problèmes, ils ne s'entendaient pas si mal. Et il y avait les jumeaux. Lorne et Tessa avaient besoin d'un père.

Elle jugea alors qu'elle venait d'être injuste pour son mari. Elle l'avait mis en accusation sans qu'il fût là pour se défendre. Il avait de nombreuses qualités. Il était charmant et bon. Cela, elle l'avait oublié.

Il la soutenait dans sa carrière et il admirait son sens des affaires. Il ne lui en voulait pas quand son travail la retenait tard le soir. Il lui permettait d'être elle-même et, sur ce point, il se comportait en mari moderne, puisqu'il n'était pas jaloux de sa réussite. Il avait, de toute évidence, la fibre paternelle. Il adorait sa femme et il ne voyait qu'elle au monde. Ce n'était pas un coureur. Il était, au contraire, strictement monogame. Pour lui, Dieu merci, la famille passait avant tout.

Il faut absolument que les choses s'arrangent, songea-t-elle. C'est vital pour moi, c'est essentiel pour Jim ! Un jour, sa grand-mère lui avait dit que la réussite d'un mariage reposait toujours sur la femme et Paula en était persuadée : avec son expérience de la vie, Emma Harte ne pouvait guère se tromper sur ce sujet-là.

Elle prit la résolution de se montrer compréhensive et de consacrer plus de temps à Jim. Elle allait se comporter comme une vraie femme, aimante et tolérante. Après tout, quand on aimait quelqu'un, on l'aimait avec ses défauts.

Elle tourna la clé de contact et reprit la route en direction d'Alwoodley.

Une demi-heure plus tard, elle était au grand magasin de Leeds. De son bureau, elle appela aussitôt Emma à Londres, dans son appartement de Belgrave Square.

— Pardonnez-moi de vous réveiller, grand-mère, dit-elle tout en sachant bien que celle-ci se levait tôt.

La voix chaleureuse d'Emma la rassura, en effet.

— J'étais en train de boire mon thé, répliqua-t-elle. Je me doutais que tu allais appeler. Tu veux me parler de Jim et de sa démission, n'est-ce pas ?

— Oui, grand-maman. Hier soir, j'ai été consternée quand il me l'a annoncée. J'ai eu l'impression qu'il vous laissait tomber au plus mauvais moment, puisque vous partez en voyage. Il vous déçoit, n'est-ce pas ?

— Un peu. Mais je ne veux pas le forcer à reprendre son poste. Du moins, dans les circonstances présentes. Si c'est un travail qui ne lui plaît pas, il a raison de le quitter.

— Sans doute. Mais qu'en pense Winston ? Il doit être très ennuyé.

— Un moment, j'ai cru qu'il allait exploser quand je lui ai proposé la place de Jim. Il a pourtant accepté et je lui en suis reconnaissante.

— Cette affaire m'accable, grand-maman. Je ne peux rien vous dire d'autre. Pour moi, Jim s'est conduit en irresponsable. Évidemment, il n'est pas de cet avis. Je me suis rendu compte qu'il n'avait pas les mêmes idées que nous sur le travail. Nous avons tous, pendant des années, occupé des postes qui ne nous plaisaient qu'à moitié et nous n'en sommes pas morts. Ça nous a permis, au contraire, d'acquérir de l'expérience. Hier soir, quand Jim me parlait, je ne pouvais pas m'empêcher de penser à Emily, qui donne l'exemple du courage et de la bonne volonté.

— C'est vrai, mais n'en veux pas trop à ton mari, ma chérie. Chacun de nous a ses limites et il n'a pas eu la même éducation que vous tous. C'est un journaliste extrêmement brillant. S'il renonçait aussi à être rédacteur en chef, alors ce serait un drame.

— Oui et je voudrais plaider en sa faveur sur un point... Il n'a pas triché avec vous, grand-maman, il faut le reconnaître. Il est franc comme l'or.

— Je le sais, Paula, et hier matin, je l'ai félicité pour son honnêteté. S'il avait continué à faire ce travail à contrecœur, il serait allé au désastre.

— Vous ne lui en voulez donc pas trop?

— Je lui en ai un peu voulu sur le moment, mais c'est passé. Il ne faut jamais laisser ses émotions prendre le pas sur son jugement.

— Je suis soulagée, grand-maman. Je sais qu'il n'avait pas l'intention de vous offenser.

— Tu sais, après son départ, en parlant à Winston qui se plaignait d'être débordé, je me suis rendu compte que ton cousin faisait depuis longtemps le travail de ton mari. Il était déjà directeur général sans en avoir conscience et il ne lui manquait que le titre. Il va l'avoir, plus une grosse augmentation de salaire. Quand je lui ai annoncé tout ça, il s'est mis à rire et il m'a dit avec humour : « Bon sang, tante Emma, vous à qui rien n'échappe, comment se fait-il que vous ne vous soyez pas aperçue plus tôt de tous mes mérites? » Alors, ma chérie, cesse de te tourmenter pour Winston. Tout ira bien.

— Tant mieux!... Écoutez, grand-mère, puis-je vous demander autre chose?... Pourquoi tenez-vous à modifier votre testament pour laisser vos parts aux jumeaux?

— J'ai cru que tu avais compris. C'est tellement évident. C'est parce qu'ils sont tes enfants. Quelle autre raison pourrais-je avoir?

— L'autre jour, je m'étais dit que votre décision avait peut-être un rapport avec Jim. C'est un Fairley. Il pourrait être l'héritier de la *Gazette*.

Emma éclata de rire : — J'en doute beaucoup. Edwin n'aurait pas tenu longtemps. En outre, les Fairley n'étaient pas propriétaires des autres journaux du groupe. C'est moi qui les ai achetés avec l'aide de mes frères... Tu ne t'imagines quand même pas que je me sens coupable vis-à-vis des Fairley?

— Non, bien sûr, dit Paula, rassurée d'avoir eu raison contre Jim.

— J'espère bien que tu n'as jamais eu ce genre d'idées, ma chérie. Il est vrai que je n'ai pas pris de gants avec les Fairley, mais ils étaient depuis longtemps sur la mauvaise pente. Et je peux te jurer que les remords ne m'ont pas empêchée de dormir. Je trouve normal d'avoir eu ma revanche et je n'ai pas cru avoir de comptes à rendre aux Fairley d'autrefois. Pas plus qu'à Jim. Ce n'est pas lui qui t'a suggéré ça, au moins?

— Bien sûr que non! s'écria Paula, soucieuse de ne pas envenimer les choses. Ce n'était qu'une hypothèse. Vous savez que j'envisage toujours toutes les situations possibles!

— Alors, j'espère que tu te sens mieux, répliqua Emma avec un petit rire sceptique.

— Oui, grand-mère. Vous avez le chic pour tout clarifier.

19

Au bout de dix jours passés à Londres, Emma s'étonna d'avoir pu faire autant de choses en si peu de temps. Elle avait accompli des miracles. Elle l'estimait, du moins, en feuilletant son agenda.

Elle avait pris toutes ses dispositions pour que ses affaires ne se ressentent pas de son absence. Elle avait rencontré à plusieurs reprises ses conseillers juridiques et son banquier, Henry Rossiter, avec lequel elle avait même passé deux soirées très distrayantes. Elle avait eu de longs conciliabules avec Winston et Alexandre. Elle s'était mise d'accord avec Sarah sur la collection de prêt-à-porter du printemps suivant et sur la future campagne de publicité. Enfin, elle avait encore trouvé le temps de se constituer une garde-robe de voyage.

Désormais, tout était en ordre, sauf en ce qui concernait Jonathan. Sans qu'elle sût pourquoi, il était devenu son adversaire, mais elle ne pouvait pas le prouver.

Elle se mit à parcourir rapidement les rapports des détectives privés qu'elle avait engagés pour le surveiller dans son travail et dans sa vie quotidienne. Jusque-là, ils n'avaient rien trouvé d'anormal, mais elle restait convaincue qu'il n'était pas innocent. Il fallait donc continuer les investigations.

Elle relut les brefs passages relatifs à Sébastien Cross. Ils confirmaient le fait qu'il était l'ami intime de Jonathan. Rien de plus. Quand elle avait su qu'ils étaient ensemble à Eton, elle avait songé à l'homosexualité. Mais, selon l'enquêteur, il n'en était rien, bien au contraire. Elle interrompit sa lecture. Inutile de perdre son temps : il n'y avait pas le moindre indice. Elle rangea le dossier dans un tiroir qu'elle referma soigneusement à clé, de peur des indiscrets.

Elle avait une impression de malaise. Il lui en coûtait de recourir à de telles mesures. Elle trouvait répugnant de devoir enquêter sur l'un des siens. C'était pourtant la seconde fois de sa vie qu'elle le faisait. Quarante ans plus tôt, en effet, elle avait dû faire surveiller son second mari pour se protéger et protéger ses enfants. Ironie du sort, Jonathan était justement le petit-fils de ce second mari, Arthur Ainsley !

Un autre problème la tourmentait. Devait-elle ou non faire part de ses soupçons à Alexandre et à Paula ? Il était peut-être plus sage de les avertir, au cas où il lui arriverait quelque chose pendant son voyage. Elle pouvait tomber malade ou même mourir. Elle n'y croyait pas trop. Elle était en bonne santé. Elle se sentait pleine de force et de vitalité, plus dynamique que jamais. Cependant, puisqu'elle allait fêter ses quatre-vingts ans dans deux jours, ne valait-il pas mieux pour elle se confier à ses deux principaux héritiers ?

On frappa à la porte. Gaye Stone, sa secrétaire, passa la tête par l'entre-bâillement.

— Avez-vous encore besoin de quelque chose, madame ?

— Non, merci, Gaye. J'attends Paula. Vous pouvez partir. Nous allons dîner dehors.

— Merci, madame. Alors, à demain. Bonne soirée.

Dix minutes plus tard, Paula entra. Emma leva les yeux en souriant, puis son expression devint soucieuse : — Tu as l'air affreusement fatiguée ! Tu es toute pâle et tu as les yeux cernés. Es-tu sûre d'aller bien ?

— Je suis seulement épuisée par ma journée, dit Paula pour la rassurer. J'ai eu d'interminables problèmes avec cette exposition d'articles français prévue pour juillet.

— Quel genre de problèmes ?

— Oh, des problèmes de communication avec les autres ! Il y a toujours des susceptibilités à ménager et des gens qui prennent la mouche pour un rien. Je regrette de ne plus avoir Emily. Elle n'a pas sa pareille pour calmer les esprits.

— Oui, tous les directeurs de magasin lui obéissent à la baguette. Pourquoi ne prends-tu pas une assistante ?

— J'espère bien me tirer d'affaire toute seule. On verra... Dites-moi, grand-mère, avez-vous pu regarder ces projets de boutiques et en avez-vous parlé à Miranda ?

— Oui. Cet après-midi même, je lui ai téléphoné pour lui dire que vous aviez ma bénédiction toutes les deux. Tu avais raison, c'est un excellent projet. Ces boutiques auront du succès.

— Miranda a bien étudié son affaire. C'est elle qu'il faut féliciter, pas moi... Hier, j'ai annoncé notre nouvelle aventure à Emily. Puisqu'elle va à Hong Kong au début du mois prochain, elle pourrait faire des achats pour nous. Des chapeaux et des sacs de paille, des sandales, des châles, des bijoux fantaisie, enfin tout ce qu'on peut vendre à des femmes pour leurs vacances.

— Très bonne idée ! Emily a du flair pour ces choses-là... A propos, elle ne t'a rien dit de particulier ? Elle ne t'a pas fait de confidences ?

— Vous faites allusion au nouvel élu ? Eh bien, elle s'est montrée très cachottière avec moi. Ça ne lui ressemble pas. Elle a seulement cherché à me laisser croire que c'était en quelque sorte un amant « secret »... Enfin, quand je dis amant, je ne pense pas... que ça en soit là !

— Tu n'as pas à défendre Emily, ma chérie. Je sais que c'est une fille sérieuse. Elle n'est pas comme sa mère, en tout cas, j'en suis sûre. Mais tu as raison, c'est son amant.

— Qu'est-ce qui vous fait dire ça ? demanda Paula, très surprise.

— Je le sais de source sûre, répliqua Emma en riant.

— C'est-à-dire ?

— De la bouche même d'Emily. Elle m'a tout raconté. Et cet amant n'est plus secret. Elle est venue me trouver avant-hier soir et elle a été très directe, comme d'habitude. Elle m'a dit qu'elle était follement amoureuse, et que c'était très sérieux. Elle rayonne de bonheur. Ses yeux brillaient comme des étoiles.

— Mais qui est le garçon ? Si vous me dites qu'il n'est plus secret, c'est que je dois le connaître.

— Évidemment !

— Allons, grand-mère, ne me faites pas marcher. Dites-moi son nom. Je meurs de curiosité !

— Winston !

— Winston ? Je n'arrive pas à le croire.

— C'est pourtant vrai. Pourquoi parais-tu scandalisée, ma chérie ? Winston est un garçon convenable. Il a beaucoup de charme et de talent et, avouons-le, il est assez beau. Il me ressemble, figure-toi !

Paula éclata de rire : — Oui, grand-maman, je m'en suis aperçue. Si j'ai eu l'air ahurie, c'est que je m'attendais à tout sauf à ça. Winston et Emily ! Mais quand donc a commencé leur idylle ?... Et puis... que va devenir la pauvre Allison Ridley ?

— Oui, c'est triste pour elle. Elle est charmante. Je l'ai toujours trouvée sympathique, mais je crains que ce ne soit bien fini pour elle. Quant à Winston et Emily, je crois que c'est seulement le jour du baptême qu'ils se sont rendu compte de la profondeur de leurs sentiments. Winston m'a demandé si j'y voyais un inconvénient. J'ai dit qu'au contraire j'étais ravie. Je l'ai revu ce matin, et il m'a montré la bague qu'il avait achetée pour Emily. C'est une émeraude. Il m'a demandé sa main et je la lui ai accordée. Ils vont annoncer leurs fiançailles cette semaine, avant mon départ pour New York.

— N'est-ce pas un peu rapide ?

— Pourquoi, ma chérie ? Ils se connaissent depuis toujours. Ils ne risquent pas d'avoir de déplaisantes surprises une fois mariés. Évidemment, à cause de mon tour du monde, la noce ne pourra pas avoir lieu avant l'été prochain. Mais je suis soulagée qu'Emily ait enfin quelqu'un pour s'occuper d'elle. Je ne serai pas toujours de ce monde, tu sais. Je suis heureuse de savoir que ces deux-là vont vivre ensemble.

— J'en suis heureuse pour Emily, moi aussi. Winston et elle s'entendaient très bien quand ils étaient petits. Quand pourrai-je la féliciter, grand-maman ?

— Pas maintenant, en tout cas. Il est plus de sept heures. Elle doit avoir déjà quitté Belgrave Square, car Winston devait l'emmener au théâtre. Tu l'appelleras plus tard dans la soirée... En attendant, j'en ai assez d'être ici depuis huit heures ce matin. Je suis fatiguée et tu as l'air de l'être aussi. Tu es bien sûre de ne pas être malade ?

— Mais oui, grand-mère !

Emma ne fit aucun commentaire et se détourna pour prendre son sac à main. Elle se demanda si, malgré tout son charme, Jim Fairley n'était pas un homme difficile à vivre.

— J'ai retenu une table au Cunningham, dit-elle en sortant. J'espère que tu aimes le poisson.

— Oui, mais je n'ai pas très faim.

Au cours du dîner, Paula reprit quelque éclat, au grand soulagement d'Emma. Un peu de rose colora ses joues et son regard se fit moins anxieux. Quand on servit le café, elle semblait avoir recouvré sa vitalité.

Emma se résolut alors à lui confier ses soucis à propos de Jonathan. Elle n'insista pas trop, cependant, car elle ne voulait pas l'inquiéter sans raison.

Comme elle devait dîner le lendemain avec Alexandre, elle se promit de le mettre au courant à son tour. En un sens, il était le plus concerné de tous, puisque Jonathan travaillait pour *Harte Enterprises*.

20

On était au trente avril.

Elle ouvrit les yeux de bonne heure, comme à son habitude. Je crois que ce n'est pas un jour ordinaire, se dit-elle encore tout ensommeillée. Brusquement, elle se souvint pourquoi ce jour-là était différent des autres : c'était celui de ses quatre-vingts ans.

Elle détestait paresser au lit. Elle se leva aussitôt et, pieds nus sur la moquette, alla jusqu'à la fenêtre. Finalement, elle y était parvenue ! Elle n'aurait jamais cru vivre aussi longtemps. Cela lui faisait, en effet, onze ans de plus que le siècle.

Elle ouvrit les rideaux et sourit. Le temps était splendide. Le soleil brillait dans un ciel sans nuage. Les arbres de Belgrave Square ondulaient dans la lumière. Comme en 1889, le jour de sa naissance dans la chaumière de Fairley, d'après ce que lui avait dit autrefois sa mère ! L'air avait été, semblait-il, particulièrement doux pour la saison dans cette partie septentrionale du Yorkshire.

Elle s'étira. Elle avait passé une bonne nuit. Elle se sentait parfaitement reposée et plus dynamique que jamais. Prête à bouffer du lion, songeait-elle. C'était l'expression dont son frère Winston se servait autrefois quand il la voyait débordante d'enthousiasme et d'énergie. Elle aurait aimé qu'il fût encore de ce monde, ainsi que Frank, leur cadet. Une vague de tristesse l'envahit. Mais elle refusa de s'appesantir sur ces souvenirs par un aussi beau jour. Un jour de fête, qu'il fallait réserver à des projets d'avenir pour les jeunes générations.

A l'exception de sa fille Daisy, ses propres enfants étaient perdus pour elle, mais elle avait l'immense satisfaction de savoir que leurs rejetons reprendraient le flambeau, perpétueraient la dynastie qu'elle avait fondée et feraient prospérer son puissant empire.

Soudain, elle se demanda si ce besoin qu'elle avait eu de fonder une dynastie n'avait pas pour origine une féroce ambition personnelle. Un désir d'immortalité, peut-être ? Elle l'ignorait. Elle savait seulement qu'il devait s'agir d'une très haute ambition, beaucoup plus que d'une simple convoitise égoïste.

Emma se mit à rire tout haut. Il n'était pas inconcevable qu'elle se fût imaginée assez différente des autres et assez puissante pour se croire immortelle. Ses ennemis lui avaient toujours reproché son narcissisme hors du commun. Et pourquoi pas, après tout ? Sans ce formidable égotisme, sans cette confiance en soi et cet acharnement à atteindre son but, sa réussite n'eût pas été aussi éclatante.

Une heure plus tard, après avoir pris son bain et s'être habillée, elle déjeuna et descendit à l'étage inférieur, vêtue d'une superbe robe bleue en lainage pied-de-poule. Elle avait ses boucles d'oreilles de saphir, deux rangs de perles, l'émeraude de Paul et le gros diamant de Blackie. Sa mise en plis était impeccable et son maquillage parfait. La légèreté de sa démarche donnait un démenti à son grand âge.

Elle n'avait jamais revendu l'élégant hôtel particulier de Belgrave Square, acheté par Paul McGill à la fin de l'été 1925, peu après la naissance de leur fille, Daisy. A cette époque, sachant qu'Emma craignait la médisance, il avait partagé la maison en deux sans regarder à la dépense. Il avait engagé un architecte en renom qui lui avait aménagé au rez-de-chaussée un petit appartement de célibataire et qui avait installé luxueusement le reste de la maison pour Emma, Daisy, la bonne d'enfant et le reste de la domesticité. De l'extérieur, le rez-de-chaussée semblait totalement indépendant des trois autres étages, car chacun des logements avait son entrée particulière. Ils étaient cependant reliés entre eux par un ascenseur privé qui allait du petit vestibule de Paul au superbe hall d'Emma.

En 1939, après l'horrible accident de Paul et son suicide en Australie, Emma avait fermé l'appartement du rez-de-chaussée. Incapable d'y pénétrer désormais sans désespoir, elle avait fait comme si l'endroit n'existait plus. Mais en 1948, quand elle était entrée en possession des biens que Paul lui avait laissés, elle l'avait partiellement réaménagé. Depuis lors, elle y recevait ses amis ou ses petits-enfants.

Quand elle entra dans son bureau, Parker, le maître d'hôtel, était occupé à trier le courrier.

— Bon anniversaire, madame, dit-il en souriant. Vous avez beaucoup de lettres, ce matin.

— Oh! je vois ce dont il s'agit! s'écria-t-elle.

Parker avait empilé une montagne de lettres sur le canapé de percale et s'appliquait à ouvrir méthodiquement les enveloppes avec un coupe-papier pour en retirer les cartes de vœux.

Emma voulut l'aider, mais elle s'arrêta bientôt pour répondre au téléphone. Puis ce fut le timbre de la porte d'entrée qui se mit à résonner sans arrêt. On apportait des fleurs et des cadeaux. Parker et Mme Ramsey, la gouvernante, ne cessaient d'aller et venir.

Vers onze heures et demie, alors que l'agitation était à son comble, Daisy McGill Amory arriva sans s'être annoncée.

C'était la plus jeune des filles d'Emma. Ella allait avoir quarante-quatre ans, mais elle paraissait bien moins. Très mince, avec de souples boucles noires encadrant son doux visage sans rides, elle avait des yeux bleus lumineux qui reflétaient la gaieté de son caractère et sa bonté. Au contraire de sa fille Paula qui, soucieuse de suivre la mode, arborait volontiers des vêtements sophistiqués, Daisy aimait, comme Emma, les tenues très féminines. Elle portait ce matin-là un ensemble de laine lilas avec chemisier à jabot assorti, des bijoux d'or, un sac et des chaussures de cuir noir.

— Joyeux anniversaire, mère! s'écria-t-elle en entrant.

Emma, ravie de la voir, se leva aussitôt pour la serrer dans ses bras.

— Voici ce que nous vous offrons, David et moi, reprit-elle en lui tendant un paquet. J'espère que ça vous plaira. Nous avons eu du mal à trouver quelque chose. Vous avez déjà tout ce qu'on peut imaginer.

— Merci, ma chérie, répliqua Emma en s'installant sur le divan pour défaire le paquet. Quoi?... Une chose pareille à mon âge?

Daisy vit que sa mère était enchantée et elle ne se laissa pas prendre à ses protestations.

— Justement, il est temps de profiter de la vie, maman!

— Peut-être bien. A propos, j'ai l'impression que je n'arriverai pas à travailler ce matin!

— Voyons, maman chérie, vous n'allez tout de même pas travailler aujourd'hui...

— Pourquoi pas? J'ai travaillé tous les jours de ma vie.

— Aujourd'hui, c'est un jour exceptionnel. Et j'ai l'intention de vous emmener déjeuner.

— Mais je...

— Rien à faire, ma petite maman. Je ne suis pas pour rien votre fille et celle de Paul McGill. J'ai hérité de votre obstination à tous les deux. Dans quelques jours, vous allez partir pour des mois. Alors, je vous en prie, faites-moi plaisir. J'ai retenu une table au « Mirabelle ».

— Entendu. Je travaillerai cet après-midi... Oh, Daisy, ton cadeau est superbe!

Avec complaisance, elle tournait et retournait dans ses mains le ravissant sac du soir en or que venait de lui offrir sa fille. Elle l'ouvrit, le referma, puis le remit dans son écrin de cuir noir.

— Merci, ma chère enfant, c'est une merveille, dit-elle en se penchant pour embrasser Daisy. Il ira bien avec mes robes de soirée et il sera parfait pour mon tour du monde.

— Nous nous sommes donné beaucoup de mal pour trouver quelque chose d'exceptionnel, déclara Daisy, satisfaite du succès de son cadeau. Mais si ce modèle-là ne vous plaît pas, vous pouvez l'échanger. Le joaillier vous enverra quelqu'un pour vous en présenter deux ou trois autres.

— Inutile, j'adore celui-ci. Je crois que je vais l'étrenner ce soir même.

Le téléphone se remit à sonner.

— Voulez-vous que je réponde, maman?

— Oui, je t'en prie, ma chérie.

Daisy prit l'appareil. Il y eut un bref échange de plaisanteries, puis Daisy déclara: — Je vais voir si je peux te la passer. On est tous un peu sur les nerfs, ce matin. Une minute, s'il te plaît... Mère, c'est Elisabeth. Elle est à Londres. Pouvez-vous lui parler?

— Bien sûr.

Emma s'approcha. Elle était un peu surprise, mais ne le montra pas.

— Bonjour, Elisabeth.

Elle s'assit devant son bureau, s'appuya au dossier de son fauteuil et mit le récepteur au creux de son épaule.

— Oui, c'est un âge respectable, dit-elle au bout d'un moment tout en jouant avec la plume de l'encrier d'onyx. Mais je ne me rends pas compte que j'ai quatre-vingts ans. J'ai l'impression d'avoir vingt ans de moins. Je me porte comme un charme.

Elle tendit l'oreille, regarda le mur avec attention, puis cligna soudain des paupières et interrompit sa correspondante : — Je crois que Winston ne m'a demandé mon accord que par politesse. Il n'en avait pas besoin puisqu'Emily est majeure... Non, non, je n'en ai pas parlé à Tony. J'ai pensé que c'était à Emily d'annoncer la nouvelle à son père.

Emma écouta encore patiemment le flot de paroles d'Elisabeth, mais elle regarda Daisy en faisant la grimace et en levant les yeux au ciel. Elle finit par interrompre le discours d'un ton un peu sec : — Voyons, Elisabeth, je croyais que tu m'appelais pour me souhaiter mon anniversaire et non pour déplorer les fiançailles de ta fille.

Elisabeth protesta au bout du fil et Emma eut un sourire ironique.

— Tant mieux si tu n'y trouves rien à redire, répliqua-t-elle. Mais, dis-moi, comment s'est passé ton voyage à Haïti ? Et parle-moi de ton nouvel ami, Marc Deboyne.

Elisabeth se lança aussitôt dans un dithyrambe qu'Emma arrêta rapidement :

— Je suis ravie de ton bonheur. Merci de ton appel et de ton cadeau. Je suis sûre que je vais le recevoir d'une minute à l'autre. Au revoir, Elisabeth.

— Serait-elle fâchée à propos de Winston et d'Emily ? demanda aussitôt Daisy.

— Bien sûr que non, répondit Emma avec un petit rire amer. Mais elle est vexée de n'avoir pas été la première informée. Elle est si vaniteuse ! Enfin, c'est gentil de sa part de m'avoir souhaité mon anniversaire... Edwina m'a aussi téléphoné tout à l'heure, de même que Kit et Robin. J'ai été très surprise d'avoir des nouvelles de mes fils. Ils ne s'étaient pas manifestés depuis l'histoire du testament, l'année dernière. Mais, aujourd'hui, ils étaient tout sucre tout miel. Ils m'ont dit qu'ils m'avaient envoyé des cadeaux... C'est incroyable !

— Peut-être ont-ils des remords, mère.

— J'en doute. Je les connais trop pour croire qu'ils aient changé. Je parie que ce sont leurs femmes qui les ont forcés à téléphoner. June et Valérie valent mieux qu'eux et je me demande comment elles font pour les supporter depuis si longtemps. Kit ne cesse d'ourdir des complots et Robin d'échafauder des combines... Ah ! je voulais te demander quelque chose, ma chérie, à propos de la maison où nous sommes... Es-tu bien sûre de ne pas en vouloir ?

— Mais vous l'avez laissée à Sarah, n'est-ce pas ? demanda Daisy, étonnée.

— Oui, pour la seule raison que tu m'as dit l'année dernière qu'elle ne t'intéressait pas ! C'est pourtant à toi ou à tes enfants qu'elle devrait revenir, puisque c'est ton père qui l'a achetée.

— Je sais. Je l'aime beaucoup, je l'ai toujours aimée. J'y ai tant de souvenirs de ma petite enfance entre papa et vous, de l'époque heureuse où nous étions ensemble tous les trois. Elle est sans doute un peu grande, mais...

— Elle ne l'est pas si l'on considère qu'elle se compose de deux appartements indépendants. Paul l'avait voulu ainsi pour qu'on puisse sauver les apparences. Seigneur, comme les mœurs ont évolué depuis ce temps-là ! De nos jours, qui se formalise encore de voir deux personnes vivre ensemble ? Mais pour en revenir à cette maison, je pense que tu devrais reconsidérer la question. Tu as des petits-enfants, maintenant. Et Philip se mariera bien un de ces jours. Quand il aura des enfants, il voudra peut-être leur faire faire leurs études en Angleterre. Deux appartements séparés dans la même maison, ce peut être utile.

— Je ne sais pas, mère. Vous avez sans doute raison.

— Alors, réfléchis. Je peux encore modifier cette partie de mon testament.

— Mais vous me laissez déjà tant de choses ! Que va-t-on penser de moi si j'accepte encore cette maison ?

— Balivernes, Daisy ! Elle te revient de droit. Si tu n'en veux pas, je la donnerai à Paula ou à Philip.

— Que devient Sarah dans tout ça ?

— Elle n'est pas une McGill.

— Entendu, déclara Daisy avec une moue pensive. Je suivrai votre conseil... mère, je sais bien qu'avec votre fortune il est normal que vous soyez soucieuse de mettre vos affaires en ordre, mais je déteste ces discussions à propos de votre testament. Je ne veux même pas penser qu'un jour vous ne serez plus là... Excusez-moi de vous parler sans ménagements. Ce genre de conversation m'attriste et aujourd'hui plus que jamais. C'est votre anniversaire, souvenez-vous-en.

Un peu émue, Emma hocha la tête, puis reprit d'une voix calme :

— J'ai été une bonne mère pour toi, n'est-ce pas, Daisy ?

— Comment pouvez-vous même poser la question ? répliqua Daisy, les larmes aux yeux. Vous avez été la plus merveilleuse, la plus aimante et la plus compréhensive des mères !...

Elle s'arrêta pour contempler un instant le vieux visage ridé qui, sous sa sévérité apparente, dissimulait une nature émotive.

— Vous êtes exceptionnelle, maman, reprit-elle avec élan. J'ai beaucoup de chance d'être votre fille.

— Merci de me dire des choses aussi gentilles, car mes relations avec tes frères et sœurs ont été un lamentable échec. Je n'aurais pas supporté d'avoir échoué avec toi, de t'avoir déçue ou de ne pas t'avoir donné suffisamment d'amour.

— Vous m'avez comblée et je ne crois pas que vous ayez véritablement échoué avec les autres. Mon père ne disait-il pas autrefois que chacun est maître de sa propre vie ? Alors, ils sont aussi responsables de ce qu'ils sont, en bien comme en mal.

— Peut-être, ma chérie.

Emma se tut, songeuse. Elle était fière de Daisy, de sa douceur, de son aisance, de son charme, de son courage et de sa force d'âme. Solide comme un roc, elle était inébranlable dans ses convictions et dans ses principes, surtout au chapitre de la morale. Cela ne l'empêchait pas, tant dans son aspect que dans son comportement, d'être la jeunesse et la gaieté personnifiées. Elle était de ces personnes trop rares qui apprécient autant l'amitié des femmes que la compagnie des hommes et il était presque impossible de ne pas l'aimer en retour. Si ses frères et sœurs la jalousaient, ils ne pouvaient s'empêcher d'être sensibles à sa personnalité. Elle était la conscience de la famille.

— Vous avez l'air bien lointaine tout d'un coup, mère. A quoi songez-vous ?

— A rien de bien intéressant. Il faudrait peut-être que je me change si nous allons déjeuner dehors.

— C'est inutile, maman chérie. Vous êtes très bien.

— Alors, tant mieux. Mais comment dois-je m'habiller ce soir ? Blackie m'a avertie qu'il serait en smoking. S'attend-il à ce que je sois en robe du soir ? Après tout, nous ne serons que huit.

Seigneur, se dit Daisy, quelle tête va-t-elle faire en voyant que nous sommes plus de soixante ? Ne va-t-elle pas être contrariée ?

— Oncle Blackie tient à ce que ce soit une véritable fête. Il disait l'autre jour qu'on n'avait quatre-vingts ans qu'une fois dans sa vie ! Alors, je me suis dit que, moi aussi, j'allais me mettre sur mon trente et un. Mais vous n'êtes pas obligée de porter une robe longue, bien entendu. Pour ma part, je crois que je mettrai une robe de cocktail, celle en faille bleu paon. A votre place, je choisirais une mousseline de soie. Vous en avez de ravissantes.

— Tu me rassures !... Tiens, on sonne encore à la porte ! J'espère qu'il ne s'agit plus de fleurs. Sans quoi, la pièce va finir par ressembler à une chambre mortuaire.

— Mère, quelle comparaison ! s'écria Daisy, scandalisée, en se levant pour aller répondre. C'est peut-être le cadeau d'Elisabeth, ou de Kit, ou de Robin...

Avant qu'Emma eût le temps de dire ouf, Daisy était de retour :

— C'est bien un cadeau, mère !

Mais, les mains vides, elle s'avança vers la cheminée et s'arrêta sous le portrait de Paul McGill.

— Qu'y a-t-il donc ? demanda Emma, alertée. Tu ressembles à ton père quand il s'apprêtait à me faire une surprise.

Ses yeux allèrent du portrait de Paul au visage de Daisy. Tous deux avaient les mêmes yeux bleus lumineux, les mêmes cheveux noirs, la même petite fossette au menton...

— Allons, à quoi joues-tu ?

Daisy regarda en direction de la porte et fit un signe de connivence. Aussitôt, Amanda et Francesca s'avancèrent d'un air solennel.

— Bon anniversaire, chère grand-maman ! s'écrièrent-elles d'une seule voix enthousiaste et quelque peu perçante.

166

Sarah, Emily et Paula entrèrent à leur tour et se placèrent derrière les jumelles en leur faisant écho : — Bon anniversaire, grand-maman !

— Seigneur dieu, qu'est-ce que tout ça veut dire ? Et vous, mes enfants, que faites-vous ici toutes les deux ? Ce ne sont pas encore les vacances !

— C'est moi qui ai demandé pour elles deux jours de congé, expliqua Daisy. Elles dorment chez moi. Après tout, c'est votre anniversaire.

— Je me doutais bien que quelque chose se mijotait, répliqua Emma. Et j'étais sûre, Daisy, que tu étais de mèche avec Blackie. N'auriez-vous pas organisé une vraie réception pour ce soir ?

Daisy réussit à rester impassible. Mais Emily ne lui laissa pas le temps d'ouvrir la bouche. Après avoir tendu un superbe paquet à Francesca, elle effleura l'épaule d'Amanda : — Tu as oublié ton discours !

— Mais non ! répliqua la petite avec indignation en prenant sa sœur par la main pour l'entraîner plus près d'Emma.

Elle reprit sa respiration et se mit à déclamer d'une voix claire :

— Grand-maman, je vous offre ce présent de la part de tous vos petits-enfants : Philip, Anthony, Alexandre, Jonathan, Paula, Sarah, Emily, Francesca et moi. C'est un cadeau collectif et nous vous le faisons avec tout notre amour.

Emma resta un moment à regarder le paquet sur ses genoux, puis elle sourit et se réjouit d'avoir des petites-filles aussi charmantes. Très émue, elle baissa les yeux pour cacher quelques larmes. Mais, à sa grande confusion, ses mains se mirent à trembler quand elle défit le ruban pour sortir son cadeau de la boîte.

C'était un objet superbe, une pendule en forme d'œuf, faite de l'émail bleu le plus translucide. Un tout petit coq en émail cloisonné trônait sur le haut de l'œuf, constellé de diamants, de rubis et de saphirs. Il s'agissait d'une œuvre d'art absolument exquise.

— C'est une pendule de Fabergé, n'est-ce pas ? dit-elle d'une voix étouffée.

— Oui, dit Emily. C'est même l'Œuf de Pâques qu'il a fait pour la Tsarine Maria Fédorovna. Elle l'avait reçu en cadeau de son fils Nicolas II, dernier Tsar de Russie.

— Comment avez-vous pu trouver un objet aussi rare et précieux ?

Emma était bouleversée. Collectionneuse avisée, elle savait à quel point ce genre de chef-d'œuvre devenait difficile à découvrir.

— C'est Henry Rossiter qui l'a signalé à Paula, reprit Emily. Il savait qu'il y aurait une vente chez Sotheby.

— Il y est allé pour vous ?

— Pas du tout. Nous y sommes tous allés la semaine dernière, sauf les jumelles qui n'ont pas pu quitter le pensionnat. Évidemment, Henri est venu avec nous. C'est follement excitant, une vente aux enchères ! Surtout quand on obtient ce qu'on veut... Nous étions enchantés, grand-maman.

— Et moi aussi, je le suis, mes chéries !

Parker fit alors son apparition avec des verres de champagne sur un plateau. Quand on eut porté des toasts et que l'agitation se fut calmée, Emma se tourna vers Daisy : — Allons-nous vraiment au restaurant ou n'était-ce qu'une ruse pour me garder à la maison ce matin ?

— Nous allons bien au restaurant, et nous serons en force car les garçons vont nous y rejoindre avec David. Vous feriez mieux de renoncer à travailler aujourd'hui, mère.

Emma voulut protester. Mais, en voyant la mine inflexible de Daisy, elle se résigna.

C'était le crépuscule.

Emma entra dans son bureau d'un pas léger. Elle s'était habillée pour se rendre au Ritz. Les émeraudes McGill étincelaient à son cou, à ses oreilles, à ses poignets et sur ses doigts. Elles allaient à merveille avec les verts délicats de sa robe de mousseline.

Parfait ! se dit-elle en passant devant l'unique miroir de la pièce. Quand elle fut devant la console où étaient exposés certains de ses cadeaux, elle prit l'œuf de Fabergé et l'emporta dans le salon pour le poser sur une petite table ancienne, près de la cheminée. Elle se recula pour juger de l'effet. Elle avait rarement reçu plus beau présent et elle était impatiente de le faire admirer à Blackie.

Le bruit de la sonnette d'entrée la fit tressaillir. Parker se précipita pour ouvrir. Elle entendit des murmures. Puis Blackie entra presque aussitôt. Il avait grande allure dans son smoking et il rayonnait de joie.

— Bon anniversaire, ma chérie ! s'écria-t-il en la serrant dans ses bras. Tu es plus jolie que jamais.

— Merci, Blackie, répliqua-t-elle, souriante, en s'installant sur le canapé. As-tu déjà dit à Parker ce que tu voulais boire ?

— Oui, comme d'habitude, dit-il en s'asseyant en face d'elle. Mais ne crois pas que je sois arrivé les mains vides. J'ai laissé ton cadeau dans l'entrée et...

Il fut interrompu par l'entrée discrète de Parker qui apportait un grand verre de whisky irlandais et un petit verre de vin blanc.

Dès qu'il fut sorti, Blackie porta un toast :

— A toi, *Mavourneen* ! Puissions-nous avoir encore beaucoup d'anniversaires à célébrer ensemble !

— Nous en aurons ! dit Emma en riant. Buvons aussi à notre prochain voyage.

— A notre voyage !

Après avoir bu une gorgée de whisky, il se leva et reprit :

— Attends-moi une minute. Ne bouge pas et, quand je te dirai de fermer les yeux, surtout ne triche pas !

Elle attendit docilement qu'il allât chercher son cadeau. Elle l'entendit discuter à voix basse avec le maître d'hôtel. Puis il y eut des bruits de papier froissé.

— Ferme les yeux ! lui cria-t-il de la porte. Attention, Emma, pas de tricherie !

Elle le lui promit. Assise bien sagement, les mains croisées sur ses genoux, elle eut l'impression d'être l'adolescente à qui il avait fait autrefois le premier cadeau de sa vie : un minuscule paquet enveloppé de papier d'étain et contenant la pauvre broche de verroterie qu'elle avait encore dans sa boîte à bijoux auprès de sa superbe réplique d'émeraude.

— Tu peux y aller ! hurla Blackie.

Elle ouvrit lentement les yeux et vit un tableau. Elle reconnut aussitôt la facture de Sally Harte, sa petite-nièce. Sa gorge se serra d'émotion.

— Les landes autour de Fairley !... C'est merveilleux, Blackie. Mes landes... celles où nous nous sommes rencontrés pour la première fois.

— Regarde encore...

— J'ai vu. C'est le Toit du Monde. Aucun sujet ne pouvait me toucher autant. Et l'exécution en est remarquable. Il me semble que je pourrais tendre la main pour cueillir un bouquet de cette bruyère, comme je le faisais autrefois avec ma mère. On croirait entendre chanter la rivière sur ces pierres rondes. C'est si... si vrai... que je sens presque l'odeur des airelles et de la fougère. Oh, mon cher Blackie !... Ce ciel est bien celui du Yorkshire... Si léger, si lumineux ! La jeune Sally a du génie. Elle s'est surpassée, cette fois. Il n'y a que Turner et Van Gogh qui aient été capables de rendre pareille luminosité.

— C'est moi-même qui ai emmené Sally sur place pour lui montrer l'endroit exact. Elle y est retournée plusieurs fois par la suite. Elle tenait à ce que ce soit parfait. A mon avis, elle a fait quelque chose d'admirable.

— Tu as raison. Merci infiniment pour ce cadeau extraordinaire.

— Regarde au dos. Elle y a écrit quelque chose de ma part. Puisque tu n'as pas tes lunettes, je vais te le lire... « A Emma Harte, pour ses quatre-vingts ans, avec tout l'amour de son fidèle Blackie O'Neill »... Et il y a la date.

Pour la seconde fois de la journée, Emma fut émue jusqu'aux larmes. Elle se détourna pour cacher son trouble. Puis elle but une gorgée de vin blanc et murmura : — Merci de tant de délicatesse, mon chéri.

Blackie se leva, appuya le tableau contre une console pour qu'elle pût le voir de loin et revint s'asseoir près d'elle.

— Le Sommet du Monde. Le nom que ta mère avait donné à Ramsden Crags. Il y a bien longtemps de tout ça, Emma. Soixante-six ans, exactement. Je n'oublierai jamais le jour de notre rencontre sur la lande, où j'ai vu Ramsden Crags pour la première fois.

Emma se revit à quatorze ans, pauvre petite domestique en manteau rapiécé et bottines à boutons. Elle revit aussi Blackie avec sa sacoche sur l'épaule, sa tenue d'ouvrier et sa vieille casquette inclinée sur le coin de l'œil.

— Qui eût cru, dit-elle enfin, que nous serions venus à cet âge respectable après avoir acquis tant de richesses et de pouvoir ?

— Oh ! moi, je n'étais pas du genre à douter des lendemains qui chantent ! s'exclama Blackie en riant. Je t'avais annoncé que je deviendrais milliardaire et que tu serais un jour une grande dame. Mais j'avoue n'avoir jamais prévu que ta grandeur prendrait de telles proportions !

Ils restèrent un moment silencieux, heureux de songer aux liens d'amour et d'amitié qui les unissaient et que toute une vie d'expériences communes rendait indestructibles.

Le silence se prolongea, lourd d'émotion.

— Maintenant, ma très chère, reprit enfin Blackie, dis-moi comment s'est passée ta journée.

— Eh bien, j'ai eu une grande surprise ! Ils m'ont téléphoné. Les comploteurs. J'ai été stupéfaite d'entendre la voix de mes fils. Et celle d'Elisabeth. Elle est revenue à Londres. Sans doute avec son Français. Edwina m'a également donné un coup de fil très aimable, ce matin. Je n'en suis pas revenue. Elle a peut-être changé, finalement ! J'ai eu encore deux autres appels qui m'ont beaucoup touchée. L'un venait de Sydney : c'était Philip. Et l'autre de New York : c'était Shane. J'ai l'impression que l'un et l'autre me préparent encore une soirée d'anniversaire pour le jour où nous débarquerons chez eux. Pour le reste de la journée, regarde autour de toi et tu sauras ce qui s'est passé : des fleurs, des cartes de vœux, des cadeaux à profusion... A midi, Daisy, David et mes petits-enfants m'ont emmenée au restaurant.

Elle lui raconta qu'ils l'avaient forcée à quitter la table à trois heures et demie pour l'emmener ensuite à Knightsbridge et que la direction du grand magasin HARTE avait donné une petite fête en son honneur. Puis elle se leva pour montrer à Blackie l'œuf de Fabergé.

— C'est le cadeau de mes petits-enfants. Et pour moi, il est symbolique, tout comme le tien ! Je ne m'en séparerai jamais.

— Je vois que ta journée a été bonne, conclut Blackie. Maintenant, nous devrions partir. On nous attend dans les appartements privés de Bryan pour prendre un verre avant dîner.

Dix minutes plus tard, ils arrivaient au Ritz. Blackie offrit son bras à Emma pour aller jusqu'à la réception de l'hôtel, où il demanda d'annoncer leur arrivée à son fils, M. Bryan O'Neill.

— Bien sûr, monsieur O'Neill... Bonsoir, madame Harte.

Dans l'ascenseur, comme Emma restait silencieuse, Blackie se demanda si elle soupçonnait l'importance de ce qui l'attendait. Il la regarda, mais son visage restait impénétrable. Contrairement à Daisy, il ne craignait pas trop qu'elle se mît en colère. Il savait qu'elle adorait les surprises et les fêtes données en son honneur.

C'est peut-être à cause des privations de sa jeunesse, se dit-il. Elle était démunie de tout, en ce temps-là. Enfin, c'est une façon de parler... Elle avait sa beauté, son intelligence, sa vitalité, une santé à toute épreuve et un courage démesuré. Sans parler de son extraordinaire orgueil, un orgueil qui lui avait rendu d'autant plus douloureuses les humiliations de sa condition. Un jour, elle s'était écriée : « Mais la pauvreté n'est pas un crime ! Pourquoi les riches essaient-ils toujours de faire croire aux pauvres qu'ils sont des criminels ? » Blakie s'en souvenait comme si c'était hier. Pourtant, cette époque était bien loin. Elle ne souffrirait plus de la pauvreté.

En arrivant devant l'appartement de Bryan, Blackie eut un petit sourire. A l'intérieur, tous les invités observaient un silence total depuis qu'on avait annoncé d'en bas leur arrivée.

Après un dernier coup d'œil à Emma, il frappa à la porte. Daisy vint leur ouvrir : — Vous voilà enfin ! Entrez !

Dès qu'Emma apparut, suivie de Blackie, cinquante-huit voix crièrent à l'unisson : Bon anniversaire !

Elle resta sidérée en voyant rassemblé tout ce monde. Elle eut un instant de panique, puis se reprit et rougit un peu.

— Tu es un monstre ! murmura-t-elle à l'adresse de Blackie. Tu aurais quand même pu me prévenir.

Il sourit, satisfait que le secret eût été si bien gardé.

— Je n'ai pas osé. Daisy m'aurait tué. Mais ne viens pas me dire que tu nous en veux. Je vois bien que tu es ravie.

— C'est vrai, admit-elle.

Elle tourna alors la tête pour regarder les invités et, soudain, son visage s'illumina. Ses deux fils, Kit Lowther et Robin Ainsley, étaient là avec leurs épouses, June et Valérie. Elle vit aussi Edwina, puis Elisabeth, accompagnée d'un homme distingué et beaucoup trop joli garçon pour être honnête. Ce devait être le fameux Marc Deboyne. Il avait un sourire superbe et des yeux charmeurs. Elisabeth avait toujours eu un faible pour les séducteurs et tous ceux qui avaient partagé sa vie ressemblaient plus ou moins à cet homme-là.

Daisy était allée retrouver David et tous deux tenaient compagnie aux vieilles belles-sœurs d'Emma, Charlotte et Natalie, parées de tous leurs atours et ruisselantes de joyaux. Paula et Jim étaient dans les parages. Winston ne quittait pas Emily, Amanda et Francesca. Il avait l'air ravi de jouer les protecteurs. Le regard d'Emma descendit jusqu'à la main gauche d'Emily et elle fit un clin d'œil à sa petite-fille en voyant l'émeraude des fiançailles qui brillait de tous ses feux.

Plus loin, à l'entrée de la pièce suivante, elle aperçut Sarah, Jonathan, Alexandre et sa petite amie, Maggie Reynolds. A leur gauche se trouvait la famille Kallinski au grand complet, près de Bryan, de Géraldine et de Miranda O'Neill. Derrière eux, il y avait le reste de la tribu Harte. Le visage radieux, Randolph était entre ses deux filles, Vivienne et Sally. A côté de Sally se tenait Anthony. De loin, il sourit à sa grand-mère.

Appuyé à la cheminée, Henry Rossiter était là-bas, lui aussi, en compagnie de sa dernière conquête, un mannequin célèbre, Jennifer Glenn. Elle devait être au moins de quarante ans sa cadette. Gare aux infarctus, cher Henry ! songea Emma. Puis elle vit que sa secrétaire, Gaye Sloane, était également de la fête et que les autres invités étaient tous, comme Len Harvey et sa femme Monica, des amis de longue date.

Remise de sa surprise, elle se sentit à nouveau sûre d'elle-même et de son ascendant sur son entourage. Suprêmement élégante, fière et digne, elle s'avança et fit un petit signe de tête.

— Eh bien, déclara-t-elle d'une voix claire et vibrante, je n'aurais jamais cru qu'on pût garder un secret avec autant de gens dans la confidence... et encore moins me cacher quelque chose, à moi !

On se mit à rire et elle se mêla à la foule des invités qui se précipitaient pour lui présenter leurs vœux.

Blackie, qui la suivait du regard, vint trouver Daisy avec un grand sourire : — Dire que tu t'es morfondue, ma pauvre enfant, en craignant qu'elle soit furieuse ! Mais regarde-la donc ! Elle est dans son élément : elle accueille leurs hommages avec le naturel d'une reine.

21

Une heure plus tard, Blackie escortait Emma jusqu'à la salle à manger.

— Daisy n'a voulu vexer personne, lui murmura-t-il. Elle avait peur qu'on l'accuse de faire du favoritisme. C'est pourquoi ni tes enfants, ni tes petits-enfants ne seront à notre table.

— Daisy est vraiment la diplomate de la famille, lui chuchota Emma en guise de réponse.

Elle savait que ses fils n'avaient guère envie de dîner auprès d'elle, mais elle était heureuse qu'ils fussent quand même venus. La présence d'Elisabeth était plus explicable. Elle manquait rarement une occasion de s'insinuer dans les bonnes grâces de sa mère, dans l'espoir d'obtenir encore plus d'argent. Peut-être tenait-elle aussi à revoir ses enfants et à exhiber le nouvel homme de sa vie. Quant à Edwina, elle avait dû surtout venir pour Anthony, qui eût mal supporté l'absence de sa mère.

La table principale, qu'allait présider Emma, se trouvait flanquée, sur chaque côté, de deux autres tables. L'ensemble était disposé en fer à cheval autour d'une petite piste de danse. En face, quelques musiciens jouaient des airs folkloriques.

Dans la lumière dansante des bougies posées sur les nappes rose tendre où étincelaient l'argenterie, le cristal et la porcelaine fine, une profusion de bouquets faisait ressembler la pièce à un jardin en pleine floraison.

— Quel décor ravissant! dit Emma en souriant. Daisy est une véritable fée.

— Oui, répliqua Blackie avec satisfaction. Elle s'est donné beaucoup de mal. Elle a veillé personnellement à chaque détail.

Une fois à sa place, Emma regarda sur les petits cartons qui étaient ses voisins de table:

— Tu es à ma droite et Henry à ma gauche. Et les autres, qui sont-ils?

— Charlotte et Natalie. Puis Len et Monica Harvey. Et Jennifer, l'amie d'Henry. Enfin Mark et Ronnie Kallinski avec leurs femmes. Nous sommes douze à cette table.

— Je suis contente que les Kallinski y soient. Physiquement, Ronnie ressemble moins que Mark à son père, mais il en a toutes les manières, tu ne trouves pas?

— Si, mon amie... Ah! voilà Randolph avec tes belles-sœurs!

Emma tourna la tête. Toujours plein de naturel et de bonne humeur, Randolph s'approcha:

— Je suis à la table de Bryan, tante Emma, mais vous ne perdez rien pour attendre. J'ai bien l'intention de revenir pour vous réclamer au moins une danse.

— Alors, il faudra que ce soit un fox-trot, dit-elle en riant. En tout cas, rien de plus fatigant.

Charlotte vint à son tour près d'elle et murmura :

— Emily est vraiment la femme que j'attendais pour mon petit-fils. Je suis très heureuse de leurs fiançailles.

— Moi aussi. Et je suis très touchée que tu aies donné à Emily ton rang de perles. C'est un joli geste. Je me souviens du jour où mon frère t'en a fait cadeau.

— Oui. Pour nos fiançailles, en 1919. A propos, Emma, j'espère bien que les petits vont se marier dans le Yorkshire. J'en ai parlé à Elisabeth tout à l'heure, mais elle a l'air de vouloir que ce soit à Londres.

— Écoute, nous verrons ça en temps utile. Elisabeth a toujours des idées de grandeur, quand ça l'arrange. Mais c'est à Emily et à Winston d'en décider. Ils m'ont dit qu'ils préféraient la cathédrale de Ripon. Dans ce cas, la réception pourrait avoir lieu à Pennistone.

Elles parlèrent un moment du futur mariage ainsi que du voyage qu'allait entreprendre Emma. Pendant ce temps, Blackie s'était employé à placer tout le monde et déjà les serveurs remplissaient les verres. Il y avait beaucoup de gaieté dans l'air. Des rires fusaient de toute part et le bruit animé des conversations couvrait presque la musique légère que jouait le petit orchestre.

Emma restait, comme toujours, attentive à tout ce qui se passait autour d'elle. Elle était heureuse que tout le monde parût s'amuser de bon cœur. Après le saumon fumé, certains des jeunes gens s'étaient déjà levés pour danser. Emma les regarda avec fierté. Comme ils étaient beaux, filles et garçons ! Insouciants, ils tournoyaient sur la piste, la tête remplie de rêves, les yeux brillants d'espoir en l'avenir.

Elle vit le visage souriant de Jonathan qui guidait gentiment les pas un peu hésitants de la petite Amanda et elle se demanda si elle ne se trompait pas sur son compte. Puis elle aperçut Robin, le père de Jonathan, qui dansait avec Daisy. Le beau Robin à la peau mate, aux cheveux sombres, qui avait été autrefois son préféré ! Politicien né et homme d'affaires très retors, il avait fait quelques pas de clerc avant de devenir membre du Parlement. Mais il était désormais, il fallait bien l'admettre, une des figures marquantes du Parti Travailliste.

— Allons, Emma, dit Blackie en lui effleurant le bras. Viens... Tu me dois la première danse.

Il la mena avec fierté vers la piste et ils se mirent à évoluer avec aisance au rythme d'un pot-pourri de Cole Porter. Ils devinrent vite le centre de tous les regards. Blackie s'aperçut que Kit les observait et il lui fit un signe amical. Puis il chercha Robin des yeux et l'aperçut en compagnie de Daisy. Il se demanda si les deux fils d'Emma s'étaient rendu compte de l'erreur qu'ils avaient commise en s'attaquant à elle, dont la personnalité éclipsait de si loin la leur.

— Tout le monde a les yeux braqués sur nous, lui murmura Emma.

— Ce n'est pas une nouveauté !

Elle se contenta de sourire et ils terminèrent leur danse en silence.

La soirée fut un rêve. Les mets étaient exquis et les vins excellents. Les conversations, les plaisanteries, les rires et les danses se succédèrent dans une ambiance détendue qui surprit agréablement Emma. Il semblait que personne, ce soir-là, ne songeât à comploter et qu'une trêve tacite se fût établie entre les factieux habituels, comme si les animosités, les rivalités et les haines n'eussent plus été de mise pour un temps. Chacun se montrait amical et naturel. Ce n'était peut-être qu'une apparence, mais il était rassurant de constater que tous se conduisaient décemment pour la circonstance.

Emma s'amusait beaucoup, elle aussi. Mais à mesure que passaient les heures, une certaine nostalgie l'envahit. Une foule de souvenirs, les uns joyeux, les autres douloureux, remontaient à sa mémoire. L'atmosphère du Ritz lui rappelait le début de ses amours avec Paul pendant la Première Guerre mondiale, avant qu'il ne fût envoyé dans les tranchées françaises. Bientôt, perdue dans ses pensées, elle ne vit plus ce qui l'entourait. Mais, à un certain moment, elle entendit résonner le rire joyeux de Daisy à la table voisine et elle revint à la réalité.

Blackie, conscient du silence dans lequel elle s'abîmait par moments, s'efforçait de la faire rire et participer à la conversation. Brusquement, il interrompit l'anecdote qu'il racontait pour lui dire :

— Courage, mon amie ! Voici Randolph qui vient te réclamer sa danse.

Emma se laissa entraîner de bonne grâce par son neveu. Ils avaient fait un tour de piste quand Jonathan s'interposa pour faire danser sa grand-mère. Puis ce fut le tour d'Anthony, bientôt suivi par Alexandre qui tenait à terminer la valse avec Emma.

Quand les musiciens s'arrêtèrent, il ne la lâcha pas immédiatement.

— Qu'y a-t-il, Sandy ? demanda-t-elle, étonnée. Tu as l'air d'avoir quelque chose d'important à me dire.

— C'est vrai, grand-mère, répliqua-t-il en se penchant pour lui parler à l'oreille.

— Oui, bien sûr ! finit-elle par lui répondre en souriant.

A son tour, elle lui chuchota quelque chose tandis qu'il la reconduisait à sa place. Elle se rassit près de Blackie et s'éventa un peu en agitant la main.

— Quel marathon ! A vrai dire, je crois que je suis un peu trop vieille pour me permettre de gigoter encore.

— Toi ? C'est absurde. A te voir, tu avais tout d'une jeunesse !

— Je m'amuse bien, je l'avoue. C'est une fête charmante et tout le monde a l'air de bien s'entendre. Tu n'es pas de mon avis ?

— Peut-être que si, répliqua-t-il laconiquement.

Il craignait pourtant qu'elle ne se fît des illusions. Il trouvait cette bonne entente générale préférable aux intrigues coutumières, mais elle lui semblait suspecte. Cependant, dans quelques jours, ils allaient tous les deux s'envoler pour New York : peu importerait alors que les autres fussent à nouveau à couteaux tirés quand Emma serait loin d'eux !

Soudain, la lumière des lustres diminua et le silence se fit. Il y eut un roulement de tambour assourdissant. Un serveur apparut : il poussait une table roulante où trônait un gigantesque gâteau illuminé de quatre-vingts bougies. L'orchestre se mit à jouer l'air de *Happy Birthday,* dont les invités reprirent en chœur le refrain. Blackie prit alors le bras d'Emma pour la mener au centre de la pièce et l'aider à souffler les bougies. Elle coupa en souriant la première tranche du gâteau avant de reprendre sa place à table.

Le champagne coula à flots, les conversations repartirent, mais Daisy se leva pour réclamer le silence.

— Merci à tous, dit-elle, d'être venus célébrer l'anniversaire de ma mère et d'avoir bien voulu garder le secret de cette fête pour lui en faire la surprise... Ces jours-ci, certains d'entre vous nous ont demandé, à Blackie et à moi, l'autorisation de prononcer ce soir un petit discours en l'honneur d'Emma Harte. Cette requête nous a embarrassés, à cause du nombre des candidats. C'est finalement Blackie qui a trouvé la bonne solution... Mère, avant de vous annoncer le premier orateur, je voudrais vous dire que vos petits-enfants désirent vous porter un toast et que Robin et Elisabeth veulent également.prononcer quelques mots de notre part à nous, vos enfants. Enfin, Henry, Jim, Len et Bryan ont aussi insisté pour présenter les vœux de vos amis et collaborateurs.

Après le gracieux signe de tête qu'Emma fit en guise d'acquiescement, Daisy poursuivit : — Comme je vous l'ai dit, Blackie a résolu au mieux le problème du choix... Maintenant, voici votre premier orateur : Monsieur Ronald Kallinski.

Le visage grave, Ronnie déploya sa haute taille. Bel homme à la silhouette élancée et aux boucles noires teintées de gris, il avait hérité de son père et de sa grand-mère paternelle un regard d'un bleu intense que rendait particulièrement impressionnant le hâle de sa figure éclairée d'un sourire éclatant.

— Emma, Daisy, Blackie, mesdames et messieurs... Ceux d'entre vous qui sont les amis et associés d'Emma ne se sentiront pas offensés, j'en suis sûr, si je vois avant tout cette aimable assistance comme un rassemblement de clans. De trois clans, pour être précis. Ceux des Harte, des O'Neill et des Kallinski. Vous le savez, il y a plus d'un demi-siècle, trois jeunes gens nommés Emma, Blackie et David — mon père — devinrent amis intimes. A l'époque, cette amitié a fait scandale. On s'est demandé ce que pouvaient avoir en commun une Infidèle, un Catholique irlandais et un Juif. Mais ces jeunes gens s'étaient aperçus qu'ils se ressemblaient. Ils étaient tous les trois généreux, entreprenants et optimistes. Ils avaient en commun l'ambition, la vitalité et la volonté de réussir sans jamais manquer à l'honneur, à la loyauté et à l'honnêteté. Ils croyaient aussi à la solidarité. Et toute leur vie, ces trois amis se sont restés fidèles. Malheureusement, depuis la mort de mon père il y a quelques années, ils ne sont plus que deux.

Peut-être ne savez-vous pas qu'ils s'étaient surnommés les Trois Mousquetaires. Quand Blackie m'a demandé de rendre hommage à Emma ce soir, il m'a dit de le faire au nom du mousquetaire disparu : mon père. Emma Harte possède trop de qualités pour qu'il me soit possible de les énumérer toutes. Cependant, si David Kallinski était présent parmi nous, il choisirait probablement de vous parler d'abord de son courage exceptionnel. Emma n'avait que seize ans en 1905 quand il en a fait l'expérience... Un jour qu'elle parcourait les rues de Leeds à la recherche d'un emploi, elle est tombée sur un groupe de voyous qui s'en prenaient à un homme âgé. Tombé à terre contre un mur, celui-ci essayait de se protéger des pierres qu'on lui lançait. N'écoutant que son courage, la jeune femme intrépide se précipita au secours du malheureux et réussit à chasser ses attaquants. Elle aida le blessé à se remettre debout et lui ramassa ses pauvres balluchons avant de le raccompagner chez lui. Cet homme s'appelait Abraham Kallinski et c'était mon grand-père. Elle lui demanda pourquoi les voyous avaient voulu le lapider. « Parce que je suis juif », répondit-il. Devant l'étonnement d'Emma, il lui énuméra les sévices auxquels étaient exposés les Juifs de Leeds, les brutalités que leur faisaient subir des bandes de truands qui envahissaient le ghetto et les attaquaient jusque dans leurs maisons. Emma en fut bouleversée et indignée. À partir de ce jour, cette femme extraordinaire n'a cessé de lutter contre toutes les formes de bêtise, d'ignorance et d'injustice. Son courage n'a pas diminué avec les années, bien au contraire. Elle n'a jamais perdu sa foi dans la justice et dans la vérité.

Henry Rossiter se mit à applaudir et tout le monde l'imita avec frénésie. Ronnie dut leur faire signe d'arrêter.

— Mon père m'a dit un jour, poursuivit-il, que si Emma, Blackie et lui avaient tous les trois contribué à la prospérité de Leeds, c'était Emma avant tout qui avait marqué la ville, tant par l'essor qu'elle a donné à l'industrie que par ses contributions philanthropiques. Pour ma part, j'ajouterai qu'elle a fait plus encore : c'est en chacun de nous, ami, associé ou parent, qu'elle a laissé sa trace. Nous devons nous enorgueillir de faire partie de ses intimes, de bénéficier de son amitié et de sa profonde compréhension. Je vous demande donc, au nom de mon père disparu et de tous les Kallinski absents et présents, de lever votre verre à celle que sa personnalité et son courage placent très haut au-dessus de nous tous... A Emma Harte !

Après les toasts, Ronnie ajouta en conclusion :

— Maintenant, c'est à Blackie de vous dire quelques mots.

— Merci, Ronnie, dit Blackie en se levant. David n'aurait pas mieux parlé que toi. Nous sommes très émus. Comme Daisy vous l'a suggéré, nous ne voulons pas importuner Emma par une trop longue suite de compliments. C'est pourquoi je serai bref... autant que je le pourrai !

Il se lança dans un éloge dithyrambique de l'intelligence d'Emma, de sa force d'âme et de son génie des affaires. Appuyée au dossier de sa chaise, elle n'écoutait que d'une oreille distraite. Elle songeait à ses débuts et au chemin parcouru depuis lors.

Au bout d'un moment, elle se rendit compte que bien des regards étaient tournés vers elle. Son vieil ami s'était mis à parler du présent et les pensées d'Emma abandonnèrent aussitôt le passé. Malgré les difficultés, se dit-elle, ma vie valait la peine d'être vécue. Mes petits-enfants en sont la preuve.

Blackie parvint alors à la péroraison :

— Mon plus grand privilège a été et demeure d'être son ami... Puissions-nous, Emma, jouir très longtemps de ta présence !

Très émue, Emma se leva à son tour.

— Merci à vous tous d'être venus, déclara-t-elle, et de m'avoir comblée de cadeaux et de fleurs. Et merci tout particulièrement à Blackie et à Daisy pour avoir organisé cette soirée avec autant de délicatesse.

Puis elle se tourna vers Ronnie et ses yeux s'embuèrent : — Je suis heureuse que tu sois là ce soir avec les tiens. Merci de l'éloquence de ton petit discours. Merci aussi de remplacer ton père. David nous manque infiniment.

Puis son regard revint vers Blackie : — Tu m'as fait de bien beaux compliments, mon ami, et je t'en suis reconnaissante.

Elle reprit son souffle et poursuivit d'une voix plus assurée : — Winston et Emily vont se marier l'année prochaine. Plusieurs d'entre vous le savent déjà, mais ils m'ont demandé de l'annoncer officiellement. Il semble bien que, pour notre clan, ce soit la saison des amours. Car Alexandre me prie également de vous annoncer ses fiançailles avec Marguerite Reynolds. Alors, levons notre verre à ces quatre jeunes gens.

Il y eut des chuchotis excités et des exclamations. Souriante et attentive, Emma attendit que le calme revînt. Ses yeux verts allaient de l'un à l'autre. Elle venait de prendre une grande décision et elle savait maintenant ce qui lui restait à dire.

Paula sut en la regardant qu'il allait se passer quelque chose. Elle connaissait trop bien sa grand-mère pour ne pas interpréter l'expression de son visage. De toute évidence, Emma s'apprêtait à surprendre son auditoire.

Les bavardages avaient cessé. Tous les yeux se tournèrent vers Emma. Elle se décida enfin à parler.

— Dans la vie de chacun, déclara-t-elle d'une voix étonnante de jeunesse, il vient un temps où il faut se retirer pour laisser la place aux jeunes. Pour moi, l'heure est venue ce soir de le faire.

L'assistance, surprise, retint son souffle.

— Oui, je m'en vais, reprit-elle. Et de mon plein gré. Je viens de me rendre compte que j'avais bien gagné le droit de me reposer pour la première fois de ma vie... et peut-être aussi, pourquoi pas, le droit de m'amuser un peu !... Vous me semblez étonnés... Je le suis peut-être autant que vous. En effet, c'est en écoutant nos orateurs que j'ai eu l'idée de prendre cette décision. J'ai senti qu'on me donnait ce soir l'occasion de me retirer avec élégance. Vous savez tous que je pars avec Blackie faire le tour du monde. Aussi suis-je heureuse d'ajouter que je vais passer désormais le restant de mes jours avec mon plus cher et plus fidèle ami.

Elle se tourna vers Blackie et lui mit la main sur l'épaule.

— L'autre jour, poursuivit-elle sur le ton de la confidence, Blackie m'a dit : « Vieillissons ensemble. Des jours radieux nous attendent encore. » Figurez-vous que je crois qu'il a raison !

Elle se leva de sa chaise pour aller vers l'une des tables et s'arrêter près d'Alexandre. Il se leva aussitôt, très pâle, les yeux fiévreux. Elle lui toucha le bras d'un geste rassurant.

— Mon petit-fils Alexandre vient de prendre la direction de *Harte Enterprises*.

Elle lui tendit la main et il la prit sans rien dire, trop ému pour ouvrir la bouche.

— Félicitations, Alexandre !

Il la remercia en balbutiant.

Consciente du suspense qu'elle créait, elle se dirigea ensuite vers une autre table et s'approcha de Paula, qui se redressa avec autant de vivacité qu'Alexandre.

Comme pour transmettre à la jeune femme un peu de son énergie, Emma lui serra la main avec force. Paula se mit à trembler.

De nouveau, Emma parcourut la salle du regard.

— A partir de ce soir, déclara-t-elle, la chaîne des grands magasins HARTE sera dirigée par ma petite-fille, Paula McGill Amory Fairley.

Elle pivota d'un quart de tour sur ses talons pour faire face à Paula et elle scruta longuement ses grands yeux violets. Puis un beau sourire illumina son visage.

— A toi maintenant la charge de poursuivre la réalisation de mon rêve !

LIVRE DEUX

L'HÉRITIÈRE

22

Depuis quinze jours, Jim était au Canada et la solitude avait permis à Paula de reprendre des forces.

Mais, en ce chaud dimanche de septembre, elle se réjouissait de revoir Émily qui s'était annoncée pour le thé.

Après avoir installé la table de fer forgé sur la terrasse, elle alla jeter un coup d'œil aux jumeaux qui dormaient paisiblement, plus bas sur la pelouse, dans leur landau à deux places. Ils avaient l'air si satisfaits d'être au monde qu'elle sourit en les contemplant.

C'était un de ces après-midi du début de l'automne, relativement fréquents dans le Yorkshire, qui peuvent rivaliser avec les plus beaux jours de l'été. Le ciel était d'un bleu de pervenche et le soleil, qui brillait depuis l'aube, jouait à cache-cache avec de légers nuages blancs. A Long Meadow, le parc offrait au regard une débauche de couleurs et l'air embaumait du parfum des fleurs.

Revenue sur sa chaise longue, Paula se prélassait dans la chaude lumière et savourait le calme de la nature après une semaine d'activité fiévreuse. Au magasin, pendant cinq jours, il y avait eu la présentation de la collection d'hiver de prêt-à-porter et les mannequins avaient défilé quotidiennement, à l'heure du déjeuner, dans «La Cage aux Oiseaux». Il y avait eu aussi, chaque après-midi, une présentation de Haute Couture dans les salons réservés à cet usage. Bien d'autres événements avaient eu lieu cette semaine-là chez HARTE : l'ouverture d'une école de cuisine, des démonstrations de produits de beauté faites à la clientèle par un célèbre visagiste, un cocktail donné pour inaugurer la nouvelle galerie d'art et le vernissage de la dernière exposition de Sally Harte. Ses peintures et ses aquarelles avaient remporté un succès considérable. Les amateurs s'étaient disputé ses paysages du Yorkshire et de la région des Lacs. En plus de toute cette agitation et de ses lourdes responsabilités habituelles, Paula avait eu maille à partir avec certains acheteurs professionnels, en particulier avec celui qui était chargé de lui fournir la bijouterie et dont elle avait dû se séparer pour incompétence. Depuis que Jim était parti, elle avait travaillé encore plus que de coutume. Levée dès cinq heures du matin, elle était déjà à son bureau à six heures trente de façon à pouvoir rentrer assez tôt le soir pour s'occuper des jumeaux.

Elle avait presque toujours dîné seule depuis quinze jours et elle n'avait vu que ses domestiques, ses proches collaborateurs et les quelques amis qui étaient venus au vernissage. L'absence de Jim lui avait fait comprendre qu'elle avait besoin de repos et qu'elle devait se ménager des périodes de solitude absolue pour recouvrer ses forces et son équilibre, mais aussi pour réfléchir à l'organisation de son jardin, jouer avec les enfants, lire ou écouter de la musique dans la serre.

Avec un certain désabusement, elle avait dû également s'avouer que si l'envie la prenait de mener joyeuse vie sans son mari, elle serait bien en peine de trouver des compagnons pour ses sorties. Depuis une semaine, Winston était allé rejoindre Jim à Toronto pour un congrès international qui réunissait des éditeurs, des rédacteurs, des directeurs et des propriétaires de journaux. Winston s'intéressait en outre, pour le groupe de presse, à l'acquisition d'une usine de papeterie canadienne. Paula n'aurait pas pu sortir non plus avec Miranda ou Sarah. Miranda était à La Barbade pour l'inauguration de son nouvel hôtel et de la boutique HARTE. Sarah y était aussi comme conseillère artistique chargée de diriger les décorateurs et les étalagistes. Quant à Alexandre, il était en vacances avec Maggie Reynolds dans le midi de la France. Émily, enfin, n'était rentrée de Paris que la veille.

Jonathan était le seul membre de la famille qui ne fût pas parti en voyage, mais sa route croisait rarement celle de Paula. Aussi avait-elle été très surprise, le mercredi précédent, de le voir pénétrer dans son bureau et de l'entendre déclarer qu'il était venu à Leeds régler une affaire immobilière pour *Harte Enterprises*. Il lui avait fait perdre une heure en bavardages insipides et lui avait demandé incidemment, à plusieurs reprises, à quelle date Emma reviendrait d'Australie. Elle lui avait répondu qu'elle n'en savait rien. Elle l'ignorait, en effet, mais elle ne lui aurait rien dit, de toute façon. Elle n'avait jamais eu beaucoup de sympathie pour lui et elle en avait encore moins depuis qu'Emma lui avait confié ses soupçons.

Cinq mois plus tôt, quand Emma s'était officiellement retirée des affaires avant de partir en voyage, Paula et Alexandre s'étaient rencontrés à Londres pour faire le point et ils avaient alors décidé de se consulter une fois par mois.

A leur première rencontre, ils étaient convenus de mettre Émily dans la confidence et, le lendemain, ils l'avaient invitée à déjeuner pour lui parler de Jonathan et lui proposer de participer à leur rendez-vous mensuel : ils ne seraient pas trop de trois pour surveiller les agissements de leur cousin. Ils étaient tombés d'accord pour ne pas avertir Sarah, dont le comportement récent leur paraissait suspect. Désormais réunis en triumvirat, ils étaient bien résolus à se montrer dignes de leur grand-mère.

De la terrasse, Paula entendit sonner quatre heures dans l'ombre de la maison, car les portes-fenêtres du salon étaient restées ouvertes. Elle se leva et alla jusqu'à la cuisine faire réchauffer les biberons. Puis elle prépara un plateau pour le thé avec des biscuits, de la confiture de fraises et un gâteau à la crème. Dix minutes plus tard, elle entendit une voiture freiner dans l'allée et vit par la fenêtre Émily qui descendait de sa vieille Jaguar blanche.

Avec son entrain habituel, la jeune fille fit bientôt irruption dans la cuisine.

184

— Pardon d'être en retard, mais mon tacot a fait des siennes tout le long de la route. Il va falloir que je me résigne à changer de voiture.

— Mais tu n'es pas en retard!... Pour la Jaguar, je t'accorde qu'elle n'est plus très fraîche. Toi, en revanche, tu fais plaisir à voir.

— Je suis contente d'être de retour. Dieu sait pourtant que j'adore Paris... A propos de voyages, as-tu des nouvelles de nos globe-trotters? De grand-mère, plus précisément?

— Oui, répondit Paula en mettant la bouilloire sur le feu. Elle m'a appelée jeudi à minuit. Elle voulait savoir comment s'était passée l'inauguration de la nouvelle galerie d'art. Tu sais, l'année dernière, c'était son projet favori... Elle m'a dit qu'ils partaient avec Philip à Coonamble pour quatre ou cinq jours. Elle t'embrasse.

— Je commence à croire qu'elle ne reviendra jamais! T'a-t-elle parlé de leur retour?

— Ils comptent quitter Sydney à la mi-octobre et rentrer à la fin novembre en repassant par New York. Elle m'a promis d'être à Pennistone pour fêter Noël.

— Dieu que c'est long! Je suis impatiente de la revoir. Sans elle, on ne sait où on en est.

— C'est vrai. Mais qu'est-ce qui ne va pas? Tu en fais une tête, tout d'un coup! Tu as des ennuis dans ton travail?

— Pas du tout. J'ai seulement besoin de la présence de grand-maman. Elle a beau avoir pris sa retraite, c'est plus rassurant de la savoir tout près... En ce moment, elle est vraiment à l'autre bout du monde!

— Tu as raison, dit Paula, pensive.

Elle ne put s'empêcher d'envisager avec effroi la disparition définitive d'Emma. Mais elle refusa de s'attarder sur cette triste perspective et reprit en souriant: — Allons, viens sur la terrasse, Émily. Nous goûterons dehors, il fait si beau! Il va falloir que je donne le biberon aux petits. Nora m'a demandé exceptionnellement son dimanche et c'est aussi le jour de congé de Meg. J'ai dû me débrouiller seule toute la journée.

Émily la suivit dehors et courut pour arriver la première près du landau.

— Ils ont les yeux ouverts! s'écria-t-elle en se penchant pour caresser les jumeaux.

— Coucou, mon trésor, dit à son tour Paula en prenant Lorne dans ses bras. C'est l'heure du biberon, petit bonhomme!

Émily s'occupa de Tessa et les deux jeunes femmes remontèrent avec les petits s'asseoir sur la terrasse. Une demi-heure plus tard, quand les jumeaux furent bien repus, elles les recouchèrent dans le landau. Puis Paula rentra dans la maison pour aller chercher le plateau du goûter.

— As-tu des nouvelles de Winston? demanda-t-elle à sa cousine en servant le thé.

— Il m'a appelée hier soir. Il est allé à Vancouver pour reprendre les pourparlers avec la direction de cette usine de papeterie. Le marché devrait se conclure sous peu. Il a l'air optimiste. Il compte passer quelques jours à

New York avec Shane qui reviendra de La Barbade dans le courant de la semaine prochaine.

— Oh ! tant mieux ! L'autre jour, au téléphone, Jim avait l'air d'avoir des doutes et il me disait que Winston était découragé. De toute évidence, la situation a évolué favorablement. A propos de La Barbade, figure-toi que Sarah a pris l'avion il y a une dizaine de jours sous prétexte d'aller aider Miranda à déballer les arrivages de « Lady Hamilton ». Elles doivent avoir un travail fou.

— Quoi ? Sarah est à La Barbade ? Mais elle n'avait rien à y faire !

Émily reposa si violemment sa tasse de thé que Paula sursauta.

— Pourquoi te mets-tu en colère ? demanda-t-elle, étonnée. Sarah a sans doute cru bien faire. Elle mourait d'envie d'y aller, et ça fait partie de son travail après tout. De toute façon, je ne pouvais pas lui demander des comptes. Et tu la connais, elle est tellement indépendante !

— Très bien, très bien ! répliqua Émily en haussant les épaules.

Pourtant, elle ne pouvait s'empêcher de croire qu'il y avait anguille sous roche. Le plus plausible, c'était que Sarah n'était partie à La Barbade que dans l'espoir de revoir Shane. Miranda avait dû lui dire qu'il serait là pour l'ouverture du nouvel hôtel et il y avait gros à parier que Sarah Lowther était justement en train de se ridiculiser en se jetant à la tête de Shane O'Neill.

— Pauvre Alexandre ! reprit Émily en changeant délibérément de sujet. Hier, avant de quitter Paris, je l'ai appelé dans le Midi et j'ai découvert que maman était arrivée chez lui sans crier gare, escortée de Marc Deboyne et de mes deux petites sœurs. Sandy m'a avoué qu'il n'en pouvait plus et je crois que les jumelles, elles aussi, sont impatientes de rentrer en Angleterre.

— Dommage pour Alexandre ! Mais, de toute façon, les jumelles ne devaient-elles pas revenir incessamment ?

— La rentrée scolaire est à la fin du mois. Je suis contente que grand-maman ait accepté de les laisser un trimestre de plus à Harrogate avant de les expédier en Suisse. Les pauvres gosses ne...

Elle fut interrompue par la sonnerie du téléphone.

Paula s'élança, traversa le salon et courut décrocher le récepteur du hall. Avant qu'elle eût ouvert la bouche, quelqu'un demanda à l'autre bout du fil : — Jim ? C'est toi ?

— Allô, tante Edwina ? Non, c'est Paula. Jim est absent. Il est au Canada.

— Au Canada ? Oh ! mon dieu !

— Quelque chose ne va pas ?

Il y avait de l'angoisse dans la voix d'Edwina. Elle se mit à bafouiller avec tant de nervosité que son discours était presque incompréhensible. Paula l'écouta quelques minutes, puis l'affolement de sa tante la gagna.

— Tante Edwina, je n'y comprends rien ! Voudriez-vous parler plus clairement et plus lentement ?

Après un bruit de sanglot, il y eut un silence pesant. Puis Edwina reprit :

— C'est la pauvre Min !... Elle est... elle est... morte ! On l'a trouvée noyée... dans le lac de Clonloughlin. Et... et...

Trop bouleversée pour continuer, Edwina se remit à pleurer. Paula sentit son sang se glacer. D'innombrables questions se pressèrent dans son esprit. Comment Min s'était-elle noyée ? Accident ? Suicide ? Et qu'était-elle allée faire à Clonloughlin puisqu'Anthony et elle ne vivaient plus ensemble ?

— Oh ! je suis désolée, absolument désolée ! dit-elle à Edwina dont les sanglots s'affaiblissaient un peu. Ce doit être un terrible bouleversement pour vous, ma tante.

— Il ne s'agit pas seulement de Min ! répliqua Edwina. Mais aussi de mon pauvre Anthony ! La police est là ! On questionne Anthony sans arrêt. Mon malheureux enfant ! Je ne sais plus où j'en suis. Je voulais demander conseil à Jim. Si seulement mère était en Angleterre... Elle aurait su quoi faire. Mon dieu, qu'allons-nous devenir ?

— La police ? Que voulez-vous dire ? On ne soupçonne tout de même pas Anthony d'être pour quelque chose dans la mort de Min ?

Il y eut encore un silence pénible.

— Si ! finit par murmurer Edwina.

Paula se laissa tomber plutôt qu'elle ne s'assit sur la chaise voisine du téléphone. Elle avait la chair de poule. Puis son épouvante fit place à la révolte.

— C'est ridicule ! Ces policiers de province sont des abrutis ! Anthony soupçonné de meurtre... C'est franchement absurde !

— Ils croient qu'il a pu la...

— Tante Edwina, je vous en prie, racontez-moi tout depuis le début. Si grand-maman et Jim sont absents, moi, je suis là et je ferai tout mon possible pour vous aider. Mais il faut que vous ne me cachiez absolument rien.

— Oui, oui, je comprends, répondit Edwina d'un ton plus calme.

Après bien des réticences, elle parvint à donner à Paula quelques détails essentiels : la découverte du corps de Min dans la matinée, l'arrivée des policiers appelés par Anthony, leur départ et leur retour, deux heures plus tard. Ils avaient exploré la propriété avant de s'enfermer avec le jeune homme dans la bibliothèque et ils n'en étaient pas encore sortis.

— Il n'y a sûrement aucun mystère, ma tante. Ce ne peut être qu'un accident. Écoutez, ce doit être une vérification de routine... Je veux dire : ce retour des policiers dans l'après-midi.

— Tu ne comprends pas, Paula ! Min a fait un tas d'histoires, ces derniers temps. Il y a quelques semaines, elle s'est à nouveau mis en tête de refuser le divorce. Il y a eu des incidents graves... des choses abominables...

— Alors, parlez-m'en aussi !

— Oui, je crois que ça vaut mieux. En fait, il y a un mois que les ennuis ont commencé. Min vivait à Waterford, mais elle est revenue ici... Elle s'est mise à boire et il y a eu d'affreuses scènes de violence devant les domestiques, les ouvriers agricoles et même, un après-midi, en plein village, en présence des gens du pays. Et tout le monde a cancané, parce que

Sally avait fait un séjour ici au début de l'été. On peut dire que ça n'a pas arrangé les choses! Tu sais bien comment sont les gens dans un petit pays, Paula! Ils passent leur vie en médisances...

— Revenons en arrière un moment. Que voulez-vous dire en parlant de scènes de violence?

— Il ne s'agissait que de violence verbale. Des cris et des hurlements de Min. Mais, samedi dernier, Anthony s'est mis en colère quand elle a fait son apparition à l'heure du dîner. Il y avait des invités et j'étais là, moi aussi. Ils se sont traités de tous les noms et elle a fini par frapper Anthony avec un club de golf. Il s'est défendu, évidemment, et en la repoussant, il l'a fait tomber. Elle n'a sûrement pas eu très mal, mais elle a crié qu'elle était blessée et qu'Anthony ne souhaitait que... que la voir morte et enterrée. Elle disait qu'un de ces jours on pourrait bien la retrouver assassinée. Plusieurs personnes l'ont entendue. Je l'ai entendue, moi aussi.

— Oh! mon dieu!

L'angoisse de Paula se transforma en épouvante. Elle ne croyait pas le moins du monde que son cousin fût coupable, mais il était évident que la police le soupçonnait. Elle eut un moment de panique avant de comprendre qu'il fallait réagir au plus vite. Mais de quelle façon? Et à qui demander de l'aide?

— Tous ces cancans et toutes ces scènes ne constituent pas des preuves, déclara-t-elle enfin avec assurance. Les policiers ne peuvent ni arrêter Anthony ni l'inculper d'assassinat sans indice sérieux. A quelle heure s'est-elle noyée? Anthony peut sûrement fournir un alibi.

— On n'est pas très sûr de l'heure de sa mort, semble-t-il. Je crois qu'il va y avoir une autopsie... Un alibi? Non, c'est bien le problème. Anthony n'en a aucun.

— Où était-il hier? Hier soir, plus précisément?

— Hier soir? répéta Edwina sans paraître comprendre. Ah oui!... Eh bien, Min est arrivée à Clonloughlin vers cinq heures. J'étais chez moi, au manoir, et j'ai vu de ma fenêtre la voiture se diriger vers le château. J'ai aussitôt téléphoné à Anthony pour l'avertir. Il m'a paru très ennuyé et il m'a dit qu'il allait prendre sa vieille Land-Rover pour aller faire un tour du côté du lac.

— Il y est allé?

— Oui. Mais elle a dû le voir partir de ce côté-là ou deviner la direction qu'il allait prendre. Car elle l'a suivi.

— Ils se sont encore chamaillés là-bas?

— Oh non! Il ne lui parlait même plus. Il m'a dit qu'il l'avait aperçue de loin. Tu sais, les environs du lac sont très plats. Il est simplement remonté dans sa Land-Rover et il a voulu rentrer en faisant un détour pour l'éviter. Malheureusement, la voiture est tombée en panne presque tout de suite. Il a dû l'abandonner sur place et revenir à pied. Il ne voulait absolument pas voir Min, tu comprends?

— Oui. Et il a laissé la Land-Rover près du lac?

— Bien sûr !... Impossible de... la faire repartir ! balbutia Edwina avec des larmes dans la voix.

— Je vous en prie, tante Edwina, ne pleurez pas. Il est indispensable que vous gardiez votre sang-froid.

— Je vais essayer, répliqua-t-elle en reniflant et en se mouchant. Tu ne connais pas Clonloughlin, Paula. C'est un très grand domaine. Anthony a mis une heure pour rentrer. Il a escaladé la colline, traversé un bois et plusieurs champs avant d'arriver à la route...

— La route ?... Il a peut-être rencontré quelqu'un.

— Non, je ne crois pas. Bref, quand il est revenu vers six heures et demie, il m'a téléphoné pour me dire que sa voiture était en panne et qu'il allait se changer pour dîner. Je suis venue le rejoindre vers sept heures. Je l'ai trouvé très nerveux. Il avait peur que Min vienne encore faire un scandale.

— Mais elle n'est pas revenue ?

— Non, nous avons passé la soirée tout seuls et Anthony n'était vraiment pas dans son assiette. Vers neuf heures et demie, dix heures moins le quart, il m'a reconduite jusqu'à la porte du manoir, puis il est rentré à Clonloughlin.

— Et qui a découvert le corps de Min ?

— Le régisseur. Il est passé près du lac en voiture très tôt ce matin. Il a d'abord vu la Land-Rover et après il a aperçu...

Elle se remit à sangloter. Paula tenta de la rassurer et de la calmer.

— Je vous en prie, ma tante, du courage ! Ça va sûrement s'arranger.

— Mais j'ai peur pour lui, j'ai affreusement peur !

— Bon, écoutez-moi et faites ce que je vais vous dire. Ne téléphonez plus et si l'on vous téléphone, soyez brève. Il ne faut pas que votre ligne soit occupée. Je vous rappellerai sans tarder. Je suppose que vous n'allez pas quitter la maison.

— Non, dit Edwina d'un ton hésitant. Mais que comptes-tu faire ?

— Je vais demander à ma mère d'aller vous tenir compagnie quelques jours. Il ne faut pas que vous restiez seule dans un moment pareil. Il va sûrement y avoir une enquête. L'essentiel, c'est de ne pas s'affoler. Ça ne servirait à rien. Je vous retéléphone d'ici une heure.

— Merci... Merci, Paula, bégaya Edwina.

Dès qu'elle eut raccroché, Paula appela ses parents à Londres. La ligne était occupée. Irritée de ce contretemps, elle décida d'aller prévenir Émily.

Elle retraversa le salon en courant, puis s'élança sur la terrasse.

— Mais que t'arrive-t-il ? demanda Émily. Tu es pâle comme un linge !

— Nous avons des ennuis, de très graves ennuis. Il faut trouver une solution et je compte sur ton aide. Ne restons pas dehors. Je dois appeler ma mère. Écoute ce que je vais lui dire : nous gagnerons du temps.

23

— Tu ne le crois pas coupable, tout de même ?

— Bien sûr que non, dit Paula en relevant vivement la tête.

Les sourcils froncés, elle dévisagea Émily assise en face d'elle sur le canapé de la serre : — Pourquoi cette question ? Tu as des doutes ?

— Non, répondit Émily sans hésitation. Il est certainement incapable de... Mais, un jour, tu as fait une curieuse remarque.

— Moi ? Quand ça ?

— Il y a des mois. Quand nous avons déjeuné toutes les deux avec Alexandre juste après le départ de grand-maman. Nous parlions de Jonathan et de Sarah. Ce jour-là, tu as dit qu'on ne pouvait jamais vraiment connaître les autres, même nos proches. Ça m'a frappée. Alors, regardons les choses en face : nous ne connaissons pas très bien Anthony. Il a toujours vécu loin de nous.

— Tu as raison. Mais je préfère me fier à mon instinct. Et mon instinct me dit qu'il n'est pour rien dans la mort de Min... Les apparences sont contre lui, voilà tout. Il s'agit d'un accident ou d'un suicide. Écoute, Émily, tu sais comme grand-mère a de l'intuition. Or, elle pense le plus grand bien d'Anthony et...

— N'importe qui peut aller jusqu'au meurtre, rétorqua calmement Émily. Il suffit d'être poussé à bout. Il y a bien des crimes passionnels.

— Nous devons présumer l'innocence d'Anthony. Après tout, c'est la loi. On est présumé innocent jusqu'à preuve du contraire.

— Ce n'était qu'une hypothèse, rien de plus. En fait, je pense comme toi que ce doit être un suicide, tout en espérant qu'elle ne s'est pas tuée. Ce serait affreux pour Sally et Anthony de vivre désormais en sachant qu'elle s'est donné la mort à cause d'eux.

— Oui, j'y ai pensé, dit Paula avec tristesse en regardant sa montre. Oh, je voudrais que ma mère me rappelle ! Pourvu qu'elle ait réussi à trouver une place dans un avion !

— Tu sais, il n'y a qu'un quart d'heure de passé ! Patiente un peu. En attendant, résumons la situation.

— Entendu, répliqua Paula en prenant le bloc-notes où elle venait d'inscrire les démarches urgentes. Premièrement, demander à maman de partir pour l'Irlande... C'est fait. Deuxièmement, demander à mon père d'appeler Philip à Coonamble, ce soir entre neuf et dix, juste pour le mettre au courant. Dieu fasse que grand-maman n'apprenne pas la nouvelle par les journaux ! Bon, papa m'a promis de s'en occuper dès que maman sera dans l'avion... Troisièmement, empêcher les journalistes d'ébruiter l'affaire. Je vais appeler Sam Fellowes à la *Morning Gazette* et Pete Smythe au journal du soir. Sans doute vais-je devoir appeler tous les journaux du groupe ! Je ne peux évidemment pas museler la presse nationale, mais il faut au moins faire taire ceux-là... Quatrièmement, demander à Henry Rossiter s'il faut envoyer John Crawford en Irlande. Puisque c'est l'avocat de la famille, il pourra au besoin représenter Anthony... Cinquièmement, arriver à joindre Winston ou Jim, ou les deux. Tu peux sans doute t'en charger, Émily, n'est-ce pas ? Mais attention ! Pas question qu'ils reviennent en catastrophe, l'un comme l'autre !... Sixièmement, rappeler tante Edwina pour la rassurer et Anthony pour l'avertir de nos démarches... Septièmement, joindre Sally Harte. Je commence par appeler la *Gazette*.

— Et moi, Sally. Elle doit être dans la région des Lacs. Elle ne t'a pas donné son adresse, jeudi dernier ?

— Non, mais l'oncle Randolph la connaît sûrement. Ne lui parle de rien, à lui... pour le moment.

— Tu as raison. Je vais me servir du poste installé dans le hall. Si l'on appelle sur l'autre ligne pendant que tu téléphones au journal, je décroche. Ça sera sans doute ta mère.

Paula s'empressa d'appeler le directeur de la *Morning Gazette* à son bureau. Il décrocha presque immédiatement.

— Sam, lui dit-elle de but en blanc, je tiens à vous mettre au courant d'une affaire de famille. Mon cousin, le comte de Dunvale, est en train de vivre un cauchemar. Sa femme vient de se noyer dans le lac de sa propriété d'Irlande.

— C'est affreux ! répliqua Fellowes. Je vais demander une notice nécrologique à l'un de nos meilleurs rédacteurs.

— Non, non... Si je vous appelle, c'est justement pour vous dire que nous ne voulons pas un mot là-dessus.

— Pourquoi ? Dès que les agences seront au courant, toute la presse du pays en parlera. Nous aurons l'air d'imbéciles si nous ne mentionnons pas...

— Sam !... Depuis le temps, vous devriez savoir qu'Emma Harte déteste que ses propres journaux parlent en bien ou en mal de sa famille.

— Je le sais, rétorqua-t-il avec irritation. Mais ce n'est pas la même chose. Pour qui allons-nous passer si tous les journaux en parlent, sauf nous ? Vous vous doutez bien que ce n'est pas mon genre de supprimer des nouvelles !

— Alors, vous vous êtes peut-être trompé de journal, Sam ! Ici, croyez-moi, c'est Emma Harte qui dicte les règles et vous avez intérêt à les respecter !

— Je vais appeler Jim et Winston au Canada. C'est à eux de me dire ce qu'il faut publier ou ne pas publier.

— En leur absence et en l'absence de ma grand-mère, c'est moi qui décide et moi seule. Pas un mot sur cette histoire ! Pas de notice nécrologique !

— Bon, puisque vous le dites ! cria-t-il, furieux.

— Oui, je le dis. Merci, Sam. Bonsoir.

Paula raccrocha, très en colère. Elle reprit son carnet d'adresses pour trouver le numéro personnel de Pete Smythe, car le journal du soir ne paraissait pas le dimanche. Elle allait l'appeler chez lui quand Émily vint la rejoindre.

— C'est ma mère qui a téléphoné ?

— Non, c'est ton père. *Aer Lingus* a un vol dans l'après-midi, mais tante Daisy ne pourra sûrement pas être à l'aéroport à temps. Alors, oncle David s'est arrangé pour lui trouver un avion privé et il va prévenir tante Edwina. Ta mère fait ses valises. Elle te rappellera avant de partir.

— Quel soulagement ! As-tu pu joindre l'oncle Randolph ?

— Non, il n'était pas là. Mais Vivienne m'a dit que Sally allait rentrer à cause de la pluie. Elle a remballé son attirail de peinture et elle revient. J'ai demandé qu'elle nous appelle dès son retour.

— Vivienne a-t-elle paru étonnée ?

— Non, je lui ai dit sans explications que j'avais besoin de parler à Sally.

— Pauvre Sally ! Je suis terrorisée de devoir lui annoncer ça.

— Il faut bien qu'elle le sache... Que puis-je faire maintenant ?

— Peux-tu rentrer le landau ? On va laisser les petits ici pour le moment. Il faut absolument que j'appelle les autres journaux.

— Entendu. Je reviens.

Paula parvint à joindre Pete Smythe sans difficultés et elle lui répéta ce qu'elle avait dit à Sam Fellowes. Il lui exprima ses condoléances et accepta de bonne grâce sa décision.

— De toute façon, je n'aurais rien publié sans vous consulter, Paula. Je connais trop Mme Harte. Elle m'aurait écorché vif si j'avais laissé paraître la moindre ligne sur l'un ou l'autre d'entre vous.

— Sam Fellowes a fait des histoires, mais j'espère que je n'aurai pas de problèmes avec les autres journaux.

— Sam n'est pas facile. Si vous voulez, je peux appeler moi-même nos journaux de Doncaster, Sheffield, Bradford et Darlington.

— Oh, oui, ça me rendrait service ! Merci infiniment, Pete !

Dès que Paula eut raccroché, le téléphone se mit à sonner. Cette fois, c'était sa mère.

— Allô, ma chérie ? fit la voix paisible de Daisy. Je suis prête à partir. Je prends un taxi pour rejoindre l'aéroport. De cette façon, ton père peut rester à la maison et être disponible. Il a prévenu Edwina, qui est très soulagée de mon arrivée. Actuellement, la police est partie et Anthony est chez sa mère. Ils attendent ton coup de fil.

— Merci d'aller là-bas, maman. Vous êtes la seule à pouvoir aider ma tante et elle a confiance en vous.

— C'est normal. Nous formons une famille et nous devons être solidaires. Mais quelle affreuse situation ! Je n'arrive pas à comprendre l'attitude de ces policiers. Ce sont de vraies brutes. Ton père est de mon avis. Bon, il faut que je me dépêche. Au revoir, ma chérie.

— Bon voyage, maman. Je vous téléphonerai demain.

En entendant Émily entrer avec le landau dans la serre, Paula leva les yeux de son carnet de notes.

— Je passe un rapide coup de fil à Henry avant d'appeler l'Irlande, déclara-t-elle.

Ce fut la gouvernante d'Henry Rossiter qui lui répondit. Paula échangea quelques mots avec elle et raccrocha.

— Henry vient de partir pour Londres en voiture. Il n'y sera pas avant huit heures et demie. Crois-tu que je devrais entrer en contact avec les avocats de grand-maman avant d'en parler à Henry?

— Que ferait grand-maman à ta place?... Je crois qu'elle avertirait d'abord Henry.

— Tu as raison.

La main sur l'appareil, Paula reprit son souffle avant de rappeler Edwina à Conloughlin. Elle souleva le récepteur, puis se ravisa.

— Il vaut mieux que j'attende un peu. Sally peut téléphoner d'une minute à l'autre. C'est toi qui vas lui répondre, Émily. Voyons un peu tout ce que tu lui diras.

Anxieuses et perplexes, les deux jeunes femmes se regardèrent un moment en silence.

— Le plus sage, déclara enfin Paula, c'est de prétendre que, moi, j'ai un problème grave à lui soumettre de toute urgence. Dis-lui de venir immédiatement.

— Et si elle demande des explications?

— Reste dans le vague. Tu sais très bien être évasive.

— Moi?... Enfin, si tu le dis!

Elle haussa les épaules, puis se précipita vers le landau où Tessa venait de se mettre à pleurer. Paula se leva d'un bond pour la rejoindre.

— Ils ont sûrement besoin d'être changés tous les deux. On va les monter dans leur chambre. Peux-tu préparer les biberons?

— Parce qu'en plus Nora est absente! gémit Émily.

— Oui, comme un fait exprès!

— Ici, le manoir, dit la voix d'un domestique quand Paula obtint, un quart d'heure plus tard, la communication avec l'Irlande.

Elle demanda à parler à Monsieur le Comte et Anthony prit l'appareil presque aussitôt.

— Paula?... Bonjour. Merci pour tout. Tu es formidable. Je t'en suis très reconnaissant. Ma mère a failli devenir folle quand la police est revenue.

— Je m'en suis rendu compte. Mais ne me remercie pas. Je suis heureuse de pouvoir t'aider. Comment te sens-tu?

— Bien, très bien. Je tiens le coup. C'est très désagréable évidemment, mais je crois que ça va s'arranger.

— Oui, dit Paula, assez peu rassurée pourtant par la voix de son cousin. Tu verras, tout sera réglé dans les vingt-quatre heures. Essaie de ne pas trop t'en faire. Tu vas me dire exactement ce qui est arrivé, mais je veux d'abord t'annoncer qu'Émily vient de parler à Sally. Elle est en route pour nous rejoindre. Elle croit que c'est moi qui ai des ennuis. Nous avons pensé qu'il valait mieux ne rien lui dire par téléphone.

— Merci. J'étais très inquiet car je ne savais pas comment la joindre. Mercredi dernier, elle m'avait promis de m'appeler au début de la semaine. Demande-lui de le faire aussitôt qu'elle sera au courant de cette horrible affaire.

— Entendu. Où en est la situation ? Ma mère m'a dit que la police était partie. C'est donc qu'on ne te soupçonne...

— Ce serait un comble ! s'écria-t-il, révolté. Je n'ai rien fait de mal, Paula. Je n'ai rien à voir avec la mort de Min... Pardon de t'avoir interrompue, mais je suis encore sous le choc. Nous avons eu, Min et moi, d'abominables disputes. Elle a été odieuse, mais de là à songer...

— Il faut que tu tiennes bon, Anthony. Nous allons te tirer d'affaire, je te le jure.

— C'est vraiment gentil de ta part, Paula, répliqua-t-il d'une voix épuisée. Écoute, on sait maintenant l'heure de sa mort. Selon le médecin d'ici, ce serait entre dix heures et demie et minuit.

Paula sursauta. D'après les dires d'Edwina, Anthony avait raccompagné sa mère jusqu'au manoir vers dix heures moins le quart et il était rentré ensuite au château. S'était-il couché aussitôt ? Si tel était le cas, il n'avait vraisemblablement aucun alibi. Mais, de peur de l'affoler, elle ne fit aucun commentaire.

— Ta mère m'a parlé d'une autopsie...

— Oui. C'est pour demain, je crois. Le coroner ne viendra que mercredi ou jeudi. Ici, on n'est pas pressé... Et dire que tout ça, c'est à cause de cette Land-Rover ! Je me demande si la police m'a cru... quand j'ai dit qu'elle était tombée en panne.

— Es-tu sûr que personne n'a vu la voiture abandonnée là-bas en fin d'après-midi ? Un ouvrier agricole, par exemple ? Il confirmerait ta déclaration.

— J'en doute. C'est un endroit absolument désert. Et à des kilomètres de la maison. Mais il y a tout de même un fait nouveau qui est rassurant et qui pourrait écarter les soupçons. Les policiers ont interrogé tout le monde ici, les domestiques, les employés du domaine... Et Bridget, ma femme de charge, leur a dit qu'elle m'avait vu dans la maison entre dix heures et minuit.

— Pourquoi ne pas me l'avoir dit plus tôt ? Alors, tu as un alibi !

— Oui, si la police veut bien la croire.

— Et pourquoi pas ?

— Comprends-moi, Paula. Bridget est chez nous depuis son enfance et sa mère était là avant elle. Elle et moi, nous avons pratiquement grandi ensemble. Je fais des vœux pour que les policiers n'aillent pas s'imaginer qu'elle ment pour me protéger. En tout cas, elle paraît inébranlable dans ses affirmations.

— Pourquoi donc n'en as-tu pas fait état depuis le début ? demanda nerveusement Paula. Hier soir, après avoir quitté ta mère, si tu étais avec Bridget, il est sûr que...

— Mais je n'étais pas avec elle ! Je ne l'ai même pas vue. Bridget avait la migraine, hier soir. Après dîner, quand elle rangeait la cuisine, la douleur est devenue insupportable. Elle a dû monter chez elle et, en passant devant la porte ouverte de la bibliothèque, elle m'a vu en train de lire. En redescendant de sa chambre avec ses cachets, elle est allée se faire du thé dans la cuisine. Elle s'est assise une demi-heure avant de finir son rangement et de mettre le couvert dans la salle à manger pour le petit déjeuner du lendemain. En remontant se coucher, elle a jeté au passage un autre coup d'œil dans la bibliothèque, où j'étais alors occupé à vérifier les comptes du domaine. Elle n'a pas osé me déranger pour me dire bonsoir. Aujourd'hui, c'était son jour de congé et elle n'était pas au château quand la police est venue.

— Mais c'est la meilleure nouvelle de la journée !

— Je suis de ton avis. L'ennui, c'est qu'elle soit la seule à m'avoir vu au cours de ces deux heures. Les deux femmes de journée étaient déjà retournées chez elles, au village. Il n'y a donc personne pour confirmer ses dires et chacun sait ici qu'elle se jetterait au feu pour moi. La police pourrait très bien s'imaginer que je lui ai demandé de me fournir un alibi.

— N'envisageons rien de tel ! protesta Paula, de nouveau pessimiste.

— Je dois envisager le pire.

— Espérons qu'on la croira. En tout cas, quand je téléphonerai à Henry Rossiter, je vais quand même lui demander le nom d'un avocat d'assises.

— Qu'est-ce que tu racontes ? s'écria Anthony, épouvanté. Je n'ai rien à me reprocher ! Un avocat d'assises ?... Mais tout le monde va me prendre pour un assassin !

— Pas du tout, répliqua Paula d'une voix rassurante. Enfin, nous verrons ce qu'en pense Henry. Comme grand-mère, je fais confiance à son jugement. Et je t'en prie, Anthony, ne nous mets pas des bâtons dans les roues...

— Très bien, fais comme tu veux, admit-il avec réticence.

Après cette conversation, Paula resta un moment songeuse, puis elle reprit sa liste. Il restait trois personnes à prévenir : Jim, Winston et Henry Rossiter. Elle regarda sa montre. Il n'était que sept heures et demie. Elle avait encore une heure à attendre pour pouvoir joindre Henry. De son côté, Émily s'était occupée des biberons et n'avait pas encore pu appeler le Canada. Paula alla la rejoindre dans la nursery.

Elles prirent chacune un des jumeaux pour leur donner à boire. Paula résuma à sa cousine ce qu'avait dit Anthony.

— L'essentiel, conclut-elle, c'est que Bridget lui ait fourni un alibi.

Elle se tut un moment, puis reprit d'une voix calme : — Il n'est pas question qu'un des petits-fils d'Emma Harte soit accusé de meurtre.

24

— Sally, j'espère que tu comprends pourquoi nous ne t'avions pas dit la vérité au téléphone, déclara gentiment Paula.

— Oui, répliqua Sally Harte d'une voix étranglée par l'émotion. Je crois que j'aurais risqué d'avoir un accident de voiture en venant ici.

Paula regarda sa cousine avec anxiété, mais ne put s'empêcher de l'admirer. La jeune fille avait réussi à écouter sans broncher le récit des terribles événements d'Irlande. J'aurais dû savoir qu'elle serait courageuse, se dit Paula. Elle a toujours été stoïque, même enfant. Elle est comme tous les Harte. Elle a leur force de caractère.

Cependant, il fut bientôt évident qu'en dépit de sa bravoure Sally était effondrée. Sa détresse se lisait dans ses grands yeux couleur de bleuet et son doux visage était décomposé. Elle s'était raidie dans son fauteuil. On l'aurait crue paralysée. Paula se pencha pour lui prendre la main.

— Mais tu es glacée, Sally ! Je vais te servir un cognac ou du thé.

— Non, non, je ne veux rien, merci.

Sally essaya vainement de sourire, puis ses yeux s'embuèrent.

— Anthony doit être dans un état épouvantable, dit-elle en laissant les larmes couler le long de ses joues.

Paula s'agenouilla près d'elle :

— Ne t'en fais pas trop, ma pauvre chérie. Ça s'arrangera. Mais pleure un bon coup pour te soulager.

Sally ne put se retenir de sangloter, presque en silence, tandis que Paula lui caressait doucement les cheveux. Puis elle se calma un peu et se redressa en s'essuyant les yeux.

— Excuse-moi, Paula. Je l'aime tant !... Il m'est insupportable de penser a tout ce qu'il doit souffrir. Il est seul, là-bas, vraiment seul. Je suis sûre que tante Edwina ne fait que compliquer la situation en lui laissant entendre que c'est ma faute... Vois-tu, il a besoin de moi...

Paula, qui était retournée s'asseoir, sursauta en entendant ces mots, mais elle se garda de protester. Il lui sembla préférable d'attendre que Sally eût repris son sang-froid.

Emily, qui venait d'entrer, lança à Paula un regard d'avertissement et secoua la tête avec violence : pas question de laisser Sally aller là-bas !

Paula lui fit signe d'approcher et de venir s'asseoir à côté d'elle.

— Manque de chance ! lui murmura Emily d'une voix à peine audible. Ni Jim ni Winston ne sont à leur hôtel. Mais j'ai laissé des messages pour qu'ils rappellent dès leur retour.

Sally tressaillit en entendant le nom de son frère. Elle tourna la tête :

— Comme je voudrais que Winston soit là !... Je me sens... complètement... perdue.

— Moi aussi, je voudrais qu'il soit là, répliqua Emily. Mais tu n'es pas perdue. Nous sommes avec toi. Paula a été formidable, elle contrôle la situation. Essaie de ne pas t'en faire.

— Oui. Paula, je ne t'ai même pas remerciée. Toi non plus, Emily. Je vous suis très reconnaissante.

— J'ai une recommandation à te faire, dit alors Paula en voyant que Sally allait un peu mieux. Je t'en prie, ne va pas rejoindre Anthony. Je sais à quel point tu es malheureuse pour lui, mais ta présence là-bas ferait très mauvais effet.

— Je n'ai pas la moindre intention d'aller à Clonloughlin! Je connais trop bien la méchanceté des gens. Anthony m'a rapporté tous les ragots. Seulement, il faut quand même que j'aille en Irlande. Je m'installerai à Waterford ou, mieux encore, à Dublin. Il y a un avion qui part de Manchester demain matin. Comme ça, je serai un peu plus près de lui...

— Non! s'écria Paula d'un ton tranchant. Tu n'iras pas. Tu vas rester ici, même si je dois t'enfermer.

— Mais je...

— Je ne te laisserai à aucun prix aller en Irlande, un point, c'est tout.

Sally lui lança un regard hostile, puis répliqua avec entêtement : — Quel mal y a-t-il à ce que je sois à Dublin? C'est à des centaines de kilomètres de Clonloughlin. Anthony serait rassuré de me savoir en Irlande, à la pensée que nous pourrions nous retrouver dès la fin de l'enquête. Il a besoin de moi, Paula, ne le comprends-tu pas?

— Écoute-moi bien. Tu ne peux lui être d'aucun soutien. Au contraire, ta présence risque d'être catastrophique. Il est soupçonné de meurtre et l'on pensera que c'est pour toi qu'il a tué sa femme... En l'absence de grand-maman, c'est moi qui suis responsable de la famille et tu ferais mieux de comprendre que, maintenant, c'est moi qui prends les décisions. C'est pourquoi, Sally, j'insiste pour que tu restes.

Recroquevillée dans son fauteuil, Sally resta un moment abasourdie par la véhémence de sa cousine. Paula et Emily ne la quittaient pas des yeux.

— Suis le conseil de Paula, je t'en prie, dit enfin Emily.

En dépit de l'émotion qui la submergeait et du désir qu'elle avait d'être près de celui qu'elle aimait, Sally se résigna et comprit que Paula avait raison.

— Bon, je resterai, murmura-t-elle.

— Dieu merci! soupira Paula. Maintenant, veux-tu téléphoner à Anthony? Il tient absolument à te parler. Tu vas pouvoir le réconforter un peu.

— Oui, oui, tout de suite!

— Pourquoi n'irais-tu pas dans ma chambre? Tu y serais plus tranquille.

— Merci, j'y vais.

Elle se leva aussitôt, mais avant de quitter la pièce elle s'arrêta pour ajouter : — Tu es bien la personne la plus intimidante que je connaisse!

Interdite, Paula regarda ensuite Emily.

— A ta place, lui dit celle-ci, j'estimerais que c'est un compliment. Et, maintenant, je crois que, toi aussi, tu devrais téléphoner. Ne voulais-tu pas appeler Henry Rossiter ? Il est plus de huit heures et demie.

Elles s'étaient installées sur la terrasse pour profiter un peu de la tranquillité du jardin sous le ciel étoilé. Il n'y avait pas le moindre nuage. C'était la pleine lune et le disque argenté brillait au-dessus des arbres dont le feuillage bruissait dans le vent léger.

— Je ne sais comment tu te sens, mais moi, je suis épuisée, déclara soudain Emily.

Paula tourna la tête et la lumière qui venait des fenêtres du salon éclaira son visage.

— Moi aussi, je suis un peu fatiguée, admit-elle. Mais j'ai réussi à donner tous les coups de téléphone importants.

Elle prit sur la table son verre de vin blanc et en but un peu.

— Tu as eu une bonne idée, Emily ! poursuivit-elle. Nous sommes mieux ici pour attendre que Jim et Winston nous rappellent.

— Oui... Moi, je me demande si ton père a réussi à joindre Philip. Il doit être au moins neuf heures et demie.

— Presque, dit Paula en levant le poignet pour regarder sa montre. Laissons-lui le temps d'obtenir l'Australie... J'aurais bien voulu que Sally ne reparte pas aussi vite. Crois-tu qu'elle était à peu près en état de conduire ?

— Elle était encore assez abattue, mais tout de même plus calme après son coup de téléphone.

Emily trempa les lèvres dans son verre et reprit d'un ton hésitant :

— Ne trouves-tu pas que Sally a changé ?... Pas seulement ce soir, mais en général ?

— Elle a grossi.

Les doigts d'Emily se serrèrent autour de son verre.

— J'ai un affreux pressentiment, murmura-t-elle. Je peux aussi bien t'en faire part... Je crois qu'elle est enceinte.

Paula soupira. Ses pires craintes semblaient se confirmer.

— Je redoutais de te l'entendre dire, Emily. Je le crois, moi aussi.

— C'est le comble ! Nous avions bien besoin de ça. Comment se fait-il que tu ne l'aies pas remarqué le jour du vernissage ?

— Eh bien, elle portait une robe large, sans ceinture. Et puis, il y avait un monde fou, j'étais épuisée... Ce soir, pourtant, quand elle est arrivée, elle m'a paru plus lourde et plus large. Mais j'étais tellement ennuyée de ce que j'avais à lui dire que je ne l'ai pas regardée de bien près. Ce n'est qu'au moment où elle était debout devant la cheminée, avant son départ, que j'ai vraiment remarqué que sa taille s'était épaissie.

— L'oncle Randolph va être fou de rage ! Si seulement grand-maman était là...

— Je ne vais sûrement pas lui faire interrompre son voyage sans nécessité absolue. Nous devons nous débrouiller seuls. Mais quelle tuile pour cette pauvre Sally ! Je la plains de tout mon cœur et...

— Pourtant, si elle est enceinte, il n'y a plus de problème... Je veux dire : plus d'obstacle à leur mariage maintenant que...

— Emily ! s'écria Paula, horrifiée. Comment peux-tu dire une chose pareille ?

— Excuse-moi... Mais c'est la vérité.

Emily se pencha pour prendre la bouteille de vin dans le seau à glace et remplir à nouveau leurs deux verres.

— J'ai l'impression, reprit-elle, que je n'ai pas intérêt à suggérer à Winston que Sally pourrait être enceinte.

— Ne t'avise pas de lui en parler. Pour le moment, nous ne dirons rien à personne. Pas même à grand-mère. Quant aux autres, tu sais à quel point ils sont médisants. Et regardons les choses en face, Emily. Nous n'en sommes pas sûres. Peut-être s'est-elle simplement mise à grossir.

— Oui, c'est possible. Mieux vaut éviter les cancans.

Emily se tut, se renfonça dans son fauteuil et regarda le paysage nocturne. Le clair de lune argentait les feuilles des arbres et donnait au jardin tout entier une extraordinaire luminosité.

— Comme c'est paisible, comme c'est beau ! chuchota-t-elle. Je ne me lasse pas d'être ici. Il va pourtant falloir que j'aille en vitesse faire un tour à Pennistone. J'ai besoin de vêtements de rechange pour demain. Je n'en ai pas pour longtemps. J'ai téléphoné à Hilda de préparer ma valise.

— Prends donc ma voiture. Ta vieille Jaguar est bonne pour la ferraille. Je ne tiens pas à ce que tu tombes en panne en pleine nuit dans un coin perdu... En attendant, je vais monter jeter un coup d'œil aux petits, puis je préparerai le dîner.

Comme tous les dimanches soir, les rues d'Harrogate étaient pratiquement désertes. Emily ne mit que quelques minutes pour rejoindre la grand-route et prendre la direction de Pennistone.

Paula lui avait laissé le choix entre les deux voitures qui se trouvaient dans le garage. Elle avait pris l'Aston-Martin de Jim. C'était un plaisir de se servir de cette superbe mécanique après avoir roulé dans un tacot presque hors d'usage et sans doute dangereux.

Si Emily avait conservé si longtemps sa vieille voiture, c'était parce que la Jaguar avait appartenu autrefois à Winston. Il la lui avait vendue quatre ans plus tôt. Mais lorsque l'amitié qu'Emily avait pour son cousin s'était soudain transformée en amour, elle avait eu l'impression que la Jaguar constituait une espèce de lien entre eux deux. Cependant, du jour où Winston lui-même lui avait appartenu, la vieille voiture, toujours plus ou moins en panne, avait perdu à ses yeux beaucoup de sa valeur sentimentale. Maintenant, elle était bien décidée à s'en débarrasser au plus vite, sans trop savoir par quoi la remplacer. Pourquoi pas une Aston-Martin ? C'était aussi solide qu'un tank.

A propos de voiture, se dit-elle, quelle déveine pour Anthony que cette histoire de Land-Rover ! Sans cette panne, il serait lavé de tout soupçon. Puis elle songea avec remords au sort de Min. La malheureuse... mourir ainsi ! Il n'y avait sûrement rien de pire que la noyade.

Elle frissonna en imaginant le drame, l'eau noire et glacée dans laquelle la jeune femme avait dû se débattre. Emily avait hérité de sa grand-mère une peur irraisonnée de l'eau. Comme Emma, elle nageait assez mal et évitait toujours de monter dans une quelconque embarcation. Elle redoutait la mer, les fleuves, les lacs et même la plus inoffensive des piscines.

Pour chasser de son esprit ces images funèbres, elle alluma la radio, puis l'éteignit presque aussitôt avec agacement. Elle ralentit en approchant de Ripley, traversa lentement le pays, puis reprit de la vitesse à la sortie. Soudain, une pensée si pénible lui traversa l'esprit qu'elle fit une embardée. Elle redressa rapidement le volant et concentra son attention sur la route.

Elle se demandait ce qu'avait bien pu faire Min, la veille, près du lac, pendant les cinq heures qui avaient précédé sa noyade... Et la seule supposition plausible, c'était qu'elle n'était venue que le soir, tard. Mais cela voulait dire qu'Anthony mentait. Cependant, s'il était pour quelque chose dans la mort de sa femme, pourquoi aurait-il laissé sa voiture là-bas ?

Allons, de la logique, se dit-elle. D'abord, supposons qu'il ait menti et revoyons dans ce cas les événements :

Anthony dîne avec Edwina. Il la ramène à son manoir et retourne au château de Clonloughlin vers dix heures. Min fait son apparition peu après. Ils se disputent. Il sort de chez lui, saute dans la Land-Rover et s'en va. Min le suit et l'aborde près du lac. Ils se disputent à nouveau et elle redevient violente. Il se défend. Ils se battent. Il la tue accidentellement. Il jette son corps dans le lac pour faire croire à une noyade. Mais la Land-Rover refuse de démarrer ou bien elle tombe en panne. Il est obligé de rentrer à pied.

Oui, songea-t-elle, c'est peut-être ce qui s'est passé. Mais pourquoi n'est-il pas ensuite retourné chercher la voiture pour la remorquer ? Il était absurde de la laisser sur place.

Elle continua son raisonnement jusqu'à sa conclusion logique :

Anthony comprend soudain qu'il pourrait se faire remarquer en ramenant la Land-Rover à cette heure de la nuit. Il décide de ne le faire qu'à l'aube, le lendemain. Malheureusement, le régisseur est dans les parages avant lui. Anthony s'entend alors avec sa mère pour prétendre que Min est arrivée dans l'après-midi et que la Land-Rover est tombée en panne à ce moment-là. Avec beaucoup d'habileté, il se dit que tout le monde va en déduire que seul un innocent pouvait laisser sa voiture près du lac. D'autre part, il se trouve qu'Anthony a un alibi de dix heures à minuit. Son intendante l'a vu. Mais peut-on se fier à Bridget ?

Alors, Anthony aurait-il menti sur toute la ligne ?

En traversant le village de Pennistone et en entrant dans le parc de la propriété, Emily se fit la réflextion qu'il aurait fallu un homme aux nerfs d'acier pour jouer ce genre de comédie. Était-ce le cas d'Anthony ? Non.

Mais qu'en sais-tu, Emily Barkstone ? Il y a quelques heures à peine, tu disais à Paula que personne ne le connaissait vraiment bien dans la famille.

Très effrayée des conclusions auxquelles elle était parvenue, Emily sortit de sa voiture et entra dans la maison.

Hilda, la gouvernante de sa grand-mère, l'accueillit dans le hall avec un large sourire : — Ah, c'est vous, Mademoiselle Emily !... Vous n'avez pas l'air d'aller bien. Venez donc à la cuisine prendre une tasse de thé.

— Merci, Hilda, mais il faut que je retourne immédiatement chez Mademoiselle Paula. Je vais bien, rassurez-vous. Je ne suis que fatiguée.

— Vos affaires sont prêtes, reprit Hilda en montrant une valise derrière l'un des lourds fauteuils Tudor. Quelle triste nouvelle ! J'en suis encore toute retournée. J'ai été obligée de prendre une goutte de cognac après votre coup de téléphone pour me remettre. Pauvre Monsieur le Comte ! C'est un drame pour lui... Est-ce que Madame le sait déjà ?

— Non, Hilda. Monsieur David essaie de joindre Monsieur Philip en Australie. Mais ne craignez rien. Grand-mère saura réagir.

— Là-dessus, je n'ai aucun doute. Mais ça me semble injuste. Pour une fois qu'elle peut prendre des vacances ! La vie de votre pauvre grand-mère a été bien difficile. On pouvait espérer qu'elle pourrait se reposer un peu.

— Eh bien, Hilda, nous veillerons à ce qu'on la laisse en paix !

Avant de sortir, Emily parcourut du regard le beau décor rassurant du hall. Elle y sentait si fort la présence d'Emma que les larmes lui vinrent aux yeux. Elle repensa à Anthony et se dit que sa grand-mère, qui pourtant ne s'en laissait jamais conter, avait toujours fait confiance au jeune homme, non pas parce qu'il était son petit-fils, mais parce qu'il avait du caractère et de la droiture.

Se tournant vers Hilda, elle lui sourit et lui déclara d'une voix raffermie :

— Ne vous inquiétez pas. Grand-mère est philosophe... Et merci, Hilda, d'avoir pris la peine de faire ma valise.

— Ça ne m'a pas dérangée, Mademoiselle. Au revoir. Surtout, ne conduisez pas trop vite.

Quelques secondes plus tard, Emily reprenait la route. Pendant le trajet de retour, elle s'efforça de conserver l'optimisme qu'elle avait retrouvé à Pennistone : Anthony ne pouvait pas être coupable et la mort de Min était sans doute purement accidentelle.

Ce fut dans ces dispositions d'esprit qu'elle rentra la voiture dans le garage de Long Meadow. L'aller et retour lui avait pris plus d'une heure et elle se sentait affamée. Elle mourait d'envie de s'attabler devant un dîner réconfortant.

Mais, en ouvrant la porte de la cuisine, elle vit tout de suite que quelque chose n'allait pas. La viande et les légumes, sortis du réfrigérateur, étaient abandonnés sur la table, les placards étaient grands ouverts et Paula, l'air effondré, était assise sur une chaise.

— Qu'est-il arrivé ? On t'a appelée de Clonloughlin ? Ils l'ont arrêté ?

— Non, non. Je n'ai aucune nouvelle de là-bas.

— Alors, qu'y a-t-il ?

Paula se contenta de soupirer et Emily vit qu'elle avait pleuré.

— Je t'en prie, réponds-moi, reprit-elle avec douceur.

— Je viens d'avoir une affreuse dispute avec Jim au téléphone. Il a été si odieux que j'en suis malade.

— Mais pourquoi ?

— A cause de Sam Fellowes, qui n'a pas tenu compte de mes ordres et lui a laissé trois messages urgents à l'hôtel. Jim l'a rappelé. Fellowes lui a appris le drame et s'est plaint de mon autoritarisme, de ma brutalité et de mes prétendues menaces. Jim, furieux, m'a fait tout un cirque, parce qu'il avait passé vingt minutes au téléphone à convaincre Fellowes de ne pas donner sa démission.

— C'est incroyable ! Et Jim ne s'est pas excusé quand il a su pourquoi il ne fallait pas ébruiter l'histoire ?

— Il s'est un peu calmé, c'est tout. Sa seule préoccupation, c'est de trouver un avion demain pour l'Irlande. Il a l'intention d'aller réconforter Anthony et tante Edwina.

— Alors, il le fera ! dit Emily avec une grimace. Mais qu'est-ce qui ne va pas chez Jim ? A-t-il oublié que grand-maman interdit de parler de la famille dans ses journaux ?

— Non, mais il prétend qu'il s'agit d'un cas d'exception. Que si toute la presse est au courant de la mort de Min, nous devons faire une notice nécrologique... Et que je m'y suis très mal prise avec Fellowes.

— Que voulait-il donc que tu fasses ?

— Que je lui dise de ne rien publier dans les premières éditions, mais de préparer un papier et de le garder en réserve en attendant d'avoir joint Winston ou lui. Car, pour Jim, c'est à eux seuls, tous deux, d'en décider.

— C'est un comble ! Ne sait-il pas que grand-maman t'a délégué tous ses pouvoirs en son absence ?

— Je n'avais pas jugé nécessaire de le lui dire avant son départ. J'avais peur de le vexer. Il aurait aussi fallu que je lui apprenne que c'était moi, avec Winston et Alexandre, et non lui, qui serais chargée de gérer ce que grand-mère laisse à nos enfants. Comment lui dire une chose pareille ?

— Tu aurais dû essayer !... A ton avis, Jim va bien revenir de toute urgence, n'est-ce pas ?

— Je n'en suis pas sûre. Il voulait prendre l'avis de Winston et il n'avait pas encore réussi à le joindre à Vancouver.

— Tu veux dire qu'il a téléphoné à tout le monde avant de nous appeler ?

Paula acquiesça. Les deux cousines se regardèrent avec perplexité. Emma leur avait toujours dit que la première règle à observer en cas de problème grave, c'était de consulter au moins un autre membre de la famille avant de prendre une quelconque décision et d'observer la plus grande discrétion vis-à-vis du monde extérieur.

— Il a dû croire, reprit Paula d'une voix hésitante, qu'il y avait un véritable drame au journal.

— Voyons !... Bien que ce ne soit pas grand-maman qui ait fait son éducation, il connaît parfaitement ses ordres. S'il nous avait appelées en premier, il aurait su à quoi s'en tenir et vous vous seriez épargné une dispute.

— Sans doute... Oh, excuse-moi, j'aurais dû te le dire tout de suite... Winston t'a téléphoné.

— Quand ?

— Juste après la communication avec Jim.

— Dis-moi tout, absolument tout, mot pour mot !

Paula lui jeta un regard plein d'indulgence.

— Eh bien, il avait déjeuné avec le P.-D.G. de l'usine de papeterie et, quand il est revenu à son hôtel à la fin de l'après-midi — tenons compte du décalage horaire —, il a trouvé un tas de messages. De Sam Fellowes, naturellement. Et aussi de Sally, de Jim et de toi. Puisque tu lui avais laissé mon numéro, il a d'abord appelé ici. Lui, il n'a pas oublié la règle d'or de grand-maman. Quand je lui ai appris la mort de Min, il a été bouleversé en songeant à sa sœur. Mais il a été un peu rassuré en sachant que nous avions enjoint à Sally de ne pas bouger. Il trouve que, pour le reste aussi, nous avons pris les bonnes décisions. Il a paru content que tu passes la nuit ici.

— A-t-il l'intention de rentrer plus tôt que prévu ?

— Non, sauf si la situation empire. Il m'a dit que, puisque nous avions été sous les ordres du même général, il me faisait confiance pour continuer le combat de mon côté.

— Tu lui as parlé de ta dispute avec Jim ?

— Oui, mais sans insister. Je ne veux pas en faire une montagne. Tu sais, j'ai peur que Winston n'en veuille un peu à Jim. Il a traité Fellowes d'imbécile et il m'a avoué qu'il ne pouvait plus le supporter depuis un certain temps. De toute façon, il va en discuter avec Jim et lui conseiller de rester au Canada, bien qu'il ne puisse pas l'empêcher de partir demain pour Dublin... Tu peux le rappeler quand tu voudras à partir de minuit. Il ne sort pas ce soir. Il va téléphoner à Sally et à Jim. Et sans doute passer un savon à Fellowes.

— Bon, je l'appellerai tout à l'heure, dit Emily en se débarrassant de son cardigan pour le poser sur le dossier d'une chaise. A part ça, as-tu des nouvelles de ton père ? A-t-il pu joindre Philip ?

— Oui, il y a une heure environ. Tu venais de partir. A Dunoon, c'était l'heure du petit déjeuner et grand-maman était levée, en train de boire son thé. Maintenant, elle sait tout. Papa l'a mise au courant. On ne devrait pas tarder à l'avoir au bout du fil. Qu'est-ce que tu paries ?

— Tout ce que je possède ! répondit Emily en riant. Elle va vouloir nous poser quelques petites questions bien perfides.

— Vilaine fille !

— Bah, tu sais aussi bien que moi qu'Emma Harte a l'habitude de mettre ses petits-enfants à l'épreuve pour voir s'ils sont toujours sains d'esprit.

25

— Papa, je commence à craindre que Jim et moi ne soyons plus jamais d'accord.

Dans son salon de Regent Street, David Amory reposa vivement la bouteille qu'il tenait et se retourna, frappé par le ton excédé de sa fille.

— Que veux-tu dire, ma chérie ?

— Nous ne voyons pas les choses de la même façon. C'est sans doute normal, mais Jim ne veut jamais admettre qu'il peut avoir tort et il m'accuse continuellement de tout régenter.

Sans répliquer, David jeta à sa fille un coup d'œil narquois, puis se retourna vers la console pour préparer deux verres. Il revint s'asseoir en face d'elle, lui tendit sa vodka et trempa les lèvres dans son verre de scotch.

— Il trouve que tu réagis trop vivement à cette affaire d'Irlande, n'est-ce pas ?

— J'ai fait ce que je devais faire.

— Bravo. J'ai toujours admiré ton intrépidité et ta détermination. Tu es l'une des rares femmes que je connaisse qui ne se conduise pas comme une girouette. Si tu crois avoir raison, ne te laisse pas intimider. On ne peut plaire à tout le monde et à soi-même.

— Je le sais, mais j'ai assez de bon sens pour reconnaître mes torts quand j'en ai. Seulement, dans les circonstances présentes, je suis sûre d'avoir eu raison en essayant de parer à toute éventualité. Évidemment, jusqu'ici, la presse a été discrète, tant en Irlande qu'en Angleterre. Ça ne veut quand même pas dire que nous soyons tirés d'affaire.

— Il faut attendre le résultat de l'autopsie et les conclusions de l'enquête... Aujourd'hui, je n'ai pas beaucoup apprécié le ton de certains journaux qui parlaient du « mystère » entourant la mort de Min. Mais, dieu merci ! ils ne citaient pas le nom d'Anthony ! Il va nous falloir de la patience, c'est tout... Pour en revenir à Jim, j'estime sans vouloir être méchant que c'est lui qui veut tout régenter. Il n'a rien à faire en Irlande. Ta mère se débrouille très bien là-bas.

— Oui. Je suis fière d'elle.

— Quant à toi, tu as fait exactement ce que ta grand-mère aurait fait. Depuis vingt-sept ans que je connais Emma, je l'ai toujours vue agir avec prudence. Pour elle, mieux vaut prévenir que guérir. Même si Jim n'est pas d'accord, tu sais que grand-maman, Henry et moi nous approuvons tout ce que tu as fait depuis vingt-quatre heures.

— Oui. Grand-maman m'a rappelée avant que je quitte Leeds cet après-midi pour me redire sa confiance.

— C'est pourquoi elle n'a pas l'intention d'écourter son voyage. Mais, je t'en prie, Paula, essaie de ne pas être aussi nerveuse. Ne t'en fais pas trop pour l'attitude de Jim. Je sais que tu voudrais son approbation, mais tu devrais te résigner à ne pas l'avoir et...

Il s'arrêta, gêné de ce qu'il venait de dire. Jim le décevait depuis un certain temps, mais il n'avait jamais encore osé le montrer à Paula.

— Voulez-vous dire qu'il ne comprend pas ma façon d'agir actuelle ou qu'il ne me comprend pas du tout ?

Il y eut un silence embarrassé.

Paula regarda son père, mais David resta impassible. Il était convaincu que Jim ignorait tout du caractère de Paula et de ses idéaux. Pourtant, de deux maux, il décida de choisir le moindre.

— Il ne comprend pas ta façon d'agir, dit-il enfin.

— Je m'en suis déjà rendu compte. Il est très naïf et c'est assez surprenant pour un journaliste. Son jugement n'est pas sûr. Il me donne souvent l'impression de voir la vie comme un conte de fées... Mais je commence à croire, je l'avoue, qu'il ne me comprend pas du tout.

— Écoute, Paula, répliqua David, assez inquiet de la détresse qu'il percevait chez sa fille. Ce ne sont peut-être pas mes affaires, mais ton mariage serait-il en péril ?

— Non, je ne crois pas. Bien que nous soyons très différents l'un de l'autre, j'aime Jim, papa.

— Il t'aime, lui aussi. Mais l'amour ne suffit pas toujours. Dans la vie commune, il faut de la compréhension mutuelle.

Elle l'admit avec un faible sourire. Elle avait envie d'en dire plus, mais elle n'en eut pas le courage.

— Oh, ça s'arrangera, j'en suis sûre ! Nous tenons vraiment l'un à l'autre. Je vous en prie, ne vous inquiétez pas. Et, surtout, n'en parlez pas à maman.

— Je te le promets. Sache seulement que tu peux toujours te confier à moi. J'estime que c'est ton bonheur qui compte avant tout et il en est de même pour ta mère. Néanmoins, tu as raison de ne rien lui dire. Elle est persuadée qu'il n'y a jamais eu le moindre nuage entre Jim et toi.

— Vous vous êtes toujours bien entendues, maman et vous, n'est-ce pas ?

— Oui, très bien, mais ça ne veut pas dire que nous n'ayons pas eu quelques différends. C'est une chance que tu ne te sois jamais aperçue de nos brouilles. Car nous avons eu des problèmes, ma chère enfant, comme tout le monde ou presque. Et nous les avons résolus.

— Des problèmes ? s'écria Paula, ahurie. Des problèmes vraiment graves ?

— Oh ! avec le temps, ils ne nous paraissent plus si graves que ça ! Mais ils nous ont parfois semblé irrémédiables. Vous aussi, vous surmonterez sans doute vos difficultés et vos épreuves ne feront que consolider votre union. Pourtant, si ça s'aggrave, n'oublie pas que tu es jeune et que tu peux refaire ta vie. Ne restez surtout pas ensemble sous prétexte que vous avez des enfants. Non seulement vous seriez malheureux, mais encore vous les rendriez malheureux. Inutile de jouer aux martyrs !

Il s'arrêta, craignant d'en avoir trop dit, mais se rassura en pensant que Paula n'était pas influençable. Elle avait toujours mené sa vie comme elle l'entendait et elle continuerait à le faire.

— Merci, papa, d'être si compréhensif et de ne pas m'avoir fait la morale !... Et maintenant, puisque vous avez fini votre verre, si nous allions dîner ?

— Tu as raison. Il faut même que nous nous dépêchions. J'ai retenu une table pour huit heures et demie chez « Ziegi ».

Dans le vestibule, David aida sa fille à mettre son manteau et se pencha pour l'embrasser sur la tempe. Elle pivota sur ses talons et lui posa en retour un baiser sur la joue.

— Vous êtes vraiment épatant, papa !

Quinze minutes plus tard, ils étaient à Mayfair, installés au premier étage du célèbre club. Sans tenir compte du manque d'appétit de Paula, David commanda des huîtres de Colchester, deux filets de bœuf sauce chasseur et deux purées de légumes, puis il choisit en accompagnement un Mouton-Rothschild et insista pour boire avec elle une demi-bouteille de champagne en attendant qu'on servît leur dîner.

D'un accord tacite, ils ne firent ni l'un ni l'autre allusion à l'Irlande. Pendant un moment, ils parlèrent affaires et David laissa Paula mener la conversation à sa guise. Heureux de l'écouter, il se laissa charmer par son humour et par la finesse de ses réflexions. Paula l'avait toujours un peu intrigué. Quand elle était petite, il avait parfois eu l'impression qu'elle était l'enfant de sa grand-mère avant d'être la sienne et celle de Daisy. Il en avait vaguement voulu à Emma de la modeler à son image. Mais, quand Paula avait eu une dizaine d'années, il s'était aperçu que la petite fille partageait également son affection entre son aïeule, son père et sa mère, avec une sagesse et un esprit de justice vraiment surprenants chez quelqu'un d'aussi jeune. Aussi avait-il pris à la légère les perfidies de certains membres de la famille qui accusaient Emma d'avoir fait subir à l'enfant un lavage de cerveau pour en faire une parfaite réplique d'elle-même. Il avait compris, lui, que sa fille avait trop de jugement et de caractère pour accepter d'être endoctrinée sans se rebeller. En fait, la vérité était bien plus simple : Paula ressemblait à Emma, elles avaient le même caractère. Des nombreuses qualités qu'elles avaient en commun, celle qui impressionnait le plus David, c'était leur détermination.

Il avait parfois du mal à se rappeler que Paula n'avait pas encore vingt-cinq ans, tant elle montrait de maturité sur le plan des affaires. Il admirait aussi son allure et son raffinement. Elle n'était pas vraiment belle au sens où on l'entend d'ordinaire. Son visage était un peu trop anguleux, son front trop large et sa mâchoire trop volontaire. Mais elle était éclatante de vie, elle avait un teint éblouissant et ce qui frappait surtout, c'était sa grande élégance naturelle.

Rien d'étonnant, se dit-il en la regardant, à ce qu'elle soit, ce soir encore, la cible de tous les regards ! Il se demanda avec amusement si les admirateurs qui se tournaient discrètement vers elle depuis une demi-heure ne la prenaient pas pour sa jeune maîtresse.

— Qu'est-ce qui vous fait sourire, papa? demanda soudain Paula en s'interrompant.

— L'air envieux des messieurs. Ils te prennent pour ma petite amie.

Elle haussa les épaules en riant, puis examina son père avec objectivité. A cinquante et un ans, c'était encore un homme très séduisant. Son beau visage aux yeux clairs respirait la force et l'équilibre et si sa souple chevelure brune grisonnait un peu aux tempes, cela ne le vieillissait pas. C'était aussi un grand sportif qui skiait en hiver et qui, l'été, jouait au tennis. Enfin, très soucieux de son apparence, il était toujours remarquablement habillé.

— Je suis fier de toi, ce soir, reprit-il. Cette robe te va à ravir. Tu portes le noir beaucoup mieux que la plupart des femmes. C'est un peu austère, mais...

— Vous aimez ma robe ou vous ne l'aimez pas?

— Elle me plaît.

Il regarda avec attention le collier doré de style égyptien qui entourait son long cou et la faisait ressembler à Néfertiti.

— Je ne te connaissais pas ce bijou. Il est superbe. C'est un cadeau de Jim?

— Ne le dites à personne, mais c'est du toc! répondit Paula avec humour. Il vient des Magasins HARTE, je crois que ce n'est même pas du laiton et que la dorure ne tiendra pas longtemps. Mais j'ai trouvé qu'il allait à merveille avec ma robe.

David se promit aussitôt d'en faire faire une réplique en or qu'il donnerait à sa fille pour Noël.

Au milieu du dîner, Paula changea brusquement de sujet de conversation. Laissant de côté les affaires, elle exposa à son père ses derniers projets. David l'écouta avec intérêt. Elle avait décidément le sens de ce qui plaisait au public. Comme toutes les bonnes idées, celle que lui proposait Paula était d'une remarquable simplicité. Il s'étonna que personne n'y eût encore pensé.

— Vous me regardez d'une drôle de façon, papa. Vous croyez que ça ne marchera pas?

— Au contraire. Continue.

Elle reprit son exposé.

— Mais il faudrait, conclut-elle, que ce soit une boutique totalement indépendante à l'intérieur du magasin.

— Tu as besoin d'un étage entier?

— Pas forcément. La moitié suffirait. Il pourrait y avoir trois salons séparés. Un pour les tailleurs, les chemisiers et les corsages. Un autre pour les manteaux et les robes. Le troisième pour les chaussures de ville, les bottes et les sacs à main. Bien entendu, il est indispensable qu'ils communiquent pour permettre aux acheteuses non seulement de gagner du temps, mais encore de coordonner leurs achats. Avec une bonne campagne de publicité et une sélection astucieuse d'articles en promotion, nous devrions remporter un grand succès.

— Je suis de ton avis.

— Alors, j'ai votre bénédiction ?

— Bien sûr ! Comme si tu en avais besoin. La chaîne des Magasins HARTE est à toi, Paula.

— Oui, mais puisque vous présidez le conseil d'administration, vous restez mon patron.

— Tu tiens toujours à avoir le dernier mot, n'est-ce pas ?

Comme Emma, songea-t-il.

— Je suis désolée d'être en retard, déclara Paula en regagnant, le mercredi après-midi à trois heures moins cinq, son bureau de Knightsbridge.

— Comment s'est passé votre rendez-vous avec Henry Rossiter ? lui demanda Gaye.

— Sans problème. Nous avons fait le point sur les différents secteurs, puis nous avons parlé quelques minutes de cette triste histoire irlandaise. A propos, y a-t-il d'autres nouvelles de là-bas ?

— Oui. Votre mère a appelé. Elle voulait vous prévenir que l'enquête serait finie demain et qu'elle comptait rentrer à Londres par le premier avion.

— Tant mieux ! Nous allons pouvoir respirer. Du moins, je l'espère.

— Sans nouvel élément d'information, ce ne sera sûrement qu'une audience de routine.

— Puissiez-vous dire vrai !... Mais qu'y a-t-il, Gaye ? Vous avez l'air d'avoir des ennuis. S'est-il passé quelque chose à l'heure du déjeuner ?

— En effet. Désolée d'avoir à vous le dire, Paula, mais nous avons de gros problèmes.

— Eh bien, c'est la semaine ! Allez-y.

— D'abord, Dale Stevens vous a appelée il y a vingt minutes. Pas du Texas, mais de New York. Il ne semblait pas dans son état normal.

— A-t-il dit ce qu'il me voulait ?

— Il m'a seulement demandé la date de votre prochain passage à New York. Je lui ai répondu « Pas avant novembre » et il a paru très contrarié. Il a lâché un gros mot et il a repris : « Vous êtes sûre qu'elle ne viendra pas plus tôt ? » J'ai dit que non, à moins d'une urgence. Et puis j'ai essayé de lui tirer les vers du nez, mais ça n'a pas marché.

— Il vaut mieux que je le rappelle tout de suite.

— Pas maintenant. Il avait un rendez-vous à l'extérieur et il ne sera de retour qu'à six heures.

— Il n'a vraiment rien dit d'autre ?

— Non, il est resté très mystérieux. Je vois que vous craignez le pire à la *Sitex* et je suis comme vous.

— Bon, attendons six heures !... Quoi encore ?

— Winston a téléphoné de Vancouver. Lui aussi était dans tous ses états. Il a des difficultés inattendues avec la papeterie canadienne. Les négociations sont dans l'impasse. Si les pourparlers n'ont pas repris dans vingt-quatre heures, il compte rentrer à New York vendredi. Inutile de le rappeler. Il vous téléphonera. Mais il est assez pessimiste. Pour lui, l'affaire est très compromise.

— Quelle tuile ! Continuez, Gaye.

— Sally Harte a disparu, murmura Gaye, désemparée.

— La folle ! La pauvre petite imbécile ! Je lui avais pourtant dit de ne pas aller en Irlande. Qui a appelé ? L'oncle Randolph ?

— Non, Emily. Mais elle l'avait su par votre oncle deux heures plus tôt alors qu'elle partait pour Londres où elle a une réunion demain. Votre oncle était furieux et elle a fait son possible pour le calmer. Elle prétend que Vivienne doit savoir où s'est réfugiée sa sœur et elle vous suggère d'essayer de la faire parler.

— Emily est bien bonne ! Pourquoi ne l'a-t-elle pas fait elle-même ?

— C'est ce que je lui ai demandé, mais elle m'a répliqué : « Rappelez donc à Paula qu'elle est plus intimidante que moi ! »

— Je vois, dit Paula, vexée. Eh bien, je m'occuperai de Vivienne plus tard. Où que soit Sally, je ne peux pas la faire revenir de force... Qu'avez-vous d'autre à m'apprendre ?

— John Cross a téléphoné. Il est à Londres, lui aussi, et vous demande un rendez-vous. Pour demain matin, si possible.

— Ah ! se contenta de dire Paula.

Elle n'était pourtant pas très surprise, car cela faisait des semaines qu'elle s'attendait à avoir des nouvelles d'*Aire Communications*.

— Cross a laissé un numéro, Paula. Que voulez-vous faire ?

— A vrai dire, je n'en sais rien. Je ne vois pas trop l'utilité de recevoir ce monsieur. Je n'ai rien à lui dire. Enfin, on verra ça tout à l'heure.

— Votre cousine Sarah est rentrée de La Barbade. Elle va passer ici à quatre heures et elle insiste pour vous voir.

— Elle est revenue bien vite ! Je ferais mieux de savoir ce qu'elle me veut. Ce ne sera sûrement pas long. C'est tout, Gaye ?

— Ça ne vous suffit pas ?

— Ma chère Gaye, répliqua Paula en riant malgré tout, j'ai l'impression que ça ne vous amuse guère d'être devenue mon bras droit. Auriez-vous envie de retourner à vos travaux de secrétariat ? Je suis prête à tous les sacrifices pour vous faire plaisir.

Gaye eut la bonne grâce de rire à son tour et s'excusa d'avoir l'air si lugubre.

Le téléphone sonna. Paula fit la grimace et ce fut Gaye qui répondit à sa place.

— Bureau de Mme Fairley. Oui, elle est ici, dit-elle en tendant le récepteur à Paula. Vous pouvez le prendre. Ce n'est qu'Alexandre.

Discrètement, elle quitta la pièce.

— Alors, tu as repris le collier ? demanda Paula à son cousin.

— Oui, c'est plutôt dur après deux semaines de soleil et de farniente dans le Midi. Mais mon retour m'a tout de même permis de me débarrasser de ma mère !... Dis donc, peux-tu dîner avec moi ce soir ? Je voudrais te parler.

— Rien de grave ?

— Pas vraiment, mais c'est important.

— Pourquoi ne pas m'en parler maintenant ?

— C'est trop compliqué et puis j'ai une réunion dans quelques minutes. Puisque nous sommes tous les deux seuls à Londres, pourquoi ne pas aller au *White Elephant* ?

— Ça me changerait les idées, mais pas avant neuf heures. J'ai un travail fou.

— Entendu pour neuf heures. J'irai te chercher à Belgrave Square après huit heures et demie. Ça te va ?

— Parfait. Écoute, Sandy, réserve donc une table pour trois ! Ta sœur est en route pour la capitale et, tu la connais, elle va vouloir venir.

Paula s'approcha ensuite du foyer. Le temps s'était rafraîchi depuis peu et comme toujours, dès les premiers jours d'automne, on avait fait du feu dans la cheminée du bureau.

Paula repensa à Dale Stevens. Depuis qu'elle représentait sa grand-mère à la *Sitex,* Dale était fréquemment en contact avec elle. Emma, avec ses quarante-deux pour cent, était la principale actionnaire et elle avait toujours été membre du conseil d'administration de la compagnie pétrolière. Cependant, d'après Gaye, il ne pouvait s'agir cette fois d'un contact de routine et le coup de téléphone ne présageait rien de bon. Dale avait sûrement de nouveaux ennuis avec Marriott et ses suppôts. Marriott, ancien associé de Paul McGill, avait toujours été difficile à vivre. En janvier 1968, Emma l'avait fait nommer président du conseil d'administration pour pouvoir donner son poste de directeur à Dale Stevens. Mais la clique de Marriott continuait à en vouloir au protégé d'Emma.

— Si seulement je pouvais le joindre avant six heures ! murmura Paula.

Elle regarda sa montre. Il n'était que trois heures et demie. Cela lui laissait le temps de signer le courrier et d'appeler Vivienne avant que Sarah fît son apparition.

Elle retourna à son bureau, compulsa son agenda et décida de remettre à plus tard certaines questions compliquées restées en suspens. Après avoir signé le courrier du matin, elle demanda la communication avec Allington Hall.

— C'est toi, Vivienne ? Comment vas-tu ?

— Salut, Paula ! Très bien. Et toi ?

— Moi, je suis inquiète. Je viens d'apprendre que...

— Si tu appelles pour me parler de Sally, je ne te dirai rien. Je l'ai juré. Si papa lui-même n'est pas arrivé à me faire parler, tu n'as aucune chance.

— Allons, Vivienne ! Je suis sûre que Sally ne t'en voudrait pas de te confier à moi.

— Oh si ! Elle ne veut pas qu'on sache où elle est. Pas plus toi que les autres. Ne me mets pas dans une situation impossible.

— Mais je ne dirai rien à ton père, ni même à Winston quand il m'appellera tout à l'heure. Tu sais que je ne manque jamais à ma parole.

— Non, je n'en sais rien. Mais je sais, moi, que je tiendrai la mienne. Ma sœur est comme un oiseau tombé du nid. Elle est épuisée, elle a besoin d'avoir la paix. Papa n'a pas cessé de la tourmenter depuis dimanche soir.

— J'en suis navrée... Si tu ne veux pas me dire où elle est, dis-moi au moins où elle n'est pas.

— Que veux-tu dire?

— Tout ce que je te demande, c'est de répondre à mes questions par non.

— Tu essaies de me faire tomber dans un piège, répliqua Vivienne avec amertume. Si je me tais en entendant tel ou tel nom de lieu, tu sauras où elle est. Me crois-tu folle ou idiote?

— J'ai besoin de savoir où ta sœur se cache! s'écria Paula, exaspérée. Pour un tas de raisons que je ne tiens pas à te donner.

— Ne me parle pas comme à une gamine. J'ai dix-neuf ans.

— Ne nous disputons pas. Je vais quand même te dire quelque chose : si Sally est partie pour l'Irlande, elle est encore plus cinglée que je ne le croyais. Non seulement elle se met dans le pétrin, mais encore elle y met Anthony.

— Sally n'est pas du tout cinglée! Elle n'est pas assez bête pour aller en Irlande...

La petite se tut brusquement.

J'ai gagné, songea Paula avec un petit sourire.

— Si par hasard Sally te téléphone, répliqua-t-elle à Vivienne, dis-lui que je dîne ce soir au *White Elephant,* avec Alexandre et Emily. Juste au cas où elle voudrait nous voir.

— Il faut que je te quitte, Paula. Papa a besoin de moi. Au revoir.

— Dis à Sally de me faire signe si elle a besoin d'aide. Au revoir, ma petite Vivienne.

Ainsi, Sally n'était pas en Irlande et, vraisemblablement, elle n'était pas à Londres non plus. Alors, où?... Vivienne avait parlé de sa sœur comme d'un oiseau «tombé du nid». N'était-ce qu'une façon de parler? Ou bien une association d'idées inconsciente? Les oiseaux tombés du nid n'avaient d'autre désir que d'y retourner... Et leur nid à tous, c'était Heron's Nest, évidemment! Sally adorait Scarborough et beaucoup de ses tableaux représentaient les lieux de son enfance. Moi, se dit Paula, c'est là que je serais allée me cacher. C'est accessible et confortable. Le garde-manger est toujours plein et la vieille Mme Boniface a les clés.

Elle décrocha le téléphone pour appeler Heron's Nest, puis se ravisa. Mieux valait laisser Sally en paix pour le moment. Peu importait l'endroit où elle se trouvait puisque ce n'était pas l'Irlande.

— Paula?

— Oui, Gaye?

— Sarah est là.

— Faites-la entrer, s'il vous plaît.

Sarah entra bientôt d'un pas décidé. Elle arborait un tailleur de gabardine si bien coupé qu'il la faisait paraître presque mince. La couleur vert bouteille contrastait agréablement avec les luxuriantes boucles rousses qui encadraient son visage pâle constellé d'éphélides et en atténuaient un peu la rondeur.

— Bonjour, Paula. Tu as l'air en forme. Tu as encore maigri. Je ne sais comment tu fais... Moi, je n'arrive pas à perdre un gramme.

— Sois la bienvenue ! répondit Paula en souriant. Viens t'asseoir devant la cheminée. Veux-tu une tasse de thé ?

— Non, merci.

Sarah pivota sur ses hauts talons et alla s'installer sur le canapé. Elle croisa les jambes, tira sur sa jupe et regarda avec admiration la robe violette que portait sa cousine. C'était un chef-d'œuvre d'élégance et de simplicité, créé par Saint-Laurent pour les Magasins HARTE.

— Paula, j'ai appris par Jonathan que nos Irlandais s'étaient mis dans une situation impossible. Je m'étonne que grand-mère ne soit pas encore arrivée !

— Ce n'est pas gentil pour Anthony, ce que tu dis. La mort de Min est un accident. Pourquoi grand-mère rentrerait-elle ? Toute l'affaire sera réglée demain.

— Espérons que tu ne te trompes pas !

— Parle-moi donc plutôt de l'inauguration du nouvel hôtel et de notre première boutique.

Sarah n'ouvrit pas la bouche.

— Eh bien ? reprit Paula. Je suis impatiente de savoir ce qui s'est passé.

— Tout a bien marché, dit enfin la jeune fille. Mais c'était normal ! Je m'étais donné tant de mal depuis des mois ! Du reste, je suis à bout de forces. Les articles que j'avais choisis étaient parfaits et tout le monde s'est jeté dessus. On a trouvé les couleurs merveilleuses, les tissus admirables, les modèles sensationnels... La boutique était pleine à craquer.

— J'en suis ravie, déclara Paula, un peu choquée par ces déclarations prétentieuses. Comment va Miranda ?

— Très bien, je suppose. Je ne l'ai pas beaucoup vue. Les O'Neill avaient invité une foule de célébrités à l'inauguration de l'hôtel et elle était trop occupée à faire la cour aux grands de ce monde pour s'apercevoir de mon existence.

Paula tiqua imperceptiblement.

— Shane est-il venu de New York ?

— Oui.

— Et alors ?

— Alors quoi ? s'exclama Sarah d'un ton irrité, l'air brusquement hostile.

— Mais tu as dû voir un peu Shane et l'oncle Bryan ?... Quand bien même Miranda aurait été débordée, je ne peux pas croire que tous les O'Neill t'aient tourné le dos. Ce n'est pas leur genre.

— Oh, ils m'ont invitée aux soirées de gala, mais j'étais trop fatiguée pour en profiter et ce fut d'un ennui mortel !

Triste et songeuse, Sarah se mit à regarder le feu. Shane s'était montré cruel pendant tout le week-end. Parfois, il faisait celui qui ne la voyait pas et parfois il affectait une indifférence totale à son égard. Jamais il n'aurait traité Paula avec tant de dédain ! se dit-elle, désespérée. Elle se souvint du baptême des jumeaux et de l'expression passionnée qu'elle avait surprise sur son visage. C'était ce jour-là qu'elle avait compris avec horreur que Shane O'Neill était amoureux de Paula Fairley. Et voilà pourquoi il ne me regarde même plus ! songea-t-elle. Cette Paula, je la hais !

— Je suis désolée que tu te sois ennuyée, murmura Paula pour être aimable.

Mais elle se demandait ce qui pouvait bien rendre Sarah aussi désagréable. Sans doute n'avait-elle aucune raison de mentir à propos de son week-end raté. Pourtant...

— Je comprends ton épuisement, Sarah. Mais soyons lucides. C'est toi qui as insisté pour aller à La Barbade et...

— Heureusement que j'y suis allée ! Il fallait bien que quelqu'un soit là puisque Miranda a tout laissé tomber et que, toi aussi, tu t'en es lavé les mains.

De plus en plus surprise par l'agressivité de la jeune fille, Paula répliqua un peu sèchement :

— Tu n'es pas juste. J'avais l'intention d'y aller, mais tu as fait une telle comédie pour partir que je t'ai laissé la place. En tout cas, tu n'as plus à t'en faire pour les autres boutiques. J'ai demandé à Mélanie Redfern de s'en occuper et elle commence la semaine prochaine. C'est elle qui aura la haute main sur l'ensemble des boutiques HARTE des Hôtels O'Neill. Elle sera ma collaboratrice directe. Et celle de Miranda, bien entendu.

— Écoute, si je suis venue aujourd'hui, c'est que j'ai une offre à te faire.

— Une offre ?

— Oui, je voudrais acheter les boutiques pour mon secteur. Il n'y a pas de problème de financement. Nous avons fait des bénéfices considérables et, en raison du mal que je me suis donné pour ces boutiques, j'aimerais les avoir sous mon contrôle. Alors, dis ton prix. Ce sera le mien.

Bien qu'abasourdie par cette proposition extravagante, Paula protesta avec vivacité :

— Même si je le voulais, je ne pourrais rien faire, tu le sais bien. Les boutiques appartiennent à la chaîne des Magasins HARTE.

L'expression de Sarah se durcit.

— Alors quoi ?... Je t'offre la possibilité de faire un profit exceptionnel... et rapide ! Ça devrait pourtant te plaire puisque tout ce qui t'intéresse, toi, c'est ton chiffre d'affaires !

— J'aimerais te rappeler que la chaîne HARTE a des actionnaires et un conseil d'administration au cas où tu l'aurais oublié.

— Ne me parle pas de conseil d'administration. Tout le monde sait à quoi s'en tenir là-dessus, ma chère. Il s'agit de grand-mère, de toi, de tes parents, d'Alexandre et de quelques vieux béni-oui-oui. Si tu le voulais, tu pourrais me vendre ces boutiques. A toi de décider ! Mais ne me mens pas : le conseil d'administration fait tout ce que tu veux, comme il faisait tout ce que voulait grand-mère.

Paula regarda fixement sa cousine avec froideur.

— HARTE a investi des sommes énormes dans ces nouvelles boutiques, dit-elle sèchement. Et j'ai moi-même consacré toute mon énergie à ce projet depuis des mois. Je n'ai pas l'intention de les vendre, ni à toi, ni à qui que ce soit d'autre, même si le conseil d'administration me donnait son accord.

— Toute ton énergie ?... C'est à mourir de rire. J'ai travaillé bien plus dur que toi et c'est moi qui ai sélectionné tous les articles mis en vente. Il serait donc juste que...

— Arrête ! s'écria Paula à bout de patience. Je ne veux plus écouter de pareilles sornettes. Tu as un sacré toupet ! Tu t'amènes comme une fleur, tu te mets à me critiquer, tu t'attribues tout le succès de la boutique de La Barbade... Tout ça ne tient pas debout. Il est trop tôt pour savoir si ça va marcher. Et quant à tes efforts personnels, je te rappelle qu'Emily en a fait plus que toi. En outre, c'est Miranda et moi qui avons sélectionné la plupart des vêtements, pas toi. Je t'accorde le fait que tu as parfaitement choisi les tenues du soir et que tu as travaillé dur depuis dix jours. Mais, finalement, ce n'est pas grand-chose.

Paula se leva et alla se rasseoir à sa table de travail.

— Quant à ton désir de racheter les boutiques, reprit-elle, c'est la proposition la plus absurde qu'on m'ait jamais faite. J'en suis d'autant plus ahurie que tu es de la famille et que tu connais grand-mère. Mais si tu veux te lancer dans une nouvelle entreprise, peut-être pourrais-je t'aider...

Sarah sauta sur ses pieds et vint se planter devant Paula.

— Et si grand-mère n'était pas de ton avis ? répliqua-t-elle d'un ton glacial. Elle ne verrait peut-être aucun inconvénient à me vendre ces boutiques. Y as-tu pensé ? Emma Harte n'est pas encore morte, que je sache. Et telle que je la connais, elle ne t'a sûrement pas laissé la majorité dans la société. Elle tient trop à rester le grand manitou ! Je veux que tu comprennes bien... que je ne renonce pas. Je vais envoyer un télex à grand-maman. Aujourd'hui même, Paula. Je lui ferai part de notre conversation, de mon offre et de ton refus. Nous verrons bien alors qui dirige la chaîne des Magasins HARTE.

— Envoie ton télex, dit Paula tristement. Envoie dix télex, si ça te chante. Tu n'arriveras à rien.

— Tu n'es pas la seule héritière d'Emma Harte. On le croirait pourtant, à t'entendre.

— Sarah, ne nous disputons pas. Tu t'es montrée puérile. Tu sais très bien que *Harte Enterprises* est une...

Elle n'eut pas le temps de terminer sa phrase. Sarah quittait déjà la pièce.

Paula regarda la porte se refermer. Elle n'arrivait pas encore à croire à ce qu'elle venait d'entendre. Elle soupira. Il y avait quinze jours à peine, elle s'était félicitée devant Emily que tout se passât si bien depuis le départ de sa grand-mère. Elle aurait mieux fait de se taire !

Mais ce qui l'avait affectée particulièrement dans son entretien avec Sarah, c'était l'hostilité évidente de la jeune fille à son égard.

26

— Oh, regarde celle-ci ! s'exclama Emily, éperdue d'admiration. Elle est absolument exquise.

Elle sortit la robe du soir de la boîte où elle reposait sous des monceaux de papier de soie. Alexandre, qui se prélassait sur le lit, dans l'une des chambres de l'appartement de Belgrave Square, acquiesça avec un sourire attendri.

— Et elle est encore dans son neuf, dit-il.

Emily mit avec précaution la robe devant elle. C'était un mince fourreau de soie turquoise, incrusté d'une infinité de paillettes bleu pâle et vert émeraude. A chaque pas de la jeune fille, la robe ondulait et les paillettes changeaient de couleur dans la lumière. L'effet était éblouissant.

Tête inclinée sur le côté, Alexandre continua d'admirer sa sœur :

— On dirait le miroitement de la Méditerranée, l'été, le long de la Côte d'Azur. Ça va avec la couleur de tes yeux. Dommage que tu ne puisses pas la garder pour toi ! Elle n'est pas du tout démodée.

— J'aimerais bien l'avoir, mais elle est trop précieuse. Et je ne peux pas faire un coup pareil à Paula. Elle en a besoin pour son exposition de janvier.

— Comment va-t-elle appeler ça ?

— Quelque chose comme « Un demi-siècle de style et d'élégance », répondit Emily en remettant soigneusement la robe dans sa boîte.

— C'est extraordinaire que grand-mère ait gardé cette robe si longtemps, reprit Alexandre. Quarante-cinq ans ! Je parie que sur elle, autrefois, avec ses cheveux dorés et ses yeux verts, ça faisait un effet du tonnerre.

— Sûrement ! Et tu as raison pour l'âge de la robe. La première fois qu'elle l'a mise, c'était au dîner de fiançailles d'oncle Frank et de tante Natalie... Figure-toi qu'il y a aussi une paire d'escarpins assortis, en satin émeraude. Ils viennent de chez Pinet et ils sont pratiquement neufs.

— Grand-mère a toujours été très soigneuse.

Alexandre se leva et s'approcha des ensembles et des tenues de soirée rangés dans la penderie. Il examina les griffes des couturiers et énuméra des noms à voix haute : — Chanel, Vionnet, Balenciaga, Molyneux... Tout est encore dans un état admirable, alors que ça date des années vingt ou trente !

— C'est bien pourquoi Paula en a besoin pour sa rétrospective. Un certain nombre d'autres élégantes — choisies parmi « Les Femmes les Mieux Habillées du Monde » — vont lui prêter des robes de couturiers célèbres et ont accepté de venir au cocktail d'inauguration.

Emily s'approcha de la coiffeuse, sortit d'un dossier une feuille dactylographiée, y griffonna une note et la remit en place.

— Merci de m'avoir tenu compagnie, Sandy. Mais, maintenant, descendons. J'en ai assez fait pour ce soir et je dois encore passer mon week-end à aider Paula. Elle est submergée en ce moment.

— Ah bon? dit Alexandre en la suivant dans l'escalier. Où est-elle donc? Elle n'est pas encore rentrée du magasin?

— Si. Elle est dans la maison. Elle était allée se changer et elle doit se trouver en ce moment dans la vieille nursery.

— Les bébés sont là aussi? demanda-t-il, surpris, en ouvrant la porte du salon devant sa sœur.

— Oui, avec Nora. Paula les a ramenés lundi après-midi... Oh! regarde, Sandy, ce brave Parker nous a sorti une bouteille de vin blanc! Si on en prenait un peu? Attends, je vais te servir.

— Pourquoi pas?

Il s'installa devant la cheminée, alluma une cigarette et regarda sa sœur remplir les verres. Bien qu'Emily eût atteint une taille tout à fait normale, il avait gardé l'habitude de la considérer comme minuscule, tant elle était fine et délicate. Finalement, elle était devenue bien jolie. Que de méchancetés, pourtant, n'avait-il pas débitées autrefois avec ses cousins à cette pauvre Petite Pomme, à cause de sa rondeur et de son appétit insatiable!... Ce soir, dans sa robe rose, on l'aurait prise pour une poupée de porcelaine. Mais sa fragilité n'était qu'apparente. Elle débordait de force et d'énergie.

— Tiens, je n'avais pas remarqué que tu étais aussi bronzé, dit Emily en lui tendant son verre et en s'asseyant en face de lui. Tu devrais aller au soleil plus souvent. Ça te va bien.

— Pour que *Harte Enterprises* aille à la ruine de son côté? Tu n'y penses pas. A ta santé!

— A ta santé! Qu'as-tu fait de Maggie ces temps-ci?

— Elle est partie pour l'Écosse, ce matin. Elle est allée visiter un pavillon de chasse pour le compte de sa société immobilière. Mais je me demande bien qui pourrait, de nos jours, avoir besoin d'un pavillon de chasse.

— Un riche Américain... Avez-vous choisi la date de votre mariage?

— En juin, sans doute.

— Ah non, ce n'est pas juste! Tu sais très bien que nous allons nous marier en juin, Winston et moi. Demande à Maggie de me téléphoner avant d'arrêter une date.

— On pourrait se marier le même jour, répliqua-t-il en éclatant de rire. Pourquoi me regardes-tu comme ça?

— Tu le sais bien.

— Oublie ce que je viens de dire. Je ne parlais pas sérieusement.

— Oh si! Mais essaie de me comprendre. Premièrement, une mariée a besoin d'être en vedette ce jour-là. Deuxièmement, grand-maman risquerait une attaque : elle trouverait ça de très, très mauvais goût. Troisièmement, elle serait affreusement déçue car elle tient absolument à avoir deux mariages à grand spectacle cet été.

— Tu m'as convaincu, Emily. Un double mariage est hors de question, dit-il d'un ton moqueur.

Soudain, son expression changea. Il tira une bouffée de sa cigarette avant de l'écraser nerveusement dans le cendrier.

— Qu'est-ce que tu as?

— Si Paula a pu empêcher un premier scandale en Irlande, il y en a malheureusement un autre qui risque d'éclater sous peu. C'est...

— De quel scandale parles-tu? dit une voix derrière eux.

Ils se retournèrent. C'était Paula, qui venait d'entrer. Elle les regarda avec inquiétude.

— Laisse-moi d'abord te servir un verre, répondit Alexandre en se levant pour l'embrasser. Ensuite, nous aurons une petite discussion avant d'aller au restaurant.

— Mais de quel scandale s'agit-il, Sandy? répéta la jeune femme en s'installant sur le canapé.

Il lui apporta un verre et s'assit près d'elle.

— C'est ma mère, encore une fois. Ça m'ennuie beaucoup d'avoir à vous le dire, à toutes les deux. Elle m'a appelé ce matin de Paris. Elle était au bord de la crise de nerfs. Apparemment, son Gianni Ravioli...

— Ne sois pas méchant! s'écria Emily. C'est un type très gentil et son nom est Gianni de Ravello.

— D'accord. Bref, c'est lui qui demande officiellement le divorce et elle va en faire une dépression nerveuse. Du moins, c'est ce qu'elle prétend.

— Qu'espérait-elle donc? Elle a tout fait pour en arriver là, en s'affichant avec ce Français!

— Si tu continues à m'interrompre, autant arrêter là! Gianni se montre intraitable... Elle, de son côté, veut bien admettre qu'elle l'a trompé avec Marc Deboyne, mais Gianni ne veut absolument pas entendre parler de cet individu.

— Tiens, pourquoi ça? dit Emily, intriguée.

— Qui veut-il donc mettre en cause? demanda Paula.

— Question judicieuse! répondit Alexandre. Le problème est bien là, en effet. Il tient à impliquer dans l'affaire... un certain nombre de ministres de Sa Majesté. Il semblerait que notre chère maman ait reçu les hommages du Cabinet tout entier.

— Tu plaisantes! protesta Paula.

— Hélas non!

— Je parie qu'il s'agit des petits copains d'oncle Robin, dit Emily, horrifiée. Je vois d'ici le prochain gros titre du *Daily Mirror*: «Un comte italien met en cause tous les membres du Gouvernement pour obtenir le divorce à son profit.» Ou encore celui des *News of the World*: «Une oiselle de haute volée pond ses œufs dans le panier du Gouvernement.» Ça va être du propre.

En dépit de la gravité de la situation, Paula ne put s'empêcher de rire :

— Arrête, Emily ! Tu es impossible !

Alexandre jeta à sa sœur un regard furieux :

— Ce n'est pas drôle du tout !... Tu ne...

Sa voix s'étrangla. Il était fou de rage depuis le coup de téléphone de sa mère, dont la conduite l'avait toujours scandalisé.

— J'aimerais quand même bien savoir, reprit vivement Emily, les noms exacts des amants de maman. Franchement, je n'arrive pas à imaginer la superbe Elisabeth dans les bras de Gros-Bouffi.

— Quel gros bouffi ? demanda Paula.

— As-tu fini, Emily ? hurla Alexandre.

— Mais, chez nous, tout le monde connaît Gros-Bouffi, dit la jeune fille en prenant l'accent du Yorkshire. En tout cas, c'est le surnom que nos employés donnent au cher Harold... Oncle Robin risque l'apoplexie. N'oublions pas qu'il fait partie du gouvernement et qu'il convoite les Finances si les Travaillistes se maintiennent aux prochaines élections. Tu as raison, Sandy, il va y avoir un scandale énorme... Une nouvelle affaire Profumo. Et nous n'arriverons pas à l'étouffer dans l'œuf.

— Peu m'importe que le scandale compromette la brillante carrière politique d'oncle Robin, rétorqua Alexandre d'un ton acerbe. De toute façon, c'est un opportuniste : il trouvera toujours à se recaser. Et je suis persuadé que cette affaire est arrivée par sa faute. Tu as raison, Emily, c'est lui qui a dû présenter les messieurs en question à maman. Elle était de toutes les petites fêtes qu'il organisait à Eaton Square...

— Combien ? demanda Paula après réflexion. Combien faut-il pour acheter Gianni ?

— Je ne sais pas, répondit Alexandre.

— Ce n'est pas du tout le genre d'homme à vouloir extorquer de l'argent ! protesta Emily.

— Je suis surprise de ta naïveté, répliqua sa cousine. La femme qui nous a élevés nous a dit et redit que, dans la vie, tout se paie et qu'il s'agit seulement de savoir à quel prix. Bien sûr qu'il veut de l'argent ! Après quoi, il se conduira en gentleman et donnera le nom de Marc Deboyne.

— Je le connais mieux que vous deux ! Il n'est pas comme ça.

— Grand-maman dit aussi que tout ne se paie pas nécessairement avec de l'argent, reprit précipitamment Alexandre. Finalement, je suivrais volontiers Emily sur ce point. Il cherche autre chose. A se venger, par exemple. Je suis certain qu'il aime encore maman en dépit des humiliations qu'elle lui a fait subir. C'est parce qu'il est très malheureux qu'il éprouve le besoin de lui faire du mal à son tour et qu'il cherche à la déshonorer publiquement.

— Peut-être, admit Paula. Et, apparemment, il a toutes les preuves qui lui sont nécessaires ?

— Oui, ma mère m'a laissé entendre qu'elle était à sa merci.

— Elle ne t'a vraiment pas dit de quels ministres il s'agissait ? demanda encore Emily.

— Écoute, elle a beau se conduire en irresponsable, elle n'est pas encore tout à fait folle! Elle ne m'a évidemment rien avoué.

— Mais t'a-t-elle dit ce qu'elle attendait de toi?

— Elle veut que j'aille trouver Gianni pour le persuader de ne citer que le nom de Marc Deboyne. Elle a l'air de me croire capable de l'influencer, mais je ne le connais pas très bien. C'est Emily qu'il préfère.

— Oh non! je n'irai pas! hurla Emily.

Alexandre et Paula échangèrent un regard.

— Tu es peut-être la seule qui puisse lui faire entendre raison, dit Paula.

Emily grogna et se renfonça dans son fauteuil. Il lui répugnait de discuter avec Gianni des infidélités de sa mère. Elle hésitait, néanmoins, car elle avait de la sympathie pour lui et craignait qu'Alexandre ne fût maladroit.

— Je refuse purement et simplement d'offrir de l'argent à Gianni! déclara-t-elle enfin d'un ton péremptoire.

— Bon, mais comment vas-tu t'y prendre? demanda Alexandre, soulagé d'être débarrassé de la corvée.

— Je vais... Eh bien, je vais faire appel à sa générosité et à son sens de l'honneur. Je vais lui expliquer qu'il blesserait infiniment plus Amanda et Francesca que maman. Il adore les jumelles, il ne voudrait pas leur faire de mal.

— Comme tu voudras! dit Paula, un peu sceptique. Mais tu devrais avoir une carte en réserve au cas où son sens de l'honneur se serait affaibli.

— Je te trouve parfois bien cynique, répliqua la jeune fille. Je ne veux pas insulter ce malheureux en lui offrant de l'argent.

— Tu pourrais peut-être lui offrir une situation, reprit Paula avec un haussement d'épaules.

— Une situation? Où ça?

— Chez HARTE, Emily. J'essaie en vain de trouver quelqu'un pour diriger le nouveau magasin d'importation d'antiquités que je compte ouvrir et Gianni est précisément un expert dans ce domaine. Peut-être aimerait-il mieux travailler pour nous que de continuer à végéter dans sa société d'antiquaires. Et nous ferions d'une pierre deux coups: nous sauverions ta mère et nous nous assurerions la collaboration d'un homme intelligent.

— Magnifique solution! s'exclama Alexandre.

Emily se mordit la lèvre, un peu choquée:

— Je n'aurai recours à cette solution qu'en dernière extrémité. Gianni n'est pas un opportuniste, j'en suis sûre.

— On verra, murmura Paula.

Alexandre se leva et se mit à faire les cent pas dans la pièce:

— Maintenant que la situation est clarifiée, j'ai autre chose à vous dire... Attendez, je reviens... J'ai laissé mon porte-documents dans l'entrée.

Quand son frère fut sorti, Emily se pencha vers Paula.

— Je sais que Gianni est un type bien. Toi, tu ne le connais pas vraiment.

— C'est peut-être un type bien en temps normal. Mais mieux vaut s'attendre au pire.

Alexandre revint bientôt avec un dossier qu'il tendit à Paula.

— Qu'est-ce que c'est?

— Un rapport de M. Graves, de l'Agence Graves et Saunderson. Inutile de le lire maintenant.

— C'est au sujet de Jonathan?

— Non, de Sébastien Cross.

— Oh!

— Je t'explique en deux mots. Ce rapport est aussi long qu'ennuyeux. Tu le liras à tête reposée.

— Dépêche-toi, Sandy! dit Emily. Dans cinq minutes, nous partons pour le restaurant. Je meurs de faim.

— Voilà... M. Graves a fait des mois d'enquête sur Sébastien. Il ne s'est d'abord intéressé qu'à sa vie professionnelle, comme grand-mère le lui avait demandé. Mais, n'ayant rien trouvé, il a décidé de s'occuper aussi de sa vie privée. Sa longue enquête a débuté à Londres et a fini par le mener dans le Yorkshire. Or, ce qu'il a découvert là-bas n'est pas joli, joli, je dois vous en avertir. Il avait appris que de nombreux employés d'*Aire Communications* se retrouvaient souvent au «Polly's Bar» de Leeds et il est allé y rôder. Un beau jour, il a fait connaissance d'un jeune homme avec qui il est devenu très copain et qu'il a revu régulièrement pendant plus de trois semaines. Ce garçon — Tony Charwood — lui a dit un soir que Sébastien était une ordure et qu'il aimerait bien lui flanquer la raclée de sa vie... Graves lui a demandé pourquoi. Charwood lui a avoué que Sébastien lui avait soufflé sa petite amie, une certaine Alice Peele, qui travaillait aussi à *Aire Communications.*

— Mais je la connais! s'écria Paula. Elle s'occupe de relations publiques. Un jour, elle est venue me demander du travail.

— A quoi ressemble-t-elle? demanda Alexandre.

— C'est une fille compétente et plutôt sympathique. Je me souviens très bien d'elle. Elle a beaucoup d'allure. Grande, brune, avec un très joli visage.

— Je me demande si tu la trouverais aussi jolie maintenant... reprit Alexandre. D'après Charwood, Sébastien passait son temps à lui taper dessus. La dernière fois, elle a dû subir une opération de chirurgie esthétique. Elle aurait été défigurée à vie si on ne l'avait pas opérée d'urgence. Il lui avait cassé la mâchoire et enfoncé une pommette. Elle avait la figure en bouillie.

— Quelle horreur! s'écria Paula, épouvantée.

Emily, très pâle, eut un grand frisson.

— Ton instinct ne t'avait pas trompée sur Sébastien, Paula. Est-ce que la fille a porté plainte, Alexandre?

— Non. Charwood a dit qu'elle avait bien trop peur de Cross. Le père d'Alice voulait aller trouver la police, mais elle l'a supplié de n'en rien faire, par peur des représailles. Charwood a bien essayé de persuader Peele d'aller au commissariat, mais le pauvre homme n'a pas osé. Un mois plus tard, John Cross est venu lui offrir de l'argent et Peele lui a jeté ses billets à la tête. Dès qu'Alice a pu voyager, il l'a expédiée chez son frère et sa belle-sœur, à Gibraltar. Le frère d'Alice est dans la Royal Navy. D'après Charwood, elle est toujours là-bas.

— C'est une histoire abominable, dit Paula, écœurée. Je comprends que cette malheureuse soit terrorisée.

— La famille Peele aurait dû porter plainte, malgré l'interdiction d'Alice ! s'écria Emily.

Alexandre acquiesça, submergé de dégoût, lui aussi.

— Ce n'est pas tout, reprit-il. Charwood a donné d'autres renseignements à Graves. Il paraît que non seulement Sébastien boit comme un trou, mais encore qu'il se drogue. De plus, c'est un flambeur. Il se ruine aux tables de jeu.

— Et dire que ce type-là est le meilleur ami de Jonathan !

Emily regarda tour à tour son frère et sa cousine :

— Pensez-vous que Jonathan se drogue aussi ? Et qu'il joue ?

— Il vaudrait mieux pour lui qu'il ne se drogue pas, répliqua Alexandre. Du moins s'il veut continuer à gérer le capital immobilier de *Harte Enterprises*... A partir d'aujourd'hui, je vais l'avoir à l'œil. Et si jamais c'est un joueur, j'aurais une raison de plus pour le surveiller, car il manie des sommes considérables pour le compte de la compagnie.

— Tu as sans doute demandé à Graves de poursuivre l'enquête ?

— Naturellement.

— Étrange coïncidence ! reprit Paula d'un ton pensif. John Cross a téléphoné aujourd'hui même pour me demander un rendez-vous.

— Tu vas le recevoir ?

— Sans doute que non. Gaye n'a pas réussi à le joindre à son hôtel en fin d'après-midi.

— Je serais tout de même curieux de savoir ce qu'il te veut.

Paula haussa les épaules et changea de sujet.

— Sarah est passée me voir à quatre heures.

Elle leur fit en détail le récit de l'entrevue et attendit leurs réactions.

— Moi, déclara Emily, j'aimerais avoir la version de Miranda sur le calvaire de Sarah à La Barbade. Tu sais qu'elle s'attribue généralement tout le mérite qui revient aux autres.

— Je le sais, dit Paula en se souvenant des ruses de Sarah, autrefois, à Heron's Nest, pour se faire bien voir de leur grand-mère.

— Sarah n'est quand même pas stupide ! dit à son tour Alexandre. Elle sait parfaitement que tu ne peux lui vendre les boutiques sans consulter le conseil d'administration. Elle sait aussi qu'elle ne peut avoir l'argent du financement si je ne lui donne pas mon accord. Mais elle doit être persuadée qu'elle vaut mieux que nous et qu'elle arrivera à convaincre grand-mère. Je suis sûr qu'elle lui a envoyé un télex.

— Moi aussi, murmura Emily.

Paula eut un petit sourire : — Et moi, je peux vous affirmer que le télex a fini dans la corbeille à papiers. Ce qu'ignore Sarah, c'est que grand-maman se passionne maintenant pour ces boutiques, car elle est convaincue qu'elles constitueront une augmentation importante de capital. Elle ne tient pas plus que moi à les vendre.

— Oui, mais tu viens justement de dire que Sarah l'ignore, fit remarquer Emily. En fait, elle est furieuse contre toi parce que te voilà à la tête des Grands Magasins HARTE. Après tout, c'est elle, l'aînée des petites-filles, et elle croit avoir le génie des affaires.

— Emily a raison, Paula. Sarah n'est sans doute passée cet après-midi que pour te faire enrager. C'est peut-être entre vous deux le début de la guérilla.

— J'y ai songé.

— Qu'espère gagner Sarah, Sandy ? demanda Emily.

— La satisfaction d'empoisonner la vie de Paula... Elle est du dernier bien avec Jonathan, ces temps-ci. Ils ont partie liée.

— Oh ! assez parlé d'eux ! dit Paula en se levant. Allons dîner. J'ai eu une dure journée et, dans l'ensemble, une semaine difficile. Je ne veux pas ajouter à vos soucis en vous racontant mes ennuis avec la *Sitex*. Je suis à bout de forces et une soirée au *White Elephant* me fera le plus grand bien.

— De graves ennuis ? Puis-je t'aider ?

— Non, merci, Sandy. Tu es gentil ! Je m'en tirerai. Dale Stevens voulait donner sa démission et j'ai perdu une heure au téléphone à le calmer. Il a des ennemis jurés au conseil d'administration. Mais j'ai réussi à le convaincre de rester jusqu'à la fin de l'année. C'est mieux que rien.

27

— John Crawford a proposé de nous mettre au courant de la procédure, dit Daisy. Ça devrait nous aider à mieux supporter l'audience.

— Sûrement, ma tante, dit Anthony en se levant. Je vais chercher Bridget. Il faut qu'elle écoute, elle aussi, ce que va nous dire l'avocat. Je reviens.

Daisy alla se rasseoir près d'Edwina sur le canapé. Elle prit la main de sa demi-sœur et lui dit avec compassion : — Essaie d'être un peu plus optimiste. Dans quelques heures, ce drame ne sera plus qu'un mauvais souvenir. Nous devons retourner à une existence normale.

— Oui, merci, j'aurai du courage, murmura Edwina d'une voix lasse.

Elle semblait au bord de l'évanouissement. L'aspect sévère de sa robe noire, sans le moindre bijou pour l'égayer, ne l'avantageait guère. Il accentuait sa pâleur et lui donnait l'air d'une vieille femme.

— Je ne sais ce que j'aurais fait sans toi et sans Jim, reprit-elle d'un ton ému. Mais où est donc Jim en ce moment ?

— En train de téléphoner à Paula. Il a aussi des coups de fil à passer à son journal. Il va revenir, mais il n'a pas besoin d'écouter l'exposé de l'avocat. Il est au courant de la procédure. Il a suivi beaucoup d'enquêtes criminelles autrefois, quand il a débuté dans le journalisme.

— Oui, bien sûr... Mais il est déjà près de huit heures et demie. Nous ne devons pas partir trop tard. Il faut bien une heure, une heure et demie, pour aller à Cork.

— Ne t'inquiète pas. Nous avons largement le temps. L'audience n'est qu'à onze heures et l'exposé de John ne durera pas longtemps. Il en aura pour dix minutes. Reste calme, ma chérie.

— Je suis seulement un peu fatiguée. J'ai mal dormi.

— Nous avons tous mal dormi. Veux-tu une tasse de café ?

— Non, merci, répondit Edwina.

Cela faisait quatre jours et quatre nuits qu'elle vivait dans la terreur de ce qui pourrait arriver à son fils. Elle aurait donné sa vie pour lui et elle attendait avec impatience que l'enquête du coroner le mît à l'abri des soupçons. Pour faire plaisir à Anthony, elle avait décidé d'accepter de bon cœur son mariage avec Sally Harte, mais elle avait peu de sympathie pour la jeune femme. Toute sa vie désormais, elle regretterait d'être restée passive dans le conflit qui avait opposé Min et Anthony, ces dernières semaines. Anthony lui avait demandé d'intervenir, d'essayer de raisonner sa femme et elle avait refusé ! A cause de cela, la malheureuse était morte...

— As-tu pris une décision ? demanda Daisy. Viendras-tu quelques jours à Londres après les obsèques ?

— Oui, peut-être vaut-il mieux que je m'en aille...

Elle s'arrêta en voyant revenir Anthony accompagné de Bridget, la femme de charge.

Bridget vint saluer respectueusement Daisy, qui lui déclara aussitôt :

— Comme Monsieur le Comte a dû vous le dire, maître Crawford est venu de Londres nous apporter son aide. Il va vous expliquer certaines choses. Mais, surtout, ne vous inquiétez pas.

— Oh, je ne suis pas inquiète, Madame, répliqua Bridget d'un ton un peu nerveux. C'est très simple de dire la vérité et je n'ai rien à cacher.

Bridget O'Donnell semblait assez sûre d'elle-même. Mais Daisy ne la trouvait pas très sympathique. En la regardant, elle se demanda quel âge elle pouvait avoir. Sans doute dans les trente-cinq ans, bien qu'elle parût plus jeune.

A ce moment, la porte s'ouvrit et John Crawford vint les rejoindre. Il n'était pas très grand, mais son air d'autorité et son allure quasi militaire dénotaient une forte personnalité. A quarante-six ans, il avait les cheveux poivre et sel. A voir ses yeux bruns et pétillants de malice, son visage aimable et son sourire un peu narquois, on ne pouvait guère soupçonner que, derrière cette affabilité, se cachait un juriste particulièrement retors et efficace.

— Bonjour. Excusez mon retard.

Il refusa la tasse de café que Daisy lui offrait et resta debout, les mains posées sur le dossier d'un fauteuil. Son calme et son assurance détendirent aussitôt l'atmosphère.

— Je sais que cette matinée va être pour vous tous une épreuve. C'est pourquoi je vais vous expliquer ce qui se passera. N'hésitez pas à m'interrompre pour me poser des questions. Laissez-moi vous dire d'abord qu'une audience présidée par le coroner n'est pas du tout solennelle, mais que l'absence de cérémonial n'en diminue en rien l'importance. Des questions ?... Non, alors...

— Excusez-moi, John, dit Daisy. Qu'entendez-vous par l'absence de cérémonial ?

— Je veux dire que le coroner est habillé comme tout le monde. Et qu'il s'adresse assez familièrement aux parties en présence avant de recueillir les dépositions sous serment.

— Merci, John. Une autre question. Le coroner est bien soit un magistrat, soit un avocat, soit un médecin, n'est-ce pas ?

— C'est exact. Ce n'est pas un juge, bien qu'il en tienne lieu. Et il conduit l'enquête à son gré. Maintenant, je vais aborder un point important. Sachez que le coroner peut accepter une déposition faite sur la foi d'un tiers, c'est-à-dire fondée sur des on-dit, alors que dans les autres cours de justice, on ne tient jamais compte des présomptions.

— Ce n'est pas possible ! s'écria Anthony d'une voix angoissée.

— Si, Lord Dunvale. Le coroner prête effectivement l'oreille aux rumeurs, aux racontars.

Edwina et Daisy échangèrent des regards préoccupés. Personne n'ouvrit la bouche.

— Je vais vous expliquer ce qu'on entend par rumeurs, poursuivit Crawford, conscient du malaise général. Il peut s'agir de déclarations faites préalablement par la victime à un membre de sa famille, à un ami, à un médecin ou à un homme de loi. Un témoin pourrait venir déclarer que la victime avait menacé, une ou plusieurs fois, de se suicider. Ou suggérer que ladite victime traversait une période de dépression. Le coroner en prendra note. Un autre exemple : un policier peut aussi déclarer en se fondant sur les faits dont il a été témoin, que la victime, selon toute évidence, s'est suicidée. Ou bien que, d'après ses présomptions, la mort a été accidentelle. Le coroner en tiendra compte également. Et ces déclarations détermineront la nature des questions qu'il posera dans la suite de l'enquête.

— Est-ce la police qui interroge les témoins ? demanda Anthony.

— Non, jamais devant le coroner. Seul celui-ci est habilité à poser des questions...

Crawford s'interrompit à l'entrée d'un grand garçon brun aux cheveux bouclés et au visage tanné qui s'excusa d'être en retard. C'était le régisseur, Michael Lamont.

— Je vous résumerai le début tout à l'heure, lui dit Anthony.

Lamont fit un signe de tête et alla s'asseoir près d'Edwina sur le canapé.

— J'ai déjà assisté à une enquête de ce genre, déclara-t-il. Je connais un peu la procédure.

— Alors, je continue, dit Crawford. La question du jury : il peut y avoir six à huit personnes, mais ce n'est pas obligatoire. De toute façon, c'est le coroner qui dirige les débats et qui fait part de son opinion aux jurés. C'est enfin lui qui apprécie s'il y a eu suicide, mort accidentelle ou naturelle, ou... meurtre.

— Et si le coroner ne sait pas exactement à quoi s'en tenir ? demanda Anthony après un silence.

— Dans ce cas, il peut lui arriver de déclarer qu'une ou plusieurs personnes inconnues seraient, à son avis, responsables de la mort et pourraient être inculpées ultérieurement.

Edwina regarda son fils et devint pâle comme un linge. Michael Lamont lui prit la main et lui murmura quelque chose à l'oreille.

Crawford se tourna vers Anthony : — En général, le rapport du médecin légiste et les résultats de l'autopsie suffisent pour clarifier la situation.

— Je comprends.

— Bien, nous avons fait le tour des questions importantes. Je voudrais ajouter que, selon toutes probabilités, cette audience se déroulera sans incidents... Monsieur Lamont, vous serez sans doute le premier témoin, puisque vous avez découvert le corps de Lady Dunvale. Ensuite viendra le brigadier de Clonloughlin. Puis on vous communiquera les rapports médicaux, celui du généraliste qui a fait les premières constatations et celui du médecin légiste qui a pratiqué l'autopsie. D'autres questions ?

— Deux seulement, dit Anthony. Je suppose qu'on va m'interroger, mais va-t-on interroger aussi ma mère et Bridget ?

— Je ne vois pas pourquoi la Comtesse serait appelée à la barre. Mais vous, évidemment, vous devez témoigner, ainsi que Mlle O'Donnell. Vous serez sans doute interrogés tous deux avant les autres témoins. Il n'y a pas de quoi vous inquiéter... Bon, il faudrait que nous nous mettions en route pour Cork dans une dizaine de minutes... Où est Jim ? On devrait peut-être lui dire que nous sommes prêts à partir.

— Je vais l'avertir, dit Daisy.

Quinze minutes plus tard, ils quittaient tous Clonloughlin.

Edwina, Anthony et Bridget avaient pris place dans la première voiture, où Michael Lamont était au volant. Dans la seconde se trouvaient Daisy et Crawford et c'était Jim qui conduisait. Au bout de dix minutes de silence, Jim déclara : — Vous avez eu une bonne idée, John, de les préparer à l'audience.

Du coin de l'œil, il regarda Crawford assis près de lui et reprit : — Je suis sûr que ma tante est un peu rassurée maintenant. Elle était très mal en point. Anthony, lui, est resté assez calme. Du moins, il fait l'impossible pour garder son sang-froid. Mais il a tellement mauvaise mine qu'il paraît vieilli de plusieurs années.

— Oui, répliqua laconiquement Crawford.

Il abaissa la vitre de sa portière et se tourna vers Daisy : — La fumée vous dérange-t-elle ?

— Pas du tout.

Elle se pencha vers l'avant et demanda à Jim : — Comment va Paula ?

— Très bien. Elle m'a dit de vous transmettre toute son affection.

Inconsciemment, il serra le volant en se demandant s'il allait répéter à Daisy les derniers propos de sa fille. Il avait perçu tant d'anxiété dans la voix de Paula que cela l'avait alarmé. Perplexe, il se contenta de déclarer :

— Elle insiste beaucoup pour que nous l'appelions dès la fin de l'audience. Comme si nous pouvions oublier de l'avertir du résultat !

— Je suppose qu'elle tient à en faire part immédiatement à ma mère, murmura Daisy. Elle est à l'autre bout du monde et elle attend avec impatience d'être rassurée sur le sort de son petit-fils. N'oublions pas qu'en dépit de ses nerfs d'acier elle a tout de même quatre-vingts ans !... Dis-moi, Jim, ne comptes-tu pas rentrer ce soir ?

— J'ai décidé de rester demain pour les obsèques. C'est la moindre des choses. Je reprendrai l'avion samedi et j'espère convaincre Anthony de m'accompagner. Il a besoin de s'éloigner d'ici.

Daisy acquiesça, puis se tourna vers Crawford : — L'audience ne durera pas plus de deux heures, n'est-ce pas ? David s'est arrangé pour qu'un avion privé nous attende à l'aéroport de Cork à midi. Voulez-vous rentrer à Londres avec moi, John ?

— Oui, merci. Ça m'arrangerait. Si tout se passe bien, nous en aurons terminé dans deux heures. J'espère qu'il n'y aura pas d'interruption d'audience pour déjeuner. Sinon, il faudra remettre ça dans l'après-midi.

— Mais vous pensez que ce sera sans problème, n'est-ce pas ? demanda Jim.

— Pas tout à fait, répliqua Crawford d'une voix hésitante.

Jim sursauta légèrement :

— Auriez-vous un fait nouveau à nous apprendre ?

— Non, non. Absolument pas.

Peu convaincu par le ton de la réponse, Jim se décida enfin à parler de ce que venait de lui confier sa femme au téléphone :

— Paula n'avait pas l'air rassurée... A ce que j'ai compris, Émily l'avait réveillée au milieu de la nuit pour lui dire que, depuis dimanche, elle ne cessait de s'interroger sur l'emploi du temps de Min au cours des cinq ou six heures qu'elle aurait passées au bord du lac, entre son arrivée dans l'après-midi et l'heure de sa mort. Émily croit que...

— En quoi est-ce important ? demanda Daisy.

Crawford resta un moment sans répondre, puis se tourna vers la banquette arrière.

— Eh bien, moi aussi, j'avoue que je suis assez troublé par ce problème. Ce laps de temps est inexplicable et un coroner un peu expérimenté risque de se poser la même question que nous.

— Mais n'y a-t-il pas d'explications ? reprit Daisy. Elle a pu s'en aller et revenir.

— Elle a pu aussi ne pas venir à Clonloughlin dans l'après-midi ! Ce serait étonnant que le coroner n'envisage pas cette hypothèse. Voyez-vous, Daisy, dans ce cas, le récit de Lord Dunvale ne tiendrait plus. Il aurait pu inventer, avec l'aide de sa mère, une histoire qui l'arrangeait.

— Vous voulez dire qu'Anthony aurait menti... que Min ne serait venue que le soir après dîner ?... Que le coroner en déduirait alors qu'Anthony s'est trouvé, lui aussi, près du lac à cette heure-là ?

— Peut-être. Cependant, ma chère Daisy, ce ne sont que des suppositions. Je serais bien soulagé si quelqu'un avait vu la jeune comtesse à Clonloughlin dans l'après-midi et, malheureusement, nous n'avons pas de témoins... Mais, je vous en prie, mon amie, ne vous affolez pas. Inutile de nous mettre martel en tête avant de connaître le résultat de l'autopsie. Je suis presque sûr que le médecin légiste aura conclu à la mort accidentelle par noyade.

Pourvu qu'on ait trouvé de l'eau dans les poumons, ajouta-t-il mentalement. Sans quoi, ce serait la catastrophe. Cela prouverait qu'elle était déjà morte avant d'avoir été jetée à l'eau.

— Je suis tout à fait de votre avis, John, dit Jim d'une voix rassurante. Cette mort ne peut être qu'un accident. Allons, Daisy, tranquillisez-vous. Si vous cédez à la panique, tante Edwina va le sentir et elle s'effondrera.

Le coroner désigné pour mener l'enquête sur la mort de Minerva Gwendolyn Standish, feu la comtesse de Dunvale, se trouvait être un juriste de la région, M. Liam O'Connor.

Six jurés siégeaient à sa droite. Tous étaient des habitants de Cork, passés par hasard ce matin-là devant le Palais de Justice et interpellés par un fonctionnaire du tribunal, comme le veut la coutume. En effet, quelles que puissent être leurs occupations du jour, ces jurés n'ont jamais le droit de se récuser.

— Lord Dunvale, dit le coroner, avant même que j'entende le sergent McNamara et les autres témoins, veuillez avoir l'obligeance de nous donner quelques indications sur l'état d'esprit de la défunte dans les jours qui ont précédé sa fin tragique. Restez à votre place. Inutile de venir à la barre pour l'instant.

Anthony fit sa déclaration d'une voix calme et bien timbrée :

— Nous vivions séparés, ma femme et moi, et nous allions divorcer. Elle avait donc quitté Clonloughlin pour s'installer à Waterford. Mais, ces derniers temps, elle avait pris l'habitude de revenir à Clonloughlin assez régulièrement et j'ai été forcé de me rendre compte qu'elle avait un comportement plutôt incohérent ainsi que des accès de violence, tant verbaux que physiques. J'ai fini par me poser des questions sur son état mental.

— Vous avait-elle menacé de se tuer ?

— Non, jamais. Qui plus est, je crois pouvoir déclarer qu'elle n'avait aucune tendance suicidaire. Je suis convaincu que sa mort est accidentelle.

Tandis qu'Anthony continuait à répondre aux questions, Daisy observait le coroner. Liam O'Connor était un petit vieillard alerte, au visage ridé et quelque peu austère, mais au regard plein de sagesse et de compréhension. Il avait l'air d'un honnête homme, soucieux d'observer scrupuleusement la loi et, avant tout, épris de justice.

Elle jeta ensuite un coup d'œil à Edwina, assise à côté d'elle, et s'aperçut que la pauvre femme risquait de s'évanouir. Elle lui prit la main pour tenter de la réconforter.

— Merci, Lord Dunvale, dit le coroner. Maintenant, j'aimerais demander à Lady Dunvale si elle a quelque chose à ajouter sur le comportement anormal de sa belle-fille.

Edwina tressaillit. Elle ne s'attendait pas à être interrogée. Elle regarda le coroner avec affolement et eut un grand frisson.

— N'aie pas peur, murmura Daisy. Je t'en prie, réponds, ma chérie.

Edwina toussota à plusieurs reprises avant de se décider à parler d'une voix tremblante.

— Min... ma belle-fille... était très déprimée... ces temps-ci. Je crois... qu'elle s'était mise à boire. Du moins, elle est arrivée bien souvent à Clonloughlin dans un état d'ébriété avancée. Bridget... je veux dire Mlle O'Donnell, l'intendante de mon fils... de Lord Dunvale... Récemment, Mlle O'Donnell a été obligée de mettre elle-même ma belle-fille au lit dans une des chambres d'amis. Elle craignait que Lady Dunvale ait un accident de voiture si elle conduisait dans... l'état lamentable où elle se trouvait...

Edwina s'interrompit. Elle avait la gorge si sèche qu'elle n'arrivait plus à parler. L'effort qu'elle venait de faire semblait l'avoir complètement épuisée. Elle s'appuya à sa chaise, pâle et défaite, le front luisant de transpiration.

— Merci, Lady Dunvale, lui dit le coroner.

Après avoir mis ses lunettes, il compulsa son dossier, puis regarda à nouveau l'assistance.

— A vous, mademoiselle O'Donnell. Donnez-moi, s'il vous plaît, quelques détails sur l'incident dont vient de nous parler Lady Dunvale.

Bridget se pencha légèrement en avant et, d'une petite voix bien nette, confirma la déclaration d'Edwina ainsi que les scènes de violence auxquelles Anthony avait fait allusion.

En l'écoutant, Daisy se dit que la jeune femme était vraiment le témoin idéal : elle relatait les faits en n'omettant pas le moindre détail. Elle devait avoir une mémoire visuelle tout à fait prodigieuse.

— La défunte vous a-t-elle jamais suggéré, à vous personnellement, mademoiselle, qu'elle pourrait attenter à ses jours ?

— Oui, répondit Bridget sans hésiter. Plusieurs fois même, tout récemment.

L'ahurissement fut général. Anthony sursauta.

— Mais c'est impossible ! s'écria-t-il.

John Crawford l'empêcha de se lever et lui enjoignit tout bas de se taire. Le coroner demanda le silence et les chuchotements cessèrent.

— Veuillez nous rapporter ces incidents, mademoiselle.

Daisy, qui n'avait pas quitté Bridget des yeux, eut l'impression que la jeune femme venait de lancer en direction d'Anthony un bref regard implorant son pardon.

— Oui, monsieur... Madame la Comtesse avait beaucoup changé ces dernières semaines. Elle a souvent fait des crises de nerfs devant moi, elle m'a dit qu'elle avait perdu ses raisons de vivre, qu'elle voulait mourir. La dernière fois qu'elle a menacé de se tuer, c'était une semaine environ avant sa mort. Un après-midi, elle est arrivée en voiture, mais Monsieur le Comte était quelque part dans le domaine avec Monsieur Lamont et Lady Dunvale était à Dublin. Ce jour-là, Madame la Comtesse était très abattue. Elle répétait sans cesse qu'elle en avait assez de vivre. Elle a sangloté tout l'après-midi. J'ai vainement essayé de la raisonner, j'ai même voulu la consoler en lui mettant le bras autour des épaules et, alors, elle m'a giflée. Aussitôt, elle a eu l'air de recouvrer son bon sens et elle s'est confondue en excuses. J'ai fait du thé. Nous nous sommes assises un moment dans la cuisine et Madame la Comtesse m'a fait une autre confidence. Elle m'a dit que le drame de sa vie, c'était de ne pas avoir d'enfant... Et puis elle s'est remise à pleurer presque sans bruit comme si elle était désespérée. Elle s'est plainte d'être stérile. Je lui ai fait remarquer qu'elle était encore bien jeune et qu'à son âge on pouvait retrouver des raisons de vivre. Elle a eu l'air de l'admettre et d'être un peu moins pessimiste en repartant.

Bridget fit une pause, baissa les yeux, puis les releva pour déclarer avec assurance : — Pour moi, Madame la Comtesse s'est donné la mort à cause de l'échec de son mariage et de sa stérilité.

Le coroner la remercia d'un signe de tête et se replongea dans son dossier. Un calme absolu régnait dans la salle. Daisy vit que les jurés semblaient pensifs. Ils étaient maintenant convaincus du désespoir de la défunte. Les déclarations de Bridget avaient porté leurs fruits. Mais en regardant Anthony, elle fut frappée par sa pâleur et par ses traits décomposés.

Le coroner se tourna alors vers le régisseur.

— Monsieur Lamont, étant donné que vous travaillez pour Lord Dunvale, vous avez sûrement rencontré la défunte au cours des semaines passées. Avez-vous quelque chose à ajouter aux déclarations de Mlle O'Donnell ?

— Pas grand-chose, répliqua Michael Lamont d'une voix sourde. Moi, je n'ai jamais entendu Madame la Comtesse parler de suicide et j'aurais cru, comme Monsieur le Comte, qu'elle n'était pas femme à se tuer. Mais... je confirme qu'elle était très déprimée. J'avais eu l'occasion de lui parler il y a quinze jours et j'ai bien vu que ça n'allait pas du tout... Elle avait bu. Je crois bien qu'elle était complètement ivre, ce jour-là. Ce qui m'a le plus frappé, c'était son désespoir. Elle avait l'air au bout du rouleau. C'est tout ce que je peux affirmer. Elle ne m'a pas dit pourquoi elle était déprimée et je ne le lui ai pas demandé. J'ai pensé que sa vie privée ne me regardait pas.

— Merci, monsieur Lamont. Maintenant, Sergent McNamara, avez-vous quelque chose à nous dire sur l'état mental et affectif de Lady Dunvale ?

— Eh bien, Votre Honneur, je crains de ne pouvoir être d'un grand secours, répondit McNamara d'un ton lugubre. Je n'avais pas eu l'occasion de parler à Madame la Comtesse dernièrement. Je savais qu'elle revenait souvent à Clonloughlin. Je voyais sa petite auto rouge traverser le village. Mais ce qu'on raconte dans le pays sur les scènes qui se sont passées ces temps-ci a l'air de confirmer qu'elle n'était plus dans son état normal.

— Vous êtes-vous fait une opinion sur la cause du décès ?

— J'ai examiné plusieurs hypothèses, répondit McNamara en se rengorgeant. J'ai cru d'abord que c'était un accident. Ensuite, j'ai pensé au suicide. Et puis je me suis demandé s'il ne s'agissait pas d'un acte criminel, étant donné les circonstances mystérieuses de cette mort.

McNamara sortit alors un petit carnet de sa poche et l'ouvrit.

— Vous nous donnerez des explications tout à l'heure, Sergent, à la barre des témoins.

— Comme vous voudrez, dit le policier en rangeant son carnet.

Anthony fut ensuite appelé à témoigner et prié de relater les événements du samedi précédent.

— Tard dans l'après-midi, déclara-t-il calmement, ma mère m'a téléphoné du manoir où elle réside. Elle avait vu la voiture de ma femme entrer dans le parc et se diriger vers le château. Étant donné les scènes pénibles qui avaient eu lieu au cours des semaines précédentes, j'ai décidé aussitôt de m'éloigner de Clonloughlin. Je pensais que si elle ne me trouvait pas chez moi, elle repartirait sans faire d'histoires. J'ai pris ma Land-Rover et je suis allé du côté du lac. Mais, à peine arrivé, j'étais debout sous un arbre quand j'ai vu de loin approcher la petite Austin rouge de ma femme. Je me suis dépêché de retourner à la Land-Rover, qui n'a malheureusement pas voulu démarrer. La batterie devait être à plat. Je suis donc reparti pour Clonloughlin en faisant tout un détour pour éviter ma femme. En rentrant, j'ai téléphoné à ma mère et elle est venue dîner chez moi. Vers neuf heures trente, je l'ai raccompagnée au manoir à pied. Puis je suis rentré et j'ai passé des heures dans la bibliothèque à vérifier mes livres de comptes avant de monter me coucher. Il ne me serait pas venu à l'idée que ma femme ait pu rester dans la propriété et, le lendemain matin, M. Lamont m'a réveillé pour me dire qu'il avait trouvé... son corps dans l'eau du lac.

Il s'arrêta, le souffle court, les larmes aux yeux.

— J'aurais dû rester, reprit-il avec désespoir. Si j'avais accepté de lui parler, elle serait toujours vivante.

Après l'avoir remercié, le coroner demanda à Bridget de prêter serment à son tour. Il se mit à la questionner sur son emploi du temps, le soir du décès.

— Non, Monsieur, je n'ai pas vu arriver la voiture de Lady Dunvale. J'étais dans la cuisine à préparer le repas. Et après dîner, j'ai desservi la table, fait la vaisselle et tout rangé.

Elle parla aussi de sa migraine, des cachets qu'elle était montée chercher dans sa chambre et du fait qu'elle avait aperçu Anthony à deux reprises — vers onze heures et vers minuit — en passant devant la porte de la bibliothèque.

— Dimanche matin, je me suis levée tôt, poursuivit-elle. Je suis allée en voiture à la première messe à Waterford, j'y ai retrouvé ma sœur et je suis allée déjeuner chez elle. Dans le milieu de l'après-midi, avant de rentrer à Clonloughlin, je suis passée voir ma mère au village et c'est là que j'ai appris la mort de Madame la Comtesse. Je suis aussitôt revenue au château.

Le témoin suivant fut le régisseur qui déclara, lui aussi, qu'il n'avait pas vu Lady Dunvale le samedi après-midi.

— Le lendemain matin, c'est-à-dire dimanche dernier, j'étais debout à l'aube et j'ai pris ma voiture pour aller rechercher dans mon bureau, au château, certains papiers que je voulais examiner ce jour-là. En passant, j'ai aperçu la Land-Rover près du lac et je suis descendu de voiture en croyant que Lord Dunvale était dans les parages. Mais quand j'ai vu que je m'étais trompé, je suis remonté dans la jeep. C'est à ce moment-là seulement que j'ai remarqué l'Austin de Madame la Comtesse de l'autre côté du lac et, avant même d'être arrivé à la voiture, j'ai aperçu un corps qui flottait...

Lamont se troubla brusquement. Il se mordit les lèvres avec nervosité, puis reprit en s'efforçant de maîtriser son émotion :

— J'ai sauté de la jeep. Le corps était coincé contre la rive par une grosse souche. J'ai reconnu tout de suite Lady Dunvale et je me suis précipité pour avertir Monsieur le Comte.

— Ensuite, vous avez téléphoné à la police, je suppose ?

— C'est exact. Le sergent McNamara est arrivé très vite et nous l'avons accompagné jusqu'au lac, Lord Dunvale et moi.

Le sergent McNamara vint alors confirmer les déclarations de Lamont et fit le récit détaillé de l'enquête qu'il avait menée le lendemain matin.

— M. Lamont et moi, nous avons retiré le corps de l'eau. Monsieur le Comte était trop bouleversé pour nous aider. J'ai ramené la défunte au village chez le docteur Brennan pour qu'il l'examine et tente de déterminer l'heure du décès. De là, j'ai téléphoné à Cork en pensant bien qu'il y aurait une autopsie et je suis retourné au château pour prendre les dépositions de Lord Dunvale, de sa mère, Lady Dunvale, et de M. Lamont. Ensuite, je suis allé examiner la petite Austin qui était restée près du lac. Dans la boîte à gants, j'ai trouvé un flacon plat, en argent. Il était vide et sentait le whisky. J'ai trouvé aussi un sac à main avec un portefeuille bourré de billets. Et, dans l'après-midi, Votre Honneur, j'ai été totalement dérouté quand j'ai su par le docteur Brennan que l'heure de la mort devait se situer aux environs de vingt-trois heures trente. Je n'arrivais pas à comprendre ce qu'avait pu faire Madame la Comtesse toute seule là-bas pendant au moins cinq heures. Et autre chose... Je ne la voyais pas tomber accidentellement dans le lac. La rive est très plate et le fond descend en pente douce. On a pied pendant des mètres et des mètres. Et puis, j'ai encore trouvé une bouteille de whisky vide au milieu des buissons... Alors, à force de réfléchir, j'ai fini par ne plus croire à l'accident. Ça ressemble davantage à un suicide ou à un meurtre... Oui, je me suis demandé si Madame la Comtesse n'avait pas été assassinée.

— Et par qui, selon vous, sergent ?

— Par un inconnu, Votre Honneur. Un vagabond, un bohémien, un étranger au pays, un bon à rien quelconque que Madame la Comtesse aurait rencontré par hasard dans cet endroit désert. Mais je n'ai pas découvert dans l'herbe ou dans les buissons de traces qui laisseraient supposer que le corps a été traîné jusqu'à la rive. Personne n'avait touché à l'Austin ni au sac à main. (McNamara s'arrêta, embarrassé, et frotta son gros nez avant de poursuivre :) Ce n'est pas que je pense que Lord Dunvale soit pour quelque chose dans la mort de sa femme, d'autant que Mlle O'Donnell l'a vu dans la bibliothèque à l'heure du décès, mais si je l'ai interrogé une deuxième fois dans l'après-midi, c'est que je ne pouvais pas faire autrement... Il y a ces cinq ou six heures de battement. Pour moi, ça reste incompréhensible, Votre Honneur.

Le coroner réfléchit quelques instants et répliqua, pensif :

— Lady Dunvale a bien pu repartir à Waterford et revenir plus tard dans la soirée, avec l'espoir de pouvoir enfin parler à son mari.

— Oui, c'est vrai, Votre Honneur. Seulement, elle ne l'a pas fait ! J'ai interrogé les gens du pays et personne, non, personne, ne l'a vue retraverser le village, ni dans un sens ni dans l'autre.

Daisy regarda John Crawford. Il la rassura d'un sourire, mais elle ne fut pas dupe. Il semblait préoccupé.

Après avoir remercié McNamara, le coroner appela à la barre le docteur Brennan, médecin du pays. Sa déclaration fut très brève.

— En examinant le corps dimanche matin, j'ai constaté que la *rigor mortis* l'avait atteint tout entier, ce qui permettait de situer l'heure du décès entre vingt-trois heures trente et minuit.

— Y avait-il des traces de violence sur le corps ?

— Rien d'autre qu'une ecchymose en biais sur la joue gauche, probablement produite par le heurt du visage contre la souche d'arbre dont a parlé M. Lamont.

Le coroner appela ensuite à la barre le docteur Kenmarr, médecin légiste.

Daisy regarda le nouveau venu avec appréhension. C'était son témoignage qui allait décider de l'issue de l'audience. Tout le monde devait en être conscient, car un silence absolu régnait dans la salle.

La déclaration du docteur Kenmarr fut aussi précise que celle de Bridget O'Donnell.

— Je suis de l'avis du docteur Brennan en ce qui concerne l'ecchymose de la joue gauche. A cause de sa couleur bleu mauve, elle ne pouvait être que récente. Une contusion de ce genre passe généralement du bleu mauve au violet, puis au brun foncé et, très progressivement, au cours des jours, du brun clair à un jaune de plus en plus pâle. Par conséquent, ce n'était pas une contusion ancienne. D'autre part, il n'y avait aucune trace d'un traumatisme quelconque au niveau du crâne ni sur le reste du corps. Rien qui laisse supposer la moindre violence, rien qui puisse suggérer que la défunte a été attaquée ou tuée avant d'être jetée à l'eau. Après cet examen, j'ai procédé à l'autopsie.

Kenmarr se tut un moment pour consulter ses notes.

— J'ai découvert alors, reprit-il , que le sang de la défunte présentait un taux très élevé d'alcool et de barbituriques. Il y avait une certaine quantité d'eau dans les poumons. J'en ai donc conclu à une mort par noyade survenue aux environs de vingt-trois heures quarante-cinq, la veille au soir.

Le coroner le remercia, remit ses lunettes et se replongea dans son dossier. Puis il releva la tête et s'adressa aux jurés : — D'après ce que nous venons d'entendre, nous sommes tous malheureusement obligés d'admettre que la défunte devait être victime d'une grave dépression nerveuse, consécutive à l'échec de son mariage et à son désespoir de ne pas avoir d'enfants. Sur ce point, je remercie particulièrement Mlle O'Donnell de la clarté et de la précision de son témoignage. Elle était probablement plus à même que Lord Dunvale de juger objectivement de l'état de la jeune comtesse et je fais confiance à son jugement quand elle déclare que la défunte était dans un état d'esprit suicidaire. Le docteur Kenmarr vient de nous déclarer que le corps ne portait aucune trace de violence, à part cette ecchymose sans doute provoquée par le choc contre la souche d'arbre. Mais il a également trouvé un taux important d'alcool et de barbituriques dans le sang. Enfin, le fait que les poumons aient été remplis d'eau lui a fait conclure à la mort par noyade... D'autre part, le sergent McNamara, en parlant du laps de temps qui s'est écoulé entre l'arrivée près du lac et la mort, l'a jugé incompréhensible... Mais n'y a-t-il pas une explication? Lady Dunvale est sans doute restée près du lac puisque personne ne l'a vue retraverser le village. Or, non seulement elle était déprimée à l'extrême, mais encore elle était ivre. Elle ne devait plus savoir ce qu'elle faisait. Le flacon vide découvert dans la voiture, puis la bouteille de whisky jetée au milieu des buissons permettent de penser qu'elle est restée là-bas à boire pendant des heures, en espérant peut-être le retour de son mari, puisque la Land-Rover était tombée en panne et qu'elle pouvait la voir distinctement sur l'autre rive. Alors, que s'est-il passé? La nuit est venue... Son état d'ébriété lui a fait perdre le sens de l'heure... N'est-il pas plausible que, se rendant compte brusquement que ses espoirs étaient sans fondement, elle ait pris la décision tragique d'en finir avec la vie? Deux témoins nous ont confirmé qu'elle était désespérée. Selon toute probabilité, elle a alors avalé des barbituriques, soit pour calmer son angoisse, soit pour faciliter sa décision de se jeter à l'eau. Personnellement, j'estime que tout a dû se passer de cette façon. C'est la seule explication logique. Je dois donc en conclure qu'il ne peut s'agir que d'un suicide. Messieurs les jurés, avez-vous des questions à poser?

Les jurés se regardèrent et échangèrent quelques mots à voix basse. Puis un jeune homme se leva et prit la parole au nom de tous : — Nous acceptons vos conclusions. Nous croyons, nous aussi, que les choses se sont bien passées de cette façon.

Le coroner se redressa et regarda la salle.

— Au nom de la justice du Comté de Cork, je déclare que Minerva Gwendolyn Standish, comtesse de Dunvale, s'est donné la mort de son plein gré au cours d'une crise de dépression et sous l'influence de l'alcool et des barbituriques...

Après quelques instants de silence, les murmures reprirent. Daisy serra affectueusement la main d'Edwina et se pencha pour faire signe à John Crawford qui lui répondit par un petit sourire. Puis elle regarda Anthony. Il restait figé sur son siège et semblait en état de choc, incapable d'admettre que sa femme s'était suicidée.

Daisy se leva et prit le bras d'Edwina pour la faire sortir de la salle. Bridget les rattrapa dans le couloir.

— Que Madame la Comtesse veuille bien me pardonner!

Edwina se retourna pour la dévisager et, sans répondre, secoua énergiquement la tête en signe de refus.

— Je ne pouvais rien dire d'autre, reprit Bridget. Parce que c'était... la vérité.

Daisy la regarda à son tour et eut l'impression qu'elle mentait. Comme Edwina s'appuyait contre elle, elle lui dit avec douceur en lui désignant un banc : — Assieds-toi là un moment, ma chérie.

— Je vais chercher un verre d'eau à Madame la Comtesse, proposa aussitôt Bridget.

— Non ! s'écria Edwina. Je ne veux plus rien de vous.

La violence de la réplique parut désarçonner la jeune femme.

— Mais, Madame la Comtesse...

Edwina détourna les yeux, ouvrit son sac à main et en sortit son poudrier. Stupéfaite, Bridget la regarda poudrer son nez rougi par les larmes, puis elle s'éloigna rapidement pour rejoindre Michael Lamont qui sortait de la salle.

— Comment te sens-tu maintenant, Edwina ?

Edwina se leva et, faisant face à sa sœur, elle retrouva soudain une dignité dont elle semblait avoir perdu l'habitude depuis un certain temps.

— Je viens brusquement de me rappeler qui je suis, déclara-t-elle d'une voix ferme. Je suis la fille d'Emma et mon fils est son petit-fils. Nous sommes d'une autre trempe que les autres. Il est grand temps qu'on le sache et que je cesse de m'attendrir sur moi-même.

Un sourire de soulagement éclaira le visage de Daisy.

— Sois la bienvenue dans la famille ! dit-elle simplement en tendant la main à sa sœur.

28

Miranda O'Neill se mit à rire de si bon cœur que les larmes lui vinrent aux yeux.

— Franchement, Paula, je n'ai jamais entendu une histoire aussi loufoque.

— Tu confirmes mes soupçons. Je pensais bien que Sarah racontait des mensonges.

— Mensonge est un bien grand mot. Disons qu'elle a déguisé la vérité ou, pour parler comme grand-père, qu'elle l'a « arrangée ».

— Mais que s'est-il passé à La Barbade ? Elle prétend avoir travaillé comme un forçat.

— Quelle blague ! J'avais engagé deux filles de là-bas pour l'aider et il y avait aussi la jeune femme qui va gérer la boutique.

Miranda se leva et traversa le bureau pour s'installer sur le canapé. Paula admira son allure et sa décontraction. Elle n'avait jamais été aussi radieuse. Son visage piqueté de taches de rousseur, un peu trop pâle d'habitude, était doré par le soleil des Caraïbes. La couleur fauve de sa robe rehaussait l'éclat de ses cheveux auburn et de ses yeux noisette pailletés d'or.

— Dès son arrivée, dit Miranda, Sarah a pris de grands airs affairés et autoritaires. Je lui ai offert mon aide, mais elle m'a pratiquement mise à la porte de la boutique en prétendant qu'elle se débrouillerait bien mieux toute seule. J'étais ahurie car elle n'était pas très au courant de ce que nous voulions faire. J'ai pourtant décidé de la laisser libre. En fait, elle ne voulait pas me voir, ni de près ni de loin. J'ai été très occupée par l'inauguration de l'hôtel, c'est exact... J'ai quand même eu le temps de lui téléphoner plusieurs fois chaque jour et de passer le soir, pour voir comment se déroulait l'installation de la boutique. Tu me crois, n'est-ce pas ?

— Bien sûr, petite sotte ! Je ne t'en ai parlé qu'à cause des jérémiades de Sarah. Non seulement elle prétend qu'elle s'est tuée au travail, mais encore que les O'Neill l'ont laissée tomber, si j'ai bien compris.

— Ça, c'est un mensonge éhonté ! Mon père et Shane sont allés je ne sais combien de fois la voir et elle a été de toutes les fêtes... Mais elle n'a pas dû s'amuser beaucoup car elle s'est comportée de façon bizarre. Elle avait l'air de croire que Shane devait être son cavalier servant, l'emmener partout où il allait et lui faire une cour assidue. Compte tenu des circonstances, Shane s'est montré plutôt gentil et patient, mais il avait autre chose à faire. Nous étions tous débordés de travail.

— Je le sais et je n'ai pas accordé trop d'importance à ses plaintes. J'avoue pourtant avoir été un peu déconcertée sur le moment. Pourquoi est-elle venue me raconter tout ça ? Elle devait bien savoir que je t'en parlerais.

— Elle est si étrange ! Elle vit dans son monde à elle. Rappelle-toi certains mauvais tours qu'elle nous a joués quand elle était petite. Et sa vanité, sa prétention, ses airs supérieurs... Écoute, elle ne mérite pas qu'on perde son temps à...

— Tu ne connais pas la vraie raison de sa visite. Elle m'a offert d'acheter les boutiques !

— Quel culot ! Nos boutiques ! C'est scandaleux ! Qu'est-ce qui lui est passé par la tête ? Je suppose que tu l'as envoyée promener. Je me trompe ?

— Non, mais ça ne l'a pas découragée. Elle m'a menacé d'adresser un télex à grand-maman.

— L'a-t-elle fait ?

— Elle s'est contentée de lui téléphoner à Dunoon. Elle a eu le front de la déranger pour ça, mais grand-maman est restée très ferme et lui a opposé un refus sans appel. Depuis, elle ne fait plus parler d'elle.

— Ça ne veut rien dire. En ce moment, elle est très occupée avec la collection d'été « Lady Hamilton ». Figure-toi que je suis allée à la présentation l'autre jour. Ce n'est pas qu'elle ait été grossière avec moi — elle est toujours très maniérée — mais elle s'est montrée encore plus distante que d'habitude. A part ça, sa collection est ravissante. J'espère que tu la verras la semaine prochaine quand tu iras à Londres. Il faut que nous lui passions commande rapidement.

— Je sais. Gaye a pris rendez-vous pour moi. Quels que soient ses défauts, Sarah est une styliste remarquable.

— C'est vrai, admit Miranda sans arrière-pensée. A propos, Allison Ridley était à la présentation, elle aussi, et elle m'a fait la tête. On aurait cru que j'avais la peste.

— C'est sans doute à cause de Winston et d'Emily.

— En quoi suis-je concernée ?

— Tu es au mieux avec Emily et, d'après Michael Kallinski, Allison est très montée contre Winston. Il paraît que Sarah et elle ne se quittent plus. Allison te considère sans doute comme faisant partie du camp ennemi. Michael m'a dit également qu'Allison songe à s'installer définitivement à New York.

— Tiens, tiens, tiens !... Peut-être a-t-elle l'intention de s'associer à son amie Skye Smith.

— Tu n'as pas l'air d'aimer Skye Smith !

— Pas vraiment. Oh, elle a été très aimable avec Shane quand il était à New York ! Elle a donné plusieurs dîners pour le présenter à certains de ses amis. Il la trouve sympathique. Mais... elle est trop polie pour être honnête. Elle est même un peu mielleuse. Bien qu'elle joue les oies blanches, je ne peux m'empêcher de croire qu'elle a beaucoup d'expérience avec les hommes. Je l'ai dit à Shane et il s'est contenté de rire. Winston, lui, serait plutôt de mon avis. Il a dû te raconter que, la semaine dernière, à New York, Shane nous avait invités au *Twenty-One* pour fêter le succès de Winston dans l'affaire de la papeterie canadienne ?

— Non. Et Winston ne m'a jamais parlé de Skye Smith.

— Comme c'est bizarre ! Pourtant, Skye était bien là. Avec Shane. Ça m'a donné l'occasion de la connaître un peu mieux. J'ai gardé de ce dîner l'impression qu'elle avait quelque chose à cacher. A propos de son passé.

— Pourquoi ?

— Je ne sais pas trop. Une intuition. Et, dans l'avion, quand je suis rentrée à Londres avec Winston, nous avons beaucoup parlé d'elle et nous sommes arrivés à la conclusion qu'elle était sournoise. Maintenant, il n'a plus beaucoup de sympathie pour elle alors qu'au printemps dernier, quand il a fait sa connaissance chez Allison, il l'avait trouvée bien.

— Est-ce sérieux entre Shane et elle ? demanda Paula d'une voix un peu rauque.

— J'espère bien que non. Winston pense que c'est platonique... A propos de Winston, comment va Sally ?

— Beaucoup mieux. Anthony est arrivé d'Irlande il y a une dizaine de jours et il est allé la retrouver à Heron's Nest, où elle s'était réfugiée. Je les ai eus au téléphone hier. Ça leur fait du bien d'être au calme. Anthony va passer me voir cet après-midi.

— Vous avez dû être tous très éprouvés au moment de la mort de Min. J'ai bien pensé à toi.

— Tu es gentille. Mais, heureusement, Emily venait de rentrer de Paris et il nous a été plus facile, à deux, de faire face aux événements.

— Tu parais quand même fatiguée, dit Miranda d'un ton hésitant. Ne peux-tu pas prendre quelques jours de vacances ?

— Tu plaisantes ! Regarde tous ces dossiers.

Miranda ne fit pas de commentaires et détourna la tête pour dissimuler son inquiétude. Son regard tomba sur la grande console d'acajou où se trouvait la collection des photos d'Emma. Elle y reconnut ses propres grands-parents, Blackie et Laura, le jour de leur mariage ; son père âgé de quelques mois sur une couverture de fourrure ; Shane et elle tout petits ; ses parents en mariés... et les enfants d'Emma à tous les âges.

Elle avança la main pour examiner de plus près le portrait d'un bel homme en uniforme d'officier.

— Ta mère ressemble beaucoup à Paul McGill. Elle a ses yeux. Toi aussi. Oh ! le cadre en argent est tout cabossé ! Quel dommage ! Il faudrait le faire réparer.

— Grand-maman ne veut pas en entendre parler.

— Pourquoi ?

— Mon grand-père est resté en Australie pendant toute la guerre et grand-mère a cru qu'il ne reviendrait jamais. Alors, dans une crise de rage, elle a lancé son portrait à travers la pièce et le cadre s'est abîmé en retombant. Mais elle a toujours voulu le garder dans cet état pour se rappeler l'erreur qu'elle avait commise en ne faisant pas confiance à l'amour. Si elle n'avait pas désespéré du retour de Paul, elle se serait épargné les années de souffrance de son mariage désastreux avec Arthur Ainsley.

— Ils se sont retrouvés et ils ont vécu une longue période de bonheur, n'est-ce pas ? dit Miranda d'un ton mélancolique.

— Qu'as-tu donc ? Aurais-tu des peines de cœur ? Il me semble que tu as congédié tous tes soupirants.

— Oui. Et il n'y en a pas de nouveaux en vue. Sur ce plan-là, je n'ai pas de veine en ce moment. Presque tous ceux avec qui je suis sortie récemment ne s'intéressent guère qu'à la fortune des O'Neill et à mon petit air sexy... Je vais finir dans la peau d'une vieille fille. Emily a de la chance. Avec Winston, elle sait que c'est elle qu'il aime et non pas son compte en banque, puisqu'il est largement aussi riche qu'elle.

— Voyons, Miranda, tous les hommes ne sont pas intéressés ! s'écria Paula sans être bien sûre de ce qu'elle affirmait.

— Paula, je ne sais comment te remercier de me consacrer une partie de ton temps, cet après-midi. Et j'aimerais te dire encore une fois que tu as été vraiment formidable au moment de...

— Si tu continues, Anthony, je te flanque à la porte ! J'ai fait ce que j'ai pu, c'est-à-dire assez peu !... Mais, pour répondre à la question que tu m'as posée tout à l'heure, je crains que grand-maman soit très, très contrariée si Sally et toi, vous vous mariez avant son retour.

— Tu crois ? dit-il, soudain découragé. Mais à quelle date revient-elle ? Le sais-tu ?

— En principe, elle sera à Pennistone pour fêter Noël en famille, comme d'habitude. C'est à ce moment-là seulement qu'il faut vous marier. Oui, à Noël. Grand-maman sera ravie et vous pourrez passer vos vacances d'hiver avec elle.

Il ne répondit pas.

— Tu n'as pas l'air de mon avis. Qu'est-ce qui te fait hésiter ?

Il resta muet encore une fois, le regard perdu. Il a les yeux Fairley, se dit Paula, ceux de Jim, ceux de tante Edwina.

— Je suppose que, pour Noël, ça irait, finit par déclarer Anthony sans enthousiasme. Mais il faudrait que ce soit un mariage dans l'intimité, Paula. Parce que... parce que Sally est enceinte et que ça se verra.

Consciente de sa gêne, Paula répliqua d'un ton léger : — Oui, je suppose que Sally sera dans son sixième mois en décembre. Il faudra que nous lui fassions une jolie robe de mariée pour cacher son ventre.

— Comment ? Tu le savais ?

— Je l'ai deviné. Emily et moi, nous avions trouvé qu'elle avait grossi en septembre. Mais ne t'inquiète pas. Personne d'autre n'est au courant, à part Winston.

— Son père et Vivienne soupçonnent aussi...

— Je veux parler du reste de la famille, Anthony. Il faut, en effet, que ce soit un mariage dans l'intimité. Tout à fait entre nous, avec les Harte, bien sûr, grand-maman, Jim, ta mère et Emily... Emily serait blessée de ne pouvoir y assister.

— Bien sûr. Mais crois-tu... que ce soit inconvenant que je me remarie ?... Enfin, si tôt après la mort de Min ?...

240

— Pas du tout, dit Paula en le regardant dans les yeux.

L'épreuve qu'il venait de subir semblait l'avoir vieilli, usé. Il n'était plus le beau jeune homme qui, le jour de l'anniversaire d'Emma, dans son élégant smoking, attirait tous les regards par sa blondeur, sa vitalité, sa distinction et son aisance de grand seigneur.

— Écoute-moi, Anthony... Tu ne t'entendais pas avec Min. Vous étiez séparés et en instance de divorce. Mais tu n'es pas coupable de sa mort. Il faut oublier, éviter que ce drame ne jette une ombre sur l'avenir et détruise ta vie et celle de Sally. Avant tout, pense à Sally et à l'enfant qu'elle attend.

— Tu as raison. Mais je n'ai jamais souhaité la disparition de Min et son suicide m'a...

— Je sais, je sais, dit-elle en l'arrêtant d'un geste. Il faut seulement ne pas oublier, comme le disent ma grand-mère et ma mère, que chacun de nous est responsable de sa propre vie. Tu dois t'en convaincre.

— C'est difficile.

— Je t'assure que je te comprends, mais il ne faut pas que tu te laisses ronger par ce drame. Ce serait un crime vis-à-vis de ton enfant.

— Que veux-tu dire ?

— Si tu es hanté par ce suicide, tu seras incapable d'aimer l'enfant qui va naître. Min restera toujours entre lui et toi, entre Sally et toi. Souviens-toi que ce bébé n'a pas demandé à venir au monde...

Il la regarda longuement, bouleversé. Elle vit qu'il luttait contre son émotion. Soudain, il se leva et alla jusqu'à la fenêtre. L'air absent, il resta un moment à regarder dehors. Ce n'était pas la rue qu'il voyait, mais le visage de Min, noyée, qu'on retirait du lac. Il ferma les paupières. Puis il se souvint de ce que lui avait dit Sally, la veille au soir : « La vie est faite pour les vivants. Nous ne pouvons rien changer à la réalité, ni passer le reste de notre existence à nous torturer. Sans quoi, c'est Min qui aura gagné par-delà la tombe. » Il prit alors conscience que la Min d'autrefois, celle qu'il avait aimée, n'avait aucune ressemblance avec la femme aigrie et vindicative qu'elle était devenue par la suite et dont le ressentiment avait détruit leur amour. Ce n'était pas Sally qui avait brisé leur couple comme l'affirmait Min avec tant de violence, c'était Min elle-même.

Il recouvra peu à peu son calme et retourna près de Paula.

— Tu es merveilleuse. Pleine de sagesse et de bonté. Merci de m'avoir ouvert les yeux. Je vais donner à Sally et à notre enfant le meilleur de moi-même, je te le jure.

Après le départ d'Anthony, Paula se remit au travail. A six heures et demie, Agnès entrouvrit la porte.

— Partirez-vous très tard, ce soir, Madame ?

— Entrez, Agnès... Non, je vais rester encore une petite demi-heure, c'est tout. Vous pouvez vous en aller.

— Non, je vous attends. Je vais vous apporter une tasse de thé bien chaud. Vous avez l'air épuisée.

— C'est gentil, je veux bien... Non, attendez une minute. Nous ferions mieux de prendre un verre. Ça nous remonterait.

— Mais croyez-vous qu'il y ait quoi que ce soit à boire ici ?

— Je ne sais pas, répliqua Paula en riant. Il y avait une bouteille de xérès dans la penderie. Allez donc voir si elle y est toujours.

Une minute plus tard, Agnès était de retour et brandissait triomphalement une bouteille de *Bristol Cream*.

— Ça ira, dit Paula. Et, pour faire d'une pierre deux coups, nous examinerons en buvant quelques petites questions restées en suspens. Demain samedi, je ne viendrai pas au bureau. J'ai décidé de consacrer la journée à mes enfants. Vous, Agnès, vous pourrez rester chez vous.

— Merci, Madame.

Dix minutes plus tard, Paula avait passé en revue tous les dossiers empilés sur son bureau.

— Vous enverrez ces trois-là à Londres, pour Gaye Sloane... Avez-vous votre bloc-notes ?... Bon, joignez-y un mot et demandez à Gaye de faire des duplicata. Et...

Le téléphone sonna. Agnès se précipita pour répondre :

— Oui. Une minute, s'il vous plaît... Madame, c'est Monsieur Stevens qui vous appelle du Texas.

— Allô, Dale ? Comment allez...

— Excusez-moi, Paula, mais j'ai de mauvaises nouvelles...

— Que se passe-t-il ?

— Un de nos navires est en détresse. Il est en train de perdre son pétrole et de provoquer une marée noire le long de la côte. Il y a eu une explosion dans la salle des machines... La situation est dramatique. Cinq hommes sont morts, quatre autres sont grièvement blessés.

— C'est affreux ! Comment cela s'est-il produit ?

— Nous l'ignorons. Une enquête est en cours. Il y a eu un incendie, mais on a réussi à l'éteindre. Le navire n'a pas coulé...

— Je vous entends mal !

— Je répète, hurla-t-il. Le navire n'a pas coulé. Nous ne connaissons pas encore la cause de cette explosion, mais nous avons déjà perdu des dizaines de milliers de barils de pétrole brut et il va falloir arrêter la marée noire qui progresse vers la baie de Galveston. Sans quoi, toute la faune marine, les élevages de crevettes et...

— C'est un désastre !

— Pardon ?

— Je dis que c'est une catastrophe. Les écologistes vont nous tomber dessus à bras raccourcis et Dieu sait qui encore. Il faut s'occuper sans tarder des familles des disparus. Écoutez, voulez-vous que je prenne le premier avion ?

— Non, ça ne servirait à rien. Je m'occupe de tout. J'ai pris contact avec la compagnie d'assurances. Ça va nous coûter des millions de dollars pour nettoyer la côte.

— Combien ?

— Je ne sais pas encore. Ça dépend des dommages. Disons entre cinq et dix millions.

Paula sursauta, épouvantée par le chiffre.

— Eh bien, tant pis ! dit-elle enfin. Il faut le faire, Dale. Rappelez-moi dès que vous saurez la cause de cette explosion. C'est incompréhensible. Nous faisons toujours le maximum pour la sécurité.

— Personne n'est à l'abri d'un accident dans les transports de pétrole. Je vous rappellerai demain, peut-être même ce soir si j'ai des nouvelles.

— Je serai chez moi toute la soirée... Dale, faites tout ce que vous pourrez pour les familles des victimes.

— Je m'en suis déjà occupé.

— Ça va nous causer beaucoup de tort !

— Je le sais, ma pauvre amie. Bon, je raccroche. Ici, le temps presse.

— Dale, encore une question... Vous ne m'avez pas dit de quel pétrolier il s'agissait.

— Désolé, Paula. C'est le *M.R.M. III*.

Paula reposa le récepteur, accablée.

— Je crois avoir compris, murmura Agnès. Un des pétroliers de la *Sitex* a coulé, n'est-ce pas ?

Paula lui expliqua la situation et ajouta :

— Il s'agit du *M.R.M. III*. Ma grand-mère possédait autrefois une compagnie appelée M.R.M. C'est mon grand-père qui l'avait baptisée ainsi, en opérant une contraction entre le nom d'Emma — la femme qu'il adorait — et le mot Émeraudes — les pierres qu'il préférait. Depuis, la tradition veut qu'il y ait toujours à la *Sitex* un pétrolier appelé *M.R.M.* Il faut que j'envoie un télex à ma grand-mère.

Elle prit son bloc-notes. En dévissant le capuchon de son stylo, un grand frisson d'angoisse l'envahit. Bien qu'elle n'eût jamais été superstitieuse, elle avait le pressentiment d'un désastre imminent... Oui, l'explosion du *M.R.M. III* lui semblait de mauvais augure.

29

— Alors, tu t'es vraiment ennuyé ? demanda Emily.

Winston posa son verre de cognac et la regarda avec un certain étonnement. Le salon de Beck House était faiblement éclairé par des braises qui rougeoyaient encore dans la cheminée.

— Évidemment ! Tu as vu Paula ? Elle a fait une tête d'enterrement et n'a pratiquement pas ouvert la bouche de la soirée. Quant à Jim, il était déjà ivre avant de passer à table. En outre, la grossesse de ma sœur était plus qu'évidente, et Miranda n'a cessé de gémir sur la cruauté du sort qui l'oblige à rester vieille fille à vingt-trois ans du fait qu'aucun de ses amis d'enfance ne s'intéresse à elle. Ajoute à ça qu'Alexandre n'a pas décoléré à la pensée que sa mère a eu une liaison avec la moitié du Gouvernement, tandis que Maggie Reynolds nous assommait tous avec une interminable histoire de pavillon de chasse aux Hébrides ! Et tu oses me demander si je me suis vraiment ennuyé ? Heureusement que j'ai de l'humour ! Car, dans ce genre de soirée, il ne faut compter que sur soi-même pour se distraire.

— Mais Anthony était en forme, lui !

— En très grande forme, c'est vrai. Il semble avoir retrouvé son équilibre.

— Grâce à Paula. Elle lui a fait une espèce de sermon, la semaine dernière, et elle est parvenue à le tirer du marasme.

— Ça ne m'étonne pas d'elle, murmura Winston.

— Que veux-tu dire ?

— Elle n'a pas sa pareille pour donner des conseils aux autres. Si elle se faisait aussi la leçon, tout irait mieux.

Emily fut obligée de l'admettre. Winston, enfoncé dans les coussins du canapé, mit un pied sur la table basse et resta songeur. Après cette désastreuse soirée à Long Meadow, Emily et lui avaient eu la chance de pouvoir s'échapper les premiers et retrouver la quiétude de Beck House. Mais ce qui l'inquiétait encore, c'était la mauvaise mine de Paula. Depuis son retour de Vancouver, il s'était vaguement rendu compte qu'elle devait avoir de gros ennuis. Ce soir, il n'en doutait plus : de toute évidence, elle n'était pas heureuse avec Jim.

— Je parie que tu penses à Paula, dit Emily.

— Oui... Elle avait l'air dans le trente-sixième dessous et elle ne parlait que par monosyllabes. Elle n'a jamais été très bavarde, mais elle est plus communicative d'habitude, surtout en famille.

— Quels que soient ses problèmes, elle est à la hauteur de la situation et d'une énergie à toute épreuve. Comme grand-mère.

— Oh, je ne pensais pas à des ennuis de travail ! Si elle a des problèmes insolubles, c'est avec Jim, à mon avis.

— Tu as raison. J'ai essayé de lui en parler, mais elle change aussitôt de sujet.

— Vous vous entendez bien, pourtant. Elle ne t'a jamais rien confié ?

— Il y a bien eu ce dimanche de septembre, au moment de la mort de Min, où elle a pleuré après le coup de téléphone de Jim. Ensuite, quand il est rentré d'Irlande, elle m'a avoué qu'il était très irritable et qu'il s'était mis en colère contre elle. Elle n'a pas voulu m'en dire plus. Depuis, elle s'est réfugiée dans le travail et elle se console aussi avec les jumeaux, qu'elle adore. Sa carrière mise à part, ils sont devenus toute sa vie.

— Ce n'est pas très normal. Mais ne fais pas cette tête, ma chérie, ça s'arrangera sûrement.

— Je l'espère, murmura Emily sans y croire.

Elle savait que Paula avait trop le sens de ses devoirs maternels pour priver ses enfants de leur père. Elle refuserait d'autant plus de se séparer de Jim qu'elle détestait rester sur un échec.

— Veux-tu que j'essaie de parler à Paula ? demanda Winston.

— Pas question ! Elle considérerait ça comme une intrusion dans sa vie privée.

— Elle ferait pourtant mieux de demander le divorce.

— Elle ne le fera jamais. Elle est contre le divorce, tout comme moi.

— Tiens, qu'est-ce que ça veut dire ?

— Rien. Nous sommes vraiment contre, voilà tout. Regarde ma mère ! Sa collection de maris ne lui a pas très bien réussi.

— C'est l'exception qui confirme la règle.

— Paula dit que ce n'est pas une solution de divorcer pour un oui ou pour un non, et qu'une bonne entente exige beaucoup d'efforts...

— Peut-être, mais il faut être deux pour danser le tango !

— Tu crois que Jim ne fait aucun effort de son côté ?

— Je ne crois pas qu'il en fasse beaucoup. Pourtant, je peux me tromper... Allons, parlons d'autre chose, Petite Pomme.

— Oh, ne m'appelle plus comme ça !... Je suis mince, maintenant.

— C'était par tendresse et non pour te critiquer, petite oie !

Il se rapprocha d'elle, la prit dans ses bras et lui murmura à l'oreille :

— Si j'ai bien compris, tu comptes me ligoter pour le restant de mes jours, sans le moindre espoir de divorce !

— Oui, répliqua-t-elle dans un chuchotement.

— Tant pis, je m'en accommoderai !

— Que veux-tu dire ?

— Que je ne pourrais plus être heureux avec une autre, mon amour. Parce que je te connais et que je te comprends. Et parce que nous nous entendons bien.

— Tu en es sûr ?

— Je peux te le prouver sur-le-champ.

— Heureusement qu'il y a le chauffage central dans cette maison! Il fait un froid de canard, ce soir, dit-elle une demi-heure plus tard en enroulant le drap autour d'elle.

— Qui aurait pu se douter que tu gelais?... Mais veux-tu que je fasse du feu?

— N'est-il pas plutôt l'heure de dormir?

— Tu as déjà sommeil?

Elle fit signe que non et se mit à rire. Il se leva d'un bond, passa sa robe de chambre et s'approcha de la cheminée. Elle le regarda gratter une allumette, surveiller l'âtre un moment et attiser le feu avec de vieilles pincettes. Elle avait toujours aimé la précision de ses gestes et son habileté manuelle. Enfant, il lui avait offert pour ses dix ans une boîte à bijoux qu'il avait faite lui-même. Il avait aussi construit un petit pont sur la rivière, une merveille d'ingéniosité et d'équilibre. Puis il avait abandonné le travail du bois pour faire de la musique...

— Winston, qu'est-il donc arrivé à ta trompette?

Accroupi devant le feu, il se retourna, étonné:

— Pourquoi cette question?

— Je pensais à notre enfance.

— C'est bizarre. Sally l'a justement retrouvée il y a quelques semaines dans un des placards d'Heron's Nest. Ce que je pouvais être ridicule, à cette époque!

— Ce n'était pas mon avis, mais tu étais souvent impossible. Quand je pense que tu avais fourré un poisson mort dans mon lit!

— C'est que tu étais assommante, en ce temps-là... Tout de même, si j'avais été moins bête, c'est moi qui me serais fourré dans ton lit.

— Tu n'aurais jamais osé, Winston Harte. Tu savais que grand-maman avait des yeux derrière la tête.

— Oh, elle n'a pas changé!

Il revint s'allonger près d'elle, attendri. Les yeux fermés, il repensa à ce dimanche d'avril où il l'avait invitée à dîner. Il n'avait même pas eu le temps de faire la cuisine. Car, dès l'arrivée d'Emily, ils étaient tombés dans les bras l'un de l'autre et, dix minutes plus tard, ils s'étaient retrouvés dans ce même lit...

— Winston, ne sois pas furieux contre moi, déclara soudain Emily. J'ai quelque chose à te dire, quelque chose de très important.

— Vas-y, ma Petite Pomme, dit-il en rouvrant les yeux.

— C'est au sujet de la mort de Min. De l'enquête.

— Ah non! tu ne vas pas remettre ça!

— Écoute-moi une minute.

— Juste une minute alors!

— D'après Sally, Anthony est toujours convaincu que Min ne s'est pas suicidée.

— À quoi bon ressasser tout ça? Tante Daisy et Jim nous ont raconté l'enquête en détail. Il ne peut pas s'agir d'un accident.

— Je ne crois pas à l'accident, moi non plus!

— Alors, veux-tu insinuer qu'il s'agit d'un meurtre ?

— J'en ai bien peur.

— Et qui serait le meurtrier ? Le pauvre Anthony est incapable de faire du mal à une mouche.

— Je ne sais pas qui c'est, mais je n'arrive pas à oublier cette histoire. Ce laps de temps...

— Tu as raté ta vocation, mon chou. Tu aurais dû écrire des romans policiers.

— Moque-toi de moi si tu veux, mais je suis sûre qu'un jour on saura la vérité.

Soudain attentif, Winston se redressa. Il connaissait trop la finesse d'Emily pour ne pas prendre au sérieux ce qu'elle venait de dire.

— Toi, tu as une idée derrière la tête ! Eh bien, je t'écoute.

— Voilà : rien ne peut me convaincre que Min est restée près du lac pendant cinq heures. Elle a dû repartir et aller retrouver quelqu'un qui l'a encouragée à se soûler à mort, qui lui a peut-être fait avaler des barbituriques... pour l'avoir à sa merci. Et quand elle a été inconsciente, on l'a jetée dans le lac pour faire croire à un suicide ou à un accident.

— Ne le prends pas mal, Petite Pomme, mais ça me semble un peu tiré par les cheveux. D'après tous les témoignages, elle n'a pas quitté le pays.

— En effet, mais elle a pu se rendre à pied quelque part en laissant l'Austin au bord du lac.

— Oh ! Emily, Emily, ça n'a aucun sens ! Qui aurait pu vouloir tuer Min ? Et pourquoi ? Ta théorie ne tient pas debout. Qu'en dit Paula ?

— La même chose que toi, à peu près. Elle ne veut pas en entendre parler. Pour elle, l'affaire est classée. Elle m'a dit des banalités du genre : « Laissons les morts en paix ! » Mais moi, je ne cesse de penser à Sally et à Anthony qui doivent vivre avec l'idée que Min s'est tuée à cause d'eux. Et puis, Winston, pense à Min elle-même ! Si on l'a assassinée de sang-froid, comme je le pense, il faut que le coupable paie pour son crime.

Winston resta un moment silencieux, puis il répliqua calmement :

— Tu n'y peux rien, Paula a raison. C'est une affaire classée. Relancer l'enquête mettrait à nouveau Anthony et Sally dans une situation délicate. Allons, laisse tomber !

— Excuse-moi d'en avoir parlé, dit Emily un peu vexée.

— Voyons, ma chérie, ne te rends-tu pas compte que j'ai autre chose en tête ?

— Je t'ai demandé de m'excuser, reprit-elle en riant. Oublions ça.

— Tes souhaits sont des ordres !... Mais, entre nous, j'aimerais autant que tu ne parles pas de tes suppositions à Sally.

— Je ne suis pas idiote.

— J'en suis sûr. Viens, maintenant, ou ton roman noir finira par me couper tous mes effets.

— Oh ! Là-dessus, je ne m'en fais pas trop pour toi ! murmura-t-elle en cherchant ses lèvres.

Il effleura d'une main caressante sa poitrine, son ventre et la douceur soyeuse de ses cuisses, puis se pencha pour poser les lèvres sur l'un de ses seins, et elle gémit doucement. Il explora avec une tendre patience ce jeune corps qui s'offrait. Un peu plus tard, étroitement enlacés, leurs deux corps se mouvaient à l'unisson au rythme de leur désir.

Après l'amour, tandis qu'ils reposaient dans les bras l'un de l'autre, épuisés et ravis, Emily demanda avec un petit sourire :

— Qui a bien pu répandre la rumeur insensée que les Anglais étaient de mauvais amants ?

— Des étrangers jaloux, évidemment !

30

Le vent soufflait avec rage et faisait tourbillonner les feuilles mortes dans l'allée menant à la pelouse où Paula, la veille, avait laissé sa brouette. Le soleil surgit alors d'une masse d'épais nuages qui donnaient au ciel, ce jour-là, la couleur du plomb. Son éclat illumina soudain les feuillages roux de l'automne.

Elle s'arrêta pour admirer le jardin ! Comme il était beau, même en novembre ! Devant elle, le gazon déployait les nuances somptueuses d'une tapisserie ancienne où se mêlaient l'or et le cuivre, l'ocre brun et le jaune de chrome.

Elle se remit en marche, ramassa son râteau et commença d'entasser les feuilles mortes. Elle espérait qu'une heure de jardinage lui redonnerait un peu d'allant et la tirerait de l'état dépressif où elle s'enfonçait depuis quelque temps. Mais elle s'arrêta bientôt, posa son râteau contre la brouette et ôta ses gants de jardin pour renouer son écharpe et remonter le col de sa vieille veste de tweed. Il ne faisait pas chaud et l'on aurait dit qu'il allait neiger. Elle renfila ses gants et reprit son travail. Une demi-heure plus tard, elle entendit le pas de Jim sur le gravier de l'allée.

— Bonjour, ma chérie ! dit-il avec une gaieté forcée. Quel courage à cette heure matinale !

— J'ai voulu nettoyer un peu la pelouse avant de partir pour Londres, répliqua-t-elle sans lever les yeux. Le grand air et l'exercice me font toujours du bien.

— Peut-être, mais tu n'as pas à te tuer au travail. Fred fera ça demain.

— Il y a trop à faire pour un seul jardinier, dit-elle en se redressant.

Il la regarda d'un air gêné :

— Tu as l'air en colère contre moi.

— Non, je t'assure que non.

— Oh, tu as des raisons de m'en vouloir ! J'étais complètement parti, hier soir.

— Ça ne t'arrive pas souvent, déclara-t-elle en s'efforçant à l'indulgence.

Elle se demanda aussitôt pourquoi elle lui cherchait des excuses. Non seulement il s'était enivré plusieurs fois au cours des dernières semaines, mais encore il avait franchement dépassé les bornes, la veille au soir, devant leurs invités.

Apparemment soulagé par sa réponse, il s'approcha et posa les mains sur les siennes au bout du manche du râteau.

— Allons, réconcilions-nous. Après tout, hier, nous étions entre amis... Mais je te demande pardon. Ça ne m'arrivera plus.

— Bah, c'était une soirée ratée, de toute façon ! dit-elle en souriant. Personne n'était dans son état normal et je n'ai pas été surprise en voyant Winston et Emily nous quitter si tôt.

— Ils avaient·sûrement mieux à faire! J'espère tout de même n'avoir rien dit qui les ait vexés.

— Non, non, tu t'es montré aussi cordial que peut l'être un ivrogne.

— Si ça peut te consoler, j'ai une sacrée gueule de bois, ce matin.

Il frissonna dans son pardessus et mit les mains dans ses poches.

— Il fait un froid de canard, reprit-il. Comment peux-tu le supporter?

Elle ne répondit pas et le dévisagea. Il était pâle, il avait les traits tirés.

— Eh bien, ma chérie, je crois que je vais m'en aller... J'étais juste venu te faire des excuses, t'embrasser et te souhaiter bon voyage.

— Mais, toi, où vas-tu?

— A Yeadon.

— Ne me dis pas que tu vas faire de l'avion avec un vent pareil et dans l'état où tu es!

— Ma gueule de bois disparaîtra dès que je serai là-haut! Tu es gentille de te soucier de moi, mais ne crains rien, tout ira bien. Je viens de téléphoner au terrain d'aviation. La météo est rassurante. Le vent va tomber dans une heure.

— Jim, je t'en prie, ne va pas à Yeadon. Pas tout de suite, en tout cas. Attends que je sois partie pour Londres. Viens boire une tasse de café avec moi. Puisque je dois rester à New York deux ou trois semaines, il ne faut pas que nous nous quittions sur un malentendu. Nous devons avoir une conversation.

— Je ne te suis pas. De quoi veux-tu que nous parlions?

— De nous deux, Jim. De notre vie commune, de nos problèmes, de la tension qui existe entre nous.

— Quelle tension? Nous sommes fatigués, nous travaillons trop tous les deux et il y a eu cette triste histoire d'Irlande... Il est bien naturel que nous soyons parfois un peu tendus, mais ce n'est pas grave.

— Pourquoi toujours cette attitude? Tu es comme l'autruche, à enfoncer sans cesse ta tête dans le sable! Nous avons des problèmes et ça ne peut plus continuer.

— Allons, allons, ne t'emballe pas! dit-il en tentant de rire.

Il commençait à en avoir assez de la voir exiger constamment une mise au point. Pour lui, il n'était pas question de se mettre à discuter ce matin-là. Il était pressé de partir et de se retrouver aux commandes de son appareil. Il ne se sentait bien que dans les airs. Là-haut, il oubliait ses soucis, il retrouvait la paix et le plaisir d'être libre. Piloter, il n'aimait rien tant dans la vie... à part embrasser ses enfants et... faire l'amour à sa femme.

— Voyons, ma chérie, poursuivit-il en prenant le bras de Paula, ne nous disputons pas avant ton départ. Je t'aime. Tu m'aimes. Rien d'autre ne compte. Ton voyage va te changer les idées. Tu nous reviendras en forme et nous examinerons alors nos petits différends. A condition qu'ils existent toujours!

— Encore une fois, tu refuses de regarder la vérité en face!

— Notre principal problème, Paula, c'est ta tendance à tout dramatiser. Et ta sensibilité exagérée.

— N'essaie pas de rejeter la faute sur moi seule. Pourquoi ne pas admettre que nous avons du mal à communiquer ?

— Tu ne parles pas sérieusement ! Faire l'amour, c'est bien la meilleure façon de communiquer et, de ce côté-là, tout marche à souhait.

— Mais non, murmura-t-elle très bas.

— Comment oses-tu dire une chose pareille ? s'écria-t-il, ahuri. Tu aimes ça autant que moi.

— J'ai des désirs normaux, Jim. Je suis jeune et je t'aime. Mais parfois tu es...

— Je suis quoi ?

— Un peu trop... ardent. Je ne trouve pas d'autre mot. Je suis souvent épuisée en rentrant du bureau et je n'ai pas toujours la force de passer la moitié de la nuit à...

Elle s'interrompit, embarrassée, craignant de l'avoir vexé.

— Eh bien, je te dis depuis des mois que tu travailles trop. Il faut jeter du lest. Tu n'as pas besoin de trimer comme une bête. Tu seras un jour l'une des femmes les plus riches du monde.

— J'aime mon travail, répliqua-t-elle avec une irritation contenue. Et j'ai conscience de mes responsabilités non seulement vis-à-vis de grand-mère, mais encore vis-à-vis de ceux que nous employons.

— Si tu travaillais moins, tu serais moins fatiguée...

Il s'arrêta, brusquement saisi d'inquiétude, puis reprit, un peu haletant :

— Tu ne voulais pas dire que je ne te satisfaisais pas, n'est-ce pas ?

— Non... Mais mes désirs sont un peu différents des tiens, Jim. Les femmes... nous... Moi, je voudrais que ça aille un peu moins vite... que tu essaies de me préparer à... Enfin, tu vois...

Elle n'osa pas continuer, consciente de la stupéfaction qui se peignait sur le visage de son mari. En fait, il ne savait pas trop s'il était ennuyé ou amusé. Voilà donc le fond du problème ! se dit-il. La sexualité, la source de tout mal, comme on dit.

— Paula, ma chérie, je te demande pardon de mon égoïsme. Je n'ai pensé qu'à moi. Je ne m'en rendais pas compte. Mais c'est peut-être parce que tu m'impressionnes trop ! Je ferai attention à l'avenir, je te le jure. Seulement, je dois avouer que je ne suis pas tellement doué pour... pour les préliminaires. Ça m'a toujours semblé si peu viril ! Enfin, je te promets d'être moins impatient, d'attendre que tu sois... disons, prête à m'accepter.

Paula ne put s'empêcher de rougir. Elle se sentait humiliée par le ton paternel et légèrement sarcastique qu'il avait pris. Alors qu'elle lui demandait son aide, il lui répondait d'une voix doucereuse, avec une fausse compassion, comme à une infirme. Elle regretta de lui avoir fait un aveu aussi grave au milieu du jardin... En fait, il ne pensait qu'à partir pour éviter une discussion embarrassante et il se moquait bien d'elle ! Elle eut un frisson et releva la tête. Le soleil avait disparu derrière les nuages.

— Tu as froid, ma chérie ? Rentrons, maintenant. Ecoute, je crois que j'ai une bonne idée. Pourquoi n'irions-nous pas nous réchauffer un peu dans notre lit ? Tu verras que je peux être le meilleur amant du monde.

— Jim, comment peux-tu ?... Faire l'amour ne résout pas tous les problèmes !

— Mais puisque les problèmes que nous avons sont précisément d'ordre sexuel...

— Je n'ai rien dit de tel. Je t'ai seulement avoué que je ne tenais pas à faire l'amour à tout bout de champ.

— Viens !

Sans protester, elle le suivit jusqu'à la maison.

— Attends, je vais préparer deux bols de café, dit-il en entrant.

— Je veux bien, je grelotte. Je vais dans mon bureau.

Il disparut en direction de la cuisine et elle se réfugia dans la petite pièce dont elle avait fait son domaine. Il y avait un bon feu dans la cheminée et elle alla s'asseoir devant l'âtre pour tenter de se calmer. Mais quand Jim revint avec le café, elle eut un coup au cœur en voyant son regard hostile.

— Eh bien, parlons, dit-il sèchement en lui tendant son bol et en s'installant à côté d'elle.

— Tu sais que je t'aime, répliqua-t-elle avec douceur. Mon plus cher désir est que nous formions un couple uni. Mais, franchement, ça ne marche pas entre nous. Du moins pour le moment.

— Qu'est-ce qui ne va pas, selon toi ?

— Chaque fois que j'essaie de te parler de mes difficultés personnelles, tu trouves un prétexte pour ne pas m'écouter. Tu fais comme si ça ne t'intéressait pas. Je sais pourtant que tu m'aimes. Mais dès qu'un problème se présente, ta seule solution, c'est de faire l'amour !

— Je suis désolé, dit-il en soupirant. Malheureusement, je n'ai pas grandi au sein d'une famille nombreuse. J'étais un enfant solitaire. Je n'avais pour toute compagnie que mon grand-père, un vieil homme. Peut-être ai-je du mal à m'exprimer. Je croyais pourtant avoir été attentif à ce que tu disais. Quant à l'amour, ça me paraît l'idéal pour se réconcilier. Tu semblais y prendre autant de plaisir que moi, mais si je t'ai fait violence, alors.

— Jim, arrête, je t'en prie ! On croirait que tu fais exprès de tout comprendre de travers !

— Tu exagères encore !

— Mais non, mais non ! Je te fais seulement remarquer que ça m'inquiète. J'ai sûrement tort. A toi maintenant de me dire ce qui ne va pas chez moi.

— Comme tu t'emballes, ce matin ! Tu fais une montagne de trois fois rien. Moi, je te trouve merveilleuse et je t'aime. Les remarques que j'aurais à te faire sont sans importance.

— Dis-moi quand même ce que tu me reproches, je t'en supplie.

— Eh bien, dit-il un peu à contrecœur, tu travailles trop dur et sans raison valable... Ce n'est pas parce que ta grand-mère n'a pas pris de repos pendant des années que tu dois l'imiter. D'ailleurs, les magasins HARTE ont très bien marché avant que tu les diriges et...

— Jim, pour que les ventes continuent au même rythme, il faut sans cesse innover et aller au-devant des désirs des clients. Nous ne pouvons nous permettre de stagner.

— Si tu le dis, ma chérie, je suppose que tu le sais mieux que moi!

Paula se rendit compte que la discussion l'ennuyait à mourir. Elle reprit pourtant avec ardeur : — Mais c'est important, Jim! Je suis sûre que je dois poursuivre dans cette voie.

— Et, moi, que tu devrais te reposer et cesser de tout dramatiser. Cette discussion n'a aucun sens. Pourquoi tiens-tu à me convaincre, contre toute évidence, que nous sommes malheureux?... Quand je regarde autour de nous, je m'aperçois bien que nous sommes le couple le plus uni qui soit.

Elle comprit qu'il était inutile de continuer. Autant s'adresser à un mur.

— Tu parais bien songeuse, tout d'un coup! reprit-il. Tu sais, ta tendance à regarder les choses de trop près n'est pas forcément une qualité. Allons, ma Paula, prends donc un peu les choses du bon côté! Maintenant, je vais partir, si tu n'y vois pas d'inconvénient. Toi, sois prudente sur la route. Et téléphone-moi ce soir avant de te coucher. C'est toujours à cette heure-là que tu me manques le plus.

Il se leva et l'embrassa sur la joue. Stupéfaite, Paula resta sans réaction. Elle se contenta de le suivre des yeux quand il quitta la pièce. Elle entendit ses pas résonner dans l'entrée. Puis il claqua la porte. Quelques secondes plus tard, la voiture démarrait. Elle demeura longtemps immobile, désespérée de son échec.

Elle finit par quitter son fauteuil pour monter à la nursery. Ses enfants lui avaient semblé jusque-là le couronnement de son bonheur. Elle savait désormais qu'ils étaient sa seule joie.

31

Le regard de Paula alla de Dale Stevens à Ross Nelson.

— Ma grand-mère ne consentira jamais à vendre ses parts de la *Sitex*.

— Jamais est un mot dont j'ai appris à me méfier, dit en souriant Nelson.

— Je connais parfaitement les sentiments de ma grand-mère sur ce point ! Votre proposition ne peut l'intéresser.

— Peut-être devriez-vous quand même tâter le terrain quand Emma rentrera, le mois prochain, dit à son tour Dale Stevens. Cette vente lui rapporterait des millions.

— Ce n'est pas pour elle une question d'argent.

— Harry Marriott et sa clique sont des durs à cuire, Paula. Ils en veulent à Emma depuis des années et la situation risque d'empirer. Vous vous en rendrez compte.

— Ma grand-mère est encore de ce monde, que je sache ! Je refuse de spéculer sur un avenir lointain. Je ne viens pas jeter de l'huile sur le feu et je vous ferai remarquer que Marriott est très vieux. Il ne vivra pas éternellement.

— Mais il y a son neveu, Marriott Watson, et il n'est guère recommandable.

— Ne me parlez pas des oncles à héritage et de leurs neveux !...

Elle s'arrêta brusquement, pleine de confusion en se rappelant que Ross avait hérité de son oncle, Daniel P. Nelson.

— Pardon, Ross, reprit-elle en riant. Je ne parlais pas pour vous.

— Je l'espère bien, répliqua-t-il, amusé. Mais ce que Dale essaie de vous faire comprendre, c'est que le conseil d'administration ne va pas être tendre, étant donné que...

— ... que je suis une femme et une femme jeune. Depuis des années, ils ne supportent ma grand-mère que parce qu'elle est l'actionnaire principale et que mon grand-père a fondé la compagnie. Mais Emma Harte s'en est toujours bien tirée et je ferai comme elle. Je les obligerai à m'écouter et à me prendre au sérieux.

— Je ne veux pas que vous me mettiez dans le même sac que cette bande d'abrutis, dit Ross après avoir échangé avec Dale un regard pessimiste. Mais soyons réaliste. C'est encore un monde...

— Un monde d'hommes ! s'écria Paula en riant. Ça, je le sais, et il le restera jusqu'au jour où les poules auront des dents.

Ross Nelson eut un sourire indulgent. Il appréciait sa gaieté et sa combativité. Il la trouvait aussi d'une beauté fascinante et il se mit à la détailler avec une admiration un peu trop appuyée. Il caressait secrètement le rêve de la séduire et se promit de commencer sans tarder les travaux d'approche. Mais, conscient que le silence prolongé devenait embarrassant, il détourna les yeux. Dale toussota discrètement.

— Marriott Watson m'en veut pour la simple raison que je suis le protégé d'Emma, dit-il. En son absence, il ne va pas me ménager.

— Pour le moment, vous êtes mon protégé!... Et n'oublions pas que nous avons toujours la majorité. Le mois dernier, vous avez accepté de rester jusqu'à la fin de votre contrat, en dépit des problèmes actuels. Auriez-vous changé d'idée?

— Non, mais j'aimerais quand même que vous fassiez part à Emma de la suggestion de Ross dès qu'elle sera de retour en Angleterre.

— Bien sûr, Dale. Je la mettrai au courant... Mais, dites-moi, Ross, elle va me demander qui est votre client. Vous ne m'avez pas donné de nom.

— Malheureusement, je suis tenu au secret. Du moins, pour le moment. Si la proposition ne vous intéresse pas, mon client préfère rester dans l'ombre. Cependant, comme je vous l'ai déjà dit, c'est un homme éminemment respectable.

— Selon toute évidence, c'est une autre compagnie pétrolière, n'est-ce pas? Une compagnie de moyenne importance comme *International Petroleum*. Je me trompe?

Ross fut impressionné par son intuition. Il fut pourtant obligé de mentir: — Non, ce n'est pas *International Petroleum*. Mais ne jouons pas aux devinettes, puisque le nom de mon client reste confidentiel et que Dale lui-même l'ignore.

— Alors, je suppose que je ne le saurai jamais, dit tranquillement Paula. Car ma grand-mère ne voudra pas vendre.

Elle ne croyait pas trop à la dénégation de Ross. Elle scruta son visage, incertaine des sentiments qu'il lui inspirait. De prime abord, c'était un homme charmant, bien élevé, serviable et plein d'aisance. Il devait approcher de la quarantaine. Grand et bâti en athlète, il avait un visage ouvert, presque innocent, et un éternel sourire.

Et, pourtant, il semblait à Paula que cette belle apparence permettait au banquier de dissimuler quelques réalités déplaisantes. Comme Emma, elle soupçonnait derrière l'homme aimable et policé un être froid, dur et calculateur.

Au fil de la conversation, Dale et Ross en étaient venus à parler de l'explosion à bord du *M.R.M. III*.

— Bien sûr, Ross, j'ai pensé à un sabotage, mais les résultats de l'enquête sont négatifs. D'abord, qui aurait pu faire une chose pareille?... Non, ce ne peut être qu'un accident, bien qu'on n'en puisse trouver la cause.

— Oui, le mystère reste entier, dit Paula, et notre réputation en est gravement entachée.

— Écoutez, ma chère enfant, répliqua Dale, vous savez comme moi que transporter du pétrole, c'est toujours courir un risque. Mais le *M.R.M. III* est solide! J'ai appris ce matin qu'il était déjà réparé et prêt à reprendre la mer.

Elle adressa à Dale un sourire reconnaissant : — Enfin une bonne nouvelle !

Elle avait beaucoup de sympathie pour lui. Il était dur, ambitieux et assez retors, mais il était honnête. Et, lui, il n'essayait jamais de donner le change. Elle le regarda du coin de l'œil. Même sa façon de s'habiller était révélatrice. Il était toujours correctement vêtu, mais sans la moindre fantaisie, et ses tenues austères n'avaient pas l'élégance des somptueux complets de Nelson. Que pouvaient donc avoir en commun ce rude Texan parti de rien et ce banquier aux manières raffinées qui ne s'était donné que la peine de naître et d'hériter des milliards de son oncle ? Pourtant, ils étaient amis intimes et c'était même Ross qui avait présenté Dale à Emma deux ans plus tôt.

Dale s'aperçut qu'elle l'observait.

— Qu'y a-t-il, Paula ?

— Vous n'avez guère confiance en moi, Dale, n'est-ce pas ? Vous ne me croyez pas capable de maîtriser les trublions du conseil d'administration ?

— C'est un peu vrai, répliqua-t-il avec franchise. Mais je pense surtout que vous avez déjà de bien grandes responsabilités par ailleurs... En plus, vous résidez en Angleterre.

— Le téléphone marche, le télex aussi et les transports aériens fonctionnent !

— Avez-vous vraiment besoin de la *Sitex* par-dessus le marché ? rétorqua-t-il sans s'offusquer de son ton sarcastique. A votre place, je persuaderais Emma de vendre. Vous réinvestiriez l'énorme profit que vous feriez dans une entreprise moins périlleuse.

— Je suis de l'avis de Dale, dit Ross à son tour. Je connais depuis longtemps les problèmes de la *Sitex,* non seulement par Dale, mais par Emma. Si vous vendiez à mon client qui a déjà un certain nombre d'actions, avec vos quarante-deux pour cent, il aurait un poids certain.

— Avec nos quarante-deux pour cent, nous avons déjà un poids certain ! dit-elle, excédée. Ce que votre client recherche, de toute évidence, c'est le contrôle absolu de la compagnie. Rien d'autre. Je ne suis pas si naïve !...

Comme aucun des deux n'ouvrait plus la bouche, elle se leva.

— Eh bien, messieurs, dit-elle en retrouvant son amabilité coutumière, je dois mettre un terme à notre petite entrevue amicale. Je parlerai de tout cela à ma grand-mère au mois de décembre. C'est à elle de décider. Peut-être va-t-elle me faire la surprise de vouloir vendre, après tout.

Dale et Ross s'étaient levés à leur tour.

— Je reprends l'avion pour Odessa ce soir, dit Dale. N'hésitez pas à m'appeler. Moi, je vous téléphonerai la semaine prochaine.

— Vous ne voulez vraiment pas déjeuner avec nous ? demanda Ross.

— Non, non, merci encore. J'ai rendez-vous avec un des directeurs de HARTE.

— Dommage ! Écoutez, Paula, moi je ne prends pas l'avion, je reste à

Manhattan. Je suis à votre disposition et j'espère que vous accepterez de dîner avec moi un de ces jours.

— C'est très aimable à vous, Ross, mais je vais être très occupée cette semaine.

— Alors, disons la semaine prochaine. Je vous appellerai lundi et je refuserai tout faux-fuyant !

Après leur départ, Paula se dirigea vers sa table de travail, une immense plaque de verre sur simple piétement d'acier poli. C'était l'objet le plus impressionnant du remarquable mobilier moderne qu'Emma avait choisi pour son bureau new-yorkais. L'ensemble baignait dans une douce atmosphère feutrée où les teintes bleu pâle et gris fumée mettaient en valeur de précieux tableaux impressionnistes, des sculptures d'Henry Moore et de Brancusi, et de superbes têtes de Bouddha provenant d'Angkor Vat, posées tout autour de la pièce sur des socles de marbre noir.

Paula s'assit et mit la tête dans ses mains pour réfléchir. Soudain, un sourire s'épanouit sur son visage. Sans s'en rendre compte, Ross et Dale venaient de lui fournir la solution de certains problèmes de la *Sitex*.

Elle se redressa et éclata de rire. Elle venait d'avoir une idée sinon diabolique, du moins machiavélique. Une idée qu'Emma aurait eue ! La quasi-certitude de ressembler chaque jour un peu plus à sa grand-mère l'aidait à surmonter la déception que lui avait causée Jim avant son départ.

Si sa vie privée était un échec, elle avait au moins la satisfaction de progresser dans sa carrière. Autrefois, le travail et la réussite avaient été pour Emma la compensation de ses malheurs sentimentaux. Et Paula se dit que cela allait l'aider à survivre, elle aussi, et même à songer à Jim sans rancœur ni réprobation. Mais il ne se rendait sans doute pas compte de ce qu'il avait perdu et elle en était profondément triste pour lui.

Cet après-midi-là, Shane O'Neill se trouvait devant un cruel dilemme. Il remontait Park Avenue d'un pas vif en se demandant quelle attitude adopter avec Paula. Allait-il lui téléphoner ? Le fait de la savoir à New York dans le même quartier que lui l'avait à tel point bouleversé qu'il avait peur à la perspective de se retrouver en face d'elle. S'il lui téléphonait, il serait bien obligé de l'inviter à sortir un soir.

Dans la matinée, quand son père, au détour de leur conversation téléphonique, lui avait appris qu'elle était à New York, il avait eu un coup au cœur. « J'ai dîné avec Paula et Miranda dimanche soir à Londres... Oh, Shane, ne raccroche pas ! Miranda vient d'entrer et elle veut te dire bonjour. »

Mais Miranda ne s'était pas contentée de dire bonjour : « Appelle Paula, je t'en prie. Je lui ai donné ton numéro l'autre soir... Seulement, je sais qu'elle n'osera pas te déranger. » Quand Shane avait demandé des explications, Miranda avait répliqué : « Elle a trop peur que tu l'envoies promener. Fais un effort, sois gentil avec elle. Elle n'a pas l'air d'aller bien... Elle est accablée, troublée, lugubre même. Ce n'est plus la Paula que nous connaissions. Je t'en supplie, occupe-toi d'elle. Comme autrefois, force-la à se distraire. » Pressée de questions, Miranda n'avait pas été capable d'en dire plus, mais il lui avait promis d'appeler Paula.

Il continuait pourtant à hésiter. Bien qu'il eût une folle envie de la voir, il ne cessait de se dire qu'elle était à jamais perdue pour lui puisqu'elle était la femme d'un autre. Depuis huit mois qu'il tentait de l'oublier, il était parvenu à grand-peine à retrouver un certain équilibre. Maintenant, il n'y avait plus de femme dans sa vie. Après deux essais manqués, il s'était résigné à ne plus jamais aimer personne. La chasteté lui semblait de loin préférable à de lamentables liaisons sans amour qui ne lui laissaient qu'un sentiment de honte et d'humiliation. Il passait la plus grande partie de son temps à travailler au siège new-yorkais de *O'Neill Hotels International* et, chaque jour, vers neuf ou dix heures du soir, il rentrait directement dîner seul devant sa télévision. De temps en temps, il sortait avec Ross Nelson ou, plus rarement encore, il emmenait Skye Smith au cinéma ou au théâtre. Il n'était ni heureux, ni malheureux. Il était devenu indifférent.

Subitement, Shane décida d'inviter quand même Paula, ne fût-ce que par politesse. Il l'aurait bien fait pour n'importe quel ami de passage ! S'il y manquait, Emma et son grand-père qui allaient repasser par New York dans un mois risqueraient de s'en étonner. Et puis, Miranda prétendait que Paula n'allait pas bien...

Il se dirigeait vers le nouvel hôtel qu'*O'Neill Construction* était en train d'achever. Il ne lui restait plus que quelques minutes de trajet avant de se retrouver au milieu des ouvriers, des contremaîtres, des architectes et des décorateurs qui, tous, réclameraient son attention. Il faut que je prenne ma décision, se dit-il. Maintenant. C'est l'amie de ma jeunesse. Je dois aller la voir. Et puis, non. Ce serait trop douloureux. Si je posais les yeux sur elle encore une fois, je ne m'en remettrais peut-être jamais.

Skye Smith regarda Ross Nelson avec nervosité.

— Ton divorce est prononcé depuis plusieurs semaines, dit-elle d'une voix un peu tremblante. Ne devions-nous pas nous marier ?

— Tu t'es fait des illusions, lui répliqua Ross calmement.

— Alors, que vas-tu décider pour Jennifer ?

— Pour Jennifer ?

— Mais c'est ta fille, Ross !

Il s'abstint de répondre. Dix minutes plus tôt, en revenant de Wall Street, il avait été furieux de trouver Skye installée dans son salon et bien décidée à l'assommer encore une fois de ses exigences. Il se promit de renvoyer l'employée de maison qui avait laissé entrer cette indésirable.

Skye, très pâle, le regardait avec des yeux suppliants et se tordait les mains.

Ross la dévisagea avec une froideur accrue. Le désespoir apparent de la jeune femme ne lui inspirait aucune compassion, au contraire.

— Tu prétends que c'est ma fille, mais l'est-elle vraiment ? Je n'ai aucune preuve de cette paternité.

Elle se recula sur le canapé, abasourdie :

— Comment peux-tu dire une chose pareille ? Elle est ton vivant portrait. Il y a aussi l'analyse de sang... En plus, tu m'as pratiquement gardée sous clé pendant quatre ans et je n'ai pas levé les yeux sur un autre homme.

— Dans ce cas, tu as bien changé ces temps-ci, répliqua-t-il avec ironie. Pour être précis, je sais que tu fais les yeux doux à Shane O'Neill. Puisque tu couches avec lui, sers-toi de ton fameux pouvoir de séduction pour qu'il t'épouse le plus vite possible.

— Je ne couche pas avec lui !

— Ce n'est pas à moi que tu feras croire ça. Je connais trop bien tes manigances. Tu n'as jamais su résister à ce genre de bellâtre. Mais tu ferais mieux d'en épouser un avant d'avoir perdu ton éclat de blonde et tes petits talents de société. Profite de ce que vos amours sont au beau fixe. Il est riche et apparemment sans attaches.

— Ross, je te dis la vérité. Il n'y a rien entre Shane et moi.

Il se contenta de lui rire au nez et prit une cigarette dans le coffret d'argent posé sur la table chinoise.

Skye ne le quittait pas des yeux. Elle n'arrivait plus à comprendre comment elle avait pu tomber amoureuse d'un homme pareil. Le malheur avait voulu qu'elle n'eût rien pu lui cacher de ses sentiments alors que Ross ne s'intéressait vraiment qu'aux femmes qui se refusaient à lui.

— D'accord, reprit-elle en décidant d'être franche jusqu'au bout. J'admets que j'ai essayé avec Shane. Une seule fois. Je venais de découvrir que tu avais emmené Denise Hodgson en Amérique du Sud. Je voulais me venger. Mais ça n'a pas marché entre nous. Nous n'avons rien pu faire. Et nous n'avons pas recommencé. Nous sommes juste des amis. Des copains.

— Des copains ? Tu ne peux pas me faire avaler ça, à moi. Depuis cinq ans que je te connais, je sais comment tu t'y prends pour exciter un homme. Et ça n'aurait pas marché entre vous deux ?

— C'est vrai, je te le jure ! Il n'a pas pu... enfin, le soir où nous avons essayé...

Ross se tapa les cuisses en éclatant d'un gros rire :

— Tu voudrais me faire croire que tu n'as pas su émouvoir... les sens de Shane O'Neill. Oh, non, Skye, tu te sous-estimes !

— C'est pourtant la vérité, murmura-t-elle en se rappelant l'affreux embarras de Shane et sa propre confusion. Je le jure devant Dieu... Je te le jure sur la tête de Jennifer... de mon enfant... de notre enfant.

Il s'arrêta de rire et l'observa d'un œil pensif. Il vit qu'elle ne mentait pas.

— Si je comprends bien, Shane a un petit problème ?

— Avec moi, en tout cas. J'ai eu l'impression qu'il était amoureux d'une autre.

— Qui ça ? Tu as une idée ?

— Comment savoir ? Il ne m'a rien dit. Enfin, tu vois, il n'a aucun désir de m'épouser.

— Moi non plus.

— Que veux-tu dire ?

— Je ne me remarierai jamais, répliqua-t-il d'un ton léger. Je ne tiens pas à battre le record des divorces. J'ai déjà assez de pensions alimentaires à payer. Des centaines de milliers de dollars par an. Et si j'étais assez fou pour faire un nouveau plongeon suicidaire, je te jure qu'il faudrait que ma femme soit riche.

— Ne me raconte pas d'histoires, Ross. Même si tu vis jusqu'à cent ans, tu n'arriveras pas à dépenser ta fortune.

Comme il restait muet, elle poursuivit doucement, presque avec tendresse : — Nous avons tant de choses en commun ! Nous avons un enfant. Et je t'aime de tout mon cœur.

— Tu n'as pas l'air de comprendre que, moi, je ne t'aime pas.

Elle accusa le coup, mais s'efforça de n'en rien montrer. Il se plaisait à être cruel, mais cela ne durait pas. Dans cinq minutes, il la prendrait peut-être dans ses bras. C'était arrivé bien souvent. Elle se leva et alla s'asseoir près de lui.

— Tu ne penses pas un mot de ce que tu viens de dire. Je sais que tu m'aimes à ta façon et que tu as besoin de moi. Viens dans la chambre. Laisse-moi te faire plaisir.

Il repoussa la main qu'elle avait mise sur son genou.

— Je ne te croyais pas masochiste. Tu veux donc recommencer comme avec Shane O'Neill ? Ça doit pourtant t'humilier de constater que tes petits artifices ne font plus recette.

Elle recula, les yeux pleins de larmes.

— Figure-toi, Skye, reprit-il d'un ton glacé, que tu ne me fais plus aucun effet, à moi non plus.

Elle se leva et alla jusqu'à la fenêtre. Elle lui tourna le dos pour cacher les larmes qui coulaient sur ses joues.

Ross se leva à son tour pour ouvrir un des tiroirs de son petit secrétaire Regency, où il prit son chéquier. Mais dès qu'il s'approcha d'elle pour lui tendre le chèque qu'il venait de rédiger, elle fit volte-face et le regarda avec stupeur.

— Qu'est-ce que c'est ? demanda-t-elle en tremblant.

— C'est pour toi... pour la petite... Je vais prendre mes dispositions pour que tu reçoives la même somme chaque mois. Tu ne manqueras de rien.

— Je n'en veux pas. Je suis capable d'élever notre fille toute seule. Ton argent ne m'intéresse pas. C'est toi que je veux. Comme mari pour moi et comme père pour Jennifer.

— Tu en demandes trop, dit-il en voulant lui faire accepter le chèque de force.

Comme elle gardait les poings fermés, il haussa les épaules, retourna jusqu'au canapé et glissa le chèque dans son sac à main.

— Maintenant, il est temps que tu partes, Skye. J'ai des invités, ce soir. Tout est fini entre nous. Il n'y a rien à ajouter.

Très dignement, elle releva la tête et déclara avec un calme surprenant :

— Oh si ! il y a quelque chose à ajouter ! Rien n'est fini entre nous, rien ne le sera jamais, même si nous ne nous voyons plus. Un jour, tu auras besoin de moi. Je ne sais ni quand, ni pourquoi, mais ce jour-là viendra.

Elle prit le sac qu'il lui tendait, l'ouvrit, en sortit le chèque, le déchira et jeta les morceaux par terre. Puis elle tourna les talons et sortit sans le regarder.

Ross ramassa les bouts de papier et les mit dans sa poche. Il alla jusqu'à la fenêtre et attendit que Skye sorte de l'immeuble. Il soupira. Dommage pour l'enfant ! Mais impossible de récupérer une fillette de trois ans sans s'encombrer de la mère. Il avait cru trouver la solution idéale en jetant Skye dans les bras de Shane, mais la dernière révélation de la jeune femme l'avait étonné et choqué. C'était ahurissant ! Qui aurait imaginé que Shane O'Neill était impuissant ? Une femme l'aurait-elle vraiment subjugué à ce point ? Et qui pouvait-elle être ?

Derrière sa fenêtre, Ross vit enfin Skye qui traversait Park Avenue et s'arrêtait sur le refuge à piétons pour attendre le changement des feux. Elle portait le manteau de vison qu'il lui avait donné. Il l'avait sans doute aimée un temps, mais elle l'ennuyait désormais. Il laissa retomber le rideau et revint près de la cheminée.

Il resta là, debout, quelques minutes, à songer à Paula Fairley. Il la connaissait depuis des années et ne lui avait pas accordé jusque-là grande attention. C'était seulement le matin même qu'elle avait éveillé son désir. Car, en l'observant, il avait cru déceler chez elle une sensualité qui ne demandait qu'à se donner libre cours. Il l'avait vu à la façon qu'elle avait de se mouvoir, à l'étrange avidité de son regard violet, si fascinant sous ses longs cils. Il avait alors décidé que c'était lui qui mettrait le feu aux poudres. Il évoqua ce beau corps élancé et souple qui, malgré la splendeur des seins épanouis, gardait l'aspect gracile de l'adolescence. Il ferma les paupières, haletant. L'image de Paula moulée dans sa jupe de soie blanche lui apparut avec une telle netteté qu'il se hâta de rouvrir les yeux : s'il ne se calmait pas sur-le-champ, il risquait de passer une soirée désastreuse.

Il songea aussi qu'elle était fabuleusement riche et qu'elle hériterait un jour de l'immense fortune d'Emma. Il était dommage qu'elle fût déjà mariée !... Cependant, loin de refroidir Ross, l'idée qu'elle appartenait à un autre accrut encore son excitation. Il se dit que, bientôt, Fairley ne compterait plus : aussitôt qu'il aurait pris Paula dans ses bras, elle serait toute à lui.

Il regarda le téléphone posé sur le secrétaire. Pourquoi n'avait-il pas sonné ? Depuis qu'il était rentré, il attendait l'appel de Paula.

32

— Ann, de qui viennent ces abominables roses rouge sang? demanda Paula en ouvrant la porte du salon.

— Je l'ignore, Mademoiselle, lui répondit l'intendante américaine de sa grand-mère. J'ai laissé la carte sur la console, près du vase... Je ne savais pas trop où mettre un si gros bouquet. Depuis le temps que je travaille pour Madame Harte, je n'ai jamais vu de roses dans cette maison. Vous n'aimez pas les roses, vous non plus?

— Oh! je ne les déteste pas autant que ma grand-mère! Mais je n'ai pas l'habitude d'en avoir chez moi. Quel énorme bouquet et quelle couleur criarde! C'est d'un mauvais goût!

Elle prit l'enveloppe sur la console et l'ouvrit. L'envoi était de Ross Nelson. D'une petite écriture nette, mais trop fine, il l'invitait à passer le week-end dans sa maison de campagne. Elle déchira la carte, mit les morceaux dans un cendrier et dit à l'intendante : — Décidément, je ne supporte pas les roses, Ann. Ayez la gentillesse de les mettre ailleurs.

— Tout de suite, Mademoiselle... Vous avez encore reçu d'autres fleurs. Elles viennent d'arriver.

— Ah bon? Je vais voir.

Son visage s'illumina dès qu'elle pénétra dans la pièce voisine et aperçut le ravissant panier de violettes posé sur la petite table d'acajou. Elle se baissa pour effleurer les feuilles luisantes et sombres qui entouraient les corolles d'un violet profond. Que ces fleurs étaient délicates! Elle prit l'enveloppe sans adresse, l'ouvrit et sursauta. La carte ne portait rien d'autre qu'un prénom, tracé fermement d'une main qu'elle connaissait bien : Shane.

Sans lâcher la carte, elle s'assit un moment sur le fauteuil le plus proche pour se remettre de sa surprise. Cela faisait deux ans que Shane n'avait plus la moindre attention aimable à son égard. L'envoi de ces fleurs était-il un signe de réconciliation ou un simple geste de politesse? Peut-être croyait-il faire ainsi l'économie d'une rencontre.

Songeuse, elle resta à contempler le feu. Elle se dit que Miranda avait sûrement annoncé son arrivée à Shane et lui avait même imposé la corvée de s'occuper d'elle. Elle s'était souvent demandé ce qu'elle avait bien pu faire pour que le jeune homme eût brusquement décidé de s'éloigner d'elle.

Elle regarda de nouveau la petite carte. Une simple signature, ce n'était guère encourageant! C'était presque intimidant. Il aurait pu, au moins, lui suggérer de l'appeler au téléphone.

Tout à coup, elle laissa libre cours à son irritation. Shane était son ami d'enfance. Ils avaient grandi ensemble et leur affection ne s'était jamais démentie au cours des années. Alors, pourquoi, un beau jour, sans crier gare, avait-il pris ses distances ? Cela n'avait aucun sens !

J'en ai vraiment assez, pensa-t-elle. Je suis excédée de voir les autres se comporter comme si mes sentiments personnels étaient sans importance.

Elle se leva pour aller rechercher son porte-documents dans le bureau. Elle en retira son carnet d'adresses, puis elle retourna s'asseoir près du téléphone.

Je vais régler les choses une fois pour toutes, se dit-elle. Si ce n'est pas ce soir, ce sera la semaine prochaine ou le jour de mon départ. Je finirai bien par le coincer. Je veux savoir pourquoi il a brisé notre amitié. J'ai droit à une explication.

Elle tendit la main vers l'appareil, puis se ravisa. Elle n'aimait pas discuter au téléphone. J'aurais dû lui demander des éclaircissements depuis longtemps, murmura-t-elle. J'ai été lâche... Brusquement, elle se rendit compte qu'elle était moins irritée contre Shane que contre elle-même.

Elle prit à nouveau le récepteur et hésita encore. Que lui dire ? D'abord le remercier pour les fleurs. Et ensuite ? Elle composa le numéro. Le téléphone sonna longuement, mais personne ne répondit. Déçue, elle allait se résigner quand elle se souvint d'une réflexion de son père : Shane, selon lui, passait sa vie à son bureau — tout comme elle ! Elle regarda sa montre. Il était près de sept heures.

Elle appela le bureau de Shane.

On décrocha presque aussitôt : — Allô ?

— Shane ?

Il y eut un court silence, puis : — Bonjour, Paula.

— Ah ça, comment as-tu pu reconnaître ma voix ? s'exclama-t-elle avec une feinte désinvolture. Je suis contente de te joindre. Je viens de rentrer et de voir tes violettes. C'est ravissant et c'est tellement gentil. Je te remercie.

— Je suis ravi que ça te fasse plaisir, dit-il d'une voix neutre qui la glaça.

— Il y a un temps fou que je ne t'ai vu, reprit-elle aussitôt. Au moins huit mois. Puisque nous voilà seuls à New York l'un et l'autre, comme deux pauvres émigrants du Yorkshire, nous pourrions peut-être... dîner une fois ensemble.

— Je... Eh bien, je ne suis pas très sûr de pouvoir me libérer... Que proposes-tu ? Quel soir ?

— Pourquoi pas ce soir ? Si tu n'as rien d'autre à faire, bien entendu.

— Justement, je comptais rester au bureau. J'ai tant de travail en retard !

— Il faut bien que tu manges un peu, répliqua-t-elle en riant.

Il resta silencieux.

Elle reprit avec douceur : — Pardonne-moi. Je sais trop ce que c'est que le travail en retard. Remettons ça à un autre soir. Je suis là pour trois semaines. Appelle-moi dès que tu auras une soirée libre. Et encore merci pour les fleurs.

Elle raccrocha aussitôt sans lui laisser le temps de répondre, puis elle alla prendre la petite carte sur la table basse et la jeta au feu. Il était resté froid, distant, d'une politesse toute superficielle... Pourquoi ?

Que lui avait-elle fait ? Elle haussa les épaules et retourna s'asseoir près du téléphone. Je ne suis qu'une imbécile, se dit-elle. Il doit être tellement occupé par Skye Smith qu'il en oublie notre amitié. Peut-être vit-il avec elle. Miranda et Winston croient qu'il s'agit d'amour platonique, mais qu'en savent-ils ?

Le téléphone sonna. Elle répondit immédiatement. C'était lui.

— Je ne pourrai pas être chez toi avant une heure au moins, dit-il d'une voix un peu essoufflée. Je dois rentrer me changer et il est déjà plus de sept heures.

— Mais tu n'as pas à te mettre en frais pour moi ! Après tout, je suis de la famille.

Elle avait envie de rire. Il était terriblement coquet... Mais, chez lui, c'était un défaut qu'elle trouvait attendrissant.

— De toute façon, poursuivit-elle, tu peux faire un brin de toilette en arrivant ici. Et ce n'est pas la peine de m'emmener dans un restaurant chic.

— Entendu. Je serai là vers sept heures et demie. A tout à l'heure.

Shane soupira en écrasant la cigarette qu'il avait allumée pour se donner le courage de l'appeler, puis il reprit le téléphone et retint une table pour neuf heures dans un petit bistrot français qu'il aimait bien.

Tu n'es qu'un imbécile, se dit-il. Tu t'étais juré de ne pas la revoir et tu as succombé dès que tu as senti dans sa voix l'accent de la solitude.

Il vivait seul lui-même depuis trop longtemps pour s'y tromper, en effet, et il connaissait assez Paula pour ne pas être dupe de la gaieté factice qu'elle affichait parfois pour dissimuler ses vrais sentiments. De toute façon, Miranda avait averti son frère que Paula avait probablement des ennuis. Elle n'a pas dû se tromper, songea-t-il. Mais quelle sorte d'ennuis ?

En quittant son bureau, quand il se retrouva dans Park Avenue, la circulation était devenue moins dense. Il héla un taxi et lui donna l'adresse de la Cinquième Avenue. Confortablement installé à l'arrière de la voiture, il alluma une cigarette et se dit avec amertume qu'il était en train de se jeter dans la gueule du loup. Mais ne le savait-il pas déjà en lui envoyant des fleurs ? Il avait bien pensé qu'elle l'appellerait pour le remercier.

C'était au début de l'après-midi, en retournant à son travail, qu'il avait aperçu dans la vitrine du fleuriste ces violettes qui lui avaient immédiatement rappelé la couleur de ses yeux et la petite fille qu'elle était autrefois... Enfant de rêve de ses rêves d'enfant, puis douce adolescente qui cultivait des fleurs dans une maison au bord de la mer...

Alors, il n'avait pu se retenir d'entrer pour acheter les violettes, en sachant que cela lui ferait plaisir. Il n'avait réfléchi qu'après coup.

Tant pis, se dit-il, il est trop tard ! Je l'ai invitée. Après tout, il ne s'agit que de dîner ensemble. Il n'y a sûrement aucun mal à ça.

Dix minutes plus tard, il arrivait devant l'immeuble.

Il avait lui-même habité l'appartement d'Emma pendant les trois premiers mois de son séjour à New York et le portier le reconnut. Ils échangèrent quelques amabilités, puis l'homme l'annonça par l'interphone.

Quand Shane appuya sur le bouton de l'ascenseur pour monter au dixième étage, son cœur se mit à battre violemment. Mais, en arrivant à la porte du duplex, il s'efforça de maîtriser son émotion. Avant même qu'il eût sonné, Ann Donovan se précipita pour lui ouvrir.

— Bonsoir, Monsieur. Mademoiselle Paula vous attend dans le bureau.

Il s'apprêtait à la rejoindre quand il la vit, radieuse, venir à sa rencontre du fond du grand vestibule.

L'émotion lui coupa le souffle. Il s'arrêta, trop bouleversé pour parler. Puis il réussit à se remettre en marche en arborant un sourire épanoui :

— Paula !...

— Bravo ! Tu es arrivé en un temps record. Il est juste sept heures trente.

Elle levait vers lui des yeux brillants de bonheur et il baissa la tête pour l'embrasser sur la joue.

Elle se mit à rire en le regardant.

— Pourquoi ris-tu ?

— A cause de ta moustache, répliqua-t-elle en l'examinant d'un œil narquois.

— Oh, évidemment, c'est une innovation ! Elle ne te plaît pas ?

— Si, je crois que si, dit-elle en lui prenant le bras. De toute façon, tu es superbe. Comment peut-on être aussi bronzé ? On m'avait dit que tu passais ta vie dans ton bureau... Je vois qu'il n'en est rien.

— Ne te fie pas aux apparences. Mon père est un esclavagiste.

Une fois dans le bureau, il fut soulagé quand elle lui lâcha le bras. Elle s'empressa de lui préparer un verre et il resta devant la cheminée à la regarder faire. Sans lui demander ce qu'il voulait boire, elle lui versa d'autorité du scotch et du soda. Il aperçut le panier de violettes sur la table basse et eut un sourire de satisfaction.

— Toi, tu ne bois rien ? demanda-t-il en prenant le verre qu'elle lui apportait.

— Si, du vin blanc. Mon verre est là. Je venais de me servir quand tu es arrivé.

Il s'assit en face d'elle, soulagé de s'installer dans un fauteuil, car il ne tenait plus sur ses jambes. Bouleversé par la proximité de la jeune femme, il posa son verre et alluma une cigarette pour cacher sa nervosité. Puis il regarda autour de lui sans rien dire. Il aimait bien cette pièce où Emma avait subtilement mélangé les verts sombres, les verts tendres et les percales glacées aux couleurs fraîches autour de quelques meubles Regency.

— C'est ici que je passais pratiquement tout mon temps quand j'habitais l'appartement.

— Tiens, c'est amusant... Moi aussi. L'atmosphère me rappelle, en plus petit bien sûr, le salon du premier à Pennistone. C'est chaleureux, confortable et accueillant.

— Dis donc, j'ai retenu une table au *Veau d'or*... Y es-tu déjà allée?

— Non, jamais.

— C'est un petit bistrot français, très gai, très vivant. Je crois que tu l'aimeras. La cuisine y est excellente. J'y ai amené tante Emma et grand-père un soir. Ils ont été ravis.

— Je suis sûre de l'être aussi. A propos de nos grands-parents, tu sais qu'ils vont repasser par ici dans quelques semaines? Rentreras-tu en Angleterre avec eux? Seras-tu là-bas pour Noël?

— Je crains bien que non, Paula. Papa veut que je passe les vacances de fin d'année à La Barbade. Ce sera la pleine saison pour le tourisme.

— Tout le monde va te regretter, murmura Paula.

Elle le dévisagea pour tenter de s'habituer à sa moustache. Cela le faisait paraître plus âgé que ses vingt-huit ans.

— Qu'est-ce qu'il y a qui ne va pas? lui demanda-t-il, le front soucieux.

— Je pourrais te retourner la question.

— Toi, tu as maigri!

— C'est vrai, admit-elle. Je n'ai pourtant fait aucun régime. Tu me trouves trop maigre?

— Un peu trop. Tu as besoin de t'arrondir. Et tu as aussi besoin...

— Je connais le refrain!

— ... de travailler moins, de te reposer. Parce que le maquillage, moi, ça ne me trompe pas. Tu as les traits tirés et les yeux cernés. Rien d'étonnant à ce que ma sœur et Winston s'en fassent pour toi.

Cette dernière déclaration la prit de court.

— J'ignorais qu'ils étaient inquiets. Ils ne m'en ont rien dit.

— Évidemment, tout le monde avait peur de t'en parler! Mais, nous deux, nous avons l'habitude de nous dire la vérité, n'est-ce pas? Et j'espère bien que ça ne changera pas.

— Moi aussi, je l'espère.

Elle ne put s'empêcher de penser que, ces derniers temps, il n'avait guère brillé par la franchise. Elle faillit le questionner, mais elle n'osa pas. Ce soir, entre eux, l'atmosphère devait être à la détente. Il lui tardait de retrouver le ton des conversations de leur enfance.

— C'est merveilleux de dîner ensemble, reprit-elle. Ce sera comme autrefois.

— C'est déjà comme autrefois, répliqua-t-il, ému par son sourire et par ses yeux pleins de gravité. Mais, Paula, je n'ai pas été très galant, ce soir. Je ne t'ai pas encore dit que tu étais plus jolie que jamais.

Il détailla ses vêtements d'un air approbateur, admira le corsage de soie

266

rouge et le pantalon de flanelle blanche : — Si tu avais pensé à mettre un foulard violet, il n'aurait rien manqué à ta tenue !

Elle le regarda avec perplexité, puis jeta un coup d'œil à son corsage et se mit à rire avec lui.

— L'orchestre d'Heron's Nest ! Je ne m'étais pas rendu compte en m'habillant que je portais la fameuse tenue de nos chers musiciens.

Il hocha la tête et un éclair de malice brilla dans ses yeux noirs. Il se leva pour ajouter du soda et de la glace dans son scotch.

— A propos d'Heron's Nest, dit-il en revenant près d'elle, Winston m'a appris que Sally s'y était réfugiée pendant l'affaire d'Irlande. Comment va-t-elle maintenant ?

— Elle réagit très bien. Anthony vit à Allington Hall pour le moment. Je suppose que tu sais qu'elle est enceinte.

— Oui... Au fond, rien d'étonnant à ce que tu sois épuisée après tout le mal que tu t'es donné pour eux.

— Ce n'était rien.

Elle changea aussitôt de sujet et se mit à parler d'Emma et de Blackie. Shane rit beaucoup en l'entendant raconter les bons mots et les anecdotes qu'elle avait glanés çà et là dans les longues missives de sa grand-mère.

Il l'écouta avec d'autant plus de plaisir que cela lui donnait le temps de la regarder. Elle était à nouveau elle-même, pleine de vivacité et d'humour, mêlant la malice à la gentillesse. Elle était redevenue la jeune fille d'autrefois, celle qu'il connaissait presque aussi bien qu'il se connaissait lui-même. Ils se sentaient tellement à l'aise l'un avec l'autre qu'ils avaient l'impression de ne s'être quittés que la veille. Bercé par la voix chantante de Paula, Shane avait retrouvé sa sérénité — la sérénité d'une longue amitié.

Il l'observa sans cacher davantage l'intérêt qu'il lui portait. Son visage aux traits un peu sévères était adouci par la lumière de la lampe. C'était un visage mobile, expressif. Pour certaines personnes, elle n'était pas belle. Mais, pour lui, elle avait un éclat incomparable. Ses magnifiques cheveux noirs, son grand front lisse, son teint nacré presque translucide, ses yeux violets et ses longs cils, tout cela se combinait pour lui donner un charme exceptionnel. Il aurait aimé la comparer à certaines des fleurs qu'elle cultivait, à une orchidée rare ou à un gardénia.

Il essaya de la regarder avec objectivité, comme un étranger, mais il abandonna vite. Il l'aimait trop, il l'aimait désespérément et pour toujours ! Elle ne serait jamais à lui, mais puisqu'il renonçait désormais à toutes les femmes pour ne pas devoir les comparer à elle, il continuerait à la désirer toute sa vie.

Subitement, pourtant, il se dit que c'était absurde, qu'il ne pouvait plus s'agir entre eux que d'amitié et non de désir, qu'il ferait mieux de profiter de cette soirée telle qu'elle se présentait et non telle qu'il la rêvait.

— Voilà tout ce que je peux te dire au sujet de nos infatigables globe-trotters, Shane. Apparemment, ils s'amusent comme de jeunes garnements.

— On le dirait bien. Mais tante Emma est une correspondante plus fidèle que mon grand-père. Lui, il se contente d'envoyer toutes les semaines à chacun de nous une carte postale avec un message incompréhensible griffonné au dos. Il y en a trois que je garde précieusement. Une de Hong Kong avec des jonques sous un coucher de soleil orange, où il n'y a qu'un mot : « Youpi ! » Une autre de Bora-Bora sur laquelle il a écrit : « Je lève mon verre de lait de coco à ta santé ! »... Du lait de coco !... Comme c'est vraisemblable !

— Et la troisième ?

— La troisième vient de Sydney : « Nous reprenons aujourd'hui la route du retour. » Il devient impossible ! Je te remercie de m'en avoir dit un peu plus sur leur voyage.

— Oui, mais c'est à toi de parler, maintenant. Raconte-moi un peu ta vie à New York.

— Il n'y a pas grand-chose à en dire. Je passe mon temps à courir entre le bureau et l'hôtel six ou sept fois par semaine. Et, une fois par mois, je prends l'avion pour La Jamaïque ou pour La Barbade.

— Tu ne devais rester que six mois et il y a déjà huit mois que tu es là.

— Il vaut mieux que j'attende ici que l'hôtel soit achevé. Inutile de perdre son temps à aller de Londres à New York et vice versa. Les îles sont ainsi plus faciles à atteindre. Ces derniers temps, papa m'a même demandé de m'installer définitivement aux États-Unis.

— Il a peut-être raison, dit-elle à mi-voix, l'air songeur.

Mais la perspective de voir Shane s'établir à New York la remplit soudain d'inquiétude. Elle se souvint aussitôt de Skye Smith.

— New York doit être une ville merveilleuse pour un jeune célibataire, dit-elle avec un sourire un peu crispé. Je parie que tu as fait de nombreuses conquêtes.

— Les autres femmes ne m'intéressent pas ! s'écria-t-il sans réfléchir.

Il s'arrêta, furieux de son lapsus, mais décida de ne pas le relever.

— Bien sûr, répliqua Paula en se méprenant. Tu as une amie, maintenant. Miranda m'a parlé de Skye Smith.

Irrité de l'indiscrétion de sa sœur, mais soulagé que Paula se fût trompée, il réussit à sourire.

— Oh ! Skye n'est qu'une bonne copine ! Elle ne m'intéresse pas plus que... Je te l'ai dit, papa me fait trimer comme un forçat. Je n'ai pas le temps de m'amuser. Après ma journée de boulot, je tombe de sommeil.

— Eh bien, nous avons tous la vie dure, en ce moment, déclara-t-elle, un peu surprise.

Décidément, Shane devait avoir bien changé car, d'après les cancans familiaux, Winston et lui s'étaient conduits jusque-là en don juans impénitents. Bien sûr, Winston s'était calmé... Alors, pourquoi pas Shane ? Mais Paula, sans analyser ses sentiments, se sentait étrangement rassurée à la pensée qu'il ne sortait pas avec Skye.

— A quoi penses-tu ?

— A rien de bien intéressant. Miranda m'a dit que tu avais un appartement à Sutton Place. Il te plaît ?

— Il ne me déplaît pas. Je l'ai loué meublé et le goût du propriétaire n'est pas exactement le mien. Mais c'est un appartement en terrasse et la vue est superbe, surtout le soir. J'ai tout Manhattan à mes pieds, illuminé. Je peux passer des heures à regarder la ville.

— J'espère que tu me le feras visiter.

— Quand tu voudras. Mais, maintenant, nous ferions mieux d'aller au restaurant.

— Bon, je vais prendre mes affaires... Oh, excuse-moi ! Je t'avais promis que tu pourrais faire un peu de toilette. Veux-tu monter jusqu'à ma salle de bains ?

— Non, non, merci. Je vais juste me rafraîchir la figure à côté.

Il alla se laver les mains et le visage, peigna ses boucles noires et se regarda dans le miroir. Allait-il devoir sacrifier sa moustache ? Non, elle ne déplaisait pas à Paula. Il regrettait un peu de n'avoir pu se changer avant de venir. Puis il haussa les épaules. Quel besoin avait-il d'impressionner une amie d'enfance ?

Il la retrouva dans le hall.

Elle portait, sur une veste de flanelle assortie à son pantalon, une grande cape de mohair, blanche également. Elle était belle à ravir.

Il se détourna pour prendre son pardessus dans la penderie et cacher le trouble qui s'emparait à nouveau de lui.

Comme d'habitude, il y avait beaucoup de dîneurs au *Veau d'Or*.

Gérard vint saluer Paula et Shane en souriant avec sa courtoisie coutumière. Il leur assura que leur table serait prête dans dix minutes et leur proposa de boire quelque chose en attendant.

Shane guida Paula jusqu'au petit bar et commanda d'autorité un Kir Royal pour chacun d'eux. Il alluma une cigarette et regarda le garçon verser sur le cassis, dans de grands verres, le champagne qui pétillait.

— A notre vieille amitié !

— A notre amitié, Shane.

— Sais-tu que la dernière fois que j'ai bu un Kir, c'était sur la Côte d'Azur, avec toi ?

— Je me souviens ! Ce jour-là, tu avais été abominable avec Emily, tu lui avais fait une peur bleue en lançant le bateau à toute vitesse. Il y a déjà quatre ans de ça. L'été où nous étions dans la villa de grand-maman. Tout comme elle, Emily a horreur de l'eau.

— Toi, tu n'as peur de rien, n'est-ce pas ?

— Qu'est-ce qui te le fait croire ?

— Tu étais intrépide quand tu étais petite. Tu imitais le moindre de mes mouvements. Tu avais tout du garçon manqué. Tu étais un vrai casse-cou.

— C'est parce que je savais que tu veillais sur moi, que tu ne m'aurais pas laissée tomber.

Et tu avais raison, pensa-t-il avec émotion. Tu pourras toujours compter sur moi.

Paula se mit à parler des fiançailles de Winston et d'Emily, ce qui permit à Shane de dominer son trouble. Puis ils discutèrent des nouvelles boutiques HARTE avant de se lancer dans des supputations sur les chances qu'avait Emerald Bow de gagner le *Grand National*.

On vint enfin les avertir que la table était à leur disposition et Shane s'installa avec satisfaction sur la banquette de cuir rouge.

— A midi, je n'ai mangé qu'un sandwich. Je meurs de faim. Toi, tu vas sans doute me dire que tu n'as pas d'appétit ! Il faut pourtant composer notre menu.

— Mais moi aussi, j'ai faim ! répliqua-t-elle. Choisis ce que tu voudras. Je prendrai la même chose. C'est préférable, n'est-ce pas ?

— Oh oui ! Sans quoi, tu voudras ce que j'aurai dans mon assiette, comme autrefois.

Shane étudia le menu et commanda en entrée un saucisson chaud, qu'il fit suivre de tripes à la mode de Caen. En accompagnement, il choisit une bouteille de bourgogne.

Pour les faire patienter, on leur apporta deux assiettes d'amuse-gueule.

— Quel luxe ! s'écria Shane. Il y a des moules, ce soir. C'est délicieux. Goûte un peu... J'ai oublié de te demander... Iras-tu au Texas, ces temps-ci ?

— Je ne crois pas... Tu as raison, c'est excellent !... Non, j'espère ne pas avoir besoin d'aller au Texas. J'ai vu Dale Stevens ce matin. Il a toujours des ennuis avec Marriott, qui est résolument opposé à toute innovation, à toute expansion. Heureusement que ma grand-mère lui a tenu tête pour les forages en mer du Nord ! Comme toujours, elle a eu raison.

Shane sourit et continua de picorer du bout de sa fourchette.

— Dis-moi, reprit Paula, que penses-tu de Ross Nelson ? Je sais que grand-maman t'a donné une introduction auprès de lui.

— Il a été correct et nous nous entendons assez bien. Je le soupçonne d'être un peu mufle avec les femmes, mais il est très loyal en affaires. Évidemment, il pense aux intérêts de sa banque et c'est bien naturel. Il m'a été très utile, en tout cas. Et toi, que penses-tu de lui ?

— Je suis à peu près de ton avis.

Elle lui raconta son entretien de la matinée avec Dale et Ross.

— Tante Emma ne vendra jamais ses parts de la *Sitex* ! s'écria-t-il. Je ne comprends pas l'attitude de Ross. Il n'a rien à y gagner financièrement : il est riche comme Crésus. Bien sûr, s'il parvient à vous convaincre et que son client soit obstiné, toute la gloire rejaillira sur lui. D'autre part, il cherche peut-être à rendre service à Dale. Ils sont très copains.

— C'est ce que je me suis dit. Mais Ross Nelson pourra me harceler autant qu'il lui plaira, je n'engagerai jamais grand-maman à vendre, comme il l'espère.

— Méfie-toi de lui. Il va sûrement chercher à te séduire.

Paula faillit lui parler des roses et de l'invitation, mais elle se retint.

— Penses-tu ! dit-elle avec un petit rire. Je suis mariée. Et il aurait peur de scandaliser grand-mère.

— Ne sois pas naïve, Paula. Ce ne sont pas les scrupules qui l'étouffent, si j'en crois les rumeurs.

Shane, irrité à la pensée que le banquier pourrait importuner Paula, préféra changer de sujet.

— Si tu as une heure à perdre, cette semaine, je voudrais que tu viennes faire un tour à l'hôtel. J'aimerais avoir ton avis sur les aménagements intérieurs. Je te montrerais les projets que viennent de m'envoyer les décorateurs. J'ai confiance en ton jugement.

— Volontiers, répondit Paula avec chaleur. Demain, par exemple, je n'ai pas grand-chose à faire. Je pourrais t'y rejoindre en fin d'après-midi. Ensuite, nous reviendrions dîner à l'appartement. Ann m'a dit qu'elle aimerait te faire un Irish stew. Alors, que dis-tu de demain soir ?

J'en dis, songea-t-il, que plus je te vois, plus je te veux !

— Merci beaucoup, ça me fera plaisir, se contenta-t-il de répliquer.

Il s'étonna d'avoir accepté si vite, puis il se rendit compte qu'il s'était menti jusque-là en croyant qu'il aurait la force de refuser de la revoir.

Il la raccompagna.

La nuit était claire, étoilée, un peu fraîche, mais la température était agréable pour un mois de novembre.

Dans Madison Avenue, Shane demanda à brûle-pourpoint :

— Aimerais-tu faire une promenade à cheval, dimanche ?

— Oh oui ! répliqua-t-elle, enchantée. Il y a une éternité que je n'ai pas monté. Mais je n'ai rien à me mettre, sauf un jean.

— Ça ira très bien, mais tu peux aussi aller acheter tout ce que tu voudras chez Kauffman.

— Entendu ! Où comptes-tu m'emmener ?

— Dans le Connecticut. A New Milford. J'ai acheté là-bas une vieille grange, que je retape et que j'aménage depuis des mois.

— Shane O'Neill ! Quel cachottier tu fais ! Pourquoi ne m'en as-tu pas encore parlé ?

— J'ai oublié. Nous avions tant de choses à nous dire. Alors, ça te plairait d'y aller ?

— Quelle question !... Veux-tu que je fasse préparer un pique-nique ? A quelle heure partirions-nous ?

— Toi, tu devras partir très tôt et moi, j'y serai déjà... A cause des menuisiers, je dois y être vendredi. Je partirai donc en voiture jeudi soir pour y rester tout le week-end.

— Mais comment ferai-je pour y aller dimanche ?

— Je t'enverrai une voiture et un chauffeur. A moins que... Pourquoi ne pas venir avec moi jeudi soir ? Ce serait formidable ! Écoute, Paula, je t'achèterai une bêche et tu jardineras !

— Par le temps qu'il fait ? répliqua-t-elle en riant. La terre est sûrement dure comme de la pierre. Mais je suis quand même d'accord pour passer le week-end là-bas.

— Épatant !

Elle glissa son bras sous le sien et ils continuèrent leur route en silence. Elle songeait à leur enfance à Heron's Nest et, sans qu'elle s'en doutât, il y songeait aussi.

34

Le vendredi matin, Paula fut éveillée par des éclats de voix et par de gros rires sous sa fenêtre.

Elle se redressa et se frotta les yeux, désorientée. Puis la mémoire lui revint. Elle était chez Shane, près de New Milford. Elle regarda son réveil de voyage sur la petite table de nuit et s'aperçut qu'il était près de dix heures.

Elle bondit hors du lit. Elle avait bien dormi et débordait d'énergie. Elle écarta le rideau et regarda dans la cour. En bas, deux hommes bavardaient près d'un tas de planches.

Bien qu'elle ne pût voir Shane, elle l'entendit alors qui disait : « Mettez une sourdine, les gars, s'il vous plaît ! Il y a une dame qui dort là-haut. Et je dis bien une "dame" ! Alors, surveillez aussi votre langage. »

Cela la fit sourire. Elle quitta la fenêtre et examina la chambre. La veille au soir, elle avait été si fatiguée qu'elle n'avait pas fait attention au décor. C'était une petite pièce charmante et vieillotte, aux murs blancs, au carrelage rouge vif et au mobilier de rotin laqué blanc. Mais le meuble principal, c'était le lit de cuivre, recouvert d'un patchwork.

Elle prit une douche rapide dans la minuscule salle de bains attenante et enfila un jean, une chemise de coton rose et un gros pull violet. Puis, avant de descendre déjeuner, elle mit de grandes bottes en cuir rouge sombre qui lui montaient jusqu'aux genoux.

En bas, elle ne trouva personne dans la grande cuisine campagnarde. De nombreux ustensiles de cuivre étincelaient le long des murs blancs. La pièce était d'une propreté scrupuleuse et pourvue des appareils les plus modernes. Paula regarda par la fenêtre : Shane et les deux autres hommes avaient disparu. Une bonne odeur de café lui parvint. Elle s'approcha du percolateur, remplit un bol, puis se dirigea vers la grande salle.

Shane avait fait des miracles... La veille au soir, en arrivant, elle avait trouvé cela charmant. Mais, au matin, en pleine lumière, elle s'apercevait qu'en fait c'était superbe.

Dans la voiture, il lui avait annoncé que la maison n'avait qu'une seule vraie pièce, mais il n'avait rien dit des proportions de cette pièce, ni du haut plafond à caissons, ni de la baie vitrée, ni de la gigantesque cheminée de pierre où brûlaient d'énormes bûches.

Elle s'approcha du piano demi-queue et s'assit sur le tabouret pour boire son café en continuant à regarder autour d'elle. Elle comprenait pourquoi il avait installé ce piano au milieu de la pièce. C'était pour délimiter un coin salon devant la cheminée et un coin repas près de la cuisine. Tous les murs étaient blanchis à la chaux. Les deux canapés et les fauteuils Chesterfield étaient recouverts de la même grosse serge blanche dont étaient faits les doubles rideaux et plusieurs tapis blancs étaient posés çà et là sur le parquet ciré. Les seules notes de couleur vive étaient apportées par les tableaux et les plantes vertes.

Elle admira longuement les deux précieuses commodes que Shane avaient découvertes chez des antiquaires de la région, puis son regard s'attarda sur un paravent en laque de Coromandel, qui semblait aussi rare qu'ancien.

Soudain, elle ressentit un étrange désarroi.

Si Shane avait dépensé tant d'argent et tant d'efforts pour aménager cette petite maison, n'était-ce pas parce qu'il avait l'intention de s'y installer définitivement? De toute évidence, il ne comptait pas rentrer en Angleterre de sitôt.

Très troublée, elle se leva du tabouret de piano pour s'installer devant la cheminée dans un gros fauteuil capitonné. Voyant que Shane avait laissé ses cigarettes sur la table, elle en prit une, alors qu'elle ne fumait presque jamais. Elle repensa à leur arrivée de la veille, à neuf heures du soir, juste au moment où l'orage éclatait au-dessus de la maison. Pour rentrer les valises et les provisions qu'ils avaient apportées, ils avaient fait plusieurs va-et-vient sous une pluie battante. Ils étaient tous les deux trempés et elle était montée très vite se changer.

En redescendant, une vingtaine de minutes plus tard, elle était restée un moment sur le seuil pour regarder la salle où toutes les lampes étaient allumées et où le bois flambait dans la cheminée. A ce moment-là, la pièce lui avait paru plus petite, plus intime. Elle s'était approchée du feu. Vêtu d'un jean et d'une chemise blanche impeccable, Shane était alors sorti de la cuisine avec deux verres d'alcool.

— Bravo! lui avait-elle dit. Toi, au moins, tu as le sens de l'organisation.

— J'ai été à bonne école. J'ai fait mes classes sous les ordres d'un vieux dur à cuire, souviens-t'en.

— Serait-ce Emma Harte que tu traites de dur à cuire? Tu n'as pas honte?

En riant, ils avaient reparlé de Heron's Nest, puis Shane avait apporté un plateau de saumon fumé et divers fromages. Assis par terre devant la cheminée, ils avaient arrosé leur petit dîner d'une bouteille de Pouilly. Puis ils avaient bavardé jusqu'à une heure tardive.

Vers la fin de la soirée, Shane s'était inquiété de la voir, à plusieurs reprises, se frotter la nuque.

— Ce n'est rien. J'ai une espèce de torticolis. Sans doute à force d'être assise sans bouger pendant des heures au bureau.

Sans rien dire, il s'était agenouillé derrière elle pour lui masser les épaules, le cou et la nuque. Elle en avait ressenti un plaisir si troublant qu'elle aurait voulu qu'il continuât indéfiniment. Et un peu plus tard, quand il lui avait donné un chaste baiser sur la joue pour lui dire bonsoir, elle avait eu du mal à ne pas lui tendre les bras et, les joues en feu, elle avait vite refermé la porte de sa chambre.

Brusquement, elle prit conscience de ses véritables sentiments: elle avait désiré sentir encore les mains de Shane sur son corps. Réveille-toi ! se dit-elle avec épouvante. Ce n'est pas d'amour fraternel qu'il s'agit, mais de désir.

Atterrée par sa découverte, elle se leva d'un bond, jeta sa cigarette dans le feu et s'élança vers la fenêtre. Elle resta là un moment à contempler la beauté du paysage pour tenter de se reprendre. Elle n'avait pas le droit d'éprouver ce genre d'émotions : elle n'était pour Shane rien de plus qu'une amie d'enfance.

Mais l'image du jeune homme continua de la hanter. Pourquoi donc ? se demanda-t-elle. Est-ce à cause de sa beauté, de son humour, de son charme ?... Mais il a toujours été ainsi et il faut que je sois devenue folle pour avoir de telles pensées.

Elle eut un brusque frisson en songeant à Jim et son image chassa celle de Shane.

Avant de partir, la veille, elle avait téléphoné à Long Meadow. Là-bas, il était déjà sept heures du soir. Elle avait échangé quelques mots avec son mari. Il s'était montré aimable, mais sans plus, car il était pressé de sortir pour dîner. Quand elle lui avait demandé des nouvelles des petits, il lui avait très vite passé Nora et, pendant qu'elle parlait avec la nurse, il en avait profité pour quitter la maison. Sans même lui dire au revoir !... Elle en avait été stupéfaite et furieuse. Aussitôt, le cafard l'avait reprise.

Dire qu'il y a moins d'une semaine que je l'ai quitté ! pensa-t-elle en se revoyant avec lui dans le jardin. Elle savait que quelque chose était mort en elle, ce jour-là. Lui, désinvolte et irresponsable, s'était moqué presque cyniquement de ce qu'elle ressentait.

Le travail, les enfants... C'est bien désormais tout ce qui peut me sauver, se répéta-t-elle encore une fois. Elle retourna près de la cheminée chercher son bol vide pour le rapporter à la cuisine.

Shane s'y trouvait justement. Il était rentré prendre un peu de café :

— Ah, te voilà !... Je parie que ce sont mes gars qui t'ont réveillée, les rustres !

Paula regarda avec surprise les vêtements qu'il portait : un pantalon de velours informe, de grosses bottes crottées, un vieux pull marin et une casquette de toile. Elle se mit à rire.

— Quelle tenue !... Tu t'es déguisé en terrassier irlandais ?

— Question d'atavisme, ma chère enfant ! Mon grand-père n'était rien d'autre, jadis.

A la fin de la matinée, ils allèrent à New Milford.

Shane lui montra au passage la ferme où vivaient Sonny et Elaine Vickers, les gens qui lui avaient vendu la grange et qui étaient devenus pour lui des amis.

— Je les ai invités à dîner ce soir. Lui est musicien et elle écrivain. Ils sont très amusants. Je suis sûr qu'ils te plairont.

Pendant le reste du trajet, ils discutèrent du menu du soir... Il y aurait un Yorkshire pudding, puis un gigot avec des pommes de terre au four et des choux de Bruxelles, enfin un diplomate pour dessert.

Ils allèrent faire leur marché, sans oublier d'acheter des bougies de couleur et des brassées de chrysanthèmes cuivre et or.

Sur le chemin du retour, Paula se fit la réflexion que Shane s'était comporté de manière très naturelle. Mais comment aurait-il pu en être autrement, après tout? Il ne se doutait pas des idées folles qui lui avaient traversé l'esprit et qui, heureusement, avaient vite disparu. Oui, tout était rentré dans l'ordre et c'était rassurant.

A l'arrivée, Shane s'empressa de déballer les provisions et de les ranger pendant qu'elle s'occupait de disposer les fleurs dans deux grandes urnes de pierre.

— Il n'y a rien de prêt pour le déjeuner, Paula. Nous allons être obligés de manger sur le pouce. Y vois-tu un inconvénient?

— Aucun. Mais les menuisiers? C'est toi qui les nourris?

— Non. Ils ont apporté leurs sandwiches. Ils doivent déjà avoir fini... Du reste, je me demande bien où ils sont. En principe, ils ont des étagères à monter là-haut. On n'entend rien...

A l'instant même, des coups de marteau résonnèrent et il se mit à rire :

— J'ai parlé trop tôt!

Ils s'installèrent devant la grande cheminée pour se restaurer de pain frais, de Brie et de fruits, accompagnés d'une bouteille de vin rouge.

— Comptes-tu vraiment t'installer aux États-Unis? demanda Paula.

— Pourquoi me poses-tu cette question?

— A cause de l'aménagement de cette maison. Tu sembles y avoir investi pas mal de temps et d'argent.

— Oui. Mais ça m'a fait du bien, ça m'a occupé pendant les week-ends. Tu sais, j'ai peu d'amis et je ne sors pas beaucoup. En plus, j'ai toujours adoré retaper les vieilles baraques... Winston et moi, nous avons fait de bonnes affaires en revendant les fermettes que nous avions restaurées dans le Yorkshire. Je ferai sans doute la même chose ici.

— A propos, qu'allez-vous faire de Beck House puisque Winston et Emily vont se marier?

— Ils vont essayer d'y vivre un moment pour voir si Emily peut s'y plaire. Dans ce cas, il me rachètera ma part. Dans le cas contraire, ou nous la garderons comme maison de campagne ou nous la vendrons.

— Il paraît que tu vas être le témoin de Winston.

Il acquiesça.

— Eh bien, moi, je serai celui d'Emily! Tu ne comptes pas revenir avant le mariage?

— Je n'en sais rien pour le moment. Après avoir passé la fin de l'année entre la Jamaïque et La Barbade, j'irai sans doute faire un tour en Australie. Sydney a enchanté Blackie qui a téléphoné plusieurs fois à papa pour le pousser à construire un hôtel là-bas.

— Ton grand-père est aussi incorrigible que grand-maman. Impossible de les empêcher de penser aux affaires!

— Et toi ? Et moi ?... Nous avons de qui tenir, n'est-ce pas ?... Je te reproche de trop travailler, mais c'est dans ta nature. Et il y a eu ton éducation. Notre éducation. Moi aussi, j'ai le parasitisme en horreur. L'inaction me rend fou et, en plus, j'éprouve du plaisir à continuer l'œuvre de grand-père.

— Je te comprends très bien.

— C'est une mission qu'on nous a confiée... Une sorte de devoir sacré. Nous serions incapables de vivre autrement. Nos grands-parents respectifs n'ont pas voulu que nous connaissions des débuts aussi durs que les leurs et ils ont lutté toute leur vie non seulement pour construire un empire, mais aussi pour nous donner la sécurité financière, l'indépendance, le pouvoir social et...

— Jim dit que le pouvoir ne mène qu'à la solitude, à la destruction des valeurs humaines et à la mort de l'âme.

C'était la première fois qu'elle prononçait le nom de Jim depuis leurs retrouvailles. Il en fut irrité.

. — Et toi ? Es-tu de cet avis ?

— Pas le moins du monde, répondit-elle. Je crois que c'est Lord Acton qui disait que si le pouvoir menait toujours à la corruption, l'absolu du pouvoir menait à la corruption absolue. Moi, je préfère la philosophie de ma grand-mère. Pour elle, il ne corrompt que ceux qui sont prêts à tout pour le conserver et il anoblit au contraire ceux qui prennent conscience des terribles responsabilités qu'il implique.

— Emma a raison. J'allais justement te dire tout à l'heure que nous nous conduirions en irresponsables et en ingrats si nous faisions fi du legs qui nous échoit... Oh, il est près de quatre heures ! Puisque nous parlons responsabilité, je ferais mieux de m'occuper de mes travailleurs, de les payer et de leur dire de partir.

Paula se leva à son tour et ramassa le plateau du déjeuner : — Comme la journée a passé vite ! Il faut déjà que je commence à préparer le dîner.

Après avoir mis en marche le lave-vaisselle, elle éplucha les pommes de terre, nettoya les choux de Bruxelles et sortit le gigot qu'elle saupoudra de poivre et de romarin après l'avoir enduit de beurre. Puis elle prépara le dessert et le mit au réfrigérateur. Elle eut alors tout son temps pour faire la pâte du Yorkshire pudding et c'est en chantonnant qu'elle mélangea farine, œufs et lait. Shane fit plusieurs apparitions pour lui proposer son aide, qu'elle refusa. Elle aimait la cuisine autant que le jardinage.

Quand elle retourna dans la salle, elle constata que Shane avait mis le couvert et apporté une provision de bûches près de l'âtre. Il n'était plus dans la pièce, mais la stéréo diffusait la *Neuvième Symphonie*. Elle s'installa sur le canapé pour écouter la musique. Elle était très calme et même un peu somnolente. Elle bâilla. C'est le vin, pensa-t-elle en fermant les yeux. Je n'ai pas l'habitude d'en boire au déjeuner.

Elle sursauta à la voix de Shane.

— Tu n'as pas envie de faire une petite balade ?

Elle se redressa en bâillant encore : — Excuse-moi, je meurs de sommeil. Ça ne t'ennuie pas de remettre la promenade à demain ?

— Non, je suis fatigué, moi aussi, dit-il en s'approchant du canapé. Je suis debout depuis l'aube.

Ce qu'il n'ajouta pas, c'est qu'il avait à peine dormi en la sentant si proche, couchée dans la chambre d'en face.

— Pourquoi ne fais-tu pas un petit somme ?

— J'ai encore quelques corvées. Des coups de fil à donner.

Tandis qu'il s'éloignait, elle s'enfonça dans les coussins en souriant. Déjà presque endormie, elle regretta de ne pas l'avoir encore interrogé sur son attitude incompréhensible au cours des dix-huit mois passés. Oh, j'ai le temps ! se dit-elle. J'ai tout le week-end.

Quelques secondes plus tard, elle sombrait dans le sommeil.

35

Dès le début de la soirée, on put se rendre compte qu'elle serait réussie.

Aux environs de sept heures, Paula quitta sa chambre, où elle venait de s'habiller pour le dîner. Elle avait mis le caftan de laine fine qu'Émily avait dessiné pour elle. C'était un vêtement d'un violet très sombre, large et souple, à manches amples resserrées aux poignets. Elle le portait avec un long collier de jade, autre présent d'Émily, qui le lui avait rapporté de Hong Kong.

Elle retrouva Shane dans la salle. Il regardait par la fenêtre.

Les bougies de couleur, achetées le matin et posées çà et là dans la pièce, répandaient une douce clarté. L'une des petites commodes servait de bar.

Les bûches flambaient dans la cheminée comme pour un grand feu de joie. Quelques lampes étaient allumées et la voix d'Ella Fitzgerald chantait du Cole Porter.

— Je vois que je n'ai plus qu'à m'asseoir pour boire un verre, dit-elle en entrant.

Shane se retourna brusquement pour la regarder. Quand elle avança vers lui, il remarqua qu'elle avait ombré ses paupières d'un fard bleu mauve qui faisait apparaître ses yeux plus violets que jamais. Ses beaux cheveux noirs, rejetés en arrière, encadraient son visage en accentuant la pâleur et la délicatesse de son teint nacré.

Mais elle n'avait plus l'air fatigué.

— Je te trouve superbe, Paula !

— Merci. Je te retourne le compliment.

— Tu viens de parler de boire un verre... Que veux-tu que je te serve ?

— Du vin blanc, s'il te plaît.

Restée près de la cheminée, elle le suivit des yeux. Il avait mis un pantalon gris sombre, un pull à col roulé d'un gris plus clair et une veste de sport en cachemire noir. Elle l'examina, songeuse. Était-ce bien le Shane qu'elle connaissait depuis toujours ? Il lui semblait différent. Peut-être à cause de sa moustache.

Il lui apporta à boire. Ses mains soignées sentaient le savon et l'eau de toilette. Il était rasé de frais. Paula repensa avec amusement à la fureur de sa grand-mère, autrefois, quand elle le surprenait à se regarder dans la glace. Un jour, elle avait menacé de supprimer tous les miroirs de Heron's Nest s'il ne guérissait pas de sa coquetterie. Il devait avoir dix-huit ans cette année-là et il était devenu très conscient de l'effet qu'il produisait. Sur ce plan, il n'avait pas vraiment changé, mais il avait sans doute appris depuis lors à ne pas se regarder dans la glace devant témoin. Bien qu'on pût encore reprocher à Shane d'être un peu trop satisfait de sa personne, il y avait chez lui une douceur, une gentillesse, un amour des autres qui rendaient attendrissants jusqu'à ses défauts.

Il se versa un scotch.

— Ne sois pas surprise si Sonny apporte sa guitare, annonça-t-il. Il le fait toujours. Je l'accompagnerai peut-être au piano.

— Ça me rappelle l'orchestre de Heron's Nest. Quelle horreur, quand j'y pense !

— Non, nous étions formidables ! Mais vous, les filles, vous étiez envieuses de notre talent.

Il revint tout près d'elle et, devant sa haute stature, Paula se sentit brusquement fragile et sans défense.

Intimidée, elle eut du mal à soutenir son regard et voulut détourner les yeux, mais elle était comme hypnotisée par le sombre éclat de ses prunelles.

Ce fut Shane qui céda le premier, sous prétexte de retrouver ses cigarettes. Il avait failli l'embrasser. Prudence ! se dit-il. J'ai certainement eu tort de l'inviter pour le week-end. C'était un risque à ne pas prendre.

Heureusement pour lui, Sonny et Élaine firent alors irruption dans la maison. Il se précipita pour les accueillir.

Dès que Sonny fut entré dans la pièce, il appuya sa guitare contre un fauteuil et tendit à son hôte la bouteille qu'il tenait.

— C'est du cognac. Pour tout à l'heure.

Élaine s'avança à son tour pour mettre un panier entre les bras de Shane : — Et voilà des petits pains tout frais sortis du four pour ton petit déjeuner !

Aussitôt que Shane les présenta à Paula, elle sut qu'elle ne pourrait que les aimer. Sonny était un grand barbu blond et mince, aux yeux bruns brillants de gaieté. Quant à Élaine, elle était la douceur même, une de ces femmes au grand cœur chez qui l'on devine au premier abord des trésors de tendresse. Elle avait un visage ouvert, amical, avec des yeux très bleus et des cheveux teintés de gris.

Ils s'installèrent devant le feu. Élaine était très élégante avec son pantalon de velours noir et sa veste chinoise en soie bleue rehaussée de fils d'or, et Paula se félicita d'avoir mis le caftan violet.

— Ainsi, vous êtes la petite-fille d'Emma Harte, lui dit aimablement la jeune femme. J'adore votre magasin de Londres. Je pourrais y passer ma vie.

— Elle n'exagère pas ! ajouta Sonny. Votre magasin risque un jour de causer ma ruine.

Après avoir protesté, Élaine n'en continua pas moins à s'extasier un bon moment sur le magasin de Knightsbridge.

Shane leur servit un verre de vin et ils se mirent tous trois à parler de leur vie campagnarde et des potins du pays. Paula s'aperçut très vite que Shane avait l'air heureux en leur compagnie et elle se sentait elle-même parfaitement détendue. Ils étaient simples, sympathiques, ils avaient de l'humour et, au bout d'une demi-heure, elle eut l'impression de les connaître depuis toujours. En discutant avec Sonny, elle découvrit qu'il avait écrit plusieurs comédies musicales à succès et beaucoup de musique de films. Ensuite, Élaine lui parla à son tour de sa carrière littéraire et de ses livres.

Shane jouait à la perfection son rôle de maître de maison. Il se mettait en quatre pour ses invités, veillait à remplir les verres, à changer les disques, à remettre des bûches dans le feu et à relancer la conversation pour que chacun y participât. Ravi de constater que Paula s'entendait à merveille avec les Vickers, il ne cessait de lui adresser des sourires satisfaits.

Elle se leva à deux reprises pour surveiller la cuisson du dîner. La seconde fois, Élaine l'accompagna dans la cuisine.

— Que ça sent bon! J'en ai l'eau à la bouche. Puis-je vous aider?

— Non, merci.

— Si vous saviez, Paula, comme nous sommes heureux de vous voir ici! Votre présence a enfin fait sortir Shane de son marasme.

— Vraiment? Que voulez-vous dire?

— Nous sommes souvent très inquiets pour lui. C'est la gentillesse et la générosité en personne... Mais, à force de solitude, il sombre peu à peu dans la dépression la plus noire. Évidemment, l'Angleterre est loin...

— Vous croyez qu'il a le mal du pays?

— Pas exactement. Je crois plutôt...

Elle laissa sa phrase en suspens, car Shane entrait en brandissant un tire-bouchon: — Je vais ouvrir les bouteilles pour permettre au vin de respirer un peu.

Élaine s'éclipsa discrètement.

— Quel délicieux dîner! déclara Élaine au moment du dessert. Il faut absolument me donner la recette de ce diplomate, Paula.

— Et celle du Yorkshire pudding! renchérit Sonny.

— Vraiment, vous me flattez! dit Paula en riant. C'est la première fois qu'on manifeste autant d'enthousiasme pour mes talents de cuisinière.

— Mensonge! s'écria Shane. Je te fais des compliments depuis des années. Tu n'écoutes jamais ce que je te dis!

— Oh si! Et c'est bien mon drame.

— Bon, je vais faire du café, reprit-il avec un sourire un peu gêné.

— Je vais te tenir compagnie, dit Sonny.

Restée seule à table avec Paula, Élaine la regarda tout à loisir et fut frappée par son éclat singulier: la lumière des bougies la faisait paraître très jeune et donnait à son visage la vulnérabilité de l'enfance.

Soudain, prenant conscience du peu de discrétion avec laquelle elle dévisageait sa compagne, elle murmura pour s'excuser:

— Si nous avions su que vous étiez si belle, Paula, nous aurions mieux compris pourquoi vous lui manquiez tant.

Paula se raidit:

— Je vous demande pardon?

— Je parlais de Shane, répliqua Élaine avec simplicité. Il est amoureux fou. Quel dommage que vous viviez si loin l'un de l'autre !

— Voyons, Élaine, s'écria Paula, abasourdie, nous ne sommes que des amis d'enfance ! `

Élaine crut d'abord qu'elle plaisantait, puis l'air scandalisé de Paula la remplit de confusion.

— Oh, j'aurais mieux fait de me taire ! Excusez-moi. Je croyais que Shane et vous...

— Je vous en prie, Élaine. Ce n'est pas grave. Je comprends. Vous vous êtes méprise sur la nature de notre amitié. Tout le monde aurait pu se tromper.

Il y eut un silence embarrassé.

— Avec ma manie de parler sans réfléchir, reprit Élaine, très gênée, je crois que je viens de gâcher une soirée charmante.

— Mais non, c'est sans importance. Votre erreur est bien normale... Après tout, j'habite chez lui et nous sommes très libres l'un vis-à-vis de l'autre. C'est que nous avons grandi ensemble et que nous nous sommes rarement quittés. Et puis, ce soir, j'ai oublié de mettre mon alliance. Vous ne pouviez pas deviner que j'étais mariée.

— Voilà qui explique tout !... Pardonnez-moi de faire gaffe sur gaffe. J'ai sûrement trop bu.

— Maintenant, changeons de sujet, répliqua Paula en riant. Shane et Sonny vont revenir.

— Surtout, ne dites rien à Shane ! Il m'en voudrait.

Elles allèrent se rasseoir près du feu. Élaine reprit son assurance. Mais, bien qu'elle s'en voulût de ses déclarations imprudentes, elle avait du mal à croire qu'elle s'était complètement trompée. En tout cas, Shane était évidemment amoureux de Paula ! Pourquoi celle-ci refusait-elle de le voir et de comprendre que, de son côté, elle adorait Shane ?

Quand il revint en apportant le café, Élaine remarqua que Paula le regardait avec une certaine curiosité. Qui sait ? se dit-elle alors. Je viens peut-être de leur rendre service en parlant sans réfléchir.

Tandis que Shane versait du café dans les tasses, Sonny servait le cognac. Puis il prit sa guitare et se mit à jouer avec virtuosité un morceau de musique classique.

Il avait du talent, mais Paula était trop perturbée pour l'écouter attentivement. Elle se répétait qu'Élaine s'était trompée sur les sentiments de Shane à son égard. Mais pourquoi avait-elle déclaré que le fait que Paula fût mariée « expliquait tout ». Expliquait quoi ? La tristesse de Shane ?...

Tout d'un coup, Paula sentit qu'elle tenait peut-être la réponse à la question qui la préoccupait depuis des mois : Shane était jaloux !... Il s'était détourné d'elle du jour où il avait appris ses fiançailles avec Jim. Mais pourquoi ne lui avait-il pas déclaré son amour quand elle était encore libre ? Serait-ce parce qu'il n'en avait pris conscience que trop tard ?

Effarée de sa découverte, Paula s'appuya au dossier de son fauteuil et ferma les yeux. Elle essaya de se concentrer sur la musique, mais Shane était trop proche pour qu'elle pût oublier sa présence. Elle se demandait à quoi il pensait et ce qu'il pouvait ressentir. Était-il vraiment amoureux fou, comme le prétendait Élaine? Et moi? se demanda-t-elle, bouleversée. N'aurais-je pas toujours été amoureuse de lui sans le savoir?

Plus elle essayait d'analyser ses sentiments, plus elle s'égarait.

Élaine et Sonny se retirèrent vers minuit moins le quart et Shane les raccompagna jusqu'à leur voiture.

Paula sut alors ce qui lui restait à faire.

Elle se leva pour aller prendre la bouteille de cognac sur la commode et la rapporta près de la cheminée. Après avoir rempli deux verres, elle remit des bûches dans le feu, puis elle reprit sa place sur le canapé.

Shane parut surpris de la voir installée là avec son verre dans la main. Il fronça les sourcils.

— Tu n'as pas envie d'aller te coucher? Je te croyais morte de fatigue.

— Disons que c'est le coup de l'étrier. Je t'ai resservi, toi aussi. Tu n'en veux pas? Voyons, ne me laisse pas boire seule!

Il eut une légère hésitation. Il avait bu toute la soirée et il n'était plus très sûr d'avoir la force de se maîtriser.

— Le coup de l'étrier?... Entendu, dit-il enfin. Mais nous devons nous lever tôt pour notre balade à cheval.

— Allons, viens. Assieds-toi près de moi. J'ai une question à te poser.

Il la regarda avec inquiétude, mais elle était curieusement calme, presque impassible.

— Entendu, répéta-t-il, déconcerté, en s'asseyant à l'autre bout du canapé.

— Tchin-tchin, dit-elle en tendant son verre pour trinquer.

Il répondit à son geste, effleura sa main sans le vouloir et tressaillit. Il se recula et croisa les jambes: — De quoi veux-tu me parler?

— Es-tu capable de me dire la vérité?

— Ça dépend de ce que tu vas me demander, répliqua-t-il, brusquement soucieux.

— Autrefois, nous nous disions toujours la vérité. Je voudrais que tu sois aussi franc que dans notre enfance.

— Mais je le suis!

— Pas vraiment, Shane... Il y a une espèce de fossé entre nous depuis deux ans. Ne proteste pas. Il est clair que tu as pris tes distances. Chaque fois que j'ai essayé de t'en demander la raison, tu m'as raconté des mensonges. Trop de travail, trop de voyages... Je n'ai jamais pu y croire. Alors, voilà ma question: que t'ai-je fait pour que toi, mon meilleur ami, mon ami d'enfance, tu ne veuilles plus de moi?

Il la regarda, interloqué. S'il lui avouait la vérité, elle connaîtrait son secret, elle saurait tout de sa passion pour elle. Mais s'il lui mentait, il se ferait d'interminables reproches. Il resta muet.

Paula, qui ne le quittait pas des yeux, eut pitié de son embarras. Oh, mon chéri, songea-t-elle, ouvre-moi ton cœur, dis-moi tout! Elle retint son souffle en se rendant compte qu'elle ne se dissimulait même plus l'amour qu'elle lui portait. Elle eut envie de le prendre dans ses bras pour chasser sa tristesse à force de baisers.

Le silence se prolongeait.

— Je me rends compte que tu as du mal à me répondre, finit-elle par dire d'une voix attendrie. Alors, je vais le faire à ta place. Tu m'as laissée tomber le jour où tu as su que j'étais fiancée à Jim et que j'allais l'épouser.

Il continua d'observer les flammes dans la cheminée. Il ne voulait pas la regarder en face avant d'avoir réussi à se dominer.

— Oui, tu as deviné, avoua-t-il d'une voix rauque. J'ai peut-être eu tort. J'ai cru... que Jim m'en voudrait et que tu m'en voudrais aussi. Parce que... même un vieux copain n'a pas le droit de venir ennuyer des jeunes mariés...

— Shane! Tu ne dis pas toute la vérité. Tu le sais aussi bien que moi.

Il sursauta, comme pris en faute, et la dévisagea. A la lueur du feu de bois, il lui semblait que la pâleur nacrée de son teint avait pris une curieuse luminosité et que son regard violet, soudain assombri, devenait insondable. Elle entrouvrit les lèvres pour ajouter quelque chose, puis décida de rester silencieuse, elle aussi. Shane voulut se lever pour s'éloigner d'elle, mais il n'eut pas la force de bouger. Ils continuèrent à se regarder dans les yeux.

Ils comprirent alors au même moment qu'il leur était inutile de dissimuler plus longtemps l'attirance qu'ils éprouvaient mutuellement. Car tout leur visage ne parlait que de désir et d'attente.

Soudain, ils se précipitèrent dans les bras l'un de l'autre et leurs lèvres s'unirent. Tiède et suave, la bouche de Paula s'entrouvrit pour accueillir celle de Shane. Il glissa la main gauche sous sa nuque et la renversa sur les coussins tandis que, de la main droite, il caressait ses cheveux, sa joue, son cou gracile. Il sentait son cœur battre au même rythme que le sien. Quand ils se séparèrent enfin, elle tendit les doigts vers lui pour effleurer de l'index les courbes de sa bouche.

Alors, il se leva du canapé et se débarrassa à la hâte de ses vêtements. Elle l'imita et le rejoignit sur les coussins. Il lui couvrit de baisers le visage et les épaules, puis il se releva sur un coude et pencha le front vers elle. Comme il connaissait bien ce jeune corps qu'il avait vu lentement s'épanouir, passer de l'enfance à l'adolescence avant d'acquérir la splendeur de la plénitude! C'était la première fois, pourtant, qu'il le découvrait offert dans sa nudité totale. Il laissa sa main glisser successivement sur les beaux seins fermes, le ventre plat, la ligne longue de la hanche au genou avant de remonter en douceur des cuisses jusqu'à la petite touffe soyeuse et sombre. Baissant la tête, il posa la joue contre sa hanche. Puis ses doigts parurent se mouvoir d'eux-mêmes, caressants, empressés, avides d'exploration, bientôt remplacés par ses lèvres.

Il la sentit se raidir. Il s'arrêta, redressa la tête et vit ses grands yeux effrayés. Il sourit pour la rassurer. Drôle de mariage que le sien! pensa-t-il.

Apparemment, c'était une nouveauté pour elle qu'on cherchât à lui donner du plaisir. La pensée de son inexpérience et de son innocence l'attendrit et le transporta. Il se dit qu'au moins, en l'occurrence, il serait son initiateur.

Mais la nervosité de Paula ne fit que croître. Elle tenta de se relever, de protester.

— Reste calme, murmura-t-il. Laisse-moi t'aimer.

— Mais toi, tu ne...

— Je t'attends depuis des années. Qu'est-ce que quelques minutes de plus?

Elle se renversa sur les coussins avec un petit soupir. Elle ferma les yeux, se détendit et se laissa faire. Qu'il était expert, délicat et sensible! Jamais encore elle n'avait soupçonné la possibilité de cette montée progressive du plaisir. De frémissement en tressaillement, sous la caresse savante de sa bouche, elle s'abandonna à la volupté.

Il s'efforça de la conduire jusqu'au seuil de la jouissance, puis il se glissa sur elle et la pénétra avec une ardeur qui les fit crier tous les deux. Elle s'accrocha à lui, hurlant son nom.

Il rouvrit les yeux et vit la pièce tout illuminée autour d'eux. Et lui, qui depuis quelque temps aimait tant à se réfugier dans l'ombre, accueillit cette vive lumière comme une bénédiction. Il voulait voir son visage, y lire la moindre de ses émotions. Elle souleva les paupières à son tour et le regarda.

Il comprit alors que ce plaisir qu'ils partageaient allait bien au-delà de la simple étreinte. Il la possédait tout entière, corps et âme, comme elle le possédait tout entier. L'enfant de rêve de ses rêves d'enfant lui appartenait enfin et, à travers elle, c'était le monde qu'il tenait dans ses bras. Tout son désespoir avait disparu. Il renaissait à la vie, il était un homme neuf, à la vigueur intacte, qui avait retrouvé son intégrité en montant vers l'aveuglante, l'éblouissante lumière dont elle était la source.

Les yeux dans les yeux, ils n'en finissaient pas de scruter mutuellement le tréfonds de leur être, de plonger tour à tour leur regard, jusqu'à l'infini, dans ces miroirs de l'âme qu'ils se tendaient l'un à l'autre. Et tout pour eux devenait limpide.

Elle est ma vie, se dit-il. Bénie soit la paix qu'elle m'apporte!

Il n'y a que Shane, se dit-elle de son côté. Il n'y a jamais eu que Shane.

Ils recommencèrent à s'aimer, corps enlacés, bouches jointes, emportés au même rythme par la violence de l'amour.

— Je t'aime, je t'ai toujours aimée! s'écria-t-il enfin, apaisé et reconnaissant. Je t'aimerai jusqu'à mon dernier jour.

La chambre de Shane était bien plus grande que la chambre d'amis.

Mais, là aussi, le meuble le plus important était un lit de cuivre. Couchée au milieu d'un amoncellement d'oreillers blancs comme neige, les épaules nues, le reste du corps caché sous un édredon moelleux, Paula poussa un soupir de satisfaction. Elle se sentait comblée. La générosité et la tendresse de Shane l'avaient émerveillée, mais elle s'étonnait encore d'avoir pu répondre à sa fougue et comprendre que l'amour physique pouvait être l'acte le plus naturel et le plus délicieux du monde. Elle s'était donnée à lui sans arrière-pensée, dans un pur élan de joie.

Au cœur de la nuit, quand ils avaient quitté la salle pour se réfugier là-haut, elle s'était imaginé que leur désir était assouvi et qu'ils allaient s'endormir. Fatigués, ils s'étaient glissés dans le grand lit, mais ils avaient parlé longtemps, main dans la main, et leur ardeur s'était brusquement ravivée.

Shane avait allumé la lampe et rejeté les draps. Puis, à nouveau, il l'avait longuement et savamment caressée. Il lui avait aussi suggéré d'autres jeux érotiques et lui avait montré comment elle pouvait lui procurer à son tour autant de volupté qu'il lui en avait donnée. Elle s'était exécutée sans crainte, avec bonheur, prenant plaisir à son plaisir. Leur jouissance avait été encore plus vive que la première fois.

Plus tard, ils avaient tenté de s'endormir dans les bras l'un de l'autre, mais ils n'avaient pas pu. Désireux de prolonger indéfiniment leur nouvelle intimité, ils avaient bavardé dans le noir. Enfin, Shane était descendu faire du thé.

Paula regarda la petite pendule posée sur la commode. Il était près de quatre heures.

Shane revint bientôt avec un plateau chargé. Il lui tendit sa tasse de thé et l'assiette de biscuits au gingembre qu'elle avait réclamée. En chantonnant, il se débarrassa de sa robe de chambre et la lança sur une chaise.

Elle regarda son corps avec admiration. Il était bâti en athlète, avec de larges épaules et des bras musclés. Mais pourquoi lui paraissait-il si beau, maintenant ?

Il se rendit compte qu'elle le regardait.

— Qu'y a-t-il ?

— Rien. Je ne t'ai jamais vu aussi bronzé. Malheureusement, ton derrière est tout blanc.

— Dans une semaine, chère madame, le vôtre aussi risque d'être tout blanc au bas d'un dos tout brun... Du moins, si j'y peux quelque chose.

— Ah bon ?

— Oui, je pars pour La Barbade mardi et tu viens avec moi.

— Quelle bonne idée !... Mais je ne pourrai pas partir avant mercredi.

— Ça ne fait rien. Comme ça, j'aurai le temps de régler quelques questions urgentes en t'attendant. A partir de mercredi, je ne travaillerai que le matin. Nous aurons à nous tous nos après-midi... et toutes nos nuits.

— Je mourais d'envie d'aller à La Barbade... Pour voir la boutique HARTE, évidemment !

— Rien que pour ça ?

Elle se mit à rire. Elle se sentait à l'aise. Non, mieux encore, elle était aux anges. Elle tendit la main vers les biscuits au chocolat qu'il avait apportés pour lui.

— Je me demande ce qu'en déduirait un psychanalyste, dit-il.

— Ce qu'il déduirait de quoi?

— De ton perpétuel besoin de manger dans mon assiette. Tu l'as toujours fait.

— Je vais essayer de m'arrêter, dit-elle en riant de bon cœur. Très sérieusement, il faut que je mette un frein à mon avidité. On pourrait croire que j'ai souffert de famine.

Shane se contenta de sourire. Tu en as souffert, mon amour, pensa-t-il. Et de bien des façons.

Il prit son paquet de cigarettes et alla ouvrir la fenêtre.

— Tu permets que je fume? demanda-t-il revenant se glisser dans le lit.

— Bien sûr.

— Comment te sens-tu, ma chérie?

Il y eut un bref silence. Puis Paula avoua timidement:

— Je n'avais jamais fait l'amour de cette façon-là.

— Je m'en doute.

— Est-ce tellement évident... mon inexpérience?

Il lui serra la main tendrement, sans répondre.

— Mais toi, reprit-elle, tu as connu beaucoup de femmes, n'est-ce pas?

Il se demanda si la question n'était pas un reproche déguisé:

— Je vois que tu as eu vent des médisances.

— C'était donc vrai?

— Oui.

— Pourquoi ne m'avais-tu jamais courtisée?

— Sans doute à cause d'Emma et de Blackie. De leur amitié. Des relations entre nos deux familles. De toute façon, Paula, je n'aurais jamais osé, même si j'avais compris plus tôt que je t'aimais. Avant ton mariage, tu étais pour nous tous une petite princesse de légende. Intouchable. Le genre de jeune fille à qui l'on ne propose pas une aventure, mais le mariage. Malheureusement, je me suis aperçu trop tard que je t'aimais à la folie. Sans doute parce que nous étions trop proches l'un de l'autre.

Elle répliqua qu'elle comprenait, mais une jalousie rétrospective l'agitait.

— Ces autres femmes, dit-elle doucement, as-tu fait avec elles ce que tu as fait avec moi, cette nuit?

Il resta un moment embarrassé, mais il ne voulut pas lui mentir:

— Parfois. Pas avec toutes. Il faut être vraiment amoureux pour faire ça. Mais aucune de ces femmes ne m'a inspiré un désir aussi profond que celui que je ressens pour toi.

— Tu as eu beaucoup d'aventures... depuis que tu es à New York?

— Non.

— Pourquoi?

— A cause de toi. Quand j'ai compris que je t'aimais, je suis pratiquement devenu impuissant avec toutes les autres.

Il vit sa surprise et son désarroi. Elle se raidit, mais ne fit aucun commentaire.

— Lorsque je parvenais à faire l'amour, reprit-il, c'était à condition d'être dans le noir et de pouvoir imaginer... que j'étais avec toi.

Sans mentionner de nom, il lui conta son expérience d'Harrogate, le soir même du baptême. Il le fit sans honte.

Paula le prit dans ses bras et le serra contre elle :

— Je suis triste de t'avoir causé tant de souffrances !

— Ce n'était pas ta faute. Mais toi, comment t'es-tu aperçue que tu m'aimais ?

— Depuis mon arrivée à New York, je ne pensais qu'à toi. Hier soir, j'ai senti que j'avais envie de toi, de faire l'amour avec toi. Après le départ d'Élaine et de Sonny, j'ai pris brusquement conscience que je t'aimais vraiment.

— Il faut que tu le saches : je n'avais pas d'arrière-pensée en t'amenant ici. Et, depuis des années, je m'étais juré de ne jamais faire l'amour avec une femme appartenant à un autre.

Elle protesta aussitôt : — Mais je n'appartiens qu'à moi !

Il mourait d'envie de lui poser des questions sur sa vie conjugale, mais il n'osa pas, de peur de la blesser.

Ce fut elle qui aborda le sujet.

— Si j'étais heureuse avec Jim, reprit-elle d'un ton calme, je ne serais pas ici avec toi.

— Je le sais, je te connais... Alors, ça ne marche pas entre vous deux ?

— Non, malgré tous mes efforts. Je ne blâme pas Jim. Nous sommes l'un comme l'autre responsables de cet échec. Il est gentil, mais nous n'allons pas ensemble. Nous n'avons rien en commun... Bah ! laissons ce sujet, veux-tu ? Je n'ai pas envie d'en discuter.

Ils restèrent un moment perdus dans leurs réflexions, puis Paula murmura : — Oh, Shane, qu'ai-je fait ?... Si l'on pouvait seulement revenir en arrière...

— On ne remonte pas le temps, mon amour. Ne pense ni à hier, ni à demain. Pense au présent, sans crainte.

Serrée contre lui, elle chuchota d'une voix bouleversée :

— Je t'aime tant ! Comment ai-je pu l'ignorer si longtemps ?

— Tu le sais maintenant. Rien d'autre ne compte.

36

Le mercredi après-midi, elle arriva à La Barbade.

Après avoir passé la douane, elle reprit son sac de voyage et fut déçue de ne pas le voir. Elle chercha des yeux le chauffeur en uniforme du Coral Cove Hotel qu'il aurait pu envoyer à sa place.

Derrière elle, le porteur chargé de sa grande valise lui proposa un taxi. Elle refusa en continuant de regarder la foule qui se pressait à l'entrée de l'aéroport.

C'est alors qu'elle l'aperçut. Shane, lui, ne la voyait pas.

Il se hâtait, l'air anxieux. Elle se figea sur place et son cœur se mit à battre la chamade. Elle ne l'avait quitté que le lundi soir, mais le simple fait de le revoir lui causa une vive émotion. Ses cheveux ondulés, assez longs dans le cou, et ses sourcils bien arqués lui parurent plus noirs que d'habitude. Ses yeux brillaient comme de l'onyx dans son visage bronzé. Il portait un costume de soie grège sur une chemise de même teinte à fines rayures bordeaux. Ses mocassins bruns reluisaient. Oui, c'était bien lui... Mais elle le voyait désormais avec les yeux de l'amour et elle avait l'impression de le redécouvrir.

Il finit par l'apercevoir et se fraya un chemin dans la cohue.

— Excuse-moi, ma chérie !... Je suis parti à la dernière minute, comme d'habitude.

Elle était trop émue pour parler. Il se baissa pour l'embrasser sur la joue, puis il lui prit le bras après avoir fait signe au porteur de les suivre jusqu'à une Cadillac gris métallisé dont le chauffeur attendait. Quand ils furent tous les deux installés à l'arrière, Shane appuya sur un bouton et une cloison de verre les sépara des sièges avant. Il l'attira tout contre lui et contempla son visage avec de grands yeux avides. Elle vit le reflet de sa propre image dans le miroir sombre de ses prunelles. Il la serra plus fort et, quand il l'embrassa sur la bouche, elle se sentit prête à défaillir. Puis il s'écarta avec un petit rire.

— Mieux vaut que je sois sage ! Sinon, ça finira par un viol sur la banquette arrière et par un scandale public...

— Ce n'est jamais un viol quand la victime est consentante !

Prudemment, il alluma une cigarette et se mit à lui parler de l'île en lui montrant au passage la beauté des paysages et en lui faisant un petit résumé de l'histoire de La Barbade.

— Le Coral Cove est sur la côte ouest. Ce n'est pas loin du Sandy Lane Hotel où je t'emmènerai déjeuner un de ces jours, car c'est un endroit ravissant. La côte ouest est appelée la Côte de Platine, parce que le sable y est très blanc. J'espère que tu t'y plairas.

— Je suis bien partout quand je suis avec toi.

— Et moi, je ne peux plus me passer de toi, répliqua-t-il d'un ton léger. Écoute, je ne plaisante pas. Je ne te laisserai plus repartir. Plus jamais.

Elle resta muette. Dans son euphorie, elle avait presque oublié l'Angleterre.

— Mais il faut bien que... dit-elle enfin.

— Pardon, mon amour, je n'aurais pas dû te dire ça ! Oublions nos problèmes pendant quelques jours. Nous aurons tout le temps d'en parler à notre retour à New York.

A ce moment, la voiture ralentit pour entrer dans les jardins de l'hôtel. Quand elle mit pied à terre, Paula trouva la chaleur accablante après l'air conditionné de la Cadillac.

Le Coral Cove était une construction gigantesque, à la façade peinte en blanc et en rose pâle. Au-delà des vertes pelouses et de la végétation exotique qui entourait l'hôtel, on voyait luire au soleil l'océan bleu turquoise bordé de sable brillant.

— Mais c'est superbe, Shane !

— Oui, mais il fait trop chaud pour rester dehors à cette heure-ci. Entrons.

Il la conduisit à travers un dédale de vastes salons tout blancs meublés en rotin et ornés d'un grand nombre de petits arbres tropicaux. Des ventilateurs de plafond tournoyaient doucement, créant une atmosphère fraîche et légère.

Elle aurait voulu tout admirer, mais il était pressé de lui montrer la suite qui lui était réservée. Aussitôt la porte refermée sur eux, il la prit dans ses bras et la couvrit de baisers. Quelques coups frappés à la porte les obligèrent pourtant à s'éloigner l'un de l'autre.

— Entrez, Albert, cria Shane.

Ce n'était que le groom qui apportait la valise de Paula. Quand ils se retrouvèrent seuls à nouveau, Shane déclara :

— Si je recommence à t'embrasser, je n'aurai plus la force de te faire visiter le reste de l'hôtel. Écoute, voici ton programme : soleil, sommeil... et Shane. Toujours Shane. Nuit et jour. Qu'en dis-tu ?

— C'est délicieux ! Tout comme ce salon.

— Je savais qu'il te plairait.

Elle regardait avec ravissement l'éclatante blancheur des murs, rehaussée de lignes rose corail et citron vert, qui mettait en valeur le tissu fleuri des canapés.

Dans des coupes et dans des vases, une profusion de fleurs exotiques s'épanouissaient.

— Oh ! Shane, elles ont des couleurs extraordinaires ! C'est tout simplement sublime.

— Regarde celles-ci. Ce sont de minuscules orchidées sauvages. L'île en est couverte. Viens, je vais maintenant te montrer la chambre.

Il l'entraîna dans la pièce voisine, aussi grande que le salon, mais où la blancheur des murs était soulignée, cette fois, de jaune et de bleu pâle. Le mobilier n'était plus en rotin, mais en bois laqué blanc. Le lit, garni de rideaux de mousseline, faisait face à la terrasse. Il y avait, là encore, des vases pleins de fleurs, mais la pièce avait l'air inhabitée.

— Tu ne vis pas ici?

— Non, à côté, dans une autre suite. Mieux vaut être discret. Personne ne sera dupe, évidemment, mais c'est plus correct.

L'appartement voisin, celui dont il disposait, était identique... à cela près qu'il y régnait un certain désordre.

Il avait semé ses affaires un peu partout et le petit secrétaire croulait sous les papiers. Sur la console se trouvait un plateau avec du scotch, des verres et un seau à glace.

— Pourquoi avoir deux suites si personne n'est dupe? demanda-t-elle. Quant à nos familles, elles n'auraient eu aucun soupçon puisqu'elles nous considèrent comme frère et sœur.

— Sauvons les apparences, répondit-il avec gravité. J'ai demandé en bas qu'on nous avertisse tous les deux des appels téléphoniques concernant l'un ou l'autre, pour que nous ne soyons jamais pris au dépourvu. De toute façon, je n'ai pas l'intention de te laisser seule une minute... Bon, maintenant, veux-tu prendre quelque chose? Ou préfères-tu descendre voir la boutique?

— La boutique, je t'en prie! N'était-ce pas le but de mon voyage?

— Tu es un monstre!

La boutique HARTE, située dans les jardins de l'hôtel, occupait le milieu d'un demi-cercle formé par cinq magasins installés autour d'une pelouse fleurie où jaillissait une fontaine.

Paula reconnut avec fierté sur le fronton les lettres familières: E. HARTE. Des deux côtés de la porte peinte en rose, la disposition des larges devantures témoignait d'un sens de l'élégance et d'une habileté de grand professionnel.

— Bien sûr, ce n'est qu'une boutique, dit-elle en prenant le bras de Shane. Ça n'a rien à voir avec nos grands magasins, mais j'en suis très satisfaite. Je voudrais que grand-maman puisse voir ça!

— Cette boutique est ton œuvre, Paula.

— C'est Miranda qui en a eu l'idée, pas moi.

— Oui, mais c'est toi qui as tout organisé.

— Ce n'est pas ce que dit Sarah.

— Ne t'en occupe pas. Elle est jalouse de toi et c'est une imbécile.

Aussitôt entrée, Paula fut frappée par la rigueur et la simplicité du décor — sol de céramique blanc, éléments chromés — qui mettaient remarquablement en valeur les divers coloris des articles exposés. Un petit escalier suspendu menait à l'étage supérieur.

— Shane, tu t'es surpassé!

Il lui adressa un sourire reconnaissant, puis se retourna pour lui présenter la gérante, Marianne, et ses trois assistantes. Les jeunes femmes, sympathiques et accueillantes, semblaient être des vendeuses expérimentées, très au fait de la mode. Paula les encouragea chaleureusement. Puis elle se tourna vers Shane.

— Je dois faire quelques achats. Je n'en ai pas eu le temps à New York. Ne m'attends pas. Je te retrouverai à l'hôtel.

— Je ne suis pas pressé, répondit-il gaiement. On ne se débarrasse pas de moi aussi facilement !... et je pourrais avoir mon avis à donner.

Elle essaya des maillots de bain et des tenues de plage. Lorsque Shane eut approuvé ses choix, elle jeta un coup d'œil aux robes de cocktail. Mais, cette fois, il fit la moue.

— Essaie plutôt celles-là.

— Voyons, ce n'est pas mon genre ! répliqua-t-elle.

— Fais confiance à mon jugement.

Pour lui faire plaisir autant que pour éviter une discussion devant les vendeuses, elle consentit à passer les robes qu'il lui tendait. Elles portaient toutes la griffe « Lady Hamilton » et Paula ne put s'empêcher de penser à Sarah. Shane avait eu raison de la juger sans indulgence... Après avoir enfilé la première robe, elle fut agréablement surprise, au sortir de la cabine d'essayage, d'apercevoir son reflet multiplié par les miroirs. Aussitôt, Shane lui exprima son admiration : — Tu es sensationnelle !

Le modèle qu'elle portait, court et simple, était en mousseline de soie d'un bleu profond. Il dénudait l'une de ses épaules et moulait ses formes. C'était flatteur et même un peu provocant. La couleur était superbe.

Shane lui conseilla ensuite un pantalon de soie blanche et une longue tunique jaune en jersey brillant. Puis il attendit patiemment pendant qu'elle choisissait des sandales. Elle acheta enfin deux chapeaux de paille. Après avoir remercié Marianne, elle lui promit de repasser le lendemain.

— Cette boutique est une merveille, déclara-t-elle en sortant. Miranda m'avait montré les projets de décoration, mais c'est à toi en définitive que je suis redevable d'une réalisation aussi parfaite. Merci mille fois.

— J'ai toujours eu la réputation de savoir faire plaisir à celles que j'aime, répliqua Shane, amusé et flatté.

En revenant vers l'hôtel, elle examina au passage, avec une attention passionnée, chaque plante tropicale et chaque arbuste à fleurs qu'elle découvrait.

— Franchement, dit-il, je saurai où te retrouver si jamais tu disparais dans la nature. As-tu un déplantoir dans tes bagages ?

— Non, non... Et figure-toi que ce n'est pas du tout de jardinage que j'ai envie en ce moment. N'est-ce pas bizarre ?

Elle reposait entre ses bras.

La chambre était remplie d'ombre. Un petit courant d'air agitait autour du lit les légers rideaux de mousseline. Par les portes ouvertes de la terrasse, elle regardait le ciel qui virait au bleu paon. Le silence n'était troublé que par le bruissement des palmiers et le grondement lointain de l'océan.

Ils venaient de faire l'amour plusieurs fois de suite et, chaque fois, semblait-il, avec une ardeur renouvelée. Elle poussa un petit soupir de contentement. Elle ne se reconnaissait plus.

Avec Shane, elle avait l'impression de pouvoir tout partager. Il aimait parler, il avait le goût des mots et une étonnante maîtrise du langage. Mieux encore, il savait l'écouter. Désormais, ils n'avaient plus de secrets l'un pour l'autre.

Elle jeta un regard sur lui. Il somnolait près d'elle, paisible. Qu'il est émouvant! se dit-elle. Elle aimait sa personnalité, toute de contrastes. Impétueux, extravagant, et parfois un peu futile, il était aussi compréhensif et tendre, réfléchi et passionné. De ses origines celtes, il tenait une certaine tendance à la mélancolie qui, à l'occasion, le faisait paraître lointain. Et il pouvait avoir très mauvais caractère. Paula se souvenait que, dans leur enfance, il lui était arrivé, à elle, de faire les frais de ses terribles colères. Elle ne lui en avait jamais voulu, pourtant, car il se montrait ensuite désarmant de gentillesse.

Entre Shane et moi, songea-t-elle, il y a maintenant une extraordinaire intimité, tant mentale et affective que physique. Je me sens davantage sa femme que celle de Jim.

Pourquoi l'as-tu épousé? lui avait demandé Shane l'autre soir, à New York. Parce que j'étais amoureuse de lui, avait-elle répondu. Shane avait alors suggéré que le patronyme de Jim avait dû jouer un rôle dans cet amour fatal... A cause du passé d'Emma, un Fairley n'avait-il pas eu l'attrait du fruit défendu? Ce n'était pas impossible.

Subitement, elle envisagea l'avenir avec terreur. Qu'allaient-ils devenir, Shane et elle?

Elle se rapprocha de lui dans le lit et posa la main sur sa hanche. Il ouvrit les yeux et la regarda tendrement. L'enfant de rêve de ses rêves d'enfant était devenue une femme de rêve... tout en restant bien réelle. Elle l'avait rendu à lui-même, elle lui permettait désormais de ne plus tricher avec la vie.

Il se remit à la caresser. Elle lui rendit caresse pour caresse. Elle savait à quel point le contact de sa main le ravissait et bientôt se réveilla l'ardent désir qu'ils avaient l'un de l'autre. Il murmura son nom, lui dit et lui redit qu'il l'aimait. Ils fermèrent les yeux et, de nouveau, se laissèrent emporter par le plaisir d'aimer.

La sonnerie du téléphone les fit sursauter.

— La barbe! s'écria Shane en s'écartant d'elle pour allumer la lampe.

— Je ferais peut-être mieux de répondre, dit-elle en se redressant. Après tout, c'est ma chambre.

— Si tu veux, mais attends que je demande au standard de qui vient l'appel... Allô? Ici, Shane O'Neill... Merci, Louane. Passez-le-moi...

Il murmura à Paula que c'était son père.

— Ah bon! fit-elle en remontant le drap sur elle.

— Inutile de te couvrir. Il ne peut voir que tu es nue.

Il reprit le téléphone:

— Papa, comment allez-vous? Qu'y a-t-il? (Il se renversa sur les oreillers et alluma une cigarette :) Oui ?... L'idée est excellente, papa, mais je ne peux pas aller là-bas pour le moment. Non, pas avant janvier ou février. Et je croyais que vous vouliez que je passe Noël ici, dans les îles... Je ne peux pas être à deux ou trois endroits à la fois !

Il secoua sa cigarette et écouta la réponse de Bryan.

— Très bien ! dit-il. Oui, oui, je suis d'accord. Le voyage vous plaira beaucoup ! Maman vous accompagnera-t-elle ?

Paula se glissa hors du lit pour enfiler sa robe de chambre et s'installer dans un fauteuil. Il lui fit un clin d'œil, puis interrompit brusquement son père au bout du fil :

— Paula vient d'entrer, papa. Elle veut vous dire bonjour.

Paula protesta silencieusement, mais il posa le récepteur et se leva pour la forcer à s'approcher du téléphone.

— Il ne peut pas savoir que nous faisons l'amour depuis deux heures, chuchota-t-il. Il doit croire que tu es venue prendre un verre avant dîner.

Elle finit par céder : « Bonjour, oncle Bryan... Oui, oui, je suis arrivée cet après-midi... L'hôtel est magnifique. La boutique aussi. Shane a un talent fou. »

Elle s'assit au bord du lit pour écouter Bryan lui donner des nouvelles de Londres.

« Alors, reprit-elle, vous aurez la chance de voir grand-mère et oncle Blackie avant moi. Embrassez-les de ma part, ainsi que tante Géraldine et Miranda. A bientôt, oncle Bryan. Je vous repasse Shane. »

Shane reprit l'appareil :

« Très bien, papa, c'est entendu. Lundi matin, vous pourrez me joindre à New York. Au revoir. »

Il raccrocha, regarda Paula et éclata de rire.

— Viens ici, petite sorcière ! s'écria-t-il en l'attirant vers lui et en la renversant sur le lit.

Elle fit semblant de se débattre.

— Mon père a bien choisi son heure pour appeler ! reprit-il, essoufflé.

Il l'embrassa dans l'oreille et répéta en se moquant ce qu'elle venait de dire au téléphone : « Shane a un talent fou, oncle Bryan ! »

— A quoi faisais-tu donc allusion, mon trésor ?

— Toi, tu es le garçon le plus prétentieux du monde !

— Le plus amoureux, veux-tu dire !

— Si j'ai bien compris, ma grand-mère a encouragé ton grand-père à acheter un hôtel à Sydney ?

— Grand-père n'a encore rien acheté du tout. Il veut que nous y allions sur-le-champ, papa ou moi, pour lui donner le feu vert. Comme je suis débordé, c'est papa qui ira. J'espère que ma mère sera du voyage... Bon, maintenant, je ferais mieux de prendre une douche et de m'habiller pour redescendre... Tu veux bien me rejoindre en bas quand tu seras prête ?

— Bien sûr. A quel endroit ?

— Au bar principal. Je t'y attendrai. C'est dans le grand hall. Tu ne peux pas te tromper. Ça s'appelle « La Volière ». J'aurais voulu lui donner le nom de « La Cage aux Oiseaux », mais j'ai eu peur d'être accusé de plagiat !

Quatre ans plus tôt, le soir des vingt-cinq ans de Shane, Emma avait déclaré à Paula qu'elle trouvait au jeune homme un charme extraordinaire.

En entrant dans « La Volière », Paula comprit le bien-fondé de cette réflexion en le voyant appuyé au bar, vêtu d'un pantalon de toile noire, d'une chemise en voile, également noire et sans cravate, avec une veste de soie grise. Le charme que lui trouvait Emma n'avait cependant rien à voir avec sa tenue vestimentaire : il émanait autant de sa personnalité que de sa beauté physique.

Il tourna la tête, aperçut Paula et vint à sa rencontre. La plupart des femmes présentes le suivaient du regard.

— Bravo d'avoir mis la robe bleue ! Elle te va à ravir, déclara-t-il en la prenant par la main pour la mener vers une table réservée, dans un coin discret. Que dirais-tu d'une bouteille de champagne ?

— Fêterions-nous quelque chose ?

— Oui, notre rencontre.

Un serveur vint ouvrir la bouteille qui attendait dans le seau à glace.

— A nous, ma chérie !

— A nous, Shane.

Après avoir jeté un coup d'œil au décor, elle reprit d'un ton taquin :

— Je comprends pourquoi tu as appelé ça « La Volière ». Il me semble que c'est la réplique d'un endroit que je connais bien, dans un grand magasin de Leeds !

— Une modeste imitation, rien de plus... Mais moi, il me suffit d'un seul oiseau des îles pour que la cage me paraisse la plus belle du monde.

Flattée, Paula se mit à rire. Shane fouilla dans ses poches à la recherche de ses cigarettes, sa chemise s'écarta légèrement et Paula aperçut un petit disque d'or sur sa peau bronzée.

— N'est-ce pas la médaille de Saint-Christophe que je t'ai donnée pour tes vingt ans ?... Je ne t'avais pas vu la porter avant ce soir.

— Je l'ai retrouvée dans mon appartement en faisant mes bagages... Effectivement, il y a deux ans que je ne la porte plus... Toi, te rappelles-tu ce que je t'ai donné pour tes vingt ans ?

— Une paire de boucles d'oreilles anciennes avec des améthystes.

— Et pour tes cinq ans ?

— Si je m'en souviens bien, c'était un sac de billes bleues.

— Des billes que tu t'es empressée de perdre l'une après l'autre. Et tu as tellement pleuré que je t'avais promis de les remplacer, mais je ne l'ai jamais fait jusqu'ici... Alors, voilà qui fera peut-être l'affaire... Pardon d'avoir mis tant de temps à tenir ma promesse !

Il avait tiré de sa poche un petit sac de plastique et il le lui tendit. Elle l'ouvrit.

— Mais tu es fou ! s'écria-t-elle en faisant glisser dans sa paume une paire de magnifiques boucles d'oreilles en saphir et diamant. Oh, Shane, c'est ravissant! Merci, merci mille fois!

— Tu les aimes?

— A la folie! Et, avant tout, parce que c'est toi qui me les offres!

Elle retira les clips d'or qu'elle portait et les mit dans son sac du soir, d'où elle sortit un petit miroir pour ajuster les saphirs aux lobes de ses oreilles.

— Oh, elles font de l'effet!

— Un effet aussi troublant que tes yeux.

Elle lui pressa tendrement la main, attendrie par sa folle générosité. En se rappelant tous les cadeaux qu'elle avait reçus de lui dans son enfance, les larmes lui vinrent aux yeux.

— Qu'y a-t-il, ma chérie?

— Je repensais à Heron's Nest... Notre bonheur d'antan a pris fin... et celui d'aujourd'hui ne durera pas, lui non plus.

— Souviens-toi, mon amour, de ce que je t'ai dit à propos du présent. L'avenir nous fait signe. Mais ce soir, si tu l'estimes préférable, nous pouvons discuter des terribles problèmes qui se posent à nous. Qu'en penses-tu?

Elle fit un signe d'acquiescement.

— Désormais, Paula, nous devons vivre ensemble. Tu es bien de mon avis?

— Oui, murmura-t-elle.

— Alors, tu sais ce qui te reste à faire. Il faut demander le divorce. Accepterais-tu de m'épouser?

— Oui, de tout mon cœur.

Elle avait cependant pâli et ses beaux yeux bleus s'assombrirent.

— Qu'est-ce qui ne va pas, Paula?

— J'ai très peur.

— Pourquoi? Dis-le-moi.

— J'ai peur de perdre mes enfants autant que de te perdre.

— Il n'en est pas question. Vous vivrez avec moi tous les trois.

— Jim n'acceptera jamais le divorce.

— Il ne peut pas s'opposer à ta volonté d'en finir avec un mariage raté!

— Tu ne le connais pas, répliqua-t-elle d'une voix rauque. C'est un obstiné. J'ai l'horrible pressentiment qu'il sera inflexible. Pour lui, je te l'ai dit, notre mariage n'est pas un échec. Il se servira des enfants comme d'une arme, surtout quand il saura que j'aime un autre homme.

— Dans ce cas, ne le lui dis pas, déclara Shane avec calme. S'il sait que nous nous sommes vus, il ne me soupçonnera pas... Moi, ton vieux copain d'enfance! Allons, mon amour, du courage!

— Tu as peut-être raison, dit-elle en soupirant. Pauvre Jim! Je ne peux pas m'empêcher de le plaindre.

— Je le sais, mais la pitié ne remplace pas l'amour. Si tu restais avec lui, tu te considérerais vite comme une martyre et ce serait pour lui une cruelle humiliation. Vous finiriez par vous haïr. Alors, cesse donc de te culpabiliser. C'est non seulement inutile, mais encore absurde. Tu as fait tout ce que tu as pu pour sauver ton couple et ça n'a servi à rien. Même pour Jim, il vaut mieux en finir.

— Ça risque de prendre pas mal de temps.

— J'en suis conscient, mais je t'attendrai. Nous sommes jeunes, nous avons la vie devant nous.

— Ne tente pas le diable, Shane !

Il savait parfaitement que les craintes qu'elle avait n'étaient pas vaines, mais il ne voulait pas accroître son angoisse en l'admettant.

— Faisons un pacte, reprit-il avec assurance. Comme quand nous étions petits. Ne discutons plus de ces problèmes, ces temps-ci. Deux jours avant ton départ pour l'Angleterre, nous ferons le point et nous déciderons ensemble de la marche à suivre. Es-tu d'accord ?

— Oui. Ne laissons pas notre désarroi prendre le dessus. Sinon, nous gâcherons le peu de temps qu'il nous reste à passer ensemble.

— Bravo, je te retrouve ! Buvons à notre pacte. Nous avons à peine touché au champagne.

Il remplit leurs verres et la regarda avec tendresse.

— Il faut que tu me fasses confiance, reprit-il. Que tu fasses confiance à l'amour.

Elle le regarda avec surprise. C'étaient les mots mêmes qu'avait employés sa grand-mère en lui relatant sa propre histoire.

— Je fais confiance à l'amour et je te fais confiance, répliqua-t-elle en souriant. Tout ira bien, puisque nous nous aimons.

37

Emma Harte fronça les sourcils et regarda Paula avec inquiétude : — Je ne te suis pas bien. Pourquoi dis-tu que Noël sera difficile ?

— Avant de tout vous raconter, sachez qu'il est tiré d'affaire.

— Qui ça ?

— Jim, grand-maman. Il a eu un accident. Un grave accident, mais...

— Ce n'est tout de même pas à cause de cet avion de malheur ?

— Si, justement. Il s'est écrasé au sol il y a quinze jours. Je venais de rentrer de New York... Mais Jim a eu de la chance. L'avion est tombé sur l'aéroport de Yeadon et on a pu le retirer de l'appareil avant l'explosion.

— Seigneur ! gémit Emma. Est-il sérieusement blessé ?

— Il a la jambe droite et l'épaule gauche fracturées. Plusieurs côtes cassées et des contusions un peu partout. Il n'est pas en danger de mort, il ne risque pas l'invalidité permanente, mais il est plutôt mal en point.

— Aucune lésion interne ?

— Non, heureusement. On l'a transporté aussitôt à l'hôpital. Il est resté cinq jours à Leeds pour des radios et des examens neurologiques. Maintenant, il est dans le plâtre et j'ai dû prendre un infirmier, car il est pratiquement incapable de remuer sans aide.

— Pourquoi ne pas m'avoir prévenue à New York, ou à Londres, hier, à mon arrivée ?

— Je n'ai pas voulu gâcher la fin de vos vacances et hier soir, vous étiez tellement contente d'être de retour que je n'ai pas osé troubler le petit dîner que ma mère avait organisé en votre honneur. J'ai trouvé plus simple d'attendre aujourd'hui.

— Ah oui ?... J'ai le regret de te dire, Paula, que je suis atterrée. Mettons qu'il ait évité le pire, mais il va être handicapé pendant des mois.

— Oui, on ne lui ôtera pas ses plâtres avant six semaines et il faudra une rééducation assez longue car les muscles seront atrophiés.

— Comment est-ce arrivé ?

— Le moteur a calé. Il a fait ce qu'il a pu pour atterrir sans dommages. Heureusement qu'il était tout près de la piste ! Mais l'appareil s'est cassé en deux en touchant le sol. Malgré tout, il a eu une chance incroyable.

— C'est exact, répliqua Emma d'un ton sec. Mais il s'est conduit en irresponsable. Je me suis toujours fait un sang d'encre en le voyant voler dans ce tas de ferraille... Quand on est marié et qu'on a deux enfants, on ne prend pas ce genre de risque.

— Jim est entêté, vous savez.

— C'est peu de le dire ! Sans vouloir être méchante, je dirai qu'il l'a fait exprès. Pourquoi ? Mystère. Enfin, peut-être m'écoutera-t-il maintenant. S'il tient à ce que nous ayons un avion dans la famille, que ce soit au moins un appareil moderne, un jet au nom de la compagnie. Plus question pour lui de faire l'imbécile avec un coucou, entends-tu ?

— Oui, grand-maman, dit Paula, intimidée par le ton autoritaire de son aïeule.

Emma reprit d'une voix radoucie :

— Le malheureux doit beaucoup souffrir, n'est-ce pas ?

— Énormément. La douleur de son épaule le rend fou. Il dit qu'il ne sait ce qui est le pire, des élancements dans l'épaule ou de la crampe persistante de son bras.

Elle soupira au souvenir des dix derniers jours. Elle savait bien qu'il n'exagérait pas ses souffrances, mais elle était partagée entre l'exaspération et la compassion. Pour ne pas l'accabler, elle avait remis à plus tard la question du divorce. Elle ne pouvait songer à lui demander sa liberté tant qu'il serait dans cet état.

— Le docteur ne lui donne donc pas de calmants ? demanda Emma.

— Si. Ça le soulage un peu, mais il trouve que ça l'abrutit.

— Moi aussi, je déteste les drogues. Eh bien, ma pauvre enfant, tu n'avais vraiment pas besoin de ça, avec tous les problèmes des ventes de fin d'année dans les magasins. Dire que tu t'es encore occupée d'organiser le réveillon à Pennistone, ainsi que le mariage de Sally et d'Anthony !

Emma s'interrompit, pensive.

— Je crois que j'ai une idée, dit-elle après réflexion. Vous allez tous venir habiter à Pennistone... Jim, les bébés, Nora et l'infirmier. Après mes huit mois d'absence, je serai heureuse de vous avoir près de moi.

— Oh ! merci, grand-maman ! Pour moi, c'est la solution idéale. Je n'arrivais plus à m'en tirer.

— Bah ! toi, ma fille, tu t'en tireras toujours ! C'est dans ta nature. Mais pourquoi ne pas te rendre la vie plus facile si je le peux ? Tu as tant fait pour moi en mon absence ! Et puis je soupçonne Jim de ne pas être un malade bien commode. Il est trop nerveux pour se résigner à l'immobilité. Peut-il se déplacer un peu ?

— Non. Depuis sa sortie de l'hôpital, il passe ses journées à somnoler dans son bureau. C'est là qu'il vit puisqu'il ne peut pas se servir de l'escalier. Mais il enrage surtout de ne pas aller au journal.

— Soyons sans illusions. Il n'y retournera pas d'ici longtemps. A Pennistone, je vais demander à Hilda de l'installer dans le petit salon du bas, près de la salle à manger. Et maintenant, Paula, détends-toi.

— Oui, grand-maman, je sais que chez vous tout sera plus facile, dit-elle, soulagée.

Jim devenait de plus en plus hargneux. Il en était arrivé à lui reprocher de passer ses journées au bureau. Et sa tendance à l'alcoolisme ne faisait que croître.

Emma se leva et s'approcha de la cheminée. Elle ne comptait pas quitter Belgrave Square avant le lendemain. Paula lui jeta un coup d'œil admiratif : elle n'avait même pas l'air fatiguée par son voyage de la veille au-dessus de l'Atlantique. Avec sa robe de lainage rose corail et son collier de perles, on lui aurait donné dix ans de moins que son âge. Emma consulta sa montre :

— Il n'est encore que dix heures. Blackie n'est sûrement pas réveillé. Je vais attendre pour l'appeler. Bryan va le conduire à Harrogate cet après-midi... Nous avons été heureux tous les deux de passer les quinze derniers jours à Sydney avec Bryan et Géraldine, mais j'ai été déçue en constatant que ce n'était pas Shane qui venait négocier le contrat de l'hôtel qu'ils achètent là-bas.

— Novembre est un mois très dur pour lui.

— Oui... A propos, j'ai été ravie de savoir que tu avais pu faire un saut à La Barbade pour voir la boutique. Ça t'a donné bonne mine. Il y a long-temps que je ne t'ai pas vue aussi en forme.

— C'est que je suis encore un peu bronzée, répliqua-t-elle en s'effor-çant de maîtriser son émotion.

Emma l'observait d'un œil perspicace. Ma foi, se dit-elle, l'expression de Paula est devenue aussi indéchiffrable que la mienne ! Je n'arrive même plus à savoir ce qu'elle pense.

— Si je comprends bien, vous vous êtes réconciliés, Shane et toi. J'en suis très heureuse.

Paula acquiesça sans faire de commentaire.

Aiguillonnée par la curiosité, Emma reprit :

— T'a-t-il expliqué pourquoi il s'était fait aussi lointain ?

— Il était très pris par ses voyages, grand-maman. Et il avait peur d'être importun... Vous comprenez, Jim et moi étions jeunes mariés...

— Ah oui ?

Les sourcils froncés, Emma alla s'asseoir à son secrétaire pour compulser les trois dossiers que Paula avait posés là à son intention. Elle en ouvrit un, mais le parcourut d'un œil distrait. Elle songeait à Shane et se souvenait de l'expression passionnée avec laquelle il avait regardé Paula, lors du bap-tême. Il semblait impossible qu'un amour d'une telle violence ne s'expri-mât pas un jour ou l'autre. S'était-il déclaré ? Et, dans ce cas, quelle avait pu être la réaction de Paula ? Probablement une fin de non-recevoir. Après tout, elle était heureuse en ménage, n'est-ce pas ?

Emma leva discrètement les yeux pour observer sa petite-fille par-dessus ses lunettes. Paula lui paraissait plus mûre, plus épanouie. Mais ce n'était peut-être qu'un simple changement d'apparence. Elle portait les cheveux plus longs et elle était moins maigre. Son expression s'était adoucie. Était-ce dû à une influence masculine ou n'avait-elle fait qu'adopter un nouveau style ?

— Grand-maman, j'avais demandé à Alexandre et à Emily de vous pré-parer leurs rapports. Le troisième, c'est moi qui l'ai rédigé. Chaque dos-sier...

Emma l'interrompit : — Je vois. Mais s'agit-il d'un résumé des affaires courantes ou d'un supplément d'information ?

— Il n'y a rien de nouveau pour le moment. Nous voulions seulement vous aider à rafraîchir vos souvenirs.

— Je n'en ai aucunement besoin ! rétorqua Emma, vexée. Ma mémoire est bonne. Merci quand même d'avoir pris cette peine tous les trois. Et, à propos, félicitations pour votre travail de ces derniers mois... Autre chose : dis-moi donc comment se débrouille Gianni Je-ne-sais-Qui dans ses nouvelles fonctions ?

Paula se mit à rire : — C'est le meilleur expert en objets anciens que nous ayons jamais eu chez HARTE. Il ne vole pas l'argent qu'on lui donne.

— Alors, je suppose qu'il ne fait plus d'histoires pour accorder le divorce à Elisabeth ?

— Non, grand-maman.

— Au téléphone, Alexandre ne m'a jamais donné beaucoup de détails sur cette affaire. Que voulait donc Gianni ?

— Compromettre un homme politique très en vue. La presse n'aurait pas manqué de nous couvrir de boue.

— Au sujet des hommes politiques ou, plutôt, des fils de politicien... quoi de neuf sur Jonathan ?

— Rien. Mais le détective a obtenu des renseignements très déplaisants sur la vie privée de Sébastien Cross... Alexandre a son rapport. Ne le lisez pas, c'est écœurant. Alexandre vous en parlera.

— Toute ma vie, j'ai dû regarder en face des choses écœurantes, Paula. Moi, je suis blindée et je verrai donc ça avec Alexandre... Maintenant, comment va Sarah ? S'est-elle calmée ?

— Je l'ignore, mais Emily dit qu'elle lui bat froid. Peut-être parce qu'elle est devenue très copine avec Allison Ridley, l'ex-petite amie de Winston... A propos d'Emily, vous savez comme je l'aime, mais elle m'inquiète, en ce moment. Elle est obsédée par le drame d'Irlande.

— Oui, elle m'en a parlé. Hier soir, pendant que tu téléphonais à Long Meadow. Elle croit qu'il s'agit d'un meurtre, n'est-ce pas ?... Eh bien, je lui ai fait un petit sermon et j'espère qu'elle n'osera plus aborder le sujet. Mais figure-toi que ta mère aussi m'en a parlé. Elle pense que l'intendante a menti en prétendant que Min était devenue folle et alcoolique.

— Elles sont incorrigibles, l'une comme l'autre. Je suppose que vous leur avez rabattu le caquet. Personne n'a intérêt à colporter ce genre d'idioties.

— La question n'est pas de savoir si ce sont ou non des idioties. L'important, c'est que l'affaire soit définitivement classée : la mort de Min est et doit être un suicide... C'est la conclusion du coroner et je m'y tiens. Ne t'inquiète pas. Ni ta mère, ni Emily ne reparleront de meurtre. J'y ai veillé.

— J'en suis bien soulagée. Oh ! grand-mère chérie, je suis si contente que vous soyez de retour ! Vous m'avez manqué.

— Toi aussi, tu m'as manqué, ma chérie, malgré toutes les merveilles que j'ai découvertes au cours de ce voyage. Mais ne t'en fais pas, je ne repartirai plus à l'aventure.

— Vous me paraissiez si loin, si loin !

— En esprit, je suis toujours restée près de toi.

— Je vous préfère en chair et en os.

Emma regarda la pendule de la cheminée. Alexandre devait arriver dans quelques minutes. Emily, elle, ne viendrait qu'à midi.

— Nous pourrions déjeuner vers une heure, dit-elle à Paula.

— Alors, j'ai juste le temps de faire un saut au magasin.

— Cours-y, ma chérie. Je te comprends. J'étais comme toi à ton âge. Toujours impatiente de retourner au magasin.

— A tout à l'heure, grand-mère.

— Oh ! Paula !... J'ai oublié de te dire que j'avais vu Nelson la veille de mon départ. J'ai refusé une fois pour toutes de vendre mes parts.

— Tant mieux ! Il risquait de devenir empoisonnant. Et j'ajouterai : de bien des manières.

— Est-ce possible ? demanda Emma, brusquement inquiète. T'aurait-il importunée ? C'est un garçon assommant. Il est si vaniteux qu'il se croit irrésistible.

— Pour ma part, je le trouve mortellement ennuyeux. Il ne cache même pas son jeu.

Paula se rendit à pied au magasin de Knightsbridge.

Il faisait froid. Le ciel tout blanc semblait lourd de neige, mais une étrange luminosité remplaçait le soleil absent.

Elle ne cessait de penser à Shane. C'était déjà le vingt décembre. La veille, quand elle lui avait téléphoné, il lui avait promis de la rappeler à sept heures, heure de New York, avant de prendre l'avion pour La Barbade. C'est-à-dire à midi tapant, heure de Londres.

Elle soupira en prenant une rue transversale pour rejoindre l'avenue. L'accident de Jim avait brisé tous leurs plans.

Elle repensa à l'affreux week-end qui avait suivi son retour des États-Unis, quinze jours plus tôt. Elle avait débarqué de l'avion le samedi matin pour reprendre aussitôt la route du Yorkshire.

Dès son arrivée à Long Meadow, au début de l'après-midi, elle s'était précipitée à la nursery, où elle avait trouvé Nora et les petits fortement grippés. A quatre heures, Jim était rentré du journal, mais il n'allait pas bien, lui non plus, et il s'était mis au lit. Ce soir-là, elle en avait profité pour dormir dans l'une des chambres d'amis et il n'avait pas protesté.

Le dimanche, Jim s'était levé à l'heure du déjeuner en se prétendant guéri. Il avait mangé de bon appétit et bu à lui seul toute une bouteille de vin rouge. Mais, quand il avait tenu à aller ensuite faire un tour dans son vieux coucou, elle s'était inquiétée. Il s'était contenté de se moquer d'elle en soutenant qu'il n'était ni ivre ni malade. Un peu plus tard, dans l'après-midi, lorsqu'on avait téléphoné de l'aéroport, elle avait été bouleversée. Aussitôt, elle avait pris sa voiture pour se précipiter à l'hôpital central... Il était son mari, le père de ses enfants !

Mais par la suite, en retrouvant son calme, elle avait été obligée d'admettre que la conduite de Jim était sans excuses. Elle n'avait pas cru un mot de cette histoire de moteur en panne. Il s'était simplement gavé de médicaments pour soigner sa grippe et il avait ensuite avalé une bouteille de vin : il n'était plus alors en état de piloter.

Dans la soirée de cet affreux dimanche, elle avait appelé Shane à New Milford. La nouvelle l'avait accablé, mais il avait admis qu'il leur fallait désormais prendre leur mal en patience. On ne pouvait parler de divorce à Jim tant qu'il ne serait pas remis de son accident.

Paula, cependant, n'envisageait pas l'avenir avec optimisme. Elle pensait que, même une fois guéri, Jim refuserait la séparation.

La semaine précédente, Shane et elle avaient modifié le programme de leurs activités respectives pour pouvoir se retrouver aussi souvent que possible. En janvier, elle irait le rejoindre à New York. En février et en mars, il serait en Australie pour s'occuper de l'installation du nouvel hôtel et il habiterait chez Philip. En avril, il reviendrait en Angleterre pour voir courir Emerald Bow dans le *Grand National* et Paula pourrait le rencontrer à Londres avant et après la course. A la fin d'avril, il retournerait à New York. Ils espéraient touś deux qu'à cette époque Jim serait de nouveau sur pied. Et, quand Shane serait reparti pour les États-Unis, Paula demanderait le divorce. En mai, elle avouerait tout à sa grand-mère et s'installerait à Pennistone avec les jumeaux.

En mai, se dit-elle. Encore bien longtemps à attendre. Mais n'avons-nous pas la vie devant nous ?

38

Pendant quatre jours, la neige ne cessa de tomber.

Tout le Yorkshire était recouvert d'un manteau blanc et les alentours de Pennistone étaient superbes. Les murets de pierre étaient ensevelis sous des monceaux de neige, les branches des arbres en étaient surchargées et le cours des rivières gelées disparaissait sous un glacis bleuté.

La veille de Noël, la tempête de neige s'arrêta brusquement dans l'après-midi. Un soleil éblouissant para d'une beauté cristalline le paysage immaculé. Le ciel étincelait, l'air était pur et vif.

La nuit venue, une pâle lune hivernale recouvrit de lumière argentée la lande et la montagne.

Debout à la fenêtre de sa chambre, Emma regardait avec admiration les jardins que la neige et le gel enveloppaient d'une douceur silencieuse. Mais la magie du spectacle ne put lui faire oublier bien longtemps qu'au-delà des hautes grilles de fer les routes étaient dangereusement glissantes.

Elle quitta sa fenêtre et alla se réfugier dans le petit salon en songeant avec inquiétude aux parents et amis qui, en dépit des mauvaises conditions de circulation, avaient pris leur voiture pour venir passer ce soir de Noël en sa compagnie. Elle savait qu'aucun d'eux n'aurait voulu manquer le réveillon qui les réunissait tous depuis des années et elle faisait des vœux pour les voir arriver très vite sains et saufs.

La maison était déjà bien pleine.

Paula, dès le retour de sa grand-mère, était venue habiter à Pennistone avec Jim, les jumeaux, la nurse et l'infirmier. Emily était là aussi. Elle avait, au début de la semaine, ramené Amanda et Francesca d'Harrogate. La veille, David et Daisy étaient arrivés de Londres par le train, accompagnés d'Alexandre et de sa fiancée, Maggie Reynolds. Edwina et Anthony, qui avaient fait en avion le trajet Dublin-Manchester, avaient débarqué à leur tour à l'heure du déjeuner.

Emma prit sur son secrétaire la liste des invités. Elle avait demandé à ses fils et à leurs épouses de venir, mais elle était presque sûre qu'ils ne seraient pas là. Bah, elle s'était habituée à leur absence! Elle savait bien pourquoi Kit et Robin la fuyaient. Ils avaient des remords de l'avoir trahie. Elisabeth serait absente, elle aussi, car elle était à Paris avec Marc Deboyne. Elle avait eu, pourtant, la politesse de téléphoner pour s'excuser et souhaiter à sa mère un joyeux Noël.

Les yeux d'Emma s'attardèrent sur le nom de Jonathan. Lui, il avait accepté l'invitation, de même que Sarah. Ils allaient arriver ensemble de Bramhope. La bonne entente de ces deux-là ne laissait pas de l'étonner. Qu'avaient-ils donc derrière la tête? Mais elle ne voulut pas s'appesantir là-dessus. Elle était lasse des intrigues et se sentait désormais trop âgée pour songer à croiser le fer.

La liste à la main, elle resta pensive un moment. Oui, elle avait quatre-vingts ans ! Le temps lui était compté et elle ne voulait pas le perdre en batailles. Les jours qu'il lui restait à vivre, elle allait les passer dans la paix, en compagnie de son cher Blackie. Elle se félicitait d'avoir abdiqué huit mois plus tôt.

Elle parcourut sa liste jusqu'au bout. Blackie, qui séjournait à Wetherby, n'allait pas tarder à arriver, accompagné de Bryan, Géraldine et Miranda. Tout le clan Kallinski avait promis d'être là très tôt. Les Harte allaient venir aussi au grand complet. Randolph amenait ses filles, Sally et Vivienne, ainsi que sa mère, Charlotte, et sa tante, Natalie. Quant à Winston, il était arrivé à Pennistone dès quatre heures de l'après-midi avec sa valise et trois grands sacs bourrés de cadeaux. Seuls, Philip et Shane manqueraient à la fête. Mais pour le prochain Noël, se dit Emma, nous serons tous réunis. Les trois clans seront au complet.

Six heures sonnèrent et le tintement de la pendule la tira de sa rêverie. Elle regarda la boîte restée sur son secrétaire. Tous les autres cadeaux avaient été descendus pour être déposés au pied de l'arbre. Elle s'assit et, après quelques instants de réflexion, se mit à rédiger une carte de vœux.

On frappa à la porte. C'était Emily, environnée d'un nuage de parfum. Emma leva la tête et sourit.

— Tu es en beauté, dit-elle en regardant la longue jupe de taffetas de sa petite-fille. Si je ne me trompe, c'est le tartan des Seaford Highlanders. Les couleurs du vieux régiment de mon père, qui fut aussi celui de Blackie pendant la Première Guerre mondiale. C'est très chic avec cette blouse de soie blanche.

— Merci, grand-maman, répliqua la jeune fille. Mais, dites-moi, vous avez paru un peu surprise en voyant arriver Winston, cet après-midi. Je croyais bien vous avoir annoncé qu'il dormirait ici.

— Non, tu n'en as rien fait. Mais c'est sans importance ! J'espère pourtant que ce n'est pas trop vous demander que de vous conduire correctement. Nous avons beaucoup d'invités et je tiens à ta bonne réputation.

— Dans une famille pareille, qui pourrait me jeter la pierre ? Oh ! pardon, grand-mère, ce n'est pas ce que je voulais dire !

— On n'a pas à s'excuser quand on dit la vérité. Mais retiens tout de même mon conseil.

Un peu soulagée, Emily fit quelques pas en direction de la cheminée et regarda son aïeule :

— Vous devriez toujours porter du velours vert sombre. Ça vous va bien, surtout quand vous mettez toutes vos émeraudes.

— A t'entendre, on croirait que j'en suis couverte ! Je n'ai que la bague et les boucles d'oreilles de Paul, plus la petite broche de Blackie. Merci quand même. Dis-moi, que se passe-t-il en bas ?

— Amanda et Francesca sont censées finir de décorer l'arbre de Noël. Ces affreuses gamines m'ont laissée trimer seule toute la journée. Elles sont restées dans leur chambre à passer des disques des Beatles. Je les en ai sorties à coups de pied dans le derrière il y a une heure.

— Ne t'en fais pas, je vais m'occuper d'elles, ces jours-ci. Il faut mettre un frein à cet amour des Beatles. Cet après-midi, on ne s'entendait plus ici. A part ça, quelqu'un d'autre est-il arrivé ?

— Oui, tante Daisy dans un superbe pantalon de soie rouge. Elle croulait sous les diamants et les rubis.

— Pourquoi exagères-tu toujours ? A ma connaissance, elle n'en possède pas tant que ça.

— Elle a pourtant une jolie paire de boucles d'oreilles ! En ce moment, elle est en train d'organiser un bar et Jim est là, tout près, dans son fauteuil roulant, occupé à se remonter.

— Il commence bien tôt !

— Que voulez-vous dire ? Il n'a pas cessé de boire depuis le déjeuner.

— Mais il est sous barbituriques ! dit Emma avec inquiétude. C'est très dangereux pour lui, tout cet alcool.

— Je viens justement de le lui dire. Et il m'a demandé de me mêler de mes affaires. Je plains Paula : il grogne sans arrêt.

— Je le sais. Bien sûr, il a des excuses... Paula est-elle rentrée ?

— Non, mais elle ne va sûrement pas tarder.

— Je ne suis pas tranquille. Les routes sont si mauvaises.

— N'ayez pas peur, grand-maman. Elle conduit très prudemment. Cet après-midi, elle devait aller au magasin d'Harrogate. Elle y est sans doute restée jusqu'à la fermeture. Mais Harrogate n'est pas loin.

— Il me tarde de la voir arriver. Qui d'autre est là ?

— Maggie. Elle aide les jumelles à décorer l'arbre. Alexandre et l'oncle David sont occupés à suspendre des bouquets de gui. Hilda et Joe préparent le buffet et Winston empile des cadeaux sous le sapin... Ah ! il y a aussi tante Edwina qui essaie de se rendre utile ! Elle apprend à Winston à disposer harmonieusement ses paquets. Comme si c'était important !

— C'est mieux que rien et ça la change de faire des efforts pour la famille... Tiens, approche donc. Je veux te montrer quelque chose.

Soulevant le couvercle d'un vieil écrin de cuir, elle le tendit à sa petite-fille.

Emily retint son souffle devant le magnifique collier de diamants qui étincelait sur le velours vert sombre. Les pierres étaient d'une très belle eau, taillées et montées à la perfection.

— C'est superbe, grand-maman ! s'écria-t-elle. C'est un bijou ancien, n'est-ce pas ? Comment se fait-il que je ne vous l'ai jamais vu ?

— Parce que je ne l'ai jamais porté.

— Pourquoi ?

— Je l'ai acheté dans une vente aux enchères. C'est... c'est une espèce de symbole, à mes yeux. Il représente tout ce que je ne pouvais pas avoir quand j'étais jeune fille... quand j'étais servante à Fairley Hall.

Elle reprit l'écrin des mains d'Emily et en sortit le collier pour le regarder en pleine lumière.

— C'est vrai qu'il est beau, reprit-elle. Il a appartenu à Adèle Fairley, l'arrière-grand-mère de Jim. Je me souviens d'un soir où j'ai aidé Adèle à s'habiller pour un grand dîner. En le lui attachant au cou, je me sentais pleine d'amertume. Pour moi, ce collier était fait du malheur et de la souffrance des pauvres, de la mienne, de celle de mon père et de mon frère Frank... Après la mort d'Adam, quand les Fairley ont été ruinés, Gérald l'a mis en vente. J'ai fait monter les enchères et voilà !

— Mais pourquoi ne l'avoir jamais porté ?

— Parce qu'il m'est devenu indifférent dès qu'il a été en ma possession. J'ai toujours préféré ce qu'on me donnait par amour.

— Qu'allez-vous en faire ? Vous devriez le donner à Paula, puisqu'elle est la femme de Jim.

— Non, je ne le donnerai pas à Paula, mais à Edwina.

— A Edwina ?... Mais elle a toujours été odieuse avec vous !

— Ce n'est pas une raison pour que je le sois avec elle. Et rappelle-toi qu'on a toujours plus à gagner à se conduire honorablement qu'à s'abaisser au niveau de la mesquinerie d'autrui. De toute façon, Paula ne voudrait pas de ce collier. Elle a beau porter le nom des Fairley, elle ne doit pas se considérer comme une Fairley. Tandis que pour Edwina, ce nom est important.

— Tout de même, grand-maman...

Emma l'interrompit d'un geste :

— Edwina n'a jamais pu porter le nom de son père et les conditions de sa naissance l'ont traumatisée. Ce n'est que justice que lui soit transmis un objet qui vient de sa famille. Je n'essaie pas du tout de me racheter à ses yeux. J'ai simplement envie de lui donner ce bijou et je suis sûre qu'elle sera ravie de l'avoir. Aurais-tu la gentillesse, Emily, de lui faire un joli paquet-cadeau ?

— Bien sûr. Puis-je m'installer sur le secrétaire ? Ce sera plus facile.

Emma lui laissa la place et alla s'asseoir devant la cheminée. La jeune fille regarda une dernière fois le collier, ferma l'écrin et se mit à l'ouvrage en songeant à la générosité et à l'indulgence de sa grand-mère.

On frappa à la porte. Cette fois, c'était Paula.

— Bonsoir, vous deux !... Je suis très en retard. A Harrogate, il y avait la foule des grands jours. Et la route du retour était épouvantable. A tout à l'heure !... Je vais passer voir Nora et les petits avant de me changer.

— Dieu soit béni, te voilà saine et sauve ! dit Emma, rassurée. Prends tout ton temps, ma chérie.

Quand la jeune femme eut quitté la pièce, Emily regarda avec satisfaction le nœud de ruban argenté qu'elle venait de faire.

— Je parie que tante Edwina va avoir une attaque en défaisant ce paquet !

— Vraiment, Emily, tu ne respectes rien ni personne ! dit Emma en feignant l'indignation.

Le grand hall de Pennistone était une gigantesque salle où l'on avait employé la pierre du pays pour recouvrir toutes les surfaces — plafond, murs, sol et cheminée.

Les tableaux anciens qui ornaient les murs, les sombres poutres qui s'entrecroisaient au plafond, les tapisseries et les tapis d'Aubusson, la lumière rosée du grand lustre et des candélabres contribuaient heureusement à animer cette architecture austère. Des vases remplis de chrysanthèmes roses, jaunes et violets se reflétaient sur le bois luisant du beau mobilier Tudor et des brassées de houx vert piquetées de petits fruits rouges étaient disposées le long des murs dans de larges pots de cuivre.

Mais, ce soir-là, ce qui attirait tous les regards, c'était un arbre de Noël monumental. Il avait dans les trois mètres de haut et sa cime atteignait le bord de la tribune réservée autrefois aux musiciens.

Emma, qui descendait l'escalier en compagnie d'Emily, s'arrêta à mi-chemin, pour admirer le décor.

— N'est-ce pas grandiose ? s'exclama-t-elle.

Puis les yeux brillants, le visage souriant, elle se remit à descendre prestement les marches.

— Bonsoir, tout le monde ! Et félicitations pour tous vos efforts !

Aussitôt, on l'entoura et on l'embrassa en la congratulant sur sa bonne mine. Winston prit le paquet qu'elle tenait pour aller le déposer sous l'arbre. Jim, qui n'arrivait pas bien à manœuvrer son fauteuil roulant, se contenta de lui faire de grands signes. Emma s'empressa d'aller lui dire quelques mots.

— Comment te sens-tu, ce soir ? lui demanda-t-elle d'un ton préoccupé.

— Dans le trente-sixième dessous, mais je survivrai ! Noël n'est pas gai pour moi, cette année.

— Je le sais, mon cher petit. Tu dois être bien mal à ton aise. Veux-tu que je t'apporte quelque chose ?

— Non, merci. Mais où est donc Paula ? Elle devrait être là. Il est près de six heures et demie.

Emma fut surprise de son ton hargneux et de son expression amère.

— Je me demande ce qu'elle avait à faire aujourd'hui au magasin, reprit-il, exaspéré. Un soir de Noël, elle pourrait au moins être à la maison. Les petits ont besoin d'elle et moi plus encore, en ce moment. Elle ne pense jamais aux autres !

Choquée par tant d'agressivité, Emma tint pourtant à lui chercher encore des excuses, mais elle ne put s'empêcher de répliquer : — Voyons, c'est justement à cause de Noël qu'elle a du travail ! Tu sais parfaitement ce qu'est la période des fêtes dans les grands magasins.

— Étant donné la situation, elle aurait dû rentrer à midi !

Emma faillit le remettre à sa place. Après réflexion, elle se contenta de dire d'une voix apaisante : — Pas plus que moi, Paula n'est une irresponsable... Elle vient de rentrer, rassure-toi. Elle s'habille pour la soirée... Bon, je vois que tu as de quoi boire et de quoi fumer. Alors, je vais aller houspiller ces deux jeunes personnes, là-bas.

Amanda et Francesca, perchées sur des escabeaux, se chamaillaient devant le sapin.

— Arrêtez, mes enfants, et descendez de là. Tout de suite, entendez-vous !

— Oui, grand-maman, répondit Amanda en s'empressant d'obéir.

Mais Francesca s'attarda pour accrocher une clochette argentée à l'extrémité d'une branche.

— Pas là, espèce de gourde ! lui cria sa sœur. Tu vois bien qu'il faut plus de couleur sur cette branche-là. Mets plutôt l'étoile rouge.

— Fiche le camp ! hurla Francesca. Je t'ai assez vue pour ce soir, sale idiote ! Tu essaies de mener tout le monde à la baguette !

— Ça suffit, dit Emma. Descends immédiatement, Francesca. Sans quoi, tu passeras la soirée dans ta chambre.

— Oui, grand-maman, murmura Francesca en rejoignant sa sœur au pied de l'arbre.

— Maintenant, montez vous changer toutes les deux et plus vite que ça ! Vous avez l'air de deux petits voyous avec vos jeans et vos chemises sales. Lavez-vous la figure et peignez-vous. Vous me faites honte. Et ne mettez surtout pas les mêmes affaires. J'en ai assez de votre numéro de jumelles. Nous ne sommes pas au music-hall.

— Que voulez-vous que nous mettions ? demanda Francesca avec une certaine impertinence.

— Toi, ta robe de velours rouge et Amanda, sa robe de soie bleue. Ainsi, nous pourrons vous distinguer l'une de l'autre. Allons, dépêchez-vous.

Emily, qui avait assisté à la scène, se mit à rire quand ses deux sœurs eurent le dos tourné.

— Merci, grand-mère... Elles ont été impossibles, ces jours-ci. Je les ai menacées de les envoyer rejoindre maman à Paris, mais elles ne m'ont pas crue, évidemment.

— Elles essaient d'éprouver ta résistance, dit Emma avec indulgence.

— Je sais... Voulez-vous que je vous apporte quelque chose à boire ?

— Pourquoi pas ? Demande donc à Winston ou à ton frère d'ouvrir une bouteille de champagne. Je voudrais aussi un peu de musique... David, s'il vous plaît, mettez-nous des chants de Noël !... Non, après tout, pas tout de suite ! Plutôt Bing Crosby. « White Christmas », par exemple.

En attendant son verre de champagne, Emma se baissa pour rectifier la décoration du sapin, dont les branches du bas manquaient nettement d'ornements. Presque aussitôt, elle sentit qu'on lui effleurait le bras. Elle se retourna. C'était Edwina.

— Puis-je vous aider, mère ?

— Oui, je t'en prie, dit Emma en cachant sa surprise. Fouille donc dans cette boîte. Tu vas peut-être y trouver encore quelques guirlandes.

Après avoir jeté à sa fille un coup d'œil satisfait, elle reprit :

— Le bleu te va très bien, Edwina. Ta robe est magnifique.

— C'est Daisy qui m'a conseillé de l'acheter. Vous aussi, mère, vous êtes très élégante. Mais, vous, vous l'êtes toujours !

Son sourire était aussi hésitant que sa voix. Bien qu'étonnée par ce compliment inhabituel, Emma ne manqua pas d'en être touchée. C'était une marque évidente de bonne volonté.

Quelques instants plus tard, Edwina lui effleura à nouveau le bras pour lui montrer une étoile en verre bleuté : — Peut-être pourriez-vous la mettre ici, à côté de l'ange, mère ? Ou ailleurs si vous préférez.

Emma prit l'étoile et regarda sa fille avec curiosité. Et, soudain, il lui sembla qu'elle remontait le temps... C'était un autre Noël, un Noël d'autrefois, celui de 1915. Joe Lowther était encore de ce monde : il devait mourir l'année suivante au cours de la bataille de la Somme. Edwina avait alors neuf ans et elle était ravissante avec ses longs cheveux blonds. Elle avait les traits délicats d'Edwin Fairley, son père, et les grands yeux gris d'Adèle, sa grand-mère. Mais la petite croyait que son père, c'était Joe. Elle l'adorait et le vénérait.

Ils se trouvaient tous les trois devant un grand sapin. Cette année-là aussi, il avait beaucoup neigé. L'homme et l'enfant riaient gaiement en décorant l'arbre de Noël. Près d'eux, Emma se sentait l'intruse, car Edwina, fillette dédaigneuse, la repoussait chaque fois qu'elle lui tendait une babiole pour accrocher au sapin. Alors, le cœur brisé, Emma avait quitté la pièce, enfilé son manteau et couru dans la nuit se réfugier chez Blackie et Laura.

— Quelque chose ne va pas, mère ? demanda Edwina.

— Non, non, répondit Emma en revenant au présent. Tout va bien. Je me rappelais seulement quelque chose.

— Quoi donc ?

— Un autre Noël. C'est si vieux que tu ne peux pas t'en souvenir.

— Vous voulez parler du Noël de 1915, n'est-ce pas ?... Je ne l'ai pas oublié, moi non plus... Pardonnez-moi, mère. Je vous en prie, je vous en supplie, pardonnez-moi pour ce terrible Noël.

Elle avait pris impulsivement la main d'Emma, qui la regarda, stupéfaite.

— Tu étais si petite, lui répliqua-t-elle d'un ton grave. Si jeune... Tu ne pouvais pas savoir que tu me faisais de la peine.

— Je vous en prie, pardonnez-moi.

— Mais je te pardonne, bien entendu. Tu es ma fille, Edwina, l'aînée de mes enfants. Et je t'ai toujours aimée. Tu as douté bien souvent de cet amour, mais il n'a pas cessé d'exister.

— Je n'en doute plus, maintenant, murmura Edwina en pleurant. Pouvons-nous encore redevenir des amies, toutes les deux ? C'est un peu tard, sans doute, mais mieux vaudrait tard que jamais.

— Nous le pouvons encore, j'en suis sûre, répondit Emma avec un sourire de bonheur. En fait, ma chérie, nous sommes déjà des amies.

Après avoir quitté la grand-route pour prendre un raccourci, Jonathan Ainsley se rendit compte assez vite que le chemin était à peine praticable.

— Tu n'aurais pas dû passer par ici, lui dit Sarah d'un ton plaintif. Il n'y a que des tournants. Nous risquons un accident.

— C'est le trajet le plus direct, répondit sèchement Jonathan. Ce soir, je veux arriver à temps pour...

Sentant brusquement ses pneus déraper sur le sol gelé, il agrippa le volant et tenta de freiner le plus doucement possible.

Sarah, épouvantée, s'accrocha à son bras.

Jonathan la repoussa avec exaspération et parvint à redresser : — Tu as failli nous flanquer dans le fossé !... Au nom du ciel, ne recommence pas !

— Pardon, j'ai eu très peur... Je t'en prie, ne te mets pas en colère. Tu sais bien que je ne le supporte pas.

Il haussa les épaules, résigné. Il avait trop besoin de Sarah pour lui montrer ses véritables sentiments.

Emmitouflée dans son manteau de renard argenté, la jeune fille se recroquevilla sur son siège en attendant qu'il retrouvât sa bonne humeur.

Jonathan poursuivit sa route avec la plus grande prudence. Il n'avait pas encore fini de payer son Aston-Martin et il ne tenait pas à l'abîmer. Il n'en songeait pas moins au problème que lui posait l'attitude de Sarah. Il se demandait comment décider sa cousine à investir quelques millions de plus dans la société qu'il avait secrètement fondée avec Sébastien Cross et dont elle était devenue la troisième associée. Il leur fallait de l'argent frais de toute urgence. Par la faute de Sébastien, qui avait pris des risques absurdes, les affaires avaient été désastreuses, ces derniers temps.

Bien que le visage de Jonathan se fût assombri, son esprit calculateur continuait à chercher des solutions à son problème. Il songeait, par exemple, à transférer l'un des prochains contrats qu'on offrirait à *Harte Enterprises* à sa propre société, *Stonewall Properties*. Pourquoi pas ? Il était conscient d'être sans scrupules, avide d'argent, de luxe et de pouvoir. Il n'ignorait pas qu'en dépit des efforts de sa grand-mère pour lui inculquer le sens de l'honneur et de l'honnêteté, il était foncièrement malhonnête. Mais personne, selon lui, ne tenait à être honnête. Se sachant aussi mauvais perdant, il était bien décidé à être désormais dans le camp des gagnants.

— Jonny, nous sommes presque au bout du chemin, annonça Sarah.

— Je le sais, se contenta-t-il de dire.

Il se remit à penser à elle. Depuis des mois, il profitait de ce qu'elle détestait Paula pour la manœuvrer. Il jouait de sa jalousie, de son envie et de son amertume. De son côté, il en voulait également à Paula qui, comme Alexandre, avait la faveur d'Emma.

Un frisson de rage lui parcourut l'échine, mais il réprima vite sa fureur. Ce soir, plus que jamais, il lui fallait garder son sang-froid, surtout devant sa grand-mère. Cette vieille sorcière ! Mon père a raison, pensa-t-il. Il faudrait la tuer pour la forcer à mettre les bouts.

Il s'était demandé si Emma avait des soupçons à son égard, mais il finissait par penser que non. Étant donné l'âge qu'elle avait, elle était sûrement à moitié gâteuse. Il se prit à songer avec complaisance à l'appartement de New York dont il hériterait à sa mort, puisqu'elle le lui avait légué dans son testament. Cela devait valoir au bas mot dans les cinq millions de dollars. Sarah, pour sa part, aurait l'hôtel particulier de Belgrave Square. Je le lui ferai vendre, se dit-il, et elle investira ce capital dans mon affaire. La perspective d'avoir tout cet argent à sa disposition lui rendit sa bonne humeur. Il se sentit assez fort pour affronter son ennuyeuse famille. L'envie lui prit de s'arrêter un moment pour fumer un joint, mais il n'osa pas à cause de Sarah. Quel poison, celle-là ! Malheureusement, il ne pouvait pas se passer de son soutien. De son côté, Sébastien avait même dernièrement envisagé de l'épouser, mais Jonathan n'était pas sûr de devoir l'y encourager. Bien qu'il méprisât Sarah, il ne se faisait pas d'illusions sur Sébastien : c'était un drôle de coco, finalement, et il devenait assez dangereux. De plus, Jonathan ne tenait pas à perdre le contrôle qu'il exerçait sur Sarah ou, plus exactement, sur son argent.

— Ce n'était pas un chemin de tout repos, déclara-t-il en retrouvant la grand-route, mais nous nous en sommes tirés et nous ne serons pas trop en retard.

— Pourquoi tiens-tu à arriver de bonne heure ? Qu'as-tu peur de manquer ?

— Le spectacle des drames familiaux, répondit-il en ricanant. Avec tout ce monde, il va sûrement y avoir un ou deux accrochages. Notre jeune Pair du Royaume sera là aux pieds de sa maîtresse enceinte. Il a du pot, ce salaud-là, de ne pas avoir été condamné pour meurtre ! Il paraît que Sally Harte se pavane gonflée comme une montgolfière et qu'elle est très fière d'avoir un polichinelle dans le tiroir.

— Quel besoin as-tu d'être si vulgaire ?

Il lui jeta un coup d'œil en biais et poursuivit sans se troubler : — Il y aura aussi nos deux tourtereaux qui roucoulent à en perdre le souffle. Quand nous étions gosses, j'ai toujours su qu'Emily ne pensait qu'à se taper Winston. Elle a le feu au cul, tout comme sa putain de maman.

— Allison Ridley est désespérée d'avoir perdu Winston, dit tristement Sarah, toujours choquée par sa grossièreté. Elle va s'installer à New York dans quelques semaines. Je ne la blâme pas. Ici, elle n'aurait pu éviter de le rencontrer à tous les coins de rue.

— Ce Winston, il a le vent en poupe ! L'accident de Jim est arrivé au bon moment pour lui. Tu ne trouves pas ça un peu bizarre, toi, cet accident d'avion ?

— Pourquoi ?

— Eh bien, je me suis tout de suite demandé si Jim n'avait pas essayé de... d'en finir avec la vie !

— Comment peux-tu dire une chose pareille ? Il n'avait aucune raison de se tuer.

— On en a toujours quand on est marié à un glaçon...

— Oui, cette garce est sûrement frigide.

— Là, tu exagères.

— Tu la défends, maintenant ?

— Non. Pour moi aussi, c'est une garce, mais elle n'est pas frigide avec tout le monde. Du moins, si j'en crois les rumeurs.

— Quelles rumeurs ?

— Laisse tomber, ma pauvre chérie. Ça risque de te gâcher le réveillon.

— Au contraire, ça me remonte toujours le moral de la savoir dans son tort. Raconte !

— Non, non, ce ne serait pas raisonnable.

Il fit mine de se taire pour la faire enrager.

— Si je n'ose pas te le dire, reprit-il quelques instants plus tard, c'est que j'ai peur de te scandaliser. Et puis, ce n'est peut-être qu'un bobard !

— Vas-tu parler ? Tu veux donc me rendre folle ?

— Comme tu voudras. Tu as su qu'en novembre Paula était à La Barbade, n'est-ce pas ? Mais savais-tu que Shane O'Neill y était en même temps qu'elle ?

Sarah faillit suffoquer sous l'effet de la surprise.

— Et alors ? parvint-elle à dire d'une voix étranglée. Il y était aussi en même temps que moi, pour l'inauguration de la boutique. Ça ne veut rien dire.

— Peut-être, mais rappelle-toi... C'est toi qui m'as parlé des regards éperdus qu'il lui lançait le jour du baptême.

— C'est vrai.

— Figure-toi qu'un de mes vieux copains d'Eton, Rodney Robinson, était à La Barbade à ce moment-là. Il résidait au Sandy Lane Hotel et, un jour, elle y est venue déjeuner en bonne compagnie.

— Il ne s'agissait peut-être pas de Shane !

— Mais si ! répliqua Jonathan avec assurance. Rodney s'était dit qu'il devait connaître ce type-là et, après coup, il a demandé au maître d'hôtel qui était avec la belle brune. L'autre lui a répondu que c'était M. O'Neill, propriétaire du Coral Cove Hotel.

— Il n'y a rien d'extraordinaire à déjeuner avec un cousin. Ils ont été élevés ensemble.

— Je suis d'accord, ma chérie. Mais Rodney m'a dit aussi qu'ils semblaient au mieux. Intimes, c'est le mot qu'il a employé. D'après lui, c'est tout juste si Shane ne l'a pas baisée devant tout le monde.

— Je t'en prie, balbutia Sarah, révoltée. Tu... Tu sais que... je déteste ce genre de mot.

— Excuse-moi, dit-il, ravi de l'effet produit. Mais Rodney m'a assuré qu'ils se pelotaient de façon scandaleuse. De toute évidence, notre glaçon ne demande qu'à fondre, malgré ses airs de sainte nitouche. Pauvre Jim ! je ne m'étonne plus qu'il ait tenté le grand plongeon.

Ravagée par la jalousie, Sarah étouffait des pleurs de rage.

Jonathan reprit d'un ton allègre : — Oui, il y a quelque chose de pourri au royaume de Danemark, comme disait ce bon vieux Shakespeare. Ne s'agirait-il pas d'un adultère ébranlant la noble Maison des Fairley ?

— C'est impossible, gémit Sarah. Paula n'oserait pas. Elle aurait bien trop peur de grand-mère. Et elle est amoureuse de Jim.

— A mon avis, tu te mets le doigt dans l'œil, ma cocotte.

— Tu avais raison, tu aurais mieux fait de ne rien dire. Cette histoire me rendra malade pour toute la soirée.

— J'espère bien que non, murmura Jonathan en feignant l'inquiétude. C'est toi qui as insisté pour savoir et, moi, je n'arrive jamais à te résister... Enfin, Dieu merci, nous pouvons compter l'un sur l'autre, Sarah. Aie confiance. A nous deux, nous leur ferons la pige. Les affaires marchent bien. Sébastien et moi, nous te ferons gagner des millions. Bientôt, tu seras aussi riche que cette salope de Paula.

Incapable de répliquer, Sarah tenta de refouler ses larmes. Elle ne doutait plus de son malheur et souffrait le martyre en songeant à Shane et à Paula.

— Allons, allons, ma belle, remets-toi, reprit Jonathan. N'oublie pas que Shane est catholique et qu'il n'épousera jamais une divorcée. Tu sais, je le connais. C'est un coureur et son aventure avec Paula ne durera pas. Il te reviendra. A propos, je voulais te le dire : ça te va drôlement bien d'avoir maigri ! Shane ne te résistera pas longtemps et, de mon côté, je ferai tout pour que tu obtiennes celui que tu aimes.

— Tu as toujours été gentil avec moi, Jonny ! s'écria Sarah d'une voix reconnaissante. Je suis bien contente que la société fasse de bonnes affaires, mais je doute d'être un jour aussi riche que Paula.

— Tu as tort. Tiens, après Noël, nous allons te demander d'assister à notre premier vrai conseil d'administration. Nous ferons le bilan et nous t'exposerons nos projets pour que tu puisses faire de nouveaux investissements. Tu vas te constituer une belle dot. Je sais que c'est un peu démodé, ma façon de parler, mais Shane est sacrément ambitieux et il n'épousera jamais une fauchée... Tu vas mieux ?

— Beaucoup mieux, dit-elle avec un soupir de soulagement. Je crois que l'idée de souffler Shane à Paula me ravigote un peu.

— Bravo, ma Sarah, je te retrouve ! Quand veux-tu que nous prenions rendez-vous avec Sébastien ?

— Quand tu voudras. Je suis d'accord pour un nouvel investissement. J'ai toujours eu confiance en toi, Jonny. Je sais que tu es mon meilleur ami.

— Comme tu es ma meilleure amie, ma chérie.

Quelques minutes plus tard, ils franchissaient les grilles de Pennistone. En se garant et en voyant toutes les voitures qui étaient déjà là, Jonathan s'en voulut de ne pas être arrivé plus tôt. Mais la naïveté de Sarah le faisait rire en son for intérieur. Il réussit pourtant à rester impassible et alla lui ouvrir la portière, avant de retirer de la malle arrière les cadeaux destinés à leur grand-mère.

Joe, le maître d'hôtel, les accueillit en leur souhaitant un joyeux Noël. Dans le grand hall, les réjouissances étaient commencées. La stéréo diffusait des chants de Noël. Des rires joyeux fusaient au milieu des conversations. Le sapin étincelait et, dans la cheminée, le feu ronronnait. Tous les visages se tournèrent, souriants, vers les nouveaux arrivants.

A son tour, Jonathan distribua des sourires, tandis que Sarah allait au fond de la salle où Paula, assise sur le bras du fauteuil de Blackie, écoutait le vieil homme avec une attention affectueuse. Si j'ai exagéré l'histoire de Rodney, se dit Jonathan, je n'ai pas dû me tromper de beaucoup. Je parie que Shane a fait d'elle tout ce qu'il voulait. Ce bon Rodney, je lui revaudrai ça !

Puis il aperçut Jim dans son fauteuil roulant, en conversation avec Anthony. Il leur trouva un air de famille : tous deux étaient bien des Fairley. Il se promit d'aller parler à Jim, dès qu'il serait seul. Il lui tardait de semer le doute dans son esprit à propos de sa sacro-sainte épouse. En attendant, songea-t-il, je ferais mieux d'aller faire une génuflexion devant le vieux dragon !

Contrairement aux espoirs de Jonathan, il n'y eut pas de drames familiaux ce soir-là.

Le réveillon se passa sans la moindre anicroche.

Lorsque tout le monde se fut restauré au buffet, Emma se mit à distribuer de somptueux cadeaux. Parents et amis, profondément émus, ne savaient plus comment lui exprimer leur reconnaissance. Même les perpétuels mécontents semblaient satisfaits. Jonathan et Sarah étaient apparemment ravis, lui de ses boutons de manchettes en jade serti d'or et elle de son rang de perles.

Mais ce fut Edwina qui eut la plus belle surprise. La splendeur du collier Fairley lui coupa le souffle. On crut qu'elle allait s'évanouir. Heureusement, elle se contenta de fondre en larmes.

Elle savait que sa mère lui donnait là la preuve d'un amour désintéressé et elle se félicita de s'être rapprochée d'elle au début de la soirée pour obtenir son pardon.

La fête continua gaiement jusqu'à minuit. Seule, Paula ne participait guère à l'animation générale. Elle pensait trop à Shane. Elle se montrait pleine d'attentions pour Jim, elle parlait aux uns et aux autres, mais elle ne pouvait s'empêcher de retourner sans cesse auprès des O'Neill, comme si cela l'avait un peu rapprochée de son amour.

Dans un an, songeait-elle, dans un an aujourd'hui, il sera parmi nous, lui aussi.

39

C'était un soir pluvieux de la mi-janvier.

Dans le grand Salon Rose, Jim Fairley sirotait sa vodka en admirant son tableau favori, le Sisley qu'il aurait tant aimé avoir. Il était si absorbé par sa contemplation qu'il ne vit pas entrer Emma.

Elle resta un moment sur le seuil à l'observer.

Elle était de plus en plus inquiète à son sujet. Elle avait l'impression d'être témoin de la lente détérioration d'une personnalité. Dès son retour de voyage, elle s'était aperçue du changement qui s'était opéré en lui. Mais, depuis six semaines, elle ne reconnaissait plus du tout le brillant journaliste à qui elle avait fait confiance. Chaque fois qu'elle essayait de lui parler, il paraissait ne pas l'entendre.

Il continuait à descendre la pente. Il buvait sans cesse. A la suite des reproches sévères qu'elle lui avait adressés au lendemain de Noël, il avait essayé de se reprendre, mais elle savait qu'il continuait à boire nuit et jour en se cachant.

Elle songea aux Fairley. Ils avaient tous été plus ou moins alcooliques. Adèle, la bisaïeule de Jim, s'était cassé le cou en tombant du grand escalier de Fairley Hall dans une crise d'éthylisme.

Jim n'allait pas tarder à devenir irrécupérable. Et, par-dessus le marché, il prenait des barbituriques — même s'il prétendait le contraire.

Emma l'observait de profil. C'était encore un très beau garçon en dépit des ravages causés par l'alcool, les drogues et la souffrance physique. Elle se souvint alors de ce que lui avait dit un jour Blackie en lui montrant un cheval à Allington Hall : « Il a de la race, mais il n'a pas de nerf. » Quoiqu'elle répugnât à condamner Jim, elle voyait bien maintenant que c'était un faible. Cela, elle le craignait depuis longtemps.

Elle toussota pour s'annoncer.

— Bonsoir, Jim, dit-elle gaiement.

Il tressaillit, puis lui fit un vague sourire.

— Je me demandais justement où vous étiez. Je ne vous ai pas attendue pour me servir. Excusez-moi. C'est mon premier verre.

Tu mens comme un arracheur de dents ! se dit-elle.

— J'étais au téléphone, Jim, mais je vais prendre quelque chose avec toi avant dîner. Je viens d'avoir une conversation avec Daisy. Elle m'appelait de Chamonix. Tu sais qu'elle n'aime pas beaucoup skier. Elle m'a dit que David déplorait ton absence.

— Je voudrais bien être avec eux, moi aussi, déclara-t-il en remuant son épaule malade. Enfin, je suis tout de même soulagé qu'on m'ait ôté ce plâtre... Le docteur Hedley va revenir demain pour libérer ma jambe.

Elle fit celle qui n'en savait rien, bien que le médecin la tînt régulièrement au courant de l'état de Jim :

— Ça, c'est une bonne nouvelle ! Tu vas pouvoir commencer ta rééducation et tu ne mettras pas longtemps, j'en suis sûre, à récupérer.

— Comptez sur moi ! Oh... Paula vous a-t-elle téléphoné de New York aujourd'hui ?

— Non, mais je ne comptais pas sur son appel. Ne t'a-t-elle pas dit hier soir qu'elle prenait l'avion pour le Texas ?

— C'est vrai, j'avais oublié.

— Emily vient de m'annoncer que Winston serait là au dîner. Sa présence te distraira. Tu dois en avoir assez d'être entouré de femmes.

— Mais non, dit-il en riant, car vous êtes toutes aux petits soins pour moi ! Je serai quand même content de voir Winston pour avoir quelques nouvelles du monde extérieur. Je n'en peux plus de cette inactivité. J'espère bien retourner au journal dans une quinzaine. Qu'en pensez-vous ?

— Pourquoi pas ? En tout cas, pour moi, le travail a toujours été la meilleure des thérapeutiques.

— A propos des journaux... j'ai quelque chose à vous demander depuis longtemps.

— Oui ? De quoi s'agit-il ?

Il eut un instant d'hésitation :

— En septembre, quand je suis rentré du Canada, nous nous étions chamaillés, Paula et moi, à cause des instructions qu'elle avait données à Sam Fellowes en mon absence. Vous savez, au moment de la mort de Min.

— Elle m'a parlé de la décision qu'elle avait prise, mais pas de votre dispute.

— Paula m'a dit à ce moment-là qu'elle et Winston avaient seuls le droit de trancher à votre place en cas d'urgence.

— C'est exact.

— Pourquoi n'est-ce pas à moi que vous avez confié ce pouvoir de décision ?

Après un temps de réflexion, Emma répondit avec douceur :

— Jim, en donnant ta démission de directeur général du groupe de presse, tu as perdu tous autres droits que ceux qui sont attachés à tes fonctions de rédacteur en chef. Puisque le travail administratif ne t'intéresse pas, il faut bien quelqu'un, au sommet, pour prendre les décisions importantes à ta place.

— Je comprends.

Elle vit son visage se fermer et ses yeux s'embrumer.

— Personne ne t'a forcé à donner ta démission, Jim !

Il avala une gorgée de vodka, puis reposa son verre :

— Non... C'est aussi Paula qui administre les parts de nos enfants, n'est-ce pas ?... Pourquoi ? Pourquoi elle et pas moi ? Je suis leur père, après tout.

— Ce n'est pas si simple, Jim !... Les parts qui reviendront à Lorne et à

Tessa sont indissociables de l'ensemble du legs qui leur est destiné. Il serait donc absurde d'avoir plusieurs administrateurs.

Il fit signe qu'il l'admettait, mais Emma vit qu'il était furieux, en dépit de ses efforts pour paraître indifférent. Bien qu'elle n'eût pas l'habitude de justifier ses actes, elle voulut lui donner une explication.

— Ce n'est pas par manque de confiance en toi que j'ai choisi Paula. Même mariée à un autre, c'est à elle seule que j'aurais laissé l'administration des biens de ses enfants.

— Ah bon ! murmura-t-il, secrètement révolté.

Il avait l'impression de s'être laissé berner et il s'en voulait d'avoir démissionné sur un coup de tête.

Faisant mine d'ignorer son irritation, Emma poursuivit : — Si Emily et Winston ont des enfants avant ma mort, Winston se trouvera dans une position identique à la tienne. Il en sera de même pour l'époux de Sarah, si elle se marie de mon vivant. Je ne fais pas une exception pour toi.

— Je comprends très bien. Merci de m'avoir donné des éclaircissements. Je...

Hilda frappa à la porte.

— Que Madame m'excuse, mais Monsieur O'Neill est au téléphone. Si Madame est occupée, elle peut le rappeler chez Monsieur Bryan à Wetherby.

— Merci, Hilda. Je vais y aller... Jim, excuse-moi un moment, mon cher enfant.

Dès qu'il se retrouva seul, il s'empressa d'approcher son fauteuil roulant de la console Regency pour reprendre de la vodka. Puis il regagna sa place près de la cheminée.

Pour qu'Emma ne pût voir qu'il s'était resservi, il avala la moitié de son verre d'un seul coup. Puis il réfléchit à la conversation qu'il venait d'avoir avec elle. Subitement, tout lui parut limpide : Emma voulait laisser son fabuleux pouvoir aux mains de ses petits-enfants, à l'exclusion de tout autre. Jim s'était cru de la famille jusque-là. Mais, finalement, il n'était qu'un étranger.

Il soupira et se remit à contempler le Sisley qui l'avait toujours fasciné. Il ne savait pas trop pourquoi ce paysage l'enchantait à ce point. Il y avait d'autres Sisley dans la pièce.

Soudain, avec un petit sursaut de panique, il comprit ce que signifiait pour lui le tableau. A travers le Sisley, c'était la puissance et la fortune d'Emma qu'il convoitait. Que la peinture fût aussi un chef-d'œuvre qui parlait plus qu'aucun autre à sa sensibilité et coïncidait avec ses choix esthétiques ne pouvait plus le leurrer désormais... D'une main tremblante, il reposa son verre et ferma les yeux.

C'est l'argent et le pouvoir que je désire. Je voudrais que tout me revienne... tout ce que mon arrière-grand-père et mon grand-oncle ont si follement dilapidé.

Presque aussitôt, il fut atterré de ce qu'il découvrait en lui. J'ai trop bu, se dit-il encore. C'est pourquoi je m'attendris sur mon sort.

Il se mit à trembler de tout son corps. Il rouvrit les yeux et agrippa les bras de son fauteuil roulant. L'image de Paula lui traversa l'esprit. Il l'avait épousée par amour. Il l'avait aimée comme un fou. De cela, il était sûr. Et, pourtant, il savait maintenant qu'il y avait eu une autre raison à son désir d'en faire sa femme : il avait voulu épouser la petite-fille d'Emma Harte ou, plus exactement, la principale héritière d'une fortune colossale.

Un instant, il se vit tel qu'il était et il n'en fut guère satisfait, mais il ne pouvait nier l'évidence. Il retint un gémissement et les larmes lui vinrent aux yeux. La conscience de sa turpitude lui fut insupportable. Son grand-père, Edwin Fairley, l'avait élevé en gentilhomme, dans le plus pur idéalisme. Mais on aurait pu dire qu'il avait tenté sur lui un lavage de cerveau qui n'avait pas réussi, puisque la soif de puissance, de gloire et de richesse n'avait pas été déracinée de son être.

Je me mens depuis des années, j'ai vécu dans le mensonge.

Il fut repris d'élancements dans l'épaule et grimaça de douleur. Il chercha un comprimé dans sa poche et l'avala avec une gorgée de vodka.

— Blackie était surexcité, lui dit Emma en rentrant dans la pièce. Il fait une foule de projets pour le *Grand National*. Il veut tous nous emmener à Aintree, le premier samedi d'avril. Et tu pourras nous accompagner, Jim ! A cette époque-là, tu seras complètement remis.

40

— Shane, qu'allons-nous devenir ? demanda Paula d'une voix anxieuse.

— A chaque jour suffit sa peine, répondit-il calmement. Nous nous en tirerons.

Cet après-midi-là, ils s'étaient retrouvés dans le bureau de Paula, au grand magasin de Leeds. On était à la mi-avril 1970. Shane rentrait d'un court séjour en Espagne, où il était allé contrôler l'aménagement d'un nouvel hôtel O'Neill, à Marbella.

Assis près d'elle sur le canapé, il la serra dans ses bras :

— Essaie d'être plus optimiste, ma chérie.

— Je ne peux m'empêcher d'être inquiète. La situation ne fait qu'empirer.

— Je le sais, mais nous devons tenter de résoudre nos problèmes au jour le jour, avec la certitude d'être bientôt réunis. Pense à l'avenir, Paula.

— J'essaie, je t'assure que j'essaie, mais...

— Allons, mon amour, ne pleure pas. Le temps travaille pour nous. Nous sommes jeunes et nous finirons par gagner.

— Oui, dit-elle en essuyant ses larmes, mais je suis si malheureuse loin de toi.

— Voyons, réfléchis. Même si nous vivions officiellement ensemble, je serais quand même obligé d'aller à New York la semaine prochaine et, ensuite, à Sydney pour deux mois. Jusqu'ici, nous nous en sommes assez bien tirés. Nous avons passé ensemble à New York une bonne partie du mois de janvier et nous nous sommes vus régulièrement ces dernières semaines. Alors...

— C'est injuste pour toi, cette situation !

— Mais je t'aime et je n'aime que toi, Paula. Je t'attendrai. Pour qui me prends-tu, petite folle ?

— Je te demande pardon, Shane. Je suis au-dessous de tout aujourd'hui, n'est-ce pas ? C'est peut-être à cause de ton départ prochain. Je n'en peux plus d'être abandonnée.

— Tu ne l'es pas vraiment. Ma pensée ne te quitte jamais. Nous nous téléphonons pratiquement chaque jour et si jamais tu as besoin de moi, j'arriverai par le premier avion, que je sois en Australie ou aux États-Unis, tu le sais, n'est-ce pas ?

— Naturellement.

— Tu te souviens de ce que je t'ai dit à La Barbade ?

— Oui, de faire confiance à l'amour.

— Et de me faire confiance comme je te fais confiance... Maintenant, réponds-moi : viens-tu ou non dîner à Beck House ? Emily sera très déçue si tu refuses son invitation.

— Je vais peut-être y aller après tout! Crois-tu que Winston et elle soupçonnent ce qu'il y a entre nous?

— Absolument pas. Ils croient que nous sommes redevenus bons amis, rien de plus.

Paula conservait quelques doutes, mais elle ne voulut pas l'inquiéter et se contenta de dire: — Je ne pourrai pas être là-bas avant huit heures. Il faut que je passe voir Jim à la clinique. Tu ne m'en veux pas?

— Bien sûr que non. Je n'en attendais pas moins de toi, Paula. Je savais que tu ne le laisserais pas tomber dans un moment pareil. Comment va-t-il? Que dit le docteur?

— Il le laissera sortir dans quelques semaines si son état continue à s'améliorer. Il est beaucoup moins déprimé et avec l'aide de la psychothérapie, il réagit bien au traitement. Mais, dans une dépression nerveuse, il peut y avoir des rechutes.

Elle se tut un moment, puis reprit d'une voix hésitante et presque inaudible: — Je n'ai pas encore trouvé le courage de lui demander... de me rendre ma liberté.

— Inutile de me le dire, répliqua Shane avec agacement. Nous sommes convenus d'attendre son rétablissement complet pour parler de divorce. Que pourrions-nous faire d'autre?

— Je te remercie de ta compréhension et de ton amour. Sans toi, je serais perdue.

Il la serra contre lui et l'embrassa tendrement.

— Maintenant, je dois retourner au bureau, dit-il en relâchant son étreinte. J'ai encore deux rendez-vous. Je suis débordé depuis que papa est au Congrès International de l'Hôtellerie. Et je voudrais aussi passer voir grand-père avant d'aller dîner à Beck House.

Quelques heures plus tard, quand Shane entra dans la bibliothèque de Blackie, il le trouva debout devant une commode ancienne en train d'astiquer soigneusement, avec un chiffon de laine, le trophée d'argent qui faisait son orgueil.

Shane le regarda avec un sourire attendri: son grand-père faisait reluire cette coupe au moins dix fois par jour! C'était devenu son plus cher trésor depuis qu'au début d'avril sa jument de huit ans, Emerald Bow, avait remporté à Aintree le *Grand National*. Toute sa vie, il avait rêvé de voir un de ses chevaux gagner le plus grand steeple-chase du monde et, bizarrement, comme si le ciel s'en était mêlé, c'était la jument donnée par Emma qui lui avait valu la récompense tant souhaitée.

— Bonsoir, grand-père. Je suis en retard.

Blackie se retourna, enchanté de voir son petit-fils: — Salut, mon petit gars!

Shane s'approcha pour l'embrasser, mais quand il le serra dans ses bras, il eut un pincement au cœur en se rendant compte à quel point le vieil homme avait maigri. Seigneur, se dit-il, je sens ses os à travers l'étoffe!

Comme il est devenu fragile !... Il regarda alors son grand-père avec plus d'attention et lui trouva les joues creuses, les narines pincées et le cou décharné. Son col de chemise bâillait, sa pâleur s'était accentuée et ses yeux noirs semblaient éteints, comme recouverts d'un voile bleuâtre.

— Vous allez bien, grand-père ?

— Je ne me suis jamais senti aussi en forme.

— Tant mieux !

Pour lui cacher son inquiétude, Shane changea de sujet. Il fit un geste en direction du chiffon de laine et de la coupe :

— Si vous frottez trop souvent ce truc-là, vous finirez par y faire un trou.

Blackie éclata de rire. Il posa fièrement la main sur le trophée :

— Je n'irai pas jusqu'à dire que le Grand Prix a couronné ma carrière, mais il m'a sans doute donné la plus forte émotion de ma vie.

— A moi aussi !

— Toi, mon gars, tu es destiné à de bien plus belles réussites que moi. C'est écrit dans les astres. Tiens, nous allons boire à ton glorieux avenir.

Il prit un flacon de cristal sur un meuble et versa du whisky dans deux verres. Shane s'approcha pour trinquer avec lui.

— A nos futurs triomphes, grand-père ! Aux vôtres comme aux miens.

— Oui. A Emerald Bow et au prochain *Grand National* ! On ne sait jamais. Elle peut gagner une seconde fois.

Il alla s'asseoir près du feu et Shane le suivit, de plus en plus déconcerté de constater la lenteur de sa démarche et la fragilité de son allure. Puis il essaya de se rassurer : la victoire d'Emerald Bow et les réceptions qui l'avaient suivie devaient avoir épuisé Blackie. Après tout, il avait quatre-vingt-quatre ans.

Blackie s'absorba un moment dans la contemplation des flammes.

— Je n'oublierai jamais la fin de la course, dit-il brusquement.

Il se pencha en serrant son verre entre ses doigts et ses yeux se mirent à briller comme s'il revivait en imagination l'exploit de sa jument.

— Je les vois encore, Shane ! Emerald Bow entre ces deux grands chevaux ! J'avais imaginé qu'elle n'y arriverait pas et quand Highland Boy est tombé, je n'en croyais pas mes yeux. Et puis, ç'a été au tour de King's Gold de rouler sur le dos... Une fraction de seconde après, voilà que ma vaillante petite jument s'élance avec une légèreté de gazelle, franchit l'obstacle et parcourt comme une flèche les derniers deux cents mètres. Je n'avais jamais rien vu de pareil et Dieu sait que j'en ai vu, des courses !

Le visage congestionné, Blackie se renversa dans son fauteuil. Il était hors d'haleine, mais il reprit assez rapidement son souffle.

— J'y étais, vous savez, grand-père... Rappelez-vous que j'ai tout vu, moi aussi.

— Je n'en doute pas, répliqua Blackie avec un clin d'œil. Mais ça me fait plaisir d'en parler avec toi. Ça me rajeunit. Ton père ne m'a jamais compris aussi bien que toi. C'est toi qui as hérité de mon amour des chevaux. Toi, tu sais vraiment ce que c'est qu'un pur-sang.

Il s'interrompit un moment, puis son regard s'anima de nouveau :

— Cette pauvre Emma, comme elle a souffert, ce jour-là ! J'étais tellement surexcité d'avance qu'elle avait peur que je sois déçu. Et je lui ai même fait mal, au moment de la victoire, en la serrant trop fort. Elle a eu des bleus pendant des jours. Du moins, à ce qu'elle prétend. Elle m'a reproché d'avoir failli briser ses vieux os. Mais elle était aussi enchantée que moi, pas de doute !

— Vous aviez bien mérité ce triomphe.

Blackie but un peu de son whisky et devint songeur.

— Randolph a vu clair, pour Emerald Bow, depuis le jour où Emma me l'a donnée. Il n'a pas cessé de me dire qu'elle était faite pour le *Grand National*. C'était pourtant une course difficile, un vrai massacre, quand on pense qu'il y avait quarante partants et qu'ils n'étaient plus que huit à l'arrivée.

— C'est aussi une course très rapide, puisqu'elle ne dure guère plus de dix minutes.

— C'est vrai, c'est vrai ! s'exclama Blackie avec satisfaction. Et la réception que j'ai donnée à l'*Adelphi,* comment l'as-tu trouvée ?

— Sensationnelle ! Il y a eu aussi la rentrée à Middleham avec les banderoles et les acclamations. Et le mémorable déjeuner à Allington Hall. J'étais fier de vous, grand-père. Je n'aurais voulu manquer ça pour rien au monde.

— Oh ! je le sais ! Mais, au début mars, j'ai bien cru que tu ne pourrais revenir à temps de Sydney et ça, je ne m'en serais pas consolé, mon petit... Enfin, depuis un an, ma vie est épatante, quand j'y repense. Le voyage autour du monde avec ma chère Emma et, maintenant, cette victoire.

Emma venait d'entrer sans bruit dans la bibliothèque. Sa voix les fit sursauter.

— Qu'est-ce que j'entends ? dit-elle. Tu parles encore du *Grand National* ! Tu n'en finiras donc jamais ?

Blackie se leva en souriant pour l'embrasser sur la joue :

— Voyons, ma bien-aimée, laisse-moi m'amuser un peu ! Tu es toujours aussi élégante, à ce que je vois. Et tu ne te sépares jamais de ma broche d'émeraude. C'est devenu l'emblème de la course d'Emerald Bow !

Il admira avec complaisance l'effet produit par le bijou épinglé sur le châle de soie blanche qu'Emma portait, ce soir-là, sur une robe de flanelle grise. Elle rit, puis se tourna vers Shane qui s'approchait pour la saluer.

— Bonsoir, tante Emma. Grand-père a tout à fait raison, vous êtes superbe, ce soir.

— Merci, Shane. Alors, tu reviens d'Espagne ? Je vois que tu as tenu à parfaire ton bronzage.

— Je m'y efforce.

— Shane va t'apporter quelque chose à boire, dit Blackie en la faisant asseoir devant la cheminée. Qu'est-ce qui te ferait plaisir, Emma ?

— Je veux bien un verre de xérès.

— Comment se fait-il qu'Émily ne soit pas là ? reprit Blackie. Je croyais que c'était elle qui t'amenait.

— Elle m'a déposée et elle est repartie. Elle était pressée d'arriver à Beck House. Elle t'embrasse et te prie de l'excuser. C'est elle qui fait le dîner pour Shane et Winston.

— Je m'étais fait une fête de sa visite. J'ai le béguin pour cette petite, parce qu'elle me fait toujours rire. Il n'y a personne comme elle pour savoir raconter une histoire ! Excepté toi, bien sûr.

Il prit un cigare et Emma fronça les sourcils :

— Quel besoin as-tu de fumer ? Tu m'avais promis de t'arrêter.

— A mon âge ? répondit-il en riant. Non, je ne vais pas me priver de mes derniers petits plaisirs : un cigare et... et une goutte de whisky.

Emma poussa un profond soupir, mais s'abstint de protester. Shane lui apporta son verre de xérès et s'installa près d'elle sur le canapé tandis qu'elle entretenait Blackie du mariage d'Émily qui aurait lieu deux mois plus tard. Le jeune homme alluma une cigarette et les écouta d'une oreille distraite. Il était inquiet pour Paula et impatient de voir Jim se remettre de sa maladie. Mais était-ce bien une maladie ? Alcool et barbituriques, c'était là, selon lui, la cause principale de la récente dépression de Jim. Emma, Winston et Emily avaient l'air de son avis et Paula elle-même lui avait avoué que Jim était bien alcoolique.

Emma se tourna vers lui :

— Winston m'a dit que tu ne pourrais pas être son témoin. Nous en sommes tous très déçus.

— Vous ne pouvez pas l'être plus que moi, tante Emma. Mais papa veut que je retourne à Sydney à ce moment-là. Je n'y peux à peu près rien. Il faut bien que quelqu'un surveille l'aménagement de l'hôtel... Alors, c'est Michael Kallinski qui me remplacera. Difficile de trouver mieux, n'est-ce pas ?

— A propos, dit Blackie d'un ton inquiet, il paraît que son père ne va pas bien. As-tu eu Ronnie au bout du fil récemment, Emma ?

— Il a eu une pneumonie, mais il va mieux... C'est qu'il a fait un drôle de temps pendant tout ce mois d'avril. Du soleil, mais un vent glacial. Je n'ai cessé de grelotter.

— Ce n'est pas nouveau ! s'écria Blackie en la regardant avec tendresse. Tu souffrais déjà du froid quand tu n'étais qu'une gamine. A Fairley Hall, tu passais ton temps à frissonner et à prétendre que tu étais glacée jusqu'aux os.

Ils se lancèrent dans une conversation sur le passé. En entendant sonner la pendule sur la cheminée, Shane leva les yeux et vit qu'il était déjà six heures et demie.

— Il faut que je m'en aille, dit-il en se levant. Soyez sage, grand-père. Ne faites rien que je ne voudrais faire, surtout.

— Eh bien, ça me laisse de la marge !

— Prenez bien soin de vous, reprit le jeune homme. Je repasserai vous voir demain.

— Tu es toujours le bienvenu, mon petit. Bonne soirée.

— Merci, grand-père... Tante Emma, je vous le confie. Je sais que c'est une corvée, mais vous en avez l'habitude.

— Compte sur moi, dit Emma avec un sourire affectueux.

Shane les quitta avec un regard ému. Il referma doucement la porte derrière lui.

Après son départ, Blackie se pencha vers Emma et lui murmura :

— Crois-tu que Shane soit toujours le coureur de jupons d'autrefois ?

— Non, répondit Emma d'un ton rassurant. Il n'en a pas le temps. Il travaille bien trop.

— Il a déjà vingt-huit ans et tout le monde se marie, sauf lui. J'espérais le voir casé avant de mourir, mais ça n'en prend pas le chemin.

— Voyons, vieux fou que tu es ! Qu'est-ce qui te prend, ce soir ? Tu m'as toujours dit que tu vivrais jusqu'à quatre-vingt-dix ans.

— Maintenant, j'en doute beaucoup, ma chérie.

— Shane se mariera lui aussi, reprit précipitamment Emma. Il n'attend que le bon moment pour le faire.

Blackie secoua sa crinière blanche. Il semblait un peu désemparé :

— Quelle génération !... Sais-tu, Emma, que ces enfants me déconcertent ? J'ai l'impression qu'ils gâchent leur vie.

Le sourire d'Emma se figea. A qui faisait-il donc référence ? Il n'avait sûrement rien deviné de l'amour de Shane pour Paula.

— N'étions-nous pas comme eux ? dit-elle.

Il ne répondit pas.

— Penses-y bien, reprit-elle d'un ton léger. Tu verras que j'ai raison. Et dis-moi, qui plus que moi a fait un gâchis de sa vie, par moments ?

— C'est vrai. Dire que je suis là à me plaindre de Shane et que je ne t'ai même pas demandé comment allait Paula.

— Elle a beaucoup de courage, la pauvre enfant. En ce moment, elle est vraiment très éprouvée. Mais je crois que Jim récupère. Du moins, je l'espère pour eux deux.

— J'allais justement te demander des nouvelles de Jim. Combien de temps doit-il rester encore dans cet asile de fous ?

— C'est une clinique psychiatrique, pas un asile !... Il en a encore pour un mois, peut-être six semaines.

— Si longtemps ? C'est dramatique pour Paula. Mais il va s'en remettre, n'est-ce pas ?

— Évidemment, affirma Emma sans trop y croire.

— Drôle de famille, ces Fairley ! dit Blackie comme s'il lisait dans ses pensées. J'ai toujours pris Adèle pour une pauvre folle, à la voir errer à travers Fairley Hall comme un fantôme. Et cette mort tragique qu'elle a eue ! Alors, quand je pense à l'hérédité de Jim...

— Parlons d'autre chose, mon chéri. C'est trop attristant... Écoute, je sais que nous nous sommes promis de ne plus faire le tour du monde, mais que dirais-tu d'un séjour dans ma villa de la Côte d'Azur, au début de l'été ? A partir de la mi-juin, par exemple, entre le mariage d'Émily et celui d'Alexandre en juillet ?

— C'est tentant. Le soleil réchaufferait mes vieux os que le vent du Nord a frigorifiés ces dernières semaines. Je me suis demandé si je n'avais pas la grippe.

— Tu ne te sens pas bien ? demanda-t-elle, alarmée.

— Mais si, mais si, mon amour ! Ne joue pas les mères poules... Il faut pourtant regarder les choses en face : nous ne sommes plus de la première jeunesse. Deux vieux sacs d'os, Emma, voilà ce que nous sommes devenus.

— Parle pour toi, répliqua-t-elle en souriant.

L'entrée de Mme Padgett, la femme de charge, interrompit leurs propos. Elle leur annonça que le dîner était servi.

En quittant la bibliothèque pour la salle à manger, Emma remarqua comme Shane précédemment que la démarche de Blackie était devenue bien hésitante et elle en fut profondément inquiète.

Au cours du dîner, elle s'aperçut aussi qu'il ne mangeait presque rien. Bien plus, il toucha à peine à son verre de vin rouge, ce qui était inhabituel. Elle ne fit aucun commentaire, mais se promit de téléphoner dès le lendemain au docteur Hedley pour lui demander d'examiner Blackie.

Il se remit à parler du *Grand National* et elle le laissa faire. Elle savait trop quelle joie lui avait apportée sa victoire. Mais, à un certain moment, il abandonna brusquement le sujet pour déclarer :

— J'ai toujours trouvé bizarre que Shane ne s'intéresse à aucune de tes petites-filles. Autrefois, j'ai bien cru qu'entre lui et Paula ça finirait par un mariage.

Emma retint son souffle. Elle faillit se confier à lui, mais craignit de le bouleverser.

— C'est sans doute parce qu'ils ont été élevés ensemble qu'ils se conduisent comme frère et sœur, se contenta-t-elle de dire.

— Tu dois avoir raison. Mais quel dommage !

Quand ils quittèrent la salle à manger, Mme Padgett leur souhaita une bonne nuit et rappela à Blackie qu'elle prenait sa soirée. Emma aida son vieil ami à regagner lentement la bibliothèque et lui servit un cognac avant de se verser un petit verre de Bonnie Prince Charlie.

— Nous devrions mettre un peu de musique, dit Blackie. Des airs d'autrefois, ceux que nous aimions.

— Bonne idée ! répondit-elle en se levant pour aller examiner la discothèque. Tiens, je ne savais pas que tu avais encore le disque de ballades irlandaises. Il y a bien longtemps que je te l'ai donné. On essaie ?

— Pourquoi pas ? Tu sais, je peux toujours chanter en même temps.

— Tu as la plus belle voix de baryton que je connaisse.

Ils écoutèrent le disque et Blackie s'efforça de fredonner quelques bribes des paroles d'une voix devenue faible et tremblotante.

— Je n'oublierai jamais, dit ensuite Emma, le soir où je me suis enfuie de Fairley Hall et où j'ai fini par te retrouver au *Mucky Duck* en train de chanter « Danny Boy » comme si ta vie en dépendait. Tu étais très impressionnant, debout, près du piano. Tu faisais vraiment professionnel.

Il sourit et elle le regarda avec émotion. Il avait toujours les mêmes cheveux ondulés, bien qu'ils fussent maintenant tout blancs. Son large visage ridé portait les stigmates de l'âge, mais elle le revoyait tel qu'il était autrefois, au *Mucky Duck*, avec les boucles noires qui auréolaient sa figure hâlée, avec ses yeux brillants, son sourire éclatant et sa belle allure.

— Tu t'en souviens, toi aussi ? reprit-elle.

— Comment aurais-je pu l'oublier ? Nous sommes allés nous asseoir et tu as pris une limonade. Tu avais l'air d'une enfant... et, pourtant, tu venais m'apprendre que tu étais enceinte. Quand je t'ai offert de t'épouser, tu aurais peut-être mieux fait d'accepter.

— Peut-être, murmura-t-elle en prenant une gorgée de liqueur pour cacher son émotion.

— Tu es si belle ce soir, Emma ! Tu es toujours la plus jolie petite promise du pays d'Irlande.

— Oh ! tu es de parti pris !

— Je ne pourrai jamais te dire assez à quel point notre voyage a compté pour moi, dit-il en se redressant dans son fauteuil. Ces huit mois de vie commune m'ont fait oublier les malheurs de toute mon existence. Sois-en remerciée du fond du cœur, mon amour.

— Puisque ce voyage était ton idée à toi, c'est plutôt à moi de te dire merci, Blackie.

— C'était une bonne idée, n'est-ce...

Il s'arrêta en grimaçant de douleur. Emma se leva aussitôt.

— Qu'y a-t-il ? Tu ne te sens pas bien ?

— Ce n'est rien... Je digère mal, voilà tout.

— Je vais appeler le docteur, puis je t'aiderai à te mettre au lit.

Il fit un geste de protestation, mais sa main retomba, inerte :

— Je n'aurais pas la force de monter, Emma.

— Nous verrons... En attendant, je vais appeler le docteur, que tu le veuilles ou non.

— Reste près de moi, Emma, je t'en conjure. Rien qu'une minute ou deux.

Emma approcha un pouf, s'y assit et lui prit la main :

— Dis-moi ce qu'il y a, Blackie.

Il lui sourit, puis ses yeux s'élargirent brusquement.

— Toute ma vie, balbutia-t-il, essoufflé, je t'ai connue toute ma vie... Il nous en est arrivé... des choses ensemble...

— Oui. Je me demande ce que j'aurais fait sans toi.

— Je suis désolé de devoir t'abandonner, dit-il en soupirant. Vraiment désolé, ma chérie.

Trop émue pour répondre, Emma sentit les larmes lui monter aux yeux, ruisseler le long de ses joues ridées et tomber le long de son cou jusqu'au châle de soie blanche où brillait la broche d'émeraudes.

Blackie écarquilla à nouveau les yeux et la regarda avec acuité comme s'il cherchait à garder le souvenir de son visage.

— Je t'ai toujours aimée, déclara-t-il d'une voix étonnamment claire.

— Moi aussi, je t'ai toujours aimé, Blackie.

Un faible sourire flotta sur les lèvres du vieil homme. Ses paupières battirent, se fermèrent et ne se rouvrirent plus. Sa tête retomba sur son épaule et sa main devint soudain toute flasque dans celle d'Emma.

— Blackie ! s'écria-t-elle. Blackie !

Un affreux silence envahit la pièce. Elle garda longuement sa main dans la sienne.

— Adieu, mon cher, cher ami, dit-elle enfin, le visage baigné de larmes.

Elle continua de pleurer en silence, perdue dans son chagrin. Puis elle finit par redresser la tête et lâcher la main de Blackie pour se relever. Elle se pencha pour écarter de son front quelques mèches blanches et baiser ses lèvres glacées. Comme il a froid ! se dit-elle.

Chancelante, elle alla jusqu'au fauteuil où il avait l'habitude de s'asseoir, près de la fenêtre. Elle y prit une petite couverture écossaise aux couleurs des Seaforth Highlanders pour lui en entourer les jambes.

Ensuite, elle alla vers le téléphone posé sur le secrétaire et décrocha l'appareil d'une main tremblante. Elle fit le numéro de Beck House.

Ce fut Shane qui répondit :

— Allô ?

Au son de cette jeune voix pleine d'ardeur, Emma se remit à pleurer.

— C'est Blackie, murmura-t-elle à travers ses larmes. Il nous a quittés, Shane... Viens vite.

Shane arriva en moins d'une heure en compagnie de Paula, d'Émily et de Winston. Ils trouvèrent Emma assise aux pieds de Blackie, le front baissé. A leur entrée, elle ne bougea pas et continua de regarder le feu. Shane s'approcha et lui toucha l'épaule.

— Me voici, tante Emma, dit-il doucement.

Comme elle ne répondait pas, il la prit par les deux mains pour l'aider à se mettre debout, puis il la serra contre lui. Emma éclata en sanglots.

— Il vient à peine de s'en aller, parvint-elle à dire d'une voix brisée, et déjà il me manque. Que vais-je devenir sans lui ?

— Ne dites rien, tante Emma, murmura Shane en la faisant asseoir sur le canapé.

Il fit signe à Paula, pâle et tremblante, de venir le rejoindre. Suivie d'Émily, la jeune femme avança vers sa grand-mère pour essayer de la consoler.

Shane se tourna vers Blackie. Sa gorge se serra et ses yeux s'emplirent de larmes. Mais il vit que le visage de son aïeul était paisible. Il se pencha pour l'embrasser sur la joue.

— Bon voyage, grand-père ! dit-il à voix basse.

41

— Dans deux jours, c'est votre anniversaire, grand-maman, dit Paula d'une voix hésitante. J'ai pensé que nous pourrions...

— Je t'en prie, n'en parlons pas ! Il y a quinze jours à peine que Blackie nous a quittés. Alors, ne me parle pas de fête !

— Je pensais seulement à un dîner entre nous, ici, à Pennistone. Avec Émily, Winston et mes parents. Ça vous réconforterait.

— Rien ne pourrait me réconforter en ce moment. Mais je veux bien faire semblant. A condition qu'il n'y ait que vous cinq. Je n'ai plus envie de voir grand-monde. Ça me fatigue.

— Je vous le promets.

— Et pas de cadeaux, pas de tralala. Avoir quatre-vingt-un ans n'est pas particulièrement réjouissant.

— Ne vous inquiétez pas. Tout sera très simple. Et ça vous fera du bien de voir papa et maman pendant quelques jours.

Emma hocha la tête et se replongea dans l'album, posé sur ses genoux, qu'elle regardait à l'arrivée de Paula. Elle le feuilleta d'un air absent, puis releva la tête pour montrer une des photos.

— Regarde-nous sur celle-là. Blackie, Laura et moi, devant ma première boutique à Armley. C'est moi, avec le béret écossais.

— Je l'avais bien vu ! répondit Paula sans oser lui rappeler qu'elle connaissait déjà l'album par cœur. Montrez-m'en d'autres et parlez-moi d'autrefois, de vos débuts. J'adore ça.

Emma ne se fit pas prier. Elle se mit à commenter les photos avec tant d'animation que tout l'album y passa. Quand elle l'eut refermé, elle demanda à brûle-pourpoint :

— Combien de temps crois-tu que je vivrai encore ?

Prise de court, Paula la regarda avec inquiétude. Puis elle s'éclaircit la voix et répliqua d'un ton ferme :

— Très longtemps, grand-maman.

— Tu me parais bien optimiste, répliqua Emma en se détournant, les yeux dans le vague.

— Mais vous êtes très solide pour votre âge. Et vous avez toujours une mémoire prodigieuse. Si vous vous ménagez, vous avez encore des années devant vous.

— Oui, tu dois avoir raison, dit Emma, rassérénée. Je ne sais ce que j'ai aujourd'hui. Je deviens mélancolique, n'est-ce pas ? La mort de Blackie m'a bouleversée. Mais il va falloir que je me reprenne. J'ai beau être vieille et usée, je ne tiens pas encore à quitter ce monde.

— Bravo, grand-mère !

Emma resta silencieuse. Elle se leva pour aller contempler le parc par la fenêtre. Les jonquilles s'agitaient dans le vent léger. Un autre beau jour printanier, se dit-elle. Comme celui des obsèques de Blackie. La nature se renouvelle constamment. La vie y surgit de la mort même.

En soupirant, elle revint s'asseoir près de la cheminée.

— C'est très gentil de me tenir compagnie, Paula, mais j'aimerais maintenant me reposer un peu avant dîner.

— Je comprends, dit Paula en l'embrassant. A demain. Je repasserai avec les petits.

— Je serai contente de les voir.

Aussitôt que sa petite-fille fut sortie, Emma se renfonça dans son fauteuil. Paula fait de grands efforts pour me comprendre, songea-t-elle, mais elle ne peut savoir combien il est dur de survivre à tous ceux de sa génération. Ils ont tous disparu, maintenant. Mes plus chers amis, mes bien-aimés. Mes ennemis eux-mêmes ne sont plus là pour réveiller ma combativité. Blackie et moi, nous nous soutenions depuis des années. Nous avions tant de souvenirs en commun et tant d'affection l'un pour l'autre... Ma vie entière s'est déroulée près de mon cher Irlandais. Je ne m'attendais pas à sa disparition brutale. J'avais beau savoir qu'il était vieux, que nous étions vieux, il me paraissait indestructible, lui. C'est bizarre, j'avais toujours pensé mourir la première.

Elle avait l'impression d'une perte irréparable. Depuis quinze jours, elle ne pouvait penser à lui sans pleurer. Elle porta sa main tremblante à ses lèvres pour étouffer un sanglot. Sans Blackie, la vie n'avait plus de sens pour elle. Elle songea à tout ce qu'elle n'avait pas eu le temps de lui confier. J'aurais dû lui parler de Paula et de Shane, se dit-elle. J'avais peur de le bouleverser, mais j'ai eu tort, finalement.

Elle sécha ses larmes et appuya la tête contre le dossier du fauteuil. Elle ferma les yeux et, quelques minutes plus tard, elle trouva l'oubli dans le sommeil.

En descendant de chez sa grand-mère, Paula alla à la recherche d'Émily. Elle la trouva dans la bibliothèque et toutes deux se mirent à parler d'Emma.

— Son chagrin est affreux, dit Paula. Elle ne tient le coup qu'en apparence.

— Oui, elle est perdue sans Blackie. On dirait que plus rien ne l'intéresse. L'autre jour, je suis allée jusqu'à regretter que nous n'ayons rien trouvé de grave à reprocher à Jonathan. Ça l'aurait fait sortir de sa torpeur.

— Avant la mort de Blackie, elle se passionnait pour les préparatifs de ton mariage. Ne pourrait-on l'obliger à s'y remettre ?

— Non, j'ai essayé. Elle reste préoccupée, distraite.

— Sais-tu, Émily ?... A mon avis, il n'y a qu'une solution. Emma Harte a toujours été un bourreau de travail. Chaque fois qu'elle a eu des problèmes ou des ennuis personnels dans le passé, le travail lui a servi de refuge. Il faudrait la persuader... de reprendre le collier.

— Voilà les paroles les plus sensées que j'ai entendues depuis des semaines ! s'écria Émily, les yeux brillants de satisfaction. Oui, essayons, Paula... Mais je ne suis pas sûre qu'elle accepte. Elle pourrait craindre de nous gêner. Elle est si bizarre, parfois.

— Tentons le coup. Autrement, elle ne s'en sortira pas. Elle va se laisser mourir si nous ne l'aidons pas.

— Ah ! autre chose, Paula ! Pourquoi ne reviens-tu pas vivre ici avec Nora et les petits ? Au moins, jusqu'à ce que Jim quitte la clinique.

— J'y pensais justement tout à l'heure. Rien de tel que deux jeunes enfants pour animer une maison.

— Quand crois-tu que tu puisses revenir ?

Paula se mit à rire :

— Pourquoi pas demain ?

— Formidable ! Je te donnerai un coup de main, si tu veux.

— Volontiers. Et dès lundi matin je libère le bureau de grand-mère à Leeds pour me réinstaller dans le mien. Nous lui en parlerons à son dîner d'anniversaire. Mes parents nous aideront peut-être à la convaincre... Bon, maintenant, il faut que je file, Émily. J'ai promis à Jim de passer à la clinique.

Émily accompagna Paula jusqu'au perron et elle lui posa à voix basse une question qui la tourmentait : — Il y a déjà dix semaines que Jim est là-bas. En a-t-il encore pour longtemps ?

— Un bon mois, répondit Paula en haussant les épaules. Et à condition que tout aille bien. Autrement, ça peut s'éterniser, bien sûr.

— Je fais des vœux pour qu'il ait compris où le menait l'alcool. Il ne faudra plus qu'il boive une seule goutte...

— Il le sait. Et moi aussi, tu peux en être sûre. Ne t'inquiète pas, Émily. A chaque jour suffit sa peine. C'est ce que je me dis quotidiennement pour ne pas perdre la tête. Pour le moment, occupons-nous de grand-mère.

On usa de persuasion, de cajolerie et de ruse pour convaincre Emma Harte de reprendre le collier.

Mais avec une ferme obstination elle refusa de se laisser convaincre. Inflexible, elle répétait qu'elle avait pris sa retraite.

Paula et Émily firent celles qui se résignaient. A l'heure des repas, pourtant, elles remontaient discrètement à l'assaut. Pour essayer de redonner à leur grand-mère le goût des affaires, elles lui demandaient son avis à tout propos.

Emma, consciente de leurs petites manœuvres et touchée de leur inquiétude, n'en était pas moins résolue à mener désormais une vie retirée. Mais, un matin, à la mi-mai, elle se réveilla plus tôt que d'habitude et sentit renaître son ardeur d'antan. Elle en fut très étonnée et resta un moment dans son lit à s'interroger.

— Je m'ennuie à mourir, dit-elle à Hilda quand la gouvernante, vers huit heures, lui apporta son petit déjeuner.

— Comme je comprends Madame ! répliqua Hilda en riant. Quand on a trimé depuis son enfance, on ne s'habitue pas à ne rien faire... Aujourd'hui, Tilson pourrait conduire Madame jusqu'à Leeds. Elle déjeunerait avec Mademoiselle Paula ou Mademoiselle Émily. Ça lui ferait du bien de sortir d'ici.

— J'ai une meilleure idée, Hilda. Je crois que je vais retourner au bureau chaque matin. Je n'ai pas l'intention de reprendre une activité régulière, mais j'ai besoin de faire quelque chose. Il faudra aussi que j'aide Émily à préparer son mariage. J'ai été négligente et égoïste. Je n'ai fait que radoter sur mes amis disparus. Mais mes petits-enfants sont également mes amis, n'est-ce pas ?

— C'est une évidence, Madame. Et Mademoiselle Émily sera bien contente d'avoir de l'aide, puisque sa propre mère ne s'occupe pas d'elle. C'est que le quinze juin n'est pas loin, maintenant !... Bon, je vais descendre dire à Tilson d'amener la voiture vers dix heures et demie. Est-ce que ça ira ?

— Parfaitement, Hilda. Merci beaucoup.

A midi moins dix, Emma arrivait au grand magasin de Leeds. Elle fit une entrée remarquée avec son élégant tailleur bleu marine, ses diamants aux oreilles et ses perles roses autour du cou.

En traversant le rayon des produits de beauté et en voyant l'enthousiasme que son retour suscitait chez les vendeuses, elle se sentit émue jusqu'aux larmes.

Parvenue à l'étage administratif, elle hésita un court moment à pousser la porte de son propre bureau en se demandant quelle serait la réaction de Paula et d'Agnès.

Elle trouva les deux jeunes femmes en grande conversation. Elles tournèrent la tête à son arrivée et la surprise les rendit muettes.

— Eh bien, me revoilà ! leur dit Emma en riant. Allons, allons, ne restez pas comme des souches. Dites quelque chose.

Paula eut un grand sourire de bonheur :

— Soyez la bienvenue, grand-mère ! Entrez, je vous en prie. Votre bureau vous attend depuis des semaines.

Au cours des mois suivants, Emma eut l'impression de ne plus avoir une minute à elle. Elle arrivait chaque jour au magasin à onze heures pour n'en repartir qu'à quatre heures. Elle reprit vite intérêt aux affaires, mais elle refusa catégoriquement de retirer les rênes des mains de ses petits-enfants. Elle se contentait de leur donner d'astucieux conseils toutes les fois qu'ils en avaient besoin. Son allant et sa vivacité d'esprit n'étaient en rien diminués.

Sans négliger de superviser son immense empire, elle s'occupait aussi activement des préparatifs des deux mariages prévus pour juin et pour juillet. Émily, comme Maggie Reynolds, la fiancée d'Alexandre, était heureuse d'avoir son concours. La mère de Maggie était morte depuis des années et son père, colonel à la retraite, personnage à la santé chancelante, plutôt bourru et taciturne, n'était pas du genre à s'intéresser à des questions qu'il jugeait strictement féminines.

Toujours efficace, Emma déploya des trésors d'ingéniosité pour régler chaque problème. Elle s'occupa de la liste des invités, de l'envoi des invitations, des traiteurs, des fleuristes, des couturiers et des musiciens. Elle fit plusieurs visites au Révérend Edwin Lebrice, doyen de Ripon, pour discuter de l'ordonnance des deux cérémonies à la cathédrale. Elle eut un long entretien avec l'organiste et le maître de chapelle pour aider les deux futures mariées à choisir la marche nuptiale qui leur conviendrait le mieux.

Soucieuse de la perfection en toute chose, elle n'épargnait ni son temps ni son argent.

— Vous savez, tante Emma, lui dit un soir Winston, ça soulage de retrouver le général en chef qui nous menait tambour battant à Heron's Nest. Que ferions-nous sans vous?

— Vous seriez bien obligés de vous débrouiller tout seuls, répliqua-t-elle vivement.

Mais la remarque l'avait flattée. Elle aimait rendre service. La certitude de pouvoir encore être utile aux autres lui permettait de garder un peu de jeunesse et d'entrain. La préparation des deux mariages l'aidait à supporter le deuil et la solitude.

Le quinze juin à midi, ce fut avec autant de fierté que de joie qu'elle vit Émily s'avancer au bras de son père, Tony Barkstone, dans l'allée centrale de la cathédrale de Ripon.

La jeune fille n'avait jamais été plus belle. Dans sa robe à crinoline, en taffetas blanc rebrodé de myosotis et de muguet, elle ressemblait à une délicate porcelaine de Saxe. Une petite couronne fleurie, aux pétales de soie, retenait son voile de mariée. Elle portait aux oreilles les deux larmes de diamant qu'Emma lui avait données pour ses vingt ans et, au cou, les perles de sa grand-tante Charlotte. Ses demi-sœurs, Amanda et Francesca, vêtues de soie bleue et couronnées de chèvrefeuille, étaient ses demoiselles d'honneur.

La réception eut lieu dans les jardins de Pennistone. Emma était radieuse. Tous se pressaient autour d'elle pour la féliciter. Le temps était magnifique. Le soleil brillait dans un ciel d'azur. Au milieu des arbres verdoyants et du frais gazon, les parterres fleuris offraient au regard une infinité de couleurs chatoyantes.

En regardant danser la jeunesse, Emma repensa aux difficultés de sa vie, à ses luttes, à ses souffrances et à ses échecs. Et, brusquement, tout cela lui parut sans importance. «J'ai eu plus de chance que la plupart des gens, se dit-elle. Un grand amour, des amis fidèles, des succès fabuleux, une fortune colossale et une santé de fer. Mieux encore, des petits-enfants qui m'aiment et me respectent.»

Cinq semaines plus tard, à la fin de juillet, Emma éprouva les mêmes émotions quand son petit-fils Alexandre épousa Maggie Reynolds. Élégante et svelte, Maggie fut, elle aussi, une mariée ravissante dans sa robe de lourd satin crème, dont le chaste corsage aux longues manches étroites était boutonné jusqu'au cou et dont la jupe se prolongeait par une traîne. Elle était coiffée d'une petite toque en satin brodé de perles et d'un voile en dentelle de Bruxelles. Le temps était aussi beau qu'en juin et la réception se déroula encore une fois dans les jardins de Pennistone.

Un jour de la semaine suivante, Paula se promenait dans le parc avec sa grand-mère quand Emma déclara soudain :

— Merci de m'avoir tirée du désespoir après la mort de Blackie. Sans quoi, je n'aurais sûrement plus été de ce monde pour assister à ces deux belles cérémonies... Maintenant, avec un peu de chance, je serai peut-être encore là dans un proche avenir pour accueillir deux arrière-petits-enfants de plus.

— Vous y serez, grand-maman !

Emma s'appuya au bras de Paula pour parcourir l'Allée des Rhododendrons.

— Je suis bien contente, dit-elle, que Jim ait pu sortir de clinique avant le mariage d'Alexandre.

— Moi aussi. Il va beaucoup mieux. Pauvre Jim, il revient de loin !

— Espérons qu'il n'aura pas de rechute, reprit Emma d'une voix hésitante. J'ai essayé de lui parler pour apprendre de lui ce qui avait déclenché sa crise, mais il n'a rien voulu me dire.

— Il n'a pas la force d'aborder le sujet, même avec moi. C'est malheureusement un introverti, grand-maman. D'après le docteur Hedley, le psychiatre lui-même n'a pas pu l'amener à analyser la situation.

Emma ne fit aucun commentaire. Elles continuèrent leur promenade en silence et finirent par s'asseoir sur un banc. Emma regardait droit devant elle en songeant à Jim avec tristesse.

— Vous semblez bien songeuse, lui dit Paula. A quoi pensez-vous donc ?

— A rien d'important, murmura Emma. Je suis rassurée de savoir Jim avec Daisy et David dans la villa de la Côte d'Azur. Le soleil, l'air pur, l'exercice physique, la bonne nourriture et le repos lui feront le plus grand bien, j'en suis sûre. En août, quand il rentrera, il pourra retourner au journal.

Comme Paula restait silencieuse, elle la regarda avec curiosité : — Tu n'as pas l'air d'y croire, ma chérie ? Tu ne me caches rien, n'est-ce pas ?

— Mais non, grand-mère ! Moi aussi, ça me rassure qu'il soit avec mes parents.

— Il n'a pas insisté pour que tu l'accompagnes ?

— Je lui ai promis de venir quelques jours aux environs du quinze août. Pourquoi ne partiriez-vous pas avec moi ?

— Ce n'est plus de mon âge. Je préfère rester ici pour surveiller mes arrière-petits-enfants... Paula, je serais heureuse que tu continues à habiter Pennistone. Si Jim y consent, bien sûr. La maison est si vaste et je m'y sens si seule depuis que la petite Émily est partie. La petite Émily !... Je ne dois plus l'appeler comme ça, maintenant. C'est une femme, une femme mariée.

— J'aimerais beaucoup vivre près de vous, grand-maman. J'en parlerai à Jim quand j'irai dans le Midi.

Elle faillit avouer à Emma qu'à cette occasion elle avait aussi l'intention de lui parler de divorce, mais elle craignit de la tourmenter inutilement. Mieux valait régler d'abord la question avec le principal intéressé.

42

Par un après-midi torride de la fin du mois d'août, Emma était occupée à vérifier des comptes dans son bureau de Leeds. Soudain, elle eut l'impression qu'elle n'était pas seule dans la pièce. Elle releva la tête et, s'attendant à voir entrer Paula, jeta un coup d'œil vers la porte ouverte.

Mais il n'y avait personne.

— Je commence à avoir la berlue, dit-elle à voix haute.

En se rendant compte qu'elle venait de parler toute seule, elle eut un petit rire gêné. J'espère que je ne deviens pas sénile, songea-t-elle. Je ne le supporterai pas.

Elle posa son stylo et repoussa sa comptabilité. Désormais, tout cela l'ennuyait. Elle regarda sa montre. Il était près de cinq heures. A cette heure-là, Paula faisait généralement le tour des étages du magasin. Elle était sans doute allée rejoindre Émily au rayon chaussures, puisque Émily devait passer pour s'acheter des escarpins.

Un sourire de satisfaction éclaira le visage d'Emma à la pensée de la petite soirée entre femmes qui les attendait à Pennistone, comme presque tous les vendredis. Emma, Émily, Paula et Miranda O'Neill...

Appuyée au dossier de son fauteuil, elle cligna brusquement les yeux dans la lumière éblouissante qui venait de la rue. Comme le soleil est aveuglant tout d'un coup! murmura-t-elle en s'installant sur le canapé. Elle voulut somnoler un peu mais la clarté du jour lui parut pénétrer à travers ses paupières closes. Elle rouvrit les yeux, stupéfaite de l'intense luminosité qui régnait dans la pièce. Ce n'est pas normal, se dit-elle, et c'est insupportable! Il faudra que je fasse poser des stores.

Pour éviter l'éblouissement, elle tourna la tête vers les photos posées sur la table voisine. L'argent, le cuivre et le verre des encadrements jetaient mille feux et le visage des chers disparus brillait d'un étrange éclat. Laura et Blackie, Winston et Frank, et Paul McGill... Leur souvenir l'avait hantée dernièrement. L'image qu'elle gardait d'eux était devenue si claire qu'elle avait l'impression de les revoir et d'entendre résonner leurs voix.

Elle se rendit compte que, pour elle, le passé avait pris le pas sur le présent. Sa mémoire semblait l'entraîner vers d'autres régions du temps et de l'espace où elle retrouvait les bien-aimés. Ils la suivaient dans ses déplacements, ils la visitaient au cours de ses nuits agitées. Depuis quelques semaines, elle faisait aussi d'étranges rêves, des rêves où les morts lui tenaient compagnie.

Elle tendit la main vers la photo de Paul. Cela faisait deux jours qu'elle ne cessait de la prendre sur la table pour la contempler à loisir.

La lumière s'intensifia à nouveau de façon si brutale qu'Emma ferma les paupières en grimaçant. Une luminescence insoutenable avait envahi toute la pièce comme si des milliers de lampes s'étaient allumées d'un seul coup. Serrant contre son cœur la photo de Paul, elle rouvrit alors très grand les yeux sur la splendeur de cette brillance surnaturelle.

Mais, au bout de quelques instants, ses paupières retombèrent d'elles-mêmes et elle se renversa sur les coussins avec un petit soupir de plaisir. Elle se sentait remplie de joie, une joie dont elle n'avait jamais soupçonné l'existence. Une douce chaleur l'envahit. Elle qui avait souffert du froid toute sa vie, elle faisait l'expérience d'un bien-être qui atteignait à la perfection. Bien qu'affaiblie et somnolente, elle avait l'impression de n'avoir jamais eu autant de force. Peu à peu, elle prit conscience d'une autre sensation... Il était là, il se trouvait dans la pièce avec elle. Et c'était sa présence à lui qu'elle avait décelée un peu plus tôt.

Elle le vit avancer dans la lumière et devenir de plus en plus proche. Comme il était jeune !... Il était resté celui qu'elle avait aperçu un soir, au Ritz, pendant la Première Guerre mondiale. Oui, le Major Paul McGill de l'Australian Corps était là, devant elle, en uniforme, avec son sourire chaleureux et son regard d'un bleu lumineux, débordant de tendresse.

Je savais bien que je te trouverais encore à ton bureau, lui dit-il. Mais il est temps d'arrêter. Ta tâche ici-bas est terminée. Tu as accompli ton destin terrestre et je suis venu te chercher. Il y a plus de trente ans que je t'attends. Viens, maintenant, mon Emma.

Il lui tendit la main en souriant.

Pas encore, répondit-elle avec un petit soupir. Ne m'emmène pas tout de suite. Laisse-moi les revoir, Paula et Émily... Elles vont arriver d'une minute à l'autre. Je voudrais leur dire adieu. Ensuite, je te suivrai avec joie. Je sais bien, moi aussi, que mon heure est venue.

Il sourit encore et s'éloigna pour retourner au cœur de l'aveuglante lumière.

Paul, mon amour, ne m'abandonne pas ! cria-t-elle.

Je t'attends, répondit-il. Je ne te quitterai plus.

Elle tendit les bras vers lui et lâcha la photo dont le verre se brisa en tombant. Mais elle se sentait trop faible pour la ramasser. Elle n'avait même plus la force d'ouvrir les yeux.

Paula et Émily, qui venaient d'entrer dans le bureau voisin, sursautèrent en entendant le bruit et se précipitèrent aussitôt chez leur grand-mère.

Emma gisait immobile sur les coussins, le visage étrangement calme. Effrayée, Paula prit la main d'Émily et elles s'approchèrent avec appréhension du canapé.

— Elle fait un petit somme, chuchota Émily pour se rassurer.

Voyant la photo par terre, elle la ramassa et la replaça sur la table. Mais Paula, qui examinait avec attention le vieux visage, remarqua les narines pincées, les lèvres décolorées et la pâleur crayeuse des joues.

— Non, non, elle ne dort pas ! dit-elle, brusquement affolée. Elle meurt, grand-maman est en train de mourir !

Émily se raidit d'épouvante et ses grands yeux verts, qui ressemblaient tant à ceux d'Emma, se remplirent de larmes :

— Ce n'est pas possible! Il faut appeler immédiatement le docteur Hedley.

— Il est trop tard, répliqua Paula d'une voix rauque. C'est la fin.

Réprimant un sanglot, elle s'agenouilla aux pieds d'Emma et prit l'une de ses mains amaigries entre les siennes.

— Grand-mère, dit-elle doucement, c'est moi, Paula.

Les paupières d'Emma se soulevèrent et son visage se ranima.

— Je vous attendais, mes chéries, murmura-t-elle. Mais où est donc Émily? Je ne la vois pas.

— Je suis là, grand-mère, répondit la jeune femme d'une voix étouffée en s'agenouillant à son tour pour prendre l'autre main de sa grand-mère.

Emma, rassurée, inclina la tête. Elle referma les yeux et, presque aussitôt, les rouvrit. Un regain d'énergie la fit se redresser. Elle vit que Paula pleurait à chaudes larmes.

Alors, elle lui déclara d'une voix très faible, mais claire et légère comme celle d'une jeune fille:

— Je t'ai confié la tâche de poursuivre mon rêve. Cependant, Paula, il faut que tu aies ton propre rêve et que tu t'y accroches. Tout comme toi, Émily! Accrochez-vous toutes les deux à votre rêve et n'y renoncez... jamais.

Épuisée par ce dernier effort, elle se renversa subitement sur les coussins du canapé en fermant les paupières.

Les deux jeunes femmes, interdites, restèrent à lui tenir les mains en sanglotant, éperdues de chagrin. Mais Emma rouvrit les yeux encore une fois. Son regard se tourna vers Paula, puis vers Émily, et se fit soudain lointain, comme fixé à un point de l'espace qu'elle seule pouvait voir.

— Oui, murmura-t-elle, mon heure est venue.

Ses yeux verts s'élargirent en prenant un éclat singulier: ils semblèrent illuminés du dedans. Et elle sourit de ce sourire incomparable qui l'avait toujours rendue si fascinante. Mais, cette fois, son expression était celle d'un pur ravissement, d'une joie parfaite. Puis ses paupières se fermèrent à jamais.

— Grand-maman, grand-maman, nous vous aimons tant! haleta Émily entre deux sanglots.

— Elle est en paix, dit Paula en serrant les dents pour retenir un gémissement.

Son visage ruisselait de larmes. Quand elle se pencha sur sa grand-mère pour l'embrasser sur les lèvres, ses pleurs inondèrent les joues d'Emma.

— Je vous garderai dans mon cœur, grand-maman. Tant que je vivrai!

Émily ne cessait de baiser tendrement la petite main de la morte. Elle se releva enfin pour lui dire un dernier adieu. Après avoir caressé la joue d'Emma, elle l'embrassa à son tour sur les lèvres:

— Aussi longtemps que je resterai en vie, vous le resterez, grand-maman. Je ne vous oublierai jamais.

Ensuite, d'un même élan, Paula et Émily se jetèrent dans les bras l'une de l'autre et s'étreignirent en pleurant.

Quand Émily se fut un peu calmée, elle regarda Paula et lui déclara d'une voix frémissante :

— J'avais toujours eu peur de la mort, mais c'est fini, maintenant. Je ne pourrai pas oublier la dernière expression de grand-mère. Son visage rayonnait de bonheur et ses yeux brillaient d'une telle lumière que, quoi qu'elle ait vu, ce devait être très beau.

— Oui, répliqua Paula en frissonnant. Elle a revu tous ceux qu'elle aimait autrefois. Paul... Winston et Frank... Laura et Blackie... C'est l'idée de les rejoindre enfin qui lui procurait cette joie.

43

Emma Harte avait aussi bien maîtrisé sa mort que sa vie.

Après avoir fait venir le docteur Hedley, téléphoné à leur famille et accompagné le corps d'Emma aux pompes funèbres, Paula et Émily repartirent pour Pennistone.

Hilda, en larmes, les attendait dans le grand hall.

Elle tendit à Paula la lettre qu'elle serrait dans sa main :

— Madame me l'avait confiée il y a quelques semaines en me demandant de ne vous la donner qu'après sa disparition... Je n'arrive pas à croire qu'elle ne soit plus là ! Ce matin, elle avait l'air si bien quand elle est partie pour le magasin.

Elle avait servi Emma depuis plus de trente ans et ne put se retenir d'éclater en sanglots.

— Hilda, remercions le Ciel qu'elle soit restée lucide jusqu'à la fin, murmura calmement Paula. Et que sa mort ait été si paisible et si belle.

— Je sais que vous avez toutes deux beaucoup à faire, dit Hilda aux deux jeunes femmes en essuyant ses larmes. Si vous avez besoin de moi, je serai dans la cuisine.

— Merci, Hilda.

Suivie d'Émily, Paula traversa le hall à pas lents et monta le grand escalier en serrant la lettre contre sa poitrine.

Elles s'installèrent dans le salon du premier. Le feu flambait dans la cheminée et les lampes étaient allumées. Assise près d'Émily sur le canapé, Paula brisa le sceau de l'enveloppe d'une main tremblante pour prendre connaissance des quatre pages couvertes de l'écriture élégante et fine qu'elle connaissait si bien. La lettre contenait les instructions d'Emma relatives à ses obsèques. Elle était rédigée avec vivacité et clarté, sans le moindre soupçon d'attendrissement sur soi-même. Emma y exigeait un office simple et court, avec une seule prière et deux hymmes, dont l'un devrait être chanté par Shane O'Neill. Elle refusait qu'on fît son éloge, sauf si Paula y tenait. Dans ce cas, il serait prononcé par Randolph, son neveu, à l'exclusion de tout autre.

La légèreté même du style fit monter les larmes aux yeux de Paula. Elle tendit la lettre à Émily :

— Ce sont les derniers vœux de grand-mère. Un office funèbre court et sans cérémonie. Nous devons suivre ses instructions.

Après en avoir fait la lecture à son tour, Émily demanda d'une voix étouffée :

— Qu'allons-nous faire sans elle, Paula ?

Paula s'efforça de la consoler, puis déclara avec une douce fermeté :

— Nous ferons ce qu'elle nous a demandé de faire. Avec tout le courage dont nous sommes capables. Elle n'en attendait pas moins de nous. C'est elle qui nous a appris à ne jamais flancher et à faire face. Nous ne la décevrons pas. Ni maintenant, ni jamais.

— Tu as raison. Pardonne-moi d'être aussi désespérée... As-tu remarqué la date de cette lettre ?

— Oui, elle l'a écrite quelques jours après le mariage d'Alexandre. Il y a un mois à peine.

— Crois-tu qu'elle se doutait qu'elle allait mourir ?

— Je ne sais pas. On dit que les vieillards voient venir leur mort. La disparition de Blackie l'avait beaucoup ébranlée et l'avait rendue très vulnérable, très consciente de sa propre condition mortelle. J'aimerais croire, pourtant, qu'elle n'a agi, comme d'habitude, que par prudence.

— Notre seule consolation, c'est de nous dire qu'elle est morte comme elle le désirait, à son bureau, sans avoir dételé.

A ce moment, la porte s'ouvrit et Winston entra précipitamment, le visage grave et les yeux rougis.

— Pardonnez-moi d'être en retard. J'ai passé des heures au téléphone... Vous avez l'air aussi épuisées que moi, toutes les deux. Buvons quelque chose.

— Je veux bien, dit Paula. Donne-moi une vodka.

— A moi aussi, mon chéri, dit Émily.

Après les avoir servies, il prit un fauteuil et alluma une cigarette. Paula lui tendit la lettre d'Emma.

— Dieu merci, ses derniers souhaits sont très précis, déclara-t-il après l'avoir parcourue. Ça écourtera les discussions familiales, en particulier avec Robin.

Paula le regarda avec perplexité :

— J'ai peine à croire qu'il oserait formuler le moindre avis sur les obsèques de sa mère, étant donné les circonstances.

— Oh, je le connais ! Heureusement que la lettre est sans ambiguïté... Dites-moi, qu'a dit le docteur Hedley après avoir examiné tante Emma ?

— Arrêt du cœur, répondit Émily, la gorge serrée. Son pauvre vieux cœur était fatigué. Il a cessé de battre, voilà tout.

Winston tira sur sa cigarette et détourna le regard. Puis il reprit avec un petit tremblement dans la voix :

— Mon grand-père Winston disait toujours que sa sœur avait un cœur gros comme ça !... Mais c'est un soulagement de savoir qu'elle a eu une mort paisible. Quand les obsèques auront-elles lieu ? As-tu pris une décision, Paula ?

— Impossible avant mardi. Il faut que Philip puisse revenir d'Australie. J'ai réussi à le joindre à Sydney et il partira demain à l'aube. J'ai aussi téléphoné à ma mère. Comme nous tous, elle est accablée. Elle va rentrer. Elle prendra l'avion à Nice demain matin avec mon père et Jim. Alexandre et Maggie arriveront presque à la même heure.

— J'ai appelé maman à Paris, dit Émily. Je lui ai demandé de ne pas venir avant dimanche ou lundi. J'ai aussi prévenu Robin et Kit. Ils sont dans le Yorkshire. Nous avons également pu joindre Sarah et Jonathan. Et toi, Winston ?

— Papa est à Londres. Il reprend le train demain matin. Vivienne est à Middleham. Sally et Anthony sont à Clonloughlin. Mais tante Edwina est à Dublin et Anthony l'appellera ce soir. Ils seront tous là dimanche. La maison va être bien pleine, Paula.

— Je sais.

— Émily et moi, nous ferions peut-être mieux de nous installer ici avec toi pour les jours qui viennent. Est-ce que...

— Oui, je t'en prie. Ça me soulagera.

Winston s'éclaircit la voix :

— Quand ramène-t-on le... Je veux dire : quand ramènera-t-on tante Emma à Pennistone ?

— Demain dans l'après-midi, répondit Paula, les larmes aux yeux. Je vais aller à Leeds demain matin porter aux pompes funèbres la robe qu'elle avait préparée. Comme Émily, je ne veux absolument pas la laisser seule là-bas. C'est peut-être stupide, mais nous répugnons à... l'abandonner. Son cercueil sera ici, dans cette maison, sa maison, le seul endroit au monde qu'elle aimait vraiment. Nous le mettrons dans le grand hall.

— Ces gens des pompes funèbres sont des abrutis ! s'exclama Émily avec une brusque colère. De vrais bureaucrates ! Ils ont essayé de nous empêcher d'accompagner grand-mère jusqu'à ... jusqu'à chez eux.

— Mais nous n'avons pas cédé ! renchérit Paula. Oh ! dis donc, Winston, Miranda va venir dîner avec nous. Elle a prévenu oncle Bryan. Il était tellement abattu qu'elle a dû le reconduire à Wetherby.

— C'était à prévoir. Tante Emma a été comme une mère pour Bryan, autrefois.

— Miranda m'a rappelée, dit Émily. La famille O'Neill fera un saut vers neuf heures pour nous voir.

— Moi, j'ai essayé d'appeler Shane, déclara Winston en se tournant vers Paula. Il a dû rentrer d'Espagne cet après-midi. Mais, vers sept heures moins le quart, il n'était pas à son bureau de Londres.

— J'ai réussi à le joindre vers six heures, avoua Paula. Il arrivait de l'aéroport et il a pris la route aussitôt. Il sera ici vers onze heures.

Hilda frappa à la porte.

— Excusez-moi, Mademoiselle Paula. Je voulais vous dire que j'avais préparé un buffet froid comme tous les vendredis, avant que vous m'appeliez... pour me dire... que madame...

— Merci, Hilda. Personnellement, je n'ai pas faim. Et vous deux ?... Vous non plus ?... Bon, nous nous passerons de dîner ce soir.

Quand la gouvernante fut sortie, Winston se leva pour se verser un autre scotch. Puis il regarda tour à tour sa femme et Paula.

— C'est bizarre, dit-il pensivement. Depuis que tante Emma est morte, j'ai l'impression de sentir sa présence beaucoup plus fort que d'habitude.

— Ça n'a rien de bizarre, mon chéri, répliqua Émily. Son esprit ne nous a pas quittés.

Paula resta silencieuse un moment, puis elle dit à son tour d'un ton paisible :

— Oui, elle est ici, avec nous. Sa présence nous environne et nous habite à la fois. Grand-mère a tant fait pour nous qu'elle vit en nous.

Selon le vœu d'Emma, ses funérailles furent célébrées à la cathédrale de Ripon. La cérémonie eut lieu à une heure de l'après-midi, le mardi suivant sa mort.

Toute sa famille était là, ainsi que ses amis, ses relations d'affaires, ses employés et la plupart des habitants du village de Pennistone, où elle avait vécu plus de trente ans. La cathédrale était pleine et si certains des assistants gardaient les yeux secs, nombreux étaient ceux qui pleuraient.

Son cercueil fut amené à travers la nef jusqu'au pied de l'autel par les six porteurs qu'elle avait elle-même désignés. Trois d'entre eux étaient ses petits-fils : Philip McGill Amory, Alexandre Barkstone et Anthony Standish, comte de Dunvale. Les trois autres étaient Winston Harte, son petit-neveu, Shane O'Neill et Michael Kallinski, les petits-fils de ses deux plus chers amis d'autrefois.

Bien que le cercueil ne fût pas très lourd, les six jeunes gens avancèrent à pas lents tandis que l'orgue résonnait dans la vieille cathédrale. Devant le superbe autel, au milieu d'une profusion de gerbes et de couronnes, le cercueil d'Emma reposa dans la lumière tremblante de multiples cierges et parmi les rayons de soleil qui traversaient les vitraux.

Quand les six jeunes porteurs se furent assis dans les premiers rangs avec le reste de la famille, l'évêque de Ripon commença l'office. Après un bref et émouvant hommage rendu à Emma, il laissa sa place à Randolph Harte.

Ce fut donc au seul Randolph que revint la tâche de prononcer l'éloge funèbre. Il le fit avec mesure et simplicité, d'une voix que le chagrin étouffait par moments, mais avec des mots qui tous venaient du cœur. Il ne parla d'Emma qu'en tant que personne, sans mentionner son génie des affaires et sa fulgurante carrière. Il insista sur sa générosité d'esprit, sur sa bonté et sa tendresse, sur sa compréhension d'autrui, ses actes charitables et sa loyauté envers les siens. Il souligna les qualités exceptionnelles qui avaient fait d'elle une femme de caractère à la volonté indomptable.

Beaucoup pleurèrent en l'écoutant. Puis le chœur se leva pour entonner «Allons, soldats du Christ», l'un des deux hymnes qu'Emma avait appris dans son enfance et qu'elle avait voulu qu'on chantât ce jour-là.

Ensuite, l'évêque remonta en chaire et fit prier l'assistance pour que Dieu accordât la vie éternelle à l'âme d'Emma. Il termina en demandant à tous de se recueillir quelques minutes.

Le front incliné, Paula fermait les yeux, mais elle ne pouvait empêcher ses larmes de sourdre et d'inonder ses mains jointes. La cathédrale était plongée dans un profond silence que traversaient de temps à autre les bruits de sanglots ou de gémissements qu'on étouffait, ou ceux d'une toux qui s'étranglait.

Soudain, un chant s'éleva, si sincère, si clair et si pur que Paula crut défaillir d'émotion. C'était la voix de Shane qui entonnait «Jérusalem», conformément à l'un des derniers vœux d'Emma.

Debout, seul dans un coin de la cathédrale, il chanta sans accompagnement le vieil hymne de Blake et sa chaude voix de baryton fit vibrer les hautes voûtes.

> *Apportez-moi l'arc d'or qui flamboie*
> *Apportez-moi mes flèches de ferveur*
> *Apportez-moi ma lance: déroulez-vous, nuages!*
> *Apportez-moi mon chariot de feu!*
>
> *Ne cessera le combat de mon âme*
> *Et ne dormira l'épée dans ma main*
> *Que dans la verte et riante Angleterre*
> *Nous n'ayons rebâti Jérusalem.*

Quand se tut la voix de Shane, Paula comprit brusquement l'utilité, le sens et l'importance du rituel et du cérémonial funèbres : ils aidaient les affligés à accepter leur deuil. Elle savait que les prières malgré leur brièveté, les chœurs, l'hymne chanté par Shane, les fleurs à profusion et l'extraordinaire beauté de la vieille cathédrale avaient contribué à alléger sa peine. La cérémonie avait sans doute été légèrement plus solennelle qu'Emma ne l'avait désiré, mais elle avait permis à tous ceux qui la pleuraient sincèrement d'y trouver une consolation. Cet hommage, songea Paula, c'est une façon de lui dire encore une fois combien nous l'aimions.

Elle se sentit plus forte, mais elle devint brusquement consciente que sa mère sanglotait désespérément contre l'épaule de son père. Elle posa la main sur le bras de Daisy et lui murmura :

— Pauvre maman, consolez-vous en pensant qu'elle connaît enfin le repos, qu'elle a retrouvé votre père et que Paul et Emma sont réunis pour l'éternité.

— Je le sais, ma chérie, balbutia Daisy. Mais elle me manque tellement. Aucune femme au monde n'a été meilleure qu'elle.

Au son de l'orgue, les porteurs reprirent le cercueil pour l'emmener à travers la nef jusqu'à la grande porte de la cathédrale. Là, il fut placé dans le fourgon mortuaire qu'on recouvrit de fleurs.

Paula remarqua qu'Edwina, elle aussi, était désespérée. Elle s'approcha de sa tante et lui mit la main sur le bras.

— Je suis heureuse que vous ayez pu faire la paix avec grand-mère, tante Edwina, murmura-t-elle d'une voix émue.

Edwina tourna vers elle ses yeux gris débordants de larmes :

— Je m'y suis prise trop tard. Je ne m'en consolerai jamais.

— Mais elle vous avait comprise depuis longtemps. Elle comprenait toujours tout. C'est ce qui était merveilleux chez elle. En tout cas, je peux vous assurer que votre réconciliation a été une grande joie pour elle.

— Merci de me le dire, Paula. Et, maintenant, accepterais-tu, toi aussi, de me pardonner ?

— Du fond du cœur, répondit la jeune femme avec simplicité en embrassant sa tante.

De Ripon à Harrogate, une longue procession de voitures suivit le cortège funèbre. On quitta bientôt les vallées bucoliques pour traverser Leeds, la ville d'où Emma avait dirigé son empire. Puis vinrent les lugubres plaines industrielles. Ensuite, le cortège emprunta la route escarpée du col qui traversait la chaîne Pennine. Par cet après-midi ensoleillé du début de septembre, le paysage désolé et sauvage avait perdu de son aspect redoutable. Lugubres et sombres pendant la plus grande partie de l'année, les landes rayonnaient de splendeur flamboyante. Comme à chaque fin d'été, des vagues de bruyères violettes et rouges ondulaient sur l'immense étendue inculte à la manière d'un manteau de pourpre royal caressé par la brise. Le ciel, d'un bleu de véronique, resplendissait de cette lumière subtile qui caractérise le Nord de l'Angleterre. Alouettes et linottes virevoltaient avec des battements d'ailes précipités et leurs trilles délicats perçaient le silence. L'air léger embaumait du parfum des campanules, des bruyères et des fleurs champêtres.

Plusieurs heures après son départ de Ripon, le cortège entra dans le village de Fairley et le fourgon s'arrêta devant la vieille église normande où avait été baptisée Emma quatre-vingt-un ans plus tôt.

Les six jeunes porteurs reprirent son cercueil sur leurs épaules. A pas mesurés, ils entrèrent dans le cimetière et allèrent jusqu'à la tombe devant laquelle les attendait le Révérend Huntley.

Le long des murs de pierre sèche, à l'ombre des grands arbres feuillus et dans les petites allées sinueuses, se tenaient les gens du pays, graves et endeuillés, les hommes avec leur casquette à la main, les femmes et les enfants avec des bouquets de fleurs sauvages et de bruyère. Ils baissaient la tête et beaucoup pleuraient en silence celle qu'ils considéraient toujours comme l'une des leurs, car elle ne les avait jamais dédaignés, ni oubliés.

Après une brève oraison sous ce ciel lumineux qu'Emma avait tant aimé, elle fut ensevelie dans la terre de son enfance qui avait déjà accueilli maternellement tant des siens.

LIVRE TROIS

LA NOUVELLE SOUVERAINE

44

— Je continue de croire qu'il y a quelque chose de louche là-dessous, murmura Alexandre à Paula, tout en faisant les cent pas dans le bureau de Knightsbridge.

— Moi aussi, mais il ne suffit pas d'avoir des doutes. Il nous faut des preuves incontestables avant d'entreprendre quoi que ce soit contre Jonathan. Et peut-être aussi contre Sarah.

— Nous devons d'abord savoir à quoi nous en tenir sur lui. En tout cas, mon instinct me dit que Jonathan est en train de nous jouer un tour et que nous pourrions bientôt être confrontés au pire. Pas plus que grand-maman, je n'aime les surprises désagréables !

— Tu n'es pas le seul, soupira Paula.

Elle savait qu'Alexandre était le garçon le plus conservateur du monde et qu'il ne se laissait aller ni à l'exagération ni aux chimères. Elle se rappelait aussi que leur grand-mère elle-même avait été persuadée de la duplicité de Jonathan et cela jusqu'au jour de sa mort, cinq semaines plus tôt.

— Quoi qu'il fasse, reprit-elle en se rasseyant à sa table de travail, il est très malin, puisque les comptables n'ont rien trouvé de suspect en examinant ses livres.

— Tu sais bien que c'est un garçon terriblement sournois. Il fait toujours en sorte que sa main droite ignore ce que fait sa main gauche. Dan Littleton croit que je délire parce que je l'ai obligé à vérifier les comptes une bonne douzaine de fois. Avec deux autres comptables, il a passé au peigne fin tous les dossiers du secteur immobilier. Il n'y a rien découvert d'anormal. Du moins, sur le plan financier.

Paula mit les coudes sur son bureau et le menton dans ses mains :

— Il ne serait pas assez stupide pour voler la société, Sandy. C'est un garçon intelligent. Où que puissent mener ses traces, il s'empresse de les effacer derrière lui. Moi, je voudrais trouver un moyen de le forcer à se découvrir...

Assis sur le canapé à l'autre bout de la pièce, son frère Philip écoutait avec attention leur discussion depuis un quart d'heure.

— La seule façon de coincer notre cher cousin est de lui tendre un piège, déclara-t-il soudain.

— Et comment ça ? demanda Alexandre.

Philip se leva pour venir les rejoindre. Le jeune McGill Amory était le plus beau de tous les petits-fils d'Emma. Vivant portrait de son grand-père Paul, il avait hérité, comme sa mère et sa sœur, de ses cheveux d'un noir brillant et de ses yeux d'un bleu étrange virant au violet sombre. Il était aussi grand, aussi viril et audacieux que l'avait été Paul McGill. Bien qu'il n'eût que vingt-quatre ans, il se montrait également le plus doué des descendants d'Emma, qui lui avait transmis son extraordinaire génie des affaires. Après avoir été placé par son aïeule à la tête du vaste empire australien des McGill, il s'était révélé plus que digne de la confiance qu'elle avait en lui.

Il mit la main sur l'épaule de son cousin :

— Eh bien, Sandy, je vais te dire comment faire ! Ce détective qu'a engagé grand-maman, Graves... il a été incapable jusqu'ici de rien trouver contre Jonathan. Mais si, comme je le crois, Jonathan a fondé sa propre société... il a dû avoir besoin d'hommes de paille.

— Sache que j'ai déjà envisagé cette hypothèse !

— Bon, supposons qu'il ait bien fondé sa société immobilière... Si celle-ci bénéficie de gros contrats qui devraient revenir à *Harte Enterprises*, c'en est assez pour le pendre. Je propose donc d'essayer de lui passer la corde au cou. Voici comment s'y prendre. C'est très simple. Nous devons trouver quelqu'un qui aille lui proposer une bonne affaire pour le secteur immobilier de *Harte Enterprises*. Il faudra que le contrat soit si séduisant et si prometteur qu'il ne puisse résister à la tentation de le transmettre à sa propre société. Bien entendu, ce doit être un marché gigantesque pour que son avidité outrepasse de très loin sa prudence. Si le jeu paraît en valoir la chandelle, crois-moi, il fera un pas de clerc.

Il s'assit en croisant les jambes et regarda tour à tour Alexandre et Paula :

— Eh bien, qu'en dites-vous ?

Alexandre se laissa tomber dans un autre fauteuil et hocha la tête :

— Je dois admettre que c'est un remarquable stratagème. Je l'approuve, à condition que tu répondes à deux questions.

— Vas-y.

— Philip, soyons réalistes ! Où diable allons-nous trouver ce contrat mirifique qui appâtera Jonathan ? Ensuite, qui consentira à le lui offrir ? Ne sous-estimons pas notre rusé cousin. Il va tout de suite deviner d'où ça vient.

— Pas du tout ! Car j'ai quelqu'un sous la main, un de mes meilleurs amis, qui dirige justement une société d'investissements immobiliers, ici, à Londres. En ce qui concerne l'affaire à proposer, je parie bien qu'il va nous trouver quelque chose de très convenable. Tout ce dont j'ai besoin, c'est de votre accord pour lui demander sa collaboration.

— Ça vaut le coup d'essayer, dit Alexandre. Qu'en penses-tu, Paula ?

— Si tu es d'accord, Sandy, je le suis aussi... Comment s'appelle ton ami, Philip ?

— Malcolm Perring. Tu te souviens sûrement de lui. Nous étions à Wellington ensemble.

— Vaguement... Tu as dû me le présenter, en effet.

— Nous sommes restés très liés depuis la fin de nos études. Il a passé un an en Australie et...

— Mais Jonathan se méfiera ! s'écria Paula. S'il sait que tu as fait tes études avec Malcolm et qu'il a été un an en Australie, il comprendra tout de suite.

— J'en doute. Malcolm est rentré à Londres depuis deux ans. Il a hérité de la société de son frère aîné, mort prématurément d'une crise cardiaque. En plus, Jonathan ne va sûrement pas lui poser de questions personnelles et, de toute façon, Malcolm a le chic pour faire des réponses évasives.

— Je te crois. Je sais bien que tu n'impliquerais pas dans nos affaires de famille une personne dont tu ne serais pas absolument sûr.

— Malcolm est l'honnêteté et la discrétion mêmes. Je suis certain qu'il va nous trouver un contrat sensationnel. *Perring and Perring* est une très grosse société. Ce serait amusant de faire d'une pierre deux coups : on prendrait Jonathan la main dans le sac et on apporterait à *Harte Enterprises* une grosse affaire.

Alexandre se mit à rire, séduit par la perspective :

— Comme grand-mère aurait aimé ça !

— Si Alexandre est d'accord, tu as le feu vert, Philip, dit Paula avec un demi-sourire. Puisque c'est lui qui dirige *Harte Enterprises*, c'est à lui de décider.

— Je suis d'accord. Nous n'avons rien à y perdre. Et je vous avoue que je serais soulagé de passer à l'action.

— Dans ce cas, j'en parlerai à Malcolm demain matin à la première heure, déclara Philip en regardant sa montre. Maintenant, si nous voulons déjeuner avant d'aller chez John Crawford, nous ferions mieux de partir d'ici. Il est déjà près de midi et il faut que nous soyons à son bureau à deux heures et demie.

— Oui, dit Paula en se levant. Mais ce rendez-vous me terrifie d'avance...

Les larmes aux yeux, les lèvres tremblantes, elle se détourna pour cacher son émotion.

— Excusez-moi, reprit-elle avec un sourire triste. Je ne peux pas m'habituer à la disparition de grand-mère. Elle laisse un tel vide dans ma vie... dans nos vies.

— Nous sommes comme toi, tous les deux, dit Philip. Nous en parlions justement hier soir au dîner. Il est pénible de se rendre compte qu'elle ne va pas surgir brusquement pour nous gratifier d'un ou deux conseils aussi surprenants qu'avisés, ou pour nous faire une de ces réflexions déconcertantes dont elle avait le secret.

Il fit le tour de la table pour prendre gentiment sa sœur par les épaules et il examina ses yeux rougis.

— Si la lecture du testament risque d'être bouleversante, Paula, c'est parce qu'elle va nous forcer à admettre que sa mort est bien réelle. Mais nous devons tous y assister. Imagine un peu la fureur de grand-mère si nous nous défilions !...

Paula eut une grimace amusée :

— C'est vrai ! Mais ça me porte sur le système de songer à toutes les sangsues qui seront là... Bon, pardonnez-moi encore, vous deux, et n'en parlons plus. Allons plutôt déjeuner en vitesse. Émily sera là aussi. J'ai retenu une table au Ritz.

— Au Ritz! s'exclama Philip. Drôle d'endroit pour déjeuner sur le pouce!

Elle glissa son bras sous celui de son frère et répliqua en souriant:

— C'était un des endroits préférés de grand-mère. Rappelez-vous tous les deux les festins qu'elle nous y a offerts dans notre enfance... Et puis, Philip et moi, nous n'aurions pas vu le jour si Emma et Paul ne s'étaient pas permis quelques folies au Ritz il y a plus de soixante ans.

— Très juste, admit Philip. Dans ce cas, le déjeuner sera mis sur le compte de Paul McGill... C'est donc moi qui vous l'offre!

— C'est très aimable à toi, dit Alexandre en les suivant dans l'ascenseur... Au fait, Philip, pendant combien de temps aurons-nous encore la chance de t'avoir parmi nous?

— Jusqu'à la fin octobre. Après ça, je pars en principe pour le Texas avec Paula. Nous devons régler les problèmes de la *Sitex*. Ensuite, retour à Sydney pour quelques semaines. Et puis on me reverra pour Noël.

— Tiens, tiens! s'écria Paula. Tu ne m'en avais rien dit.

— Je ne l'ai décidé que ce matin, au petit déjeuner. Maman m'a paru bien fatiguée. Alors, j'ai accepté d'aller avec eux à Chamonix en janvier.

— Et moi aussi, dit Alexandre. Ça, c'est épatant! Tante Daisy et oncle David nous ont invités, Maggie et moi, à les accompagner. Et toi, Paula, ne vas-tu pas changer d'avis maintenant que tu sais que ton frère y sera?

— Pas question! Moi, quand je prends des vacances, je veux me prélasser au soleil et devenir noire comme un pruneau. Vous savez bien que je n'aime pas le ski et que je serai à New York à ce moment-là. C'est l'époque où nous lancerons des créations de couturiers français et italiens dans notre magasin de la Cinquième Avenue. Et il faut bien que quelqu'un travaille dans la famille!

Les deux jeunes gens la poussèrent en riant sur le trottoir et ils prirent tous les trois un taxi pour se rendre au Ritz.

Vêtue d'un élégant tailleur noir qui mettait en valeur sa blondeur, Émily les attendait à l'intérieur du restaurant. Elle ne semblait pas très gaie.

— Je voudrais déjà être à ce soir, murmura-t-elle à Alexandre.

— Allons, ma chérie! Grand-mère ne serait pas contente... Oui, je crois même qu'elle serait folle de rage si elle pouvait tous nous voir avec ces figures de carême. Rappelle-toi ce qu'elle disait: Il faut vivre dans le présent, regarder devant soi sans se retourner.

— Je vais commander du champagne, déclara Philip. Nous allons boire à la mémoire de celle qui a fait de nous ce que nous sommes.

En attendant la bouteille de Dom Pérignon, Paula murmura à l'oreille d'Émily:

— Philip a eu une idée géniale pour forcer Jonathan à découvrir ses batteries. Il t'en parlera.

— Tant mieux! Je suis impatiente d'être témoin de sa déconfiture, à celui-là. Et ce serait rendre un bel hommage à grand-mère que de pouvoir lui régler son compte exactement comme elle l'aurait fait!

45

John Crawford, associé principal du cabinet juridique Crawford, Creighton, Phipps et Crawford, entra d'un pas dégagé dans la salle de conférences.

Après avoir jeté un coup d'œil autour de lui, il hocha la tête avec satisfaction. Vingt-quatre chaises entouraient en permanence la longue table d'acajou, mais il en avait fait ajouter cinq, prises dans les bureaux avoisinants. Il pouvait donc maintenant accueillir les vingt-huit personnes qu'il attendait.

Il posa le testament d'Emma Harte sur la table, à l'une des extrémités, devant sa propre chaise, puis il regarda d'un air pensif le volumineux dossier : la séance risquait de durer longtemps ! Avec un petit haussement d'épaules, il alla jusqu'à la fenêtre et écarta les rideaux.

Il vit bientôt un taxi s'arrêter devant l'immeuble. David Amory en descendit, suivi de Daisy et d'Edwina. Même de loin, Daisy lui parut épuisée et accablée. Mais il la trouva toujours aussi belle et soupira en pensant à l'échec de sa propre vie conjugale. Impossible d'être marié à une femme en continuant à en adorer une autre ! Depuis sa jeunesse, il était amoureux de Daisy. Un amour sans espoir. Elle s'était, en effet, mariée très tôt et elle n'avait jamais eu d'yeux que pour David. Toute de douceur et de simplicité, elle lui semblait d'autant plus exceptionnelle que son immense fortune ne l'avait jamais corrompue. Il la rencontrait régulièrement deux fois par mois pour s'occuper de la Fondation Emma Harte, organisation charitable qu'elle présidait. Comme elle lui demandait souvent conseil sur des problèmes juridiques, il avait parfois la chance de la voir quelques heures de plus. Il lui était reconnaissant de bien vouloir lui accorder ces humbles satisfactions et il attendait toujours avec beaucoup d'impatience leurs rendez-vous d'affaires.

Quand sa secrétaire vint lui annoncer l'arrivée des Amory et de la comtesse de Dunvale, il alla à leur rencontre et fut frappé par l'aspect lugubre d'Edwina. En grand deuil, comme Daisy, elle semblait complètement exsangue. Il n'avait fallu que quelques semaines pour lui donner l'air d'une vieille femme, tant la mort d'Emma l'avait affectée.

Ils étaient à peine installés sur leurs chaises que les autres membres de la famille arrivèrent à leur tour. A deux heures et demie, ils étaient tous là, à l'exception de Jim et de Winston, qui entrèrent précipitamment quelques minutes plus tard en s'excusant d'avoir été retardés par un embouteillage.

John réclama aussitôt l'attention.

— C'est une bien triste occasion qui nous réunit aujourd'hui, mais je vous rappelle ce qu'Emma m'avait recommandé de vous dire, la dernière fois que je l'ai vue, au début d'août : « Pas de têtes d'enterrement après ma mort ! J'ai eu une vie extraordinaire. J'ai connu le meilleur et le pire et je n'ai jamais eu le temps de m'ennuyer. Dans mon cas, les jérémiades sont donc inutiles. » Pourtant, avant la lecture du testament, je voudrais ajouter pour mon compte que je déplore de tout mon cœur la disparition d'une amie particulièrement chère. C'est pour moi une perte irréparable.

Il y eut quelques murmures approbateurs, puis John reprit d'un ton plus professionnel :

— Ceci est le testament exprimant les dernières volontés d'Emma Harte Lowther Ainsley, que nous nommerons simplement Emma Harte au cours de la lecture de ce document.

Il s'éclaircit la voix et poursuivit :

— Avant sa mort, Mme Harte m'a dit que certaines parties de ce testament avaient été révélées à ses proches en avril 1968. Cependant, étant donné qu'il s'agit des dispositions prises pour l'ensemble de ses biens et qu'il existe d'autres bénéficiaires, je dois vous lire le document en entier, conformément à la loi. Je réclame votre patience. Ce sera très long, je le crains, et assez compliqué.

Assise entre Jim et Philip, Paula s'adossa à sa chaise, croisa les mains sur ses genoux et, le visage impassible, écouta attentivement Crawford.

Les cinq ou six premières pages avaient trait aux legs qu'Emma faisait au nombreux personnel domestique de ses différents domiciles. Elle s'y montrait généreuse et soucieuse des besoins particuliers de chacun. Hilda, par exemple, recevrait une rente confortable le jour où elle voudrait prendre sa retraite, ainsi qu'une des maisons villageoises qu'Emma avait acquises à Pennistone.

Hilda n'était pas là, mais Gaye Sloane était présente. L'ancienne secrétaire d'Emma jeta un regard émerveillé à Paula dès qu'elle apprit ce qu'Emma lui laissait, deux cent mille livres, plus une broche et des boucles d'oreilles de diamant.

La seconde partie du testament concernait l'importante collection d'œuvres d'art.

— Dans le testament daté de 1968, Emma Harte avait légué toutes ses œuvres d'art à son petit-fils Philip McGill Amory, à l'exception des tableaux ornant les murs de Pennistone. Ce legs a été modifié.

Il se tourna vers Philip.

— Mme Harte m'a dit qu'elle en avait discuté avec vous et que vous aviez parfaitement compris les raisons de ce changement.

— Oui, répliqua le jeune homme. Quand grand-mère m'a demandé ce que j'en pensais, je lui ai dit que sa collection n'appartenait qu'à elle et que j'étais tout à fait d'accord avec sa volonté.

Après un signe d'acquiescement, John reprit sa lecture :

« En reconnaissance de nombreuses années de dévouement, de loyauté et d'amitié, je lègue à Henry Rossiter le paysage de Van Gogh, à Ronald Kallinski le Picasso de la Période Bleue, à Bryan O'Neill les danseuses de Degas — trois tableaux qui se trouvent dans ma maison de Belgrave

Square. A mon très cher neveu, Randolph Harte, pour le remercier de son affection et de son amitié, je lègue les quatre peintures de Stubbs représentant des chevaux, ainsi que les deux sculptures équestres de Barbara Heyworth, qui sont actuellement à Pennistone. Toutes les autres œuvres de ma collection, à l'exclusion de celles ornant les murs de Pennistone, iront à mon petit-fils Philip. Néanmoins, sera également exclu de ce legs le tableau intitulé *Le Sommet du Monde*, peint par Sally Harte.

« En ce qui concerne l'Œuf de Pâques Impérial de Fabergé... »

Crawford s'arrêta pour avaler une gorgée d'eau, puis il poursuivit en expliquant qu'Emma souhaitait que le précieux objet fût revendu aux enchères afin que la somme recueillie pût être restituée à ses petits-enfants, qui lui avaient fait ce cadeau pour son quatre-vingtième anniversaire. Et si la vente rapportait plus d'argent que l'Œuf Impérial ne leur en avait coûté, le supplément devrait être versé à une œuvre charitable.

Subrepticement, Paula parcourut l'assistance du regard. Depuis un quart d'heure, une tension régnait dans la salle. Kit, Robin et Élisabeth semblaient de plus en plus anxieux. Mais Edwina, au contraire, avait l'air d'écouter à peine, toute à son chagrin.

— J'en viens maintenant, reprit John, aux fonds en fidéicommis constitués par Emma Harte pour ses enfants. Ils n'ont été modifiés d'aucune façon et les bénéficiaires, Edwina, Kit, Robin et Élisabeth continueront à en percevoir les revenus.

D'une voix posée, John ajouta quelques précisions. Paula, qui avait précédemment perçu l'angoisse de trois des quatre bénéficiaires, devint aussitôt consciente de leur profond soulagement. Robin et sa sœur jumelle, Élisabeth, ne pouvaient cacher leur satisfaction. L'expression de Kit était plus retenue, mais il y avait pourtant dans ses yeux une lueur de triomphe. Seule, Edwina pleurait à chaudes larmes dans son mouchoir.

— Je vais aborder la question des fidéicommis constitués par Emma Harte pour ses petits-enfants.

Le visage de Paula s'anima. Elle se demanda si sa grand-mère y avait changé quelque chose. Mais il n'en était rien : Émily, Sarah, Alexandre, Jonathan, Anthony, Francesca et Amanda continueraient à bénéficier de ce qu'Emma leur avait attribué en avril 1968.

Crawford s'arrêta et changea de position sur sa chaise. Il regarda Paula, puis Anthony.

— Il me faut vous avertir qu'Emma Harte a constitué trois autres fonds en fidéicommis pour ses arrière-petits-enfants : deux pour Lorne et Tessa Fairley, fils et fille de Jim et Paula Fairley ; le troisième, pour le jeune vicomte Jeremy Standish, fils d'Anthony et de Sally Standish, comte et comtesse de Dunvale. Chacun est d'un million de livres.

Crawford en vint alors à la partie du testament qui concernait le partage du gigantesque empire industriel et commercial d'Emma, ainsi que celui de la colossale fortune McGill. Là encore, elle avait laissé inchangés les legs de 1968. Alexandre recevait cinquante-deux pour cent de *Harte Enter-*

prises, dont il serait le P.-D.G. à vie. Sa sœur Émily — de même que Sarah et Jonathan — recevait seize pour cent des actions. Dans l'éventualité de la disparition ou de l'incapacité d'Alexandre, Émily assurerait automatiquement la direction et le contrôle de la compagnie à sa place, avec les mêmes prérogatives.

Paula regarda Jonathan et Sarah et elle se demanda s'ils se doutaient qu'ils l'avaient échappé belle. Jonathan pouvait à peine dissimuler sa satisfaction et Sarah souriait d'un air suffisant.

A la mention de son propre nom, Paula tressaillit, bien qu'elle ne s'attendît à rien de nouveau. Elle écouta, mais elle savait déjà ce qu'Emma avait stipulé en 1968 : elle recevait toutes les actions de son aïeule dans la chaîne des Grands Magasins HARTE, ce qui lui donnait la majorité absolue.

La totalité de la fortune McGill allait à Daisy McGill Amory et c'était à son fils Philip que revenait la direction du groupe australien. Quant à Paula, elle restait la représentante des intérêts de Daisy dans la *Sitex*. A la mort de Daisy, toutes les possessions McGill devraient être également partagées entre Paula et Philip. Daisy héritait aussi de Pennistone et des terres attenantes, du mobilier de la maison et de ses œuvres d'art, ainsi que des célèbres émeraudes McGill. Mais Pennistone, son contenu, la terre et les joyaux passeraient à Paula à la mort de sa mère. En outre, Paula recevait dès à présent ce qui restait de la fabuleuse collection d'émeraudes de sa grand-mère.

— Les autres bijoux de Mme Harte seront principalement partagés entre ses petites-filles. Mais il y a d'autres legs. A Marguerite Barkstone, épouse d'Alexandre. A Sally Harte Standish et à Vivienne Harte, petites-nièces d'Emma. C'est Emma qui a choisi pour chacune d'entre elles. Ainsi : «A ma très chère petite-fille, Émily Barkstone Harte, je lègue ma collection de saphirs qui comprend...»

La liste des bijoux était si longue que John Crawford mit près d'une heure à la lire. Les légataires commencèrent à s'agiter. Il y eut des exclamations étouffées. On alluma des cigarettes. Quelqu'un se versa un verre d'eau. Edwina se moucha bruyamment à plusieurs reprises. Robin toussa avec discrétion.

Comme toujours, Crawford restait parfaitement calme, sans paraître s'apercevoir de l'agitation. Il lisait lentement et clairement. De toute évidence, il n'avait pas l'intention de se presser.

— Voilà, dit-il enfin. J'en ai terminé avec le détail des dispositions concernant la collection de bijoux de Mme Harte. Maintenant, venons-en à ses biens immobiliers, principalement à sa maison de La Jamaïque, à son appartement de l'avenue Foch et à sa villa de Cap-Martin...

Les dispositions qu'avait prises Emma en 1968 restaient inchangées. Émily héritait de l'appartement parisien, son frère Alexandre de la villa de la Côte d'Azur et Anthony de la maison des Caraïbes.

Quand Crawford en fut arrivé là, il reposa le testament. Ses yeux errèrent d'un visage à l'autre, puis il se leva.

— Il est de mon devoir, déclara-t-il, de vous prévenir qu'Emma Harte a modifié le reste de son testament.

La plupart des personnes présentes se raidirent sur leur siège. On échangea des regards angoissés. Paula sentit la main de son frère Philip effleurer son genou et elle lui fit un clin d'œil avant d'en revenir à Crawford, qui tournait sa page pour continuer à lire.

Paula sentit à nouveau la tension monter, une tension où l'attente et l'espoir étaient lourds d'appréhension. Assez anxieuse elle-même, elle croisa les mains en se demandant quelle bombe allait éclater. J'ai toujours su inconsciemment, songea-t-elle, que grand-maman avait plus d'un tour dans son sac.

Un silence de mort s'établit dans la salle.

Vingt-huit paires d'yeux étaient fixées sans ciller sur Crawford.

Il examina l'assistance, sourit et reprit sa lecture d'une voix forte.

« Moi, Emma Harte Lowther Ainsley, déclare rédiger les codicilles ci-après, en ce vingt-cinquième jour d'avril de l'année de Notre Seigneur mil neuf cent soixante-dix, en pleine possession de mes facultés, saine de corps et d'esprit. Et atteste que c'est en toute connaissance de cause et sans subir d'influence extérieure que je modifie mes dispositions dernières et que les changements que j'y apporte sont l'expression de ma seule volonté. »

« *Codicille n° 1.* Je lègue à Shane Desmond Ingham O'Neill, petit-fils de l'ami de toute une vie, Blackie O'Neill, la bague de brillants que m'a donnée son grand-père disparu. Je lui lègue également le tableau intitulé *Le Sommet du Monde*, présent de son grand-père, ainsi que la somme de un million de livres. Cela pour le remercier de l'amour et du dévouement qu'il m'a toujours témoignés.

« *Codicille n° 2.* Je lègue à Miranda O'Neill, petite-fille de mon ami Blackie, la broche d'émeraudes dont m'a fait cadeau son grand-père. Je lui lègue aussi tous les bijoux que m'a donnés Blackie au cours de ma vie et dont la liste se trouve à la suite de ces codicilles. Miranda recevra en outre la somme de cinq cent mille livres, en remerciement de son affection et en souvenir de ma meilleure amie, Laura Spencer O'Neill, sa grand-mère.

« *Codicille n° 3.* Je lègue à mon petit-neveu, Winston John Harte, petit-fils de mon frère bien-aimé, Winston, la propriété connue sous le nom de Heron's Nest, à Scarborough, Yorkshire, et la somme de un million de livres. Je lègue également à Winston Harte quinze pour cent de mes parts dans le groupe de presse *Consolidated Newspapers International*, que nous avons créé ensemble, lui et moi, en 1969. Cela pour le remercier de son affection, de son dévouement et de sa rare loyauté envers moi, ainsi qu'à cause de son mariage avec ma petite-fille Émily, pour leur bénéfice à tous deux et pour celui de leurs enfants à venir. »

Crawford s'arrêta pour boire un peu d'eau. Conscient d'une atmosphère de plus en plus pesante, il poursuivit néanmoins sur le même ton.

« *Codicille n° 4.* Je lègue à James Arthur Fairley, époux de ma petite-fille Paula, dix pour cent de mes parts dans le *Consolidated Newspapers Interna-*

tional. Cela est un legs personnel, totalement indépendant des fonds constitués au bénéfice de mes arrière-petits-enfants, Lorne et Tessa. Je le lui fais en reconnaissance de son dévouement envers moi et en gage d'affection.

« *Codicille n° 5.* A ma petite-nièce Vivienne Harte, petite-fille de mon frère Winston, et à ma nièce Rosamund Harte Ellsworthy, fille de mon frère Frank, je lègue respectivement cinq cent mille livres, en témoignage de mon grand amour pour chacune d'elles et en souvenir de mes frères.

« *Codicille n° 6.* A ma petite-fille Paula McGill Amory Fairley et à mon petit-fils Philip McGill Amory, je lègue mon appartement new-yorkais de la Cinquième Avenue et ma maison de Belgrave Square. Ils en auront conjointement la propriété. Je leur fais ces legs en souvenir de leur grand-père, Paul McGill, qui m'avait offert ces deux résidences. Ce n'est que justice que ces biens reviennent aux descendants de Paul et c'est pourquoi j'ai changé sur ce point les dispositions que j'avais prises en 1968.

« *Codicille n° 7.* A ma petite-fille Paula McGill Amory Fairley, je lègue le reste de mes possessions, y compris voitures, vêtements, fourrures et sommes inscrites à mes comptes courants. Paula Fairley héritera en outre de ma compagnie *E.H. Incorporated,* y compris des biens immeubles et des avoirs financiers, dont le total est estimé à la somme de six millions huit cent quatre-vingt-quinze mille livres, six shillings et six pence. »

Puis Crawford leva la tête et déclara en regardant l'assistance :

— La lecture du testament d'Emma Harte Lowther Ainsley est terminée, sauf en ce qui concerne...

— Une minute ! hurla Jonathan.

Bouillant de rage, il se leva d'un bond. Ses yeux lançaient des éclairs et son visage était blanc comme un linge.

— Je suis décidé à contester ce testament ! Dans le précédent, j'héritais de l'appartement de la Cinquième Avenue et il me revient de droit...

— Je vous en prie, Jonathan, veuillez vous rasseoir ! s'écria Crawford. Je n'en ai pas terminé.

Jonathan se résigna à grand-peine et s'adressa à Robin :

— Papa, n'avez-vous donc rien à dire ?

Bien qu'ayant du mal à contenir sa colère, Robin fit signe à Jonathan de se taire.

— Je vais vous lire la dernière déclaration de Mme Harte, reprit Crawford. Et je vous prie instamment de vous abstenir de manifestations de ce genre... Voici ce que déclare Mme Harte pour clore son testament :

« Persuadée d'avoir été équitable et sage en disposant de mes biens et possessions, je souhaite de tout cœur que mes héritiers comprennent pourquoi certains d'entre eux ont reçu plus que d'autres.

« Cependant, si l'un d'eux se sentait indûment désavantagé et qu'il eût l'intention de contester ce testament, je devrais le mettre en garde et lui conseiller de n'en rien faire. Personne, je l'atteste à nouveau, n'a influencé mes décisions. Personne n'a eu connaissance de ces modifications et codicilles ajoutés de mon plein gré, si ce n'est John Crawford. Pour vous prouver que je suis en possession de toutes mes facultés, sont adjointes à ce document quatre attestations signées de quatre médecins. Ces médecins m'étaient inconnus avant la date de ce testament et ils ont statué de façon désintéressée. Deux généralistes et deux psychiatres m'ont examinée dans la matinée et l'après-midi de ce vingt-cinq avril mil neuf cent soixante-dix, préalablement à ce testament rédigé dans la soirée du même jour. Les résultats des examens, contenus dans leurs attestations, confirment que je suis en excellente condition physique et en parfaite santé mentale.

« C'est pourquoi je souligne que ce testament est irréversible, irrévocable et absolument inattaquable. Comme exécuteurs testamentaires, je désigne : ma fille bien-aimée, Daisy McGill Amory, Henry Rossiter de la Rossiter Merchant Bank et John Crawford, du Cabinet Crawford, Creighton, Phipps and Crawford. »

John Crawford se rassit en attendant l'orage, qui ne tarda pas à éclater.

Tout le monde se mit à parler à la fois. Jonathan bondit et fit précipitamment le tour de la table comme pour tomber à bras raccourcis sur Crawford. Robin s'était levé, lui aussi, en même temps que Kit Lowther et Sarah. Incapables de contenir leur fureur, ils avancèrent vers le juriste avec des airs menaçants.

Jonathan, la figure empourprée, accusa tour à tour les O'Neill de captation d'héritage, et Paula et Philip de manœuvres malhonnêtes pour le dépouiller. Sarah se mit à pleurer. Sa mère, June, accourut pour la consoler en tentant de cacher sa propre déception.

Bryan s'élança vers Daisy. Il était le seul représentant des O'Neill dans l'assemblée et il déclara que, compte tenu des protestations de Jonathan, sa famille ne tenait pas à accepter les legs d'Emma.

Au milieu du brouhaha, Jim, assis en face de Paula, avait l'air heureux.

— N'est-ce pas formidable, lui dit-il, que ta grand-mère m'ait laissé ces actions dans le groupe de presse ?

— J'en suis contente pour toi, répliqua Paula, émue de son sourire reconnaissant.

Philip, à sa gauche, lui donna une petite tape sur l'épaule. Ils se regardèrent un moment sans rien dire. Elle s'efforça de garder son sérieux, mais elle mourait d'envie de rire :

— Elle a pensé à tout, comme toujours ! C'est un trait de génie d'avoir accompagné son testament de ces attestations médicales.

— Oui, mais ça n'empêchera pas certains de nous créer des problèmes, crois-moi. Jonathan va sûrement commettre de telles imprudences qu'il se trahira plus tôt que nous ne l'espérions.

— Qui sait si grand-maman ne l'avait pas prévu ?... On peut se dire « Rira bien qui rira le dernier » et penser que, dans le cas présent, Emma Harte a bien ri !

Daisy vint rejoindre ses enfants.

— Pauvre John, dit-elle, ils sont en train de l'accabler d'injures. Ce n'est pourtant pas lui qui a rédigé ce testament. C'est maman et elle seule.

Paula, essaie donc de faire cesser cette scène scandaleuse. Ils se conduisent comme des déments.

— Papa ne pourrait-il pas faire quelque chose ? murmura Paula.

— Non, ce n'est pas à lui de le faire. C'est toi qu'Emma Harte a désignée comme chef de famille... Excuse-moi de te le rappeler, ma chérie, mais c'est une évidence.

Paula acquiesça et se leva.

— Je vous en prie, vous tous, calmez-vous un moment !

Sa retenue naturelle lui rendait pénible de hausser le ton. Cependant, voyant qu'aucun des fauteurs de trouble ne faisait attention à elle, elle tapa du poing sur la table.

— Taisez-vous ! cria-t-elle avec force. Taisez-vous et asseyez-vous.

Les Ainsley et les Lowther lui jetèrent des regards de haine. Ils restèrent agglutinés près de la chaise de John Crawford, mais ils arrêtèrent leurs vociférations.

— Merci, dit-elle alors d'un ton aussi paisible et froid que l'était son regard.

Quand elle se redressa de toute sa taille, son air de dignité leur imposa momentanément un certain respect.

— Comment osez-vous vous conduire de façon si sotte et si honteuse ? Il y a seulement quelques semaines qu'elle est morte et vous êtes là comme des vautours.

Elle tourna les yeux vers Jonathan et Sarah, debout l'un près de l'autre.

— Grand-mère savait ce qu'elle faisait, reprit-elle d'une voix presque menaçante. Et je pense qu'elle a été encore bien trop généreuse envers certains d'entre vous ! Gare à ceux qui oseraient contester le testament d'Emma Harte ! Car je leur ferais rendre gorge, dussé-je y passer ma vie entière et y engloutir ma fortune !

Tous la regardaient, la plupart avec admiration, quelques-uns avec hargne, mais personne ne pouvait être insensible à l'autorité qui se dégageait d'elle.

Winston se rapprocha d'Émily et murmura :

— Observe-la bien. C'est Emma Harte ressuscitée.

46

En arrivant à l'aéroport Kennedy, Shane et Paula prirent l'ascenseur jusqu'au second niveau et entrèrent dans la salle d'attente des première classe.

Après avoir aidé Paula à retirer sa cape de vison sauvage, Shane se débarrassa de son trench-coat.

— Buvons quelque chose, suggéra-t-il. Nous avons tout le temps.

— Je veux bien.

Paula le regarda se diriger vers le bar et admira encore une fois son aisance et sa beauté. Depuis un an, l'amour qu'elle avait pour lui n'avait fait que croître et s'approfondir. Il lui semblait faire désormais tellement partie d'elle-même qu'elle ne se sentait plus qu'à moitié vivante quand ils étaient séparés. Il ne cessait de la surprendre par son aisance et son autorité, sa maîtrise de soi et sa loyauté. Elle trouvait stupéfiante sa force de caractère. Il a une âme d'acier, songeait-elle.

Il lui sourit tendrement en revenant au bar, lui tendit un petit verre de vodka et s'assit auprès d'elle.

— Buvons au mois prochain, Paula! Au début de la nouvelle année!

— Oui, buvons à 1971.

— Ce sera notre année à nous, tu verras. Tout sera terminé avec Jim. Tu seras libre. Et puisque tu reviens ici en janvier, nous pourrons commencer à faire des projets.

— Ce sera merveilleux, n'est-ce pas? dit-elle d'une voix un peu hésitante.

Shane la sentit inquiète et fronça les sourcils:

— Qu'est-ce qui ne va pas?

— Rien, répondit-elle en s'efforçant de rire. Mais je ne serai rassurée qu'après avoir parlé à Jim, quand nous aurons fait une mise au point. Il est si bizarre! Il refuse d'admettre que je ne l'aime plus, il fait l'autruche. C'est difficile de parler à quelqu'un qui refuse d'écouter.

— Il faudrait pouvoir le coincer, t'enfermer avec lui dans une pièce et mettre la clé dans ta poche. Il serait peut-être forcé de t'écouter.

— Au besoin, je n'hésiterais pas à aller jusque-là. Évidemment, ce n'est pas la période idéale, à quinze jours de Noël. Mais il n'y a probablement jamais de bon moment pour parler de divorce.

— J'aurais tant voulu t'accompagner en Angleterre et être là pour te soutenir! Malheureusement, je n'ai pas le choix. Je dois partir pour les Caraïbes. En tout cas, si tu ne peux pas y arriver seule, je prendrai le premier avion pour Londres.

— Ne t'inquiète pas, je m'en tirerai... Merci encore pour le mois que nous venons de passer ensemble, Shane. Vivre avec toi me fait un bien fou.

— Écoute, quand on y songe, tout s'est bien passé pour toi, ce mois-ci. Tu as réussi à faire reconduire le contrat de Dale Stevens et à mettre au pas Marriott Watson. Ça doit te faire plaisir d'avoir pu régler autant de problèmes à la *Sitex*. Ces succès sont de bon augure. Et tu as fait preuve d'un courage fantastique.

— Mais c'est parce que tu n'étais pas loin de moi, Shane, répliqua-t-elle en riant. C'est ton amour et ta compréhension qui me donnent de la force... A propos de la *Sitex*, tu vas peut-être te moquer de moi, bien que tu sois superstitieux, toi aussi, comme tout bon Celte qui se respecte...

— Tu sais parfaitement que je ne me moque jamais de toi !

— Eh bien, figure-toi que j'avais vu un sinistre présage dans l'explosion du *M.R.M. III*, l'annonce d'autres désastres plus effrayants encore. Je n'avais pas tout à fait tort. Pendant plus d'un an, les malheurs se sont succédé. La mort de Min, cette affaire d'Irlande au moment de l'explosion, les soupçons grandissants de grand-maman à l'égard de Jonathan, les méchancetés de Sarah envers moi et ses manigances pour me souffler les boutiques HARTE... L'échec de mon mariage, la conduite scandaleuse de tante Elisabeth, les menaces de Gianni... Les difficultés continuelles avec la *Sitex*, l'accident d'avion de Jim et sa dépression nerveuse... La mort brutale de Blackie, la disparition inattendue de grand-maman... Enfin, ces horribles bagarres familiales à propos du testament ! J'ai toujours plus ou moins l'impression qu'on a jeté un sort sur moi ou plutôt sur la famille d'Emma.

Shane lui prit la main :

— C'est vrai, tu en as eu plus que ta part. Mais restons objectifs. Tout d'abord, mon grand-père avait quatre-vingt-quatre ans et ta grand-mère quatre-vingt-un. Il fallait malheureusement s'attendre à les voir disparaître un jour ou l'autre. Et leur mort à tous deux a été paisible, après une longue vie féconde et bien remplie. Ensuite, tu as réussi à museler ceux qui voulaient contester le testament. Tu as résolu la plupart des problèmes de la *Sitex*. Les manigances de Sarah ont été étouffées dans l'œuf par Emma. Jim semble rétabli. Anthony et Sally sont mariés et ravis d'avoir un beau petit garçon. Ta tante Elisabeth elle-même s'est tirée d'affaire sans scandale. Elle paraît heureuse avec son mari français. Et en ce qui concerne ton mariage, il était compromis bien avant l'explosion du *M.R.M. III*.

Il lui mit le bras autour des épaules, puis il l'embrassa sur la joue.

— Allons, ma petite chérie, reprit-il, pourquoi ne pas parler aussi de ce qui est arrivé de bon ? Blackie était avec Emma le jour de ses quatre-vingts ans et ils ont fait ensuite, pendant huit mois, un merveilleux voyage autour du monde. Emerald Bow a gagné le *Grand National* pour la plus grande joie de grand-père. Edwina s'est réconciliée avec sa mère. Emma a vécu assez longtemps pour voir Émily mariée à Winston et Alexandre à Maggie. Il n'y a pas eu que des jours de malheur, bien au contraire.

— Tu as raison, je suis stupide d'être aussi superstitieuse.

— Oh, personne n'est plus superstitieux que moi ! Mais après la pluie, le beau temps, n'est-ce pas ?... Par exemple, quand tu m'as appris que tante Emma avait fait de moi un de ses héritiers parce qu'elle m'aimait comme un fils...

Il s'interrompit pour prendre une cigarette et, le regard rêveur, il resta un moment à fumer en silence.

— Que veux-tu dire, Shane ? demanda-t-elle, intriguée.

— Qu'Emma Harte avait peut-être une autre raison de me faire ce legs.

— Laquelle ?

— N'aurait-elle pas deviné notre situation ?

— Mais non !... Elle m'en aurait parlé, elle me disait tout... Ou elle en aurait parlé à Blackie, qui n'aurait pas manqué à son tour de t'en dire un mot.

— Je n'en suis pas aussi sûr que toi. Ta grand-mère était la personne la plus fine du monde. Elle n'aurait sûrement rien dit, étant donné les circonstances. Et puis, elle n'aurait pas voulu se mêler de ma vie privée, ni de la tienne. Elle n'aurait pas voulu non plus inquiéter mon grand-père... D'autre part, c'est à moi qu'elle a laissé la fameuse bague de fiançailles. Ne serait-ce pas le signe qu'elle savait que je te la donnerais un jour ?

— Cette bague te revenait, puisque c'était un cadeau de ton grand-père. N'oublie pas qu'elle t'a laissé aussi le tableau, autre cadeau de Blackie.

— Oui, mais ce legs de un million de livres ?... C'est tout de même une somme énorme !

— Ma grand-mère t'aimait ! répliqua-t-elle avec émotion. Elle avait aussi beaucoup d'affection pour ta sœur. Comment expliquer autrement le legs qu'elle lui a fait ?

— C'est vrai, admit Shane en soupirant. Je voudrais pourtant savoir toute la vérité. Et ça me ferait plaisir d'apprendre qu'elle connaissait notre amour et qu'elle nous aurait donné sa bénédiction.

— Pour ça, je suis sûre qu'elle nous aurait été favorable et que...

Elle s'arrêta brusquement pour écouter le haut-parleur et regarda Shane en faisant une petite grimace :

— Ça y est, mon chéri !... On annonce le départ de mon vol.

Elle voulut se lever, mais Shane la retint pour la serrer dans ses bras.

— Je t'aime à la folie, Paula, murmura-t-il en l'embrassant dans les cheveux. Souviens-t'en là-bas !

— C'est de cette certitude que vient tout mon courage. Je t'aime aussi, Shane. Pour la vie.

— Non, Jim, dit Émily, elle n'est pas encore là. Elle va sûrement arriver d'une minute à l'autre.

Coinçant le récepteur téléphonique entre son oreille et son épaule, la jeune femme remonta la fermeture à glissière de sa jupe en continuant d'écouter Jim, qui l'appelait du Yorkshire.

Elle n'avait pas fini de s'habiller et, au bout de quelques secondes, elle s'écria avec impatience :

— Mais je suis sûre que l'avion a atterri! J'ai téléphoné à Heathrow. Il est arrivé à sept heures trente exactement... Il faut bien que Paula passe la douane avant de quitter l'aéroport. Il n'est que neuf heures, bon sang! Écoute, je n'ai pas le temps... Je lui dirai de t'appeler dès qu'elle arrivera.

— Non, Émily, je quitte le bureau et je pars pour Londres. Dis plutôt à Paula de m'attendre au lieu de rentrer directement à la maison. Je la verrai ce soir à Belgrave Square avec Winston et toi. Dînons tous les quatre. Les adieux en seront plus agréables!

— Les adieux de Winston? Tu veux parler de son départ pour le Canada demain?

— Oui... Et je m'en vais avec lui. Il est très content que je l'accompagne.

— Ah bon? s'exclama Émily, interloquée. Eh bien, à ce soir, Jim.

Après avoir raccroché, elle se demanda si Winston pouvait être aussi content que Jim le prétendait. Le téléphone se remit à sonner.

Elle décrocha vivement, certaine, cette fois, que c'était son mari:

— Winston?

— Oui, mais comment savais-tu que ce serait moi?

— Je viens de parler à Jim, qui réclamait Paula. Il m'a annoncé que tu étais au septième ciel parce qu'il t'accompagnait à Toronto.

— Ça, tu peux l'imaginer! Il n'a rien à faire là-bas, mais je ne pouvais pas refuser. Il a dix pour cent du nouveau groupe de presse et il tient à mettre son nez partout. Il est vraiment enquiquinant depuis quelque temps.

— Je te plains! J'espère quand même qu'il ne retardera pas ton retour. Il faut que tu sois là pour Noël, Winston!

— Ne t'inquiète pas. Je le mettrai au pas s'il cherche à faire des histoires.

— Il propose que nous dînions ensemble ce soir tous les quatre, avec Paula. Une sorte de repas d'adieu... Je préférerais être seule avec toi, mais comment refuser?

— Difficile, en effet... Écoute, il faut que je te quitte... J'ai une conférence qui va commencer. Je ne t'appelais que pour te dire que Jim partait avec moi.

Après ce coup de téléphone, Émily prit dans l'armoire sa veste de tailleur et l'enfila. Puis elle descendit en courant l'escalier de la petite maison de Belgrave Square, où elle était venue passer le week-end avec Winston.

Elle entra dans le bureau. En ce lugubre lundi matin, la lumière de décembre donnait aux murs blanc cru et jaune citron un aspect un peu glacial. Heureusement, les vases étaient pleins de fleurs et le feu brillait dans la cheminée. Parker venait d'apporter du café de l'office. Près de la cafetière, il avait posé trois tasses sur un plateau: pour Émily, pour Paula qu'on attendait et pour Alexandre qui devait passer vers dix heures.

Émily allait s'asseoir quand elle entendit Parker qui saluait Paula dans le vestibule. Elle se précipita pour voir sa cousine.

— Quelle bonne surprise de te trouver ici! s'écria Paula. Que fais-tu donc à Londres, Petite Pomme?

— Euh... Figure-toi, Paula, que Jim a appelé tout à l'heure. Il prenait sa voiture pour venir. Il m'a demandé de t'avertir pour que tu restes ici ce soir.

Paula retint une exclamation de contrariété. Elle se tourna vers le maître d'hôtel: — Dans ce cas, Parker, auriez-vous l'obligeance de demander à Tilson de sortir mes bagages de la voiture?

— Tout de suite, Madame.

Après avoir jeté sa cape de vison sur l'un des fauteuils de l'entrée, Paula suivit Émily dans le bureau. Une fois la porte refermée, elle laissa libre cours à sa colère.

— Bon sang, Jim sait pourtant bien que j'ai hâte de revoir Lorne et Tessa! T'a-t-il dit au moins ce qu'il avait à faire à Londres?

— Oui. Il a décidé de partir demain pour Toronto avec Winston.

— Oh non, pas ça!

Complètement découragée, elle s'approcha de la cheminée et se laissa tomber sur le canapé. Elle bouillait de rage. Ainsi, Jim allait jouer encore une fois les filles de l'air! Avait-il donc un sixième sens? Comment pouvait-il savoir qu'elle était enfin résolue à lui parler de divorce?

Émily observait sa cousine avec curiosité.

— Pourquoi es-tu si bouleversée? demanda-t-elle.

Après quelques hésitations, Paula décida de tout lui expliquer:

— Tu ne seras sans doute pas surprise, Émily, si je t'avoue que Jim et moi avons de nombreux problèmes personnels à résoudre. Je comptais mettre les choses au point ces jours-ci, mais il fiche le camp. Comme toujours! Si je n'arrive pas à le persuader de renoncer à son voyage avec Winston, je vais devoir attendre son retour du Canada pour lui parler.

— J'ai compris depuis longtemps que ça n'allait plus très bien entre vous deux. Tu as raison, il faut que tu parles à Jim sans tarder. Que tu lui parles carrément de divorce. Winston est du même avis que moi.

— Notre mésentente est-elle donc si évidente?

— Non, non. Personne ne s'en rend compte, excepté ceux qui te connaissent bien.

— Et mes parents?

— Ton père en est conscient et il est très inquiet. Quant à tante Daisy, je ne sais pas trop... Elle ne doit pas imaginer que c'est aussi grave. Elle est tellement indulgente! Elle cherche toujours des excuses à tout le monde, à Jim comme aux autres.

— Crois-tu que Jim consentirait à ne pas partir pour le Canada?

— Non. D'après Winston, depuis qu'il est devenu actionnaire, il veut mettre son nez partout. Il n'est pas facile, en ce moment. Mais, à part ça, tu n'aurais pas pu repartir pour le Yorkshire immédiatement. Alexandre veut te voir d'urgence. Il va arriver dans quelques minutes pour te mettre au courant.

— Au courant de quoi? J'espère qu'il ne s'agit pas de Jonathan.

— Si, j'en ai bien peur... Alexandre préfère t'en parler lui-même. Et il m'a demandé d'être là, moi aussi. C'est la raison de ma présence à Londres. Depuis quinze jours, nous avons examiné ensemble la situation dans ses moindres détails.

— Tu es au courant depuis tout ce temps et tu ne m'en as rien dit !

— Il fallait que nous soyons parfaitement sûrs de notre fait. Nous sommes allés consulter Henry Rossiter et John Crawford. Car nous devons être sans pitié, Paula.

— C'est donc très grave ?

— Oui, mais Sandy et moi contrôlons la situation. Sarah est également dans le coup, du moins jusqu'à un certain point.

— Hélas ! nous nous en doutions !

A ce moment, la porte s'ouvrit doucement et Alexandre entra :

— Salut, Émily ! Bonjour, Paula !

Il s'approcha pour les embrasser et prit un fauteuil.

— Émily, je boirais bien une tasse de café... Je suis venu à pied d'Eton Square et il fait horriblement froid, ce matin.

— Dis donc, Alexandre, tu aurais pu me prévenir, tout de même.

— J'en avais l'intention et j'en ai discuté longuement avec Émily. Nous en avons conclu qu'il était inutile que tu te fasses du souci puisque, de New York, tu ne pouvais pas nous aider. Et, de toute façon, ce n'est que ces jours-ci que j'ai pu aller au fond des choses.

— Bon, dis-moi tout, maintenant.

— Le piège imaginé par Philip a parfaitement fonctionné. Malcolm Perring a réussi à faire sortir Jonathan de son trou et j'ai eu, par ailleurs, des renseignements qui m'ont permis de l'épingler... Je vais tout te raconter depuis le début.

— S'il te plaît !

— Malcolm Perring a apporté sur un plateau un contrat époustouflant à *Harte Enterprises*. Jonathan a paru d'abord très intéressé, puis il n'a plus donné signe de vie. Malcolm l'a rappelé en vain pendant quinze jours. Et, soudain, à la mi-novembre, Jonathan a proposé un rendez-vous à Malcolm. Il a commencé par lui faire des discours enthousiastes sur cette fameuse affaire et ensuite il a prétendu qu'il n'était pas actuellement en mesure de s'en occuper, mais qu'un certain Stanley Jervis, à la tête d'une nouvelle société, *Stonewall Properties,* allait s'en charger à sa place. Il a présenté Jervis comme l'un de ses vieux amis, comme un homme de toute confiance.

— Ne me dis pas que *Stonewall Properties* appartient à Jonathan Ainsley !

— Si, tu as deviné. Et, tiens-toi bien, son associé est Sébastien Cross.

— Ce sale type !

— Sarah, elle aussi, a mis de l'argent là-dedans, la pauvre imbécile !

— Elle se fait duper par Jonathan depuis son enfance.

— Cette fois, les conséquences seront beaucoup plus graves pour elle que d'habitude.

— Mais comment Malcolm Perring a-t-il découvert toute cette histoire ?

— Ce n'est pas lui, c'est moi. Malcolm a seulement fait semblant de marcher, comme le voulait notre plan, et il a pris Jonathan la main dans le sac, si l'on peut dire. Après deux conversations avec le dénommé Jervis, il a vu apparaître Sébastien Cross qui, lui, a une fonction officielle à *Stonewall Properties,* alors que Jonathan se cache derrière des prête-noms.

Alexandre alluma une cigarette et reprit aussitôt : — Malcolm a donc continué les pourparlers avec Jervis et Cross, et il les a menés en bateau le plus longtemps possible. En outre, comme il avait l'impression que la société n'était pas très solide financièrement, il s'est renseigné à droite et à gauche, et il a vu ses soupçons confirmés. Alors, il s'est mis à faire marche arrière, au grand étonnement de Jervis et de Cross qui avaient une peur bleue que l'affaire leur passe sous le nez. Pour retenir Malcolm, ils lui ont vanté les marchés fabuleux qu'ils venaient d'obtenir. Quand j'ai su ça, je suis allé un soir examiner les fichiers de Jonathan et j'ai découvert qu'il avait tout simplement soustrait à *Harte Enterprises* les marchés dont *Stonewall Properties* pouvait se glorifier ! A partir de ce moment-là, je n'ai plus eu le moindre doute sur sa culpabilité et Malcolm s'est retiré en prétendant qu'une autre société lui avait fait une offre si avantageuse qu'il ne pouvait pas la refuser.

— Ils ont marché ?

— Que pouvaient-ils faire d'autre ? J'étais prêt à tomber à bras raccourcis sur Jonathan quand on m'a fourni par hasard d'autres renseignements. En quarante-huit heures, j'en ai appris assez pour le faire pendre.

— Qui t'a donné ces renseignements ?

— John Cross.

— John Cross ?... Je n'arrive pas à le croire. Pourquoi t'aurait-il fait des révélations ?

— C'est à toi qu'il voulait en faire, Paula, mais tu n'étais pas là. Il m'a demandé de venir le voir à Leeds, au St. James Hospital.

— Il était malade ?

— Le malheureux est mort quelques jours après notre entrevue. D'un cancer, je crois. Il a souffert le martyre.

— C'est affreux !... Ce n'était pas un mauvais homme, c'était un faible. Son fils le menait par le bout du nez.

— Je suis resté à son chevet près de quatre heures. Le médecin me l'a permis parce que... parce qu'il était fichu. Cross m'a beaucoup parlé de toi, Paula. Il te respectait, il admirait ton honnêteté et ton équité. Il m'a loué la patience et la gentillesse dont tu avais fait preuve envers lui à l'automne 1969, quand tu l'avais vu à Londres. Il avait très bien compris pourquoi tu n'avais pas voulu reprendre les négociations après avoir appris que l'immeuble d'*Aire Communications* avait été vendu. C'est à ce moment-là qu'il m'a révélé que cet immeuble avait été acquis par *Stonewall Properties* pour cinq cent mille livres seulement. J'en ai été sidéré. C'est son fils qui l'avait persuadé de vendre à moitié prix. Car ça valait largement un million !... En me faisant cet aveu, John Cross est devenu très agité et voilà mot pour mot ce qu'il m'a déclaré : « Imaginez le coup que j'ai reçu en découvrant, il y a six mois, que c'était mon propre fils qui m'avait volé, qui m'avait ruiné et qui avait empêché le renflouement d'*Aire Communications*. Mon fils... mon seul enfant !» Il s'est mis à pleurer. Disons qu'il y avait de quoi.

— C'est abominable ! Grand-mère avait donc tout à fait raison de se méfier de Jonathan au moment des négociations avec John Cross.

— Oui, et le pauvre homme a tenu à ce que tu saches — à ce que nous sachions — que Jonathan avait partie liée avec Sébastien et qu'il trahissait Emma Harte depuis des années. Il a voulu mourir la conscience tranquille.

Paula soupira :

— T'a-t-il appris autre chose sur *Stonewall Properties*?

— Rien que je n'aie su déjà par Malcolm. Il m'a confirmé que Jonathan s'était approprié plusieurs affaires qu'on était venu proposer à *Harte Enterprises*. Il m'a dit que son fils l'avait saigné à blanc et qu'il ne devait qu'à la générosité de sa propre sœur de disposer d'une chambre particulière à l'hôpital. Il est mort dans le plus complet dénuement.

Les yeux de Paula s'étaient remplis de larmes. Un peu embarrassée, elle prit une cigarette dans le paquet de son cousin :

— Quelle horreur de finir sa vie de cette façon... trahi par son fils unique !

— Ce Sébastien est un monstre, déclara Émily. Et Jonathan ne vaut pas mieux, n'est-ce pas, Sandy ?

— Hélas !... John Cross m'a révélé quelque chose d'encore pire et c'est ce qui va me permettre de confondre Jonathan. Pour tenter de renflouer *Stonewall Properties,* il a fait un très gros emprunt... en donnant en garantie ses parts de *Harte Enterprises* !

Paula resta un moment sidérée, puis elle s'exclama :

— Il n'en avait absolument pas le droit !

— C'est exact, dit Émily. Mais, de ce fait, il s'est passé lui-même la corde au cou.

— En est-on sûr ?

— Tout à fait, répliqua Alexandre, bien que John Cross n'ait pas voulu me dévoiler ses sources. Il ne savait pas l'importance que cette information avait pour nous. Il voulait seulement nous alerter, car il attribuait, apparemment, les méfaits de son fils à la seule influence de Jonathan... Il m'a pourtant donné le nom de l'organisme financier qui a consenti le fameux prêt. Bien entendu, Jonathan ne pouvait pas emprunter à une banque.

— Il doit être devenu fou ! dit Paula. Il savait parfaitement qu'il ne pouvait ni donner ces actions en garantie, ni les vendre, sauf à un autre des actionnaires, c'est-à-dire à Émily, à Sarah ou à toi.

— Très juste, puisque grand-mère avait fait en sorte que les statuts empêchent formellement l'intrusion de tout étranger à la famille.

— De quel organisme financier s'agit-il ?

— De *Financial Investment and Loan.*

— Mais ce sont des escrocs ! Tout le monde le sait. Comment a-t-il pu prendre un tel risque ?

— S'il avait demandé officiellement un prêt, n'importe quelle banque aurait fait une enquête.

— Quelle somme a-t-il empruntée et combien d'actions a-t-il offertes en garantie ?

— Près de la moitié de celles qu'il avait et tout ça pour obtenir quatre millions de livres. Il s'est fait rouler ! Les actions valent bien le double. Les prêteurs ignoraient qu'il n'avait pas le droit de les vendre. Maintenant, ils le savent.

— Alors, tu les as rachetées, je suppose ?

— Oui, jeudi dernier, en compagnie d'Henry Rossiter et de John Crawford, nous sommes allés, Émily et moi, parlementer avec ces gens-là. Atmosphère hostile, mots désagréables, violentes discussions... Le lendemain, nous y sommes retournés tous les quatre. J'ai payé les quatre millions de livres et on nous a rendu les actions. Ils ont eu le front de nous demandé de régler aussi les intérêts, mais Henry et John ont été inflexibles. Pour eux, c'est à Jonathan de s'en charger.

— Où avez-vous trouvé ces quatre millions de livres ? Il s'agit de votre argent personnel ?

— Non, John Crawford a trouvé une astuce pour faire racheter officiellement ces actions par *Harte Enterprises*. Mais j'ai précisé qu'Émily et moi étions prêts à rembourser cette somme le jour où la situation pourrait l'exiger. Pour le moment, Henry Rossiter a estimé qu'il s'agissait d'un cas d'urgence et que je pouvais utiliser les pouvoirs extraordinaires que grand-mère m'avait conférés.

— Mais qu'en est-il des parts de Sarah dans cette histoire ?

— Eh bien, malgré tout, elle n'a pas été assez stupide pour risquer ses propres actions !

— Que comptes-tu faire de Jonathan et de Sarah ?

— Les mettre à la porte. Aujourd'hui même, à midi. Je les ai convoqués pour une réunion du conseil d'administration et j'aimerais que tu y assistes, Paula.

47

Jonathan Ainsley entra dans le bureau d'Alexandre d'un air conquérant.

Toujours persuadé d'être le plus malin, il n'avait pas envisagé l'éventualité que son escroquerie serait découverte.

— Salut, Alexandre, dit-il en s'avançant nonchalamment, main tendue. Sarah m'a dit que tu l'avais convoquée, elle aussi. De quoi s'agit-il?

— Quelques problèmes à régler. Ce ne sera pas long, répondit Alexandre en s'installant à son bureau.

Son regard bleu, honnête et intelligent, s'attarda un peu sur son cousin. Puis le jeune homme se pencha sur ses dossiers.

Jonathan alla s'asseoir sur le canapé et alluma une cigarette. Il leva la tête à l'entrée d'Emily et lui adressa un sourire affable. Il la détestait, beaucoup moins, toutefois, qu'il ne détestait Paula. Quand celle-ci apparut à son tour, il ne put lui cacher son hostilité.

— Toi, qu'est-ce que tu viens faire? lui demanda-t-il sèchement. Tu n'as rien à voir avec la gestion de *Harte Enterprises*!

— Si Alexandre m'a demandé de venir, c'est qu'il s'agit d'un problème familial.

— Tiens, tiens!... La famille n'a pourtant pas eu l'air de te préoccuper beaucoup, dernièrement. Bon, j'espère qu'on ne va pas remettre l'histoire du testament sur le tapis.

— Non, répliqua Paula d'une voix neutre.

Depuis son accès de fureur après la lecture du testament, Jonathan ne se donnait plus la peine de dissimuler son animosité envers Paula. Cette fois, pourtant, elle perçut une certaine anxiété derrière l'attitude désinvolte de son cousin. Le sachant décontenancé par sa seule présence, elle le regarda du coin de l'œil. Il avait l'air d'un enfant de chœur: teint clair, cheveux blonds, beau visage...

Sarah fit à son tour une entrée très digne et parcourut la pièce d'un regard souverain: — Bonjour!... Alexandre, je suis très pressée! J'ai un important déjeuner d'affaires à une heure. J'espère que nous n'allons pas traîner.

— Rassure-toi. J'ai bien l'intention d'en finir rapidement.

— Parfait.

Sarah tourna les yeux vers Émily et Paula qui s'étaient installées sur le canapé et choisit ostensiblement le fauteuil voisin de celui de Jonathan. Ensuite, elle adressa un sourire gracieux à Alexandre.

Le visage dur et fermé, il la dévisagea un bon moment sans ciller. L'amabilité de Sarah s'évanouit pour faire place à l'inquiétude.

Alexandre se tourna alors vers Jonathan et lui déclara tout de go:

— Je trouve assez bizarre que *Stonewall Properties* ait de si graves problèmes financiers. Mauvaise administration, je suppose ?

Jonathan sentit se contracter son estomac. Tous ses sens furent aussitôt en alerte. Mais il réussit à garder son calme.

— Comment le saurais-je ? dit-il en haussant les épaules. Ce ne sont pas des problèmes qui nous concernent.

— Mais si, justement !... Et toi, Sarah, savais-tu que *Stonewall Properties* était pratiquement en faillite ?

Sarah resta bouche bée. Elle était abasourdie par cette inquiétante nouvelle, mais elle ne douta pas un instant de sa véracité. Elle savait qu'Alexandre n'était pas un menteur. Elle faillit demander des explications à Jonathan. Elle se retint, pourtant, de peur de le mettre en rage.

Alexandre ne la quittait pas des yeux. En la voyant pâlir, il se dit qu'elle n'allait pas tarder à s'effondrer pour peu qu'il insistât. Mais il se détourna.

— Ce qui m'ahurit, reprit-il, c'est que cette société soit en déconfiture, alors qu'elle a fait récemment des affaires en or. Quelqu'un aurait-il pioché dans la caisse ?

— C'est impossible, n'est-ce pas ? cria Sarah à Jonathan.

Pour l'empêcher d'en dire plus, celui-ci déclara d'un ton péremptoire :

— Ça suffit, Alexandre !... Laisse tomber les problèmes de *Stonewall Properties* et passons à nos propres affaires.

— Mais *Stonewall Properties* nous concerne, répliqua Alexandre avec une calme férocité. Tu le sais parfaitement, Jonathan, puisque c'est ta société, à toi !

Le souffle coupé, Sarah s'effondra dans son fauteuil.

Jonathan eut un rire ironique et lança à Alexandre un regard où le défi se mêlait à la menace :

— Quelle absurdité !

— Inutile de mentir, je sais tout. Sébastien Cross et toi êtes conjointement propriétaires de cette société que vous avez fondée en 1968. C'est Cross et Stanley Jervis qui la dirigent officiellement avec la collaboration d'un certain nombre d'hommes de paille que tu as mis en place. Vous vous êtes déjà emparés de plusieurs affaires qui devaient revenir à *Harte Enterprises*. Vous nous avez fait perdre une source considérable de profits et c'est toi-même, Jonathan, qui as coupé l'herbe sous le pied de grand-mère quand elle était en pourparlers avec *Aire Communications*. Tu as trahi nos intérêts et notre confiance. De ce fait, il ne nous reste plus qu'à...

— Prouve donc ce que tu avances ! hurla Jonathan.

Il se leva brusquement pour aller taper du poing sur le bureau d'Alexandre.

— Il te sera difficile de le faire ! reprit-il en écumant de rage. Tu n'as pas le moindre commencement de preuve pour étayer ces accusations grotesques.

— Tu te trompes, j'ai toutes les preuves qu'il me faut, rétorqua Alexandre d'un ton glacial. Tout est là devant moi, dans ce dossier... Bien sûr, tu n'es pas seul en cause. Tu as eu une associée dans ce qu'il faut bien appeler... un crime, faute d'un meilleur mot. Et ta complice, qui est présente, semble stupéfaite. C'est, en effet, Sarah Lowther.

— Ne t'avise pas de mêler cette pauvre Sarah à ton ignoble complot ! Comme autrefois, tu ne cherches qu'à nous discréditer tous les deux, Alexandre Barkstone ! Tu as toujours essayé de faire du mal à Sarah. Mais, cette fois, je la défendrai et je me défendrai. Prends garde, j'aurai ta peau !

Le regard bleu d'Alexandre, si froid une seconde plus tôt, se chargea de compassion en se posant sur Sarah.

— Oui, pauvre Sarah ! dit-il d'une voix radoucie. Il t'a dupée, j'en ai peur. Ton argent s'en est allé à vau-l'eau. Nous le regrettons pour toi, mais nous n'y pouvons rien.

— Mais, Alexandre, balbutia la malheureuse, je... je n'ai pas...

Jonathan intervint promptement :

— Tais-toi, ma petite Sarah ! Ce démon cherche à te faire tomber dans un piège... C'est le pire des salopards !

— Ça suffit, dit Alexandre en se levant. Ne t'avise plus de m'injurier, Jonathan !

— Parce que je t'ai piqué au vif, hein ?... Tu sais que la saloperie, chez vous, c'est de famille, et que tu as de qui tenir, comme ta charmante petite sœur... Ta mère, c'est une fière salope ! Pas la mienne.

— Fous le camp, tu es viré ! s'écria Alexandre.

— Tu ne peux pas me mettre à la porte, déclara Jonathan en riant. Souviens-toi que je suis actionnaire de la compagnie et que...

— Tu n'as plus guère d'actions, maintenant, répliqua Alexandre en serrant les dents. Tu en as déjà perdu plus de la moitié.

Il ouvrit le dossier posé sur son bureau et mit sous le nez de son cousin l'attestation de rachat des parts :

— Je les ai depuis... vendredi dernier. *Harte Enterprises* a dû sortir quatre millions de livres pour rembourser ton emprunt.

Jonathan avait blêmi. Il regarda Alexandre avec stupéfaction. Un moment interloqué, il laissa vite sa hargne reprendre le dessus.

— Je possède toujours neuf pour cent de cette compagnie et, selon les statuts, tu ne peux pas flanquer à la porte un actionnaire.

— C'était vrai en 1968 quand grand-mère, dans son premier testament, a voulu partager les actions entre nous quatre. Mais, jusqu'au jour de sa mort, elle en a gardé la totalité : elle était donc toute-puissante. Or, juste avant de partir pour l'Australie, elle a décidé, comme c'était son droit, de modifier les statuts... si bien que, maintenant, c'est moi, président-directeur général et principal actionnaire, qui détiens des pouvoirs extraordinaires. Je peux ainsi agréer un actionnaire extérieur à la famille et flanquer dehors qui ne me convient plus. C'est pourquoi je te vire, Jonathan... Ainsi que toi, Sarah, dont la conduite a été presque aussi lamentable que celle de Jonathan.

Sarah parut se changer en statue. Jonathan ronchonna :

— Nous verrons bien à quoi mènent ces idioties ! Nous allons de ce pas, Sarah et moi, consulter John Crawford. Il y a...

— Vas-y donc, je t'en prie. John veut justement te dire deux mots. Car il m'a accompagné chez tes prêteurs et il est inquiet à propos des intérêts que tu leur dois. Ce sont des types tout ce qu'il y a de louche, Jonathan ! Tu ferais mieux de les régler au plus vite.

Interdit, Jonathan regarda son cousin avec épouvante. Sarah, qui s'était légèrement reprise, se précipita vers Alexandre :

— Moi, j'ai gardé toutes mes actions ! Je n'ai rien fait de mal. Pourquoi me mets-tu à la porte ?

— Parce que tu as investi dans une société concurrente ! C'est de la déloyauté. Tu nous as trahis au même titre que Jonathan. Ta conduite est impardonnable.

— Mais j'adore mon travail, dit-elle en sanglotant.

— Tu aurais dû y penser avant de faire cause commune avec ce cinglé, répliqua Alexandre sans s'émouvoir.

Jonathan se mit à hurler :

— Ça ne se passera pas comme ça ! Je vais prendre un avocat. Je suis sûr que ce que tu fais est illégal.

— Oh non ! c'est parfaitement légal ! Et ça ne te mènera nulle part de défier les volontés d'Emma Harte.

Brusquement, Jonathan perdit la tête :

— J'aurai ta peau, ordure ! (Puis il se retourna pour montrer le poing à Paula :) Et la tienne aussi, espèce de pute !

— Sors d'ici ! dit Alexandre d'une voix blanche. Sors d'ici avant que je te prenne par la peau du cou !

Paula se leva précipitamment pour l'empêcher de mettre sa menace à exécution. Elle regarda ensuite Jonathan et Sarah en tentant de surmonter son dégoût.

— Comment avez-vous pu lui faire ça, à elle ? demanda-t-elle tristement. Elle qui vous a tant donné, qui a toujours été si équitable et si généreuse ! Quand elle est morte, Jonathan, il y avait longtemps qu'elle te soupçonnait et elle commençait à craindre que tu n'aies entraîné Sarah. Mais elle vous avait laissé le bénéfice du doute. Elle n'a pas voulu vous déshériter. Et, maintenant, nous avons la preuve que vous êtes bien ce qu'elle méprisait le plus : des traîtres, des menteurs, des tricheurs...

Ils n'osèrent pas répliquer. Jonathan était hors de lui et Sarah, prête à s'évanouir.

— Moi, malheureusement, je ne peux pas être aussi miséricordieuse qu'Emma Harte, reprit Paula d'une voix ferme. A l'avenir, par conséquent, je ne veux plus vous voir, même dans les réunions de famille. Tenez-vous-le pour dit.

Toujours pâle et tremblante, Sarah eut alors une véritable crise de nerfs. Elle se tourna vers Jonathan pour l'accabler.

— C'est ta faute ! Je n'aurais jamais dû te croire ! J'ai perdu non seulement mon argent, mais encore le travail que j'aimais et l'estime de ma famille.

Elle se remit à sangloter, mais Jonathan joua les indifférents. Il se contenta de s'en prendre à Paula.

— Toi, Paula Fairley, je t'aurai ! lui cria-t-il, le visage tordu par la haine. Sébastien et moi, nous allons t'en faire baver !

Alexandre perdit son sang-froid. Il attrapa son cousin par le bras et le poussa violemment vers la porte :

— Fous le camp, avant de recevoir la raclée de ta vie !

Jonathan se débattit en glapissant :

— Ote tes sales pattes, ordure ! Et ne te crois pas à l'abri, parce que je t'aurai aussi, Barkstone, même si ça doit me prendre toute la vie. Je te jure bien que tu ne l'emporteras pas en paradis !

Ouvrant brutalement la porte, il sortit en tempêtant. Sarah, les joues inondées de larmes, s'élança de nouveau vers Alexandre en gémissant :

— Que vais-je devenir ?

— Je l'ignore, Sarah. Ce n'est plus mon problème.

Avec désespoir, elle regarda Paula, puis Émily. Mais devant leur visage fermé, elle comprit que toute imploration serait inutile. Reprenant son sac à main, elle quitta précipitamment la pièce en maudissant Jonathan.

Alexandre retourna s'asseoir derrière son bureau et alluma une cigarette d'une main tremblante.

— Tout ça est odieux, mais je m'attendais à pire encore. Je ne peux m'empêcher de plaindre Sarah. C'est une victime avant tout.

— C'est vrai, admit Paula. A un certain moment, elle m'aurait fait pitié, à moi aussi, si j'avais pu oublier tout ce que grand-maman a fait pour elle.

— Moi, je n'éprouve aucune compassion pour Sarah ! s'écria Émily, indignée. Bien qu'elle soit moins méprisable que Jonathan, elle n'a pas volé ce qui lui arrive.

— Oh ! lui, il va essayer de se venger ! déclara Alexandre. Mais toutes ses menaces resteront sans effet. Tout de même, Paula, j'ai été ahuri quand il t'a montré le poing comme un traître de mélodrame.

Paula se mit à rire avec quelque nervosité :

— Vois-tu, Sandy, ça m'inquiète un peu que nous l'ayons mis à la porte si vite. N'oublie pas que, derrière lui, il y a Sébastien Cross... c'est-à-dire mon ennemi juré. A eux deux, ils sont capables de tout.

— Paula a raison, dit Émily. Nous n'avons pas fini d'en voir avec Jonathan, Sarah et Sébastien. C'est un trio infernal.

Alexandre s'efforça d'être rassurant :

— Oubliez-les tous les trois, je vous en prie. Ils sont totalement impuissants.

— Tu parles en vrai petit-fils d'Emma Harte ! s'écria Émily. Mais dis-moi, Sandy, qui comptes-tu mettre à la place de Sarah pour diriger le secteur du Prêt-à-Porter ?

— Pourquoi pas Maggie ? Elle a le sens des affaires. Consentiriez-vous à l'aider un peu toutes les deux ?

— Et comment ! s'exclama Émily. Tu as une idée formidable !

— C'est aussi mon avis, dit Paula.

48

La vieille nursery de Pennistone, toute vétuste qu'elle fût, était un havre de paix et de bien-être. Un grand feu de bois éclairait l'âtre et la lumière tamisée des lampes ajoutait à l'aspect chaleureux de la pièce.

C'était un samedi après-midi de janvier 1971. Il était déjà tard. Assise près de la fenêtre, Émily regardait d'un œil attendri Paula jouer avec ses enfants. Contrairement à l'ordinaire, la jeune femme semblait insouciante. Son regard, toujours troublé depuis quelque temps, pétillait de gaieté, ce soir-là. Elle était l'image de l'amour maternel.

Les jumeaux avaient déjà près de deux ans. Ils venaient de prendre leur bain et ils étaient en vêtements de nuit. Paula les tenait par la main et tous trois faisaient la ronde au milieu de la nursery.

— Allons-y! s'écria-t-elle.

Elle s'efforça de guider les pas des petits, dont les bonnes joues reluisaient de propreté et dont les yeux brillaient de plaisir.

Elle se mit à chantonner: «Dansons la capucine, n'y a plus de pain chez nous, y en a chez la voisine, mais ce n'est pas pour nous... You!»

Arrivé là, Lorne lâcha la main de sa mère et celle de sa sœur pour se rouler par terre en gazouillant et en riant.

— You! cria-t-il. You, you!

Tessa, qui était restée cramponnée à Paula, regarda tour à tour son frère et sa mère: — Coquin!... Rorne coquin!

Paula se baissa et sourit devant l'air réprobateur de la petite fille:

— Il n'est pas coquin, ma chérie! Lorne est content. Nous sommes tous contents, aujourd'hui. Mais essaie donc de dire Lorne, mon trésor.

— R...orne! répéta Tessa avec application.

Émue, Paula effleura doucement la joue délicate de l'enfant. Puis elle la prit dans ses bras et caressa du bout des doigts ses boucles d'or sombre:

— Tu es un amour, Tess!... Maintenant, va donner un baiser à tante Émily. Il est grand temps d'aller au lit.

Elle regarda sa fille traverser la pièce en chemise de nuit blanche et robe de chambre bleue. La petite ressemblait à un chérubin. Paula s'agenouilla ensuite près de Lorne et se mit à le chatouiller. Il se tortilla et lui donna des coups de pied en riant à gorge déployée. Elle le releva et lui passa tendrement la main dans les cheveux, qu'il avait un peu plus foncés que ceux de sa sœur.

— Oh! maman est vilaine! lui dit-elle. Elle te laisse faire le petit fou au lieu de te coucher.

Il pencha la tête et la regarda avec attention: — Moi... Mam... Mam...

Il tendit sa petite joue pour demander un baiser. Paula lui prit la tête dans les mains et l'embrassa sur le bout du nez.

— Comme tu es mignon, mon Lorne! murmura-t-elle en rajustant le col de son pyjama.

Il tendit la main pour lui caresser la figure, puis il se serra contre elle en cherchant à se faire bercer. Elle le balança un moment au creux de ses bras et, après l'avoir reposé sur le tapis, elle alla chercher Tessa qui était blottie sur les genoux d'Émily.

— Tante Émily, dit-elle d'une voix solennelle, figure-toi que le marchand de sable va passer. Viens donc l'attendre avec nous dans la chambre.

— Oui, je veux bien, répliqua Émily en remettant Tessa par terre. Il y a des années que je ne l'ai pas vu!

Elles emmenèrent les jumeaux dans la pièce voisine, qui n'était éclairée que par une lampe de chevet posée, entre les deux lits, sur une table de nuit.

— Vite, au lit, dit Paula. C'est presque l'heure du marchand de sable.

Avec l'aide d'Émily, elle débarrassa les petits de leur robe de chambre.

— Maintenant, assieds-toi, tante Émily, déclara-t-elle après avoir bordé et embrassé ses enfants. Et surtout ne fais pas de bruit. Il ne faut pas faire peur au marchand de sable.

— Je serai aussi silencieuse qu'une souris, chuchota Émily.

— Chut, chut! fit Paula en portant le doigt à ses lèvres.

— Chanson, maman, dit Tessa. Chanson.

— Oui, je vais chanter «Le Marchand de sable», mais fermez les yeux tous les deux.

Ils obéirent. Lorne fourra son pouce dans sa bouche et Tessa étreignit l'agneau de peluche blanche posé sur son oreiller.

Paula se mit à chanter en sourdine :

> *Avec sa besace brune*
> *Remplie de sable de lune*
> *Le petit homme est passé.*
> *Par les jardins et les cours*
> *Le Marchand de Sable court,*
> *Semant sa poudre dorée.*
> *Il en est tombé trois grains*
> *Dans l'œil de Perlimpimpin,*
> *Et il s'est pris à rêver!*

Elle s'arrêta en voyant que les enfants s'étaient déjà endormis, épuisés par une journée d'agitation. Elle les embrassa encore une fois et Émily s'approcha à son tour pour poser un baiser sur leur front. Puis elles sortirent l'une derrière l'autre sur la pointe des pieds.

Vers sept heures, Paula commença à s'inquiéter de l'absence de Jim. Elle était seule depuis une demi-heure. Dès le départ d'Émily, elle s'était installée dans la bibliothèque avec l'intention de travailler, mais elle était trop soucieuse pour se concentrer.

C'était le cinq janvier, le jour-limite qu'elle s'était fixé pour annoncer ses intentions à son mari, car ses parents et son frère, après avoir passé les fêtes de fin d'année à Pennistone, venaient de repartir pour aller skier à Chamonix.

Noël avait été exceptionnellement calme. Invités par Sally et Anthony à Clonloughlin, Randolph et Vivienne avaient été absents du réveillon, de même que les O'Neill, partis rejoindre Shane à La Barbade. Mais Winston et Émily, en compagnie d'Alexandre et de Maggie, étaient venus passer quelques jours et on avait eu la visite du clan Kallinski en entier. Cependant, l'absence d'Emma avait rendu toute cette période triste et mélancolique. Sans elle, les choses n'étaient plus les mêmes.

Paula avait fait des efforts démesurés jusqu'au départ de sa famille pour tenir le coup et détendre l'atmosphère. Mais le matin même, alors qu'elle avait la ferme résolution de parler à Jim, elle s'était aperçue qu'il était parti en coup de vent au journal sans lui dire au revoir.

Tout d'un coup, elle entendit au-dehors des pneus grincer sur le gravier. Elle se précipita à la fenêtre. Le perron était éclairé.

En apercevant l'Aston-Martin de Jim, elle sursauta : une paire de skis dépassait d'une des portières arrière. Ainsi, il était allé à Long Meadow chercher son équipement ! Cela voulait dire qu'il avait décidé de partir pour Chamonix, lui aussi. Dans ce cas, murmura-t-elle, c'est maintenant ou jamais... Traversant à grands pas la bibliothèque, elle alla jusqu'à la porte du hall et l'ouvrit brusquement.

Jim entra bientôt, mais il passa sans la voir et se dirigea vers le grand escalier.

— Je suis là, Jim !

Surpris, il pivota sur ses talons et la regarda, apparemment mal à l'aise.

— Peux-tu m'accorder quelques minutes ? lui demanda-t-elle en s'efforçant de contrôler son émotion pour ne pas lui donner l'alarme.

— Pourquoi pas ? Mais je montais me changer. J'ai eu une journée tuante... Il y avait un travail fou pour un samedi.

Elle se recula pour le laisser entrer dans la bibliothèque. Rien d'étonnant à ce que tu aies mis les bouchées doubles, songea-t-elle, puisque tu avais décidé sans rien dire de partir en vacances !

Jim passa devant elle sans l'embrasser ni faire le moindre geste affectueux. Elle repoussa la porte sans oser la fermer à clé, puis le rejoignit près de la cheminée.

Après un regard scrutateur, il se résigna à prendre un fauteuil et sortit ses cigarettes. Il fuma un moment en silence et finit par demander d'un ton neutre : — Comment s'est déroulée ta journée ?

— Bien. Je me suis occupée des enfants. Émily est venue déjeuner et elle est restée passer l'après-midi avec moi. Winston était à un match de football.

Il ne fit aucun commentaire.

— Alors, tu pars quand même pour Chamonix ? reprit-elle à mi-voix.

— Oui, répondit-il sans la regarder.

— Quand t'en vas-tu ?

Il toussota, gêné :

— Je pensais partir ce soir en voiture pour Londres. Vers dix ou onze heures, il n'y aura pratiquement plus de circulation. Je pourrais y être en un temps record et ça me permettrait de prendre demain le premier vol pour Genève.

Elle faillit exploser de colère, mais se retint pour ne pas l'irriter.

— Je t'en prie, Jim, ne pars pas. Du moins, pas avant quelques jours.

— Pourquoi ? demanda-t-il, étonné, en levant vers elle ses yeux gris argent. Tu vas bien à New York, toi !

— Oui, mais pas avant le huit ou le neuf. A ton retour du Canada, je t'ai dit qu'il fallait que nous ayons une discussion. Tu as prétexté que ce n'était pas le moment, à cause de Noël et des invités. Et tu m'as promis de ne pas partir pour Chamonix avant que nos problèmes soient réglés.

— Tes problèmes, Paula, pas les miens !

— Non, les nôtres !

— Désolé, je ne suis pas d'accord. Si notre couple a des problèmes, c'est toi qui les crées. Il y a plus d'un an que tu fais des histoires et que tu répètes sans raison que nous avons des ennuis. C'est toi qui as déserté le lit conjugal, pas moi. C'est toi seule, Paula, la responsable d'une situation qui risque de devenir intenable pour des époux...

— Mais nous ne sommes plus des époux !

Il eut un rire sarcastique :

— Nous avons deux enfants et, pour l'amour d'eux, je veux bien me résigner à la situation. Ils ont besoin de vivre sous le même toit que leur père et leur mère... A propos, quand je reviendrai de Chamonix, nous retournerons vivre à Long Meadow. C'est la maison de mon enfance et c'est là que mes enfants grandiront.

— Tu sais très bien que grand-mère voulait...

— Ici, nous ne sommes pas chez nous. Cette maison appartient à ta mère.

— Oui, mais à cause du travail de mon père, mes parents ne peuvent pas vivre ailleurs qu'à Londres !

— C'est leur problème et non le nôtre.

— Grand-mère tenait à ce que Pennistone soit habité toute l'année. Il a toujours été entendu que j'y vivrais et que mes parents y viendraient en week-end aussi souvent qu'ils le pourraient.

— Et moi, j'ai décidé de retourner à Long Meadow avec les enfants. Tu y seras la bienvenue, quoique je ne puisse pas te forcer à habiter avec nous... A toi de décider !

Paula le regarda en se mordant les lèvres.

— Jim, je veux divorcer, dit-elle brusquement.

— Et moi, je ne veux pas, répliqua-t-il avec froideur. Je ne consentirai jamais au divorce. Le cas échéant, je me battrai pour obtenir la garde de Lorne et de Tessa. Mes enfants vivront avec moi.

— Des enfants de cet âge ont besoin de leur mère ! Toi, orphelin, tu devrais être le premier à le savoir. Écoute, tu pourras les voir autant que tu voudras. Je ne te séparerai jamais de tes enfants. Tu viendras très souvent et tu les prendras chez toi de temps à autre.

— Incroyable!... s'exclama-t-il avec un sourire amer. Tu es d'un égoïsme fabuleux. Il te faut tout, n'est-ce pas? Ta liberté d'action, le choix de tes résidences et les enfants par-dessus le marché. Et pourquoi ne me prendrais-tu pas mon boulot, pendant que tu y es?

— Comment peux-tu dire une chose pareille? A sa mort, grand-mère venait de renouveler ton contrat. Et non seulement tu es inamovible, mais encore tu es actionnaire!

— Ah oui?... A ce propos, figure-toi que j'ai le béguin pour Toronto. C'est une belle ville. Je me demande si je ne vais pas m'y installer pour quelques années. L'idée m'en est venue en décembre. Évidemment, j'emmènerai les enfants.

— Non! hurla-t-elle, épouvantée.

— Mais si. A toi de voir, Paula. Si tu insistes stupidement pour obtenir le divorce, j'irai vivre au Canada avec mes enfants.

— Ce sont aussi les miens!

— Oui, et tu es ma femme, dit-il avec une soudaine douceur. Nous formons une famille. Moi aussi, j'ai besoin de toi. Voyons, pourquoi ne pas oublier les griefs sans fondements que tu as contre moi? Pourquoi ne pas faire un effort pour se réconcilier? De mon côté, je suis prêt à essayer. On pourrait tout recommencer à zéro, dès ce soir... Viens donc, montons dans notre chambre. Je te prouverai vite que nos prétendus problèmes n'existent que dans ta tête... J'ai envie de toi, Paula.

Elle n'osa rien répliquer.

— D'accord, pas ce soir, finit-il par murmurer. Puisque je pars pour Chamonix et que tu t'en vas bientôt à New York, attendons la fin du mois pour y voir plus clair. Dans quelques semaines, nous retournerons à Long Meadow et nous reprendrons la vie commune.

— Il n'y a plus rien entre nous, Jim, dit-elle d'une voix rauque. C'est pourquoi il n'est pas question de reprendre la vie commune.

Il resta un bon moment à regarder le feu.

— Je me demande ce qu'en dirait un psychanalyste, déclara-t-il enfin.

— Je ne te suis pas...

— Je crois qu'il qualifierait ta conduite de névrotique. Certaines personnes ne peuvent s'empêcher de calquer leur comportement sur celui d'un de leurs parents ou de leurs grands-parents. Elles répètent les attitudes et les erreurs dudit parent, comme si elles y étaient contraintes par une terrible nécessité intérieure.

Paula resta quelques instants abasourdie.

— Tu veux dire que je revis l'existence de grand-mère?

— Précisément.

— Tu te trompes du tout au tout! Je suis moi-même et personne d'autre. Je vis ma propre vie.

— Ça, c'est ton opinion. Pourtant, ta vie n'est que la répétition de celle d'Emma Harte. Tu travailles comme une dingue, tu te gâches l'existence par pure ambition, tu es toujours par monts et par vaux, tu négliges tes devoirs d'épouse et de mère... Tu forces le monde entier à plier devant toi et, tout comme elle, tu te conduis en déséquilibrée.

— Comment oses-tu la critiquer ? s'écria-t-elle, folle de rage. Comment oses-tu la caricaturer, elle qui a été si bonne pour toi ? Tu as un culot monstre ! Je ne néglige pas plus mes enfants que je ne t'ai négligé. Si nous ne nous entendons plus, c'est parce que tu refuses de te remettre en question. C'est toi le déséquilibré. Ce n'est pas moi qui...

Elle s'arrêta, embarrassée, en serrant les poings. La figure de Jim s'assombrit :

— T'est-il jamais venu à l'idée que tu étais responsable de ma dépression nerveuse ?

— Si quelqu'un est victime de ses pulsions, c'est bien toi. Ne m'attribue plus la responsabilité de tes échecs.

Jim resta pensif un moment, puis il la dévisagea :

— Pourquoi es-tu si désireuse d'obtenir le divorce ?

— Quand un mariage est fichu, il est inutile de s'obstiner. Ce serait aussi mauvais pour les enfants que pour toi et pour moi.

— N'étions-nous pas amoureux l'un de l'autre ?

— C'est vrai, mais l'amour ne dure pas longtemps quand il y a incompatibilité d'humeur et de caractère. Pour vivre ensemble, il faut mutuellement beaucoup de compréhension et d'affection.

— Y aurait-il un autre homme ? demanda-t-il sans la quitter des yeux.

Paula ne s'attendait pas à la question, mais elle parvint à rester impassible.

— Non, dit-elle avec assurance.

Sans insister, il se leva et vint se placer derrière le fauteuil qu'elle occupait.

— Mieux vaut pour toi qu'il n'y en ait pas, déclara-t-il en lui agrippant l'épaule. Sinon, je te détruirais. Ce serait à moi de demander le divorce et, alors, j'obtiendrais la garde de mes enfants, sois-en sûre. Aucun juge, en Angleterre, ne confierait les enfants d'un couple désuni à une mère indigne qui trompe son mari, qui déserte le domicile conjugal et qui, au détriment de sa famille, ne s'occupe que de ses seuls intérêts financiers.

Paula dégagea son épaule et se releva, furieuse.

— Essaie un peu, dit-elle d'une voix glacée. Essaie, je t'en prie, et tu verras qui gagnera.

Il s'éloigna d'elle en ricanant :

— Le comble, c'est que tu prétends ne pas répéter la vie d'Emma Harte ! C'est la meilleure blague du siècle ! Écoute-toi donc parler. On croirait l'entendre. Tu raisonnes exactement comme elle. Tu crois, toi aussi, que l'argent et le pouvoir rendent invulnérable. Désolé, ma chère, mais c'est faux !

Il tourna les talons et se dirigea vers la porte.

— Où vas-tu ? cria-t-elle.

— A Londres. Je ne vois pas l'intérêt de rester dîner avec toi. Nous continuerions à nous bagarrer et, franchement, ça suffit pour ce soir.

Elle courut après lui et le prit par le bras.

— Nous n'avons pas de raisons de nous disputer, Jim, dit-elle d'une voix tremblante. Je suis sûre que nous pourrions nous conduire comme des gens civilisés, comme des adultes responsables et intelligents.

— A toi de jouer, Paula, répliqua-t-il calmement. Réfléchis à ce que je t'ai dit. A mon retour de Chamonix, tu auras peut-être recouvré ton bon sens.

49

John Crawford écouta Paula sans l'interrompre pendant une heure entière.

Il avait jugé plus sage de la laisser ouvrir son cœur avant de lui poser des questions. Il sentait que c'était la première fois qu'elle osait confier à quelqu'un l'échec total de son mariage et que cela la libérait.

Elle s'arrêta enfin, essoufflée, et se détendit. Son visage s'adoucit et ses beaux yeux reflétèrent son soulagement.

— Voilà où j'en suis, conclut-elle avec un sourire timide. Je crois n'avoir rien oublié.

Il hocha la tête avec compréhension en continuant à l'observer. Il avait l'impression qu'elle avait retrouvé assez de sang-froid pour admettre ce qu'il devait lui dire. Il toussota :

— Je ne veux pas vous inquiéter. Considérez qu'il s'agit seulement d'une suggestion, mais il faudrait peut-être mettre vos enfants sous la protection du tribunal.

— Oh ! John, ce serait bien trop terrible ! Je ne ferais que verser de l'huile sur le feu.

Crawford, qui n'avait jamais eu beaucoup de sympathie pour Jim Fairley, répliqua d'un ton pensif : — Mais vous me dites que Jim a pratiquement menacé de leur faire quitter le pays pour le Canada, au cas où vous refuseriez de vous soumettre.

— C'est exact.

— Si les enfants étaient sous la protection de la justice, il ne pourrait pas les faire sortir d'Angleterre.

— Je comprends, mais Jim espère toujours que je vais renoncer au divorce. Pour le moment, il ne songera pas à enlever les enfants. Il attendra de connaître mes intentions. Et puis, il est actuellement à Chamonix.

— Le problème, c'est que vous partez pour les États-Unis dans deux jours et qu'il le sait. Il pourrait tenter quelque chose en votre absence. Après tout, Genève n'est qu'à quelques heures d'avion.

— Vous croyez ?

— Ce n'est qu'une hypothèse... Mais je vais maintenant vous parler sans ménagements. Je dois vous poser une question délicate et je vous demande de bien réfléchir avant de répondre.

— Entendu.

— Croyez-vous que Jim soit en possession de toutes ses facultés ?

— Oui, répliqua-t-elle sans hésitation. Après sa dépression nerveuse, il est resté longtemps dans cette clinique psychiatrique, mais il est complètement guéri. Il se comporte normalement... Du moins, pour autant qu'on puisse qualifier de normale son attitude envers moi. Il a toujours été têtu comme un mulet et il continue à refuser de voir la réalité. Il est convaincu que nos problèmes n'existent que dans mon imagination. Ça ne veut pourtant pas dire qu'il ait l'esprit dérangé. Il est furieux, c'est tout.

— Très bien, je vous crois. Et je comprends que vous craigniez de l'irriter davantage. Mais vous feriez mieux d'en parler à votre mère et de la mettre au courant de tous vos ennuis. Si Jim quittait brusquement Chamonix, demandez-lui de me prévenir tout de suite.

— Non, non, pas maman ! Elle serait bouleversée. Je ne lui ai jamais rien dit. Je n'ai jamais rien dit à personne, à part quelques allusions faites à Émily et à mon père ces temps derniers. Ils sont conscients que mon mariage est un désastre. Émily et Winston m'ont même conseillé de divorcer... Ils partent justement après-demain rejoindre mes parents à Chamonix. Je vais tout expliquer à Émily avant son départ et c'est à elle que je demanderai de vous téléphoner, en cas de besoin.

— Bon, dit Crawford, rassuré. C'est une fille intelligente et réaliste. On peut lui faire confiance. Et, puisqu'elle sera au chalet, abandonnons pour le moment l'idée de mettre les jumeaux sous la protection de la justice... Tout à l'heure, vous m'avez peut-être pris pour un paranoïaque, mais on n'est jamais trop prudent dans ce genre d'affaire. Vous-même, Paula, il a bien fallu que vous soyez inquiète pour les avoir amenés à Londres avec vous hier.

— C'est vrai, je n'étais pas rassurée depuis le départ de Jim, samedi. Lorne et Tessa sont si petits, si vulnérables ! J'ai même songé un moment à les emmener à New York, mais je crains de les perturber inutilement. Et Nora est très satisfaite de pouvoir passer quelques semaines à Londres. Le climat lui paraît moins rude ici que dans le Yorkshire. Et puis, il y a Parker et Mme Ramsey qui sont là pour l'aider.

— Alors, partez tranquille, ma chère enfant. Je me tiendrai régulièrement au courant de ce qui se passe à Belgrave Square. Surtout, recommandez à Nora de m'appeler si jamais Jim se manifestait.

— Je ne l'oublierai pas !... Mais il ne peut pas me les prendre, n'est-ce pas, John ?

— Tranquillisez-vous ! Il peut user de menaces pour vous contraindre à lui céder, mais ça ne peut pas aller très loin. Dieu merci, nous avons des tribunaux dans ce pays !

— Il prétend que je suis ambitieuse et égoïste, murmura-t-elle en soupirant.

— C'est la poêle qui se moque du chaudron ! Il projette sur vous ses propres défauts, car il ne pense qu'à lui. Il se moque bien de vos sentiments, de vos désirs et de vos souffrances. Tout ça est dangereux pour les enfants. Et quand un mariage est fichu, mieux vaut ne pas s'obstiner... Moi, j'en sais quelque chose !

— Pauvre John ! Vous en avez vu de toutes les couleurs, vous aussi ?

— Bah, c'est loin, tout ça, ma chère enfant ! Maintenant, Millicent et moi, nous avons de bonnes relations.

— J'espère pouvoir bientôt en dire autant pour Jim et moi. Je ne le hais pas, loin de là. Je suis triste pour lui qu'il ne puisse admettre la réalité. Je lui en veux si peu que je tiens à me montrer tout à fait correcte : il verra les enfants autant-qu'il le voudra et, bien entendu, il conservera sa situation dans le groupe de presse. Quand je pense qu'il m'a accusée de vouloir le priver de son travail !

— Ne vous faites pas trop d'illusions ! Il va ruer dans les brancards. Je suis même certain que ça se passera mal. Il ne consentira pas au divorce. Il préférera de beaucoup continuer à faire semblant d'être votre mari, pour sauver les apparences. C'est assez compréhensible. Vous êtes la mère de ses enfants, vous êtes une jeune femme désirable, toute-puissante et fabuleusement riche. Quel homme n'essaierait pas de s'accrocher ?

— Mais Jim se moque de ma fortune et de mon pouvoir ! Il me reproche sans arrêt de n'être qu'une femme d'affaires trop ambitieuse.

— Ne soyez pas naïve !

Levant les sourcils, Paula le regarda avec incompréhension.

— Ne vous leurrez pas, Paula. Votre argent l'intéresse et l'a toujours intéressé. Il a beau vous reprocher amèrement de ne penser qu'aux affaires, il a toujours vu en vous l'héritière d'Emma Harte. Il savait parfaitement que vous auriez non seulement sa fortune, mais encore sa puissance sociale. Quand il vous les reproche, c'est uniquement pour vous blesser et vous punir. Ça l'arrange aussi de se présenter comme le mari malheureux, négligé et humilié. Il cherche à se faire plaindre. Je vous en prie, ma chère petite, soyez lucide, vous avez tout à y gagner.

— Peut-être avez-vous raison. Mais si Jim n'est pas aussi désintéressé que je le croyais, eh bien, nous lui donnerons de l'argent. Je suis prête à faire les choses largement. Dites-moi un chiffre, John, et prenons date pour en parler à Jim quand il rentrera, à la fin du mois. J'aimerais qu'on aille très vite.

— Il faut quand même me laisser le temps de réfléchir.

Embarrassé, il se leva pour aller prendre un cigare. Il ne tenait pas à lui montrer trop ouvertement le peu d'estime qu'il avait pour Jim. Mais s'il l'avait bien jugé, comme il le pensait, l'argent arrangerait sûrement les choses. Après avoir coupé le bout de son cigare, il revint s'asseoir et resta songeur un moment... Oui, l'argent serait un argument décisif si Jim se montrait intransigeant.

— Quant à vous proposer une date de rendez-vous, je suis à votre disposition, mais...

— Mais quoi ? demanda Paula, alarmée.

— Ne vous affolez pas. Je crois seulement qu'il vaudrait mieux être diplomate. Jim est tellement buté qu'il serait préférable de ne pas l'attaquer de front. Je pourrais, par exemple, faire celui qui vient un soir à l'improviste, pour boire un verre, quand il repassera par Londres, à son retour de Chamonix...

— Comme vous voudrez, John. Ce que je vous demande de ne pas oublier, c'est que je tiens à être équitable au sujet des enfants et à faire preuve de générosité sur le plan financier. Je veux surtout qu'il soit à l'abri du besoin pour le restant de ses jours.

— Je vous promets que, pendant votre séjour à New York, je vais étudier une proposition qui puisse vous satisfaire. Peu de femmes seraient aussi indulgentes que vous. Au fond, il a de la chance.

— Ce n'est sans doute pas son avis, en ce moment. Mais merci de votre compréhension, John. Je me sens plus optimiste. Bon, maintenant, je vais vous laisser dîner en paix. Je vous ai fait perdre assez de temps.

Il lui prit affectueusement la main et l'accompagna dans le vestibule. A ses yeux, Paula était un peu la fille qu'il eût aimé avoir. Il avait envie de la protéger. Car, en dépit de son génie des affaires, elle était bien trop candide dans certains domaines et, pour avoir vécu toute sa vie sous l'aile tutélaire d'Emma, elle n'avait pratiquement aucune expérience des hommes. Elle ignorait tout des laideurs de la vie et, de ce fait, pouvait devenir une proie facile pour un être sans scrupules.

— Disposez de mon temps autant qu'il vous plaira, ma chère petite, lui dit-il en l'embrassant sur la joue. Vous savez, c'est très tonique pour un vieux célibataire encroûté comme moi de recevoir la visite d'une jolie jeune femme comme vous.

— Oh! vous n'êtes pas un vieux célibataire encroûté, John! Vous êtes mon meilleur ami, notre meilleur ami à tous. Merci encore pour tout. Je vous passerai un coup de fil avant de partir pour New York.

— Entendu, dit-il en lui ouvrant la porte de la maison. Du courage, Paula! Tout va s'arranger.

Elle descendit les marches du perron et se retourna pour lui faire un signe d'adieu. Il la regarda partir avec nostalgie, rempli d'inquiétude pour elle.

Elle se hâta de quitter Chester Street pour rentrer à Belgrave Square. Elle était soulagée de s'être confiée à Crawford. Le fait de prendre une décision et de passer à l'action la réconfortait toujours. Comme Emma, elle détestait la passivité. La patience dont elle avait dû faire preuve après l'accident de Jim et pendant son séjour à la clinique lui avait paru presque intolérable. Mais, prudente par nature, elle avait très vite admis que l'attente valait infiniment mieux que le scandale.

Enfin, elle avait confiance en l'intelligence de Crawford : il trouverait bien une solution pour lui obtenir un divorce à l'amiable. Et cette fois, Jim serait obligé de comprendre qu'il n'y avait plus rien à faire.

En arrivant à Belgrave Square, elle se sentait tout à fait rassurée. Après avoir refermé la lourde porte de fer forgé, elle s'engagea dans le petit escalier en colimaçon qui menait au duplex et mit sa clé dans la serrure.

Elle avait à peine eu le temps de ranger son manteau de tweed dans la penderie qu'elle entendit le pas précipité de Parker dans le vestibule.

— Madame, je me demandais justement comment vous joindre ! Monsieur O'Neill vous attend dans le salon depuis un bon moment. Je lui ai servi un whisky. Faut-il vous apporter aussi quelque chose ?

— Non, merci, Parker.

Elle se demanda ce qui pouvait bien amener Bryan à cette heure sans avoir prévenu. Mais quand elle ouvrit la porte du salon, elle n'en crut pas ses yeux. Ce n'était pas Bryan, c'était Shane!

— Qu'est-ce que tu fais là? s'écria-t-elle en se précipitant dans ses bras.

— J'étais tellement inquiet pour toi depuis samedi que j'ai décidé de revenir. Il y a deux heures que j'ai débarqué à Heathrow.

— Oh, je n'aurais pas dû t'affoler avec mon coup de téléphone! N'empêche que je suis ravie de te retrouver avec plusieurs jours d'avance!... Tu sais bien que je pars pour New York après-demain, n'est-ce pas?

Main dans la main, ils allèrent s'asseoir sur le canapé.

— Justement, nous pourrons repartir ensemble, dit Shane. Je viens d'avoir une idée mirifique: nous nous arrêterons à La Barbade pour passer le week-end. Qu'en dis-tu?

— Eh bien... Figure-toi que, quand Jim a suggéré qu'il y avait peut-être un autre homme dans ma vie, j'ai nié avec effronterie! Alors, je crains que quelqu'un puisse nous voir à La Barbade ou pendant le voyage. C'est que je ne veux courir aucun risque. Il serait capable de m'enlever les enfants.

— Mais j'ai beaucoup réfléchi, ma chérie! Et, d'abord, tu sais bien qu'il ne me soupçonnera pas, moi. En plus, il est normal que tu ailles faire un tour à ta boutique de La Barbade. Enfin, personne ne pourra nous voir dans l'avion.

— Et pourquoi pas?

— Parce que nous venons d'acheter un jet pour la compagnie. Ça va nous permettre de survoler l'Atlantique en un clin d'œil. Le voyage à La Barbade servira de vol inaugural. Allons, mon amour, accepte!

— Bon, c'est entendu, dit-elle, tentée par l'aventure. Après tout, j'ai besoin de distractions pour oublier tous mes tracas de ces jours-ci.

— Tu as raison... A propos, il va falloir trouver un nom à cet appareil. Que proposes-tu?

— Aucune idée!... Mais j'apporterai quand même une bouteille de champagne pour le baptiser.

Elle le regarda avec tendresse, reprise par cette légère ivresse qui lui montait à la tête dès qu'elle le retrouvait. Sa seule présence suffisait à la délivrer momentanément de l'angoisse.

— Lève-toi maintenant, Paula. J'ai averti Parker que nous dînerions dehors.

Il lui sourit, heureux comme un enfant, et l'embrassa sur le front, puis son expression se fit plus grave:

— Je suis impatient de savoir ce que t'a dit Crawford. Tu vas tout me raconter au *White Elephant* devant une bonne bouteille.

50

Le chalet semblait désert.

Après avoir descendu l'escalier en courant, Émily s'arrêta dans le petit vestibule circulaire, surprise de ne pas entendre comme chaque matin la radio marcher en sourdine au milieu des bruits de voix et des rires.

Mais en entrant dans la salle à manger, elle vit que sa mère était là. Elle était seule, devant la fenêtre. Elle tenait un petit miroir et examinait son visage avec concentration.

— Bonjour, maman !

Elisabeth se retourna et lui sourit :

— Ah, te voilà ! Bonjour, ma chérie.

Émily l'embrassa, puis s'installa à la longue table campagnarde pour boire son café.

— Où sont les autres ? demanda-t-elle.

Elisabeth continua de se regarder dans la glace à la lumière du soleil matinal. Elle rejoignit enfin sa fille en soupirant.

— Nos skieurs enragés sont partis depuis des heures, comme toujours. Mais tu as manqué Winston de peu. Tout d'abord, il n'avait pas l'intention de rejoindre les autres, puis il a brusquement changé d'idée. Il m'a dit que tu dormais si bien qu'il n'avait pas eu le cœur de te réveiller. Il rentrera pour déjeuner.

— Oui, ce matin, je n'arrivais pas à me lever, murmura la jeune femme en lorgnant les croissants frais.

— Nous nous sommes couchés trop tard, hier soir ! Moi aussi, j'en paie les conséquences... Dis-moi, ne crois-tu pas qu'il me faudrait un lifting des paupières ?

Émily reposa sa tasse en se retenant de rire. Elle était habituée à ce genre de question et elle y répondait toujours avec le plus grand sérieux.

— Non, bien sûr que non. Vos yeux sont magnifiques, maman.

— Tu es bien sincère ?

— Voyons, maman, vous n'avez que cinquante ans...

— Ne parle pas si fort, mon chou. J'admets que ce problème me préoccupe, ces temps-ci. Je trouve mes paupières un peu fanées. Marc est très sensible à la beauté féminine et comme il est plus jeune que moi...

— Je l'ignorais, maman. Il n'en a pas l'air.

— C'est gentil de me dire ça. Mais, hélas ! je suis plus âgée que lui !

— De combien ? demanda Émily en cédant soudain à la tentation de prendre un croissant.

— De cinq ans.

— Ce n'est rien. Et ne me parlez plus de chirurgie esthétique. Vous êtes très belle. On vous donnerait à peine quarante ans.

Elle plongea son couteau dans le beurre onctueux et l'étala avec satisfaction sur le croissant, où elle ajouta de la confiture de pêches. Elisabeth, oubliant momentanément ses soucis personnels, la regarda d'un air sévère :

— Tu ne vas quand même pas manger tout ça, ma chérie ? C'est bourré de calories.

— Je meurs de faim !

— Tu devrais faire attention. Tu as tendance à t'arrondir pour un rien.

— Je ferai un régime draconien en rentrant.

Voyant que ses remontrances étaient inutiles, Elisabeth préféra changer de sujet :

— Hier soir, as-tu remarqué que Marc flirtait avec cette comtesse française ?

— Non, mais il fait la cour à n'importe qui. Il ne peut pas s'en empêcher. Ça ne veut rien dire, j'en suis sûre. Ne vous en faites pas. Il sait bien qu'il a de la chance de vous avoir.

— Et moi aussi, j'ai de la chance de l'avoir. Il est plein d'attentions pour moi. Je n'ai jamais eu de meilleur mari.

Plutôt sceptique, Émily répliqua sans réfléchir :

— Vous oubliez papa ! Il était formidable. C'est bien dommage que vous l'ayez laissé tomber.

— Je comprends que tu aies un préjugé favorable puisque c'est ton père, mais tu n'as pas idée de ce qu'a été ma vie avec lui, chérie ! A la fin, du moins... Tu étais trop petite pour comprendre. Enfin, je préfère parler d'autre chose.

— C'est plus prudent, en effet, dit Émily d'un ton légèrement acide.

Elisabeth la regarda avec réprobation. Puis elle se versa une tasse de café et alluma une cigarette sans cesser d'observer sa fille qui mâchonnait son croissant. Elle se fit la réflexion qu'Émily était bien jolie, ce matin-là, en pantalon et pull vert émeraude. Le soleil avait doré son visage et accentué la blondeur de ses cheveux. Elisabeth était contente, finalement, d'avoir accepté l'invitation de Daisy. Elle avait toujours grand plaisir à retrouver ses enfants et elle se félicitait aussi de l'intérêt que son nouveau mari semblait leur témoigner à tous, et plus particulièrement aux jumelles, Amanda et Francesca.

— Je crois que j'irai en ville tout à l'heure, déclara Émily entre deux bouchées. J'ai un tas de choses à acheter.

— Bonne idée ! Tu pourrais peut-être me déposer chez le coiffeur.

— Vous n'en avez pas besoin, maman. Vous y êtes allée hier.

— Écoute, ma chérie, n'essaie pas de me contrarier. Occupe-toi de tes affaires et moi, je m'occuperai des miennes.

— D'accord, dit la jeune femme avec bonne humeur. C'est drôle, ce matin, à l'aube, je me souviens vaguement d'une irruption d'Amanda et de Francesca dans notre chambre. Elles nous ont couverts de baisers, Winston et moi. Je suppose qu'Alexandre a réussi à les faire repartir pour Genève, malgré leurs hurlements.

— Oui, elles ont fait une de ces comédies !... Elles n'aiment pas beaucoup leur collège suisse. Je me demande pourquoi. Ce qui les a calmées, c'est que Daisy était du voyage, parce qu'elle avait des courses à faire. Elle leur a promis de les emmener déjeuner avec Alexandre à l'Hôtel Richmond avant de les ramener au pensionnat... Mais, je t'en prie, ma chérie, ne prends plus de croissants !

Un peu honteuse de sa gourmandise, Émily obéit :

— Vous avez raison, ça fait terriblement grossir. Je ferais mieux de monter me préparer. Comme ça, je ne céderai pas à la tentation.

— Moi aussi, je monte. Il faut que je me change.

— Mais vous êtes très élégante, maman, et vous n'allez que chez le coiffeur !

— On ne sait jamais qui l'on peut rencontrer ! Bon, il est onze heures. Je te promets de ne pas en avoir pour plus de trente minutes.

Au grand étonnement d'Émily, sa mère tint parole. Peu après onze heures et demie, la jeune femme put mettre la voiture en marche pour quitter le hameau où se trouvait le chalet et rejoindre Chamonix au pied du mont Blanc.

La vallée de Chamonix, bordée d'un côté par le massif du Mont-Blanc et de l'autre, par la chaîne des Aiguilles Rouges, constitue une sorte de plate-forme naturelle d'où l'on peut admirer le plus haut sommet d'Europe. Ce jour-là, les cimes enneigées se dressaient dans un ciel d'un bleu céruléen, où le soleil brillait de tous ses feux. Comme si Elisabeth avait lu dans les pensées de sa fille, elle s'exclama :

— C'est superbe, n'est-ce pas ? Et quelle magnifique journée !

— Oui. Nos skieurs doivent être heureux comme des rois. Au fait, maman, Marc est-il allé avec les autres ?

— Oui, et Maggie aussi.

— Tiens, je la croyais avec Alexandre !

— Tu sais, ils repartent pour Londres demain. Elle tient à profiter de son séjour au maximum.

— Jan et Peter repartent avec eux, paraît-il.

Jan et Peter étaient les deux seuls invités du chalet qui fussent étrangers à la famille.

— J'ai vainement essayé de les persuader de rester quelques jours de plus. Je les aime bien. Lui, surtout. Il a un tel charme !

— Peter Coles ! Franchement, maman, vous avez de drôles de goûts ! Il est ennuyeux comme la pluie. Et prétentieux, avec ça ! Mais je me suis aperçue qu'il était aux petits soins pour vous et que Marc le regardait de travers.

Elisabeth se mit à rire :

— Crois-tu vraiment qu'il soit jaloux de Peter ? J'en serais ravie.

Émily sourit à la réflexion, mais elle ne put s'empêcher de plaindre sa mère. Dire que la malheureuse s'était toquée d'un Marc Deboyne, ce fourbe, ce faux jeton !

Elisabeth se lança dans une louange dithyrambique des qualités de son cher époux. Émily hocha la tête avec indulgence, mais elle n'écouta qu'à demi et fut bien soulagée de voir au loin les premières maisons de Chamonix. Arrivées en ville, elles laissèrent la Citroën au parking et prirent un des boulevards pour rejoindre la petite place où se trouvait le salon de coiffure.

— Vous en avez pour combien de temps? demanda Émily en quittant sa mère devant la porte.

— Une heure environ, pas plus, ma chérie. Je n'ai besoin que d'un coup de peigne. Nous pourrions nous retrouver au petit bistrot d'en face et prendre un verre avant de repartir.

— Entendu. A tout à l'heure, maman.

Émily fit le tour de la place d'un pas nonchalant, en regardant les vitrines. Puis, comme elle avait une heure à perdre, elle reprit le boulevard en sens inverse pour se rendre dans une petite boutique qui vendait des vêtements d'après-ski d'une grande originalité. Les vendeuses la connaissaient et elle passa vingt minutes à bavarder avec elles en essayant des pulls du soir, sans se décider du reste à en choisir un.

En ressortant, elle alla dans une pharmacie acheter deux ou trois petits articles. Mais, brusquement, elle se rappela qu'elle avait besoin de cartes postales et repartit en sens inverse.

C'est alors qu'elle aperçut Marc Deboyne qui venait de son côté. Il avait l'air pressé, absorbé. Apparemment, il ne la voyait pas.

Au moment où il la croisait, elle ne résista pas au plaisir de le faire enrager.

— Tiens, Marc!... Comment se fait-il que vous soyez ici? Maman vous croit en train de skier.

Il sursauta et parut embarrassé, mais reprit vite son assurance:

— Ah! Émily, chère petite Émily! Eh bien, j'ai changé d'avis! J'ai eu envie de me balader. J'ai une terrible migraine.

— Vous n'avez pas que la migraine, lui rétorqua la jeune femme. Vous avez aussi du rouge à lèvres sur le col de votre pull.

Il eut un sourire un peu navré et la regarda avec reproche:

— Qu'allez-vous imaginer? C'est très certainement le rouge de votre maman.

— Maman est justement chez son coiffeur. Je vais la retrouver tout à l'heure au bistrot d'en face. A une heure. Elle serait déçue si vous ne preniez pas un verre avec nous.

— Dans ce cas, je vous y rejoindrai. *Ciao*, Émily!

Après un petit salut affecté, il s'éloigna à toute allure. Émily le regarda traverser le boulevard et tourner au coin d'une rue. Le salaud! pensa-t-elle. Je parie qu'il va retrouver cette horrible comtesse d'hier soir, qui n'est pas plus française que moi! Elle eut une grimace de dégoût et partit à la recherche d'un marchand de journaux. Elle entra chez le premier qu'elle trouva sur sa route et se mit à feuilleter sans se presser les dernières parutions des magazines. Elle regarda sa montre: il n'était pas loin d'une heure.

A la hâte, elle choisit quelques cartes postales et se dirigea vers la caisse pour payer.

En remettant sa monnaie dans son sac, elle sourit à la caissière : — Au revoir, madame.

La femme ouvrit la bouche pour lui répondre, mais son visage se figea brusquement. Émily perçut alors un grondement sourd, qui s'enfla en quelques secondes, devint assourdissant et déchira l'air dans un éclat tonitruant. Elle poussa un cri :

— C'est une explosion, n'est-ce pas ?

La caissière la regarda avec des yeux terrifiés.

— Non, dit-elle, c'est une avalanche.

Elle s'empara aussitôt du téléphone et Émily, serrant son sac sous son bras, sortit en courant.

Toutes les portes de boutiques étaient ouvertes et les gens s'en échappaient avec des airs affolés.

— Une avalanche ! hurla un homme qui courait et montrait du doigt le mont Blanc.

Émily leva les yeux et se figea sur place, épouvantée. Même d'aussi loin, elle voyait distinctement de gigantesques pans de neige se détacher des pentes. Tout un côté de la montagne parut alors se fissurer. Des masses énormes s'écroulaient et s'écrasaient plus bas en balayant tout sur leur passage, tandis que de gigantesques nuages de poudreuse jaillissaient dans le ciel resplendissant.

Le bruit de deux voitures de police qui passaient en faisant hurler leur sirène sortit Émily de son immobilité hypnotique. Elle cligna les yeux et reprit conscience de l'affreuse réalité : Winston était là-haut, tout le monde était là-haut, Philip, Jim, Maggie, David, Jan et Peter Coles !

Elle se mit à trembler comme une feuille. La peur lui coupait les jambes.

— Oh ! Seigneur, pas Winston ! hurla-t-elle. Non, mon dieu, non !

Ce fut comme si le son de sa propre voix la galvanisait. Elle s'élança le long du trottoir en direction du téléphérique. Hors d'haleine, le cœur battant à se rompre, elle courait, aveuglée par les larmes. « Seigneur, je vous en prie, protégez Winston. Protégez Winston et les autres. Sauvez-les tous. Faites qu'ils ne meurent pas ! »

Beaucoup de gens couraient aussi vers la station. Certains la bousculaient au passage. Un homme lui fit perdre l'équilibre en voulant la dépasser. Elle tituba, puis se redressa et reprit sa course, talonnée par l'angoisse. Elle s'arrêta enfin, au bord de l'évanouissement, et s'efforça de reprendre son souffle. Elle s'appuya à l'une des voitures de police et fouilla dans son sac. Elle en sortit son mouchoir et essuya la sueur qui coulait de son front. Ensuite, elle regarda autour d'elle. Toute une foule s'était rassemblée en l'espace d'un quart d'heure.

Elle essaya de se persuader que Winston était redescendu avant l'avalanche et qu'il était sans doute parmi les gens qui s'agitaient autour d'elle.

Elle parvint à se frayer un passage et regarda de tous les côtés, mais elle ne le vit nulle part.

Elle se détourna et mit les mains sur sa bouche, terrorisée. Elle revint en titubant vers la voiture de police et s'effondra à demi sur le capot. Elle ressentait le besoin d'aborder quelqu'un pour se renseigner, mais elle n'avait même pas la force de le faire. Ses genoux pliaient sous elle. Elle allait tomber quand deux bras vigoureux la retinrent.

— Émily, Émily ! C'est moi.

Elle leva les yeux. C'était Winston. Elle s'accrocha à son blouson de ski et éclata en sanglots.

Winston la serra contre lui et s'efforça de la rassurer :

— Allons, tout va bien ! Calme-toi.

— Tu es vivant, Dieu soit loué ! J'ai cru que tu étais mort. Mais les autres ? Où sont-ils ? Les as-tu...

En voyant l'expression de Winston, elle s'arrêta brusquement.

— Je ne sais pas, dit-il. J'espère qu'ils sont sains et saufs. Je le souhaite de tout mon cœur.

— Mais comment se fait-il que toi...

— Je ne suis pas allé skier, ce matin. Je suis arrivé plus tard que les autres et j'ai raté le départ du téléphérique. Je n'ai pas eu le courage d'attendre. Comme je ne me sentais pas dans mon assiette, je suis reparti faire un tour en ville. J'ai acheté des journaux anglais et je suis entré dans un café. Quand j'ai vu qu'il était trop tard pour retourner à la station, j'ai fait un tour dans les magasins. Je venais de retourner au parking pour mettre mes affaires dans la voiture quand j'ai entendu une explosion. J'ai cru qu'il s'agissait de dynamite, mais il y avait un Américain près d'une autre voiture. Il s'est mis à crier que c'était une avalanche et que sa fille était là-haut. Il est parti en courant comme un fou et je l'ai suivi, sachant que... que tout le monde au chalet — pratiquement tout le monde — était aussi monté là-haut.

— Ils sont peut-être allés skier ailleurs, dit Émily.

Winston lui fit un signe de dénégation.

— Winston, ce n'est pas possible !

— Du courage, ma chérie ! Il faut...

Il s'arrêta en entendant quelqu'un crier son nom. Il tourna la tête et vit Marc Deboyne et Elisabeth qui accouraient. Il leur fit signe et dit à Émily :

— Voilà ta mère et Marc.

Elisabeth se précipita vers Winston en pleurant :

— Tu es sain et sauf, Dieu merci !

Elle était très pâle, mais restait maîtresse d'elle-même. Elle serra Émily dans ses bras.

— Et les autres, Winston ? reprit-elle. Les as-tu vus ?

— Non, parce que, finalement, je ne suis pas monté skier, ce matin.

Une brusque agitation se fit autour d'eux. Des équipes de secours venaient d'arriver avec leur matériel et des bergers allemands. Il y avait aussi des renforts de police, des représentants de la municipalité et même des soldats.

Marc murmura qu'il allait aux renseignements et s'éloigna.

— Regardez, c'est arrêté ! s'écria Winston. Rendez-vous compte, l'avalanche est arrêtée !

— Mais elle l'était déjà quand Marc et moi sommes arrivés, dit Elisabeth en le regardant avec étonnement. Ne t'es-tu pas rendu compte de ce silence de mort après cet effroyable vacarme ?

Il n'eut pas le temps de répliquer. Marc était déjà de retour :

— Les secouristes montent. Ils ont le meilleur équipement qui soit. Il faut garder de l'espoir.

— Y a-t-il encore des raisons d'espérer ? demanda Winston d'une voix rauque.

Marc fut tenté de mentir, puis il se résigna à dire la vérité :

— Très, très peu. L'avalanche a dévalé les pentes à une vitesse vertigineuse. Il faut compter avec le poids terrible de cette masse de neige. Mais... il arrive qu'il y ait des survivants dans ce genre d'avalanche. Tout dépend de l'endroit où l'on se trouve. Ceux qui sont dans le bas ont quelques chances de s'en tirer, s'ils arrivent à se débarrasser de leurs skis et à faire des mouvements avec les bras comme pour nager. Ils se ménagent ainsi des poches d'air. Même quand on est renversé par la neige, c'est vital de continuer à remuer les bras pour pouvoir respirer. Des gens ont survécu de cette façon sous la neige pendant plusieurs jours.

— David, Jim et Philip sont de bons skieurs, murmura Émily. Mais la pauvre Maggie...

Elisabeth retint un gémissement.

— Ne parlons pas de catastrophe, dit-elle. Gardons espoir. Continuons à croire qu'ils sont tous vivants.

— Tu as raison, ma chérie, répliqua Marc affectueusement. Nous devons rester optimistes.

Winston se tourna vers Émily :

— Tu ferais mieux d'emmener ta mère dans un café et de nous attendre là-bas avec elle. Il n'y a rien que vous puissiez faire ici.

Elle protesta violemment :

— Non, je veux rester avec toi. Je t'en prie, Winston !

— Oui, nous devons rester ici, dit Elisabeth en refoulant ses larmes.

Elle se mit à prier silencieusement.

Une heure plus tard, les hommes de la première équipe de secours redescendirent. Ils avaient pu retrouver huit personnes, dont cinq étaient malheureusement mortes. Des trois restées vivantes, deux étaient des adolescentes. L'autre était un jeune homme.

— C'est Philip ! hurla Émily en se précipitant.

Philip était debout et l'un des secouristes l'aidait à avancer. Il boitait et tout un côté de son visage était ensanglanté. Il avait un regard égaré, mais il ne semblait pas grièvement atteint.

— Philip!... Dieu merci, tu es vivant! Rien de cassé?

Il reconnut sa cousine et fit signe qu'il allait bien. Presque aussitôt Winston, Elisabeth et Marc l'entourèrent et l'assaillirent de questions. Il secoua la tête, l'air désemparé, incapable d'ouvrir la bouche. L'homme qui le soutenait leur déclara alors avec un fort accent, qui rendait ses paroles difficiles à comprendre : — Ce garçon... Votre ami... il s'en est tiré parce qu'il ne s'est pas affolé, il a fait des mouvements avec ses bras. Il était tout en bas de la pente, il n'y avait que trois mètres de neige et les chiens l'ont trouvé. Maintenant, s'il vous plaît, conduisez-le aux soins d'urgence...

Philip retrouva enfin la parole.

— Papa? Maggie? Les autres? demanda-t-il d'une voix qui s'étranglait.

— Nous ne savons rien encore, répondit Winston.

Philip baissa les yeux et avança maladroitement de quelques pas.

Winston se tourna vers sa femme :

— Émily, toi et ta mère, accompagnez Philip. Moi, j'attendrai ici avec Marc. Une fois que vous aurez vu le médecin, rentrez tous trois au chalet.

Émily tenta de protester, mais Winston lui imposa silence : — Je t'en prie, ne discute pas. Occupe-toi de Philip. Et il faut absolument que quelqu'un soit là-bas... quand Daisy et Alexandre reviendront de Genève.

— Oui, je comprends, répliqua la jeune femme avec un frisson.

Winston et Marc attendirent encore une heure en fumant cigarette sur cigarette et en échangeant quelques mots avec ceux qui attendaient autour d'eux. Les secouristes redescendirent à nouveau. Cette fois, ils ramenaient quatre survivants et neuf corps. Vers quatre heures, une des équipes, qui était restée là-haut plus longtemps que les autres, revint à son tour en ramenant encore cinq skieurs, mais la mauvaise nouvelle se répandit comme une traînée de poudre : ils étaient morts.

— Allons voir, dit Winston en écrasant sa cigarette sur le sol.

— Oui, inutile d'attendre.

Les corps étaient allongés sur des brancards. Du plus loin qu'il les vit, Winston les reconnut. Il faillit s'évanouir. Marc glissa son bras sous le sien pour le soutenir.

— Je suis désolé, murmura-t-il. Quel drame pour la famille!

Winston n'eut pas la force de lui répondre. Il regarda les cinq personnes couchées sur les brancards. Deux lui étaient inconnues, mais les trois autres... Il refusait encore d'y croire! Quelques heures auparavant seulement... ils avaient tous pris leur petit déjeuner ensemble... Tout le monde était si gai, ce matin-là.

Refoulant ses larmes, il s'approcha pour les identifier. David Amory, Jim Fairley et Maggie Barkstone... Il songea à Daisy et à Alexandre, qui allaient rentrer de Genève, puis à Paula, qui était à New York.

Comment trouver des mots pour annoncer pareille tragédie?

51

Dans sa cuisine de New Milford, Shane mit sa cafetière électrique en marche pour la seconde fois.

Après avoir allumé une cigarette, il décrocha le téléphone mural et appela la ferme

— Salut! Élaine!

— Salut, Shane, répondit la jeune femme. Hier soir, comme nous étions sans nouvelles, nous avons cru que tu ne viendrais pas. Mais, ce matin, Sonny a vu ta voiture.

— Nous sommes arrivés très tard. Chez vous, c'était tout noir et je n'ai pas voulu vous réveiller. Paula n'a pu rentrer du Texas qu'à la fin de l'après-midi... J'aurais voulu t'appeler plus tôt ce matin, mais nous avons eu beaucoup de mal à sortir du lit.

— Je m'en doute, il est presque midi! J'espère que vous avez suffisamment récupéré pour venir dîner ce soir. Nous nous en faisons une fête depuis une semaine.

— Nous serons là à sept heures et demie, comme prévu.

— Excuse-moi, Shane, je te laisse... Mon pain va brûler si je ne le sors pas du four. A ce soir.

Shane remit le combiné en place, écrasa sa cigarette et alla rincer deux bols dans l'évier. Il s'apprêtait à verser le café quand le téléphone sonna.

— Allô?

Il n'y eut d'abord pas de réponse.

— Allô, allô? reprit-il plus fort.

Il entendit alors le son étouffé d'une voix lointaine : — C'est moi, Winston. Je t'appelle de Chamonix. Tu m'entends?

— Oui, ça va maintenant. Winston, est-ce qu'il y a...

— Écoute, Shane, quelque chose de terrible est arrivé. Je ne sais comment joindre Paula. Alors, j'ai pensé t'avertir d'abord.

Shane serra nerveusement le récepteur entre ses doigts :

— Elle passe le week-end ici avec moi. Mais qu'arrive-t-il?

— Il vient d'y avoir une terrible avalanche sur le mont Blanc, il était une heure de l'après-midi, murmura Winston d'une voix de moins en moins audible. Plusieurs personnes de la famille sont mortes.

Il se tut brusquement, incapable de poursuivre.

— Mon dieu! s'écria Shane, comprenant aussitôt que Paula serait la première concernée.

A l'autre bout de la ligne, à des milliers de kilomètres, Winston, assis près de la fenêtre dans la salle à manger du chalet, regardait au loin le mont Blanc qui se dressait sur le ciel assombri par le crépuscule. Le soir était si paisible qu'on avait peine à croire à la récente catastrophe. Il réussit à surmonter son émotion et reprit la conversation téléphonique :

— Excuse-moi, Shane. Cette journée a été la pire de ma vie. Maintenant, je vais tout te dire sans ménagements. Ça vaudra mieux.

Shane, en l'écoutant résumer l'affreuse nouvelle, eut l'impression de recevoir un coup sur la tête. Quand il eut raccroché, dix minutes plus tard, il resta un bon moment, la main sur l'appareil, à regarder dans le vague. Autour de lui, dans la maison, tout était calme. Dehors, le soleil était éblouissant. Et là-bas, en France, ceux qu'il aimait autant que sa propre famille étaient plongés dans le deuil et le désespoir. « Mon dieu, se dit-il, comment vais-je annoncer un tel drame à Paula ? »

Il l'entendit alors qui venait et se tourna vers la porte. Elle entra en déclarant d'un ton narquois :

— C'est bien la dernière fois que je te demande de me faire du café. A qui parlais-tu donc au téléphone depuis des heures ?... Mais... mais qu'est-ce que tu as ? Pourquoi as-tu l'air si bizarre ?

Il vit qu'elle était effrayée, mais il n'eut pas la force de répondre et la prit affectueusement par les épaules pour la conduire jusqu'à la cheminée de la grande salle.

— Shane, qu'y a-t-il ? reprit-elle avec affolement. Dis-moi ce qui arrive !

— Oui, oui...

Il la fit asseoir près de lui sur le canapé et lui prit les mains. Il regarda ses yeux agrandis par l'angoisse et balbutia :

— Je viens d'avoir de terribles nouvelles, ma Paula. C'est Winston qui appelait de Chamonix. Là-bas, vers une heure, il y a eu une avalanche catastrophique sur le mont Blanc et plusieurs personnes de la famille ont été tuées.

— Qui ? demanda-t-elle, devenue livide.

— Sois très courageuse, mon amour. Je suis avec toi, je t'aiderai...

Il s'arrêta, embarrassé, cherchant ses mots. Mais il savait bien qu'il n'y avait pas de bonne façon d'annoncer pareil malheur.

Ce fut à son père, le meilleur skieur de la famille, que Paula pensa aussitôt : — Il ne s'agit pas de papa, n'est-ce pas ? Non, non, pas mon père !...

La gorge serrée, Shane hocha tristement la tête :

— Hélas si, ma chérie !

Muette de stupeur, Paula le regardait fixement, refusant de comprendre. Il sentit qu'il valait mieux tout lui révéler d'un seul coup.

— Paula, je ne sais comment te le dire... C'est affreux. Jim a été tué également. Ainsi que Maggie.

— Non, non ! cria-t-elle.

Elle retira ses mains des siennes, le repoussa et regarda autour d'elle avec égarement comme si elle cherchait une issue pour s'enfuir et échapper à l'abominable réalité. Puis elle se leva d'un bond et hurla, hors d'elle-même :

— Non ! c'est impossible, tout simplement impossible !... Et Philip ? Mon frère ? Est-il...

— Philip est sain et sauf, dit Shane en se levant à son tour pour la prendre dans ses bras. Tout le reste de la famille est indemne, mais on n'a pas retrouvé Jan et Peter Coles.

Elle se dégagea violemment de son étreinte et se recula pour le regarder en face. Ses yeux violets étaient assombris par le désespoir. Elle se mit à trembler de tout son corps. Shane tenta de se rapprocher d'elle, mais elle bondit au milieu de la pièce en secouant la tête en signe de refus. Puis, brusquement, elle serra les bras contre sa poitrine et courba les épaules, écrasée de chagrin.

Comme un animal terrorisé, elle se mit à pousser un cri plaintif, une sorte de mélopée lugubre qui n'en finissait pas. Et, à la voir agitée de soubresauts successifs, on aurait dit que la douleur, à la manière d'une houle, montait à l'assaut de son corps pour le submerger. Finalement, elle glissa par terre, inconsciente.

Le jet de la compagnie O'Neill fendait le ciel nocturne. Il venait de traverser la Manche et s'apprêtait à atterrir à l'aéroport de Londres après un voyage de sept heures au-dessus de l'Atlantique.

Shane était assis en face de Paula. Allongée sur la banquette et à demi inconsciente, elle était enveloppée de plusieurs couvertures de laine fine. Il n'osait pas la quitter des yeux. De temps en temps, il se penchait sur elle avec une tendresse inquiète. En dépit des sédatifs, elle ne cessait de s'agiter.

A New Milford, le médecin que Shane avait appelé d'urgence lui avait fait une piqûre et, pour qu'elle fût en mesure de voyager, avait ordonné des calmants.

Mais Paula s'était efforcée de lutter contre l'effet des drogues. Elle essayait sans arrêt de se débattre et, par deux fois au cours du vol, elle avait voulu se lever comme pour s'échapper. Shane s'était occupé d'elle avec beaucoup de tendresse, en faisant son possible pour la réconforter.

A force de l'observer, il était de moins en moins rassuré. Pas une seule fois, elle n'avait pleuré ou manifesté sa révolte. C'était anormal pour une femme aussi émotive qu'elle. Elle n'avait même pas ouvert la bouche et ce silence étrange, ajouté à son regard égaré, avait de quoi faire peur.

Il regarda sa montre. Dans quelques minutes, son père et Miranda seraient là avec une ambulance, accompagnés du médecin personnel de Paula à Londres. Dieu merci, se dit-il, lui au moins saura quoi faire ! Puis il haussa les épaules avec découragement. Même le plus éminent des professeurs de médecine risquait d'être désarmé devant un désespoir aussi profond.

Installé dans le bureau de Belgrave Square en compagnie de sa sœur Miranda, Shane avait l'air revenu de tout. Il reprit du café pour la troisième fois et tira nerveusement sur sa cigarette.

Parker venait d'apporter le petit déjeuner, mais aucun des deux jeunes gens n'avait la force de manger quoi que ce soit.

Leur père, qui venait de raccompagner le docteur jusqu'à la porte, les rejoignit. Il posa la main sur l'épaule de Shane et dit d'un ton rassurant :

— D'après le docteur, Paula n'est pas en état de choc catatonique comme tu l'as craint. Elle va mal, c'est un fait, mais elle devrait sortir de son apathie dans la journée ou demain à l'extrême rigueur.

— Espérons-le, papa. Tout ce que je sais, c'est qu'elle souffre le martyre. Si seulement elle pouvait se libérer en parlant !

— Elle le fera, Shane, sois patient... La disparition brutale d'un proche provoque inévitablement un traumatisme, ne serait-ce que par sa soudaineté.

— Ce qui me fait peur, c'est son absence apparente de réactions. Il faut absolument que nous trouvions un moyen de l'aider.

— Si quelqu'un peut l'aider, c'est bien toi, dit Miranda. Tu es plus proche d'elle que nous ne le sommes. Ce soir, quand tu reviendras, elle aura sûrement repris conscience et tu pourras la consoler et lui faire comprendre qu'elle n'est pas seule au monde.

Shane regarda sa sœur avec surprise :

— Mais je n'ai pas l'intention de la quitter de la journée ! Je veux être là quand elle reviendra à elle. Je ne veux pas la laisser s'éveiller seule quand l'effet des calmants aura disparu.

— Dans ce cas, je resterai avec toi.

Bryan, qui avait écouté leur conversation, eut une brusque révélation.

— Shane, dit-il pensif. Je ne savais pas... je ne m'étais pas rendu compte que tu aimais Paula à ce point...

— Si je l'aime ? s'écria le jeune homme. Mais, papa, elle est ma vie !

— Oui, je le sais maintenant. Je l'ai compris en te voyant dans cet état. Elle va guérir, crois-moi. En général, on a tous beaucoup plus de force d'âme qu'on l'imagine. Paula ne fait pas exception à la règle. Elle a toujours été bien plus solide que la plupart des gens. De toutes les femmes que je connais, c'est celle qui a le plus de caractère. Elle ressemble trop à Emma pour ne pas s'en tirer. Elle guérira et tout s'arrangera.

Shane jeta à son père un regard de détresse.

— Hélas non ! répliqua-t-il avec découragement. Vous vous trompez, papa, vous vous trompez.

52

Le sinistre hiver tirait à sa fin.

Bientôt, le printemps revint et fit reverdir les merveilleux jardins de Pennistone. Puis ce fut au tour de l'été de ramener les fleurs et leurs fragrances sous le soleil bienfaisant qui donnait au bleu du ciel la couleur des véroniques.

Paula vivait seule, absolument seule avec ses enfants. En dehors de son travail, Lorne et Tessa occupaient tout son temps. Sa seule joie dans l'existence était désormais de participer à leurs jeux et de partager leurs plaisirs innocents.

Pourtant, le chagrin qui l'avait anéantie au début de janvier s'atténuait un peu. Elle avait dû rassembler toutes ses forces intérieures pour survivre à son malheur. Le travail l'y avait aidée. Elle savait que trop de gens dépendaient d'elle.

Quand sa mère et Alexandre étaient rentrés effondrés de Chamonix, ils s'étaient spontanément réfugiés auprès d'elle, en comptant sur sa force d'âme pour les aider à surmonter leur chagrin et à accepter leur deuil. Il y avait eu aussi les deux petits, privés de leur père, qui avaient eu besoin de tout son amour.

Enfin, les responsabilités et le travail considérable qu'impliquait la bonne gestion de son immense empire commercial l'avaient à nouveau requise. Dès lors, elle n'avait eu de cesse de se montrer digne de la confiance qu'avait placée en elle sa grand-mère. Elle travaillait douze heures par jour, non seulement pour conserver intacte l'œuvre d'Emma, mais encore pour en augmenter l'importance. A l'exemple de son aïeule, elle se réfugiait dans le travail comme dans une forteresse.

Mais, curieusement, à mesure que son deuil se faisait moins lourd à porter, son sentiment de culpabilité s'intensifiait.

C'était une culpabilité aux multiples facettes. Elle s'en voulait de survivre à son père, à Jim et à Maggie... de s'être séparée de Jim sur une dispute... et, pis encore, de s'être trouvée dans les bras de Shane au moment où trois de ses proches périssaient d'une façon abominable.

A l'heure même où ils suffoquaient tous les trois sous des tonnes de neige, elle était dans le lit de Shane, transportée par le plaisir. En conséquence, aussi illogique que ce fût, elle voyait dans son adultère la cause de leur disparition. Elle savait bien que c'était absurde, mais elle restait incapable de faire taire son remords.

Elle avait donc décidé de renoncer à l'amour, puisqu'elle ne pouvait plus le dissocier de la mort.

Et elle s'était dit que, devenue insensible de corps et d'esprit, elle n'avait plus rien à offrir à Shane O'Neill et que leur amour était condamné à jamais.

Quoiqu'elle s'en voulût de le faire souffrir, elle n'avait pas hésité à le chasser, car elle estimait que leur rupture ne pouvait qu'être libératrice, tant pour lui que pour elle.

Shane ne l'avait pas quittée de tout le mois de février. Il l'avait soignée, il l'avait soutenue moralement. Il avait respecté son chagrin, partagé ses angoisses, déployé des trésors de tendresse pour la consoler. Mais il avait dû finalement retourner à ses affaires et prendre l'avion pour l'Australie afin de superviser l'aménagement de l'hôtel acheté par Blackie lors de son voyage en compagnie d'Emma.

A ce moment-là, Paula avait eu l'idée d'envoyer sa mère à Sydney chez son frère Philip. Daisy avait d'abord refusé en prétextant qu'il lui fallait rester en Angleterre pour s'occuper des jumeaux, mais elle avait fini par céder et elle n'était pas encore de retour. Là-bas, elle tentait de réapprendre à vivre en s'occupant de l'intérieur de Philip et en s'intéressant aux affaires de la famille.

En avril, quand Shane était rentré en Angleterre, il était aussitôt venu voir Paula dans le Yorkshire. Une fois de plus, il s'était montré attentif et compréhensif, mais il avait été accablé de la voir se réfugier dans un deuil interminable.

Elle lui avait expliqué son attitude : — J'ai voulu divorcer pour retrouver ma liberté. Mais jamais, jamais, je n'ai souhaité qu'il disparaisse ! Il était si jeune !

— Je sais, ma chérie, lui avait-il répliqué avec douceur avant de reprendre l'avion. Appelle-moi chaque fois que tu auras besoin de moi. J'attendrai que tu sois prête à m'épouser, Paula !

Mais, justement, elle ne voulait pas qu'il continuât à l'attendre. Elle était persuadée qu'elle ne serait jamais prête à devenir sa femme. Elle s'était résignée à vivre seule avec ses enfants et à ne plus jamais partager l'existence d'un homme.

Elle avait omis de parler à Shane des cauchemars terrifiants qui hantaient ses nuits, de ces visions abominables qui la faisaient s'éveiller, couverte de sueur, en hurlant de terreur et tremblant de tous ses membres. Elle était hantée par l'image atroce de son père, de Jim et de Maggie ensevelis vivants dans un tombeau de neige et mourant étouffés.

Shane était trop fin pour n'avoir pas compris qu'elle ne voulait plus de son amour. Et, de son côté, Paula n'ignorait pas qu'il en était conscient. Comment aurait-il pu être dupe des multiples prétextes qu'elle avançait pour ne pas le voir ?

Mais, parfois, la solitude accablait la jeune femme et il lui arrivait de se sentir complètement perdue.

Elle n'avait, en effet, plus personne sur qui s'appuyer. Sa grand-mère et son père, qui avaient été ses principaux soutiens, avaient disparu. Devenue le chef du clan Harte, elle était accablée de responsabilités : tout le monde se tournait vers elle, s'en rapportait à elle et lui demandait de l'aide, tant sur le plan privé que sur le plan professionnel. C'était une trop lourde charge pour une femme seule. Mais, songeant sans cesse à Emma qui était son modèle, elle cherchait à rester digne de la femme admirable dont le sang coulait dans ses veines. Et, quotidiennement, elle remerciait le ciel d'avoir près d'elle Winston et Émily, dont l'affection et la loyauté ne se démentaient pas.

Un samedi matin du mois d'août, Paula arpentait tristement l'Allée des Rhododendrons. Il y avait une éternité, lui semblait-il, qu'elle avait planté ces massifs. Depuis lors, tant de deuils et tant d'échecs avaient marqué sa vie que, sans l'amour de ses enfants, elle aurait sombré dans la mélancolie. Elle sourit en pensant à eux... Une heure auparavant, Émily les avait emmenés avec Nora passer trois semaines à Heron's Nest. Ils devaient y rester jusqu'à la mi-septembre. Ils adoraient Émily et ils étaient pressés de retrouver bientôt Amanda et Francesca, que leur propre gémellité rapprochait de la leur. Ils étaient donc partis très surexcités, en tenue de plage et chapeau de soleil, avec des seaux et des pelles. Pour une fois, ils n'avaient pas pleuré en disant adieu à leur mère et ils avaient grimpé dans la voiture sans se retourner. En les regardant s'éloigner, Paula n'avait pu que se réjouir de les savoir heureux et en bonnes mains pour le temps des vacances.

Au moment où elle arrivait devant le bassin aux nénuphars, elle repensa à Shane et s'arrêta brusquement.

A son dernier passage, c'était là, au bord de l'eau, sur le banc de pierre, qu'ils s'étaient assis tous les deux. Il faisait très chaud, en cet autre samedi du début de l'été, deux mois plus tôt. Paula était, ce jour-là, épuisée par sa semaine de travail et Shane était arrivé sans prévenir après le déjeuner. Sa visite s'était terminée par un éclat. Ils ne s'étaient pas vraiment disputés, mais Shane avait fini par perdre son sang-froid et elle s'était contentée d'écouter passivement les reproches violents qu'il lui faisait. Depuis l'enfance, elle le savait coléreux et elle avait toujours jugé plus prudent de se taire.

— Ça ne peut pas continuer comme ça! s'était-il écrié soudain au milieu de la conversation. Je comprends ton chagrin et je sais bien que ton deuil ne date que de cinq mois, mais tu ne me laisses aucun espoir. Sans espoir, comment pourrai-je vivre? Le jour du drame, tu m'as repoussé et, depuis, tu ne fais que t'éloigner de moi.

— Je n'y peux rien. Pardonne-moi.

— Mais pourquoi m'en veux-tu? Au nom du ciel, explique-moi pourquoi.

Elle avait réfléchi un instant avant de murmurer d'un ton calme:

— Si seulement je n'avais pas été avec toi à ce moment-là!... Tu sais bien ce que je veux dire... Oui, si j'avais été loin de toi, les choses auraient sans doute été différentes. Mais, Shane, ce matin-là, à sept heures, nous faisions l'amour. En France, il était une heure et l'avalanche s'est déclenchée. Maintenant, faire l'amour risquerait de me rendre folle. Dans mon esprit, le plaisir est désormais lié à la mort, à la fin tragique de mon père, de Jim et de Maggie.

— Je le savais ! Je savais que c'était ça ! avait-il répliqué avec désespoir.

Ils étaient restés silencieux un certain temps. Puis elle avait déclaré :

— Je sais que tu me comprends. Il vaut mieux ne plus nous revoir, Shane, même en amis. Je n'ai plus rien à t'offrir, même pas mon amitié. Ce serait malhonnête de ma part de te laisser de l'espoir. Peut-être pourrons-nous renouer un jour des liens fraternels, mais...

A la fixité de son regard, elle avait vu à quel point il était choqué, blessé et incrédule.

— Je ne peux pas croire que c'est à moi que tu t'adresses ! avait-il hurlé, rouge de colère. Je t'aime et, bien que tu veuilles le nier, je sais que tu m'aimes aussi. Nous avons trop de choses en commun depuis l'enfance !... J'admets parfaitement tes réticences actuelles vis-à-vis de l'amour, mais tes affreux souvenirs iront en s'effaçant. Autrement, ce serait anormal.

Elle s'était contentée de serrer les poings et de secouer la tête pour lui dire non. Il avait poursuivi, exaspéré :

— Dire que tu te crois coupable, que tu tiens à te punir et à me punir ! Mais tu t'obstines dans l'erreur, Paula. Cette avalanche, c'est Dieu qui l'a permise et, toi, tu n'y es pour rien. Comment peux-tu t'imaginer qu'en te torturant et en te condamnant à la chasteté tu vas expier quelque chose ? Quoi que tu fasses, tu ne les ramèneras pas à la vie. Tu dois accepter le fait que la vie n'est que pour les vivants et que nous avons parfaitement le droit d'être heureux ensemble. Tu as besoin d'un mari et Lorne et Tessa ont besoin d'un père. Tu ne peux vivre seule pour le restant de tes jours. Ce serait du gâchis, un gâchis abominable.

A bout de souffle, il s'était arrêté et elle avait tendu la main pour lui effleurer le bras :

— Je t'en prie, Shane, il faut te calmer.

— Me calmer ? Tu es là à me dire que nous devons nous séparer pour toujours et tu m'incites au calme ! Mais rends-toi compte que je suis anéanti. Tu es ma vie. Sans toi, rien n'a plus de sens pour moi.

— Shane, avait-elle dit en caressant à nouveau son bras. Shane...

Il avait repoussé sa main et s'était levé d'un bond :

— Arrêtons-là cette discussion ridicule. Je m'en vais, je disparais d'ici. Dieu sait quand je reprendrai goût à la vie, mais ce n'est pas ton problème, n'est-ce pas ? Alors, adieu, Paula.

Son visage avait pris une expression énigmatique et, au moment où il se détournait, elle avait vu briller des larmes dans ses yeux noirs. Quand il était remonté en courant vers la terrasse, elle avait eu envie de le rattraper, puis elle s'était dit que cela ne servirait à rien. Elle venait sans doute d'être cruelle, mais elle avait eu au moins le mérite de la franchise et elle espérait qu'il comprendrait qu'elle avait avant tout tenu à lui redonner sa liberté, puisqu'ils ne pouvaient plus avoir d'avenir commun.

En soupirant au rappel de leur rupture, elle remonta vers la maison et rentra par l'une des portes-fenêtres du Salon Rose. Elle traversa la pièce pour regagner le hall et prendre le grand escalier. Elle allait partir pour Londres le soir même et, dès le lundi, elle s'envolerait pour le Texas, où il lui restait à livrer une bataille décisive.

D'ici là, son plan d'action devait requérir toute son attention.

53

— Quand John Crawford m'a dit qu'il allait passer un mois en Australie chez Daisy et Philip, ça m'a fait plaisir, déclara Winston au cours du déjeuner.

— A moi aussi, dit Shane en buvant une gorgée de vin rouge. Daisy a l'air d'aller beaucoup mieux qu'au mois d'août. Elle va finir par s'habituer à vivre sans David.

— Oh! c'est une femme qui a les pieds sur terre! Figure-toi que j'ai toujours soupçonné John d'être amoureux d'elle. Après tout, elle est encore jeune et il pourrait être un compagnon agréable.

Shane acquiesça, mais sa figure s'altéra. Il regarda d'un air absent la salle de restaurant et resta un moment perdu dans ses pensées.

Winston comprit qu'il songeait à Paula.

— En dépit de son attitude actuelle, dit-il gentiment, elle peut encore changer d'avis, tu sais. Les femmes sont toujours imprévisibles.

— Paula fait exception à la règle. Elle a trop de caractère pour se conduire comme une girouette. Ma seule solution, c'est de parvenir à l'oublier si je veux recommencer à vivre normalement.

Il sortit ses cigarettes, en offrit une à Winston et reprit : — Je suis bien content que tu te sois arrêté à New York quarante-huit heures.

— Tu sais, ça me plaisait beaucoup de rentrer à Londres dans ton jet! C'est gentil de m'avoir attendu pour partir.

— Et moi je suis heureux que tu veuilles bien me tenir compagnie. Écoute, je voudrais aussi te remercier de ta compréhension. Je n'ai pas l'habitude de discuter de mes histoires d'amour, mais j'avais besoin de parler de Paula à quelqu'un en qui j'aie confiance. Merci encore de ta patience.

Un peu pensif, Winston vida son verre de vin et tira sur sa cigarette :

— J'aurais déjà dû te le dire... Mais l'autre soir, tu semblais si découragé... En fait, ça n'a pas été pour moi une révélation. Je savais depuis longtemps que tu aimais Paula et Émily le savait aussi.

Shane tressaillit :

— Moi qui croyais que tout le monde l'ignorait!

— Emma était au courant, elle aussi.

— Emma?

Après un moment d'étonnement, Shane eut un vague sourire.

— C'est bizarre, reprit-il, mais depuis qu'elle est morte, j'ai eu la quasi-certitude qu'elle avait soupçonné quelque chose. Je l'ai dit à Paula, mais elle n'y croyait pas.

— Tante Emma ne savait pas que c'était un amour réciproque. Et je t'avoue très franchement que je n'en étais pas sûr, moi non plus. Tante

Emma avait lu tes sentiments sur ton visage, le jour du baptême, il y a deux ans. C'est aussi ce jour-là que nous nous en étions rendu compte, Émily et moi.

— Veux-tu dire que tante Emma vous en avait parlé?

— Oui, car elle se faisait du souci pour toi. Tu sais qu'elle t'aimait autant que nous. Elle était triste que tu ne te sois pas déclaré avant le mariage de Paula et de Jim. Mais elle prenait les choses avec philosophie et elle estimait qu'elle n'avait pas le droit d'intervenir. Je suis sûr que si elle était encore de ce monde elle ne serait pas étonnée du tout d'apprendre que Paula t'aime aussi.

— Elle ne m'aime plus. C'est du passé, maintenant. Elle a choisi la solitude.

— Elle peut changer. Je te le répète, les femmes changent d'idée douze fois par jour. Et elle n'est seule que depuis neuf mois. Accorde-lui encore une chance. Écoute, Shane, je vais te donner un conseil : ne retourne pas à Londres avec moi cet après-midi. Reste à New York. Paula est au Texas pour quelques jours et elle repasse par ici, soit demain, soit mercredi. Revois-la, sors avec elle, parle-lui. Tu sais être très persuasif quand tu veux et...

— Non, Winston, c'est inutile! En juin, elle m'a dit sans ambages que c'était fini, bien fini. Par ailleurs, je ne peux pas repousser mon retour. Papa doit partir pour Sydney cette semaine. Il faudra que je reste en Angleterre quelques mois pour le remplacer. Je serai obligé de faire le va-et-vient entre Leeds et Londres, mais j'espère passer quand même un certain temps dans le Yorkshire.

— Émily compte sur toi pour venir tous les week-ends à Beck-House. Surtout, ne nous fais pas faux bond.

— Je viendrai aussi souvent que je le pourrai. Et il faudra aussi que j'aille voir ton père pour m'occuper d'Emerald Bow et des courses de l'an prochain. Si grand-père m'a légué ses chevaux, ce n'est pas pour les laisser à l'écurie , mais pour les faire courir et les monter moi-même à l'occasion.

— Formidable! Ce sera...

Il s'interrompit pour faire un signe et un grand sourire à quelqu'un.

— Tiens, dit-il, voilà ton charmant phénomène de sœur!

Shane se retourna. Miranda traversait le restaurant à grands pas et venait dans leur direction, l'air affairé. Il sourit en voyant son accoutrement. Elle ressemblait à une bohémienne avec sa longue robe bigarrée et ses multiples chaînes d'or. Sa nouvelle dignité de P.-D.G. de la filiale new-yorkaise n'avait pas modifié ses goûts extravagants. Brave petite sœur! se dit-il. Conserve ton originalité. Et honni soit qui mal y pense!

— Salut à vous deux, mes seigneurs! s'écria la jeune fille en s'installant près d'eux. Et, maintenant, écoutez-moi bien. J'ai une nouvelle intéressante à vous annoncer... Devinez un peu qui je viens de voir!

— Ne nous fais pas languir, ma belle, répliqua Winston en riant.

— Oui, vas-y, renchérit Shane. Veux-tu un peu de vin?

— Volontiers... Figurez-vous que j'étais à la terrasse, quand je les ai repérées... Je parle du Trio Terrible.

Les deux jeunes gens la regardèrent, éberlués.

— Mais voyons!... Allison Ridley, Skye Smith et Sarah Lowther! En train de déjeuner ensemble. Elles semblaient très, très copines. N'est-ce pas incroyable?

— C'est, en effet, une nouvelle passionnante, dit Winston d'un ton moqueur. Je me demande tout de même ce que Sarah fait à New York. Paula et Émily n'ont plus entendu parler d'elle depuis des mois. Ni de Jonathan, du reste, depuis qu'il est parti pour l'Extrême-Orient.

— Ne parlons plus de ce salaud! grogna Shane.

— J'aurai peut-être dû aller leur dire un mot, reprit Miranda, mais j'ai battu précipitamment en retraite. Je voulais vous avertir sans tarder que deux de vos anciennes conquêtes étaient dans les parages. Si elles étaient venues déjeuner dans cette salle, de quoi auriez-vous eu l'air?

— Allison se serait sûrement arrangée pour empoisonner mon vin, déclara Winston avec un sourire.

— Skye Smith n'a jamais été ma petite amie, dit Shane. Tu sais très bien que ce n'est pas mon type, Miranda.

— Oui, personne n'ignore que tu préfères les brunes... Oh! pardon, Shane, je ne voulais pas remuer le couteau dans la plaie!

— Ne t'inquiète pas. La plaie est en train de se cicatriser.

— Je l'espère.

Miranda, confuse, but un peu de vin et changea de sujet. Mais elle connaissait trop bien son frère pour croire qu'il guérirait jamais de son amour pour Paula. Si seulement Jim n'avait pas eu cette fin tragique, songea-t-elle, Paula aurait déjà divorcé et se serait remariée avec Shane!

— Tu rêves éveillée, petite sœur? A quoi penses-tu donc?

— Oh! pardon!... J'étais venue vous dire aussi que la limousine vous attendrait devant l'hôtel à trois heures. Comme ça, vous pourrez gagner l'aéroport avant l'heure de pointe.

Skye Smith fut la première à prendre congé. Ce déjeuner lui avait été presque insupportable et ce fut avec soulagement qu'elle traversa le hall de réception pour quitter le Plaza Towers Hotel, propriété de la société O'Neill.

Elle regarda sa montre. Il n'était que deux heures et demie. Elle avait largement le temps d'être à sa boutique pour son prochain rendez-vous.

Tout en marchant sans se presser, elle repensa à Sarah Lowther. Pour sa part, elle ne l'aimait guère et se demandait ce qu'Allison lui trouvait d'intéressant. Car c'était une fille très banale et méchante comme la gale. Elle ne devait même pas être très astucieuse, puisqu'elle venait de parler à tort et à travers de ses problèmes personnels. Les confidences qu'elle avait faites avaient constitué pour Skye une telle mine de renseignements qu'elle en était encore tout ahurie.

Ainsi, elle avait appris que Paula Fairley était la femme mystérieuse dont Shane était épris au point de devoir renoncer à toutes les autres.

C'était une nouvelle assez renversante ! Quand Sarah avait appris que Skye était sortie quelquefois avec Shane, son visage s'était décomposé et son regard venimeux avait fait craindre à la jeune antiquaire qu'elle ne voulût lui arracher les yeux. Skye s'était empressée de rassurer la rouquine en lui affirmant que ses relations avec Shane étaient uniquement platoniques. Un peu plus détendue, Sarah s'était remise à dire pis que pendre de Paula. La haine qu'elle vouait à sa cousine avait de quoi faire peur. Rien de plus dangereux qu'une femme humiliée, se dit Skye, je devrais être la première à le savoir.

En fait, Shane sortait de moins en moins avec Skye Smith. Ces derniers temps, il voyageait beaucoup à travers le monde et ne venait plus à New York que pour rendre visite à sa sœur. Il y avait près d'un an qu'elle ne l'avait pas vu. La dernière fois, ils avaient bu un verre ensemble, mais le jeune homme lui avait paru si anxieux qu'elle n'avait pas osé se faire inviter à dîner.

Skye savait que, en revanche, Ross Nelson ne cessait d'inviter Paula à déjeuner pendant ses séjours aux États-Unis. Quand elle interrogeait le banquier, il prétendait toujours qu'il ne s'agissait que de repas d'affaires. Sans doute y avait-il du vrai dans ses déclarations, mais Skye le connaissait trop bien pour croire qu'il ne désirait pas Paula et tout ce qu'elle représentait : elle était belle, jeune, riche, puissante... et libre, depuis qu'elle était veuve. Ross devait avoir le projet secret d'en faire sa maîtresse, sinon sa femme. Pour Skye, il ne changerait jamais, il continuerait à désirer ce qu'il ne pouvait avoir. Et, d'après ce qu'avait dit Sarah, Paula était pour lui d'autant plus désirable qu'elle était inaccessible, puisqu'elle aimait un beau garçon comme Shane.

Skye eut brusquement envie de rire en songeant à son prochain rendez-vous du mercredi soir avec Ross. Depuis leur réconciliation, ils dînaient ensemble une fois par semaine. Elle avait été longue à lui pardonner sa muflerie et ne l'avait fait que pour la petite Jennifer. Quand Ross avait exigé un droit de visite, Skye le lui avait d'abord refusé. Aussi longtemps qu'elle avait tenu bon, il s'était senti la fibre paternelle et son besoin de voir l'enfant n'avait fait que croître. C'était tout lui ! Elle avait pris un malin plaisir à le faire marcher. Mais elle avait fini par céder, bien qu'à contrecœur, car l'enfant aimait son père et le réclamait sans cesse.

En poursuivant sa route, Skye se promit de ne pas épargner Ross à leur prochaine rencontre. Elle lui ferait part de quelques ragots sur Paula et sur Shane. Cela le rendrait fou furieux d'apprendre que la veuve éplorée n'était qu'une veuve joyeuse, qui accordait à un autre ses faveurs très spéciales. Il serait d'autant plus vexé que cet autre était Shane, à qui il faisait des amabilités par-devant mais qu'il ne cessait de dénigrer par-derrière.

Skye Smith n'était pas méchante, mais elle était vindicative quand elle avait de bonnes raisons d'en vouloir à quelqu'un. Je savais bien que si j'attendais assez longtemps, se dit-elle avec une froide satisfaction, je pourrais me venger de toutes ces années de chagrin et d'humiliation. Même si je lui pardonne à cause de notre fille, je n'oublierai jamais ce qu'il m'a fait !

Ce dont elle n'avait pas conscience, c'était de l'aimer encore et de le vouloir pour elle seule.

L'expression triomphante de Nelson disparut. Ses yeux noisette s'assombrirent et sa bouche se durcit.

Il se gratta la gorge et demanda à Dale Stevens : — Que veux-tu dire exactement en prétendant que Paula a changé d'idée ?

— J'ai bien peur qu'elle ne nous ait roulés, Ross. Elle a finalement décidé de ne pas vendre.

— Elle est revenue sur sa parole ? Mais où diable étais-tu à ce moment-là ?... C'est une vraie catastrophe ! De quoi vais-je avoir l'air ? Milt Jackson risque l'attaque d'apoplexie en l'apprenant.

Dale soupira et attendit que la colère du banquier fût un peu tombée.

En ce début d'après-midi, les deux hommes étaient dans le bureau personnel de Ross, à Wall Street. C'était la première semaine de septembre et Dale était rentré la veille du Texas en compagnie de Paula.

— Que lui dire ? reprit Ross, accablé.

— La vérité. C'est la meilleure solution.

— Pourquoi ne pas m'avoir appelé hier soir après la réunion ? J'aurais eu le temps d'y voir clair et de trouver une excuse plausible.

— J'ai préféré t'en parler de vive voix.

— Je n'arrive pas à y croire, grommela Ross.

— Personne n'a été plus surpris que moi, répliqua Dale en soupirant. Mais, après réflexion, j'ai compris qu'elle nous avait mystifiés avec des mots, du charme, une foule de petites ruses... Mais dis-toi bien, Ross, qu'elle n'est nullement revenue sur sa parole. Elle s'y est prise bien plus habilement. Depuis six mois, à chacune de nos réunions, elle n'a fait que se plaindre de ses problèmes, de ses soucis, du fardeau que représentait la chaîne des grands magasins, et tout ça simplement pour nous faire croire qu'elle finirait par vendre les actions *Sitex* de sa mère. Mais elle s'est bien gardée de dire qu'elle le ferait. Moi, j'étais soucieux de museler Marriott Watson en permettant à *International Petroleum* d'acquérir le contrôle de la compagnie et toi, tu ne rêvais que de satisfaire Milt Jackson. Alors, nous avons voulu nous persuader qu'elle allait vendre et nous nous sommes dupés nous-mêmes à force d'illusions.

— Mais il fallait voir comme elle nous écoutait ! Elle n'a cessé de nous demander notre avis et de paraître en tenir compte. Elle a tellement insisté pour savoir le nom de mon client que j'ai cru à sa sincérité. Je me suis conduit comme un imbécile en lui présentant Milt Jackson !... Lui, de son côté, il a cru que c'était dans la poche et, maintenant, il va se figurer que je l'ai doublé. Il faut que nous lui donnions une explication vraisemblable.

— Je te le répète, mieux vaut dire la vérité et avouer que nous nous sommes fait duper. Il sera bien obligé de l'admettre.

Ross alluma une cigarette, en tira quelques bouffées et l'écrasa nerveusement dans le cendrier. Puis il se leva et fit les cent pas, mains derrière le dos, en réfléchissant à ce qu'il pourrait bien raconter à Milton Jackson, P.-D.G. de l'*International Petroleum*, un des plus gros clients de sa banque.

— Si cette histoire s'ébruite, nous allons passer pour les plus grands idiots de Wall Street! Deux hommes d'affaires chevronnés se faisant berner par une gamine!... Ah, on peut parler d'Emma Harte! Mais Paula Fairley la dépasse de cent coudées! La petite garce... Elle avait l'air si docile.

Il passa la main dans ses cheveux clairs et grimaça de dégoût.

— Au début, dit Dale, j'ai eu des doutes sur ses bonnes intentions. Mais j'ai cru que ses malheurs l'avaient anéantie. La mort d'Emma l'a bouleversée. Ensuite, il y a eu celle de son père et de son mari. Tu as pu constater comme moi qu'elle était tombée bien bas. A partir de là, ça paraissait du tout cuit et je ne me suis plus posé de questions. C'est idiot, j'en conviens.

— Tant pis! Je vais tout de même dire à Milt qu'elle est revenue sur sa parole. Ce sont des choses qui arrivent tous les jours en affaires. Pourquoi une femme vaudrait-elle mieux qu'un homme? Je ne peux pas me permettre de perdre un client de cette importance.

— Comme tu voudras. Ça te regarde, après tout. Moi, je ne lui dois aucune explication... Au conseil d'administration, j'avais les mains liées. Tu t'en rends bien compte!

— Sans doute, sans doute, grommela Ross. Je n'y étais pas et tu ne m'as pas donné de détails.

— Quand Paula s'est amenée, toute pâle, avec sa robe noire et son petit col blanc, on lui aurait donné le Bon Dieu sans confession. Elle avait l'air d'une pauvre orpheline.

— Fais-moi grâce de la description. Ce qui m'intéresse, c'est ce qu'elle a dit.

— La mise en scène et le costume ont eu leur importance! Elle nous a joué la comédie avec un grand talent. Beaucoup l'ont prise pour une oie blanche. Certains des vieux renards qui étaient là se sont dit qu'elle serait facile à rouler. Ils se sont frotté les mains. Quant aux copains de Marriott, ils étaient sûrs de l'avaler toute crue.

— Comme nous!

— Consolons-nous en pensant que nous ne sommes pas ses seules dupes. Avant même d'aborder la situation en mer du Nord et le renouvellement de mon contrat, Paula a demandé à faire une déclaration et Marriott n'a pas pu le lui refuser. Alors, elle a dit qu'il était de son devoir d'informer les membres du conseil qu'elle était sur le point de vendre les actions de sa mère. Tout le monde a été ahuri et c'est là que Jason Emerson est intervenu.

— Celui-là, il est encore alerte et rusé en diable, malgré son âge.

— Les vieux renards comme Jason ne changent jamais. Mais je me réjouissais déjà en croyant que son intervention ferait notre affaire. Je n'avais pas compris que Paula avait passé toute sa semaine au Texas à s'entretenir avec les membres du conseil et plus particulièrement avec Jason, qui est un ancien ami de Paul McGill et qui est resté fidèle à Emma pendant quarante ans.

— Oui, je sais. Et après ? cria Ross d'un ton irrité.

— Jason s'est donc levé pour demander à Paula à qui elle vendrait et combien d'actions. Elle a répondu docilement qu'elle comptait céder quarante pour cent à *International Petroleum*. Certains ont frôlé la crise cardiaque. Il y a eu un concert de protestations. Moi, je n'ai rien dit, je trouvais toujours qu'elle s'y prenait bien. Mais les autres étaient aux cent coups, surtout ceux qui savaient que Milt avait déjà acheté en Bourse un certain nombre de *Sitex* et que ça lui donnerait le contrôle de la compagnie.

— Alors, Jason lui a demandé de ne pas vendre à *International Petroleum* ?

— Tu as compris, mon vieux... Avant que j'aie pu dire ouf, ils lui avaient tous emboîté le pas, sauf Marriott Watson, qui enrageait. Je crois qu'il avait bien vu, lui, que le numéro entre Paula et Jason était monté d'avance.

— Elle a accepté tout de suite ?

— Non. Elle a promis de reconsidérer sa décision, à condition d'obtenir certaines garanties, entre autres le renouvellement de mon contrat et la poursuite des forages en mer du Nord.

— C'est du pur chantage !

— Non, Ross, c'est un coup de maître ! Elle a bien mené son jeu. Je lui tire mon chapeau parce qu'après tout, c'est ça, le sens des affaires.

— C'est vrai, reconnut Ross. Et toi, tu ne t'en tires pas trop mal. Tu es tranquille pour deux ans et Marriott Watson a momentanément les mains liées. Mais où en es-tu exactement avec Paula ?

— Ma position n'a pas changé. Je suis toujours le directeur de la *Sitex* et elle en reste la principale actionnaire. Elle a plus de pouvoir que jamais et nous sommes les meilleurs amis du monde. Je n'ai pas intérêt à me brouiller avec elle. Un beau jour, elle aura peut-être envie de se débarrasser de ses actions.

— Tu as raison, dit Ross en éclatant de rire. Les affaires sont les affaires. Pardonne-moi de l'avoir pris aussi mal. Et puis, si je n'ai pas eu de chance avec elle de ce côté-là, j'en aurai peut-être... en amour !

54

Elle n'arrivait toujours pas.

Ross Nelson regarda encore une fois la pendule de son salon. Il n'en pouvait plus de l'attendre. Quand Paula l'avait appelé à six heures et demie pour lui dire qu'elle serait en retard, il lui avait répondu poliment de prendre son temps. Mais elle exagérait!

Il se versa un autre Martini sec, y mit une olive et emporta son verre jusqu'à la fenêtre qui donnait sur Park Avenue.

Paula était une des rares femmes dont il n'avait pas réussi à percer le mystère. Cela faisait longtemps qu'il avait envie d'elle. Depuis l'automne de 1969, exactement. Au début, il l'avait prise pour une proie facile, mais il s'était assez vite étonné de sa réserve. Persuadé d'être irrésistible, il avait pourtant continué à lui téléphoner, à l'inviter au restaurant et à lui envoyer des montagnes de fleurs.

Après la mort accidentelle de Jim, il avait joué auprès d'elle le rôle de l'ami compatissant. Depuis neuf mois qu'il la voyait régulièrement chaque fois qu'elle venait à New York, il s'était toujours montré très serviable. L'attitude lointaine qu'elle avait adoptée lui avait jusque-là commandé la prudence. Il avait attendu son heure. Mais, depuis la veille, il avait décidé de passer à l'attaque.

Les potins que lui avait révélés Skye l'avaient abasourdi. Comme il se méfiait d'elle, il lui avait demandé d'où elle tenait ses informations. Elle ne s'était pas fait prier pour le dire. En la quittant, il était rentré à pied, bouillant de fureur jalouse. Ainsi, pendant qu'il jouait patiemment les consolateurs, Paula Fairley s'envoyait en l'air avec Shane O'Neill! De cela, il ne doutait pas, puisque c'était Sarah Lowther qui avait vendu la mèche.

Mais, en attendant l'arrivée de Paula, il se félicitait de ce que Dale et sa femme fussent repartis inopinément pour le Texas. Ils étaient convenus, en effet, de dîner tous les quatre. Pour Ross, rester seul avec Paula, c'était l'occasion rêvée. Il savait ce qui lui restait à faire.

Il s'assit sur le canapé, posa son verre de Martini sur la table chinoise et alluma une cigarette. S'il n'avait pas averti Paula de l'absence de Dale et de Jessica, c'était de peur qu'elle voulût annuler la soirée. Il avait donné à sa bonne la permission de sortir et téléphoné au restaurant pour repousser la réservation à dix heures.

Il s'imagina avec complaisance ce qui n'allait pas manquer de se passer et, sous le coup de l'émotion, il fut obligé de desserrer un peu sa cravate. Il vida son verre et se leva pour se resservir. Comme il en était à son troisième, il eut une légère hésitation, mais, en général, il tenait bien l'alcool. Il jeta un coup d'œil satisfait à la bouteille de champagne qui attendait dans le seau à glace. Avec deux ou trois verres et quelques mots doux, la belle Paula allait lui tomber dans les bras.

Il avait presque fini son troisième Martini quand il entendit l'interphone. Il se précipita dans le vestibule pour répondre au portier.

Quelques minutes plus tard, il posait un baiser sur la joue glacée de Paula.

Quand il l'invita à entrer dans le salon, elle s'arrêta un moment sur le seuil, étonnée : — Jessica et Dale ne sont pas encore là ?

Il la regarda s'avancer devant lui dans la pièce, vêtue d'une longue robe fluide de soie grise qui moulait son corps svelte. Il était fasciné, impatient de l'assaillir pour avoir enfin la révélation de sa nudité.

Elle tourna la tête vers lui sans qu'il s'y fût attendu. Il réussit pourtant à cacher son trouble et répondit à sa question avec un rire nerveux : — Ils ont été obligés de reprendre l'avion à la dernière minute. Il y a quelqu'un de malade chez eux. Dale vous prie de l'excuser. Il vous appellera demain.

— Ah bon ? dit Paula en s'installant sur le canapé. Dommage ! Je comptais bien les voir ce soir. J'avais encore deux ou trois questions à poser à Dale.

Ross s'empressa de lui apporter du champagne. Il s'assit en face d'elle et leva son verre en souriant : — Félicitations, Paula ! Vous avez réussi un beau coup, à la *Sitex* !

— A votre santé, Ross ! dit-elle en trempant les lèvres dans son champagne. Mais vous devez m'en vouloir puisque, finalement, je n'ai pas pu vendre mes actions.

— Bien sûr que non ! répliqua-t-il d'un ton chaleureux. Vous étiez libre. Dale et moi, nous ne cherchions qu'à vous rendre service. Si, un jour, vous changez d'avis, Milton Jackson ne demandera sans doute pas mieux que de vous les racheter.

— J'en suis sûre, dit-elle tranquillement. Merci pour votre aide constante. Je vous en suis très reconnaissante.

— Je vous en prie... C'est tout naturel.

Paula s'appuya aux coussins et croisa les jambes. Elle était surprise de tant d'amabilité. Elle s'était attendue à sa colère et cela la soulageait de le voir de si belle humeur. Mais, au fond, il avait toujours été très courtois ! Ce qui ne l'enthousiasmait guère, c'était la perspective de le supporter en tête-à-tête toute la soirée. Malheureusement, il était un peu tard pour décliner son invitation à dîner au restaurant. Il ne lui restait donc plus qu'à faire contre mauvaise fortune bon cœur.

Ross mit la conversation sur son frère Philip, dont il avait fait la connaissance à New York au cours de l'automne précédent. Ensuite, pendant une demi-heure, il lui parla de sa famille, d'Emma et de *Harte Enterprises,* sans oublier de la resservir en champagne et d'avaler de son côté un nouveau Martini.

A neuf heures moins dix, Paula commença d'être un peu nerveuse :

— N'est-il pas l'heure de partir pour le restaurant ?

— Non, non, pas encore. J'ai eu quelques problèmes pour réserver une table. On m'en a finalement promis une pour neuf heures et demie-dix heures. Nous avons le temps.

Il se remit à discourir et à boire en la regardant sur toutes les coutures. Il la trouvait magnifique de simplicité et d'élégance, avec pour seuls bijoux ses boucles d'oreilles d'émeraude, dans cette robe souple qui mettait en valeur la douceur et la grâce de ses courbes.

Incapable de se maîtriser plus longtemps, il se leva pour se resservir à boire et la rejoignit sur le canapé. Le bras posé sur le dossier, il but son Martini en hochant la tête : — Vous êtes absolument ravissante, ce soir.

— Vous trouvez ? C'est aimable à vous de le dire.

Elle tourna la tête vers lui et tressaillit intérieurement : la lueur fauve qu'elle venait de voir s'allumer dans ses yeux lui faisait peur. Elle se recula un peu.

Ross reposa son verre sur la table basse et, aussitôt, la prit dans ses bras et écrasa sa bouche contre la sienne. Elle se débattit et tenta de le repousser. Il était bien plus vigoureux qu'elle. De la langue, il réussit à écarter ses lèvres et à forcer ses dents à s'entrouvrir, tandis que, de la main droite, il fouillait son corsage avec fièvre.

Elle continua de lutter, mais il parvint à la renverser sur le canapé et à la maintenir en se couchant sur elle. Il recommença à l'embrasser à pleine bouche, releva sa jupe et glissa violemment la main entre ses genoux, contraignant ses cuisses à s'ouvrir.

Bien qu'elle fût presque étouffée par le poids de Ross, elle se débattait toujours, aussi révoltée qu'épouvantée. Elle n'avait qu'une idée : lui échapper et s'enfuir le plus vite possible. Elle aurait voulu libérer ses bras et le griffer au visage. Cependant, il arriva à lui immobiliser la tête et se remit à l'embrasser goulûment, tout en redoublant d'efforts pour lui arracher son slip. Soudain, malgré son affolement, elle entendit le crissement du nylon qui se déchirait à l'entrejambe. Elle sentit ses doigts sur sa peau, et elle fut alors prise de nausées et de frissons. Les larmes lui vinrent aux yeux. Mais quand il s'arrêta de l'embrasser pour reprendre son souffle, elle en profita pour se mettre à hurler.

Il se redressa aussitôt et lui plaqua la main sur la bouche.

— Tais-toi ! Je sais que tu aimes ça, salope ! Pas la peine de jouer les vierges effarouchées puisque tu fricotes avec O'Neill depuis des mois !

Il partit d'un gros rire et Paula comprit qu'il était ivre. D'un mouvement rapide, elle réussit à se dégager à demi en glissant au bord du canapé.

Il ôta la main de sa bouche pour tenter de la retenir et elle recommença à hurler. Une fois de plus, il la fit taire en appuyant sa large paume sur ses lèvres, puis il la coinça à l'aide d'une de ses jambes. La figure congestionnée, le regard dément, il la maintint sous lui de toute la masse de son corps.

— Allons, ma cocotte, balbutia-t-il, je sais bien que tu en as envie autant que moi. Viens dans la chambre.

Paula comprit qu'elle tenait là sa chance. Elle fit signe qu'elle acceptait et essaya de sourire.

— Plus de hurlements ? murmura-t-il.

Docilement, elle inclina la tête.

Rassuré, il se releva et lui tendit les bras pour l'aider à se remettre sur pieds. Elle le laissa faire. Il l'attira contre lui, une fois debout, et enfouit la figure dans ses cheveux.

— Il faut que tu me dises tous les câlins que te fait ce brave Shane, ma minette. Je parie que le vieux Ross saura encore mieux s'y prendre que lui pour te faire plaisir.

Paula le repoussa alors avec brutalité. Trop soûl pour comprendre qu'il ne s'agissait pas d'un jeu, Ross se laissa aller, tituba et tomba lourdement sur le canapé. Saisissant au passage son petit sac du soir en or massif, elle s'élança en direction de la porte. Mais il réagit et fut plus rapide qu'elle. Il la rattrapa. Elle se défendit et lui donna un coup dans le tibia. Il gémit de douleur et la lâcha.

Elle voulut gagner la porte, mais il s'agrippa à son corsage, dont le col lui resta dans les mains. Il fonça sur elle, menaçant, et elle lui donna un autre coup de pied. Puis, d'un geste vif, elle lui flanqua avec vigueur le sac en or dans la figure.

Il poussa une plainte sourde et recula en trébuchant sur la petite table chinoise. Il atterrit à quatre pattes sur la moquette et porta la main à son visage ensanglanté :

— Salope !

Haletante et terrifiée, elle se précipita dans le vestibule, où elle se prit les pieds dans le tapis et heurta de la tête le montant d'une vitrine. Mais, sans souci de la douleur, elle courut vers la porte palière.

Il n'osa pas la suivre jusqu'à l'ascenseur. En entrant dans la cabine, elle faillit s'écrouler et elle se détourna pour que le garçon d'ascenseur ne pût la dévisager. Elle se recula dans l'ombre, ouvrit son sac et sortit son poudrier. Puis elle se passa les doigts dans les cheveux, consciente du désordre de sa coiffure.

Quelques secondes plus tard, elle quittait l'immeuble d'un pas pressé. Dans Park Avenue, elle héla un taxi.

55

Elle réussit à garder son calme jusqu'à son arrivée à l'appartement de la Cinquième Avenue.

Elle rentra sans bruit et monta l'escalier intérieur sur la pointe des pieds Elle ne tenait pas à ce que l'intendante la vît dans l'état où elle était.

Elle se glissa dans sa chambre, ferma à clé la lourde porte de boi: ouvragé et s'y appuya jusqu'à ce qu'elle eût retrouvé son souffle. Mais tou: ses muscles étaient encore raidis par l'épouvante qui l'avait saisie quanc Ross Nelson l'avait brutalement agressée.

Quand elle eut retrouvé la force de mettre un pied devant l'autre, elle se débarrassa de sa robe abîmée avec des mains tremblantes. Puis elle retira son linge et ses bas en lambeaux avant de se rendre à tâtons dans la salle de bains.

Elle ouvrit la douche et se savonna de la tête aux pieds. Elle resta dix bonnes minutes à faire couler l'eau chaude sur son corps. Elle voulait non seulement se laver de la souillure, mais se purifier du souvenir même de l'odeur et du contact de son agresseur. Après ces ablutions brûlantes, elle vit dans la glace que sa peau était rouge et même écarlate à certains endroits, comme si elle s'était ébouillantée sans s'en rendre compte. Elle enfila un peignoir et examina son visage au-dessus du lavabo : elle avait un bleu sur la joue.

Ses yeux aux reflets violets s'étaient assombris au point d'en paraître noirs. Elle avait le regard d'un animal traqué. Elle fit effort pour chasser de sa mémoire ce qui venait de lui arriver, mais ne put y parvenir. Elle revoyait l'expression libidineuse de Nelson. Il semblait être là, aux aguets, prêt à lui sauter dessus. Elle frissonna de dégoût au souvenir de ses grosses lèvres flasques collées contre sa bouche et de son corps massif, trop pesant, qui l'étouffait.

Puis la colère la saisit. Nelson avait essayé de la violer, ni plus ni moins ! L'état d'ivresse dans lequel il se trouvait n'était pas une excuse à sa conduite inqualifiable. Il était répugnant. Ce n'était pas un homme, mais une bête.

Soudain, elle fut prise de vomissements incoercibles. Lorsqu'elle releva enfin la tête, épuisée, elle passa un gant mouillé sur sa figure, puis alla appuyer le front contre les carreaux de céramique du mur pour avoir un peu de fraîcheur. Ses oreilles bourdonnaient, ses paupières étaient brûlantes, tout son corps était endolori.

Dès qu'elle se sentit un peu mieux, elle retourna dans sa chambre et s'écroula sur le lit. Là, son courage l'abandonna d'un seul coup.

Le corps parcouru de violents frissons, elle tira l'édredon sur elle. Elle avait froid, elle se mit à claquer des dents. Agrippant son oreiller, elle y enfouit son visage et éclata en sanglots.

Elle pleura pendant une heure entière.

Toute la souffrance qu'elle avait refoulée depuis la mort de son père, de Jim et de Maggie trouva là son exutoire et elle se laissa submerger par le chagrin. Jusqu'à ce jour, elle s'était constamment efforcée de faire bonne figure, à cause de sa mère, d'Alexandre et des enfants. Mais sa douleur, enfouie dans son subconscient, avait fini par la dévorer vive.

Ces larmes amères qu'elle aurait dû verser neuf mois plus tôt lui permirent finalement de retrouver la paix de l'âme. Quand ses pleurs s'arrêtèrent, elle eut la surprise de se sentir détendue.

Les yeux fixés sur le plafond, elle passa alors en revue tous ses souvenirs douloureux et, avec la lucidité qu'elle réservait d'ordinaire aux affaires, elle se mit à analyser minutieusement son attitude des derniers mois.

Elle comprit bientôt que le traumatisme même causé par la tentative de viol de Nelson venait de la faire sortir de sa torpeur. Elle examina aussi avec objectivité le sentiment de culpabilité qui avait tué en elle toute émotion à l'exception de l'amour maternel et elle reconnut pour la première fois qu'il était absolument sans fondement.

Elle admit enfin qu'aveuglée par sa propre souffrance elle s'était montrée d'une injuste cruauté à l'égard de Shane. Et tout d'un coup, le désir la prit de se retrouver blottie contre lui, à l'abri de ses bras vigoureux.

Mais, puisqu'elle l'avait chassé en croyant faire vœu de solitude, persuadée que l'amour lui était désormais interdit, pourrait-il jamais lui pardonner?

La face repoussante de Nelson revint la hanter. Elle se remit à frissonner et se redressa dans son lit. Il avait failli la violer!... Elle en était d'autant plus révoltée qu'elle avait jusqu'alors été protégée des laideurs de la vie. Par sa grand-mère, ses parents, sa nombreuse famille. Par sa position sociale et par sa fortune. Elle n'avait jamais encore été confrontée aux difficultés et aux avanies qui sont le lot des autres femmes.

Jamais un être aussi ignoble que Nelson ne s'était trouvé sur son chemin. Jim avait été son premier amant, puis son mari. Il s'était montré égoïste et imbu de lui-même, elle ne pouvait le nier, mais il n'avait jamais usé de violence pour la contraindre à se donner à lui.

Puis il y avait eu Shane et, dans leur passion réciproque, le désir s'était mêlé inextricablement à l'amour le plus pur. Aussi la brutale expérience qu'elle venait de vivre lui paraissait-elle le pire des viols : il ne s'était pas agi de forcer seulement son corps, mais aussi son âme, son esprit. Bien qu'elle eût réussi à lui échapper avant qu'il en vînt à l'irréparable, elle se sentait meurtrie et humiliée.

Paradoxalement, pourtant, la brutalité même du violeur lui avait servi d'électrochoc et permis de reprendre pied dans la réalité, en brisant d'un coup la carapace dans laquelle elle s'était délibérément enfermée. Et c'était maintenant comme une nouvelle naissance ! Elle avait retrouvé la vie, le présent et la faculté de regarder à nouveau vers l'avenir.

Elle se souvint de ce que disait Emma : « Ne te retourne pas sur le passé, va de l'avant ! »

Elle ne s'endormit qu'au petit matin.

Elle sombra alors dans un sommeil si profond qu'on l'aurait crue droguée. Le cauchemar qui hantait ses nuits depuis si longtemps ne revint pas la troubler avec son cortège de fantômes.

Quand elle rouvrit les yeux, au bout de quelques heures, elle eut l'impression d'être plus libre et plus légère, comme délivrée d'un énorme fardeau.

Pleine d'optimisme, elle s'habilla pour se rendre au magasin de la Cinquième Avenue. Elle avait recouvré la paix de l'esprit, l'équilibre et l'espérance. Elle savait maintenant où elle allait et ce qui lui restait à faire. Devant elle, la voie était toute tracée et elle voulait s'y engager sans plus tarder.

Assis sur un des vieux murets à demi éboulés de Middleham Castle, Shane se prit à rêver en ce dimanche après-midi.

Le ciel de septembre était couvert. Il faisait doux et la pluie menaçait. Le soleil essayait de percer les nuages et il finit par émerger d'un amoncellement de cumulus en déployant de longs rayons d'argent.

Le jeune homme leva la tête pour admirer l'étrange beauté de cette luminosité qui semblait jaillir des flancs mêmes de la montagne aride. C'était une clarté qui n'était pas de ce monde.

D'un regard songeur, il parcourut la ligne d'horizon. Depuis qu'il vivait dans la solitude et la tristesse de l'abandon, il n'avait cessé de penser au Yorkshire comme au seul endroit susceptible de lui faire retrouver la paix du cœur.

Aussi avait-il pris, une semaine plus tôt, une grande résolution en rentrant de New York avec Winston : celle de mettre un terme au long exil qu'il s'était imposé. Il avait donc décidé de vivre désormais dans sa terre natale, au milieu des paysages de son enfance, quand rien ne le forcerait à parcourir le monde. Mûri par l'épreuve, il savait que c'était là seulement qu'il pourrait retrouver la force de vivre sans Paula.

Son cheval, War Lord, se mit à hennir. Il tourna la tête, croyant que quelqu'un approchait. Mais le château en ruine était désert et il n'y avait nulle part âme qui vive. Seul troublait par moments le silence le cri d'un martin-pêcheur, d'un courlis ou d'une mouette.

Les landes ondulaient à perte de vue et la bruyère était en fleur. Transporté par la beauté du spectacle, Shane resta un long moment à contempler la nature environnante. Tout à coup, il cligna les yeux dans la lumière et mit sa main en visière sur son front. Il croyait apercevoir un mouvement au milieu des collines et bientôt, en effet, il distingua la silhouette d'un cheval et de son cavalier venant vers le vieux château.

Quand la vision se rapprocha, il sursauta, n'en croyant pas ses yeux.

Le cavalier était une cavalière. Elle arrivait au galop et ses longs cheveux noirs, qui flottaient au vent léger, soulignaient la pâleur de son visage.

Le cœur battant, il reconnut Celtic Maiden, une de ses juments. Il ne pouvait se tromper sur son allure, pas plus que sur l'identité de celle qui la montait.

C'était l'enfant de rêve de ses rêves d'enfant, qui chevauchait entre ombre et soleil. Elle venait vers lui, elle se faisait proche, toujours plus proche, elle agitait la main pour lui faire signe... Mais non, ce n'était plus une enfant ! C'était une femme, maintenant, la plus belle de toutes, celle qui ne quittait pas ses pensées et qu'il avait crue perdue à jamais !

Avec lenteur, il se leva du muret où il était assis et, le visage impassible, lui lança un long regard interrogateur. Elle mit pied à terre avec légèreté, attacha la jument près de War Lord, se retourna et s'immobilisa.

— Je te croyais à New York, dit-il d'une voix où ne perçait aucune émotion.

— Je suis de retour depuis vendredi matin. Tilson m'attendait à l'aéroport de Manchester et il m'a ramenée directement à la maison. A Pennistone.

— Ah bon !

Brusquement, il sentit ses jambes se dérober sous lui et alla se rasseoir sur le muret.

Elle l'y rejoignit et le dévisagea sans rien dire.

Comme le silence menaçait de s'éterniser, Shane finit par lui demander :

— Pourquoi as-tu un bleu à la joue ?

— Je me suis cognée, ce n'est rien.

— Et que viens-tu faire dans le coin ?

— Te chercher. Randolph m'a dit que tu étais ici. Shane, j'ai quelque chose à te demander...

— Oui ?

— Je voudrais savoir si tu consentirais à me donner la bague... tu sais, celle dont Blackie avait fait cadeau à Emma ?

— Quand tu voudras, Paula. C'est à toi qu'Emma aurait dû la laisser.

— Non. Elle a voulu que ce soit toi qui l'aies. Elle ne faisait rien au hasard. Mais ce n'est pas une restitution que je te demande, c'est... un gage d'amour, comme celui que donne le fiancé à la fiancée.

Elle sourit en voyant sa stupéfaction.

Ses yeux bleus aux reflets violets luisaient comme deux petits lacs d'ombre dans la peau nacrée de son visage.

— Je passerai avec toi le reste de mes jours, Shane. Si tu veux bien encore de moi.

Pour toute réponse, il la serra contre lui passionnément. Puis il sema sur ses cheveux, ses paupières et ses lèvres des baisers où l'amour fou le disputait à la tendresse.

Ils s'attardèrent longtemps sur le vieux muret de Middleham Castle, enlacés, trop émus pour parler.

En retrouvant la protection des bras de Shane, Paula comprit qu'elle lui appartenait corps et âme. Quant à lui, il crut que le temps s'était arrêté dans cet endroit béni. Il se sentait comblé. Il avait recouvré ses biens les plus précieux : sa terre natale et la femme qu'il aimait.

— Si seulement Emma et Blackie pouvaient nous voir ! murmura Paula.

Il sourit et releva la tête. Son regard erra sur la ligne sombre des montagnes qui se découpaient contre ce ciel d'automne baigné d'une lumière vraiment surnaturelle.

Puis, en bon Celte qu'il était, il répliqua en lui effleurant tendrement le visage :

— Mais pourquoi ne le pourraient-ils pas, Paula ? Pourquoi ?

Imprimé aux Etats-Unis, 1987

DATE DUE

GAYLORD   PRINTED IN U.S.A.

Energy, Economics,
and Foreign Policy
in the Soviet Union

ED A. HEWETT

Energy, Economics, and Foreign Policy in the Soviet Union

THE BROOKINGS INSTITUTION

Washington, D.C.

Copyright © 1984 by
THE BROOKINGS INSTITUTION
1775 Massachusetts Avenue, N.W., Washington, D.C. 20036

Library of Congress Cataloging in Publication data:

Hewett, Edward A.
  Energy, economics, and foreign policy in the
Soviet Union.
  Includes bibliographical references and index.
  1. Power resources—Soviet Union. 2. Power
resources—Government policy—Soviet Union.
3. Soviet Union—Foreign economic relations.
I. Title.
HD9502.S652H48 1984   333.79′0947   84-45277
ISBN 0-8157-3602-9
ISBN 0-8157-3601-0 (pbk.)

1 2 3 4 5 6 7 8 9

THE BROOKINGS INSTITUTION is an independent organization devoted to nonpartisan research, education, and publication in economics, government, foreign policy, and the social sciences generally. Its principal purposes are to aid in the development of sound public policies and to promote public understanding of issues of national importance.

The Institution was founded on December 8, 1927, to merge the activities of the Institute for Government Research, founded in 1916, the Institute of Economics, founded in 1922, and the Robert Brookings Graduate School of Economics and Government, founded in 1924.

The Board of Trustees is responsible for the general administration of the Institution, while the immediate direction of the policies, program, and staff is vested in the President, assisted by an advisory committee of the officers and staff. The by-laws of the Institution state: "It is the function of the Trustees to make possible the conduct of scientific research, and publication, under the most favorable conditions, and to safeguard the independence of the research staff in the pursuit of their studies and in the publication of the results of such studies. It is not a part of their function to determine, control, or influence the conduct of particular investigations or the conclusions reached."

The President bears final responsibility for the decision to publish a manuscript as a Brookings book. In reaching his judgment on the competence, accuracy, and objectivity of each study, the President is advised by the director of the appropriate research program and weighs the views of a panel of expert outside readers who report to him in confidence on the quality of the work. Publication of a work signifies that it is deemed a competent treatment worthy of public consideration but does not imply endorsement of conclusions or recommendations.

The Institution maintains its position of neutrality on issues of public policy in order to safeguard the intellectual freedom of the staff. Hence interpretations or conclusions in Brookings publications should be understood to be solely those of the authors and should not be attributed to the Institution, to its trustees, officers, or other staff members, or to the organizations that support its research.

Foreword

THE enormous energy price increases of the 1970s that led to stagnation and balance-of-payments problems for most nations brought windfall gains to the Soviet Union. As a net exporter of energy, largely of oil, the Soviet Union was well positioned to benefit from the events that shook net energy importers. The magnitude of Soviet energy reserves and the generally good Soviet record in exploiting those reserves suggested that the Soviet Union would remain a strong net exporter in the future.

In April 1977, however, the CIA predicted that Soviet oil output would peak in 1980, then begin to fall rapidly, so that the Soviet Union would soon become a net importer of energy. In the context of the then tight oil market, the switch of the Soviet Union (and the Soviet bloc) from net exporter to substantial net importer portended another round of oil price increases. Some observers worried that such a drop-off in oil production would so threaten the Soviet economy that the Soviets might be tempted to use their formidable military power to acquire by force the Middle Eastern oil they could not afford to purchase.

Today concern over a decline in Soviet oil output and the consequences for world energy markets has diminished considerably. Oil output has not declined, though it has—for some of the reasons identified by the CIA—virtually stagnated. More important, Soviet natural gas production is growing sufficiently to compensate for the slow growth in oil output. Indeed the current concern of Western countries is that an energy-abundant Soviet Union will flood Western Europe with natural gas, driving out most competitors and capturing the bulk of the market.

These shifting assessments of Soviet energy prospects teach two important lessons. First, it is necessary to view energy as a whole—oil, gas, coal, and unconventional sources—instead of simply focusing on one or another form of energy. The outlook for Soviet oil production can

vii

be evaluated only in light of prospects for the production of other types of energy. Second, it is necessary to view energy supply and energy demand together. The implications of energy supply developments for exports can be determined only in light of energy demand projections.

In this book Ed A. Hewett, a senior fellow in the Brookings Foreign Policy Studies program, analyzes prospects for the Soviet energy sector as a whole over the rest of the decade. He focuses first on energy supplies, then on the demand for energy, and finally on the energy balances and energy trade. He concludes that the Soviet Union is likely to remain a net exporter of energy throughout the 1980s. Whatever reasons the Soviet Union might have for increased activity in the Persian Gulf, difficulties in the energy sector will not be one of them.

In preparing this study the author benefited from the assistance of many scholars and government officials in the United States, Europe, and the Soviet Union. He is particularly grateful to Robert W. Campbell, whose pioneering research on Soviet energy formed the foundation on which this book rests, and whose advice and assistance were invaluable. Thane Gustafson was a constant source of constructive criticism, data, and valuable references. Of the many others who assisted the author in his research, or who read parts of the manuscript, he would particularly like to thank John Hardt, James R. Lecky, William B. Quandt, Michael Roeskaw, John D. Steinbruner, Albina Tretyakova, and Jan Vanous.

The author also thanks Roberta B. Maltese for editing the manuscript, Christine L. Potts for verifying its factual content, James Hitselberger for research assistance, and Ruth E. Conrad for secretarial support.

Research for the project was partially supported by grants from the U.S. Department of Energy, the Ford Foundation, and the German Marshall Fund of the United States. The Brookings Institution is grateful for this support.

The views in this book are those of the author and should not be ascribed to the Department of Energy, the Ford Foundation, or the German Marshall Fund of the United States, to those who commented on the manuscript, or to the trustees, officers, or other staff members of the Brookings Institution.

July 1984   BRUCE K. MACLAURY
Washington, D.C.   *President*

Contents

Tables

Figures

ABBREVIATIONS OF FREQUENTLY CITED PERIODICALS

Ekon. gaz.	*Ekonomicheskaia gazeta* (Economics gazette), Moscow, weekly
Ekon. neft. prom.	*Ekonomika neftiannoi promyshlennosti* (Economics of the oil industry), Moscow, monthly
FBISSU	Foreign Broadcast Information Service, *Daily Report: Soviet Union*
Narkhoz	*Narodnoe khoziastvo SSSR: Statisticheskii ezhegodnik* (National economy of the USSR: Statistical yearbook)
Neft. khoz.	*Neftiannoe khoziastvo* (The oil economy), Moscow, monthly
Plan. khoz.	*Planovoe khoziastvo* (Planned economy), Moscow, monthly
Sots. ind.	*Sotsialisticheskaia industriia* (Socialist industry), Moscow, daily
Vnesh. torg. SSSR	*Vneshniaia torgovlia SSSR: Statisticheskii obzor* (Foreign trade of the USSR: Statistical abstract), Moscow, annual
WEFA, *CPECA*	Wharton Econometric Forecasting Associates, *Centrally Planned Economies Current Analysis,* Washington, D.C., semiweekly

CHAPTER ONE

Overview

THE Soviet Union is the second largest producer of fuels and energy in the world today (the largest is the United States) and the largest producer of oil. As a great industrial power it consumes most of the energy it produces.[1] The surplus is exported, some for hard currency useful in purchasing food, capital goods, and intermediate products, and the remainder for much more complicated returns in exchanges with client states, notably Eastern Europe and Cuba.

Energy, along with other abundant natural resources, has historically been an important component of the material foundation of Soviet economic, political, and military power. The Soviet economic system, stripped of its baroque superstructure, is a growth machine designed to combine cheap natural resources with cheap labor to produce high national-income growth rates. Energy has been so abundant, even relative to abundant Soviet natural resource endowments, that Soviet planners have been able to meet rapidly expanding domestic needs and—in recent years—generate considerable exports of oil and gas. The portion of these exports going to the developed West has provided useful hard currency; in recent years slightly over 70 percent of all Soviet hard-currency earnings from exports of nonmilitary goods to the developed West have come from energy exports.[2] Exports to Eastern Europe and Cuba at low prices literally fueled the industrialization drives in those systems and left all the recipients dependent on the Soviet economy for relatively inexpensive fuels.

1. For simplicity of exposition I use the term *energy* in the general discussions to refer to energy itself—electric, steam, mechanical, heat, and so on—as well as to the fuels used to produce that energy.
2. WEFA, *CPECA*, January 24, 1982, p. 4.

1

The Soviet Energy Problem

Recently there have been signs of strain in Soviet energy supplies. In the mid-1970s the announced goal was to expand coal production to wean power stations from expensive fuel oil. By 1980 coal production was to be 800 million tons, up from 624 million tons in 1970. Instead coal production peaked in 1978 at 724 million tons and by 1980 was down to 716 million tons. Problems in oil production were evident in 1978, as plans were revised downward; those plans were still underfulfilled. By 1980 production of crude and condensate was 603 million tons, considerably below the original plan of 640 million tons for 1980 (announced in 1976). Ambitious plans to expand nuclear power production in the latter half of the 1970s also were substantially underfulfilled. Only in natural gas were output plans met.

Because these supply-side difficulties in the Soviet energy sector are recent in origin, it is difficult to evaluate their long-term implications for the Soviet economy. Table 1-1, which reports the consumption, production, and net exports of energy from 1960 through 1982, illustrates what an extraordinarily strong sector this has been until recently. Over the entire period production grew an average of approximately 5 percent a year, consumption grew somewhat less than that, and net energy exports increased an *average* of almost 9 percent. Even in the 1970s, when energy-production growth rates began to fall, energy-consumption growth rates remained lower than production growth rates, allowing net exports to continue growing at a very respectable average for the decade (1970–80, not shown in the table) of 7.1 percent a year. It is impressive performance statistics such as these that underlie the optimism some people (and many official Soviet pronouncements) express regarding Soviet energy prospects.

Nevertheless, the fact that there is a problem can be seen in figure 1-1, which plots the annual energy-production and -consumption growth rates for 1961–82, focusing in particular on the differences between planned and actual growth rates during the latter half of the 1970s.

The fall in energy-production growth rates in 1977 and thereafter, although not historically unprecedented (notice for example the mid-1960s' slide), was nevertheless totally unexpected by planners. As the figure indicates, the expectation planners had formed was for a steady growth of approximately 4.9 percent a year through 1980. That would have meant energy production in 1980 of 28.88 million barrels per day of

Table 1-1. *Energy Production, Consumption, and Net Trade in the Soviet Union, Selected Years, 1960–82*
Million barrels per day of oil equivalent (mbdoe)[a]

Year or period	Production[b]	Net exports	Stock changes	Consumption
1960	10.25	0.69	0.07	9.49
1965	14.17	1.51	0.09	12.57
1970	17.83	2.15	0.04	15.64
1975	22.81	2.83	0.21	19.77
1976	23.93	3.35	− 0.37	20.95
1977	25.05	3.71	0.04	21.30
1978	26.01	3.80	− 0.08	22.29
1979	26.94	4.03	0.20	22.71
1980	27.58	4.25	− 0.05	23.38
1981	28.21	4.30	0.26	23.64
1982	28.95	4.46	0.24	24.25
	Average annual growth rate (percent)			
1961–82	4.8	8.9	. . .	4.4
1961–80	5.1	9.5	. . .	4.6
1961–70	5.7	12.0	. . .	5.1
1971–75	5.0	5.7	. . .	4.6
1976–82	3.5	6.7	. . .	3.0

Sources: *Narkhoz*, various years. Because stock-change estimates are typically revised the year after they are first published, data at least two years old were used whenever possible.

a. All data are converted from million tons of standard fuel (mtsf) in the original source to mbdoe by multiplying by 0.014.

b. These data include nuclear power and hydropower converted at their useful energy equivalent (approximately 0.123 tsf per 1,000 kilowatt-hour), and not at the energy input that would have been required to produce that amount of electric power (approximately 0.328 tsf per 1,000 kwh).

oil equivalent (mbdoe), 1.30 mbdoe above the actual figure that year (27.58 mbdoe).[3] This unpleasant surprise was counterbalanced somewhat by the fact that national income (NI) growth averaged 4.2 percent a year over 1976–80 (Soviet official national income), when the plan had called for 5.1 percent a year. That meant approximately 0.35 mbdoe less energy consumption than had originally been planned.[4]

3. The coal production target for 1980 as set in 1976 was 790 million to 810 million tons, and the oil target for 1980 was 620 million to 640 million tons. Taking the midpoints of the two, subtracting them from actual production in 1980 (coal, 716 million tons; oil, 603 million tons), and converting them to mbdoe yields the 1.30 mbdoe shortfall. The gas target was fulfilled. Because there are few data, it is assumed that targets for the production of other primary energy (nuclear, hydro, peat, and firewood) were also fulfilled.

4. This assumes planners were hoping to push down somewhat the energy consumption–NI ratio from about 0.82 to 0.75, in which case a planned NI growth rate of 5.1 percent a year would have generated a growth rate of energy consumption of 3.8 percent a year. In fact, the growth rate was 3.5 percent, which is a difference of 0.34 mbdoe, which I will round to 0.35.

Figure 1-1. *Annual Growth Rates of Soviet Energy Production and Consumption, 1961–82*

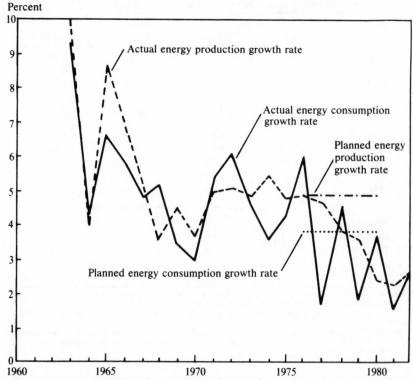

Sources: Actual energy production and consumption growth rates are from *Narkhoz*, various issues; derivation of planned growth rates is discussed in the text and accompanying footnotes.

These figures together suggest that Soviet planners had a 0.95 mbdoe shortfall in energy exports below what they had anticipated, most of it in oil that either was not produced or was diverted from exports to conventional power stations because planned coal supply increments did not materialize. A small amount of that shortfall was made up in stock drawdowns (0.05 mbdoe), leaving still approximately a 0.9 mbdoe unexpected shortfall in exports. The equally unexpected, and fortuitous, doubling of world energy prices in 1979–80 overcompensated in the other direction for what otherwise would have been a shortfall in anticipated hard-currency earnings.

If the energy growth rates of the late 1970s are trends and not aberrations, then they imply that Soviet energy exports must soon fall. That, in concert with recent declines in world energy prices, could deal a substantial blow to Soviet hard-currency earnings. The problem Soviet planners face is deciding whether the rates are indeed an aberration; the problem outsiders face is having incomplete information on what the possibilities are. There basically are two types of policies with which planners can seek to resolve the problem. The two will be discussed here as distinct alternatives, although in fact planners could pursue any of a number of combinations of them.

One approach is to focus on the supply side of the problem by attempting to restore the energy-production growth rates of the 1960s and the early 1970s. This need not be limited to efforts to increase oil supplies; natural gas or coal would do, along with active interfuel substitution policies. What would be important in this strategy is that *somehow* total energy-supply growth rates rise. Any solution of this sort will require substantial new investments because of rapidly rising capital-output ratios in energy production and transport. Certainly elements of this strategy can be seen in Soviet plans for the first half of the 1980s. The planned growth rate of total energy production for 1981–85 is 3.6 percent, well above the growth rates of the last few years. The energy sector was one of the few industrial sectors to obtain large increases in investment funds, relative to past periods.

The second possible approach is to address the demand side of the problem. Table 1-1 shows that energy-consumption growth rates remained high (although not as high as production growth rates) until the latter half of the 1970s, when they fell in response to falling growth rates in economic activity. Despite considerable efforts in recent years by Soviet planners, there is as yet no evidence that the link between energy consumption and economic activity is any weaker than it has been for the last two decades (the average energy–gross national product [GNP] elasticity is well above unity). Consequently, if planners succeed in turning the economy around from the very low growth rates of recent years, they risk energy-consumption growth rates that will match or even exceed production growth rates, thus exerting downward pressure on exports.

The plan for 1981–85 involves even greater efforts than before to encourage energy conservation. If those efforts have an appreciable effect on energy-consumption growth rates, the picture could change. Again, this could involve substantial capital costs as old machinery is replaced with new energy-efficient equipment. Continued problems in Soviet economic performance would also hold energy-consumption growth rates down, which suggests an interesting interrelationship: if problems grow worse in the Soviet energy sector because of demand-side pressure, it will in a perverse way be a positive sign because it will most likely indicate a successful economic recovery. If economic recovery is not realized, then energy problems will be less severe, but that may provide little consolation to Soviet leaders in light of general economic problems.

Because Soviet planners have a range of options open to them involving various mixtures of supply-side and demand-side remedies to current energy problems, the implication is that they have choices to make. Underlying those choices is a complex and important set of economic and political issues. There is an energy "problem" in prospect in the Soviet economy not because energy supplies threaten to be so tight that net energy imports will become necessary, but rather because energy-supply growth rates may fall off far enough that energy exports will fall (but remain positive). Those exports carry economic and political benefits for the system. Yet to maintain those exports will be increasingly costly in the 1980s, either because of rising capital and labor costs involved in maintaining energy-supply growth rates, or because of the rising resource costs involved in conservation measures.

Now and throughout the remainder of the 1980s, Soviet leaders will constantly face the need to make judgments to balance the benefits attained by various levels of energy exports against the costs of achieving an energy balance to support those exports. Those costs will be influenced by the combination of the supply-side and demand-side policies planners pursue. In making choices regarding various options for the energy sector, planners will quite probably (and properly) find themselves considering the energy sector in the context of the economy as a whole. They will constantly have to ensure that whatever level of energy exports they are trying to maintain, at certain associated costs to the economy, is justified relative to other alternatives for earning dollars and purchasing goods with those dollars. In principle there is no reason why Soviet planners might not decide at some point to slow the rate of energy-supply growth, reduce energy exports, and simultaneously reduce machinery and food imports, all because in their judgment the economy would be better off under such policies, as opposed to any policy designed to produce higher energy supplies and exports. In fact such a policy is unlikely in the short run, but the principle is an important one to keep in mind.

In setting up the problem in this fashion one can avoid some of the oversimplified questions that sometimes arise regarding the Soviet energy sector. Will the Soviets have enough oil in 1985? Will the Soviets be able to export energy by 1990? The Soviet economy is sufficiently rich in natural resources and capital for planners to be able in time to meet a wide range of oil-output targets—and oil-export targets—if they were willing to impose what would probably be high resource costs on the remainder of the system. The real issue is what Soviet planners will *choose* to do in the face of rising costs for increments to their energy supplies.

Worldwide Consequences of Soviet Energy Problems

Given the complicated set of policy alternatives available to Soviet leaders with which to respond to the rapidly rising costs of energy, it is not a simple matter for an outsider to divine what they will do. Yet it is important to attempt to project the course they are likely to take because it will inevitably have political and economic consequences for the Soviet Union, for Eastern Europe, and for East-West relations.

Suppose planners decide to underfulfill energy-supply plans in the next few years and pass much of the costs on to Eastern Europe through rapid reductions in subsidized energy shipments. Eastern Europe is already burdened with adjusting to Soviet energy difficulties as the quantity of energy shipments from the Soviets has stagnated. Now the proportion of those shipments to which subsidies are attached is falling. As a result, domestic energy supplies in Eastern Europe are likely to stagnate in the 1980s. Because there is as yet little evidence of increases in the efficiency with which energy is used, demand is likely to grow. If the Soviets continue to cut subsidized energy deliveries to Eastern Europe—and one assumes that Eastern Europe will find it very hard to borrow to finance imports of energy for dollars (which is virtually certain)—then Eastern European planners will have to apportion the drop in supplies between increased energy efficiency and lower economic growth. So far the latter is taking the brunt of the adjustment, and living standards are stagnating. Should this situation further worsen, there might be serious political instabilities in the region throughout the 1980s. The pace at which the Soviet Union and Eastern Europe renegotiate their energy relationship (which encompasses much of their economic relationship) invites careful scrutiny in the West because of the political and economic implications for Eastern Europe and therefore for East-West relations.

It could also happen that Soviet leaders will respond to lower energy-supply growth rates by reducing exports for hard currency. Assuming no significant increase in world energy prices, this would considerably reduce Soviet capabilities to import food, capital goods, and intermediate products, and it could affect economic performance. Finally, planners could even go beyond current efforts and commit to the energy sector all the capital and labor necessary to meet their energy supply plans for 1985—and therefore their export commitments. That would restrict capital supplies in the remainder of the economy (particularly if world capital markets and governments are unwilling to extend substantial loans to the Soviets), which would reduce growth rates. This presents Soviet planners with some hard choices concerning how to distribute the burden of deteriorating economic performance among consumers, investors, the military, and—once again—Soviet client states. If that choice arises, how it is made will have implications for political stability in the Soviet Union and Eastern Europe and for the security interests of the West.

There are those who would contend that the Soviet energy situation could become serious enough to provoke Soviet leaders into military actions designed to acquire control of a portion of the Middle East's oil wealth. Stated so simply it appears to be an absurd proposition, but there is in it a more subtle question that is worthy of serious study: will Soviet economic difficulties—stemming primarily from energy and food—have an impact on Soviet foreign policy? And is there anything the United States can and should do to influence Soviet energy developments in light of their potential consequences for the Soviet economy, Soviet–Eastern European relations, and East-West relations?

The rest of this chapter lays the groundwork for what follows, discussing in outline the operation of the economic system, the nature of recent economic policies and economic performance, and the prospects in the near term for economic reform. In each of these areas the focus of the discussion will, as much as possible, relate to the energy sector. However, because Soviet economic prospects in general, and Soviet energy prospects in particular, are inextricably intertwined, there is also some discussion of more general economic issues.

Resource Allocation in the Soviet Economy

The Soviet economic system today is structured basically the way it was structured by Joseph Stalin a half-century ago.[5] The state owns the means of production and controls resource allocation through a bureaucracy, at the top of which, de facto, is the Politburo of the Communist party of the Soviet Union, chaired by the general secretary (currently Konstantin U. Chernenko). Formally the economy is administered by a hierarchy controlled by the Council of Ministers, chaired by the prime minister (currently Nikolai A. Tikhonov), consisting of approximately one hundred people, about half of whom represent ministries directly in control of all significant economic units (farms, enterprises, associations of enterprises).[6] The remaining fifty people include heads of ministries and state committees concerned with general economic affairs (for example, finance and domestic and foreign trade) or with other matters (for example, state security, foreign affairs, and defense), and the chairmen of the fifteen republican councils of ministers.

Of particular importance here are the organizations involved in planning economic activity: the State Planning Commission (Gosplan, which actually constructs the plans that guide the system), the State Committee for Material-Technical Supply (Gossnab, which plans the distribution of output), the State Committee for Science and Technology, which is charged with channeling and encouraging technical change in the system, and the State Price Committee. It is these committees and others that coordinate the activities of the various ministries in the basic decisions on resource allocation.

The ministries and committees actually supervising production units are set up primarily on a sectoral basis at a fairly detailed level of

5. The discussion in this section is primarily intended for those unfamiliar with Soviet economic institutions, and it is purposely brief. For a general introduction to the Soviet economy, see Paul R. Gregory and Robert C. Stuart, *Soviet Economic Structure and Performance,* 2d ed. (Harper and Row, 1981). More recent developments in the Soviet economy are discussed in U.S. Joint Economic Committee, *The Soviet Economy in a Time of Change,* 96 Cong. 1 sess. (Washington, D.C.: Government Printing Office, 1979), vols. 1, 2, and *Soviet Economy in the 1980's: Problems and Prospects,* 97 Cong. 2 sess. (GPO, 1982), pts. 1, 2.

6. The main exception here is enterprises supervised by the ministries of the various Soviet republics, which are enterprises of only republicwide significance.

disaggregation. Thus, in the energy sector, instead of an "energy" ministry there are separate ministries controlling the production of gas, coal, oil, and electricity and heat; other ministries produce and supply equipment to the energy ministries. Exploration activitiies are divided among a Ministry of Geology and the energy-producing ministries. It is on the whole a surprisingly fragmented system, and it encounters difficulties in coordinating activities in areas in which, in the abstract, planned economies should be adept. For example, a plethora of individual contracting ministries are involved in the development of the Siberian oil and gas fields, which leads to considerable confusion.[7]

Throughout this book the term *planners* refers to those institutions and individuals at the center of government actually involved in constructing plans. This includes most prominently Gosplan, but also Gossnab and other committees, as well as functional ministries (such as the Ministry of Finance). The economic ministries that supervise enterprises are an intermediate link in the planning process, functioning as "central" planners when they deal with enterprises and as lower-level units when dealing with the center.

Soviet leaders are a somewhat different group of people (some are also planners) who sit on the Politburo. The leaders make the major strategic choices for the economy, as well as all the political choices; the planners are limited to dealing with "tactical" issues in the economy.

Actual control over resource allocation is exercised through annual and five-year plans, both of which generate enormous collections of documents as a result of complex, lengthy negotiations in the economic and political bureaucracy. The five-year plans (the current one, for 1981–85, is the eleventh, hereafter FYP XI) outline the general strategy for the coming period and are not meant to control resource allocation directly or in any detail. The annual plans do that, and the entire year before they go into effect is spent constructing them. (They are negotiated agreements among all levels of the hierarchy, from the Politburo to individual enterprises.) When they are concluded they are sent down from the top as a detailed blueprint of economic activity for the year in question; they are successively disaggregated until they reach the enterprises as documents designed to control enterprise operations.

In principle the annual plans are guided by the five-year plans, but in

7. See, for example, B. Trofimov, "Zadachi dal'neishego razvitiia neftegazovogo kompleksa v tiumenskoi oblasti" [Tasks for the further development of the oil and gas complex of Tiumen Province], *Plan. khoz.*, no. 7 (July 1982), pp. 107–10.

fact that is rarely true beyond the first years that the five-year plan is in force. Too many things change in the meantime, and in any event the five-year plan sometimes contains as much hope as it does hard projection. Sometimes five-year plans are not actually agreed on until after the beginning of the period to which they apply.[8]

Enterprise directors, who are appointed by their ministry, with party approval, have little autonomy in the operation of their enterprises.[9] They negotiate annually with their ministry (in turn it negotiates with Gosplan) a plan covering the next year's activity. It is an extremely detailed plan that leaves few opportunities for local decisions except in relatively minor details. Historically the critical targets for Soviet enterprises have been those concerning the growth rate of output; despite recent efforts to change that orientation, it still is regarded by central planners, ministries, and enterprises as the most important target to fulfill. Performance relative to those and other targets determines managerial bonuses. It is those bonuses, and more important the general approval of the ministries for what the managers do, that motivate managers in making decisions in areas in which they do have flexibility. Cost minimization, profit maximization, or satisfying consumer demands plays a decidedly secondary role in enterprise decisions.[10] Consequently, the quality of goods supplied by enterprises and the timeliness of deliveries are the subjects of perennial complaints.

The primary importance of these behavioral features for the energy sector lies in the relations between the energy-producing ministries and those ministries that supply them with equipment for extracting and transporting energy. There is a constant tension there: the energy-producing ministries complain that they cannot meet their plans because

8. FYP XI (1981–85) illustrates all these points. It already appears that some of its key targets (national income and some of the energy targets) were wishful thinking; it was constructed during a time when the international situation was in flux, and probably it assumed a more favorable international climate for Soviet borrowing than now exists. Published in draft form in December 1980, it was finally approved in November 1981, almost at the end of the first year to which it applied. The original draft is reported in *Ekon. gaz.*, no. 49 (December 1980), pp. 3–15; the final-plan law can be found in *Pravda*, November 20, 1981, pp. 1–2.

9. The use of the term *enterprise* here glosses over the fact that, since the early 1970s, about one-half of Soviet enterprises have been merged into associations that have the legal status of enterprises and that handle some minor planning functions previously handled by departments of ministries.

10. One very important exception to this is the defense industry, where consumers (the military) exert a strong influence on the quality and quantity of the goods produced.

the equipment they require is typically delivered late and is of low quality. Their complaints seem in many cases to be justified, which is not surprising in light of the incentives under which manufacturing enterprises operate.

Goods and services are exchanged among enterprises at prices approximating the average costs of producing and transporting them during some previous base period.[11] Because prices in the Soviet Union are fixed centrally (by the State Price Committee, another ministerial-level body), they tend to be fixed for a long period, and cost increases therefore are not quickly introduced through price revisions.[12] In the long interval between revisions, prices become an increasingly poor guide to what it costs the economy on average to produce a unit of any product. At no time do prices provide information either on the marginal costs of new supplies of a product or on the demand for it.

The absence of enterprise autonomy is in some sense justified in this system because autonomous enterprises seeking to make a profit, but misled by distorted prices, could reach decisions harmful for the economy. On the other hand, enterprise managers are oriented toward satisfying their ministries (which tend to focus on increasing output), so that variations of input and output prices facing enterprises are not the primary influences on the decisons made.

One of the most misleading prices in the Soviet Union is the interest rate charged to enterprises, which is quite low. New capital is given to enterprises, although they must pay a 6 percent charge for its use. Inventories are inexpensive to hold, and because enterprises cannot go bankrupt in the Soviet system, excess costs resulting from unused capital (either fixed capital or inventories) are in effect covered by state subsidies.

This has important consequences for the energy sector. In the construction of new pipelines and other facilities there is a tendency (quite widespread in the Soviet economy) for construction enterprises to disperse their capital over too many projects and thus cause cost and time overruns on all of them. Because capital is virtually without cost to

11. Retail prices for some products can differ considerably from the industrial wholesale price because of taxes or subsidies.

12. Energy is a good case in point. The price of oil sold to enterprises in the USSR was constant from 1967 until 1982, while the cost of extracting and transporting an additional ton of oil rose considerably; of course the world market price (hence the opportunity cost of using the oil internally instead of exporting it) rose fifteenfold.

OVERVIEW 13

the enterprise, that is a perfectly rational thing to do: it allows enterprises to say they are "working" on all the projects they have been given. However, it also explains why, for example, the Donbass coal fields (and therefore coal output) are so far behind the expansion plans set out for them in the early 1970s.

The overriding emphasis on the quantitative increases of output and relative deemphasis on profitability (which means a tendency to ignore consumer needs, but also a tendency not to look for ways to economize on inputs) combine to discourage innovation.[13] It is common among both Western specialists on the Soviet economy and many Soviet economists to note that, while many Soviet research institutes have potentially interesting ideas for new technologies, it is unusually hard by world standards to induce Soviet industry to use those ideas actually to improve products or productivity.

The energy sector is replete with illustrations of the severity of that problem. A Soviet research institute recently developed a drill bit for oil drillers with a much longer life than drill bits currently in use—at least that was what tests of the prototype showed. But when the bit was brought into serial production and shipped to the fields, 90 percent of the units received had to be returned for further machining because they were unusable. There is a similar situation for casing pipe for oil wells where it has proved necessary to set up special shops to check pipes before they go in wells and in the process to reject "tens of thousands of tons of expensive and scarce metal products."[14]

Central control of foreign trade is an integral element of the entire system. No Soviet enterprise of any importance has the right to export or import on its own behalf. It must go through its ministry to gain permission to import, or it is told by its ministry what to export. The actual transactions are handled through a foreign trade organization (FTO) that specializes in the products involved and is supervised by the Ministry of Foreign Trade. The domestic enterprise that ships a product to an FTO for export receives the industrial wholesale price, irrespective of whether the product involved has a relatively high or low price on world markets. A similar mechanism operates on the import side. All profits or losses from foreign transactions (arising because products are

13. For a discussion of this issue, see Joseph S. Berliner, *The Innovation Decision in Soviet Industry* (Cambridge, Mass.: MIT Press, 1976).
14. V. Kremer, "Arsenal prokhodchikov nedr" [The drillers' arsenal], *Sots. ind.*, September 11, 1981; translated in *FBISSU*, September 23, 1981, pp. S1–S2.

being purchased or sold at prices far different from domestic prices or real domestic costs) revert directly to the state budget through subsidies and taxes on the accounts of the FTOs.

Insulation from foreign markets has important consequences for the energy sector. While the world price for oil rose manyfold in the 1970s, it remained constant for the Soviet oil-producing enterprises, as did the potential payoffs to oil-exploration teams for finding new oil. Any idea that oil had increased in value in the world, and therefore in the Soviet economy, would have had to come to oil drillers and explorers through plan documents and occasional newspaper articles; prices were frozen until 1982.

As this system is constructed, planners have it in their power to make far-reaching decisions affecting the entire economy, and a corresponding potential to make enormous mistakes. Furthermore, the system is not designed to pick up and react to rapid changes in relative costs. When those changes occur, the price system will not reflect them, and the central authorities who allocate resources will begin to perceive them only when the enterprises and ministries encounter difficulties in meeting their output plans with the resources allocated to them. Because enterprises are always complaining of inadequate resources, it is difficult to identify legitimate signals of increasing costs, which delays an appropriate response by planners. Even when planners are fairly sure that costs have risen, they may have a difficult time ascertaining by how much and what to do about them.

In sum, the Soviet centrally planned economy is a system that has difficulty in spotting changes in scarcities until they are quite pronounced (and therefore serious), in identifying in any but the grossest sense the magnitude of the changes, and in responding to the scarcities. This seems to be precisely why much of the central governmental apparatus in the Soviet Union was caught by surprise in the second half of the 1970s by the manifestations of higher resource costs for oil and coal extraction.[15]

The other side of the issue is that when the planners have accurately identified a problem, they have virtually total authority to take quick action designed to resolve it. When the full magnitude of energy constraints became obvious in the late 1970s, Soviet planners quickly geared

15. The economy does have a number of informal mechanisms, quite imperfect, but far from ineffective, for signaling to enterprises through nonprice information where scarcities are arising in the economy. See Raymond P. Powell, "Plan Execution and the Workability of Soviet Planning," *Journal of Comparative Economics*, vol. 1 (March 1977), pp. 51–76.

up for a massive expansion of natural gas output (and natural gas transportation), moving onto international capital markets to arrange the financing. Subsequent developments in U.S.-Soviet relations frustrated much of those plans, but the basic thrust of the Soviet strategy before that illustrates well the capacity of planners to take decisions with large consequences for the economy in relatively short order.

The Performance of the Soviet Economy

Soviet economic performance, as measured by the growth rate of GNP, was quite good until recently by the standards of the industrial world. Table 1-2 shows that in the 1960s Soviet GNP growth rates averaged slightly above 5 percent a year, well above U.S. and Eastern European performance during that decade and even somewhat better than the European Community (EC). The story was similar in the first half of the 1970s as Western countries felt the effects of the crisis in the Organization of Petroleum Exporting Countries (OPEC). In the latter half of the 1970s, Soviet growth rates fell, with GNP growth in the 1 to 2 percent range from 1979 onward.

Table 1-2. *Average Annual Real GNP Growth Rates for the United States, Europe, and the Soviet Union, by Quinquennia, 1961–80*
Percent a year

Country or group	1961–65	1966–70	1971–75	1976–80
United States	4.7	3.2	2.6	3.5
European Community	4.9	4.5	2.7	3.0
Soviet Union	5.0	5.2	3.7	2.7
Eastern Europe[a]	3.8	3.8	4.8	2.2

Source: Computed from Central Intelligence Agency, *Handbook of Economic Statistics, 1981*, NF HES 81-001 (CIA, 1981), p. 30.
a. Bulgaria, Czechoslovakia, East Germany, Hungary, Poland, and Romania.

The data in figure 1-2 show the annual GNP growth rates in the Soviet Union over the last two decades along with a simple trend line (the line is useful only as a summary of recent trends, not as a predictor). As is clear from the figure, there is a general downward trend in Soviet GNP growth rates punctuated at various intervals by much lower growth rates. There appear to be several factors in the secular trend:[16]

16. For a good general discussion, see Robert W. Campbell, "The Economy," in Robert F. Byrnes, ed., *After Brezhnev: Sources of Soviet Conduct in the 1980s* (Indiana University Press for the Center for Strategic and International Studies, 1983), pp. 68–124.

Figure 1-2. *Annual Soviet GNP Growth Rates, 1961–81*

Percent

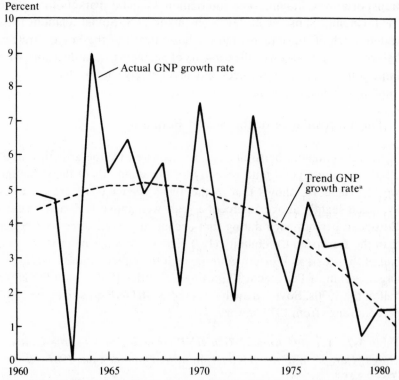

Sources: Data for 1961–70 are from Rush V. Greenslade, "The Real Gross National Product of the USSR, 1950–1975," in Joint Economic Committee, *Soviet Economy in a New Perspective*, 94 Cong. 2 sess. (Government Printing Office, 1976), p. 270; for 1971–80 from CIA, *Handbook of Economic Statistics, 1978*, ER 78-10365 (CIA, 1978); and for 1981, from WEFA, *Centrally Planned Economies Outlook* (April 1982), p. 37.

a. Trend equation is

$$\frac{GNP}{GNP} = 0.0210 + 0.0046time - 0.0002time^2,$$

$$(0.034) \quad (0.005) \quad (0.0002)$$

Standard error $= 0.02$; $R^2 = 0.286$; Durbin-Watson $= 2.94$

where GNP/GNP is the growth rate of GNP.

1. Labor-productivity growth rates are falling.

2. The rate of technical change is probably falling.

3. The agricultural sector is unable to meet growing food demands, which in turn puts pressure on the balance of payments.

4. Labor-force growth rates are low and falling, and new increments to the labor force are concentrated in the Asian republics, rather than in the areas of labor scarcity (the European USSR and Siberia).

5. The marginal cost of most natural resources, including but not limited to energy, is rising.

The first three factors are, in large measure, consequences of problems in the Soviet economic system and policy mistakes. The last two factors are not primarily attributable to faults in the economic system, but the system is unable, as it is constituted, to deal adequately with them. The Soviet planning system is an anachronism in an era of expensive inputs whose relative costs are rapidly changing. With such a system a certain amount of deterioration in growth rates is a predictable outcome of the last two factors.

In addition to these secular forces at work, the Soviet economy in recent years has been buffeted in both directions by considerable windfalls and losses. In the 1970s the rise in oil and gold prices, along with a general improvement in Soviet terms of trade with the world, gave Soviet planners an unexpected gift in excess of $20 billion. Had that windfall not flowed to the Soviet economy, the Soviets would have had to borrow more than the $10 billion they borrowed from Western banks and governments in the 1970s; they would have had to borrow an additional $30 billion to finance the imports they had purchased.[17]

In 1979 Soviet fortunes began to turn again as they experienced the first of what would be four years of bad weather, with disastrous consequences for their agricultural output. These events go part of the way in explaining the low NI growth rates of recent years.[18]

Soviet planners increased food imports in 1979 to supplement abnormally low grain harvests, and food imports have continued at a high level since then, at a considerable cost in hard currency. The happy coincidence of the 1979 oil price increases mitigated considerably the costs of those higher food imports as receipts from oil and gas rose rapidly.[19]

17. Ed A. Hewett, "Foreign Economic Relations," in Abram Bergson and Herbert S. Levine, eds., *The Soviet Economy: Toward the Year 2000* (London: Allen and Unwin, 1983), pp. 288–91.

18. Notice in figure 1-2 that the exceptionally low growth rates, obviously below the long-term (downward) trend, tend to be associated with poor agricultural years: 1972, 1975, and 1979–81. Of course bad weather does not absolve the Soviet system as a contributing factor even in these years because the chronic shortage of storage and transportation facilities means that in good years grain cannot be stored—hence, stocks are insufficient for bad years.

19. Between 1978 and 1981 Soviet exports of energy to the developed West increased by $9.05 billion (from $8.143 billion in 1978 to an estimated $17.2 billion in 1981), while net food imports over the same time period rose by $9.969 billion (from $3.931 billion in 1978 to an estimated $13,900 billion in 1981). Virtually all of the increased earnings from energy were the result of price, not quantity, increases; thus, the Soviets have been able to finance most of their recent food imports from windfalls originating in oil price increases. (The energy export data are from WEFA, *CPECA*, January 24, 1982, p. 2; and the food import data are from WEFA, *CPECA*, February 1, 1982, p. 2.)

Figure 1-3. *Soviet Hard-Currency Balance of Payments, 1960–81*

Millions of current dollars

Sources: Author's calculations based on CIA data in various editions of the CIA, *Handbook of Economic Statistics*; Paul G. Ericson and Ronald S. Miller, "Soviet Economic Behavior: A Balance of Payments Perspective," in Joint Economic Committee, *Soviet Economy in a Time of Change*, vol. 2 (GPO, 1979), pp. 208–43; and personal correspondence with Dennis Barclay.

Figure 1-3 clearly illustrates the magnitude of the shocks to the Soviet economy in the 1970s. Before 1973 the hard-currency balance of payments hovered a little below zero, reflecting moderate capital inflows. In 1972 the poor grain harvest resulted in substantial grain imports that, in turn, created a deficit of considerable size by previous standards. The rise in oil prices created large surpluses in 1974–75, followed in 1975–76 by grain imports to counterbalance another poor harvest. Then in 1979–80, even with the large grain imports in those years, surpluses were again large because of the 1979 price increases.[20]

20. Although I am emphasizing the role of price fluctuations and crop failures in explaining movements in Soviet hard-currency payments balances, there are other important factors involved. For example, Soviet planners habitually react to a balance-of-payments deficit by restricting imports for dollars where possible and expanding

In 1981–82 the problem grew much more serious for the Soviets as the Polish situation deteriorated rapidly, placing an extra drain on Soviet hard-currency reserves; in addition, oil and gold prices dropped rapidly, removing two important factors mitigating the financial consequences of energy and food problems.

Falling growth rates and the general economic problems associated with them, combined with growth of military expenditures, have evidently contributed to a considerable slowdown in investment growth rates.[21] The energy sector is scheduled to receive a sharply increased share (relative to the recent past) of those scarce funds, but it is not clear that it will be enough to enable the energy ministries to meet jointly all output plans. That is when Soviet planners will have to make the difficult economic choices discussed earlier in this chapter. Those choices are inevitable—indeed, they are already being made. What is not yet clear is just how difficult the choices will be and what will be the outcome for Soviet economic performance.

Even with better weather, Soviet leaders face difficult strategic choices in the 1980s regarding food, energy, and economic growth. Purely economic considerations would lead Soviet planners to set out consciously to export energy and import food. The resources involved in producing and exporting an additional ton of energy will "produce" (through international trade) a great deal more grain than those same resources can generate when applied to Soviet agriculture.[22] Such a

exports. See Ed A. Hewett, "Soviet Primary Product Exports to CMEA and the West," in Robert G. Jensen, Theodore Shabad, and Arthur W. Wright, eds., *Soviet Natural Resources in the World Economy* (University of Chicago Press, 1983), pp. 639–58. An interesting early piece describing this behavior is Oleg Hoeffding, "Recent Structural Changes and Balance-of-Payments Adjustments in Soviet Foreign Trade," in Alan A. Brown and Egon Neuberger, eds., *International Trade and Central Planning: An Analysis of Economic Interactions* (Berkeley: University of California Press, 1968), pp. 312–37.

21. Growth rates of military expenditures apparently also fell in the second half of the 1970s from approximately 4 percent per year in the 1960s and early 1970s to an average of 2 percent for 1976–81. Difficulties with economic performance may have played a role here, although the interpretation of these developments is still being debated. See Richard Kaufman, "Causes of the Slowdown in Soviet Defense," *Soviet Economy* (forthcoming).

22. This point has been made most clearly and convincingly by Jan Vanous in "Comparative Advantage in Soviet Grain and Energy Trade," WEFA, *CPECA*, September 10, 1982. For further discussion of the issue, see Ed A. Hewett, "Soviet Economic Relations with the West: U.S. Options," paper prepared for the U.S. Information Agency Conference Series on the Soviet Union in the 1980s, Kennan Institute (March 4, 1983).

policy would maximize the resources available to produce goods other than energy and food. On the other hand, it would appear that resources are being wasted in the agricultural sector; different policies and new economic institutions could generate—with the current resource commitment to this sector—more food to reduce food imports. Thus, while Soviet planners might want to plan to export energy and import grain, it would also probably be sensible for them to strive for enhanced efficiency in resource use in agriculture. That may have been the intent of the food "program" announced in spring 1982, although the prospects for that program's success are not very good.[23] The choices made in the food and energy sectors will involve large segments of the available investment resources for the economy and will affect Soviet economic performance in general. We will have to wait to see precisely what choices Soviet leaders make concerning these issues. Certainly, for an outsider, there is no obvious answer either to what Soviet planners should or will do.

Under Yuri Andropov the leadership began to address the energy problem in a more systematic fashion by moving forward on a long-discussed energy program designed—as is the food program—to deal with the energy sector as a whole. The details of the energy program, only recently publicly available, suggest that it will be a fairly ambitious attempt to set out the development path for this sector for the remainder of this century.[24]

Economic Reform, Economic Performance, and Energy

Soviet leaders are not satisfied with the recent performance of the system. The growth rates mean low-consumption growth rates, and that

23. The food program was formally announced in spring 1982 (*Pravda*, May 25, 1982), along with a myriad of subsequent resolutions. There is, however, in all these resolutions no obvious sign that the fundamental organizational problems of this sector are being addressed.

24. The need for a long-term energy plan has been apparent for some time, yet the bureaucracy has been unable to come up with one acceptable to the important factions. For example, in the 1970s there was apparently a great deal of work on an energy plan for 1976–90, yet a final plan was never agreed upon. See Leslie Dienes, "The Soviet Union: An Energy Crunch Ahead?" *Problems of Communism*, vol. 26 (September–October 1977), p. 41. Debate on an energy program continued into the early 1980s and finally resulted in a draft program covering the period to the year 2000 that was approved by the Politburo in spring 1983 (*Ekon. gaz.*, no. 16 [April 1983], p. 3). A summary of the public version of the final draft was recently published under the title "Osnovnie polozheniia energeticheskoi programmy SSSR" [Basic decree on the energy program of the USSR in long-term perspective], *Ekon. gaz.*, no. 12 (March 1984), insert.

is politically risky. There were two efforts in the 1970s to deal with the problem. In 1973 a centrally directed merger movement was initiated to reap economies of scale, shift production toward more profitable units, increase technical change, and so on.[25] There were no noticeable effects there, and in 1979 another set of extremely complex measures was announced designed to encourage enterprises (and the associations emerging from the merger movement) to maximize long-term value added on *sales*, rather than on the gross value of *output*. Those measures included an attempt to force planners, ministries, and enterprises to engage in longer-term and better planning.[26]

Those measures seem to have had very little effect on Soviet economic performance, and the recent food program hardly promises to make a major contribution to enhancing it. In fact, the Soviet economy is, as Gertrude Schroeder notes, on a "treadmill of reforms."[27] Leaders are constantly attempting to tinker with the system in order to deal with this or that symptom of a set of basic problems with which they have not yet come to grips.

There is no reason to expect a major improvement in Soviet economic performance (at least in the areas of product quality, user satisfaction, worker productivity, and efficiency) until Soviet leaders increase enterprise autonomy—simultaneously increasing pressure on enterprises to make profits—and revive the price system as a useful guide to social costs and benefits. This is what the Hungarians are doing. They are finding it to be a much longer and more difficult process than was commonly understood when they set out in 1968, but it seems to carry with it some of the benefits Soviet leaders find so elusive in their own economy.[28]

Soviet leaders still seem inclined to avoid anything so radical as what the Hungarians have done, for reasons at which one can only guess. The

25. Alice C. Gorlin, "Industrial Reorganization: The Associations," in Joint Economic Committee, *Soviet Economy in a New Perspective*, 94 Cong. 2 sess. (GPO, 1976), pp. 162–88.

26. A useful discussion of the 1979 and subsequent measures is provided by Gertrude E. Schroeder, "Soviet Economic 'Reform' Decrees: More Steps on the Treadmill," in Joint Economic Committee, *Soviet Economy in the 1980's*, pt. 1, pp. 46–64.

27. Gertrude E. Schroeder, "The Soviet Economy on a Treadmill of 'Reforms,' " in Joint Economic Committee, *Soviet Economy in a Time of Change*, pp. 312–40.

28. Hewett, "Foreign Economic Relations," and "The Hungarian Economy: Lessons of the 1970's and Prospects for the 1980's," in Joint Economic Committee, *East European Economic Assessment*, 97 Cong. 1 sess. (GPO, 1981), pt. 1, pp. 483–524.

main problem seems to be that heavier reliance on markets means less direct control over the operation of the system. In the Soviet Union "planning" is equated with being able to tell enterprises what to do. The Hungarian notion that planners control strategic decisions and should leave the less important decisions to profit-seeking enterprises seems to hold little appeal for Soviet leaders.[29] Furthermore, the ministries and party bureaucrats are deeply committed to the notion that they have the right and duty to control enterprise activities; if the central leadership decided that it wanted to take away those rights, they would have a real struggle with the party and government bureaucracy.[30]

To put through a reform of the Hungarian type takes a strong and energetic leadership with considerable support from party and government ranks. The current Soviet leadership is probably not capable of managing such an effort, which is why—no matter how poor performance is in the near term—it is unlikely that major economic reforms will emerge in the Soviet Union until some time after the current leadership transition is completed. When a new leadership has consolidated its power in the Soviet Union, it will take time for a consensus to build around reform, and still more time to introduce it. All this suggests how unlikely it is that the Soviet Union will manage reforms much before the end of the 1980s.[31]

That seems to preclude economic reforms as a source of improving economic performance for most of this decade. It is far less easy to preclude policy changes or "tinkering" with the system, which leaves the fundamentals of the system untouched. In the past neither of these seems to have had an important effect on economic performance;

29. For example, in the Kosygin reforms in 1965, which were designed to rely heavily on profits to motivate enterprises, even the initial blueprints called for planners to specify major aspects of enterprise operations (such as product mix and the level of sales), and planners retained very tight control over all enterprise accounts, wages, and investments. As the reforms were actually introduced, ministries gradually regained almost all the power they had enjoyed before the reform to exercise detailed control over enterprise activities.

30. It was the realization of the seriousness of this problem that finally motivated the Hungarian government in 1981 to merge its three main industrial ministries into a single ministry with only one-third the staff of the three combined. The hope is that the new streamlined staff will be far too busy to interfere in enterprise activities.

31. Not counting the discussions after 1956, the Hungarians took three years to debate the nature of their New Economic Mechanism (1964–66) and one year to prepare for its introduction (1967). They are still trying to realize the major institutional changes they thought they could introduce by the early 1970s.

however, they cannot be excluded as alternatives for the near term, and certainly Soviet leaders can be counted on to explore their possibilities to the limit. If planners devote additional resources to building storage and transport facilities in agriculture, food losses will drop, and the seriousness of the food problem will be lessened; if they enforce energy consumption norms in industry, they may be able to force enterprises to use less energy; and if they pay careful *political* attention to oil fields and coal mines, higher output may be produced.

These latter three are the types of measures that Soviet planners are using now. Although they are unlikely to have much effect, they deserve serious consideration if only because in the past many outsiders tended to underestimate the ability of the Soviets to muddle through in situations that appeared to require drastic action. In the energy sector, particularly in energy production, and particularly in Siberia, muddling through is the norm, not the exception. Anyone who looks closely into the operation of Siberian oil and gas fields and the transportation system linking them with the European USSR might be tempted to conclude that the energy-supply system is on the verge of collapse. That may be, but it has been in a similar state for a long time, and it has performed handsomely. On the other hand, anyone who looks at the well-honed Soviet ability to muddle through and concludes that because they did it before they can do it again is ignoring the fact that, for the Soviet economy, and particularly for its energy sector, the future will be far more difficult than the past.

CHAPTER TWO

Soviet Energy Supplies

THE Soviet economic system excels in the production of energy supplies. Energy includes commodities that Soviet central planning can control with relative ease. They are produced in bulk, are relatively homogeneous, and are easy to count. Furthermore, they are key inputs into the entire industrial process and are easy to sell on world markets in exchange for manufactured goods, which the system finds it more difficult to produce. Finally, the boundaries of the USSR encompass a significant portion of the world's known energy reserves. Those huge reserves, in combination with an economic system predisposed toward centrally controlled rapid growth, have propelled the USSR into its current position as one of the world's most significant producers of energy.

In 1980 the USSR produced almost 28 million barrels per day of oil equivalent (mbdoe) of energy, that being surpassed only by U.S. production of 31 mbdoe. Soviet oil production that year of slightly over 12 million barrels per day (mbd) easily exceeded the production of all other countries, including Saudi Arabia. Because the USSR consumes 85 percent of the energy it produces—75 percent of its oil production—its prominence as a producer does not carry over to export markets. Nevertheless, the USSR is the only industrialized country that has sustained net exports of energy (primarily oil) over much of the postwar period.

In mid-1977, in the aftermath of several now-famous reports by the U.S. Central Intelligence Agency (CIA), widespread doubts began to develop concerning the ability of the USSR to increase further its energy output, primarily its oil. Those reports predicted that oil output would peak in around 1980 and then fall precipitously. The CIA contended that the Soviets had blundered by pushing the development of their oil fields at above-optimum rates through heavy use of water-injection techniques. The effect was to generate short-term gains in output, but the risk was declines in the medium term. Furthermore, the Soviets had neglected exploratory drilling in their zeal for development drilling, and as a result there were insufficient new fields available to replace lost output in depleted fields. In the first reports the CIA concluded that problems in the Soviet energy sector were severe enough that the Soviet Union and Eastern Europe, which were net exporters (as a whole) of 1 mbd of oil in the 1970s, would at a minimum be importing 3.5 mbd of oil by 1985, a prediction it later withdrew.[1]

The CIA's position had an electric effect on Western observers of the Soviet economy; it set off a debate on Soviet energy and economic prospects that continues. Some observers have dismissed the CIA's predictions as wrong, as a possibly politically motivated underestimation of Soviet capabilities in the energy sector.[2] In fact, the matter is much more complicated than that. The CIA's predictions concerning oil production were not that far off, and were far better than the conventional wisdom in 1977 that the Soviets would probably meet their 1980 plan of 12.8 mbd.[3] Oil production in 1980 was 12.07 mbd, well below plan, and obviously a surprise to Soviet planners (at least those outside the oil ministry). The CIA also predicted that oil production would peak in the early 1980s at no more than 12 mbd and then decline.[4] In fact, production has continued to increase slowly since 1980, only reaching 12.4 mbd in the first half of 1983. It is obvious that these modest production increments require considerable efforts and resources. In that sense also the

---

1. Central Intelligence Agency, *The International Energy Situation: Outlook to 1985*, ER77-10240U (CIA, 1977), p. 13. See also CIA, *Prospects for Soviet Oil Production*, ER77-10270 (CIA, 1977); CIA Directorate of Intelligence, *Prospects for Soviet Oil Production: A Supplemental Analysis* (CIA, 1977); and Ed A. Hewett, "Soviet Energy: Supply vs. Demand," *Problems of Communism*, vol. 29 (January–February 1980), pp. 53–60.

2. For a review of the controversy surrounding the CIA reports, see *The Soviet Oil Situation: An Evaluation of CIA Analyses of Soviet Oil Production*, Staff Report of the Senate Select Committee on Intelligence, 95 Cong. 2 sess. (Government Printing Office, 1978).

3. For a summary of the conventional wisdom on this, see George W. Hoffman, "Energy Projections—Oil, Natural Gas, and Coal in the USSR and Eastern Europe," *Energy Policy*, vol. 7 (September 1979), pp. 232–41.

4. CIA, *Prospects for Soviet Oil Production*, p. 9.

CIA had a good point and was, to my knowledge, the first to predict difficulties of such magnitude.[5]

CIA predictions concerning developments in oil consumption, and therefore in net imports, were far too pessimistic and were rather quickly modified under considerable public pressure.[6] The pessimism reflected one of the two problems with the CIA approach: it was a superficial analysis of energy consumption. Soviet energy-production prospects are only important in light of prospects for energy consumption—and therefore for net energy exports and hard-currency earnings. A strong analysis of energy production combined with a weak analysis of energy consumption can be dangerously misleading.

The second problem with the CIA report was that it analyzed oil without simultaneously looking at the other energy carriers, particularly gas. Other CIA reports analyzed coal and gas, but in fact what was needed was an analysis of overall energy-supply and overall energy-demand prospects.[7] That overall report was never published, if it was ever written, although an analysis with elements of it is available.[8]

Any analysis of energy-supply prospects for the USSR must take account of the tremendous room for maneuvering among energy carriers. For example, the USSR consumes almost 4 mbd of oil under boilers. A

5. Certainly there were others outside the CIA who were aware of increasing problems in the Soviet oil industry. See, for example, Robert W. Campbell, *Trends in the Soviet Oil and Gas Industry* (Johns Hopkins University Press for Resources for the Future, 1976), pp. 9–13, 26–35. But the CIA was the first to give prominence to the problems and to provide a precise quantitative prediction.

6. The original predictions published in 1977 were that before 1985 the USSR could well become a net importer of oil (CIA, *Prospects for Soviet Oil Production*, p. 8), and that by 1985 the Soviet Union and Eastern Europe would be forced to import 3.5 to 4.5 mbd from world markets, an enormous change from net exports of 1 mbd in 1975. CIA, *The International Energy Situation*, p. 13. CIA analysts backed away from this prediction almost immediately (*The Soviet Oil Situation*), contending that they had not been careful enough in outlining the assumptions (some of which they themselves viewed as unrealistic) that lay behind the original prediction. In subsequent public statements the CIA position has been that the "USSR could not afford to become a net oil importer," and that some combination of reduced economic growth and reduced oil exports to Eastern Europe would compensate for a drop in oil output to 8 to 10 mbd by 1985 (which was the 1977 projection). They also imply that net imports by Eastern Europe and the Soviet Union will be far less than their 1977 prediction. CIA, *The World Oil Market in the Years Ahead*, ER79-10327U (CIA, 1979), p. 40.

7. See Hewett, "Soviet Energy," for a discussion.

8. Joseph Licari, "Linkages Between Soviet Energy and Growth Prospects for the 1980s," in NATO Economics Directorate, ed., *CMEA: Energy, 1980–1990* (Newtonville, Mass.: Oriental Research Partners, 1981), pp. 265–76.

large proportion of that could be replaced by gas, which, even with falling oil production, would allow increased oil exports; or, the oil saved could be used internally in other ways, and gas exports could be expanded. Soviet choices here are based on the richness of resource endowments and the formidable infrastructure available, or coming on line, to distribute energy; planners are aware of those choices and they are carefully considering them.

On the supply side, limiting the analysis to oil production can lead to questions such as "Can the USSR increase oil production?" Of course it "can." Ultimate resources are certainly far from exhausted, and as one of the world's great industrial powers, the USSR has the resources and expertise to increase oil production if it *chooses* to do so. However, it can also produce an additional barrel of oil equivalent via natural gas or coal. The question is not what can be done, but what it is economically sensible to do in light of the ability to maneuver among the energy carriers. In this decade the emphasis will be on natural gas. Therefore, it is likely that oil output will stagnate and possibly fall because that is the economically sensible thing to do, and not because there are no opportunities to increase oil production. In the 1990s, assuming technical advances between now and then, it may be coal that will move into a position of prominence.

What has been said regarding Soviet oil-production choices can also be said for energy as a whole. It is not so much a question of how much energy the Soviet Union can produce, but rather how much it will be economically prudent to produce. In reaching that decision the bureaucracy will go through a complicated procedure that will take into account—of course, imperfectly—the geological factors expressed in the various reserve estimates, economic factors on the supply side reflected in the capital and current costs of various supply alternatives, and the economic factors on the demand side involving the cost of conserving relative to the cost of producing new energy. All these factors influence, and are influenced by, economic performance in the system. They are also influenced by developments in the world economy, particularly the relative price of energy.

Energy Reserves

The Soviets publish data only on their natural gas and coal reserves; for oil it is necessary to guess. At the end of 1980 Soviet natural gas reserves (proven, probable, and some possible: $A + B + C_1$, in Soviet terminology) were 1,060 trillion cubic feet (tcf), or about 29 trillion cubic meters (tcm), which accounted for approximately 40 percent of the world's natural gas reserves.[9] Since then, reserves of 34 tcm have been announced (presumably as of January 1, 1982).[10] A little over a decade ago reserves were only 12.1 tcm.[11] Since then, the rapid growth of reserves has been concentrated in western Siberia. Of the recently announced 34 tcm in reserves, 27 tcm are there, concentrated in four supergiant gas fields: Urengoi, Medvezh'e, Zapoliarnoe, and Yamburg. The 34 tcm in reserves would, at the 1981 production level of 465 billion cubic meters (bcm), allow seventy-three years of natural gas production, a quite respectable reserve. Reserves should rise farther as Soviet exploration teams probe offshore in the Arctic and farther east in Siberia.[12]

Soviet coal reserves are huge. Estimates for the late 1970s put $A + B + C_1$ reserves at 275 billion tons, which accounts for approximately 40 percent of the world's coal reserves (measured in natural units).[13] The only other country with reserves approaching the magnitude of Soviet reserves is the United States, with reserves estimated (at the end of 1977) at 178 billion tons.[14] The 275 billion tons of Soviet reserves is 384 years' worth at 1981 production levels of 716 million tons, so the Soviet reserve position in coal is quite secure for the next several centuries.

A large proportion of these coal reserves consists of low-calorific coals in southwest Siberia and central Asia, and there are formidable technical problems associated with exploiting them. The problems are such that these reserves cannot be extensively exploited before the 1990s; however, when those technical solutions are developed, the Soviet Union will be well positioned to expand its production of coal rapidly.

9. CIA, *Handbook of Economic Statistics, 1981,* NF HES 81-001 (CIA, 1981), p. 103 (the 40 percent figure is my estimate based on data in this source).

10. V. Lisin and V. Parfenov, "Energiia tiumenskogo severa" [Energy of the Tiumen north], *Pravda,* May 4, 1982, p. 2.

11. Campbell, *Trends in the Soviet Oil and Gas Industry,* p. 52.

12. On Soviet efforts in the Arctic see "Soviet Union Starts Its First Drilling Project in Arctic Waters," *Oil and Gas Journal,* vol. 80 (February 22, 1982), pp. 39–42.

13. L. A. Melent'ev, *Sistemnye issledovaniia v energetike: Elementy teorii, napravleniia razvitiia* [Systemic research in energy: Elements of theory, management of development] (Moscow: Nauka, 1979), p. 339. The CIA estimates coal reserves at the end of 1977 at 256 billion tons, which is probably simply an earlier Soviet estimate than the one cited here.

14. Reserve data are from CIA, *Handbook of Economic Statistics, 1981,* p. 103.

Data on Soviet oil reserves have been a state secret since 1947.[15] Western estimates of proven reserves span a broad range—40 billion to 100 billion barrels as of the end of 1981—which implies 10.1 to 22.5 years of production at the 1981 output level of 12.18 mbd.[16] Unless the Soviets choose to announce their own estimates, it is unlikely that this range of uncertainty will soon be narrowed. Even if reserves are at the high end of this interval, it would not change the basic fact that oil reserves, both absolute and relative to current output levels, are modest relative to reserves of natural gas and coal. The Soviet Union is similar to Saudi Arabia only in its oil production. Its reserves, although higher than those of many countries (for example U.S. reserves are 36.5 billion barrels), are far below the 362.6 billion barrels in Middle Eastern reserves.[17] The Soviets are assured for the rest of this century of abundant (though not inexpensive) natural gas reserves, but they will have to pay a great deal if they wish merely to maintain current oil reserves—that is, find a new ton of oil for every ton they produce.

The problem Soviet leaders face is that their relatively abundant energy reserves are poorly located and expensive to exploit (figure 2-1 shows the location of the major reserves). They must devise a strategy to exploit them in a way that minimizes the cost to society of achieving other goals (GNP and consumption growth, for example). They are only now groping toward such a strategy, and they are capable of making mistakes (for example, attempting to sustain oil output when it is prudent

15. Robert W. Campbell, *The Economics of Soviet Oil and Gas* (Johns Hopkins Press for Resources for the Future, 1968), p. 68. Some data have been published on the growth of those reserves in the postwar period, but nothing on their size.

16. The 40-billion- to 100-billion-barrel range is from CIA, *Handbook of Economic Statistics, 1982*, CPAS 82-10006 (CIA, 1982), p. 119, which is higher than earlier estimates. Compare the CIA, *Handbook of Economic Statistics, 1981*, p. 103, which estimates reserves at 45 billion to 65 billion barrels as of year end 1980. The CIA, *Handbook of Economic Statistics, 1980*, ER80-10452 (CIA, 1980), p. 121, estimates reserves of 35 billion barrels at the end of 1979. A note on the most recent estimates stating that "most recent published U.S. and Western European estimates fall within this range" (CIA, *Handbook, 1982*, p. 119) would suggest that the fact that these estimates are higher than those the CIA published in the preceding two years is both an upward revision in their estimates of Soviet reserves and recognition that the uncertainty is so great that any one of a broad range of figures is plausible. For a discussion of various estimates (most of which fall in the 40-billion- to 100-billion-barrel range), see Jonathan P. Stern, "Western Forecasts of Soviet and East European Energy over the Next Two Decades (1980–2000)," in Subcommittee on International Trade, Finance, and Security Economics of the Joint Economic Committee, *Energy in Soviet Policy*, 97 Cong. 1 sess. (GPO, 1981), pp. 26–28.

17. Reserve figures are from British Petroleum Company, *BP Statistical Review of World Energy, 1981* (London: BP, 1982), p. 4.

Figure 2-1. *Soviet Petroleum Basins, Gas Fields, and Coal Basins*

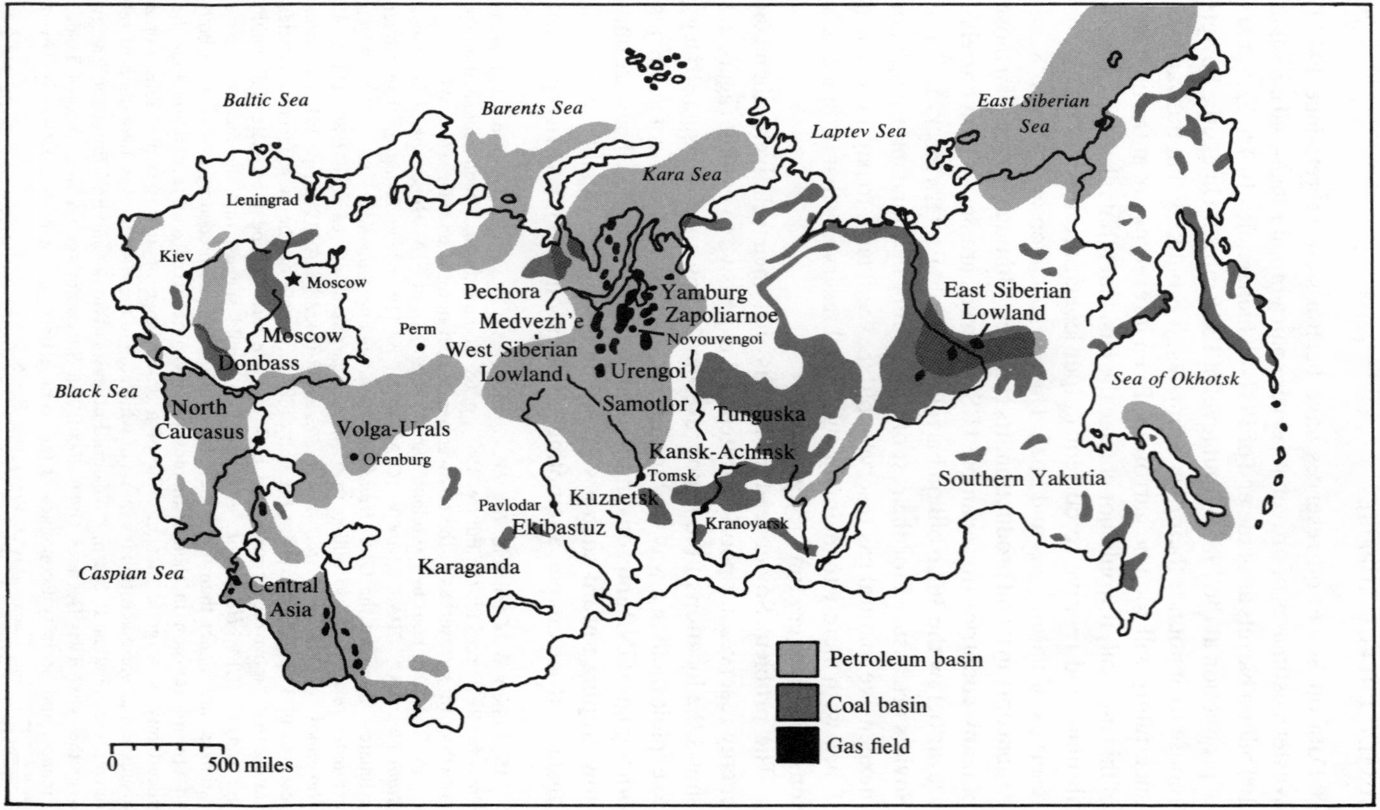

to allow it to fall). Even if they make mistakes, however, the primary effect will not be in energy supplies, but in the unnecessarily high cost of those supplies and, therefore, in reductions in GNP available for final use. The danger they face now is in making enormous errors in economic planning that will have long-lasting consequences.

Overview of Primary Energy Production, 1960–82

This overview of Soviet energy production focuses primarily on the last two decades, in order to establish the relative importance of each of the energy carriers, as well as nuclear and hydroelectric, in total energy production and to explore the rapid changes over time in those shares.

The Level and Structure of Fuel Production[18]

In the 1920s the Soviet economy relied heavily on low-calorific sources of primary energy, particularly firewood; in 1928 firewood accounted for half of total energy supplies.[19] From the 1920s until the end of the 1950s, there was a shift from firewood to mineral fuels, primarily coal. By 1950 firewood accounted for 7.8 percent of Soviet energy production and coal for 73 percent.[20] Oil was neglected as a source of energy until the early 1950s, when policy changes were introduced that initiated an increase in oil output that continued through the 1970s.

Natural gas was virtually ignored until the late 1950s, although there was considerable investment in manufactured gas. In the five-year plans of the early post–World War II period, much of the investment in the gas sector was for underground gasification of coal or for gas from coal and shale. It was not until the late 1950s that Soviet planners began to appreciate the magnitude of natural gas reserves, and even then they had only an inkling of what they would find in the next decade. In the seven-year plan spanning 1959–65, a new policy emphasis became evident that sought to exploit gas as well as oil.

Table 2-1 traces the course of energy output by energy carrier since

18. The first paragraphs discussing the period up until 1960 are based on Campbell, *Economics of Soviet Oil and Gas*, pp. 2–13.

19. Ibid., p. 3.

20. Robert Campbell, *Soviet Energy Balances*, R-2257-DOE, prepared for the Department of Energy (Santa Monica, Calif.: Rand Corp., 1978), p. 4.

Table 2-1. Soviet Primary Energy Production, Selected Years, 1960–82
Million barrels per day of oil equivalent (mbdoe)

Year or period	Total energy production[a]	Primary fuels							Primary electricity[b]		
		Total	Oil, including gas condensate	Natural gas	Coal	Peat	Shale	Centralized firewood	Total	Nuclear[c]	Hydro[d]
1960	10.02	9.70	2.96	0.76	5.22	0.29	0.67	0.40	0.33	0.00	0.33
1965	13.99	13.53	4.85	2.10	5.78	0.24	0.10	0.47	0.47	0.00	0.47
1970	17.75	17.10	7.04	3.27	6.06	0.25	0.12	0.37	0.66	0.02	0.64
1975	22.68	22.00	9.83	4.80	6.61	0.26	0.15	0.36	0.70	0.10	0.60
1976	23.83	23.09	10.40	5.32	6.71	0.16	0.15	0.34	0.76	0.12	0.64
1977	25.00	24.17	10.93	5.74	6.80	0.20	0.16	0.34	0.85	0.16	0.69
1978	26.04	25.06	11.44	6.18	6.82	0.13	0.16	0.34	1.00	0.21	0.79
1979	26.98	25.97	11.72	6.75	6.81	0.19	0.17	0.34	1.04	0.25	0.79
1980	27.71	26.54	12.08	7.22	6.68	0.10	0.17	0.32	1.17	0.33	0.84
1981	28.32	27.13	12.19	7.70	6.59	0.18	0.16	0.32	1.19	0.34	0.85
1982	29.12	27.87	12.26	8.29	6.71	0.12	0.16	0.33	1.25	0.45[e]	0.80
					Percentage share						
1960	100	97	29	8	52	3	7	4	3	0	3
1970	100	96	40	18	34	1	1	2	4	0	4
1980	100	96	43	26	24	0	1	1	4	1	3
1982	100	96	42	28	23	0	1	1	4	2	3

Average annual growth rate

1960–82	0.050	0.049	0.067	0.115	0.012	0.063	−0.009	0.062	...	0.041
1960–70	0.059	0.058	0.090	0.157	0.015	0.158	−0.008	0.072	...	0.068
1970–80	0.046	0.045	0.056	0.082	0.010	0.035	−0.014	0.060	0.324	0.028
1970–75	0.050	0.052	0.069	0.080	0.017	0.046	−0.005	0.012	0.380	−0.001
1975–80	0.041	0.038	0.042	0.084	0.002	0.025	−0.002	0.108	0.270	0.070
1980–82	0.025	0.025	0.008	0.072	0.002	−0.030	0.016	0.034	0.168	−0.024

Average annual increment to output (and its percentage share)

1960–70	0.77 (100)	0.74 (96)	0.41 (53)	0.25 (33)	0.08 (11)	* (−1)	* (1)	* (0)	0.03 (4)	* (0)	0.03 (4)
1970–80	1.00 (100)	0.95 (94)	0.50 (50)	0.39 (39)	0.06 (6)	0.01 (−1)	* (0)	* (0)	0.05 (5)	0.03 (3)	0.02 (2)
1980–82	0.71 (100)	0.67 (94)	0.09 (13)	0.54 (76)	0.02 (3)	0.01 (1)	−0.01 (−1)	0.01 (1)	0.04 (6)	0.06 (8)	0.02 (−3)

Sources: Unless otherwise noted production data are from *Narkhoz*, various issues.

* Less than 0.05.

a. The totals in this column differ from those in tables 1-1 and 4-1 for two reasons. (1) In this table data for nuclear and hydro production are converted at the average heat rate (fuel input) in power stations (recently approximately 330 grams of standard fuel per kwh), while in the other two tables those data are converted at their energy equivalents (123 grams of standard fuel per kwh). (2) The other two tables include estimates of ''decentralized'' fuel use (mostly firewood gathered and used locally), whereas this table does not include them.

b. Converted at the heat rate for power stations during the year in question from Robert W. Campbell, *Basic Data on Soviet Energy Branches*, N-1332-DOE (Santa Monica, Calif.: Rand Corp., 1979), p. 22, and *Narkhoz* (1980).

c. Campbell, *Basic Data on Soviet Energy Branches*, p. 18, for 1960–77; Lesley J. Fox, ''Soviet Policy in the Development of Nuclear Power in Eastern Europe,'' Joint Economic Committee, *Soviet Economy in the 1980's: Problems and Prospects*, 97 Cong. 2 sess. (GPO, 1982), pt. 1, p. 478, for 1978–81.

d. Campbell, *Basic Data on Soviet Energy Branches*, p. 18, for 1960–77; *Narkhoz* (1980), p. 154, for 1978–80, and (1982), p. 143, for 1982.

e. *Ekon. gaz.*, no. 13 (March 1984), p. 1.

1960. The top panel gives energy production, for each primary fuel and for primary electricity, all in mbdoe, for selected years since 1960. The second gives percentage shares of each source of primary energy in the total for selected years. The third contains average annual growth rates for data in the first panel. The bottom panel presents average annual increments to energy production for each column in the top panel and (in parentheses) their shares in the total increment to energy production. For example, during 1960–70 total energy production in the Soviet Union rose an average of 0.77 mbdoe a year (from 10.02 to 17.75, or 7.73 over the entire decade, which is 0.773 a year). Oil accounted for 0.41 mbdoe, or 53 percent of that total increment.

In 1960 Soviet energy production was 10.02 mbdoe, over half of which was coal; another 14 percent was in very low-calorific sources: peat, shale, and firewood. Natural gas accounted for only 8 percent of total primary energy, and a significant portion of that was associated gas. Oil already composed 29 percent of output, with production at 2.96 mbdoe.

Since 1960 the aggressive development of oil and gas has increased their joint share in energy output from 37 percent in 1960 to 70 percent in 1982. During those twenty-two years total energy production grew an average of 5.0 percent a year, oil production grew 6.7 percent, and natural gas production growth averaged 11.5 percent. Coal production grew 1.2 percent a year over the same period. This maneuver away from coal into hydrocarbons is similar to what occurred in the rest of the world, and the rationale was the same for East and West: lower production costs and the higher efficiency with which hydrocarbons can be used.

Since the early 1970s the growth rates of total energy production in the USSR have begun to fall noticeably. (During 1970–75 the average annual growth rate of energy production was 5 percent, in 1975–80 it was 4.2 percent, and in 1980–82 it was 2.5 percent.) To a considerable extent that reflects a very sharp decline in the growth rates of petroleum production. During 1960–70 petroleum production grew at 9 percent a year, but growth rates have fallen continuously since then and in recent years have been minuscule.

Gas-output growth rates have also begun to fall from very high early levels. Nevertheless, in recent years gas output has been growing at 7 to 8 percent a year. Coal output peaked in 1977–78, gradually declined through 1981, and rose slightly in 1982.

The output of low-calorific sources of energy (peat, shale, and firewood), which accounted for 14.0 percent of total primary energy supplies in 1960, has stagnated and now accounts for 3.5 percent of the total. Firewood is still an important source of energy in some rural areas, shale is used directly in power stations in Estonia, and peat is used in some power stations.

Currently, nuclear power accounts for 1.5 percent of Soviet primary energy supplies and hydroelectric power for another 3.0 percent. Both figures are low by world standards. In 1980 nuclear power in the members of the Organization for Economic Cooperation and Development (OECD) accounted for 7.8 percent of primary energy production; in the United States the figure was 4.2 percent. In that same year hydroelectric power accounted for 14 percent of energy production in the OECD and 4.6 percent in the United States.[21]

This is not necessarily an indication that the Soviets are "behind" in the development of these sources of primary energy. Any country as well endowed with primary fuel reserves as the USSR can be expected for economic reasons to go slowly on the more capital-intensive hydro and nuclear sources. The nuclear figure is certainly a disappointment to Soviet leaders, however.

The rapid changes in relative growth rates are most prominently highlighted in the bottom panel of data in the table: it reports the increments to energy production and their shares. Throughout the last two decades hydrocarbons have provided most of the increments to energy production. The role of gas has increased dramatically in recent years: during 1980–82 natural gas accounted for 76 percent of the increment to Soviet energy production. Hydrocarbons will continue as the main source of output increments throughout this decade. Nuclear power output growth rates will be high, but the contribution of nuclear power to total energy production is so small now that, even at high growth rates, nuclear power will not be providing large increments to primary energy production in this decade.

Natural gas is the critical sector. Any faltering in natural gas growth rates will immediately translate into a drop in total energy supply growth rates because neither coal nor oil will be in a position to compensate in the short run. Oil's share in total primary energy peaked in 1978 at 43.5 percent and has been falling since. That will continue in the 1980s as oil output stagnates or falls and gas output continues to grow rapidly.

21. International Energy Agency, *Energy Balances of OECD Countries, 1976/80* (Paris: Organization for Economic Cooperation and Development, 1982), pp. 11, 36.

Table 2-2. Soviet Investments in Primary Energy Production and in the Economy, Selected Years, 1960–82

Billions of rubles, 1973 prices

Year	Total Percent	Total Amount	Industry Percent of total	Industry Amount	Primary fuels Percent of total	Primary fuels Amount	Coal Percent of total	Coal Amount	Oil Percent of total	Oil Amount	Natural gas Percent of total	Natural gas Amount	Electric power Percent of total	Electric power Amount	Other industry Percent of total	Other industry Amount
1960	100	41.4[a]	36	15.0	7	2.7	3	1.2	3	1.3	0	0.2	4	1.7	26	10.6
1965	100	57.0	36	20.7	7	4.1	2	1.4	4	2.1	1	0.6	4	2.5	25	14.1
1970	100	82.0	35	28.6	6	5.1	2	1.5	3	2.5	1	1.0	4	3.1	25	20.4
1975	100	114.9	35	39.9	6	7.4	2	1.8	3	3.9	2	1.8	3	3.8	25	28.7
1976	100	118.0	34	40.6	7	7.7	2	1.8	3	4.1	2	1.8	3	3.8	25	29.1
1977	100	122.3	35	42.6	7	8.4	2	1.9	4	4.5	2	2.0	3	3.6	25	30.6
1978	100	129.7	35	45.2	7	9.5	2	2.0	4	5.3	2	2.2	3	3.9	25	31.8
1979	100	130.6	35	45.4	8	9.9	2	2.0	5	5.9	2	2.0	3	3.9	24	31.6
1980	100	133.7	36	47.6	8	11.0	2	2.1	5	6.8	2	2.1	3	4.5	24	31.4
1981	100	138.8	36	49.5	9	12.1	2	2.0	6	8.1	2	2.0	3	4.5	24	32.9
1982	100	143.7	35	50.9	9	13.2	2	2.2	6	8.7	2	2.3	3	4.5	23	33.2

Percentage distribution of investment in industry

Year	Total	Industry	Primary fuels	Coal	Oil	Natural gas	Electric power	Other industry
1960	n.a.	100	18	8	9	1	11	71
1965	n.a.	100	20	7	10	3	12	68
1970	n.a.	100	18	5	9	3	11	71
1975	n.a.	100	19	5	10	5	10	72
1976	n.a.	100	19	4	10	4	9	72
1977	n.a.	100	20	4	11	5	8	72
1978	n.a.	100	21	4	12	5	9	70
1979	n.a.	100	22	4	13	4	9	70
1980	n.a.	100	23	4	14	4	9	66
1981	n.a.	100	25	4	16	4	9	67
1982	n.a.	100	26	4	17	5	9	65

Sources: *Narkhoz*, various issues. Although the data are in 1973 prices, there is evidence that price increases may have crept into the figures over time.

n.a. Not available.

a. CIA, *Soviet Statistics on Capital Formation*, SOV 82-10093 (CIA, 1982), p. 5.

Coal's share will also fall, although probably not as rapidly; it could rise in the 1990s. As the reserve figures suggest, the long-term potential for Soviet coal is quite substantial. Even now, after years of slow growth, coal is still providing 23 percent of all primary energy. For comparison, note that in the world's other major coal power—the United States— coal accounted for 30 percent of primary energy production in 1980.[22]

Investment in the Energy Sector

The energy sector's rapid growth has come about because of a substantial flow of labor and capital, particularly capital. It will be useful here to discuss briefly the level and structure of inputs into the energy sector over the last two decades. The discussion will be limited to capital inputs through investments because they are the primary determinant of how rapidly output expands in each of the energy carriers, and investments in energy are a significant proportion of total industrial investments. The focus on investment in no way implies that labor inputs are unimportant to the production of energy. Although the proportion of the total Soviet labor force engaged in energy production is quite small,[23] bottlenecks in labor supplies are an important consideration in planning the energy sector. Nevertheless, it is the expansion and modernization of the capital stock that are the most important determinants of the general outlines of future energy production.

Table 2-2 presents data on investment in primary fuels and electricity for selected years from 1960 to 1982. The upper panel contains the data in constant prices on total investment in the economy, total investment in industry, and investment in primary fuel, electric power, and other industries. The shares of these in total investment are also indicated in the upper panel. The lower panel shows the shares within industrial investment of each of its subcategories.

These data do not account for all investments associated with expanding or maintaining energy production, the most important omissions being expenditures for transporting fuels (railroads for coal and oil

22. Ibid., p. 36.
23. In 1965 employment in fuel and power in the USSR was 2.119 million people, 2.8 percent of a total labor force for that year of 76.9 million. Since then employment in those sectors has fluctuated. In 1980 employees in fuel and power numbered 2.277 million, 2 percent of the 112.5 million people in the labor force in 1980. *Narkhoz*, various issues.

products, pipelines for oil and natural gas) and expenditures associated with building an infrastructure in regions devoted solely to the production of fuels (such as in western Siberia). These omissions are probably most important for oil and gas, the latter because transport costs are a significant portion of the total cost of getting natural gas out of western Siberian gas fields and into burner tips in the European USSR. One recent article on the "fuel-energy complex" attributes 40 percent of industrial investment to it (probably in 1980). Table 2-2 indicates that investments in primary fuels and electric power accounted for 32 percent of industrial investment that year, which suggests that other investments—pipelines primarily—accounted for the remaining 8 percent.[24]

The branch structure of investments in the Soviet Union was remarkably stable until recently. Investment in industry was usually 35 or 36 percent of total investment, but investment in primary fuels and electric power was, until the latter half of the 1970s, about 29 percent of industrial investment. Presumably that stability reflects the bureaucratic inertia endemic to the Soviet planning system.

The pattern has been changing since 1978, as a result of the December 1977 Central Committee Plenum. Investment in the oil industry has accelerated, primarily at the expense of industries other than fuels and electric power. During the period 1977–82, when the share of industry in total investment was essentially constant, the share of primary fuels in industrial investment rose from 20 percent to 26 percent; electric power maintained its share of 9 percent; and as a result investment in other industry absorbed a 6 percent decline in its investment share in as many years. The oil industry, which accounted for 10 percent of industrial investment in 1976, now accounts for 17 percent, and that share is likely to continue to grow.

In sum, so far Soviet planners have chosen to accelerate investments in primary fuel production by reallocating investments within industry—in effect by taking funds away from manufacturing. Virtually all the additional funds are going to the oil industry (coal industry investment is stagnating, as is gas industry investment, excluding the huge pipeline-construction program).

There is no definitive account available of the process by which planners decide on the allocation of investment funds between energy

24. Iu. D. Kononov, "Toplivno-energeticheskii kompleks v sisteme narodnokho-ziastvennykh sviazei" [The fuel-energy complex in the system of economic interconnections], *Eko*, April 1983, p. 19.

and the remainder of the economy and allocation among the various energy carriers. Nevertheless, enough is known about how Soviet planners and economists approach these problems to at least piece together a general picture of how the decision process must operate.

For all materials, and certainly for energy, Gosplan uses a system of material balances to identify sources (imports, last year's stocks, production) and uses (domestic, export, next year's stocks) for each product. Balances are constructed as part of the annual planning process and also, presumably, during the five-year planning process (because there are long lags in the investment process for energy). For energy products the planning is probably led by the "uses" side, where new productive capacity coming on line generates additional demands for primary fuels and electricity. There are choices here: whether to burn coal, oil, or gas in new conventional plants or to generate electricity in conventional, nuclear, or hydroelectric plants. Gosplan requires detailed cost calculations in those choices that utilize approximations of the true costs to the economy of using various energy carriers in a particular region (the planning prices are discussed in chapter 3) to justify the choice of a particular alternative source of energy for a new productive asset. These choices on how the energy needs of new productive capacity will be met cannot be made independent of supply-side considerations. It might appear in the "planning" prices that it is profitable to build a gas-fired plant in the European USSR, yet planners may know that in fact gas supplies will be too tightly constrained in the region in question to accommodate such a plant, in which case they will be forced to choose what planning prices identify as a more expensive alternative.[25]

Decisions on uses (including those regarding plant retirements, energy conversions, and export) leave for planners the task of meeting the implied supply targets for each energy carrier. Here Gosplan must choose how each energy carrier is to meet the targets by using some combination of expanding productive capacity in existing fields or by developing new fields. Even when total output of a primary energy product is planned to stay constant, it is still necessary to invest in considerable expansions in output capacity in order to compensate for output declines in existing fields. If total output is to be increased, an even larger increment to productive capacity is required. For example,

25. The problem is that the planning prices are administratively set and therefore can only imperfectly (and with a lag) identify supply-side bottlenecks.

in the coal industry during 1976–80, output in existing fields declined by 75 million tons, and productive capacity was increased by 90.4 million tons; therefore, total output rose by 15 million tons (see table 2-9).

One other cost consideration that influences both energy-supply and energy-use decisions is the cost of transporting energy carriers from the point of production to the point of use. Because the Soviet Union occupies one-sixth of the land surface of the earth, and because energy reserves are located in inhospitable regions distant from the bulk of energy users, transportation costs are an important part of the cost equation. When various energy-supply alternatives are under consideration for a particular plant, the relevant marginal cost figures include the cost of extracting and processing the fuel and shipping it to the user. This is particularly important in choices between coal, natural gas, and petroleum where they are substitutes (under boilers, for example): gas and coal are cheap to produce but expensive to transport; oil is relatively more expensive to produce but cheaper to transport.

The many decisions planners make on how much of each energy carrier to produce, and how to do that, add up to a total energy supply and a total investment cost associated with that energy supply. Although the planning process itself does not deal with such aggregate figures, planners are intensely interested in them because the cost to the economy of meeting a particular energy-supply target (or attempting to do so) is a substantial amount of capital investment that otherwise could be used to expand productive capacity elsewhere in the system.

The capital costs associated with increasing total energy production by one unit are rising rapidly. This is not so much because the costs of adding a unit of new productive capacity are rising—although they are, but not dramatically. In 1976–80 the capital costs of adding an additional unit of oil output were 29 percent higher than in 1961–65, costs had fallen 10 percent over that period for gas, and they had risen 35 percent for coal.[26] Two other considerations are much more important. First, the rate at which output is falling in old fields is rising for all three primary fuels. That necessitates increasing investments simply to maintain output at existing levels. Second, the transportation costs of all three primary fuels are rising as extraction activity shifts eastward into Siberia and increasing quantities of energy must be shipped by rail, pipeline, and

26. V. Filanovskii and V. Bugrov, "Sovershenstvovanie metodiki opredeleniia udel'nykh kapital'nykh vlozhenii v toplivodobyvaiushchei promyshlennosti" [On improving methods of specifying unit capital expenditures in fuel-producing industries], *Plan. khoz.*, no. 10 (October 1981), p. 50.

Table 2-3. *Soviet Investments in the Energy Sector and Increments to Energy Output, 1966–80*

Period or year	Total extraction	Coal	Oil Extraction costs only	Oil Extraction plus trans-portation costs[a]	Natural gas Extraction costs only	Natural gas Extraction plus trans-portation costs[a]	Electric power
			Primary fuels				
			Oil		*Natural gas*		
			Amount (billion 1969 rubles)				
1966–70	22.76	7.24	11.06	n.a.	4.46	n.a.	13.63
1971–75	31.61	8.34	15.98	18.98	7.29	13.79	17.00
1976–80	46.25	9.76	26.22	30.22	10.27	28.57	19.39
1980	10.89	2.09	6.63	n.a.	2.17	n.a.	4.19
			Net increment to energy output (mbdoe)[b]				
1966–70	3.57	0.29	2.18		1.17		1.25
1971–75	4.90	0.54	2.80		1.53		1.20
1976–80	4.54	0.08	2.25		2.40		1.42
1980	0.57	−0.13	0.35		0.46		0.26
			Investment per net increment to energy output (1969 rubles per bdoe)[c]				
1966–70	6,375	24,966	5,050	n.a.	3,812	n.a.	10,904
1971–75	6,451	15,444	5,707	6,779	4,765	9,013	14,167
1976–80	10,187	122,000	11,653	13,431	4,279	11,904	13,655
1980	19,105	−16,077	18,943	n.a.	4,717	n.a.	16,115

Source: *Narkhoz* (1980), p. 338, unless otherwise indicated.
n.a. Not available.
a. Pipeline-transportation costs only, as reported in table 4-9. I have estimated the split between oil and gas pipelines in 1976–80 as R4 billion (oil) and R18.30 billion (gas), assuming a simple trend between 1971–75 and plans for 1981–85.
b. Data on increments to primary fuels output are from table 2-1. Increments to total electric power production, converted to average heat rate in the end year of the quinquennium, both from *Narkhoz* (1980), pp. 154–55.
c. Obtained by dividing the investment data by the data on net increments to output.

wire. In 1980, 64 percent of all energy produced in the Soviet Union came from the Urals or areas east of there; in 1975 that ratio was only 50 percent. Of total energy consumption in the Soviet Union in 1980, 75 percent occurred west of the Urals, down only slightly from 78 percent in 1975.[27]

Table 2-3 explores the relationship between net increments to output and the investment costs associated with achieving them. The top panel gives investments in the energy sector for five-year periods, and for 1980 in constant prices. Most of the investment data exclude the capital costs of expanding the transport network; however, for the 1970s it was possible to include data on the costs of the pipeline program. This does not cover all the costs of expanding the energy-transport network (most

27. A. M. Nekrasov and A. A. Troitskii, eds., *Energetika SSSR v 1981–1985 godakh* [Energy in the USSR in 1981–85] (Moscow: Energoizdat, 1981), p. 12.

important, it excludes related investments in railways), but it covers the majority of those expenditures.

The middle panel reports on net increments to energy output, the sum of output increases from new gas and oil wells or coal mines, and output declines from existing gas, oil, or coal wells and mines.

The bottom panel gives what I will call "investments per net increment to energy output," or the ratio of capital expenditures to net output increments. In 1966–70, for example, the total primary-fuels output increased by 3.57 mbdoe, and capital expenditures on primary-fuels industries during that period were 22.76 billion rubles. Thus, capital expenditures per barrel per day of net additional primary-fuel output were 6,375 rubles.

These data are far from a complete picture of the costs planners perceive in this sector. Most important, although no allowance is made for lags between initial investments and the resulting increments to output outside of the five-year plan periods, we know that lags are longer than five years. There are also other costs (for transport other than pipelines and for infrastructural investments) that are not included in these data. Consequently, these are only an approximation of the costs planners face; however, it is likely they are a fairly good approximation.

The fragmentary data on investment costs in fuel transport show just how important those considerations have become. The incremental costs of extracting an additional mbdoe of gas have been virtually stagnant over the last two decades, while the costs of extracting a barrel of oil have tripled. When transport costs are factored in, oil and gas come out with similar costs (close enough, given the approximate nature of the calculations) that are well below the costs of coal (even before accounting for transport costs).

The figures for 1980 confirm what can be inferred from qualitative evidence: on the eve of FYP XI, Soviet planners were faced with rapidly escalating capital costs in the energy sector. The only portion of the sector with relatively stable costs was natural gas, and that was only in extraction.

The Primary Fuel Industries

Each of the Soviet primary-fuel industries—coal, oil, and natural gas—has its own ministry and in part its independent history. There is no ministry of energy, and there has been no fully worked out energy policy.[28] Instead there are policies in force at various times for various parts of the energy sector that add up to a strategy for developing the sector as a whole; those policies typically imply a ranking of priorities in the development of the three energy carriers. Gosplan, the Politburo, and the Council of Ministers are responsible for strategic decisions concerning energy: gas versus oil, the intensity of campaigns to conserve energy, and so on.

In the 1960s and early 1970s, the oil industry enjoyed the highest priority as Soviet oil production and oil exports expanded rapidly; that allowed both the Soviet Union and Eastern Europe to shift their industries from coal-based to hydrocarbon-based technologies. The natural gas industry was probably a second priority throughout the period. In the 1970s, as oil production growth rates began to fall off and costs of exploration and development began to rise rapidly, there was a change in strategy toward a strong emphasis on coal that was combined with an intention to save hydrocarbons for the relatively most valuable uses: motor fuels, chemical feedstocks, and export. This strategy enjoyed particularly strong support from Prime Minister Aleksei N. Kosygin during the formation of the tenth five-year plan (1976–80). It was reflected in the plan to increase coal output from 700 million tons in 1975 to 800 million tons in 1980, an annual growth rate of 2.7 percent, one percentage point above the growth rate for 1970–75. It was not, as already noted here, reflected in additional investment allocations to coal, which is quite possibly why the policy favoring coal quickly ran into deep trouble. Coal output stagnated in 1977–78 at 723 million tons and then began to fall. By the time FYP XI was prepared (in 1979–81 for a plan covering 1981–85), coal had been displaced by gas as the high-priority primary fuel. The Soviets are most definitely now in what Thane Gustafson has named the era of "Big Gas."[29]

The Oil Industry

In the early 1970s the Soviet oil industry began to show signs of difficulties in sustaining the high-output growth rates of earlier years. In

28. There has been discussion for a long time concerning a long-term energy policy, but it is only quite recently that an energy program was announced (see chap. 1, n. 24).

29. This discussion of the evolution of policy priorities is taken from Thane Gustafson, "Soviet Energy Policy," in Joint Economic Committee, *Soviet Economy in the 1980's: Problems and Prospects,* 97 Cong. 2 sess. (GPO, 1982), pt. 1, pp. 431–56.

Figure 2-2. *Average Daily Petroleum and Condensate Production in the USSR, by Month, January 1976–June 1983, Trend and Actual*[a]

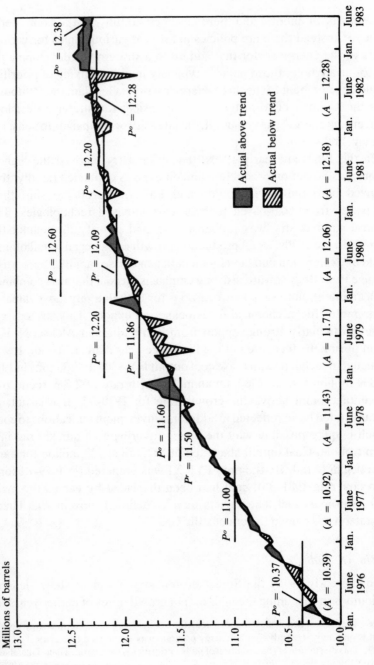

Millions of barrels

Sources: *Ekon. gaz.*, various issues.
a. Trend is log X = 2.311 + 0.0048*time* − 0.00003*time*^{2}. P^o = original annual plan; P^r = revised annual plan; A = actual annual output.

virtually every year of FYP IX (1971–75) the output plan was underfulfilled, the largest underfulfillment being in 1975 when output of crude oil
and condensate was planned at 10.10 mbd but actually was 9.82 mbd.[30]

The goals for FYP X (1976–80) called for oil output to grow from 9.82
mbd in 1975 to 12.4–12.8 mbd in 1980, implying a yearly growth rate of
4.8 to 5.4 percent. That was a more modest growth rate than in the first
half of the decade (6.9 percent) and a tacit recognition of continuing
difficulties. Actual oil output in 1980 was 12.07 mbd, well below the low
end of the planned range.

Figure 2-2 is useful in ascertaining what happened and when. The
figure shows monthly oil output for January 1976 to June 1983 (based on
official reports published in the Soviet press), relative to a trend line
estimated by using data for all the months in the 1976–83 (June) period.
The shaded areas indicate output above trend; the lined areas, output
below trend. Horizontal lines indicate planned output for each year (P^o
is the original plan and P^r the revised plan). Actual output for each year
is noted at the bottom. Although oil output in 1976–77 was close to
target, there were already signs of increasing difficulties. In 1977 the
CIA reported that the 1980 plans would not be met and that oil output
would peak at about 12 mbd.[31] There is indirect evidence of a debate in
the Soviet bureaucracy concerning oil, gas, and coal in which problems
in the coal industry apparently forced planners to increase the priority
for oil and gas. The CIA report must have spurred debate over prospects
for the oil industry because it is clear in retrospect that the report
accurately identified some genuine problems. The report must have
strengthened the hand of those in the bureaucracy who were aware of
the problems and were pushing for solutions to them.

At the December 1977 Central Committee Plenum there apparently
was extensive discussion and debate about energy. The outcome of the
plenum was a switch away from a strategy emphasizing coal to one
emphasizing oil and gas and a prominent role for western Siberia in
developing both. In spring 1978 General Secretary Leonid Brezhnev
toured Siberia to inspire workers to meet oil- and gas-industry targets in
line with the new strategy.

It was at about the same time that the bureaucracy began to pay
increased attention to the oil industry that the problems became apparent
even in the aggregate data. In 1978 an uncharacteristic burst in output in

30. Data on planned and actual output are from CIA, *Prospects for Soviet Oil
Production: A Supplemental Analysis*, p. 4.
31. Ibid.

the fourth quarter (possibly in response to the pressure generated by the Brezhnev visit and increased investments) is the only reason that output came so close to the revised plan for that year. The next year output fluctuated markedly around trend and fell below the modest revised target set for it.

THE PRODUCTION RECORD IN RECENT YEARS: ALTERNATIVE HYPOTHESES. Implicit in this discussion is the hypothesis that for most of the 1970s Soviet oil output was constrained by an output ceiling; planners wanted to produce (and presumably to export) more oil than they could manage. This will be designated the constrained-supply hypothesis. There is an alternative hypothesis that suggests that, as oil prices rose rapidly on world markets, planners cut back on oil production and exports because even with the cutbacks they could easily meet or exceed plans for total hard-currency receipts while conserving scarce inputs.[32] According to this hypothesis the key variable in export plans is the hard-currency targets. When export prices rise more rapidly than expected, planners decrease production and exports, moving back along what economists would call a backward-bending supply curve. This will be referred to as the backward-bending-supply hypothesis.

Both these hypotheses fit the general trends of the 1970s. Oil prices exploded and simultaneously the Soviet oil industry underfulfilled output plans (which presumably means oil export plans were underfulfilled because that is the easiest place to compensate for underfulfilled plans). However, other evidence favors the constrained-supply hypothesis.

The timing is off for the backward-bending-supply hypothesis. Production below plan targets occurred in 1972–73 before the first major increase in world oil prices. At least in those years it was probably constrained, and not backward-bending, supply in operation. FYP X, and the 12.4 to 12.8 mbd target, were worked out in 1974–75 in the interim between the first OPEC price increase in 1973 and the second increase in 1979. Subsequent downward revisions in annual targets occurred for the 1978–79 plans, before the second oil price increase and during a period when there was good reason to expect a stable, or gradually declining, real price in oil. These downward plan revisions seem inconsistent with a backward-bending supply curve.

32. See, for example, the statement of Lloyd Corning in *Allocation of Resources in the Soviet Union and China—1981*, Hearings before the Subcommittee on International Trade, Finance, and Security Economics of the Joint Economic Committee, 97 Cong. 1 sess. (GPO, 1982), pt. 7, pp. 166–67.

Furthermore, investment in the Soviet oil industry rose throughout the 1970s, growing most rapidly in the latter part of that decade when the signs of difficulties in the industry were the most visible (table 2-2). During 1974–80, when investment in the economy overall and in industry in particular was growing at about 4 percent a year (down from about 6.5 percent in the 1970–74 period), and investment in the fuel sectors had slowed slightly from 8.2 to 7.7 percent, investment in the oil industry accelerated to 11.2 percent (8.8 percent in 1970–74). During FYP X itself (1976–80), investment in the oil industry grew at 12.6 percent a year, quadruple the growth rate of investment in industry and a slightly higher multiple of investment in the economy as a whole. These investment figures, combined with the fact of Brezhnev's trip to western Siberia in spring 1978, hardly suggest a Soviet leadership leisurely retreating along a backward-bending supply curve.

It is conceivable that, had the coal industry followed the path set out for it in FYP X, and had world oil markets behaved as they did, Soviet planners would have acted in a way more consistent with backward-bending supply during the mid-1970s. But problems in the coal industry most likely removed that as an option. In addition, after 1979—even though the terms of trade improved dramatically—problems in grain production added to the pressure for the Soviets to increase oil output and oil exports in order to earn the hard currency needed to finance grain purchases.

It seems reasonable to conclude that since the early 1970s Soviet oil output has been continuously bumping against a ceiling that since the late 1970s has moved upward very slowly. It was a moving ceiling until 1981–82, at which point it flattened out. In some months oil output can rise above the ceiling because of extraordinary efforts or extraordinary luck, but it cannot do so for any sustained period without a major new infusion of resources. This ceiling is a variable over which Soviet planners may have some influence. Given enough resources it may be possible over time for oil-drilling teams to increase output. However, the question is whether it is economically rational for Soviet planners to devote the resources necessary to move that ceiling upward, or even to maintain it at its current level.

THE NATURE OF THE SUPPLY CONSTRAINT. In the manufacturing sectors of any economy the level of output can be maintained if the capital stock and the quantity of labor inputs are maintained. Extractive industries are different. Even if the capital stock and labor inputs are maintained

Table 2-4. *Gross and Net Additions to Productive Capacity and Output in the Soviet Oil Industry, 1961–85*
Million barrels per day

Item	1961–65 Planned	1961–65 Actual[a]	1966–70 Planned	1966–70 Actual[a]	1971–75 Planned	1971–75 Actual[a]	1976–80 Planned	1976–80 Actual[a]	1981–85, planned
1. Total additions to productive capacity	n.a.	3.08	n.a.	4.46	6.00[a]	8.14	10.69[b]	9.38[c]	7.00[d]
2. Decline in old fields	n.a.	1.20	n.a.	2.30	2.96[e]	5.22	7.91	7.13[e]	6.38[e]
3. Net increment to productive capacity	n.a.	1.88	n.a.	2.16	3.04[f]	2.94	2.78[g]	2.25[h]	0.62[i]
4. Depletion ratio[j]	n.a.	0.39	n.a.	0.52	0.49	0.64	0.74	0.76	0.88[k]

n.a. Not available.

a. Robert W. Campbell, *Trends in the Soviet Oil and Gas Industry* (Johns Hopkins University Press for Resources for the Future, 1976), p. 30.

b. J. Richard Lee and James R. Lecky, "Soviet Oil Developments," in Joint Economic Committee, *Soviet Economy in a Time of Change*, vol. 1 (GPO, 1979), p. 588, say the *planned* ratio of decline in old fields to total capacity is 0.74. That leaves 0.26 for the net increment, which I divided into 2.78.

c. Estimate. Sapozhnikov says that in FYP X 76 percent of increment to productive capacity was necessary to replace decreased output in existing wells. It is known that the increment to output in 1980 relative to 1975 was 2.25 mbd, and Sapozhnikov's figure implies this was 24 percent of the total increment to productive capacity (2.25 ÷ 0.24 = 9.38). *Ekon. neft. prom.*, no. 11 (1980), p. 14.

d. The original 1985 oil output target was 12.4 to 12.9 mbd. I am assuming the 0.88 depletion ratio referred to the high end of that range (implying an output increment of 0.83 mbd) and that the subsequent adoption of a 12.6-mbd target reflects an increase in the estimated rate of decline in output of old fields.

e. By subtraction.

f. CIA, *Prospects for Soviet Oil Production*, ER77-10270 (CIA, 1977), p. 4.

g. Using 12.6 mbd as the midpoint of the 12.4–12.8 target for 1980.

h. *Narkhoz* (1980), p. 156.

i. Using the current plan figure of 12.6 mbd in 1985.

j. Row 2 divided by row 1.

k. Assumption. *Petroleum Intelligence Weekly*, January 25, 1982, says currently 88 percent of new capacity goes to covering output declines in existing fields. I accept that and assume planners intend to hold it there in FYP XI.

at a constant level, output will typically fall because reserves are used up and new reserves are of lower quality (more costly to find and exploit) than the old reserves. Consequently, barring technical improvements in the production techniques for an extractive industry or the discovery of new reserves that are cheaper to exploit than those currently under development, maintaining a current output level in an extractive industry will require increasing inputs of labor and capital.

Table 2-4 illustrates the importance of that proposition in the Soviet oil industry. During the early 1960s the industry added productive capacity capable of producing 3.08 mbd; output capacity in existing fields declined 1.2 mbd, yielding what will be called a depletion ratio of 39 percent, or the proportion of additions to capacity that had to be devoted to covering output losses in existing fields.

Considerable ambiguities underlie the depletion ratios reported in table 2-4. They are derived from a comparison of how much productive capacity has increased in the oil industry with how much output has increased. Yet *productive capacity* is difficult to define in the energy sectors, where parameters critical to determining flow rates in a particular field are known only with uncertainty before development drilling begins. The official figures on increments to productive *capacity* in this industry may, therefore, under- or overstate the actual increments to *output* in new facilities. Because table 2-4 uses those capacity figures to estimate depletion rates, it is possible that the rates are either understated or overstated. Furthermore, the data in table 2-4 involve information from various sources and some guesses, both potential sources of error.

In the second half of the 1960s, the depletion ratio rose to one-half. It continued to rise in the 1970s, and for 1981–85 it is apparently anticipated by planners to be close to 90 percent. Planners may not be the best source for estimating the depletion ratio, however. As table 2-4 shows, in the early 1970s their projections missed by a wide mark. Instead of the planned depletion ratio for 1961–65 of 49 percent, the actual ratio was 64 percent. It was only overfulfilled plans for adding new capacity that brought increments to oil output so close to plans for FYP IX. During 1976–80, when plans for net additions to output were significantly underfulfilled, it appears that planners actually overestimated their ability to add new capacity by an even larger amount. Consequently, they were almost right on the depletion ratio, but the plan for increments to net output was underfulfilled.

The plans for 1981–85 call for additions to total productive capacity

Table 2-5. Regional Output of Crude Oil in the USSR, Selected Years, 1930–80
Million barrels per day

Region	1930 Percent of total	1930 Amount	1940 Percent of total	1940 Amount	1950 Percent of total	1950 Amount	1960 Percent of total	1960 Amount	1970 Percent of total	1970 Amount	1975 Percent of total	1975 Amount	1980 Percent of total	1980 Amount
USSR total	**100**	**0.37**	**100**	**0.62**	**100**	**0.76**	**100**	**2.96**	**100**	**7.06**	**100**	**9.82**	**100**	**12.06**
Volga-Urals	0	0.00	6	0.04	29	0.22	71	2.09	59	4.17	46	4.53	32	3.86
Tatar	0	0.00	0	0.00	3	0.02	31	0.93	29	2.04	21	2.07	14	1.66
Bashkir	0	0.00	5	0.03	14	0.11	17	0.51	11	0.78	8	0.78	6	0.76
Other	0	0.00	2	0.01	12	0.09	22	0.65	19	1.35	17	1.68	12	1.44
North Caucasus	41	0.15	15	0.09	16	0.12	8	0.24	10	0.70	5	0.48	3	0.42[a]
Azerbaidzhan	57	0.21	71	0.44	39	0.30	12	0.36	6	0.40	3	0.34	3	0.39
Western Siberia	0	0.00	0	0.00	0	0.00	0	0.00	6	0.63	30	2.96	52	6.29
Tiumen	0	0.00	0	0.00	0	0.00	0	0.00	8	0.56	29	2.86	50	6.07
Other	0	0.00	0	0.00	0	0.00	0	0.00	1	0.07	1	0.10	2	0.22
Other USSR	2	0.01	8	0.05	16	0.12	9	0.27	16	1.16	15	1.51	9	1.10

Sources: Unless otherwise specified, data for 1930 are from Robert W. Campbell, The Economics of Soviet Oil and Gas (Johns Hopkins Press for Resources for the Future, 1968), p. 124; data for 1940–75 are from Leslie Dienes and Theodore Shabad, The Soviet Energy System (Wiley, 1979), pp. 46–47; and data for 1980 are from David Wilson, Soviet Oil and Gas to 1990 (London: Spencer House, 1980), pp. 8, 15, 17.
a. This figure is for 1979, from Wilson, Soviet Oil and Gas to 1990, p. 23.

that are modest by 1970 standards and for a modest drop in the *rate* of decline of old fields, generating a net increase of 0.62 mbd in oil output. Plans for slowing the rate of decline in old fields are probably the weak link here.

Soviet planners have control over both the numerator and denominator of the depletion ratio. The denominator—gross additions to the capacity to produce oil—is determined in the short run by development drilling and in the medium run by exploratory drilling to prove new reserves. The numerator—the rate at which output declines in existing fields—is determined by development drilling and tertiary recovery efforts devoted to controlling the rate of decline. Exploratory drilling could also play a role in the medium term if there are areas in existing fields (for example, at greater depths) that may hold commercially exploitable reserves. For a given target on net increments to oil output, Soviet planners must decide how to allocate their resources between stemming the decline in output in older fields and pushing the output in newer fields; in the process of making that choice, they also choose the depletion ratio. If they choose to devote most of their resources to newer fields, they may be implicitly choosing a very high depletion ratio, which nevertheless may be an economically sensible choice if the marginal cost of oil delivered to users from the newer fields is significantly lower than that obtained through more intensive exploitation of older fields. It is this choice on the division of capital and labor between older and newer fields, the assumptions behind that division, and the realism of those assumptions that determine the realism of oil output plans for the future.

Historically planners have tended to persist in pushing older fields and to delay the exploration of new fields until underfulfilled oil-output plans left them no alternative. As table 2-5 shows, in the 1930s virtually all the USSR's oil came from the North Caucasus and Azerbaidzhan (the fields around Baku), where some fields dated to the turn of the century. The oil industry expanded rapidly during the 1930s because of new discoveries in those traditional fields and because of the modernization of drilling and production techniques.[33]

In the late 1930s those fields began to decline, and total oil output stagnated—leading to underfulfilled output plans—in the absence of new fields capable of supporting further output expansion. Indeed, despite

33. Campbell, *Economics of Soviet Oil and Gas*, pp. 121–25.

the fact that the Soviets knew of potentially large deposits in the Volga-Urals fields, they did not turn to seriously exploring and developing them until the 1950s.[34] As a result of efforts there, oil output in the Volga-Urals expanded rapidly (25 percent a year in the 1950s), so that by 1960 the Volga-Urals accounted for 71 percent of USSR oil output. That move into the Volga-Urals fields was in part facilitated by technical advances in drilling deep wells.[35]

By the mid-1970s, when the Volga-Urals fields had peaked, the oil industry was moving into western Siberia, where output began to rise rapidly. In 1970 production in western Siberia was 0.63 mbd of oil, virtually all in Tiumen, accounting for 9 percent of USSR output. By 1980 production in western Siberia was ten times larger—6.28 mbd—accounting for 52 percent of USSR output.

The increments in the Siberian fields have been dominated by Samotlor, a supergiant field in Tiumen Province, and the largest of fifty-nine petroleum fields discovered at the end of an extensive exploration effort in western Siberia during 1961–69. When it was first discovered it was estimated to have recoverable reserves of more than 14.6 billion barrels. Production began that year and was up to 1.73 mbd by 1975. The expectation was that its output would peak in 1977–78 at 2.6 to 2.8 mbd, but by 1980–81 it was up to about 3 mbd, 25 percent of total USSR output. That apparently is its peak.[36] Among the other fifty-eight fields discovered during that time there are nine giant fields (reserves of 700 million to 3,500 million barrels) and nine other large fields (reserves of 35 million to 699 million barrels).[37]

It would be easiest for Soviet planners if they had another supergiant that they could bring from nothing to 3 mbd in the space of a decade, as they did in the 1970s with Samotlor. Were such a field available, they could then be producing over the 12.6 mbd they now plan for 1985 and 15 mbd by 1990. However, there is no evidence that they have a new Samotlor. That leaves a few options: further development of western Siberian fields, further development drilling, or enhanced recovery in

34. Ibid., pp. 126–29.

35. Ibid., p. 127.

36. Interview with Minister of the Petroleum Industry N. Mal'tsev, "Potentsial neftianykh promyslov" [The potential of oil fields], *Sots. ind.*, September 5, 1982, p. 2.

37. Leslie Dienes and Theodore Shabad, *The Soviet Energy System: Resource Use and Policies* (Washington, D.C.: Winston and Sons, 1979), p. 58; and David Wilson, *Soviet Oil and Gas to 1990* (London: The Economist Intelligence Unit, 1980), p. 8.

the older fields. They are doing some of each, but in no case are things going as well as originally hoped.

In 1976 the Ministry of the Petroleum Industry (MPI) established a program to promote enhanced recovery in existing fields, and by 1978 there was a special administration within the ministry charged with this task under the direction of Deputy Minister E. Khalimov. He wrote glowing reports on the proportion of oil obtained through enhanced-recovery techniques during the last years of FYP X. By 1981 it was obvious that either the glowing reports or Soviet oil statistics were incorrect, and Khalimov was charged with fabricating the reports and was dismissed from his post.[38] It is unlikely that all, or even most, of the blame for failures in this program can legitimately be attributed to Khalimov. In fact, there is evidence that oil production associations in the old fields are being forced to give up resources for western Siberia; that, rather than an errant deputy minister, is the core of the problem.

The efforts to develop new western Siberian fields have also gone more slowly than planned. By early 1976 eighteen fields had been brought on line in Tiumen, and the plan was to add twenty-two fields in 1976–80. During 1976–78 new fields were added fairly rapidly, with a total of eighteen being added in those three years. None, however, were added in 1979, and only one was added in early 1980, which brought the total of new fields added during 1976–80 to nineteen. Of those new fields, only four were accessible by road, and only seven were connected to centralized electric power.[39] Consequently, much of the very costly infrastructural investment necessary to *precede* increments to oil output still lay ahead in 1980, and since then inevitable problems have developed in meeting output plans for western Siberia.[40] Delays in bringing new Tiumen fields on line will translate directly into falling growth rates for USSR total oil output because western Siberia is where almost all the increases in Soviet oil output are originating at present.

PLANS FOR 1985. The official plan figure for Soviet oil output in 1985 is 12.6 mbd, a modest target below the FYP X target originally set for 1980. Within that, western Siberian output is planned for 7.9 mbd, 63 percent of USSR output (up from 6.29 mbd in 1980, or 52 percent of USSR output

38. *Sots. ind.,* October 4, 1981, p. 2; translated in *FBISSU,* October 8, 1981, R1–R2.

39. Dienes and Shabad, *Soviet Energy System,* p. 58; Wilson, *Soviet Oil and Gas to 1990,* p. 9.

40. See, for example, the interview with N. Mal'tsev, *Sots. ind.,* September 5, 1982.

that year). Output in the rest of the USSR is to be 4.7 mbd (down from 5.77 mbd in 1980).[41] Soviet planners face a dual problem in their efforts to increase output to 12.6 mbd in 1985. On the one hand they must ensure that output in the existing fields declines no more rapidly than planned (6.38 mbd—see table 2-4), and on the other they must achieve planned increments to output capacity in new fields (7.00 mbd). Achieving one of these will not be enough. Fulfilling plans in western Siberia, although a considerable achievement, will not be sufficient if simultaneously output in the Volga-Urals, or other fields, falls more rapidly than anticipated.

In 1983 oil output reached 12.33 mbd, slightly short of the plan (12.38) for that year, and somewhat below a path output will have to follow to hit 12.6 mbd in 1985.

Three factors will determine whether the 1985 oil plan can be met: the amounts of inputs (capital and labor) available to the oil industry, the division of inputs between old and new fields and between exploratory and development drilling, and the productivity of those inputs. All three factors determine the prospects for Soviet oil output in the future. Oil industry managers may do an outstanding job of choosing optimally between old and new fields and between exploratory and development drilling while spurring their workers on to rapid increases in productivity. However, if Gosplan diverts resources from the oil to the gas industry, then the oil-output plan may not be met. Even if the oil industry obtains all the inputs it requested at the beginning of the five-year plan, it may still falter because of mistakes in using those resources or because of an inability to meet plans for productivity increases.

The issue of the total resources available to the oil industry is discussed later in the context of investment in the fuel industry as a whole. For now the discussion is limited to the second and third factors and their likely influence on plan fulfillment in the oil industry by 1985. The period beyond 1985, about which much less is known, will be discussed in chapter 4.

Drilling. Table 2-6 reports data on Soviet drilling since the mid-1960s and on plans through 1985. The first six columns report on total drilling

41. Originally the oil output target for 1985 was 12.4 to 12.9 mbd and the target for Siberia was 7.7 to 7.9 mbd. *Ekon. gaz.*, no. 14 (April 1981), p. 2. Since then, the middle of the range has been chosen as the USSR output target, along with the high end of the range for western Siberia. A. Lalaiants, "Bazovyi kompleks" [The base complex], *Pravda*, December 30, 1981.

for oil and gas, broken down by the exploratory and development drilling conducted by all ministries (the ministries of Geology—USSR and republican—Gas, and Petroleum). The next six columns show data for the MPI alone (hence only drilling for oil), and the last two columns contain data for drilling by the MPI in western Siberia (also, therefore, only drilling for oil).[42] The responsibility for exploratory drilling in the USSR is divided between the Ministry of Geology and the MPI. The Ministry of Geology specializes in preliminary exploration and proving up reserves in new regions, whereas the MPI or the Ministry of the Gas Industry (MGI) is in charge of exploratory efforts in established regions.[43] This means that the data on exploratory drilling by the MPI in western Siberia considerably understate total exploratory efforts there; unfortunately, however, most of the data available cover only MPI drilling.

Since the 1960s there has been a stagnation in all exploratory drilling and a drop in exploratory drilling by the MPI. During 1961–65, 24.6 million meters were drilled for exploratory purposes; during 1971–75 the figure was only 6 percent higher. The plan for 1976–80 was to drill 28 million meters for exploratory purposes. Actual drilling was 1.3 million meters less than planned and only 0.6 million meters above drilling during 1971–75.

Although exploratory drilling has stagnated, development drilling has risen steadily. The most complete data set, for the MPI only, indicates that, between 1970 and 1979, while exploratory drilling fell from 2.8 million to 2.5 million meters, development drilling more than doubled from 6.2 million to 13.0 million meters. This increase in the share of development drilling in the total is not an accurate reflection of what planners say they want; rather, it is a reflection of a complex interaction of increasingly difficult geological conditions and incentives in the system.

Drilling activity in the Soviet Union is organized primarily around targets for meters drilled, rather than reserves proved up, number of wells, and so on; that fact introduces a strong bias in favor of development drilling. It is easier to meet a drilling target in meters doing development drilling because commercial drilling speeds (meters drilled per rig per

42. It is, of course, possible to discover gas while searching for oil, something which has occurred in the USSR, as elsewhere.

43. M. M. Brenner, *Ekonomika geologorazvedochnykh rabot na neft' i gaz SSSR* [The economics of geological exploratory work on oil and gas in the USSR] (Moscow: Nedra, 1979), pp. 76ff.

Table 2-6. *Oil and Gas Drilling in the USSR, 1970–85*[a]
Million meters

| | All drilling[b] | | | | | Drilling by Ministry of Petroleum Industry | | | | | | Total drilling in western Siberia by MPI | |
| | Total | | Exploration | | Devel-op-ment, | Total | | Exploration | | Development | | | |
Year	Planned	Actual	Planned	Actual	actual	Planned	Actual[c]	Planned	Actual[d]	Planned	Actual	Planned	Actual[c]
1970	n.a.	11.9	n.a.	5.2	6.7	n.a.	9.0	n.a.	2.8	n.a.	6.2[d]	n.a.	1.0
1971	n.a.	12.1[e]	n.a.	5.3[e]	6.9[e]	9.8[f]	9.2	n.a.	3.0	n.a.	6.3[d]	n.a.	1.2
1972	n.a.	12.7[e]	n.a.	5.1[e]	7.6[e]	n.a.	9.9	n.a.	2.9	n.a.	7.0[d]	n.a.	1.4
1973	n.a.	13.6[e]	n.a.	5.2[e]	8.4[e]	10.2[g]	10.5	n.a.	2.9	n.a.	7.7[d]	n.a.	1.8
1974	n.a.	14.2[h]	n.a.	5.1[i]	9.1[h]	n.a.	11.0	n.a.	2.9	n.a.	8.0[d]	n.a.	2.3
1975	n.a.	15.2	n.a.	5.4	9.8	12.0[j]	11.7	n.a.	2.7	n.a.	8.9[d]	n.a.	2.8
1976	n.a.	n.a.	n.a.	5.2[k]	n.a.	n.a.	12.1	n.a.	2.5	n.a.	9.5	n.a.	3.4
1977	n.a.	n.a.	n.a.	5.2[l]	n.a.	n.a.	12.4[d,m]	n.a.	2.4	n.a.	10.4	n.a.	3.8
1978	n.a.	n.a.	n.a.	5.2[k]	n.a.	n.a.	13.7[d,m]	n.a.	2.4	n.a.	11.3[d]	n.a.	5.0
1979	n.a.	n.a.	n.a.	n.a.	n.a.	17.0[c]	15.5[n]	2.4[d]	2.5	14.6[d]	13.0	7.5[c]	n.a.
1980	n.a.	n.a.	n.a.	5.9[o]	n.a.	19.8[c]	18.0[n,p]	n.a.	n.a.	n.a.	n.a.	9.6[q]	8.4[r]
1981	n.a.	n.a.	n.a.	6.2[o]	n.a.	n.a.	21.6[p]	n.a.	n.a.	n.a.	n.a.	n.a.	10.4
1982	n.a.	n.a.	n.a.	n.a.	n.a.	24.4[p]	23.3[s]	n.a.	n.a.	n.a.	n.a.	13.0[t]	n.a.
1983	n.a.	n.a.	n.a.	n.a.	n.a.	27.0	n.a.	n.a.	n.a.	n.a.	n.a.	n.a.	n.a.
1984	n.a.	n.a.	n.a.	n.a.	n.a.	n.a.	n.a.	n.a.	n.a.	n.a.	n.a.	n.a.	n.a.
1985	56.0[u]	n.a.	n.a.	n.a.	n.a.	30.5[v]	n.a.	n.a.	n.a.	n.a.	n.a.	18.6[w]	n.a.

1966–70	n.a.	57.0[e]	n.a.	26.2[x]	30.3[e]	n.a.	n.a.	n.a.	n.a.	n.a.	n.a.
1971–75	72.5[y]	68.0[z]	n.a.	26.1[x]	41.8[h]	56.0[d]	52.3[h]	14.3[h]	37.9[h]	n.a.	9.5[h]
1976–80	n.a.	n.a.	28.0[aa]	26.7[s]	n.a.	75.0[d]	72.5[h]	n.a.	n.a.	30.0[z]	n.a.
1981–85	n.a.	n.a.	34.4[s]	n.a.	n.a.	130.0[bb]	n.a.	n.a.	n.a.	77.0[o]	n.a.

n.a. Not available.

a. I am grateful to James R. Lecky for going over an earlier version of this table, filling in some of the holes, and providing more recent sources for several of the estimates.

b. By the Ministries of Petroleum, Gas, and Geology.

c. Lee and Lecky, "Soviet Oil Developments," p. 592.

d. Ibid., p. 589.

e. Campbell, *Trends in the Soviet Oil and Gas Industry*, pp. 16–17.

f. *Burenie*, June 1973, p. 9.

g. *Ekon. gaz.*, no. 5 (January 1973), p. 2.

h. Sum or residual.

i. Residual from other figures here for 1971–75 the Brenner total for those years. See M. M. Brenner, *Ekonomika geologorazvedochnykh rabot na neft' i gaz SSSR* [The economics of geological exploratory work on oil and gas in the USSR] (Moscow, 1979), p. 88.

j. *Burenie*, September 1976, p. 5.

k. An average for 1976–78. Brenner, *Ekonomika*, p. 89.

l. Brenner, *Ekonomika*, p. 87.

m. Does not add to total because of different sources.

n. *Neft. khoz.*, April 1982, p. 3.

o. *Narkhoz* (1981).

p. Interview with N. A. Mal'tsev, *Ekon. gaz.*, no. 5 (January 1982), p. 2.

q. *Plan. khoz.*, no. 3 (March 1980), p. 23.

r. This is a minimum. N. A. Mal'tsev in *Ekon. neft. prom.*, no. 6 (1981), p. 2, says drilling rose more than three times in 1980 (presumably relative to 1975).

s. Interview with N. A. Mal'tsev, *Ekon. gaz.*, no. 15 (April 1983), p. 7.

t. *Ekon. gaz.*, no. 36 (September 1982), p. 3.

u. IEA, "Energy Prospects for the USSR and Eastern Europe" (Paris, June 26, 1981), p. 11.

v. *Ekon. gaz.*, no. 14 (April 1981), p. 2, gives 35.0. That has apparently been revised downward. The figure used here is from *Neft. khoz.*, December 1982, p. 67.

w. *Neftianik*, February 1982, p. 2.

x. Brenner, *Ekonomika*, p. 88. Campbell, *Trends in the Soviet Oil and Gas Industry*, pp. 16–17, gives the figure 26.6. Campbell's figures for individual years in the late 1960s differ somewhat from Brenner's. I use Brenner's figures because they are more recent.

y. Campbell, *Trends in the Soviet Oil and Gas Industry*, p. 14.

z. CIA, *Prospects for Soviet Oil Production*, ER77-10270 (CIA, 1977), p. 23.

aa. Brenner, *Ekonomika*, p. 86.

bb. Interview with N. A. Mal'tsev by V. Kremer, *Sots. ind.*, September 5, 1982, p. 2. He gives the 1981–85 figure as twice the 1976–80 figure.

month) are at least four times faster in development than in exploratory drilling.[44] (Exploratory drilling takes more time because there is little supportive infrastructure, the drillers are still learning about the formation, and equipment must be moved around over fairly substantial distances.) Also, the depth of exploratory wells is increasing throughout the USSR, and increased depth means time-consuming increases in the complexity of the exploratory effort. In many areas the average depth of exploratory wells is exceeding the range within which turbo drills—the technology on which the Soviets rely quite heavily—can operate efficiently.[45]

Finally, the fact that the petroleum and gas industries are under severe pressures to meet their annual output plans is an incentive to push development drilling. Any sensible minister of oil or gas, if forced to choose between proving up new reserves at the planned rate and fulfilling this year's output plan, will choose to fulfill the output plan.

The chronic tendency in the Soviet oil industry to expand development drilling at the expense of exploratory drilling is contrary to increasingly intense efforts by planners to counteract such trends.[46] For 1976–80 plans called for all exploratory drilling to increase 7 percent over 1971–75, to break the stagnant pattern that had existed since the mid-1960s. Data available through 1978 on total drilling suggest that the plan was not met; indeed there is no evidence of any increase in exploratory activity through 1978 for the USSR as a whole. Data through 1979 for

44. Campbell, *Trends in the Soviet Oil and Gas Industry*, pp. 16–17, shows drilling speeds in 1970 for development drilling of 1,154 meters and for exploratory drilling of 337 meters. By 1980 commercial speeds in development drilling had increased to 1,791 meters. See S. M. Levin, "Aktualnaia zadacha 11-i piatiletki—povyshenie effektivnosti burovykh rabot" [Actual task of the 11th five-year plan—to increase the efficiency of drilling work], *Ekon. neft. prom.*, no. 12 (1981), p. 3. It is doubtful that commercial speed in exploratory drilling activity increased as rapidly. In 1977 commercial speed in exploration was only up to 370 meters (Brenner, *Ekonomika geologorazvedochnykh*, p. 93), so it is likely that in the early 1980s development drilling was (in terms of meters drilled per rig per month) more than four times as productive as exploratory drilling.

45. The average depth of exploratory wells in the USSR rose from 1,845 meters in 1960 to 2,827 meters in 1977. In some of the old fields—for example, in Azerbaidzhan and the Ukraine—average depths are well over 4,000 meters. Brenner, *Ekonomika geologorazvedochnykh*, p. 90. The problems here are primarily in the older fields, not in western Siberia—although well depths are increasing there also. Campbell, *Trends in the Soviet Oil and Gas Industry*, p. 18.

46. For discussions on the bias against exploratory drilling, see A. Trofimuk, "Strategiia osvoeniia" [The strategy of discovery], *Sots. ind.*, October 4, 1980, pp. 1–2; A. Aganbegian, "Programmy Sibiri" [Programs of Siberia], *Sots. ind.*, May 8, 1981, p. 2; and Campbell, *Trends in the Soviet Oil and Gas Industry*, pp. 14–18.

MPI drilling confirm that exploratory drilling that year (2.5 million meters) was at the level it had held at for the previous four years, and it was 300,000 meters below that of 1970.

The shift to western Siberia. Within a stagnant exploratory drilling effort in the USSR since the 1960s, there has been a gradual shift toward western Siberia and away from older fields. In 1961–65 the Volga-Urals and Azerbaidzhan accounted for 59 percent of all exploratory drilling for oil; by 1971–75 that proportion was down to 48 percent. Simultaneously western Siberia's share rose from 7 percent in 1961–65 to 15 percent in 1971–75.[47] During the latter half of the 1970s, in the middle of FYP X, there was a debate on the geographic location of exploratory activity that had been touched off by a disagreement on the proper response to the unexpectedly rapid decline of the Volga-Urals fields. Some, including N. K. Baibakov, the chairman of Gosplan, contended that the appropriate response was to maintain relatively high rates of drilling activity in traditional areas, presumably along with the secondary recovery program put in place for FYP X, in order to slow the decline in the old fields, and therefore to opt for slower development in western Siberia. Others argued that it was necessary to shift rapidly to new fields in western Siberia in order to build the foundations for expanding oil-output increments in the 1980s. The latter group prevailed and at the aforementioned December 1977 plenum there was a decision to dramatically shift activity in the oil industry toward western Siberia.[48]

The investment data discussed earlier reflect this change, and table 2-6 documents its effect on drilling. In 1978 all drilling activity by the MPI in western Siberia jumped 1.2 million meters, or 32 percent, which accounted for all but 100,000 meters of the increment in MPI drilling activity throughout the USSR. By 1981 MPI drilling activity in western Siberia had doubled over what it was in 1978, an increase of 5.4 million meters, while total drilling activity throughout the USSR had increased 7.5 million meters. The division of this new drilling between exploratory and developmental is not known, but it is likely—given the particularly difficult conditions under which drilling teams operate in western Siberia—that the bias toward development drilling is even stronger in western Siberia than it is in the USSR as a whole.

This dramatic shift in the geographic location of drilling has not

---

47. Brenner, *Ekonomika geologorazvedochnykh*, pp. 88–89.

48. J. Richard Lee and James R. Lecky, "Soviet Oil Developments," in Joint Economic Committee, *Soviet Economy in a Time of Change*, 96 Cong. 1 sess. (GPO, 1979), vol. 1, pp. 581–85.

been accompanied by an equivalent labor migration. Rather, there has been increasing reliance on flying drilling crews into western Siberia from traditional fields in Bashkir, Tartaria, Kiubyshev, Belorussia, and the Ukraine to work on rigs for two or three weeks at a time, after which they return to their homes in the European USSR.[49] Nevertheless, the population of the oil-producing regions is expanding rapidly, placing great demands on the construction sector that have been met in part by flying in construction workers from the European USSR.[50]

The shift of drilling crews from the traditional fields is the resource side of the policy decision to expand drilling in western Siberia. The open question is whether so many resources are being drained from traditional areas that the oil production associations there will find it impossible to meet their targets, which in turn would lead to a faster-than-anticipated decline in output for the traditional fields. A 1981 article coauthored by the current and previous directors of Tatneft'— the oil production association with the largest volume of oil production in the Volga-Urals fields (specifically in the Romashkino field)—indicates that there is reason for concern.[51] The authors castigate central authorities for starving Tatneft' for materials and labor while keeping on the pressure to maintain output levels. They complain that central planners fail to appreciate the difference between the oil industry and a manufacturing industry—namely that in the oil industry labor requirements rise while output falls.[52] The older equipment in Tatneft' requires an increasing amount of repair work, yet with Tatneft's current repair capacity and equipment deliveries, they are unable to make up even for real depreciation. As a result they predict that in FYP XI a number of wells

49. Ibid., p. 585; N. A. Mal'tsev, "Povyshenie effektivnosti proizvodstva—glavnaia zadacha neftianikov v odinnadtsatoi piatiletke" [Increasing the efficiency of production—the main task of oil workers in the eleventh five year plan], *Ekon. neft. prom.*, no. 6 (1981), p. 2; B. A. Rahmer, "Warning of Energy Shortages," *Petroleum Economist*, vol. 47 (January 1980), p. 8; and Rahmer, "Soviet Union: Labor Shortages and Problems," *Petroleum Economist* (July 1980), pp. 311–12.

50. Interview with N. Mal'tsev, "Potentsial neftianykh promyslov"; and G. Formin, "Gorod d'lia neftianikov" [Town for oil workers], *Izvestiia*, August 26, 1980; translated in *FBISSU*, September 30, 1980, pp. S2–S3.

51. R. T. Bulgakov and A. K. Mukhametzianov, "Neftegazodobyvaiushchii raion posle svoego zenita" [An oil and gas producing region after its zenith], *Eko*, no. 1 (January 1981), pp. 140–48. Bulgakov was director of Tatneft' until 1979, when he became director of Glavtiumenneftegaz (in charge of oil and gas production in the Tiumen fields). Mukhametzianov is the current director of Tatneft'.

52. Ibid., p. 143.

could be out of service while awaiting repairs and overhauls. They also cite other equipment (trucks and electric motors) that is old and that is not being replaced at the rate at which it is being used up.[53]

Labor shortages are acute, particularly among young skilled workers. Skill requirements actually rise as fields age because of the increased requirements for repair work and the need to operate relatively sophisticated equipment such as pumps. Yet Tatneft's wage funds compel it to pay relatively low wages (three-fifths of their workers make less than the average wage for all industry), and that, combined with the prospect of living in better cities and working in more dynamic sectors, has drawn young workers away. That has left a relatively old labor force for Tatneft', a considerable portion of it close to retirement.[54]

It is precisely such concerns that support those who are skeptical that the Soviet Union can manage to meet its ambitious plans for stemming output declines in old fields. If planners are deluding themselves about the miracles that associations can perform with aging equipment and a shrinking labor force, then the plans for total oil output in FYP XI are unattainable.

Productivity of drilling crews. Historically planners have tended to overestimate possibilities for increasing the productivity of drilling crews. When problems have arisen in meeting drilling plans, exploratory drilling footage has suffered.[55] Drilling plans for 1981–85 seem to be more ambitious in terms of anticipated productivity gains than any heretofore set. Total drilling by the MPI is to almost double that of 1976–80, and presumably total drilling by all ministries is to increase by only a little bit less.[56] Apparently the 1981–85 plan includes a major increase in exploratory drilling, with much of the increment concentrated in western Siberia.

Ninety percent of the increment to drilling activity is to come from increased productivity by drilling crews and 10 percent from increased numbers of drilling crews.[57] This is the only way the targets can be accomplished, given the unavailability of new labor. As one commen-

53. Ibid., p. 145.
54. Ibid., p. 147.
55. Campbell, *Trends in the Soviet Oil and Gas Industry,* p. 13.
56. There are no data on plans for all drilling, but presumably the rate of growth anticipated is slightly less than that for the MPI because it is doubtful that the gas industry is being asked to double its drilling effort.
57. Interview with N. Mal'tsev, "Potentsial neftianykh promyslov."

tator has observed, to meet the FYP XI drilling targets at current levels of labor productivity in the oil industry would require increasing the number of drilling teams by more than one-third, and "it is clearly impractical to talk about such a large increase in the number of drillers in the present manpower situation."[58] This calls for a substantial increase in the productivity of drilling teams by recent historical standards. (During FYP X only 25 percent of the increased drilling meterage came from an increase in per annum meters drilled per brigade; the balance came from increased numbers of drilling brigades.) To achieve the goals for productivity increases, targets for drilling crews will be set according to the meterage achieved by the best units in each region, which is very ambitious because there are wide differences in performance among drilling crews in each region.[59] Generally speaking, however, a necessary condition for the plans to be met is a significant increase in investment in the oil industrty to provide crews with better drilling rigs, gas lift equipment, and submersible pumps.

Feasibility of the 1985 output plan. During 1976–80 investments in the oil industry totaled 26.2 billion rubles (table 2-3); for 1981–85 the plan calls for a 63 percent increase to 43 billion rubles. I leave to chapter 4 the issue of whether 43 billion rubles is in fact what the oil industry will receive during that period. For now the question is whether, given that investment allocation, it is likely that the oil industry can meet its output plan of 12.60 mbd by 1985. On balance it seems an unlikely outcome for several reasons.

First, neglect of the old fields seems likely to cause them to decline faster than expected. The plan is for a decline of 6.38 mbd, which is lower than the decline of 7.12 estimated for 1976–80. It seems more reasonable to assume, given the fact that Siberia is drawing resources from the old fields, that the decline during 1981–85 will be much larger than that of 1976–80. As a guesstimate I would say 10 mbd. In that case, to meet the targeted increase in output of 0.62 mbd between 1981 and 1985, it would be necessary to add a total capacity of 10.62 mbd. The capital costs of doing that could easily absorb more than the 43 billion rubles allocated for FYP XI.[60]

58. V. Kremer, "Arsenal prokhodchikov nedr" [The drillers' arsenal], *Sots. ind.,* September 11, 1981, p. 1; translated in *FBISSU,* September 23, 1981, p. S1.

59. Interview with N. Mal'tsev, "Potentsial neftianykh promyslov."

60. The investment figures in table 2-3 and the figures for total additions to productive capacity in table 2-4 suggest the following investment costs to add a barrel per day of new productive capacity:

Second, the industry is obviously up against a labor constraint it is trying to overcome by assuming that existing labor can be much more productive. There is no compelling reason to believe that the productivity increases implied in drilling targets are attainable, which means that even with the full investment allocation it will probably be impossible to meet the plans because of a labor shortage.

Assuming the oil industry receives all 43 billion rubles, the preceding considerations suggest that it will likely be producing no more than 12.0 mbd in 1985. As a worst case it could be producing somewhat less, say 11.5 mbd. There are so many unknowns here that output outside this range is possible; this is my guess at a reasonable range.

The range of this forecast is similar to those of the CIA and the International Energy Agency (IEA).[61] The high end is somewhat below the Defense Intelligence Agency forecasts of 12.48 mbd, those being only slightly below the official Soviet plan figure of 12.6 mbd.[62] David Wilson predicts that the 1985 output will reach 14 mbd.[63] Wilson is surely mistaken (although he probably adheres to the backward-bending-supply

---

	Rubles per barrels per day
1971–75	1,963
1976–80	2,795

If these unit investment costs continued to increase at that rate during 1981–85 (which seems a plausible assumption), they would average 3,979 rubles. An increment of productive capacity of 10.62 mbd would, in that case, require 42.25 billion rubles, or all of the new investment available for 1981–85. In fact, there are plausible reasons to believe that the move to Siberia and to smaller fields there will cause unit capital costs of gross additions to new capacity to rise more rapidly than in the past, in which case 43 rubles would not be enough.

61. The International Energy Agency forecasts 11.2 to 12.4 for 1985. The CIA still contends that oil output will decline in the early 1980s for many of the reasons outlined here. It does not put a figure on the forecast. IEA, *World Energy Outlook* (Paris: Organization for Economic Cooperation and Development, 1982), p. 185; "Prepared Statement of Hon. Henry Rowen," in *Allocation of Resources in the Soviet Union and China—1981*, Hearings before the Subcommittee on International Trade, Finance, and Security Economics of the Joint Economic Committee, 97 Cong. 1 sess. (GPO, 1982), pt. 7, pp. 232–34. The last quantitative estimate by a CIA official concerning Soviet oil production was not an "official" estimate but was published in a paper by Joseph A. Licari, "Linkages Between Soviet Energy and Growth Prospects for the 1980s," in NATO Economics Directorate, *CMEA Energy, 1980–1990* (Newtonville, Mass.: Oriental Research Partners, 1981), pp. 265–76. In that paper Licari uses the assumption that oil output will be 10.5 mbd in 1985 and 8.0 mbd in 1990.

62. "Joint Prepared Statement of Maj. Gen. Richard X. Larkin and Edward M. Collins," in *Allocation of Resources in the Soviet Union and China—1981*, p. 85.

63. Wilson, *Soviet Oil and Gas to 1990*, p. 104.

hypothesis, in which case he would contend that the Soviets could produce 14 mbd but have chosen not to). The Defense Intelligence Agency could be right, but I am slightly more pessimistic than it is about the economics of the oil industry in the 1980s.

This forecasted range is, it must be emphasized, a forecast conditional on the oil industry's receiving the amount of capital and labor originally allocated to it for FYP XI. If planners were to devote more capital and labor to the drilling program, they might move closer to meeting the 1985 plan; were they to devote less, they would move farther away. It is the planners' flexibility for the next few years that makes it necessary in the final analysis to forecast jointly the output of all energy carriers, energy consumption, and economic activity, which is done in chapter 4.

AFTER 1985. Whatever the outcome for the oil industry in the next few years, it is likely that exploratory drilling activity will fall short of what is planned and what is needed to build a longer-term base for sustaining oil output. Indeed the extent to which oil production approaches the planned path between 1981 and 1985 is probably a negative sign for prospects after that: it probably will mean that development drilling was once again given priority over exploratory drilling. Unless somehow—and very soon—Soviet oil-exploration teams locate a new Samotlor or massive new units of capital and labor are pumped into the industry, oil output will probably decline.

It is difficult to be more precise than that in discussing the post-1985 period. The further one moves from the present, the greater the options open to Soviet planners, in particular in the substitution of gas and coal for oil. There is a good chance that by the late 1980s the relative costs of oil will be far above those of gas and coal, and all of them will be above the costs of additional fuel-conservation measures. In that situation pressures will grow for a sharp reduction in oil output, so that by the end of this decade it could be well below its present level (it will be the economically prudent thing for planners to do). On the other hand, if, for any of several possible reasons, planners wish to maintain oil output at close to current levels, they can do so on the condition that they are willing to pay the cost in reduced consumption and investment in the rest of the economy. The combination of the uncertainties about the economics of the energy industry by the end of this decade and the difficulty in predicting how planners will react to it—whatever it will be—combine to give a wide range of possible outcomes for oil output by the end of the decade.

The Gas Industry[64]

While the MPI struggles with the increasingly complex tasks of an industry past its zenith, the Ministry of the Gas Industry is facing the problems of an industry full of opportunities and virtually gorged with inputs designed to exploit them. This industry is still on a sustained expansion of output dating back to the 1960s. Output over the entire period from 1960 to 1982 grew at an average annual rate of 11.5 percent; in the 1970s it grew at 8.2 percent; and in the 1980s it is still managing to sustain output growth rates of over 7 percent a year (table 2-1).

Figure 2-3 shows the course of output in recent years in terms of monthly data reported in billion cubic meters per day. The relatively smooth line increasing throughout is the trend in monthly output, around which actual output fluctuates in accordance with seasonal fluctuations in natural gas use. Plans are drawn in as horizontal lines spanning twelve months, and actual outputs (A) for the year (on a bcm per day basis) are noted for each year. The gas industry overfulfilled the original annual plans for every year during 1976–82. It was the only one of the primary energy carriers to fall in the range of the 1980 plan targets originally set in 1976 for FYP X (its output of 435 bcm was at the top of the range). Given this record, it is understandable that Soviet leaders increasingly focus their hopes for fuel production (and exports) on natural gas. The gas industry is scheduled to provide virtually all the net increment to fuel production in this five-year plan, a formidable task. This section now analyzes the impediments to attaining the goals set for the industry and the likelihood they can be overcome.

PRODUCTION RECORD, 1960–82. The Soviet preoccupation with the gas industry is a recent phenomenon. The industry was virtually ignored until the late 1950s. Any emphasis on gas production was not on natural gas, but rather on manufactured gas coming from coal or shale. Natural gas production came from European fields, and much of it was associated with oil (one-third in 1950).[65]

---

64. For a more detailed discussion of this industry, see Ed A. Hewett, "Near-Term Prospects for the Soviet Natural Gas Industry, and the Implications for East-West Trade," Joint Economic Committee, *Soviet Economy in the 1980's: Problems and Prospects*, 97 Cong. 2 sess. (GPO, 1982), pt. 1, pp. 391–413; and Thane Gustafson, "The Soviet Gas Campaign: Politics and Policy in Soviet Decisionmaking," R-3036-AF (Santa Monica, Calif.: Rand Corp., 1983).

65. Dienes and Shabad, *Soviet Energy System*, pp. 70–71.

Figure 2-3 *Average Daily Natural Gas Production in the USSR, by Month, January 1976–June 1983, Trend and Actual*[a]

Billions of cubic meters

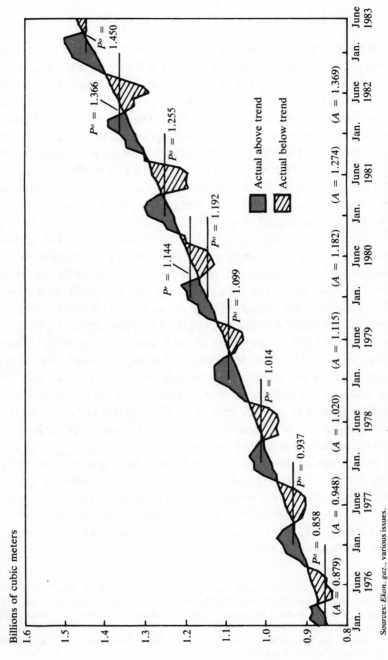

Legend:
- Actual above trend
- Actual below trend

$P^o = 1.450$
$P^o = 1.366$
$P^o = 1.255$
$P^o = 1.192$
$P^r = 1.144$
$P^o = 1.099$
$P^o = 1.014$
$P^o = 0.937$
$P^o = 0.858$

$(A = 0.879)$ $(A = 0.948)$ $(A = 1.020)$ $(A = 1.115)$ $(A = 1.182)$ $(A = 1.274)$ $(A = 1.369)$

Jan. Jan. — June 1976, Jan. June 1977, Jan. June 1978, Jan. June 1979, Jan. June 1980, Jan. June 1981, Jan. June 1982, Jan. June 1983

Sources: *Ekon. gaz.*, various issues.

a. Trend is $\log X = -0.171 - 0.0064 time - 0.0000002 time^2$. P^o = original annual plan; P^r = revised annual plan; A = actual annual output.

Nevertheless, gas reserves continued to expand rapidly throughout the postwar period, though primarily as a by-product of oil exploration. In the late 1950s a major reorientation of fuel policy included a move to exploit gas resources as Soviet planners came to appreciate the reserves they had in that sector.[66] As a result, by 1960 natural gas output was already five times what it had been in 1955. Although it has not attained such spectacular growth rates since, subsequent rates have been high by world standards.[67]

The course of output since 1950 and its regional composition are traced in table 2-7. In the 1950s output was 5.8 bcm, over half of it coming from the Volga-Urals and Ukrainian fields. When it was decided to expand output, the fields in the North Caucasus and the Ukraine were developed first. The North Caucasus output peaked in about 1970 at a little over 45 bcm (at which point it was providing one-fourth of the national output), and the Ukraine peaked a few years later (when it was accounting for about one-third of that output).[68] In the late 1960s, as the inevitability that the traditional fields would decline became clear, Soviet exploratory drilling teams began to uncover in northern Tiumen Province the truly enormous natural gas reserves that have allowed planners to rely so heavily on the gas industry for their future energy-production plans. The results are easy to see from table 2-7. Western Siberia, which accounted for 5 percent of USSR natural gas output in 1970, accounted for 36 percent by 1980, and plans call for a 57 percent share by 1985.

WESTERN SIBERIAN FIELDS. In 1965 estimated natural gas reserves in western Siberia were 0.315 tcm, 15 percent of the estimated reserves in the USSR.[69] Discoveries in western Siberia in the 1960s and further work on those fields in the 1970s had uncovered by 1980 reserves of 24.2 tcm in 51 fields, of which 20 had reserves of 0.1 tcm or higher. Four of those are supergiants: Medvezh'e, discovered in 1967, with reserves of 1.55 tcm; Zapoliarnoe, discovered in 1965, with reserves of 2.64 tcm; Yam-

66. Campbell, *Economics of Soviet Oil and Gas*, p. 198.

67. The figures for 1955 and 1960 are from Dienes and Shabad, *Soviet Energy System*, pp. 70–71.

68. Details on the course of development of gas fields in the USSR can be found in Jonathan P. Stern, *Soviet Natural Gas Development to 1990* (Lexington, Mass.: D. C. Heath, 1980), pp. 21–181.

69. The reserve estimate for western Siberia is from S. Orudzhev, *Goluboe zoloto Zapadnoi Sibiri* [Blue gold of west Siberia] (Moscow: Nedra, 1981), p. 14; the total reserve figure used to derive the 15 percent is from Campbell, *Economics of Soviet Oil and Gas*, p. 203.

Table 2-7. Regional Distribution of Soviet Natural Gas Production, Selected Years, 1950–85
Billion cubic meters

Region	1950 Percent of total	1950 Amount	1960 Percent of total	1960 Amount	1970 Percent of total	1970 Amount	1980 Percent of total	1980 Amount	1985 plan Percent of total	1985 plan Amount
Total	**100**	**5.8**	**100**	**45.3**	**100**	**198.0**	**100**	**435.0**[a]	**100**	**630.0**[b]
Volga-Urals	24	1.4	21	9.4	9	18.4	n.a.	n.a.	n.a.	n.a.
North Caucasus	5	0.3	30	13.7	24	47.0	30	128.6[c]	16	100.0[d]
Ukraine	26	1.5	32	14.3	31	60.9	n.a.	n.a.	n.a.	n.a.
Central Asia	2	0.1	2	0.7	23	46.0	24	105.0[e]	19	119.5[f]
Western Siberia	2	0.1	1	0.3	5	10.0	36	156.0[g]	57	357.0[g]
Tiumen Province	0	0.0	0	0	5	9.3	33	144.2[h]	n.a.	n.a.
Urengoi field	0	0.0	0	0	0	0.0	11	50.0[h]	40	250.0[h]
Other	41	2.4	15	6.9	8	15.7	10	45.6[c]	8	53.5[d]

Sources: Data for 1950, 1960, and 1970 are from Dienes and Shabad, *Soviet Energy System*, pp. 70–71. Other sources are listed in the notes.

n.a. Not available.

a. *Narkhoz* (1980), p. 157.

b. FYP XI plan documents.

c. A. M. Nekrasov and A. A. Troitskii, *Energetika SSSR v 1981–85 godakh* [Energy in the USSR in 1981–85] (Moscow: Energoizdat, 1981), p. 221, disaggregate 1980 natural gas output of 435.2 bcm into 163.6 bcm in European USSR: the Volga-Urals, North Caucasus, and Ukraine—all in the table—and Komi, Azerbaidzhan, and Belorussia in "other." I assume the latter three were producing 35 bcm in 1980 (based on stable output patterns in recent years), in which case the first three total 128.6 bcm. I estimate western Siberian and Asian output in 1980 was 261 bcm. The remainder of eastern output—10.6 bcm—is for Kazakhstan and eastern Siberia, and goes in "other."

d. Procedure and sources as in footnote c. I assume that Komi, Azerbaidzhan, and Belorussia will be producing 35 bcm in 1985.

e. Estimate. "Razvitie gazovoi promyshlennosti" [The development of the gas industry], *Ekon. gaz.*, no. 13 (March 1981), p. 2, states that the Turkmenistan output was greater than 70.3 bcm in 1980. Uzbekistan, with the only other significant fields in central Asia, probably maintained output at about 35 bcm.

f. Turkmen output is planned for 81–83 bcm (ibid.), and Uzbek output at 37–38 bcm. "Perspektivyi ekonomiki Uzbekistana" [Perspectives of the economy of Uzbekistan], *Plan. khoz.*, no. 8 (August 1981), p. 6. The total gas plan for these two regions, and hence in effect for central Asia, is 118–21 bcm. I have used the midpoint here.

g. A. Lalaiants, "Bazovyi kompleks" [The base complex], *Pravda*, December 30, 1981.

h. "Razvitie gazovoi promyshlennosti," p. 2.

burg,[70] discovered in 1969, with reserves of 4.10 tcm; and Urengoi, discovered in 1969, with reserves of 6.21 tcm.[71] The Urengoi field alone gives the USSR more proven natural gas reserves than any other country in the world save Iran, and reserves in the four supergiants surpass Iran's. On the basis of these reserves, the USSR is the Saudi Arabia of natural gas. However, the inaccessibility of the reserves and the high cost of transporting gas make it much more difficult (and expensive) for the USSR to exploit its reserves than it is for the Saudis to exploit theirs.

The discovery of these enormous reserves transformed prospects for the Soviet gas industry by essentially eliminating the problem of developing a reserve base sufficient to allow rapid expansions in output. In place of concerns about reserves came concerns about the economics of exploiting them. The western Siberian gas fields straddle the Arctic Circle in essentially unpopulated areas with extremely hostile climates. Some of the land is permafrost, or discontinuous permafrost, and much of it is swampy part of the year. The average temperature over the entire year is below freezing, but the variance is such that yearly highs and lows can differ by 100 degrees Celsius.[72] These fields are a considerable distance from the industrial centers of the Soviet Union and even farther from its main export customers in Europe. Effective exploitation of the fields requires an enormous pipeline network with 56-inch pipelines traveling 2,000 to 2,500 kilometers to bring natural gas to its final users.

The inhospitable climate in areas devoid of human habitation and far from industrial centers presents enormous challenges to the MGI and raises important economic issues to those who plan total energy production in the USSR. The level of gas output in this decade will be determined by the magnitude of resources that planners want to devote to collecting western Siberia's gas and transporting it over long distances to the European USSR and on to Eastern and Western Europe.

In the 1970s the MGI began developing the western Siberian fields that are closest to Europe and relatively the easiest to exploit. Drilling began in the first of the supergiants, Medvezh'e, in 1971 and production in 1972; the designed annual output level of 65 bcm was attained by 1977. Drilling in Vyngapur, a relatively small field by western Siberian standards (with 0.291 tcm in reserves), began in 1976 and production in 1978;

70. I am using the now common spelling in the Western press for the name of this field; according to the transliteration system I use in this book, it should be *Iamburg*.
71. Orudzhev, *Goluboe zoloto*, pp. 23–37.
72. Ibid., p. 82.

by 1980 it was producing at a rate of 16.5 bcm. Drilling began in the largest field, Urengoi, in 1975, with an initial production rate in 1978 of 11 bcm.[73] Since then Urengoi has been the focus of gas development in western Siberia and in the USSR. The fate of the gas output plans for 1981–85 rests on this field, as does the outcome of plans to build six 56-inch pipelines, with a total length of 20,000 km, to link the field with the remainder of the USSR and its export customers.

Urengoi. Soon after it was discovered in 1969, it was apparent that Urengoi contained, within boundaries encompassing an area only a little smaller than the state of Delaware, a truly enormous amount of gas. Initial reserve estimates in 1970 placed $A + B + C_1$ reserves at 3.873 tcm. A second major appraisal in 1979 raised that figure to the current 6.209 tcm.[74]

Along with increasing reserve estimates have come increasing estimates of the maximum sustainable level of output that can be obtained from the field. In the late 1970s the estimates were a maximum output of 100 bcm.[75] By 1981 S. A. Orudzhev (minister of the gas industry until his death in April 1981) was estimating a maximum sustainable output of 185 bcm, presumably in light of the more recent reserve estimates. Now plans call for an output (which was 50 bcm in 1980) of 250 bcm by 1985.[76] That last revision probably indicates both an upward assessment of the rate at which this field can safely be exploited and a decision to postpone until FYP XII a move to the next supergiant, Yamburg.[77]

As rapidly as Urengoi has grown, development has not been as rapid as planners had hoped, as can be seen from table 2-8. If the Soviets are to meet the 1985 plan for Urengoi for 250 bcm, they will have to accelerate

73. The timing of the exploitation of Siberian fields is discussed in ibid., pp. 42, 50–76; Dienes and Shabad, *Soviet Energy System,* pp. 87–94; and Wilson, *Soviet Oil and Gas to 1990,* p. 12.

74. Orudzhev, *Goloboe zoloto,* p. 24.

75. Dienes and Shabad, *Soviet Energy System,* p. 87.

76. There is one report that MGI head V. Dinkov has stated that the Urengoi output will eventually reach 300 bcm. If true, it is apparently part of plans for the period after 1985. *Financial Times,* June 17, 1982.

77. The original plan was to develop both Urengoi and Yamburg in FYP XI, but it became clear as serious efforts began that the cost of doing both would be enormous. Yamburg, which is farther north and even more inhospitable than Urengoi, is a particularly challenging field. Therefore, the plan was modified just to do preparatory work on Yamburg during FYP XI and presumably to increase the rate of output in Urengoi to compensate. V. Dinkov, "Zveno energeticheskoi programmy" [The link of the energy program], *Sovetskaia rossiia,* August 1, 1981.

Table 2-8. *Planned and Actual Output for Urengoi, 1978–82*

Year	Planned	Actual
1978	15	10.8
1979	30	24.0
1980	60	50.0
1981	n.a.	81.0
1982	n.a.	117.0

Sources: Planned outputs for 1978–80 and actuals for 1978–79 are from Wilson, *Soviet Oil and Gas to 1990*, p. 13; actual output in 1980 is from *Ekon. gaz.*, no. 13 (March 1981), p. 2; actual data for 1981 and the 1982 estimate are from Theodore Shabad, "News Notes," *Soviet Geography* (April 1983), p. 317.
n.a. Not available.

beyond recent growth rates there. Whether they can manage that is mainly a function of their ability to expand the gas transportation network at the necessary rates.

In simplified form the process of shipping gas to final users involves drilling production wells to enable gas collection, establishing intrafield pipeline grids to collect the gas from various wells, and shipping the gas to processing centers where impurities are removed. The gas is then fed under pressure into pipelines that use turbines and compressor stations at regular intervals (about 100 km for 56-inch pipelines operating at 75 atmospheres [atm]) to maintain the pressure. That maintained pressure moves the gas to its final destination. A problem anywhere in this chain can interrupt gas supplies. The main reason for delays at Urengoi evidently has been the building of intrafield pipeline grids and gas-collecting stations and not the drilling or the readiness of the big 56-inch lines.[78]

Difficulties in installing intrafield collecting pipe provide a classic example of the perversity built into the incentive system operating in Soviet oil and gas fields. Pipe-laying crews are paid bonuses based on the value of total construction work completed during the plan period. (This is the infamous "val" indicator that has been directly responsible for a number of wasteful practices in Soviet industry over the last half-century, and which for much of Soviet industry—but not pipeline

78. Drilling is not anywhere near as challenging a problem for the gas industry as it is for the oil industry. The average depth of wells in Urengoi in the late 1970s was about 1,200 meters, which is within operating depths for the turbodrill. Orudzhev, *Goluboe zoloto*, p. 45. Even in older areas average depth, although rising, was still only at 2,700 meters in 1980, which is within the upper range at which the turbodrill can efficiently operate. Stern, *Soviet Natural Gas Development*, pp. 43–44. For a discussion emphasizing the problems with gas processing stations and intrafield pipe, see "Gazovaia promyshlennosti" [The gas industry], *Pravda*, March 28, 1983.

construction crews—is now being phased out.) As a result there is a strong incentive for those crews to focus their attention on laying, welding, and insulating big 56-inch pipes, all being high-value jobs (particularly the pipe laying itself). Crews are far less anxious to do low-value jobs such as labor-intensive finishing tasks on the big lines or the installation of intrafield pipelines. (The small pipe used in intrafield pipelines is worth only about 100 rubles per pipe, compared with the 700-ruble value of a 56-inch pipe.) Any crew with a choice will lay 56-inch pipe, and under the labor-scarce conditions of rapid development in western Siberia, many crews have such choices.[79]

The difficulty with gas-collection stations probably relates to the fact that units embodying a new technology capable of handling 15 bcm a year were just introduced in 1981, and there are probably some problems in bringing those up rapidly and operating them at full capacity. In 1981 there were plans to set up four of the units, each with a capacity to produce 15 bcm a year; that year only two were set up successfully.[80]

Underfulfillments in plans to install gas-processing units and intrafield equipment have not led to equivalent shortfalls in output because the MGI has pushed existing wells and units beyond their rated capacity. This procedure, which is analogous to the MPI pushing some of their oil fields to meet output plans, is controversial. An article in *Pravda* on western Siberian gas noted that some geologists were concerned that, by pushing existing wells too hard, gas was being extracted so rapidly from the center of the fields that gas on the edges was either being trapped, or would be far more difficult to draw out than if a field were exploited in an orderly manner.[81]

Chronic problems. There are more general forces operating to complicate efforts at rapid output expansion in the western Siberian gas fields than simply perverse incentives and the problems with new technologies. The most important are a shortage of labor, a grossly inadequate infrastructure, poor equipment, and an inept organization of gas-field exploitation.

79. V. Lisin and V. Parfenov, "Zhemchushina tundry" [Pearl of the tundra], *Pravda*, June 6, 1982; and V. Vainshtein, "Zapadno-sibirskii neftegazovyi kompleks" [The West Siberian oil-gas complex], *Voprosy ekonomiki*, no. 6 (June 1982), p. 56.

80. Lisin and Parfenov, "Zhemchushina tundry." Those problems have probably been resolved by now. Recent reports claim that two 20-bcm processing units are operational. *Sots. ind.*, July 29, 1983, p. 1.

81. Lisin and Parfenov, "Zhemchushina tundry."

Shortage of labor is pervasive in the Soviet Union, the natural outcome of a system that is prone to excessively taut plans and that rewards managers far more richly for expanding output than for economizing on labor or other inputs. In western Siberia, however, the labor shortage is chronic, and it is a subject of constant comment by all the organizations involved in the area. The construction and oil-field workers flown in are a symptom of the severity of the problem, but apparently their numbers are not sufficient to eliminate it. Very few people want to live in the inhospitable areas in which the fields are located. The natural reluctance to live and work in northwestern Siberia is enhanced by the fact that the plans most often and most significantly underfulfilled in western Siberia are for the construction of housing, stores, schools, recreational facilities, and other elements of infrastructure. The social infrastructure in Siberia suffers the predictable fate of relatively low-priority projects in a high-priority campaign under conditions of labor scarcity. The result is that in gas-field cities such as Novourengoi many people are living in portable dormitories and small huts because apartments are not available, and they cannot avail themselves of even the simplest amenities.

MGI and Gosplan officials recognize this problem and frequently say that something will be done to speed up infrastructural investments; however, there is no evidence that their pronouncements are having the desired effect.[82] In fact, it is unlikely that major successes can be achieved there as long as central planners are so preoccupied with increases in gas output. When local officials are faced with a choice between building an apartment house and building a compressor station that will enable them to increase gas shipments to the European USSR, they will almost certainly choose the gas compressor station. Increased natural gas output satisfies planners' most immediate and urgent needs. Of course an apartment house would satisfy workers, which might lead to more and better work and therefore more gas in future years, but the Soviet system is so attuned to short-term results that only the most foolhardy local leaders would give up certain output for possible output.

Some of the other symptoms of the neglect of infrastructural investment do affect output, or at least the costs of obtaining it. The Ministry of Power and Electrification (Minenergo) has consistently underfulfilled plans to build electric power lines from new power stations in order to provide electricity for gas-field equipment. For some time there have

82. V. Lisin, "Gas Sibiri" [The gas of Siberia], *Pravda*, June 15, 1981.

been plans for Minenergo to construct a 500-kilovolt (kv) line from the Surgut (associated) gas-fired power station to Novourengoi, yet the line has not been completed. Because drilling rigs, gas coolers, welders, and other equipment use electricity, the MGI is forced to operate its own small portable gas-fired power stations, which have high fuel and labor requirements. MGI estimates that 3,500 people in the western Siberian gas fields are operating those small power stations. It is not clear what the problem is, but it is most likely a combination of a lack of enthusiasm at Minenergo for the rapid pace at which western Siberia is being developed and the natural delays associated with stringing power lines in hostile environments.[83]

The Ministry of Roads and Communications is constantly underfulfilling the plan for road building. There are almost no roads along gas lines, nor are there hard-surfaced roads into or within many of the gas fields. In Urengoi there are 80 km of roads of which 30 km have a hard surface.[84] For long-distance shipments it is necessary to use helicopters, even though they are very expensive and their operation depends on the caprices of the weather. For shorter trips off-road vehicles are used. Again, this is expensive, and it destroys tundra, which is so fragile that once a truck has cut tracks through it, the tracks become ruts. When they go the same way again, the trucks must cut a new track.[85]

The third set of chronic problems in western Siberia involves the inability of Soviet industry to supply equipment suitable for the climate and working conditions of the oil fields. Most of the equipment the gas-field workers use is suitable for use in much of the USSR, but not in northwestern Siberia. For example, in 1981 Glavtiumenneftegazstroi— the organization in charge of all gas fields and pipeline construction in Tiumen—had a fleet of 5,500 transport units, of which only 15 percent were specially designed for operation in the far north. The remainder of the units were general purpose, capable of normal operation in temperature ranges of 0 degrees Celsius plus or minus 25 degrees. In the western Siberian gas fields the temperature range is typically twice that wide (-6 or -8 degrees Celsius, plus or minus 50 degrees), and at very low temperatures windshields break and various special grades of oil must

83. V. Dinkov, "Neotlozhnye zadachi otrasli" [Immediate tasks of the sectors], *Ekonomika gazovoi promyshlennosti*, January 1982, pp. 1–3.

84. Lisin and Parfenov, "Zhemchushina tundry."

85. Ibid.; and Dinkov, "Zveno energeticheskoi programmy," pp. 1–2.

be used.[86] One obvious solution is for Soviet industry to produce more Arctic-rated trucks and other equipment. That would presuppose an eagerness by Soviet industry to meet customers' special needs, an unlikely situation given incentives in the Soviet system, which are biased toward meeting centrally imposed output plans.

Running through the problems listed here is the common thread of poor organization for the assaults on the gas fields. It is not that the organization of the development of the western Siberian gas fields is unusually poor by Soviet standards, but rather that the habitually chaotic way in which the Soviet economic system operates is particularly wasteful in forced-draft situations such as the development of those fields. The essence of the problem is a proliferation of local authorities (local party and government officials, representatives of Gosplan and other state committees, and representatives of the ministries) in charge of various small parts of the development of the region. There is no organization on location with the authority to supervise all these local entities; that task goes to Gosplan and the Council of Ministers. Twenty-six different ministries and departments are involved in construction work in the western Siberian oil and gas fields. In any particular project a multiple number of ministries will be involved in various parts. In the development of a gas field, one ministry builds the roads, another lays intrafield pipe, and a third provides electric power. No individual in the area has final and full authority to order the road builders to build a certain road or to order Minenergo to build a particular electric power substation.[87]

Recently there has been an attempt to improve the organization of efforts in western Siberia by creating two commissions to watch over developing the area, one under the Council of Ministers and the other directly under Gosplan. The latter commission, established in spring 1981, has its headquarters in the city of Tiumen. It has the authority to convene conferences and hear reports from the various organizations

86. "Ratsional'noe ispol'zovanie material'nikh i trudovykh resursov na stroitel'stve magistral'nykh nefte- i gazotrubopovodov" [The rational utilization of material and labor resources in the construction of long-distance oil and gas pipelines], *Plan. khoz.*, no. 4 (April 1981), pp. 49–58.

87. See the interview with V. Kuramin, at the time head of the Interdepartmental Territorial Commission on the questions of the development of the West Siberian Oil and Gas Complex, *Sots. ind.*, June 19, 1981, p. 1; translated in *FBISSU*, July 10, 1981, pp. S1–S2.

involved in developing the area, and it can make recommendations to USSR Gosplan. But it has no direct authority over the development of the region. This commission may be making progress in clarifying some of the main problems in the western Siberian oil and gas fields, but at best it is attacking the symptoms without affecting the basic causes.[88]

The most effective response to the difficulties encountered in western Siberia would be to create a single organization with the capability and authority to do all of the tasks required to develop the area. That, however, would involve stripping twenty-six ministries of their duties and some of their resources in the area, both of which they jealously guard. Barring a major change in the organization of the Soviet economic system, the current organizational chaos is likely to continue. For the gas industry this is not an insurmountable problem; the MGI seems to be able to command sufficient resources to compensate for organizational weakness. For the oil and coal industries, which suffer from similar difficulties in western Siberia and elsewhere, the consequences could be much more serious.

THE PIPELINE CONSTRUCTION PROGRAM. Between 1981 and 1985 western Siberian natural gas output must rise by approximately 200 bcm. Even if the gas fields can be brought up to a capacity sufficient to generate the entire 200 bcm increment, there is still the critical issue of constructing long-distance pipelines sufficient in capacity to transport the gas. If the lines are not up and ready when the gas is, then gas output in the USSR will fall below plan for lack of a way to transport it. Unlike oil, gas cannot be easily transported except by pipeline.

At the end of 1980 the USSR had 130,000 km of pipelines operating in the transmission network, of which 12,000 km were 56-inch pipeline, the largest-diameter pipe used to transmit gas anywhere in the world.[89] The plan for 1985 is to expand the network by 40,000 km, of which 20,000 km will be in six 56-inch lines out of Urengoi.[90]

It is the 56-inch lines that represent the most expensive and ambitious

88. Ibid.; and V. Kuramin, "We Are Planning the Complex," *Pravda*, March 3, 1982; translated in *FBISSU*, April 7, 1982, pp. R2–R4.

89. "Razvitie truboprovodnogo transporta" [The development of pipeline transportation], *Ekon. gaz.*, no. 43 (October 1981), pp. 1–2; and "Pipelines Hold Key to Soviet Gas Production," *Oil and Gas Journal*, vol. 79 (June 29, 1981), pp. 39–43.

90. "Razvitie truboprovodnogo transporta." Earlier plans called for an increment of 50,000 km in 1981–85, but they have been scaled back. "Razvitie gazovoi promyshlennosti" [Development of the gas industry], *Ekon. gaz.*, no. 13 (March 1981), p. 2.

part of this program. At full capacity each of them can put out at the far end somewhere between 30 and 32 bcm of gas (with approximately 32 to 34 bcm of gas beginning the journey and the remainder used along the way to run the compressors). All six lines must operate at full capacity by the *beginning* of 1985 in order to realize production plans at Urengoi. Only with all six will it be possible to meet the planned increment of 200 bcm. There is no leeway built into this pipeline plan.[91]

The six lines, to be completed in five years, represent for the USSR a historically unprecedented pace in the construction of large-diameter pipelines, portions of which are being laid in the inhospitable conditions of the far north. Heretofore large-diameter pipelines have been laid at the rate of one every two years in the USSR, and now they are to be laid at the rate of one every ten months. Nevertheless, the pipeline program seems to be running according to schedule (at least for the laying of the pipe; the compressor stations are a separate matter that is discussed below). The six 56-inch pipelines planned for 1981–85, and their status to date, are the following:

1. Urengoi to Moscow via Punga and Griazovets (already completed to Moscow in April 1980) was to be extended on to Ivatsevichi (westward) in 1981 and completed in 1982. By September 1981 this line was operating at half capacity (14.6 bcm) and probably came up to full capacity in 1982 (although this is not confirmed).

2. Urengoi to Petrovsk was completed according to the original plan in April 1982, at which point the first gas was shipped. This line probably is still not operating at full capacity.

3. Urengoi to Uzhgorod (on the Soviet-Czech border) is the now well-known line dedicated to gas exports to Western Europe and scheduled for its first gas shipments in 1984. The line was completely laid and welded by July 1983. A few compressor stations are now operating, allowing shipments as far as the center of the European USSR, but most of them have yet to be completed.[92]

4. Urengoi to Novopskov was reportedly all laid by December 1982; it is to "become operational" by midsummer 1983.

5. Urengoi to central European USSR is not yet under construction.

91. Gas production will be a function of how much gas begins the trip down the pipeline. Six lines at the current Soviet practice of 75 atm would start out with approximately 200 bcm, which is the planned increment.

92. "Pobeda na trasse" [Victory on the route], *Sots. ind.*, July 23, 1981, p. 1.

   6. Urengoi to central European USSR is not yet under construction.[93]

   These lines seem to be going down on, or ahead of, schedule, which is not surprising, given the extremely high priority accorded the project. Soviet leaders supposedly receive daily reports on the progress on each pipeline.[94] There is constant attention in the press to the projects, and apparently constant attention in the ministries as they search for ways to meet and overfulfill their parts of the plans to bring the lines up to capacity. Even before President Ronald Reagan's sanctions designed to stop the export line, the entire project was a highly visible and critical part of FYP XI. During the sanctions it took on the character of a military campaign, which it maintains to this day.

   Despite the lavish attention given to these pipelines, there is reason to be skeptical about the ability of the Soviets to bring all six lines *up to full capacity* in time to meet 1985 production plans. The phrase "up to full capacity" bears emphasis. Soviet pipe-laying crews can probably lay and weld 20,000 km of pipe in five years; they have already done 9,000 km of it in the first two years, and the incentive system offers a strong inducement for pipe-laying crews to lay 56-inch pipe as quickly as possible.[95] Historically the problem with Soviet gas pipelines has been installing compressor stations and bringing them up to full capacity, for without them the pipeline is useless. It is typical that Soviet pipelines are laid (and announced as completed) well before the compressor stations are up and running, and it can take two years to bring an already completed line up to full capacity. Not only must these six lines be "completed," they must all be up to full capacity by 1985 if the gas plan is to be met.

   The problems in installing compressor stations have two interrelated components: construction delays and problems with Soviet equipment. Construction problems are familiar in the Soviet economy: there are long delays in the construction of compressor-station buildings simply because work in the construction industry in the USSR is prone to long

93. A general discussion of the six lines can be found in V. Zotov, "Magistrali 'golubogo topliva' " [Transmission lines of the "blue fuel"], *Sots. ind.*, April 14, 1982, p.2. The progress reports are taken from various small items in the Soviet press.

   94. "Velikaia stroika piatiletki" [The great construction project of the five-year plan], *Izvestiia*, February 18, 1982.

   95. Boris Shcherbina, then minister for the Construction of Oil and Gas Industry Enterprises (in charge of pipeline construction, among other things), reported at the beginning of 1983 that almost 9,000 km of 56-inch pipe had been laid in 1981–82. Tass release, January 1, 1983; translated in *FBISSU*, January 4, 1983, p. S1.

gestation periods. Even though compressor stations are probably completed more rapidly than most industrial projects in the USSR because of their high priority, that is still not fast enough.

Equipment problems are more serious. For a 56-inch line, compressor stations are spaced an average of 100 km apart, and each compressor station will require approximately 75 to 80 megawatts (mw) of turbine capacity, about 50 to 60 mw of which will be operating at any one time. For the small turbines of Soviet design (6- to 10-mw capacity), this means (assuming the 10-mw compressors are available) eight turbines per compressor station. If 25-mw turbines are used (for example the General Electric model being used on the export line), then only three are needed. Relying on the Soviet equipment for the compressor station significantly increases all the construction costs. More buildings are required to house the eight turbines; their total weight considerably exceeds that of three 25-mw turbines, making them much more difficult to transport over the Siberian tundra; and they are more complicated to install. Furthermore, the dramatic increase in demand for Soviet-built turbines during FYP XI seems quite naturally to have led to shortages, so that the compressor-station buildings may be ready without turbines to put in them.

The Soviets would very much like to manufacture 16-mw and 25-mw turbines to alleviate these construction difficulties—and to guarantee more efficient and reliable compressor capacity on their big lines—without relying on foreign equipment, and they have been making efforts in that direction since the early 1970s.[96] There have been increasingly vigorous efforts to develop large turbines in the last several years, and in 1982 after the imposition of President Reagan's sanctions (which placed delivery of GE 25-mw turbines in doubt) efforts were redoubled. As a result, during 1982 serial production was initiated on both 16-mw and 25-mw turbines of Soviet design. However, there is as yet neither evidence of production in large quantities, nor any certainty that the early production units will in fact be reliable enough to provide a significant addition to compressor capacity in the near future.[97]

96. Robert W. Campbell, *Soviet Energy Technologies: Planning, Policy, Research and Development* (Indiana University Press, 1980), pp. 213–18, provides an excellent discussion of turbine production in the USSR and the difficulties in developing larger units.

97. On the 25-mw turbines, see Iu. V. Kotov, "Opyt raboty proizvodstvennogo ob'edineniia 'Nevskii zavod' imeni V. I. Lenin—peredovogo predpriiatiia Minenergomasha" [The experience of the working of the production association 'Nevskii Zavod'

On several occasions in the 1970s the Soviets decided to import Western turbines made by GE and Rolls Royce to supplement their domestic turbine suppliers.[98] By 1980 the Soviets had 17,600 mw of capacity in the turbines on their 130,000-km gas-pipeline system, of which 3,074 mw was foreign turbines and most of the remainder from turbines constructed at the Nevsky Zavod in Leningrad.[99] During 1981–85 it was obviously necessary to handle part of the increment to compressor capacity with imported equipment. The 20,000 km of new 56-inch line will require 15,000 mw of turbine capacity. The 3,200 mw required for the export line was originally to be GE 25-mw turbines imported from European firms. Now Soviet officials say that only half the compressor stations on the export line will use imported turbines.[100] How much of the remainder of the 56-inch line system will involve foreign turbines is not yet certain. It would appear that planners have decided to use a combination of 6- to 10-mw and whatever 16-mw and 25-mw Soviet turbines are available on the three lines (other than the export line) that have now been laid, and they are probably hoping that the 16-mw and 25-mw turbines will be produced in sufficient quantity to handle all capacity demands for the remaining two lines.[101] The past performance of the turbine industry shows that this is probably an unrealistic plan; therefore, it is likely that if Soviet gas plans are to be met, the Soviets will have to import Western turbines in 1983–85.

There will certainly be imports of large-diameter pipe during 1981–85, and substantial imports from Europe and Japan have already occurred. The Soviets have produced their own 56-inch pipe for some time, but it cannot be operated at pressures above 55 atm—for example, at the

---

named V. I. Lenin—the leading firm of Minenergomash], *Energomashinostroenie*, no. 12 (December 1981), p. 5; "USSR Finishing Tests of Its Biggest Gas Compressors," *Oil and Gas Journal*, vol. 80 (June 21, 1982), pp. 112–13; and *Ekon. gaz.*, no. 29 (July 1982), p. 3. On the 16-mw turbines, see "Agregat dlia gazoprovodov" [Aggregate for gas pipelines], *Sots. ind.*, July 10, 1982, p. 1; and *Sots. ind.*, September 25, 1982, p. 1.

98. Campbell, *Soviet Energy Technologies*, pp. 218–19.

99. The figure for total capacity is from the current head of MGI, V. Dinkov, in an interview in *Ekon. gaz.*, no. 2 (January 1982), p. 2; the figure for foreign turbine capacity is estimated from Campbell's data in *Soviet Energy Technologies*, pp. 218–19. Nevskii Zavod estimated that in 1980 their turbines accounted for 13,600 mw of turbine capacity on Soviet gas lines. Kotov, "Opyt raboty," p. 4.

100. See the press conference of Shcherbina, *FBISSU,* January 4, 1983, p. S1.

101. There are no official statements on the planned mix of foreign and Soviet-built turbines intended for the pipeline expansion program in FYP XI, but there are ample indications that the plan is to rely heavily on Soviet-built compressors. See, for example, Zotov, "Magistrali 'golubogo topliva,' " p. 2.

75 atm planned for the six 56-inch lines.[102] A new laminar steel pipe designed to withstand pressures up to 100 to 120 atm has been developed, has reportedly passed its initial tests, and is beginning production.[103] Production of that pipe may reach several million tons a year in 1984–85 if development goes according to plan. However, the 20,000 km of 56-inch line will involve approximately 14 million tons of pipe; therefore, the Soviets will be importing at least 10 million tons in order to lay the pipelines on schedule. So far they show every willingness to do that, and Europe and Japan are eager to sell the pipe. Thus, the Soviet-built laminar pipe is unlikely to be a significant factor in this five-year plan; it could, however, have a substantial impact on domestically available 56-inch pipe beyond 1985.[104]

PROSPECTS FOR THE 1980S. The prospects for natural gas output throughout the decade rest primarily on prospects for the successful installation of the equipment necessary to collect and transport gas from the rich western Siberian fields to users in the USSR and abroad. Those challenges fall on the organizational capabilities of Soviet economic institutions and in particular on the construction sector, relatively weak points in the Soviet economy. So far rich gas reserves, generous resource commitments to the gas industry, and sheer determination have combined to overcome shortcomings in the functioning of Soviet economic institutions; as a result natural gas output plans have been fulfilled, or overfulfilled, in the past and are being fulfilled in the current five-year plan.

That is a performance that cannot be ignored. The ability of Soviet planners, managers, and workers to muddle through in conditions that would not be tolerated in the West has now been well demonstrated and must be recognized in any effort to predict future output levels in the gas industry or in the economy as a whole. Nevertheless, for the remainder of this five-year plan the challenges are formidable indeed. The gas output plan for 1985 is 630 bcm, 195 bcm above output in 1980, and all of that increment is to come from western Siberia. During 1981–82 gas

---

102. Campbell, *Soviet Energy Technologies*, p. 212.

103. Tass dispatch, August 22, 1982, reported in *FBISSU*, August 24, 1982, p. S1; "U.K. Opposes U.S. Sanctions Against Soviets," *Oil and Gas Journal*, vol. 80 (July 12, 1982), p. 50; and "Tsentral'naia stroika piatiletki" [The central construction project of the five-year plan], *Trud*, February 9, 1982.

104. For details on this see Hewett, "Near-Term Prospects for the Soviet Natural Gas Industry," pp. 391–413.

output rose 65 bcm (from 435 bcm in 1980 to 501 bcm in 1982), an average increment of 33 bcm a year (an average of slightly over one pipeline a year). To meet the 1985 plan of 630 bcm, increments in the next three years must average 43 bcm a year, or one and one-half 56-inch pipelines a year. To meet this plan, all six pipelines must be up to full capacity by the *beginning* of 1985, so that during 1985 the gas industry can produce 195 bcm more than they produced in 1980.

The gas industry enjoys the highest priority within the high-priority energy sector. For this five-year plan the resources flowing to the natural gas sector will be determined more by their ability to absorb them than by planners' decisions to hold back resources. Nevertheless, assuming that the gas industry receives all it was promised, it still seems unlikely that it can manage to meet the 1985 output plan. If planners decide to rely heavily on domestically produced 16-mw and 25-mw turbines, gas output is virtually certain to fall short of plan, either because the turbines are not ready in time to allow the lines to move up to full capacity when anticipated, or because they are ready on time but are so unreliable that the gas lines are down a significant portion of their potential operating time. If the Soviets go abroad for a large number of new turbines for the five domestic lines, they will have trouble arranging quickly for so many turbines and for the requisite financing.[105]

Even if many turbines were imported from Western countries, organizational problems would impede progress on the gas pipelines. Gas pipe-laying crews will still be focusing on laying the big lines and giving lower priority to the finishing work and to work on the compressor stations necessary to bring those lines up to full capacity. Furthermore, crews will not be enthusiastic about laying intrafield gas-collecting pipes at the western Siberian end, nor will they rush to lay small gas-distribution pipes at the other end. The distribution systems at both ends are as critical as the long-distance transmission lines, and it is quite likely that in the current campaign atmosphere around the big pipes those small systems will suffer from neglect. Unfortunately almost no information

---

105. Ibid. I assume that the Soviets will be on the market for an additional 160 turbines in order to meet gas plans by 1985, that being an estimate of what they would need to combine with domestic production in order to bring the lines up to full capacity. It is increasingly unlikely that they will go that route, in part because politically it would be a difficult time for Western governments to sign big energy-related contracts with the Soviet Union (they are discussing with the United States an appropriate allied policy toward East-West economic relations for this decade).

is available on how work is proceeding on these critical small distribution lines.

For these reasons I conclude that the binding constraint in this industry is organizational, and therefore not something for which imports or more rubles can fully compensate. Even with major imports of additional Western turbines I predict that the 630 bcm planned for 1985 will only be about 600 bcm (that is, the equivalent of one pipeline will not come on line). That would suggest average annual increments to gas output at 1981–82 rates of 33 bcm a year. If there is an attempt to rely heavily on Soviet-built equipment for the five domestic lines, then 1985 gas output would be lower, say in the range of 570 bcm.

The Coal Industry

Throughout the postwar period coal output in the USSR declined as a share of total energy production, giving way to oil and natural gas. This was a natural process dictated by the economics of the three important primary fuels, and if anything the Soviet Union was slower in making the transition to hydrocarbons than most of the industrialized world. In recent years Soviet planners have had no aspirations to reverse that trend dramatically, but they did hope to continue to increase coal output to handle incremental demands in under-boiler uses, freeing up gas and oil for more valuable applications (light products and chemical feedstocks, for example). In FYP X (1976–80) the coal target called for a 1980 output of 790 million to 810 million tons, up from 701 million tons in 1975. That represented annual growth rates for coal output in the latter half of the 1970s of between 2.4 and 2.9 percent, an acceleration over the average 2 percent annual growth rates of 1965–75.[106]

The actual course of events is traced in figure 2-4, which is similar in format to the previous figures for oil and gas. These are average daily outputs of coal on a monthly basis, where the solid line is the trend, with actual data fluctuating around it. Planned output (converted to average daily output per year) is shown in horizontal lines, and actual output is shown at the bottom of the figure.

There was virtually no trend for coal output during this period. The original Soviet plan for 1980 (the midpoint) is literally off the chart. Coal output plans were attained in 1976; in 1977 output increased only very

---

106. Data on coal output are from *Narkhoz* (1980), p. 157.

Figure 2-4. *Average Daily Coal Output in the USSR, by Month, January 1976–June 1983, Trend and Actual*[a]

Millions of tons

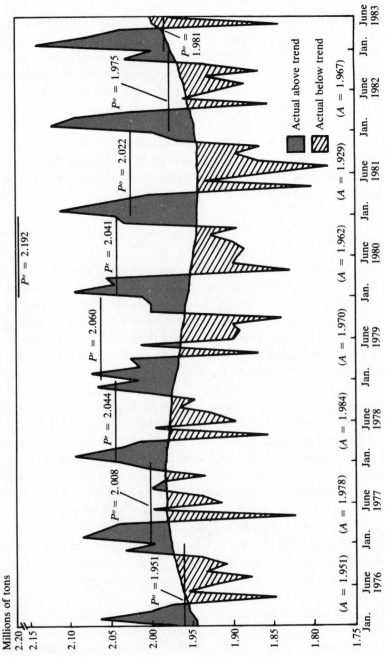

Sources: *Ekon. gaz.*, various issues.

a. Trend is log X = 0.663 + 0.0021*time* − 0.00006*time*^{2} + 0.0000007*time*^{3}. P^o = original annual plan; P^r = revised annual plan; A = actual annual output.

Table 2-9. *Gross and Net Additions to Productive Capacity
and Output in the Soviet Coal Industry, 1961–85*
Million tons natural

Item	1961–65[a]	1966–70	1971–75	1976–80	1981–85 (plan)
1. Total addition to productive capacity	80.0	95.1[b]	114.2[b]	90.4[b]	n.a.
2. Decline in old fields	11.8	48.7[c]	37.0[c]	75.3[c]	n.a.
3. Net increment to production	68.2	46.4[d]	77.2[d]	15.1[d]	59.0[e]
4. Depletion ratio[f]	0.15	0.51	0.32	0.83	n.a.

n.a. Not available.
a. *Narkhoz* (1970), pp. 187, 475.
b. *Narkhoz* (1980), p. 328.
c. By subtraction.
d. *Narkhoz* (1980), p. 157.
e. FYP XI documents.
f. Row 2 divided by row 1.

slightly, far below plan. In subsequent years the plan was revised downward, yet output was lower than planned, leading to yet another downward revision for the next year's plan. Obviously planners were badly mistaken about the capabilities of this sector.

The output decline was accompanied by another negative trend ˙ peculiar to the coal industry: the decline in the calorific content of a ton of coal. In the Donets Basin, the major European coal basin, the calorific content of various grades of coal declined between 5 and 12 percent during 1975–80, the mean decline being probably 9 percent, or 1.9 percent a year. Other fields exhibited similar declines.[107] This means that output declines in many fields are more severe than data in natural units would suggest, since it is kilocalories, and not tons of coal, which are important for the energy balance. The sources of these problems are similar to those for the oil industry: deteriorating geological conditions and the planners' failure to understand the severity of their problem. In addition there are special features to the problems of the coal industry, most notably in the technological bottlenecks associated with exploiting new coal reserves and in the evidence that this is a relatively low-priority industry.

THE BASIC PROBLEMS: GEOLOGICAL AND TECHNICAL. Table 2-9 shows that, in the coal industry, as in the oil industry, depletion ratios are

107. Nekrasov and Troitskii, *Energetika SSSR v 1981–1985 godakh*, p. 224.

Table 2-10. *Output of Coal by Region in the USSR, Selected Years, 1940–85*
Million tons natural

Area	1940 Percent of total	1940 Amount	1950 Percent of total	1950 Amount	1960 Percent of total	1960 Amount	1970 Percent of total	1970 Amount	1980 Percent of total	1980 Amount	1985 (plan)[a] Percent of total	1985 (plan)[a] Amount
USSR Total	**100**	**166**	**100**	**261**	**100**	**510**	**100**	**624**	**100**	**716[b]**	**100**	**775**
European USSR	71	118	65	170	64	327	57	355	n.a.	n.a.	n.a.	n.a.
Donets	57	94	36	95	37	188	35	216	28	204[c]	27	210[c]
Kazakhstan	4	7	7	17	6	32	10	62	16	115[d]	17	134[d]
Karaganda	4	6	6	16	5	26	6	38	7	48[c]	6	50[c]
Ekibastuz	0	0	0	0	1	6	4	23	9	67[e]	11	84[f]
Western Siberia	14	23	15	39	16	84	18	113	20	141[g]	20	154[g]
Kuznetsk	13	22	15	38	16	84	18	113	20	141[c]	20	154[c]
Eastern Siberia	5	9	6	17	7	36	9	55	n.a.	n.a.	n.a.	n.a.
Kansk-Achinsk	0	0	1	2	2	9	3	18	5	35[c]	6	49[h]
Other	6	9	7	18	7	31	6	39	31	221[i]	29	228[i]

Sources: Data for 1940–70 are from Dienes and Shabad, *Soviet Energy System*, pp. 110–11; sources for data for 1980 and 1985 are indicated below.

n.a. Not available.

a. Based on data for FYP XI.

b. *Narkhoz* (1980).

c. "East European Markets," *Financial Times*, vol. 2 (April 5, 1982), p. 5.

d. *Ekon. gaz.*, no. 4 (January 1982), p. 10.

e. L. Brezhnev in *Voprosy ekonomiki*, March 1981, p. 26.

f. *Pravda*, July 29, 1982, p. 2.

g. Estimate.

h. *Ekon. gaz.*, no. 2 (January 1983), p. 2.

i. "Other" category for 1980–85 includes Europe, except Donets, and is not comparable to "other" in 1940–70.

rapidly rising as output in older fields declines and a rising share of new capacity must be devoted to compensating for that decline. The problem in older fields is a combination of worsening geological conditions (miners must continuously dig deeper and work increasingly complex and thinner seams) and a shortage of modern equipment capable of dealing with the increasing complexity of the task.[108]

The rapidity with which depletion ratios in the coal industry changed was apparently a surprise to Soviet planners. Plans for FYP IX (1971–75) called for additions to output capacity in the coal industry of 148.8 million tons, and for output to rise by 70.8 million tons, implying a depletion ratio of 0.48.[109] As table 2-9 shows, things turned out better than planned, as capacity increments of 114.2 million tons supported an output increase of 77.2 million tons, implying a depletion ratio of 0.32. In that context the dramatic rise in the depletion ratio in 1976–80 must have caught planners completely by surprise, which explains in part the (in retrospect) incredibly optimistic plans for coal output during 1976–80.

Table 2-10 outlines the regional structure of Soviet coal output in the postwar period. Output in this sector is moving eastward, as it is with all energy carriers in the USSR, but at a slower pace. The European USSR accounted for 71 percent of output in 1940, with Donets (mostly in the Ukraine) accounting for 57 percent of all output. Today Donets's share is half of what it was in 1940. In place of the European fields there is a gradual increase in the Kazakh fields—most notably Ekibastuz and Karaganda—and the Siberian fields—Kuznetsk and Kansk-Achinsk. Of the 59-million-ton increment to USSR coal output anticipated between 1980 and 1985, 46 million tons—78 percent—is to come from the Kazakh and Siberian fields.

The eastward shift in coal output is relatively slow compared with that for oil and gas. The reason is apparently the technological difficulties of exploiting the new brown-coal fields of Kansk-Achinsk and Ekibastuz, along with the higher transportation costs for coal than for oil or gas, which gives special urgency to the need to sustain output in oil fields. The plan for 1981–85 calls for output in Donets to rise slightly over what it was in 1980, and the increases planned for east of the Urals are relatively modest (by oil and gas industry standards). Both parts of this plan may be excessively optimistic.

108. A general discussion can be found in Lalaiants, "Bazovyi kompleks," p. 2.

109. *Gosudarstvennyi piatiletnii plan razvitiia narodnogo khoziastva SSSR na 1971–1975 gody* [The state five-year plan of the development of the economy of the USSR during 1971–1975] (Moscow: Politicheskaia Literatura, 1972), pp. 98, 232.

Donets. It is only in the last few years that Soviet planners have come to appreciate fully the magnitude of the difficulties they face in sustaining, let alone increasing, output in the older fields in the European USSR. Donets, which accounted for 28 percent of USSR coal output in 1980, is a good case in point. This field, which dates back to the mid-1800s, has in recent years caused increasing problems as miners have been forced to go deeper in search of coal seams, which are thin and discontinuous. Nevertheless, it is so favorably located relative to major coal users that the Ministry of the Coal Industry (MCI) has persisted in attempting to sustain output.[110]

In the mid-1970s a high priority was given to further developing Donets, the plan being to increase output from 222 million tons in 1975, to 231 million–233 million tons in 1980, and to 245 million–250 million tons in 1985. Actual output fell to 204 million tons in 1980, and plans now call for 210 million tons in 1985 (table 2-10). The problem is the complexity of the coal formation. The average depth of coal in 1977 was 566 meters, twice what it had been fifteen years earlier, and it has risen since then. The average thickness of seams in 1977 was 0.9 meter, and they are steeply inclined. This requires custom-designed machinery, which is expensive to build and maintain.[111]

As the local party secretary in charge of much of the region containing the Donets field has noted, the characteristics of this field have been known for some time, and it was well known that more modern equipment would be needed if coal workers were successfully to exploit the field.[112] Yet both union-level coal ministries and the MCI responded very slowly to the technical challenge. Consequently, miners are using equipment too primitive for the formations they now work, and mining-equipment manufacturers are even now resisting demands to upgrade the equipment they ship to Donets. The available equipment comes in an unnecessary profusion of different model types, making it difficult to maintain (and presumably to obtain spare parts).[113] This is the familiar theme in Soviet industry: the difficulty of inducing Soviet firms (and Soviet planning authorities) to respond to problems that require increasingly sophisticated technology for successful resolution.

110. Dienes and Shabad, *Soviet Energy System,* pp. 107, 112.

111. CIA, *USSR: Coal Industry, Problems and Prospects,* ER80-10154 (CIA, 1980), pp. 6–8.

112. N. Koval, "Slozhnyi plast: Sozdateli gornoi tekhniki v dolgu pered shakhterami Donbassa" [A complicated formation: The duty of the creators of mining technology to the miners of the Donbass], *Sots. ind.,* September 21, 1982, p. 2.

113. Ibid.

In addition, the well-known problems in the Soviet construction sector are quite evident in the Donets field. Virtually all the new mines scheduled to begin operation in the 1970s are well behind schedule. For example, construction began on the Shakhterskaia-Glubokaia mine in 1970, the plan being to complete it by the mid-to-late 1970s.[114] In mid-1982 it was still far from beginning production, and the project was showing considerable cost overruns. Construction has been extremely poorly organized (at first they dug a shaft in the wrong direction), and the enterprises involved have only sporadically devoted their attention to the project. This is a project that has presumably been under national scrutiny since *Pravda* first ran a piece on it in 1979.

There are severe labor problems in these underground mines. The work is extremely unpleasant and difficult. In an effort to compensate for that, the work week in the Donets mines was cut to thirty hours in 1976 (at that time the work week in other basins was thirty-six to thirty-eight hours). That probably contributed to the decline in production, although one cannot know what would have occurred if the work week had remained at the old level.[115]

The labor problem persisted and in 1982 the MCI introduced major changes in coal-industry wages and premiums in an effort to enhance the rewards for working in underground mines.[116] Workers in those mines involved in important jobs, particularly those repairing the unique equipment in mines such as the ones in the Donbass, are eligible for wage supplements up to 300 rubles a month, which is probably about the size of their basic wage—an enormous bonus by Soviet standards. Coal miners involved in mining hard coals and coking coal can receive premiums up to 80 percent of their base wages; other underground miners can receive premiums up to 60 percent of their wages—again, very substantial bonuses by Soviet standards.[117]

These special premiums, combined with the short work week, make coal mining among the highest paid professions in the USSR today.

114. G. Dorofeev, "Improvizatsiia na stroike" [Improvisation on the construction site], *Sots. ind.*, July 17, 1982, p. 2.

115. CIA, *USSR: Coal Industry*, p. 8.

116. The decree is published in *Pravda*, September 13, 1981. For a discussion, see the interview with B. F. Bratchenko (minister of the coal industry) in *Ekon. gaz.*, no. 7 (February 1982), p. 2.

117. The average money wage (including bonuses) of a Soviet industrial worker in 1980 was R186 a month. *Narkhoz* (1980), p. 363. Consequently, the bonuses being offered to repair workers (on top of what are probably above-average wages) are 1.6 times the average wage for all Soviet workers.

These inducements may be sufficient to draw more labor into this sector (or at least forestall an outflow of laborers). But simultaneously there will have to be a major commitment to developing (or importing) new technology for the industry, and that is not yet in evidence.

Ekibastuz and Kansk-Achinsk. The other half of the coal plan is to develop the Siberian and Kazakh fields in order to provide most of the increment to output for 1985 (and presumably beyond). For these fields— Kansk-Achinsk, Kuznetsk, and Ekibastuz—the problems are somewhat different from those in the European USSR, although they share the problem of technical change. Ekibastuz is a good example of the issues involved. Ekibastuz is an enormous field in northeast Kazakhstan, with coal deposits, in the judgment of Soviet geologists, that will eventually support output levels of 150 million to 170 million tons.[118] The average heat content of the coal is about 4,000 kilocalories (kc), in the range of what are typically called brown coals.

Ekibastuz coal costs too much to ship beyond the Urals, and even shipments to the Urals involve a tremendous burden on the railroad system.[119] Therefore, the decision was made to develop mine-mouth power plants and high-voltage transmission lines. Plans in the late 1970s called for the Ekibastuz output to be 74 million tons by 1980, 115 million tons by 1985, and 170 million tons by 1990. Since then output plans have been considerably scaled down because of delays in the construction of the power stations and in the development and installation of the high-voltage (1,150 kv alternating current and 1,500 kv direct current) lines.[120]

The problem with the power stations seems to be a combination of the typical problems the Soviet construction industry has in doing anything on time, compounded by a labor shortage in the area and a tendency for Soviet planners to allocate funds for projects in amounts not only less than needed, but also less than planned.[121]

---

118. Nekrasov and Troitskii, *Energetika SSSR v 1981–1985 godakh,* p. 117.

119. By the late 1970s the portion of Ekibastuz' 65-million-ton annual output that was being shipped out required 3,000 train-car loads daily, which was stretching the train system to its limit. Dienes and Shabad, *Soviet Energy System,* p. 117.

120. Ibid., on the original output plans; Nekrasov and Troitskii, *Energetika SSSR v 1981–1985 godakh,* p. 117, on the size of the electric lines.

121. V. Goncharov and Iu. Razguliaev, "Stupeny Ekibastuza" [Stages of Ekibastuz], *Pravda,* July 28, 1981. The plan is to build four stations eventually, each with a capacity of 4,000 mw (eight 500-mw blocks). In mid-1981 four 500-mw blocks in the first station were running, two more were to be up by the end of 1981, and construction of the seventh block was beginning. Preparatory work for constructing the second station has apparently begun, but Minenergo is limiting funds allocated to the project, and it probably will not be completed on schedule.

The Kansk-Achinsk field, which is east of Ekibastuz in southwestern Siberia, presents similar, but more severe, problems. The difficulty is not reserves; they are huge and easily exploited by open-pit techniques.[122] The problem is the quality of the coal, which has a low caloric content— 3,300 kc per kilogram (kg)—very high moisture content, and a tendency to self-ignite. The only economical uses for it are at, or close to, the mine site because it catches on fire in coal cars and in any event tends to disintegrate during shipment, which means either coal by wire (or pipe), synfuels, or enrichment.

All these technical options are under consideration, and construction of mine-mouth power stations for coal by wire is already under way.[123] But again, this is a field for which initial plans were ambitious and had to be scaled down quickly mainly because of technological bottlenecks. The long-distance high-voltage power lines are not yet fully developed. The power stations are going up very slowly, and there are long delays in developing the huge new excavators necessary to feed them.[124] Because coal by wire is the only feasible near-term (in the 1980s) alternative for developing Kansk-Achinsk, the fact that plans to increase output over the 1980s are so modest indicates that planners anticipate continued difficulties.

For the latter part of the decade and the 1990s, the more exotic technologies will grow in importance—synfuels, slurry lines, and enrichment—but with obvious difficulties. Soviet research institutes are still arguing over basic strategy in synfuel development and slurry, and prototype plants are not yet operating in the area, despite a longstanding plan to construct and operate such plants. It appears that it will be some time before Soviet academicians and industry will be able to resolve the complex technical and economic issues surrounding synfuels and Kansk-Achinsk. Yet, until they can resolve those issues, the output of that field (and of Ekibastuz) is essentially constrained to grow slowly.

Kuznetsk. The Kuznetsk basin (Kuzbass), currently producing about 20 percent of USSR coal output, is in its capabilities and problems a

122. Ultimately recoverable reserves could be 600 billion tons, about one-fourth of which is easy to get to with open-pit techniques. Seams are close to the surface and range in thickness from twelve to sixty meters. L. Melent'ev, M. Styrikovich, and A. Sheindlin, "Eshche raz ob ugle KATEKa" [One more time on the coal of Kansk-Achinsk], *Pravda,* February 16, 1982.

123. Discussions of the technical issues can be found in ibid., and in CIA, *Central Siberian Brown Coal as a Potential Source of Power for European Russia,* SW 80-10006 (CIA, 1980).

124. Dinkov, *Ekon. gaz.,* no. 2 (January 1982), p. 2.

combination of the European and Siberian fields. It is located in Siberia, southwest of Kansk-Achinsk, and therefore fairly far from European markets. Much of its coal is relatively high quality (its average caloric content being 5,500 kc), and a significant amount of its output (40 percent in 1982) is coking coal. It is an old field that was initially exploited late in the last century as the trans-Siberian railroad connected Siberian coal fields with European users. Most of its output today comes from underground mines.[125]

Output in this basin expanded fairly rapidly in the 1960s and 1970s, and as a consequence its share of USSR output expanded from 16 percent in 1960 to 21 percent in 1980 (table 2-10). However, expansion was not as rapid as initially anticipated, and in recent years output in the basin has—despite many decrees and shows of concern—remained below 150 million tons.[126] The sources of difficulties are familiar: significant delays in bringing on new capacity because of organizational difficulties and the unwillingness of the MCI to devote sufficient capital resources to allow local units to meet expansion plans, inadequate equipment for the tasks at hand, and labor shortages attributable in part to an inadequate social infrastructure.[127]

For Kuzbass to expand its output rapidly, the MCI would have to devote considerable new investment funds to the region; there is, however, no evidence that they are willing to do that. In fact, the current output plans for 1985 of 154 million tons (table 2-10) suggest a holding action in this basin, and even that will be difficult because the older mines are in need of significant investment to forestall their decline and the social infrastructure in many of the older mining towns is dilapidated. A major program to restore old social capital, while expanding social services, will have to be undertaken in order to create more favorable living conditions in the area, and it is not clear that the MCI will make funds available. Finally, the equipment manufacturers supplying machinery to the Kuzbass miners will have to modernize their plants, and there is virtually no movement in that direction either.

125. Dienes and Shabad, *Soviet Energy System*, pp. 112–14; CIA, *USSR: Coal Industry*, p. 16; and A. Bogachuk and S. Vtorushin, "Ugol' Kuzbassa" [Coal of the Kuzbass], *Pravda*, June 30 and July 1, 1982.

126. The original plans for 1980 were 162 million tons; actual output was about 20 million tons below that. On the plan figure see Dienes and Shabad, *Soviet Energy System*, p. 113; the actual figure is from table 2-10. For recent years see Bogachuk and Vtorushin, "Ugol' Kuzbassa."

127. Bogachuk and Vtorushin, "Ugol' Kuzbassa."

FUTURE PROSPECTS. The coal industry is caught in a situation that shares some similarities with that of the oil industry: output in the European coal fields is falling and the MCI is struggling to maintain output at current levels, a struggle it recently lost. As in the oil industry, the problem in old fields is their increasing complexity and the need for new equipment, which Soviet industry is unwilling or unable to produce and deliver. Finally, as in the oil industry, the major new exploitable reserves are east of the Urals. There the similarity ends.

Coal is far more expensive to transport than oil, or even natural gas. Coal-slurry pipelines might bring down that cost, but the technology is not well enough developed to deal with the particular Soviet problem of coal deposits in water-deficient areas. Therefore, it is necessary to transport coal in some other form (as electricity or as a liquid or gaseous fuel), and that leads directly into technologies not yet developed in the USSR. Consequently, the coal industry's shift to western Siberia is occurring at a far more modest rate than comparable shifts for natural gas and oil because of the technical "cap" on the rate at which the big fields east of the Urals can be expanded. Until new technologies are developed that will enable the Soviets to ship coal economically in some form to the European USSR, those fields cannot expand rapidly.

That puts an enormous burden on the European fields to maintain output throughout much of this decade. There are signs that the resources being devoted to the problem will be insufficient to meet even the current modest plans for 1985 for the European fields. Despite the new wage system, there simply is not a sufficient flow of modern equipment to the industry to allow the workers—however inspired they may be by high wages—to increase their productivity in the old fields. In addition, the coal industry is a low enough priority in the energy sector for Soviet planners not to have resorted to substantial imports of Western equipment to break the bottlenecks.

Feasibility of the 1985 plan. Investment resources allocated to coal in 1976–80 were 10 billion rubles (see table 2-3); for 1981–85 they are to rise 20 percent to 12 billion rubles (see table 4-9). Assuming that that allocation is maintained, it is unlikely the coal industry can even come close to its plan for 1981–85. As table 2-9 illustrated, net increments to output in the coal industry are primarily driven by the decline in old fields. In years when those declines were relatively small (1961–65 and 1971–75), net output increased substantially. In other periods output increments were much smaller. Throughout the period increments to gross coal-producing capacity fluctuated in a small band from 95 million to 115 million tons. However, the cost of adding that new productive capacity is rising. If during 1981–85 the unit costs of adding capacity to produce another ton of coal rise as they did in the 1970s (by almost 50 percent), total investment requirements in the coal industry could easily total 16 billion rubles, one-third more than the amount allocated to that industry.[128] If I am right about the unit costs of adding new capacity, and if the coal industry's investment allocation stays where it is, capacity additions in the range of 75 million tons seem more likely.

Over the 1960s and 1970s output declines in old fields (by quinquennia) ranged from 11.8 million tons in 1961–65 to 75.3 million tons during 1976–80 (table 2-9). From the discussion in this chapter there seems to be good reason to expect output declines in 1981–85 to be at the high, rather than the low, end of that range. I will take as a best case the 35-million-ton decline in 1971–75 and as a worst case the 75-million-ton decline in 1976–80.

Putting them together, and continuing the assumption that the coal industry will receive no more than 12 billion rubles in FYP XI, the best-case output increment the industry can hope for would be 40 million tons natural (75 million tons new capacity minus 35 million tons), and the worst case would be no increase at all. That implies outputs of 716 million to 756 million tons natural in 1985, an increase of from zero to well below the planned output of 775 million tons. In mbdoe terms the increase will be modest because some of the new output will be in Kansk-Achinsk and Ekibastuz coals, and some of the output declines will be in higher-calorie coals. There are not enough data to do this right, so I will simply assume that in the best case the caloric content of total coal output will rise 2 percent during 1981–85, and that in the worst case it will fall 2 percent. This prediction is close to the most recently published CIA prediction that in 1985 Soviet coal output will be 740 million tons, but in calorific terms will be no larger than it was in 1980.[129]

128. Dividing the output increments from table 2-9 into the investments figures in table 2-3 yields the following investment costs associated with adding one ton of new productive capacity:

1971–75	R73.03
1976–80	R107.96

Assuming that in 1981–85 unit costs rise at the same rate they did between 1971–75 and 1976–80, they will average R160 for the period. If the increment to new capacity is, say, 100 tons (an average for recent years), that would cost R16 billion.

129. "Prepared Statement of Hon. Henry Rowen," p. 234.

The coal industry will probably continue to experience difficulties in the remainder of this decade because the problems outlined here will not be resolved either soon or easily. In the 1990s, if the technical impediments to exploiting Kansk-Achinsk are overcome, coal could become an important source of new energy for the USSR.

Other Sources of Primary Energy

In 1982, 93 percent of Soviet primary energy came from the three primary fuels; the remainder came from peat, shale, centralized firewood, nuclear power (each with a share of 1 percent), and hydroelectric power (whose share was 3 percent; see table 2-1). Peat, shale, and centralized firewood will not generate significant increments to future Soviet energy supplies, and they will not be discussed here. Nuclear power—despite its current small contribution to energy supplies—will expand quite rapidly in the 1980s, as it did in the 1970s, and it deserves at least a brief discussion. Furthermore, nuclear power is particularly important because it is such a capital-intensive technology for producing energy, and investment costs will be a major constraint on the expansion of the fuel industries. Hydroelectric power is also important, particularly in Siberia, and prospects for that sector will also be discussed briefly.

NUCLEAR ENERGY. Table 2-11 reports nuclear production, relative to hydro and total electricity production, for the period 1970–85 (plan). In 1970 nuclear power accounted for a tiny portion of electric power production in the USSR. Because Minenergo calculations have established that in the European USSR electric power from nuclear reactors is a relatively inexpensive source in comparison to other options (coal by wire, coal by rail, gas- or oil-fired plants), there has been a strong commitment since the 1970s to an ambitious nuclear power program. The original plan was to expand installed nuclear capacity from 1.6 gigawatts (gw) in 1970 to 30 gw in 1980.[130] Actual installed nuclear capacity in 1980 was 14.6 gw, one-half the original plan for that year and

---

130. Lesley J. Fox, "Soviet Policy in the Development of Nuclear Power in Eastern Europe," Joint Economic Committee, *Soviet Economy in the 1980's*, pt. 1, pp. 457–507. On the economics of nuclear power, see William J. Kelly, Hugh L. Shaffer, and J. Kenneth Thompson, "The Economics of Nuclear Power in the Soviet Union," *Soviet Studies*, vol. 34 (January 1982), pp. 43–68.

Table 2-11. *Soviet Electric Power Production, Total, Nuclear,*
Hydro, Selected Years, 1970–85
Billion kilowatt-hours (bkwh)

Year	Total	Hydro	Percent of total	Nuclear[a]	Percent of total
1970	741	124	17	4	1
1975	1,039	126	12	20	2
1976	1,111	136	12	25	2
1977	1,150	147	13	34	3
1978	1,202	170	14	45	4
1979	1,238	172	14	54[b]	4
1980	1,295	184	14	73[b]	6
1981	1,326	187	14	75[b]	6
1982[c]	1,367	175	13	99	7
1983[c]	1,416	180	13	110	8
1985 (plan)	1,555[d]	230[d]	15	220[d]	14

Sources: *Narkhoz* (1980), p. 154; (1982), p. 179, unless otherwise indicated.
a. Campbell, *Basic Data on Soviet Energy Branches*, p. 18.
b. Fox, "Soviet Policy in the Development of Nuclear Power in Eastern Europe," p. 478.
c. *Ekon. gaz.*, no. 13 (March 1984), p. 1.
d. *Ekon. gaz.*, no. 12 (March 1981).

well short of the scaled-down FYP X target for 1980 of 18.4 gw.[131] Since 1980 plans have continued to be underfulfilled.[132]

The problems in this industry appear to be somewhat similar to those encountered in other countries, including the United States. Nuclear power installations usually take longer to build than anticipated, and that leads to cost and time overruns. In addition, in the USSR the industry is encountering difficulties in expanding output of the specialized components needed to produce reactors of the size required. Soviet nuclear power plans for the 1980s are predicated on an ambitious program to establish a literal assembly line for producing 1,000-mw reactors at Atommash, a factory devoted solely to producing those units. The original plan was for Atommash to produce forty-three reactors in FYP XI. It produced one, its first, in 1981, and the best hope now is for six more during the entire five-year plan. The delays are a result of unantic-

131. Capacity in 1980 is from Fox, "Soviet Policy in the Development of Nuclear Power," p. 487; the FYP X target for 1980 is from A. M. Nekrasov and M. G. Pervukhin, eds., *Energetika SSSR v 1976–1980 godakh* [Energy in the USSR in 1976–1980] (Moscow: Energiia, 1977), p. 61.
132. On the underfulfillment of plans for 1981, see "Sovetskaia energetika v tekushchem piatiletki" [Soviet energy in the current five-year plan], *Ekon. gaz.*, no. 24 (June 1982), p. 2.

ipated difficulties in building the plant and in manufacturing and installing the specialized equipment necessary to produce reactors quickly.

The plan for 1981–85 is, again, an extremely ambitious one, implying that by 1985 nuclear output will have tripled and be almost equal to the output of hydro in that year. The industry has been the subject of high-level attention, including a Central Committee conference in mid-1981.[133] The Soviets are in earnest in wishing to expand nuclear power quite rapidly, and the evidence is fairly compelling that for the European USSR nuclear will be a relatively low-cost source of energy (safety factors aside). However, there is little hope that the plan can be met for this five-year period. There simply are too many indications that things are still not going well.[134] As table 2-11 shows, output in nuclear plants expanded at a rate of 15 percent per year in 1981–83, well below the planned growth rate of 25 percent. It is possible this pace can be maintained or even increased somewhat, but the plan target is unreachable. My guess—and it cannot be much more than that without a much more detailed study of the industry—is an output of 160 billion to 180 billion kilowatt hours (bkwh), instead of the planned 220 bkwh. The CIA has recently suggested a likely output limit of 160 bkwh in 1985.[135]

After 1985, as Atommash is gradually brought up to full capacity, and as delayed nuclear power plant projects finally are finished, the relatively rapid expansion of output from nuclear power should continue. The problem with this industry is not that recent achievements in expanding nuclear output have been modest, but rather that they have fallen short of the very ambitious, and in fact unrealistic, targets set by planners.

HYDROELECTRIC POWER. The Soviet Union has a tremendous potential for hydroelectric power, of which it is using very little at present. At the beginning of 1981 production from hydroelectric plants was approximately 185 bkwh, which Soviet researchers estimate was using 19.2 percent of the country's hydroelectric capacity. Much of the unused capacity is in Siberia, far from the major electric energy users. "Hydro by wire" is relatively expensive, given the capital intensity of hydro installations and the expense involved in putting up the high-voltage

133. *Pravda*, July 16, 1981.

134. At a high-level meeting convened in February 1982, the problems of the industry were again discussed and various criticisms aired. *Ekon. gaz.*, no. 7 (February 1982), p. 3. Such meetings are usually a sign that there are serious problems.

135. Henry Rowen, "The Annual Statement to the Joint Economic Committee on the Soviet Economy," December 1, 1982, p. 19.

wires. Consequently, the major possibilities for expanding hydroelectric power also are east of the Urals. The main exception to this is the so-called hydro-accumulation electric power stations that are being built in the European USSR close to nuclear power plants. These are double reservoirs, one higher than the other, with a dam and turbines in between. During the day the water is run through the turbines to generate electricity in peak-load periods; during the night (at off-peak times) the nuclear power plants are used to run pumps that draw the water back to the higher reservoir.[136]

As table 2-11 shows, there is an intention to expand hydro production during this five-year plan, by about 4.5 percent a year. In 1976–80 plans to expand hydro output were slightly underfulfilled,[137] and there is no reason to believe that in this five-year plan things will be different—that is, output plans should come close to the target. Over the rest of the decade, and in fact the rest of the century, hydro is unlikely to provide major increments to energy supplies.

Energy Supplies and the Economy

The prospects for Soviet energy supplies are not in and of themselves important, but they should be considered in light of an energy *balance;* only then can one assess the implications for Soviet energy exports—and thus for Soviet relations with Eastern Europe—and its hard-currency earnings from exports to the West. Chapter 3 takes the next step in building that balance by considering the demand side of the energy situation. Chapter 4 then turns to the balance, once again considering energy-supply prospects, but this time in the context of demand prospects and prospects for the overall Soviet economy.

Energy demand, energy supply, and economic performance are intertwined. If there are major successes in energy conservation, then planners will have the luxury of selectively underfulfilling energy output plans (the most likely one being the oil output plan) while sustaining energy exports at their planned levels. If, on the other hand, economic

136. For more information on these see Nekrasov and Troitskii, *Energetika SSSR v 1981–1985 godakh,* pp. 157–80; and L. B. Sheinmana, ed., *Gidro-akkumuliruiushchie elektro-stantsii* [Hydro-accumulation electric power stations] (Moscow: Energiia, 1978).

137. Judith Thornton, "The Impact of Nuclear Power on the Cost of Capital Formation in Soviet Electric Power," Final Report to the National Council for Soviet and East Europe Research (May 7, 1982), table 3.

performance deteriorates rapidly, then the supply of investable resources in the economy will shrink, and there will be increased pressure to pull back on some energy investments and thus to underfulfill plans. Simultaneously, however, the growth rate of energy demand will fall, and that will take some pressure off the supply side of the sector. It is these interconnections that necessitate a joint consideration of prospects for the economy and the energy sector. It is not really proper to project energy supplies without projecting economic activity and energy demand.

CHAPTER THREE

Soviet Energy Consumption in World Perspective

SINCE 1972 the real price of energy has doubled in the OECD countries. This reflects a fivefold increase in real oil prices, whose effects were mitigated considerably by domestic policies in the OECD countries, their tax systems, and changes in fuel mixes.[1] These price increases occasioned balance-of-payments deficits in OECD countries that, combined with a very slow policy response by OECD governments, contributed to recessions in 1974–75, after the first major increase in OPEC prices, and in 1980–81, after the second significant price rise. The recessions helped to suppress energy consumption below what it would otherwise have been, but they also brought about a change in the relationship between energy use and economic activity throughout the OECD that is still going on. In the European Community, for example, GNP rose 16 percent between 1974 and 1981, while energy consumption fell 3 percent. In the United States energy consumption in 1980 was 4 percent below that of 1973, and GNP was 18 percent higher.[2]

1. International Energy Agency, *World Energy Outlook* (Paris: Organization for Economic Cooperation and Development, 1982), p. 63. The most important reasons for the substantial differences between oil-price rises and energy-price rises are that (a) electricity rates in the OECD rose much more slowly than oil-price increases because of a switching away from hydrocarbons and the relatively low cost of nuclear and hydro plants; (b) lump-sum taxes on gasoline in Europe meant that the increase in oil prices affected only a portion of the final price charged to the consumer; and (c) lags occurred in the crude-oil-product price link and in the link between crude-oil prices and those of other primary energy carriers. See ibid., chap. 3, for a discussion of these points.

2. The GNP figures are from CIA, *Handbook of Economic Statistics, 1978*, ER 78-10365 (CIA, 1978), and *Handbook, 1981*, HF HES 81-001 (CIA, 1981); the energy-

In the main the trends in energy consumption in the Western industrialized countries seem to reflect the impact of the aforementioned price increases. There is now ample evidence that increases in relative energy prices will occasion a reduction in energy use by all users in industrial economies as they move to substitute other inputs for energy. Many of those adjustments take some time to work out because they involve the design, manufacture, and installation of new equipment. The general consensus seems to be that, in the industrial economies as a whole, the average price elasticity of energy demand may be in the vicinity of one-half, meaning that a 10 percent rise in real energy prices will *eventually* evoke a 5 percent drop in energy consumption. Considering the real doubling in energy prices in the last nine years, it is not surprising that, given these price elasticities, energy consumption is stagnating in industrial countries, even as incomes rise. When the price effects have worked through the system (and in the absence of further price changes), it may well be that energy and GNP growth rates will again converge. The general consensus of these studies seems to be that the income elasticity of demand for energy is approximately unity, or at least not far below it.[3]

The responsiveness of energy consumption to price changes can be attributed to the fact that markets are working more or less effectively to allocate resources in the OECD countries. As the price of energy rises relative to other inputs, energy users substitute other inputs for energy—labor in the short run and capital in the medium and long run.[4] However,

---

consumption figures are total final energy consumption from IEA, *Energy Balances of OECD Countries, 1960/74* and *1976/80* (Paris: OECD, 1976 and 1982).

3. A 1980 study of energy consumption, price, and income data over 1960–76 for a number of industrial countries concluded that the long-term price elasticity of total energy demand in these countries was 0.5, with the elasticity being close to that for households, about 0.2 for industry, and 1.0 for transportation. Income elasticities were significantly greater than unity (meaning that, holding price constant, a 10 percent increase in income will mean an increase in energy consumption of more than 10 percent). See Joy Dunkerley, *Trends in Energy Use in Industrial Societies: An Overview*, Research Paper R-19 (Washington, D.C.: Johns Hopkins University Press for Resources for the Future, 1980), pp. 67–106. The International Energy Agency has reached similar conclusions in a more recent study, although it finds lower income elasticities (slightly below unity), and it considers that they are falling. IEA, *World Energy Outlook*, pp. 92–119.

4. An example of substituting labor for energy might be the allocation of more labor time to monitoring energy consumption, planning for its reduction, or taking labor-intensive measures to reduce waste. Substituting capital for energy involves such measures as insulating buildings or replacing existing machinery and equipment with

in attempting to assess the significance for the Soviet Union of the new energy-consumption patterns emerging in Western industrial countries, it is important to be somewhat more specific than merely to say that the "market" is at work. There are two important elements behind the operation of the market in this situation. One is that in the industrialized countries the price of energy has risen relative to other products and relative to labor and capital. Just as important, however, is the fact that because firms and individuals are working under effective constraints on their receipts and income, they substitute away from energy in order to minimize the loss of real income imposed by the increased prices. It is the absence of either of these conditions that will prove important in understanding the Soviet response to higher world energy prices.

Trends in the Soviet Union

As in the Western industrial world, energy-consumption growth rates in the Soviet Union have been dropping in recent years. For the period 1962–82, as the data in table 3-1 show, total Soviet energy consumption grew at an average annual rate of 4.9 percent, but in the period 1974–82 the average rate was only 3.0 percent.[5] That is totally explainable (and then some) by changes in the growth rate of GNP over the same period.

---

more expensive, energy-saving machinery. Econometric work exploring the substitutability of energy for other inputs shows quite clearly that energy and labor act as substitutes for each other. The substitutability of capital for energy is less clear, and quite probably it reflects the fact that, in the short run, it is usually infeasible to substitute capital for energy when relative energy prices rise, whereas it is both possible and advisable to do so in the long run. See K. Suzuki and H. Takenaka, "The Role of Investment for Energy Conservation: Future Japanese Economic Growth," *Energy Economics*, vol. 3 (October 1981), pp. 233–43.

5. The data for this and the following two regressions are taken from table 3-1. The growth rates are from the regression on 1962–82 data (standard errors are in parentheses):

$$\log(enerc) = 2.225 + 0.289(dum74) + 0.049(time) - 0.019\,(time \times dum74),$$
$$(0.013)\quad(0.043)\quad\quad\quad(0.001)\quad\quad\quad(0.003)$$

Standard error = 0.017; R^2 = 0.997; Durbin-Watson = 0.973

where *enerc* is energy consumption; *dum74* is a dummy variable equal to 0 until 1973 and 1 from 1974 onward; and *time* is equal to 1 in 1960 and increases by 1 every year. The last variable (*time* × *dum74*) has the effect of estimating the *difference* between the growth rate for the entire period and growth rate for the years 1974–80.

Table 3-1. *National Income Indexes and Simplified Soviet Energy Balances, 1960–82*
Energy data in mbdoe; index 1970 = 100

Year	Energy production[a] (1)	Energy exports (2)	Energy imports (3)	Net exports (4)	Stock changes[b] (5)	Consumption[c] (6)	NI produced (7)	GNP[d] (8)
							Indexes of economic activity	
1960	10.25	0.84	0.15	0.69	0.07	9.49	50.3	60.6
1961	n.a.	n.a.	n.a.	n.a.	n.a.	n.a.	53.8	64.0
1962	11.39[e]	1.21	0.12	1.09	−0.05	10.35	56.8	66.4
1963	12.54[e]	1.34	0.12	1.22	0.01	11.31	59.3	65.7
1964	13.04	1.48	0.10	1.38	−0.14	11.80	64.3	72.9
1965	14.17	1.63	0.13	1.51	0.09	12.57	68.8	77.4
1966	15.11	1.81	0.12	1.69	0.11	13.31	74.4	81.4
1967	15.89	1.93	0.13	1.80	0.13	13.96	80.9	85.1
1968	16.46	2.07	0.16	1.91	−0.13	14.68	87.9	90.3
1969	17.20	2.24	0.20	2.04	−0.04	15.20	92.0	92.9
1970	17.83	2.34	0.20	2.15	0.04	15.64	100.0	100.0
1971	18.71	2.53	0.33	2.20	0.02	16.49	105.6	103.9
1972	19.67	2.63	0.49	2.14	0.03	17.50	109.7	105.9
1973	20.63	2.88	0.62	2.26	0.07	18.30	119.5	113.6
1974	21.76	3.00	0.44	2.56	0.25	18.95	125.9	118.0
1975	22.81	3.34	0.51	2.83	0.21	19.77	131.6	120.0
1976	23.93	3.83	0.48	3.35	−0.37	20.95	139.0	125.7
1977	25.05	4.18	0.47	3.71	0.04	21.30	146.0	129.7
1978	26.01	4.29	0.49	3.80	−0.08	22.29	153.0	134.1
1979	26.94	4.40	0.37	4.03	0.20	22.71	157.0	135.2
1980	27.58	4.50	0.25	4.25	−0.05	23.38	163.0	137.1
1981	28.21	4.52	0.23	4.29	0.23	23.69	168.0	140.5
1982[f]	28.95	4.81	0.35	4.46	0.24	24.25	175.0	143.3

Sources: *Narkhoz*, various issues, unless otherwise indicated. All data have been converted from million tons of standard fuel (mtsf) to million barrels per day of oil equivalent by multiplying by 0.014.

n.a. Not available.

a. As in the tables in chapters 1 and 4, this is defined to include all energy production (including decentralized collection and use of firewood). Hydroelectric and nuclear are converted at their energy equivalents (123 grams per 1,000 kwh).

b. By following the data published on stocks from year to year, it becomes apparent that these data, more than any other data set in the balance, are subject to signficiant revision of the estimates that are published originally. The data on the end-of-year stocks for a year such as 1969 published in the 1969 yearbook may differ substantially from the beginning-year stock data for 1970 published in the 1970 yearbook. Where possible I have used the latest energy stock figures available in deriving these series of stock changes.

c. Column 1 minus columns 4 and 5.

d. Data for 1960–80 are from Joint Economic Committee, *USSR: Measures of Economic Growth and Development, 1950–80*, 97 Cong. 2 sess. (GPO, 1982), pp. 80–81; data for 1981–82 are from CIA, *Handbook of Economic Statistics, 1983*, CPAS 83-10006 (CIA, 1983).

e. Includes an estimate of hydro output because *Narkhoz* does not publish a figure for these years. The estimate based on capacity figures is given in Robert W. Campbell, *Basic Data on Soviet Energy Branches*, N-1332-DOE (Santa Monica, Calif.: Rand Corp., 1979), pp. 4, 10.

f. Based on previous years, these data from the 1982 yearbook will be revised in 1983; however, the revisions are unlikely to be substantial.

GNP growth rates averaged 5.0 percent annually over the 1962–82 period, but in 1974–82 they fell to an average of 2.4 percent.[6]

These data together point to the fact that over the last two decades Soviet energy-GNP elasticities have averaged about unity, but since 1974 there has been strong evidence that if anything they have risen above unity. Direct estimates of the energy-GNP elasticities for 1964–82 show that over the entire period the elasticity has been 0.97, but that in the 1974–82 period it averaged 1.22. This means that, in the period since 1974, every 1.00 percent increase in GNP in the USSR has been accompanied on average by a 1.22 percent increase in energy consumption.[7] In the rest of the industrialized world energy-GNP elasticities have fallen from unity to levels far below that.[8]

As table 3-2 shows, in 1970 energy consumption per dollar of GNP in the USSR was slightly less than that of the United States and twice the figure in the EC. Because of dramatic differences in the 1970s between the Soviet Union and other industralized countries in energy consumption–GNP trends, by 1980 the USSR was consuming 2.5 times more energy per dollar of GNP than the EC and 30 percent more than the United States.

6. The regression results for the sample period 1962–82 are

$$\log(gnp) = 4.033 + 0.379\,(dum74) + 0.050\,(time) - 0.026(time \times dum74).$$
$$\quad\quad\quad(0.014)\quad(0.047)\quad\quad\quad\quad(0.002)\quad\quad\quad\quad(0.003)$$

Standard error = 0.018; R^2 = 0.996; Durbin-Watson = 1.88

7. The regression results for the sample period 1962–82 are

$$\log(enerc) = -1.661 - 1.197(dum74) + 0.965(\log[gnp]) + 0.254(\log[gnp] \times dum74).$$
$$\quad\quad\quad\quad(0.158)\quad(0.565)\quad\quad\quad\quad(0.035)\quad\quad\quad\quad\quad(0.117)$$

Standard error = 0.021; R^2 = 0.994; Durbin-Watson = 2.45

These results indicate a general shift in 1974, in which the line relating economic activity to energy consumption rotated upward (the intercept is lower and statistically significant, and the slope is higher and statistically significant).

The results are similar if official Soviet data on national income are used in place of the CIA estimates of gross domestic product. The major difference is that, because Soviet NI growth rates are usually higher than the GDP, the estimated elasticities come out lower. There are good reasons to believe that Soviet NI data overstate real Soviet growth rates, so I do not discuss the NI regressions here.

8. Because of the price changes that occur and the lagged responses to them, the energy-GNP elasticities mean even less than they usually do, except as a general and imprecise measure of the price-induced changes in the economic activity–energy consumption link. Still, it is undeniably important that, for example, in the 1970–80 period the simple U.S. energy-GNP elasticity was 0.15 (that is, using the endpoints at 1970 and 1980 to calculate the elasticity), and the simple elasticity for the EEC was 0.39. The simple elasticity for the USSR over those years was 1.26 (computed from the data in table 3-1).

Table 3-2. *Energy Consumption in the Soviet Union, the United States, and the European Community, 1970, 1980*

Country or group and year	Final energy consumption (tbdoe) (1)	GNP, 1980 (billions of dollars) (2)	Energy consumption/GNP (tbdoe per billion dollars)[a] (3)
Soviet Union			
1970	12,606	1,034	12.190
1980	18,103	1,393	12.990
United States			
1970	24,485	1,925	12.720
1980	25,820	2,626	9.830
Economic Community			
1970	12,508	2,070	6.042
1980	14,107	2,740	5.149

Sources: For final energy consumption, data for the United States and the Economic Community are from Organization for Economic Cooperation and Development, *Energy Balances of OECD Countries 1960/74* (Paris: OECD, 1976), and *Energy Balances of OECD Countries, 1976/80* (Paris: OECD, 1982). The data have been converted from millions of tons of oil equivalent (mtoe) to thousand barrels per day of oil equivalent (tbdoe). Data for the Soviet Union in 1970 are converted from data in million tons of standard fuel (mtsf) in Robert Campbell, *Soviet Energy Balances* (Santa Monica, Calif.: Rand Corp., 1978), p. 7, and for 1980 the data are adapted from Campbell's estimates in "Energy," in Abram Bergson and Herbert S. Levine, eds., *The Soviet Economy: Toward the Year 2000* (London: Allen and Unwin, 1983), pp. 196–97. In both cases the numbers are those Campbell gives for "total primary and secondary allocation," which is identical to the OECD's "final consumption" concept. Data for GNP are from CIA, *Handbook of Economic Statistics, 1981*, NF HES 81-001 (CIA, 1981), p. 26.
   a. (Column 1 ÷ column 2) × 10^5.

One of the most important, and poorly analyzed, issues regarding Soviet energy prospects is whether Soviet planners can somehow manage to emulate in the 1980s what Western industrial countries achieved in the 1970s. The performance of Western countries over the last decade strongly suggests that there are enormous energy-conservation possibilities in any industrialized economy that, when realized, will produce a steady downward slide in the ratio of energy use to economic activity. That the USSR apparently overconsumes energy by a significant amount enhances the likelihood that there are large potentials for energy conservation in the USSR.

If that potential could be realized in any significant measure, it would go a long way toward solving the energy problem facing Soviet planners. Consider the following two scenarios for the 1980s. The first is a repeat of the 1970s in which the energy-GNP elasticity remains in the range of 1.25. Assuming that GNP growth rates average 2 percent, Soviet energy consumption will grow 2.5 percent a year, moving from 24.4 mbdoe in 1980 to 31.2 mbdoe in 1990. The second scenario assumes that the energy-GNP elasticity falls to 0.5 (still somewhat above the EC's 0.4 for

1970–80, but a quite respectable improvement), and that GNP growth rates are still 2.0 percent a year.[9] In that case energy-consumption growth rates would average 1 percent a year, and 1990 energy consumption will be 26.9 mbdoe instead of 31.2. Achieving the lower energy-consumption figure as opposed to perpetuating the recent energy-to-GNP relationship would provide Soviet planners with an additional 4.3 mbdoe. That would probably mean that, even with supply difficulties, they could maintain energy deliveries to Eastern Europe and simultaneously export energy for hard currency.

The Structure of Energy Consumption

In discussing possibilities for energy conservation in the Soviet Union, it is useful to have in mind the basic structure of Soviet energy consumption. Table 3-3 does that for 1970 and 1980, summarizing the main results of Robert Campbell's careful and thorough reconstruction of Soviet energy balances along the lines of OECD balances.[10] Comparative data are provided for the United States and Western Europe for the same years, as an aid in identifying possibilities in the USSR both for reducing energy consumption and for fuel switching. Comparative data of this sort must be interpreted with great care because some of the observed differences reflect dissimilar natural resource endowments (hence the high hydropower share in Europe), habits, or tastes (hence the high transport share in the United States). At best this table can only give clues that require more careful analysis.

There are four panels of data: total primary energy (TPE) requirements; total final consumption (TFC) of energy, which differs from TPE basically because of transformation losses in the energy sector; the structure of fuel use in electric power; and the structure of electricity production.

9. GNP growth rates would probably be a bit higher because easing energy constraints could stimulate growth, but that can be ignored for this simple example. The energy consumption data are under total primary energy requirements in table 3-3.

10. Robert W. Campbell, *Soviet Energy Balances*, R-2257-DOE, prepared for the Department of Energy (Santa Monica, Calif.: Rand Corp., 1978). This, and Campbell's *Basic Data on Soviet Energy Branches*, N-1332-DOE (Rand Corp., 1979), are indispensable guides to the intricacies of Soviet energy balances. Campbell's energy-consumption estimates are based on Soviet data but are slightly higher than the total energy consumption reported in Soviet yearbooks. The main difference is that Campbell (quite appropriately) counts flared gas as energy produced and then lost.

Table 3-3. Energy-Demand Accounts for the United States, Western Europe, and the Soviet Union, 1970, 1980

Energy-demand accounts	United States		Western Europe		Soviet Union	
	1970	1980	1970	1980	1970	1980
Total primary energy (TPE) requirements (tbdoe)[a]	31,406	36,081	20,630	24,788	16,582	24,352
Percentage in						
Solid fuels[b]	0.19	0.22	0.28	0.23	0.43	0.31
Oil	0.44	0.43	0.64	0.51	0.32	0.37
Natural gas	0.33	0.27	0.06	0.14	0.21	0.27
Nuclear	*	0.04	0.01	0.04	*	0.01
Hydroelectric and geothermal	0.04	0.04	0.07	0.07	0.04	0.03
Total final consumption (TFC) (tbdoe)[c]	24,458	25,820	15,380	17,934	12,606	18,103
Percentage in industry	0.33	0.29	0.39	0.38	0.56	0.58
Percentage in						
Solid fuels[b]	0.16	0.18	0.30	0.19	0.37	0.25
Oil	0.20	0.26	0.46	0.43	0.15	0.17
Natural gas	0.49	0.37	0.10	0.20	0.18	0.24
Electricity	0.15	0.18	0.15	0.18	0.32	0.34
Percentage in transport	0.29	0.34	0.18	0.22	0.11	0.12
Percentage in other sectors[d]	0.33	0.32	0.36	0.37	0.28	0.25
Percentage in						
Solid fuels[b]	0.02	0.01	0.22	0.11	0.36	0.23
Oil	0.38	0.27	0.52	0.47	0.35	0.36
Natural gas	0.43	0.45	0.10	0.25	0.13	0.20
Electricity	0.17	0.27	0.13	0.18	0.14	0.21
Fuel use in electric power (tbdoe)[e]	6,923	9,326	3,847	5,253	4,343	7,147
As percentage of TPE	0.22	0.26	0.19	0.22	0.26	0.29
Percentage of fuel inputs in						
Solid fuels[b]	0.58	0.68	0.61	0.62	0.53	0.43
Oil	0.14	0.13	0.33	0.29	0.24	0.28
Natural gas	0.28	0.19	0.07	0.09	0.23	0.24
Electric energy production (bkwh)[f]	1,740	2,481	898	1,742	997	1,731
Percentage in						
Conventional	0.84	0.77	0.62	0.64	0.83	0.80
Hydroelectric and geothermal	0.15	0.12	0.36	0.24	0.17	0.14
Nuclear	0.01	0.11	0.02	0.12	*	0.06

Sources: Data for the USSR in 1970 are from Campbell, *Soviet Energy Balances*, p. 7. These have been converted from standard fuel to thousand barrels per day of oil equivalent (tbdoe). Data for the USSR in 1980 are from Campbell, "Energy," pp. 196–97. Data for the United States and Western Europe are from OECD, *Energy Balances of OECD Countries, 1960/74* (Paris: OECD, 1976) and OECD, *Energy Balances of OECD Countries, 1976/80* (Paris: OECD, 1982). Data in both years have been converted from million tons of oil equivalent to tbdoe.

* Less than 0.005.

a. TPE is an OECD concept that includes all indigenous energy production plus net imports and fuel in marine bunkers minus stock changes.

b. Includes peat, firewood, oil shale, coke oven gas, and blast furnace gas.

c. TFC is an OECD concept equal to TPE minus fuel used in electricity generation, fuel used to manufacture gas, own use by the energy sector, losses, and a statistical discrepancy. It is therefore intended to represent the net energy available for work in the economy after transformation and other losses.

d. "Other sectors" include residential users, commercial users, agriculture, and miscellaneous users.

e. This also includes centrally produced heat.

f. Billion killowatt hours.

The Soviet Union relies more heavily on solid fuels than either the United States or Western Europe, but the solid fuel proportion is falling rapidly, particularly in favor of natural gas but also of oil. That is not according to plan, but nevertheless it is likely to continue for some time. Solid-fuel production is stagnant, and imports are not used to meet production shortfalls.[11] An enormous amount of TFC goes to industry in the Soviet Union, in comparison with the shares in Western Europe and the United States. In part this is explained by the relatively high share of industry in value added in the USSR compared with the United States and Europe, but that is not all the story. Consider, for example the comparison for 1980 in the following table:[12]

	United States	Soviet Union	Soviet Union/ United States
1. Value added in industry (billions of dollars)	591	515	0.87
2. TFC, industry (tbdoe)	7,566	10,413	1.38
3. Energy per dollar value added (2 ÷ 1)	12.80	20.22	1.59

In 1980 the Soviet Union produced 87 percent of U.S. value added in industry, and required 38 percent more energy to do so, which adds up to 58 percent more energy per dollar value added in industry in the USSR than in the United States. For all of GNP the figure (cited earlier) is 32 percent. Within Soviet industry the reliance on solid fuels shows up, as well as the increasing share of natural gas.

In transport the USSR uses a much smaller proportion of TFC than does either the United States (where transport accounts for one-third of all TFC) or Europe. This is natural enough, given the relatively small stock of automobiles and trucks in the USSR, but that stock is growing

11. The problem Soviet planners face is that when coal production is below plan, it is difficult to import the coal necessary to meet the consumption plan because of transportation bottlenecks.

12. See table 3-3 for sources of energy-consumption data. The value-added data for the USSR are from CIA, *Handbook of Economic Statistics, 1981*, p. 57 (the share of industry in GNP), and p. 26 (GNP in 1980 dollars), as are the GNP data for the United States. The share of industry data for the United States are from *Statistical Abstract of the United States, 1981*, p. 423.

rapidly, and so, therefore, should transport's share in energy consumption.[13]

In the "other" sector the most important categories are households and agriculture. Again, note in table 3-3 the relatively high reliance on solid fuels in the USSR, where many households, particularly in the countryside, are heated with coal, wood, or peat. This sector also seems to promise difficulties for Soviet planners because it is likely that energy consumption will grow rapidly there as mechanization and hydrocarbon-based fertilizer use continue to grow rapidly.

The Soviet Union produces a smaller proportion of its conventional electricity from solid fuels than do Europe and the United States, and the share is falling. This is not an intentional decline, and it is easy to see from table 3-3 why Soviet planners feel they can and should increase the share of coal in conventional generation.

Nuclear power still accounts for a smaller share of total electric power production in the Soviet Union than in the other two areas. Hydroelectric and geothermal power are approximately as important in the Soviet Union as in the United States, but much less important than in Europe, which reflects very high shares for hydro and geothermal in Norway and Sweden.

Determinants of Energy Consumption

In any system the actual level of energy consumption is the result of a set of interrelated factors: geographic, technological, political, and systemic. Ideally, to ascertain the potential for energy conservation in an economy such as that of the USSR, one would want to identify the relative importance of each of these factors in explaining what, by world standards, is a high level of energy consumption. That done, it would be possible to identify those factors exogenous to the system (the weather, for example); those for which policy changes, but not systemic changes, would have an impact; and those for which only changes in the economic

13. During 1970–80 the stock of automobiles increased from 1.6 to 6.9 million, an average annual growth rate of more than 15 percent. Over the same period, the stock of trucks rose from 3.2 to 5.1 million, an increase of 4.7 percent a year. Holland Hunter and Deborah A. Kaple, "Transport in Trouble," in Joint Economic Committee, *Soviet Economy in the 1980's: Problems and Prospects*, 97 Cong. 2 sess. (Government Printing Office, 1982), pt. 1, pp. 224, 226. Throughout the 1980s the growth rate in the stock of automobiles should fall gradually, while the growth rate in the stock of trucks may rise as a result of the Kama River truck plant's output.

system itself would be effective. Then, by predicting what policymakers are likely to do, it would be possible to project energy-consumption trends, and in particular to guess if the future will be noticeably different from the past. If done properly that approach would require a major cross-sectional study of energy consumption in industrial economies, which would demand more time than was available for this study, in particular because of the formidable requirements for constructing an internally consistent data set that included the Soviet Union.

Although this chapter is not that ambitious, it is structured along those general lines. It is an attempt to draw together what is known about the various factors that go to explain the relatively high consumption of energy in the Soviet Union and the likelihood that those factors will soon change. The next section discusses the nonsystemic factors that influence Soviet energy consumption and the link between them and economic activity. The bulk of the section is devoted to exploring the possibilities in the Soviet economy to save fuels through introducing new technologies and through fuel switching, and the costs of doing that.

The final section considers the role of the system in determining energy consumption and the link between that and GNP. The most important issue here is to try to divide up the potential energy-conservation gains between those that can be attained through policy changes that do not alter the economic system and those that can be attained only through fundamental systemic changes.

The actual prediction of energy-consumption trends is related in part to energy-supply trends and to general economic prospects. These issues, some of which were discussed in chapters 1 and 2, are analyzed as a whole in chapter 4.

Nonsystemic Factors in Energy-Conservation Prospects

The term *energy conservation* suggests that somehow less energy is being consumed relative to what would have been consumed had "conservation measures" not been taken. There are four basic ways to accomplish this:

1. Improvements can be made in the efficiency with which energy is used to produce a given commodity or service (hereafter *direct energy-efficiency gains*). This will almost always involve substituting capital or labor for energy. For example, a reduction in specific fuel rates in power

stations will reduce energy consumption relative to economic activity, which is certainly energy conservation; it is typically achieved by capital expenditures on new equipment or on modifications of existing equipment.

2. A shift in the production of GNP can be directed from commodities that directly or indirectly (through their inputs) are relatively heavy users of energy (hereafter *indirect energy-efficiency gains*). For example, a shift from petrochemicals toward, say, service industries will decrease the ratio of energy consumption to GNP, even if there is no change for specific products in the relationship between energy consumption and economic activity. This, too, is, in effect, energy conservation, although the initial policy is targeted at conserving products that rely on energy as an important input.

3. A switch in fuels, especially from solid fuels to hydrocarbons, can reduce energy consumption relative to economic activity (hereafter *fuel switching*). Some fuels are much more efficiently used than others in identical uses, and a switch to the more efficient fuel will reduce energy consumption. A classic example is the switch from coal to hydrocarbons and electricity for railroads, which can save a substantial amount of energy, and which is precisely what the Soviets did in the 1960s.[14]

4. A reduction in economic activity (hereafter *recession*), if it is done solely to conserve fuel, is an admission that the first three measures cannot, or will not, be used. Nevertheless it does "conserve" fuel.

In any economy the decision to pursue measures in any of these categories is ultimately an economic decision to which costs and benefits are attached. A decision to reduce energy use in a factory by purchasing a computerized system for climatic controls in the building will reduce energy use but will require new investments. Whether it is *economically* wise to do that requires comparisons of the alternatives, by using correct prices for all the inputs: capital, energy, labor, and materials.

Economic considerations are so all-pervasive in energy-demand management that there is no way to be sure that every reduction in a country's energy-GNP elasticity is indeed in the best interests of the

14. On different energy efficiencies in similar uses, see, for example, Dunkerley, *Trends in Energy Use*, p. 149. In transportation 96 percent of the potential energy in solid fuels is lost but only 60 percent of the potential energy is lost in generating electricity. On Soviet energy savings in railroad systems, see A. A. Makarov and L. A. Melent'ev, "Problemy i puti razvitiia energetiki SSSR" [Problems and paths of development of energy of the USSR], *Eko*, no. 3 (March 1981), p. 30.

economy, or that every increase is automatically a bad sign. A reduction in the energy-GNP elasticity purchased at the cost of very scarce capital that otherwise might have produced goods of higher social value than the energy saved would be harmful to the general interests of the economy, even if it looked quite good from the narrow viewpoint of energy demand.

In economies where markets are the main force in resource allocation, the first three of these four sets of measures develop for the most part automatically. Individual economic units respond to the new relative prices for energy by investing in new capital (or changing the way they use capital), to the extent it is economically sensible to do so at prevailing prices. In that way energy efficiencies may rise (for example, as individuals buy more fuel-efficient automobiles and factories install computerized energy-monitoring systems), product mixes will shift (products with relatively high energy contents will grow more expensive, and purchasers will shift away from them), and fuel mixes may change. Changes in the latter, if they are a shift back to solid fuels, may cause a deterioration in energy efficiencies that is economically justified, a good illustration of the point made earlier.[15]

There has not yet been enough research on what has happened in Western industrialized economies since 1973 to say with any precision what mix of the preceding four factors explains the reduction in the energy-GNP elasticity. An interesting and suggestive study on the United States, published by the Oak Ridge National Laboratory, concludes that in 1980 U.S. energy consumption was about 20 percent below what it would have been in 1980 if pre-1973 energy and GNP trends had continued. The authors estimate that about one-half of that shortfall was the result of a GNP growth slowdown, and that the other half was caused by increased energy prices (about 80 percent) and an unexplained residual (possibly structural change or government policies).[16]

That divides the energy-conservation results between the first three factors and the last one. Another study, by Dale Jorgenson Associates, using a 1972 input-output table for the United States, reached similar

---

15. In some cases a shift to solid fuels will drive down energy efficiencies—for example, in power stations switching from fuel oil to low calorie coals—but if the price differential is great enough, then the switch is a net gain to the economy, even though the energy-GNP elasticity will rise.

16. Eric Hirst and others, "Energy Use from 1973 to 1980: The Role of Improved Energy Efficiency," Oak Ridge National Laboratory for the Department of Energy, December 1981.

conclusions on total energy conservation in the United States over a similar period; it attributes most of the savings to direct energy-efficiency gains (reduced energy use per unit of output), rather than to indirect energy-efficiency gains or fuel switching.[17]

Very few studies explore the "mechanics" behind responses to the energy price increases observed in recent years in Western economies. (Precisely what types of investments were undertaken? At what cost?) More studies along that line would not only be important in achieving a better understanding of the processes at work there but would also be useful from the narrower point of view of this study, namely, understanding what is possible in the Soviet Union.

Energy-conservation possibilities in the USSR seem similar to those in Western industrialized countries. Soviet leaders are now frequently saying that the capital costs of energy-conservation measures are one-third to one-half the new investment that would be involved in extracting and transporting to consumers energy equivalent to that saved through conservation.[18] The difficulty in the Soviet economy is that prices are so distorted, and in any event exert such a weak influence on resource allocation, that it is possible not only to overconsume energy but also to oversave it. There is some evidence that in the past Soviet planners have been so preoccupied with fuel rates in power stations that they may have pushed them too low in light of the capital costs involved.[19] In the 1980s Soviet planners may respond to increasing pressure on energy supplies by costly measures focused on decreasing energy consumption in some production processes.

For the Soviet Union, as for any economy, the proper question is not simply whether it is possible to realize significant energy-conservation gains in the near future. The issue is much more subtle, and therefore much more difficult to resolve: how much of its potential for energy-conservation gains can the USSR *afford* to realize in the near future?

Past Soviet Energy-Conservation Achievements

Despite the continued high energy-GNP elasticities of the last two decades, there have been considerable improvements in energy effi-

17. Discussed in ibid., p. 9.
18. A. Lalaiants, "Problemy ekonomii toplivno-energeticheskikh resursov v narod-nom khoziaistve" [Problems economizing fuel-energy resources in the economy], *Plan. khoz.*, no. 1 (January 1981), pp. 34–44.
19. Campbell, *Soviet Energy Technologies*, p. 18.

ciency in some sectors of the Soviet economy. It is important to understand those achievements to understand in what ways Soviet central planning is adept at realizing energy-conservation goals and also to identify what sources of conservation have been fairly heavily exploited in the past and are less promising for the future.

Major direct energy-efficiency gains seem to have emerged primarily in large energy users easily identified and controlled by the planning apparatus. This is certainly the case for electric power, and it may be true for ferrous metallurgy. In addition, planners have been alert to good possibilities to conserve through fuel switching, the most important example being in the transport industry. What they have apparently not been able to exploit to any significant degree is the possibilities for indirect efficiency gains through reducing the consumption of those materials that require a great deal of energy to produce.

ELECTRIC POWER. The experience of the Soviet electric power industry over the postwar period provides an excellent case study for illustrating the strengths and weaknesses of the Soviet planning system in relation to energy conservation. This is an unusual industry. Its output is homogeneous and relatively easy to measure in quantity and quality, and it is almost a pure demand-driven industry. These two characteristics allow planners to strive toward minimizing the cost of providing electric power, which they have done by focusing their attention on the heat rate.[20] Here is a product for which the critical input is fuel, and for which planners can set norms with a fair degree of confidence that their targets are achievable. This preoccupation with the heat rate, which seems to permeate the entire system from central planners through Minenergo to the individual power plants, has borne fruit in a reduction by half in Soviet power station heat rates from 1940 to 1980, moving from 645 grams of standard fuel per kilowatt hour (kwh) to 328 grams of standard fuel per kwh.[21]

A major reason for the fall in the heat rate has been the strong commitment of Soviet planners to develop and introduce technologies capable of capturing waste heat in power stations (cogeneration) and using it for space heating and higher-temperature uses in industry. As a result, by the mid-1970s, 34 percent of all electricity produced in the Soviet Union was produced in cogeneration plants. It is that relatively heavy reliance on cogeneration that seems to explain why the efficiency

20. The number of grams of fuel (measured in standard units) used to produce one kwh of electricity.
21. *Narkhoz* (1980), p. 155.

with which electricity is produced in the Soviet Union exceeds comparable figures in the United States and Western Europe by approximately 50 percent.[22]

The other ways to improve heat rates in power stations are to increase the size of the individual generating units (at least into the 300-mw range) and to increase the heat and pressure under which steam is generated to spin the turbines. The Soviets have exploited both of these in the last twenty years, installing larger units with higher steam parameters in their conventional stations. In 1960 there were only 12 power units in the Soviet Union with a generating capacity equal to or exceeding 150 mw and none with greater than a 210-mw capacity. By 1980 there were 392 units with a capacity of 150 mw or higher, including 143 units of 300 mw, 9 units of 500 mw, 9 units of 800 mw, and 1 unit of 1,200 mw.[23] All the larger units here are condensation units; the largest cogeneration unit now operating is 250 mw.[24]

Precisely how much of the improvements in heat rates is the result of these advances is difficult to say. William Kelly's data, based on Soviet sources, suggest that a 300-mw unit will consume about 80 percent of the fuel per kilowatt hour of a 50-mw unit, but that size increases beyond that produce only marginal improvements in the fuel rate. On the other hand, increasing the steam parameters from 400 degrees Celsius and 29 kgF/cm[2] (a measure of pressure) to 565 degrees Celsius and 240 kgF/cm[2] can reduce fuel consumption by 40 percent. These two effects were apparently important contributors to the reduction in fuel rates as the stock of units shifted to larger sizes and as the fuel rates in specific sizes fell with increasing steam parameters.[25]

It now appears that existing technologies are being pushed close to their limit, and that no major new decreases in fuel rates will be achieved until new technologies are introduced, presumably toward the end of the century.[26] Consequently, the electric power sector cannot be counted

22. Campbell, *Soviet Energy Balances*, p. 27.

23. A. M. Nekrasov and A. A. Troitskii, eds., *Energetika SSSR v 1981–1985 godakh* [Energy in the USSR in 1981–1985] (Moscow: Energoizdat, 1981), p. 114.

24. Ibid., p. 126.

25. William J. Kelly, "Industrial Energy Conservation in the Soviet Union: Thermal Power Generation," paper prepared for the 48th annual conference of the Southern Economic Association, Washington, D.C., November 10, 1978, p. 3 and table 2.

26. Ibid., p. 8. The most promising conventional fuel technology for power generation is magnetohydrodynamics, on which the Soviets are doing research. Energy saving here could be in the range of 25 to 50 percent, relative to current heat rates. See also Campbell, *Soviet Energy Technologies*, pp. 184–91.

on to help significantly in holding down the future growth rate of energy consumption: as electricity consumption rises, so will energy consumption in power stations, and at approximately the same rate.[27]

The history of electric power production in the Soviet Union shows that it is possible to realize substantial direct energy-efficiency gains under Soviet central planning. The tendency in that system to focus on a particular success indicator—the heat rate in this case—allowed planners to mobilize the industry and its equipment suppliers to achieve significant gains. Still, there are two important lessons from the experience of this industry.

First, there is a danger that focusing on the heat rate will lead planners, Minenergo, and the individual power plants to make decisions that conserve energy by expending economically unjustified amounts of capital. Campbell has suggested that the Soviet preoccupation with cogeneration has taken on the aura of a dogma, and that as a result there appears to have been an overinvestment in cogeneration capacity that has meant that some turbines with cogenerating capabilities have had to run solely as electricity-generating turbines. This increases operating costs significantly; it also means that the higher investment cost per megawatt for the cogenerating capability was unjustified. It would have been better to build large power stations and then separate smaller steam facilities. He also notes that the preoccupation with heat rates has probably discouraged the development of small gas-fired turbines, which have high heat rates but relatively low capital costs and are quite economical if used only for peak-load periods on the system.[28]

Second, because the possibilities for further conservation gains in electric power are quite limited, Soviet planners would very much like to find another industry similar to electric power where they could—from their commanding heights—engineer major direct energy-efficiency gains. The power sector is unusual in this regard. The product it supplies is homogeneous, easy to measure, and basically a function of demand. Therefore, planners can without much harm focus most of their attention on the input. Because the output is simple and the technology is fairly easy to control from the center, planners were able to engineer efficiency gains. No other sector in the Soviet economy is that simple.

27. Of course nuclear power will assist here in reducing the growth rate of conventional fuel inputs for electric power production. But nuclear power properly accounted for shows up in total primary energy requirements as the hypothetical fuel inputs required to produce it in conventional stations.

28. Campbell, *Soviet Energy Technologies*, pp. 62–98.

FERROUS METALLURGY. The ferrous metallurgy industry is in some ways as amenable to central control as the power industry, but not in all ways, which has some important consequences for fuel consumption in the industry. The Soviet iron and steel sector is a huge operation that produces considerably more crude steel than does any other country in the world.[29] Energy use in the industry accounted for 25 percent of all industrial energy use in the USSR in 1980 and for 10.8 percent of TPE that year.[30]

The Soviets continue to rely heavily on open-hearth furnaces for steel making, whereas much of the rest of the world has been moving for some time toward oxygen-converter processes, which require considerably less energy to produce steel.[31] Within the confines of open-hearth technology, the Soviets have managed to bring down fuel-consumption rates. Fuel-consumption rates in open-hearth furnaces were approximately 200 kilograms of standard fuel per ton of steel produced in the 1940s, and by the late 1970s that figure was down to about 135 kg of fuel per ton of crude steel.[32] These gains were achieved by increasing the average size of open-hearth units, retiring small units, and adding large ones.[33] There was also a substantial increase in the use of oxygen, which reduces the total fuel consumption by speeding up the steel-making process.[34]

In addition the Soviets have begun to convert their open-hearth furnaces to tandem-hearth furnaces, in which one bath is replaced by

29. In 1978 Soviet crude steel production peaked at 151.5 million tons, and by 1980 it was down to 148 million tons. In 1980 the EC as a whole produced 128 million tons; Japan produced 111.4 million tons; and the United States produced 101.5 million tons. CIA, *Handbook of Economic Statistics, 1981*, p. 125.

30. The 25 percent figure is from Lalaiants, "Problemy ekonomii toplivno-energeticheskikh resursov," p. 38; the 10.8 percent is computed using Lalaiants' figures and data in table 3-2.

31. On the Soviet reliance on open-hearth furnaces, see William J. Kelly, Hugh L. Shaffer, and Timothy P. Spengler, "Trends in the Energy Efficiency of Open-Hearth Furnaces in the Soviet Union," paper presented at the 45th annual meeting of the Midwest Economics Association, Louisville, Kentucky, April 1–4, 1981. A discussion of recent trends in iron and steel technologies in the West can be found in United Nations Economic Commission for Europe, *The Economic Commission for Europe and Energy Conservation: Recent Experience and Prospects* (United Nations, 1980), pp. 58–62.

32. UNECE, *The Economic Commission for Europe and Energy Conservation*, p. 6.

33. The average size of open-hearth units rose from 185 metric tons in 1961 to 262 metric tons in 1974. Ibid., p. 11.

34. Ibid., pp. 15–16.

two, each half the size of the original. One bath is used to make steel and its waste heat is used to preheat scrap in the other. That lowers the overall fuel rate.[35]

There have also apparently been direct energy-efficiency gains in blast furnaces (which reduce iron ore to pig iron for transfer to steel furnaces) over the postwar period. Size is a major determinant of the rate at which fuel is consumed per ton of pig iron; the larger the size, the lower the rate of fuel consumption. Soviet blast furnaces averaged a capacity of 776 cubic meters in 1955, and by 1974 their average size was up to 1,240 cubic meters. Over that same period the coke rate (kilograms of coke per ton of pig iron produced) fell from 837 kg to 523 kg. The total fuel rate probably did not fall as rapidly because some of the fall in coke consumption was compensated for by a higher use of gases and fuel oil.[36]

In spite of these gains in fuel rates in Soviet ferrous metallurgy, the consumption of energy in that industry is apparently considerably above that typical of other industrial countries. In 1980 Soviet ferrous metallurgy consumed in all stages an average of 1,260 grams of standard fuel per ton of crude steel produced. In the United States iron and steel consumed only 990 grams of standard fuel, and in the European Community 738 grams of standard fuel were consumed per ton of crude steel produced.[37]

Several factors are important in explaining this large gap. First, because Soviet industry has maintained a heavy reliance on open-hearth furnaces while it has tried to improve them, it has sacrificed the larger energy-input improvements that would have come from moving more

35. Ibid., p. 24.

36. William J. Kelly, Hugh L. Shaffer, and Timothy P. Spengler, "Opportunities for Improvement in the Energy Efficiency of Soviet Blast Furnaces: A Demographic Approach," paper prepared for the 51st annual conference of the Southern Economic Association, New Orleans, November 4–6, 1981, pp. 2–6.

37. Crude-steel production data are all taken from CIA, *Handbook of Economic Statistics, 1981*, p. 125. Energy use in iron and steel industries in the United States and in the EC are from IEA, *Energy Balances of OECD Countries, 1976/80*. I have adjusted that use upward to reflect electricity inputs at the fuel cost of producing the electricity (rather than the energy value of the electricity) to make the costs comparable with what I presume is the way the Soviet figure is computed. The Soviet figure is computed by using the 25 percent figure quoted by Lalaiants, "Problemy ekonomii toplivno-energeticheskikh resursov," p. 38. Kelly and others have come up with a similar figure for 1977 in a detailed estimate of energy consumption in ferrous metallurgy. See William J. Kelly, Hugh L. Shaffer, and Timothy P. Spengler, "Energy Efficiency in Soviet Ferrous Metallurgy," Battelle Laboratories, Columbus, Ohio, October 15, 1980.

quickly (as the rest of the world has) into basic oxygen furnaces and electric furnaces. These are more advanced technologies that, combined with continuous casting of the hot metal coming out of the furnace, can result in substantial savings (possibly as much as 65 percent) over current fuel uses in iron and steel processes in the Soviet Union.[38]

The apparent inertia in technological changes in iron and steel technologies seems to reflect a reluctance on the part of Soviet managers to adapt to dramatically different technologies for producing their products. They prefer to work on increasing the size of an open-hearth furnace, rather than go through the considerably greater trouble of making the major changes in product and input mix that could accompany the introduction of, say, an electric-furnace technology.[39] Also, it seems a good guess that an additional factor here is the interests of the research institutes that have invested a great deal of time in improving the open-hearth furnace. Finally, the industry is under severe investment constraints (as is the entire economy); therefore, even if specialists would like to speed up the conversion to more fuel-efficient technologies, planners cannot allow it because the initial capital costs would be quite high.

It is interesting to compare the iron and steel industry with the electric power industry. Both have tried to achieve direct energy-efficiency gains through gradual improvements in existing technologies. There is no marked tendency to make rapid changes in technologies, and no tendency to slavishly follow the trends in Western industry.[40] The important point to emphasize here is that there are active research-and-development efforts in the Soviet Union searching for ways to enhance energy efficiency. But, judging from these two industries, the focus—at least on the development side—seems to be on incremental changes to existing technologies, rather than on dramatic technological leaps.[41]

For the electric power industry this tendency to incrementalism within

38. Kelly and others, "Energy Efficiency in Soviet Ferrous Metallurgy," pp. 21ff.

39. Philip Hanson, *Trade and Technology in Soviet-Western Relations* (Columbia University Press, 1981), p. 58; and Kelly and others, "Trends in the Energy Efficiency of OHFs."

40. See Kelly and others, "Trends in the Energy Efficiency of OHFs."

41. The research side is another matter. Soviet research institutes are capable of conceiving and putting into prototype some quite exciting new technologies. The problem is getting the machine-building ministries to transform the prototypes into serially produced units and to get user ministries and enterprises interested in the development of dramatic new technologies and their introduction into the factory.

existing technologies seems to have worked well, and it appears consistent with the economics of conventional power production around the world. Since there are no major new conventional power production technologies now available, the entire world is involved in incremental advances in existing technologies, something the Soviets are good at. The one relatively new technology is nuclear power, and the Soviets have been slower to exploit it than have other industrial countries.

For iron and steel, however, the economics of the industry pushed most of the industrial world into a modernization drive that shifted the industry rapidly away from the blast furnace–open-hearth–cold-casting technological path toward either blast furnaces and oxygen furnaces or electric furnaces and continuous casting. Soviet planners have been reluctant to go down that path; instead, they are trying, as in the power industry, to improve fuel efficiencies within the old technology. They have achieved certain successes there, but one wonders if the economics of the Soviet steel industry were not similar enough to those of the world industry for planners to break the fixation with the old technology and force a rapid shift to the newer technologies.

TRANSPORTATION. Transportation is one area in which the Soviets clearly exploited the advantages of switching from solid fuels to liquid fuels and electricity. Between 1960 and 1975 ton-kilometers of freight hauled by all forms of transport in the Soviet Union increased by 276 percent, while fuel use in transport increased by a mere 2.4 percent, and electricity use increased by 418 percent. This reflects a massive switch to diesel and electric locomotives in the 1960s, which resulted in tremendous efficiency gains because liquid fuels and electricity are used much more efficiently than solid fuels.[42] Since 1975 fuel use in transportation has increased significantly as the efficiency gains from fuel switching have been exhausted and increased freight haulage has required increased fuel use. This is, in a way, similar to the story for electric power, where the diminution of possibilities for further direct energy-efficiency gains means that higher electric energy use must mean higher fuel use.[43]

42. The data on freight haulage are from *Narkhoz* (1980), p. 293. The fuel and electricity use in transport are from Campbell, *Soviet Energy Balances*, pp. 15–17, as is the discussion of the shift to diesel and electric locomotives.

43. Campbell estimates that in 1980 fuel use in transportation was 62 percent above that of 1975. See Campbell, "Energy," in Abram Bergson and Herbert S. Levine, eds., *The Soviet Economy: Toward the Year 2000* (London: Allen and Unwin, 1983), pp. 196–97. That seems terribly high given that freight haulage has only risen 19 percent, but

THE REMAINDER OF THE SYSTEM. In electric power, iron and steel, and transportation, significant strides have been made in exploring the possibilities for direct energy-efficiency gains and gains from fuel switching. Electric power and transportation seem to be efficient sectors by world standards, whereas iron and steel is probably a relatively efficient sector *given* the rather outdated technology that prevails. Major improvements there would be costly, possibly too costly in the climate of severe investment constraints under which the Soviet economy currently operates.

Judging from those sectors it is probably true that in other relatively energy-intensive sectors—paper and pulp, chemicals, construction materials, nonferrous metals—a similar pattern would emerge: improvements within the existing technology but failure to assimilate new technologies quickly, even if they are a good economic proposition. This is, for example, evidently true for cement, an energy-intensive product in which energy use can be significantly reduced by switching from the older wet process to the newer dry process. In the Soviet Union the dry process is already available, but industry is delaying its introduction.[44]

For all these energy-intensive sectors, major direct energy-efficiency gains are unlikely in the near future without the large investments (and probably large capital imports) necessary to an important technological shift. As Soviet energy-supply difficulties persist, the urgency associated with locating genuine energy-conservation possibilities grows. Yet the

---

whether or not that figure is correct, some significant increase in fuel consumption seems likely now.

44. Heavy energy use in cement production comes when the lime, silica, and alumina are crushed into fine particles and then burned in a rotary kiln. In the older wet process, the particles are made into a slurry and then burned, and a great deal of energy is used in evaporating the water. In the newer dry process, the incoming particles are dried with hot gases from the kiln, in which case the actual energy required to make the cement is much lower. See John E. Jankowski, Jr., "Industrial Energy Demand and Conservation in Developing Countries," Energy in Developing Countries Series, Discussion Paper D-73A (Resources for the Future, July 1981).

Recently a specialist on the USSR State Committee for Science and Technology complained about the slow pace at which dry-cement technology was being introduced in the Soviet economy. Judging from his account, the ministry that is to produce the machinery used in the process (the Ministry of Construction, Roads, and Municipal Machine Building) and the user ministry (the Ministry of the Construction Materials Industry) are both contributing to the delay. As a result, a new cement-production line that was completed in 1979 for a cement-production plant in Krivoy Rog has not yet been put into operation. See the editorial in *Trud*, February 17, 1982; translated in *FBISSU*, March 18, 1982, p. S4.

high capital costs associated with major direct efficiency gains in an industry such as iron and steel, combined with the natural inertia in the system that favors old technologies, suggest that there are few possibilities for further improvements in the efficiency with which energy is transformed. It is this logic that is forcing planners to turn with increased urgency to the next, though far more complex, source of energy-conservation gains: indirect energy-efficiency gains through reductions in the use of energy-intensive products. A reduction in the use of steel, nonferrous metals, electricity, cement, and so on would, given the relatively high energy inputs they embody, result in considerable energy savings.

It is impossible to say with any precision what portion of the apparent overconsumption of energy in the Soviet economy comes not in the first transformation of fuels into electricity, or iron, or aluminium, but in their overconsumption. The aggregate data say nothing about whether the high energy-GNP elasticity in the USSR is primarily the result of steel being produced inefficiently or whether it is produced relatively efficiently but is overconsumed in other production processes. In fact, both seem to be the case in the Soviet economy, which is why planners are indeed justified in their optimism about the possibilities for energy conservation in the 1980s.

Possibilities for Energy Conservation in the 1980s

Although Soviet planners' interest in the conservation of energy and other materials has always been present in their public statements, that interest has become more intense in the last five years or so. The most tangible evidence of a serious intention to realize substantial energy-conservation gains in the economy can be found in the analyses published in the planning literature. They specify in convincing detail where possibilities for further energy conservation exist in the system.[45] These analyses suggest that in the decisions on FYP XI (1981–85), and in the more general plans through 1990, a great deal of attention has been devoted to the details of energy-conservation possibilities, far more than

45. For example Lalaiants, "Problemy ekonomii toplivno-energeticheskikh resursov"; A. Piatkin and A. Troitskii, "Vozmozhnosti ekonomii energoresursov" [The possibilities for economies in energy resources], *Plan. khoz.*, no. 9 (September 1981), pp. 55–62; and Makarov and Melent'ev, "Problemy i puti razvitiia energetiki SSSR."

in any previous five-year plan. In addition, a number of measures are being introduced in an effort to ensure that the possibilities are exploited.

Table 3-4 summarizes the official view (and, where necessary, my guess at the official view) of energy-conservation gains possible for the 1980s, along with what it is claimed was achieved in FYP X (1975–80). Here the term *savings* is a Soviet concept. If, in 1975, there is a plan target that by 1980 energy consumption will be 1.4 mbdoe below what it otherwise would have been in the absence of policy changes, those are the "savings." Also reported are conventional fuel savings because of additional electricity produced in nuclear or unconventional power plants; those data are given in panel 2. Panels 3 and 4 outline the implications of those data for energy consumption and the energy-GNP elasticity, where energy consumption is defined here as TPE.[46]

These data may be subject to a considerable upward bias. Apparently these are aggregations of microeconomic plan data in which individual enterprises, and then their ministries, compare what energy consumption would have been had they met their norms for energy consumption with what energy consumption actually was. Unfortunately, the norms are set for each enterprise as a whole, not for each product produced, and for that reason (among others) the norms are involved in the general bargaining process among enterprises, ministries, and central planning authorities. As a consequence, norms can vary greatly among enterprises producing similar products, and they are generally too high.[47] In fact, in many cases norms for the new plan period are set not by taking account of actual energy consumption in previous periods, but on the basis of a bargain between the enterprise and the ministry on what is possible. One party official reports that in his province many enterprises had consumption norms in 1980 above actual energy-use coefficients for 1979.[48] Even more troubling is that energy norms are no exception to the well-known tendency in the Soviet planning system to change targets when it appears

46. That is necessary because some of the anticipated savings are in losses during energy transmission or transformation, which would not save TFC. Empirically the distinction is not important because Soviet TFC and TPE have changed at almost identical rates in the recent past.

47. U.S. Office of Technology Assessment, *Technology and Soviet Energy Availability* (GPO, 1981), p. 236.

48. F. Loshchenkov, "Bor'ba za ekonomnoe raskhodovanie materialov, energii i povyshenie effektivnosti proizvodstva" [The battle for rational expenditure of materials, energy, and the increase in the effectiveness of production], *Plan. khoz.*, no. 10 (October 1981), p. 16.

Table 3-4. *Soviet Energy Conservation Results Realized or Planned, 1980, 1985, 1990*

Million barrels per day of oil equivalent (mbdoe)

Item	1980 (reported actual)	1985 (planned)	1990 (planned)
1. Total energy "savings"[a]	1.6	1.8[b]	3.8–4.4
Unspecified by source[c]	1.4	0.7	1.9–2.5
Specified by source	n.a.	1.1	1.9
Industry	n.a.	0.2	0.9
Other individual sectors	n.a.	0.1	0.8
Multisector[d]	n.a.	0.8	0.2
2. Reduced conventional fuel use as a result of[e]			
Increased nuclear power production	0.2[f]	1.0	1.1
Increased geothermal, solar, and wind production	0.0	0.0[g]	0.1
3. Energy consumption[h]			
With no savings	26.0[i]	30.6[i]	36.2[j]
With planned savings	24.4[k]	28.8[l]	32.0[m]
4. Implied energy-GNP elasticity[n]			
With no savings	1.7	1.7[o]	1.7[p]
With planned savings	1.2	1.2[q]	0.8[p]

Sources: Unless otherwise indicated, data for the first and second panels are from A. Lalaiants, "Problemy ekonomii toplivno-energeticheskikh resursov v narodnom khoziaistve" [Problems economizing fuel-energy resources in the economy], *Plan. khoz.*, no. 1 (January 1981), pp. 34–44. Because the author discusses the specific sources of savings in a nonexhaustive listing, the specified uses here do not exhaust the specified sources that probably underlie actual planning figures. Panels 3 and 4 were calculated under assumptions discussed in the notes below. All data were originally in tsf and were converted to mbdoe.

n.a. Not available.

a. The term *savings* refers to the reduction in fuel use in the year specified from what consumption would have been had trends continued as they were up to a previous base year. The base year for the 1980 data here is 1975, and for the 1985 and 1990 data, 1980. Thus the savings of 3.8 to 4.4 mbdoe in 1990 refer to the difference between what energy consumption would have been had the conservation measures not been taken (and therefore energy consumption trends during 1980–90 were as they had been before 1980) and what energy consumption would be as a result of the successful realization of the energy-conservation measures.

b. The original conservation targets discussed for 1981–85, and published in early 1981, were (including nuclear and hydro) 2.2–2.4 mbdoe. See the draft of FYP XI published as an insert in the *Ekon. gaz.*, no. 11 (March 1981), insert, p. 4; and A. Piatkin and A. Troitskii, "Vozmozhnosti ekonomii energoresursov" [The possibilities for economies in energy resources], *Plan. khoz.*, no. 9 (September 1981), p. 55. Since then the targets have been raised to a total of "more than" 2.8 mbdoe (200 mtsf), without any specifics about from where the additional savings will come. See, for example, "Strategiia dvizheniia vpered" [The strategy for moving forward], *Ekon. gaz.*, no. 49 (December 1981), p. 2. I have assumed that the target for nuclear and unconventional remains unchanged and that all the revisions were for true savings, not savings from an acceleration in commissioning nuclear power plants.

c. This means only that portion of intended energy savings for which no specific source has been identified in publicly available materials. A good portion of these savings is most likely identified by source in internal planning documents.

d. *Multisector* is my term to identify savings that mainly are of an indirect nature, such as reduced use of electricity and heat in all ministries, which is supposed to save 0.6 mbdoe in 1985.

e. The Soviets include this in their total figures for energy savings, calculating it as the amount of conventional fuel that would have been required to produce the electric power but that was instead produced by these nonconventional sources. Because this is not actually energy conservation, I have specified the data in a separate panel.

f. Estimated using Robert Campbell's energy balances for 1975–80 in Campbell, *Soviet Energy Balances*.

g. Savings are 0.042 mbdoe.

h. I am using total primary energy requirements here because the savings are in part in reduced losses, which will save TPE but not total final consumption.

i. The sum of energy consumption with planned savings and the total energy savings (panel 1).

j. Using the midpoints of total energy savings.

k. Actual TPE for 1980 from table 3-3.

Table 3-4 (continued)

l. Based on several statements that during FYP XI energy consumption will rise 18 percent. *Ekon. gaz.*, no. 49 (December 1982), p. 17; and *Pravda*, January 26, 1983, p. 1.

m. This assumes that approximately one-half (2.0 mbd) of the midpoint of the planned savings for 1990 relative to 1980 (2 mbd of the average savings for 1990 of 4.2 mbd) acts to reduce the energy-GNP elasticity in the second half of the 1980s, the remainder of the savings being what is required simply to maintain the historical energy-GNP elasticity.

n. Computed using the energy-consumption figures in the third panel and Campbell's 1975 energy consumption figure in Robert W. Campbell, *Soviet Energy Technologies: Planning, Policy, Research and Development* (Bloomington: Indiana University Press, 1980), p. 8. The GNP growth rates for the 1980 figure relative to 1975 is the actual, 14.4 percent (table 3-1). The figure for 1985 and 1990 is 2 percent a year.

o. Growth rate between energy consumption with planned savings in the previous period and energy consumption with no savings in the subsequent period, divided by the assumed planned growth rate of GNP (2.75 percent a year).

p. This assumes a planned GNP growth rate of 2.75 percent a year.

q. I am assuming here that the planned energy-GNP elasticity with savings is what the actual elasticity was in 1976–80. That implies a planned GNP growth rate of 2.75 percent a year.

that they are not going to be met, so that in fact they can be fulfilled or overfulfilled. It is therefore likely that the reported energy-conservation results are substantially overstated because in many cases enterprises simply raised the norms to show savings.[49]

For that reason the figures for actual energy savings claimed for 1980 (in table 3-4) should be viewed with skepticism. Indeed, confidence in those figures is hardly increased by looking at the energy-GNP elasticities implied by no savings versus the claimed savings. These data suggest that even with savings the energy-GNP elasticity in 1976–80 was 1.25 (which, as noted earlier, is an increase over previous periods). If these savings had not been realized, the energy-GNP elasticity would have been 1.70. It may have been, but it is more likely that there were no significant savings—hence the high energy-GNP elasticity—and that the savings claimed for 1975–80 were achieved by raising norms and not by saving energy.[50]

49. Loshchenkov recounts how this happened in his province. The Iaroslav refrigerator factory had a norm for electricity consumption per 1,000 rubles of output that in February 1980 was increased so that what would have been an overexpenditure of electricity by 2.3 percent was turned into a "saving" of 2.6 percent. Ibid., p. 17. A similar story regarding the ferrous metal industry, in which energy losses had risen but norms rose faster, so savings were reported, can be found in V. Cheplanov and Iu. Chernegov, "Mineral'nye resursy i tseny" [Mineral resources and prices], *Ekon. gaz.*, no. 46 (November 1981), p. 10. See also I. Buachidze and A. Gordienko, " 'Lipovaia' ekonomiia" ["Faked" economies], *Ekon. gaz.*, no. 11 (March 1983), p. 9.

50. Actually the reported 1980 savings of 1.4 mbdoe are below original plans, which called for savings of 1.7 mbdoe. (A. M. Nekrasov and M. G. Pervukhin, eds., *Energetika SSSR v 1976–1980 godakh* [Energy of the USSR in 1976–1980] (Moscow: Energiia, 1977). In fact, the plans were surely for true energy savings (not norm inflation), and if they had been achieved, 1980 energy consumption would have been approximately 22.7 mbdoe (assuming the 24.4 mbdoe actually achieved in 1980 was in reality the "no-savings" energy consumption that could have been predicted in 1975). If one takes into account that planners anticipated GNP growth rates higher than achieved (say, planned

Although central planners may suspect norm inflation in much of the data they receive, it is difficult for them to verify that, except in the aggregate when they see elasticities such as those in table 3-4 for the 1980s. If an energy specialist in Gosplan, sitting in Moscow, could say with fairly high confidence that the norms for energy consumption in factory X were too high, there would be no necessity to haggle with the factory about the norm. Gosplan could simply say: "This is it. We *know* you can do it, so do it." Unfortunately, much of the requisite information on what is feasible for each enterprise resides with the individual enterprise and not with the central planners. The center has neither the time, the experience, nor the computational capacity necessary to develop the information, yet it is needed to make the plans. Planners are thus forced to rely on bargaining to identify energy-conservation possibilities, even though they know it is an inherently biased source of information. This is one example of a general problem facing central planners. They are dealing with firms that have what Friedrich A. Hayek so aptly labeled "knowledge of the particular circumstances of time and place," and because of it firms have the power to distort information concerning matters such as energy-conservation possibilities. In the absence of a mechanism that would provide independent information on what is possible by pitting firms against each other (such as a competitive price mechanism), it is difficult for planners to reduce their ignorance significantly.[51]

Given the apparent problems with the claimed savings in energy consumption for the latter part of the 1970s and the general problems with norms, the data in table 3-4 for the 1980s are most useful in indicating what central planners regard as possible and not in predicting what is likely to occur. Judging from the data for 1980, there will probably be a claim in 1985 that much of the planned-for savings was achieved. But whether the Soviets actually achieve any portion of it, or whether new "achievements" must come through norm inflation, is a matter that is discussed in the next section on systemic factors. Here the table is used

---

was 3.5 percent a year, not the actual 2.7 percent a year), the implied energy-GNP elasticity planned was 0.5. That seems a reasonable plan, at least in the retrospective view of what Western countries accomplished.

51. Friedrich A. Hayek's essay "The Price System as a Mechanism for Using Knowledge" first appeared as "The Use of Knowledge in Pricing" in *American Economic Review*, vol. 35 (September 1945), pp. 521–30. It has been reprinted in all editions of Morris Bornstein, *Comparative Economic Systems: Models and Cases* (Homewood, Ill.: R. D. Irwin). See, for example, the fourth edition, 1979, pp. 49–60.

for clues into what planners have concluded from their extensive inquiry into conservation possibilities for the 1980s.

The most interesting implication of the table is that planners seem to be pessimistic about decreasing the energy-GNP elasticity before the second half of the 1980s. In the first half they intend to achieve substantial energy savings, but even after those they anticipate that the energy-GNP elasticity will be about where it was in the second half of the 1970s. The energy-GNP elasticity is to fall to 0.8 in the second half of the 1980s. Other than a natural recognition that the longer the time span, the more such a fall is possible, the discussion surrounding these data suggests a fair appreciation of the investment requirements and the gestation periods involved. For example, in 1981 A. Lalaiants, the Gosplan official apparently overseeing the conservation program, focused on energy-conservation possibilities for the *decade,* rather than those possible in the next few years.[52]

Apparently a significant part of the intended energy savings is to come through indirect efficiency gains, although there is an intention to pursue direct efficiency gains in a number of industries, including those discussed earlier. Several recent articles in the Soviet press elucidate in some detail the thinking behind these numbers.[53]

The basic strategy for direct energy-efficiency gains involves achieving a number of small gains in the production, transportation, and use of energy. The main areas where savings are anticipated are listed here (with their anticipated energy savings in 1990 given in parentheses):

—*Electric energy production (0.35 – 0.39 mbdoe)* by the continued introduction of 500-, 800-, and 1,200-mw energy blocks and the modernization of 150- to 800-mw stations.

—*Ferrous metallurgy (0.24 mbdoe),* of which 0.14 mbdoe is in processes from blast and steel furnaces through crude steel, by further work on fuel enrichment (with oxygen presumably), by increased use of natural gas and other incremental improvements, and by improved

52. Lalaiants, "Problemy ekonomii toplivno-energeticheskikh resursov," p. 36.

53. Ibid.; Markarov and Melent'ev, "Problemy i puti razvitiia energetika SSSR"; and Piatkin and Troitskii, "Vozmozhnosti ekonomii energoresursov." Most of the detailed discussions relate to the original planned savings announced for FYP XI and not to the higher revised figures announced more recently. There are no details available on where the additional energy savings will come from; however, presumably most of the savings are to come because of higher prices for energy set in 1982 (for a discussion of the revision see note a, table 3-4).

techniques in steel making—for example, through increases in continuous casting.

—*Nonferrous metals (0.10 mbdoe),* generally unspecified but, for example, improvements in electricity use in aluminum production.

—*Chemical and petrochemicals (0.41 mbdoe)* through the introduction of new processes for producing ammonias, methanol, carbamides, plastics, and rubber and through increased use of secondary heat.

—*Construction materials (0.12 mbdoe)* through such measures as increased use of the dry method in cement production and improved production techniques for other materials.

—*Transport (0.28 mbdoe)* through dieselization of the truck fleet.

—*Household and agriculture (0.49 mbdoe),* which will grow rapidly, but nevertheless can be slowed by increased insulation, improved heating-control systems, and reduced use of small boilers (to be replaced by larger boilers or cogenerated steam). In agriculture savings will come through shallower plowing, running greenhouses on secondary heat, and other measures.

—*Reduced use of light fuels (0.28-0.35 mbdoe)* by shifting short-distance transport in agriculture from tractors (which achieve low gas mileage) to diesel trucks, for example.[54]

These measures, all of which constitute direct energy-efficiency gains, add up to 1.98 to 2.03 mbdoe of energy savings, approximately one-half of all savings planned for 1990 (see table 3-4). In virtually all instances the approach involves incremental changes within the confines of existing technologies. Chemicals may be an exception, but there is not enough information to judge if truly significant changes in technology are planned here. In ferrous metallurgy there is mention of an increased role for continuous casting, but those savings (which were about 3 percent of energy use in that sector in 1980) are modest enough for one to assume no technical leap is involved.

Indirect efficiency gains account for much of the rest of the intended savings, although there is little information on where they will originate. The original plans for 1985 included 0.76 mbdoe (rounded to 0.8 in table 3-4) in gains that will come through reductions in electricity and heat consumption in all ministries (0.56 mbdoe) and through reductions in the norms for the consumption of rolled ferrous metals, steel pipe, and cement (0.20 mbdoe).[55] The figure for 1990 is probably more than double

54. Lalaiants, "Problemy ekonomii toplivno-energeticheskikh resursov."
55. Piatkin and Troitskii, "Vozmozhnosti ekonomii energoresursov."

that planned for 1985 and therefore close to the 2 mbdoe not accounted for in direct energy-efficiency gains.

These, then, are the possibilities that Soviet planners outline for energy-conservation gains in the 1980s. If they realize their plans, the Soviet energy-GNP elasticity will follow, with a decade's lag, the time path of energy-GNP elasticities in the West, falling from a figure above unity at the beginning of the 1980s to 0.8 by the end of the 1980s. The Western experience suggests that this is technically feasible. Europe, which was regarded as relatively energy efficient at the beginning of the decade, continues to turn in remarkably low energy-GNP elasticities. The Soviet Union, which is apparently overconsuming energy, even by the standards of Europe in the 1970s, must have even more possibilities than Europe had then. From a purely technical point of view, these plans cannot be rejected out of hand.

The critical question is whether the Soviet economic *system* is capable of realizing those possibilities. A closely related question concerns the investment costs of those new conservation measures and the ability of the Soviet economy to absorb them during the 1980s.

Without denying in any way the enormous potential for energy conservation in the USSR, there are a number of reasons to be skeptical about the ability of Soviet leaders and the current Soviet economic system to realize their plans. Basically these reasons break down into three factors: those within the system itself that encourage continued high energy consumption, investment constraints that will impede the introduction of new energy-saving technology, and major changes in the product mix in Soviet GNP that will increase, rather than decrease, the energy intensity of GNP. All these factors are in some sense "systemic," the latter two reflecting inheritances of past decisions peculiar to the system. However, the system itself in its pure form is the main potential problem area.

Systemic Factors in Energy-Conservation Prospects

Whether Soviet conservation plans will be fulfilled in the 1980s will be determined jointly by the policies planners set and the way the system reacts to those policies. If, for example, the direct energy-efficiency gains are to be realized as anticipated in the various industries that use energy as inputs, a first condition is that the investment policies in the annual plans allow the necessary investments to occur. But that first condition is not the only one. Energy-using enterprises and ministries must act in concert with planners' wishes by using their allocated investment funds to purchase energy-saving equipment. Enterprises and ministries that produce machinery and equipment must produce energy-efficient variants of their products. In addition, machinery imports must be used skillfully to provide machinery and equipment where Soviet industry is least able to approximate world standards. In sum, the *system* is the final arbiter of the consequences of policies that planners make.

The first part of this section discusses planners' policies on energy conservation in the 1980s. It is a sketch of how Soviet leaders presently conceive a strategy adequate to improve on their economy's history of energy-efficiency gains. There are new elements in the strategy emerging for the 1980s that deserve some attention, but so far no fundamentally new approach is apparent. Instead planners seem to be pursuing the implementation of their policies the way they approach energy technologies themselves: through incremental adjustments to a historically familiar pattern.

The second part discusses why that approach is inadequate to produce the energy-conservation gains planned for the 1980s. The principal issues considered are the continuing strength of incentives to waste energy in this system, counterposed with the weakness of disincentives to do so, and the growing problem of investment constraints.

Policies to Encourage Conservation in the 1980s

It is not possible to discuss in any detail Soviet policies on energy conservation beyond mid-decade because the current policies are in many ways limited in their horizon to 1985. This is not true of the targets, nor of some of the technical documentation supporting them. However, the policy strategy for how the economy will be induced to meet those targets is still being decided, and what is in place will most likely not be satisfactory enough to remain policy for long. Current policies are simply the first attempt by the planning apparatus to secure the realization of conservation targets. As it becomes clear that in fact those targets are not going to be met (although norm inflation may give the illusion they are), planners will be under pressure to develop new policies.

The policies now articulated focus almost entirely on substituting capital for energy. There is no discussion of substituting labor for energy for the understandable reason that there is already an excess demand for labor in the Soviet Union. In this way Soviet conservation options are somewhat more limited than they were in the West, where the increased relative price of energy induced enterprises to substitute labor for energy. In the Soviet Union the price of labor will fall relative to energy, but that will only increase the excess demand for labor. Energy-efficiency improvements in the USSR will have to originate primarily in the substitution of capital for labor.[56]

The general approach to obtaining compliance with new conservation plans is being undertaken in the framework of a vigorous campaign to encourage economizing in all inputs into the production process. The overall measures guiding this effort are outlined in the July 1979 general reform measures introduced in the Soviet economy. The new targets introduced with those measures are extraordinarily complex, but the general notion is clearly to attempt, within the existing institutional framework, to shift enterprise priorities toward maximizing the value they add to a product, rather than maximizing the value of total output. The old system encouraged the latter, and along with it encouraged an enterprise to *maximize* the input content of its product. The new system is designed to encourage just the opposite, and were it to enjoy any success, it would stimulate improvements in energy efficiencies.[57]

More specific policy measures have also been announced to encourage energy conservation, sometimes as part of a general set of measures designed to encourage economies in the use of all natural resources. Energy-conservation measures themselves go back at least to 1973; since then there have been a large number of decrees on conserving specific fuels, all fuels, and energy in general.[58] The most recent of the measures, announced in July 1981, is similar in approach to those it

56. Lalaiants is quite clear on this when he states that the focus of the conservation policy is on capital expenditures. He also is clear that this is to be a centrally directed effort, undertaken with the interests of society as a whole in mind and not guided solely by the local interests of individual enterprises. Lalaiants, "Problemy ekonomii toplivno-energeticheskikh resursov," p. 37.

57. Gertrude E. Schroeder, "Soviet Economic 'Reform' Decrees: More Steps on the Treadmill," in Joint Economic Committee, Soviet Economy in the 1980's, pt. 1, pp. 65–88.

58. For a brief discussion, see OTA, Technology and Soviet Energy Availability, pp. 231–43.

follows, but possibly it is more comprehensive in its coverage and urgent in its tone.[59] The basic message of the communiqué is that the Soviet Union consumes more energy and materials than is "indicated by the best world indicators,"[60] and that costs of production and transportation are falling too slowly. The decree proposes to encourage enterprises to shift their orientation toward value added (their term is *final output*), shift the structure of GNP away from energy-intensive products, introduce energy- and materials-saving technologies, cut energy and material waste, and give a top priority to investments designed to achieve these ends.

To induce economic units to follow these paths, it was announced that, beginning in 1983, each enterprise will have a cost of production target and a ceiling on the ruble value of material expenditures per ruble of output. An Interdepartmental Commission on Economies and Rational Utilization of Material Resources has been established, headed by the chairman of Gossnab, which is in charge of arranging material supplies for the system, and including as members, among others, the chairmen of Gosplan, the State Committee for Science and Technology, the State Price Committee, the USSR Academy of Sciences, the State Construction Bank, and the State Committee on Standards. This commission has all the important central actors in the energy-conservation area, and therefore it is apparently the body charged with charting an energy-conservation strategy for the future. Similar commissions are to be set up in each of the republics.

The strategy of the new interdepartmental commission, indeed of the July 1981 decree and its predecessors, is to develop more realistic and lower norms governing the consumption of energy and other materials and then to mobilize the system to meet those norms. The July 1981 decree orders central planning organs to expand the range of products for which specific conservation targets are included in the annual and five-year plans sent to ministries and then to enterprises.[61] Gosplan recently ordered its All Union Scientific Research Institute on Complex

59. "V Tsentral'nom komitete KPSS i Sovete Ministrov SSSR" [In the Central Committee of the CPSU and the Council of Ministers of the USSR], *Pravda*, July 4, 1981. This is a report on a July 3 meeting on the subject of "strengthening the work on economies and rational utilization of raw material, fuel-energy, and other material resources."

60. Ibid.

61. Ibid.

Fuel and Energy Problems to establish new norms to stimulate economic units to economize on resources. The concern is that current norms vary greatly among enterprises and are generally too high. Officials at the institute involved are now working on revising the norms, with the assistance of new Gosplan guidelines outlining procedures for establishing them, apparently with a general orientation toward choosing norms in each industry that reflect energy inputs in the most efficient enterprises ("progressive" norms).[62]

The norms, introduced in 1983, were prepared under the apparent guidance of the new interdepartmental commission and have been published.[63] Enterprises received for 1983 a target on total costs and a separate target on costs per ruble of output, with bonuses for meeting or exceeding them (in this case coming in under the cost ceiling and under the material cost per ruble target) and penalties for not meeting them. The bonuses and penalties are charged on the portion of enterprise profits that can be transferred to the Fund for Material Stimulation, which is the source of bonus payments for all workers and management in each enterprise. In addition, when workers in an enterprise identify and implement energy-saving measures, 75 percent of the ruble value of the savings will be put into the Fund for Material Stimulation.[64]

The interdepartmental commission is also attempting to strengthen the enforcement of existing regulations concerning fines for the overuse of energy. Apparently the inadequate enforcement of existing regulations is a serious problem. In the very difficult 1980–81 winter, many firms exceeded the electricity and fuel limits set for them by Minenergo; as a result, Minenergo had the right to levy fines totaling 146 million rubles, but it did not do so.[65] This problem has in fact existed for some time, and even before this commission was formed, the government was moving to strengthen those organs that are empowered to check on energy consumption relative to norms and to issue fines for overconsumption.[66]

62. Piatkin and Troitskii, "Vozmozhnosti ekonomii energoresursov," pp. 55, 60–64.

63. V. Kulikov and V. Efimov, "Ekonomiia resursov—uslovie effektivnosti" [Economies of resources—the conditions of effectiveness], *Ekon. gaz.*, no. 28 (July 1982), p. 5; and "Otchisleniia v fondy za ekonomiiu," [Deductions in the fund for economizing], *Ekon. gaz.*, no. 15 (April 1982), p. 8.

64. Kulikov and Efimov, "Ekonomiia resursov."

65. Ibid.

66. OTA, *Technology and Soviet Energy Availability*, p. 237. The most visible enforcement offices in this regard are the State Power Inspectorate of Minenergo and the State Gas Inspectorate of the MGI, each of which is empowered to inspect consumption of their respective products.

Finally, the price of energy was changed in 1982 in an effort to encourage economizing on resources, although the matter is somewhat more complicated than it might seem because of the distinctive (and limited) role of prices in a centrally planned economy compared with that in a market economy. To make it clear what planners have done, I need to outline briefly the price system used in the USSR. Although I limit the discussion to energy prices, much of what is said applies to general rules for pricing products in the Soviet Union.[67]

There are at least five different prices for energy, each with a particular function, and no two are linked fully: enterprise wholesale prices, industrial wholesale prices, consumer prices, export prices, and planning prices.

Enterprise wholesale prices are prices paid to energy producers. This system has varied somewhat in details over time, but the post-1967 system is the only one of interest for our present purposes. In 1966–67 one of the most important elements of the Kosygin economic reforms was a price reform designed to change relative prices so that they generally reflected relative costs, including a 6 percent charge on capital. In energy this principle was followed through a set of regional prices in which the price of each fuel in each of several production zones was set to cover profits, a 6 percent charge for capital assets, and a finding fee for the fuel.[68] Rents per unit of output were assessed on all enterprises with costs of production lower than the average for their zone. Consequently, the enterprise wholesale price of energy approximated a marginal cost price by region, although it was not a true marginal cost price because the capital charge was in fact too low, and the "rent" charges were not true rents.

Finding costs and capital costs had not been covered before 1967, and the price increases necessary to cover them were substantial. The 1967 enterprise wholesale prices of the energy carriers relative to their 1965 prices were 80 percent higher for coal, 42 percent higher for petroleum products, and 33 percent higher for electric energy.[69] The new prices

67. An excellent account of the Soviet price system can be found in several articles by Morris Bornstein, of which the most recent is "Soviet Price Policy in the 1970s," in Joint Economic Committee, *Soviet Economy in a New Perspective*, 96 Cong. 2 sess. (GPO, 1976), pp. 17–66.

68. This account of energy pricing in 1967 is from Campbell, *Trends in the Soviet Oil and Gas Industry*, pp. 68–71.

69. Bornstein, "Soviet Price Policy in the 1970s," p. 23.

compare favorably with world market prices prevailing then. The official price of Mideast Light Crude-34° was $1.50 a barrel in 1967. The Soviet enterprise wholesale price of crude ranged from 8 rubles to 22 rubles a ton among eight producing zones. The higher price is 3.00 rubles a barrel, or (at official exchange rates of that time) $3.33. Even the lower price of 1.10 rubles ($1.22) a barrel was not drastically out of line with world market prices for that year.

However, enterprise wholesale prices for fuel did not change significantly between 1967 and 1982—the only exception being the prices of petroleum products, which fell slightly in the early 1970s. In 1981 the enterprise wholesale price of crude in the USSR, still no more than 3 rubles a barrel ($4.62 at the then official exchange rate), looks absurd next to a world market price that year of about $33 a barrel (official and spot).[70]

Industrial wholesale prices are the prices industrial and agricultural users pay for energy. They are the enterprise wholesale price *plus* a turnover tax (if one is levied), a charge for transport, and a profit to the intermediary selling organization. In 1967 industrial wholesale prices were changed along with enterprise wholesale prices by an amount identical to that for the enterprise wholesale price for coal, but by much less for petroleum products (1967 industrial wholesale prices were 7 percent above 1965 prices, while the enterprise wholesale prices rose 42 percent) and for electricity (1967 industrial wholesale prices were 14 percent above 1965 prices, while the enterprise wholesale prices rose 33 percent). The differences in price movements for electricity and oil were absorbed in reduced turnover tax receipts to the state.

Since 1967 industrial wholesale prices have been almost as stable as enterprise wholesale prices, although minor changes have occurred. In 1969 and 1971 some petroleum product prices were increased a total of 12.4 percent, in what appeared to be simply a recalibration after the 1967 reforms. (Because enterprise wholesale prices for petroleum products did not change, this was presumably accomplished by raising turnover taxes on petroleum products.)[71] In 1977 minor changes in industrial wholesale prices raised the level of all energy prices (no disaggregation is available) by 12.4 percent.[72]

70. World oil price data are taken from "The Ups and Downs of OPEC Prices, 1960–82," *Petroleum Intelligence Weekly*, April 12, 1982, pp. 10–11.
71. Bornstein, "Soviet Price Policy in the 1970s," p. 25.
72. Ibid., p. 60; and *Narkhoz* (1979), p. 165.

The industrial wholesale prices in 1967 were certainly on a comparable scale with world market prices, and in some instances they may have been higher. The latter was probably true for petroleum products, which were priced considerably above crude. For example, the price of automobile gasoline of a medium octane averaged about 95 rubles a ton, 3.8 times the higher-priced Soviet crude.[73] That price works out to 31 kopecks a gallon, or $0.34 at official exchange rates, which was probably in line with world prices (excluding the fact that European governments collected large taxes from consumers through gasoline prices). However, the industrial wholesale price changes of Soviet petroleum products in the 1970s totaled only 28 percent, so that in 1981 in essence the 1967 prices were still in effect for petroleum products, and in fact they were in effect for the other energy carriers.

Consumer prices for energy are generally stable and remain stable for long periods. In recent years some have fallen below industrial wholesale prices, which has necessitated subsidies to retailers of energy. This result is part of a general policy the government has set of maintaining stable prices for consumer necessities.[74] In many instances energy going to consumers is not even metered. For example, most residential consumers of natural gas simply pay a flat fee. Electricity charges to collective farms are based on the rated power of the equipment, not actual use.[75]

Export prices for energy have no relation to any of the three preceding sets of prices. Energy exported for hard currency is sold at the world market price. For example, while the enterprise wholesale price of Soviet crude remained unchanged from 1967 to 1981, the export price followed price changes set by OPEC. This meant large windfalls, not to Soviet oil producers (whose prices did not move), nor to wholesale organizations, but to the state.

For products exported to the Council for Mutual Economic Assistance (CMEA), the price is in "transferable" rubles; it is set in bilateral

---

73. Computed from Campbell, *Trends in the Soviet Oil and Gas Industry*, p. 71.

74. No detailed consumer price index is published that will confirm the constancy of energy prices, but there are many indications that energy costs to final consumers have been constant for some time. For example, in the expenditure surveys of family budgets for workers, fuels accounted for 4 percent of family expenditures in 1965 and 1.0 percent in 1980; for peasant families the ratios were 2.0 percent in 1965 and 1.5 percent in 1980. *Narkhoz* (1980), pp. 384–85.

75. OTA, *Technology and Soviet Energy Availability*, p. 235.

bargaining sessions, following a series of rules designed to link CMEA prices to world market prices with a lag.[76] The lag is long enough so that recently the price of Soviet crude shipped to CMEA was about one-half the prevailing world market price, although that ratio is rising.[77]

Planning prices are not used in any actual transactions but rather are used by planners as one consideration in their decisions on investments that involve energy inputs.[78] In recent years these have been calculated as shadow prices coming out of a large programming model where the objective function is to minimize the full costs (current and capital costs, the *prevedennie zatraty*) of a specific aggregate demand for energy, in which the constraints are specific transport links, the capital and current costs of producing various energy sources, and demands for boiler and furnace fuel in each region. The slack fuels (those not fully used up in the optimal solution) are called the closing fuels, and the costs of delivering them to each region are the "closing prices" (*zamykaiushchie zatraty,* or ZZ). Historically coal has been the closing fuel. For other fuels the planning prices in each region are made up of the closing price plus the cost of switching the marginal user of that fuel to coal (retooling, new railroad tracks, and so on). Therefore, the relative planning prices in each region measure the relative advantage of each fuel compared with coal.

To the extent that these prices are effective in influencing project decisions (and that appears to be true), they are an important defense mechanism preventing distortions in the capital stock as marginal costs of new fuels (hence the value of fuel to the Soviet economy) diverge from industrial wholesale prices. Consequently, despite fixed transaction prices for energy, the Soviet economy does seem to adjust over the medium term to changing energy prices through shifts in the capital

76. Ed A. Hewett, *Foreign Trade Prices in the Council for Mutual Economic Assistance* (Cambridge University Press, 1974); and Hewett, "The Impact of the World Economic Crisis on Intra-CMEA Trade," in Egon Neuberger and Laura D'Andrea Tyson, eds., *The Impact of International Economic Disturbances on the Soviet Union and Eastern Europe: Transmission and Response* (Pergamon Press, 1980), pp. 323–48.

77. Fuels that are imported into the Soviet Union, for example natural gas, are priced at the industrial wholesale price prevailing there. Thus, in recent years those imports, which are relatively small, have been significantly underpriced.

78. An excellent discusion of these can be found in Robert W. Campbell, "Energy Prices and Decisions on Energy Use in the USSR," in Padma Desai, ed., *Marxism, Central Planning, and the Soviet Economy: Economic Essays in Honor of Alexander Erlich* (MIT Press, 1983), pp. 249–74.

stock.[79] Of course the planning prices cannot compensate for the overconsumption of fuels that comes about because producers in their current decisions are fooled into thinking that certain fuels are abundant and cheap in the Soviet Union. Furthermore, the planning prices take no account of the world price of energy, which means that there is no systematic way in which those who are making investments can take into account the true opportunity cost to the Soviet economy of various energy-using technologies.

The price changes introduced in 1982 were confined primarily to enterprise and industrial wholesale prices. Wholesale prices for all fuels and materials rose substantially, while official machinery and equipment prices were stable (although actual prices are probably rising through hidden inflation). The details on energy price changes are not all available, but it is known that industrial wholesale prices rose on an average of 42 percent for coal, 45 percent for natural gas, and 130 percent for crude oil. Price changes in particular regions varied considerably around these. Electricity prices rose 12 percent, and the price of steam rose 73 percent.[80] These are major, though not enormous, price increases. Certainly the relative price of energy has moved in the expected direction, given changing production costs; however, the nominal price of oil is still approximately 7 rubles a barrel, or $10.75 at official exchange rates, well below current world prices.

There are optimists who believe that these price changes will have relatively quick-acting effects in energy conservation. V. Cheplanov and Iu. Chernegov are among them, suggesting that, in addition to the original plan to save 1.3 to 1.4 mbdoe by 1985, another 1.4 mbdoe will be saved as those measures encourage fuel switching from coal to gas

79. See, for example, Judith Thornton's discussion of the evidence that in electric power generation, fuel use (especially mix) is sensitive to price changes. Judith Thornton, "The Soviet Response to Changing Fuel Cost and Availability: The Case of Electric Power," Report to the National Council for Soviet and East European Research, May 7, 1982.

80. A. Komin, "Effektivnost' i tsenoobrazovanie" [Effectiveness and price formation], *Plan. khoz.*, no. 11 (November 1981), p. 29; Cheplanov and Chernegov, "Mineral'nye resursy i tseny"; and N. T. Glushkov, "Tsenoobrazovanie v khoziaistvennom mekhanizme upravleniia ekonomikoi" [Price formation in the economic mechanism for managing the economy], in P. G. Bunicha, ed., *Sistema upravleniia ekonomikoi razvitogo sotsializma* [The system of management in the economy of developed socialism] (Moscow: Ekonomika, 1982), pp. 126–28.

for small users, increased output of high-grade coals, increased quality of hard coals, and fuller use of secondary energy in industry.[81]

Impediments to Fully Realizing Conservation Plans

An assessment of the likelihood that these policies can have a perceptible effect on energy consumption should address several critical issues. Historically the Soviet system has been prone to waste, not conserve, resources; and when bottlenecks have been encountered, the tendency has been to break them with supply-side, not demand-side, remedies. Now that planners are trying to devise policies to encourage conservation, it is necessary to ask two questions. Has the system gone through any recent fundamental changes that enhance the chances that the centrally directed energy conservation drive will be successful? And, if not, is it possible that conservation gains will nevertheless be realized simply because the urgency of the problems has forced policymakers to use more actively their considerable power to *force* conservation?

On the issue of whether the system has gone through a fundamental change, there is a general consensus in the West that it has not.[82] To be sure, many changes of a cosmetic nature have been made in the system, and there is currently an impressive flow of rhetoric in the Soviet economics literature concerning changes that are under way (in particular the shift to the value-added criterion for enterprise bonuses), but there are abundant indications that the core of the old output-oriented system is intact. The Soviet leadership is well aware of the country's economic problems and is showing signs of a growing concern over the implications for Soviet living standards.[83] However, the leadership has not exhausted the repertoire of minor changes through which it hopes to deal with those economic problems without a major restructuring of relationships in the system as a whole.

Policies on energy use illustrate that point. In an effort to combat the tendency of enterprises to squander inputs, Soviet planners have added more targets, more bonuses, and more norms to enterprise plans already

81. Cheplanov and Chernegov, "Mineral'nye resursy i tseny."
82. Robert W. Campbell, "The Economy," in Robert F. Byrnes, ed., *After Brezhnev: Sources of Soviet Conduct in the 1980s* (Indiana University Press, 1983), pp. 68–124; and Schroeder, "Soviet Economic 'Reform' Decrees."
83. See Campbell, "The Economy," for evidence on this point.

burdened with an enormous number of mutually inconsistent targets. *If* input conservation were made the sole target, or the primary target (displacing output), that would surely have an effect. Enterprises are constantly attempting at least to appear to satisfy the desires of the center, and if those desires came across unambiguously in favor of input conservation, including energy conservation, then inputs would be "conserved." But planners cannot afford to send such simple signals to enterprises. Input conservation to the exclusion of all else would surely cause major disruptions in the system. In any event, rational arguments aside, this is a system in which *output* is the key variable about which the multitude of ministries negotiate with central organs, with their enterprises, and with each other. No matter how many targets are added to the enterprise plan, it is the output target to which the enterprise director will pay the closest attention. It is still, as it has been for a long time, acceptable for an enterprise director to tell his ministry, or the ministry to tell Gosplan, that the output plan was hard to meet, but that it was nevertheless done, even at the cost of violating the input plan. It is far more difficult for an enterprise director to tell his ministry that production has fallen, but that costs fell even farther, and profits were up. The ministry, which would be fending off complaints from other ministries regarding unreceived goods promised in the plan, would probably find unacceptable that particular way of fulfilling targets.[84]

There is no compelling reason to suppose that as enterprises are given these new targets relating to materials consumption, with new bonuses and new prices, their first reaction will be to try as best they can to search out and exploit all the conservation possibilities in the enterprise. That would be naive because enterprise directors know from long experience that planners are unsure precisely how much they can actually expect from enterprises, and therefore it is possible to get away with less than expected. More important, enterprise directors know that if they do more than originally expected, the ratchet principle will operate, and

84. There is a fascinating example of this regarding boilers that just produce steam. The targets for output from such boilers are for *increasing steam production,* regardless of whether the weather is good or bad. This leads to overproduction of steam and overuse of fuel during good-weather years. Now planners are experimenting in a few selected power enterprises with a more sophisticated success indicator system keyed to variations in the weather. In the meantime many steam plants in the Soviet Union are using increasingly valuable fuel in order to meet output plans. "Chtoby ratsional'no raskhodovalos' teplo" [In order to rationally expend steam], *Ekon. gaz.,* no. 22 (May 1982), p. 10.

they will receive even tougher conservation targets the following year.[85]

For these reasons the first response to the new targets imposed on enterprises will surely be a variation of what has worked in the past. First there will be bureaucratic maneuvering to negotiate with the ministry and other high authorities for easier targets. If the targets still turn out to be difficult to fulfill, the next alternative—which frequently works—is to ask for a midyear correction in the targets. Then, if the targets still cannot be met, it is likely that higher authorities will still be made to understand in the end if the output plan was fulfilled.[86]

The second question posed at the beginning of this discussion is the more relevant one: can Soviet planners, through the policies they have developed or other policies they may introduce, manage significant conservation gains without fundamental economic reform? In other words, can they muddle through as in the past? The conclusive response to that question depends on the severity of the problems through which they are attempting to muddle. Those problems are discussed in the next chapter; they concern the balance of supply and demand for energy in this decade. However, a partial answer can still be offered here.

Among the measures that planners have taken, those that seem the most likely to have an effect are those designed to reduce direct energy

85. An interesting illustration of the effects of this can be found in the letter to *Pravda* by A. Taran, a bus driver in the city of Maiskii. Taran complains that he responded to a bonus plan in his enterprise in which he would be paid one-fourth of the value of the fuel he saved during driving. He saved 2,300 liters of fuel in 1980. When he went to collect his bonus, the main bookkeeper at the enterprise paid him for only a 1,300-liter savings, saying, "In general we don't need such savings." A similar thing occurred in 1981 when, in the first quarter, Taran saved 732 liters of gas and the enterprise paid him for only 400. He professes that in effect they are encouraging him to sell some of his gas on the black market. What he is surely seeing is the effect of an enterprise that does not want to report energy savings so enormous that targets will be raised for the next year. "Ekonomiia v ubytok" [Economies become losses], *Pravda*, December 4, 1981, p. 3.

86. A good example of how understanding planners may be was discussed recently in *Plan. khoz.*, Gosplan's journal. Apparently in the Bashkir republic the various industries that receive steam from cogeneration plants are reluctant to make the relatively inexpensive investments necessary to return that steam, which is still hot enough to reduce fuel costs at the power plant (it would not constantly need to heat fresh water to make steam). The firms involved have been assessed fines—R52,000 in 1980—yet they remain reluctant to take the necessary measures. The reason, it turns out, is twofold: each of the firms involved has in its plan *a target for lost steam*, a target that they would not fulfill if they send the steam back; and the financial part of their plans allows for funds to pay fines for unreturned steam. I. Mironenko, "Vozmozhnosti ekonomii topliva i energii" [Possibilities for economies of fuel and energy], *Plan. khoz.*, no. 7 (July 1981), pp. 108–10.

consumption by incremental improvements in existing technologies. The measures are proven strategies from the past, and there is no reason to feel that they cannot work in the future. They may also extend to the modernization of processes that make intensive use of materials that in turn are energy intensive. In key industries, where planners exert a fair amount of control over investments, it should be possible to centrally engineer further energy savings in those industries.

As past experience suggests, that may happen, and yet the energy-GNP elasticity could be constant. Over the last twenty years, when fuel use in blast furnaces and steel furnaces fell, and when the transportation sector managed significant increases in output with minor changes in fuel inputs, the energy-GNP elasticity still crept upward. Furthermore, it is now the policy of the Soviet government to encourage rapid increases in energy intensities in agriculture (through increases in the use of electricity and fertilizers), and it is likely that energy demand for transport will grow very rapidly.[87]

Aside from the question of changes in the energy intensity of some sectors, there are particular reasons to believe that in the 1980s Soviet planners will find it difficult just to repeat what they did in previous decades, which will make it difficult even to hold down the energy-GNP elasticity to what it has been. Investments are constrained in ways they have never been before. In addition, a conflict is going on, not all of it explicit, between those who wish to meet the enormous capital demands of the energy-producing sectors (and therefore to push a supply-side solution to the energy problem) and those who wish to devote larger shares of new investment to conservation measures. Certainly the rhetoric favors the second group; one can frequently read statements in
· the Soviet planning literature to the effect that the cost of saving a ton of fuel is two to three times less than the cost of finding it, producing it, and transporting it to the final user.[88] That begs the question, however,

87. On growing energy intensity in agriculture see N. A. Tikhonov's speech to the Thirty-fourth Party Congress, *Ekon. gaz.*, no. 10 (March 1981), p. 10. In transport, the now substantially increased output (by historical standards) of automobiles and trucks, and the rapid expansion of the pipeline network for gas and oil, both point to sustained and substantial increases in transport's demand for energy.

88. For example, Lalaiants, "Problemy ekonomii toplivno-energeticheskikh resursov," p. 34. Some say the potential savings are even larger. For example, Nekrasov and Pervukhin say that in the European USSR the capital costs of economizing are four to six times less than the capital costs of production and transport of additional energy. *Energetika SSSR v 1976–1980 godakh*, p. 78.

because enterprises are extremely reluctant to make those cheap energy-conserving investments, and the system tacitly supports their behavior. It is therefore conceivable that those advocating a supply-side solution to energy problems will, at least temporarily, prevail in the arguments over investment funds. That could mean that there will not be sufficient funds to make even the traditional type of investments planners have made to keep down the growth rate of energy demand.

How this struggle between supply-side and demand-side solutions to the energy problem will come out is still uncertain, but it is a crucial issue in deciding what energy consumption will be in the next decade. The following chapter considers these issues in the context of a discussion on the interrelationships of the economy, energy supply, and energy demand in this decade.

CHAPTER FOUR

The Energy Balance

THE energy balance is a simple but effective way to record energy consumption, production, and the residual, which is net exports or imports. As a statistical construct the balance records ex post what actually occurred. As a planning device it expresses what planners hope will occur. It is also useful to project what is likely to occur, not necessarily what planners hope for. In all three cases the apparent simplicity of the balance is deceptive. Behind the figures for energy supplies, consumption, and net exports lies a complex set of interconnections spanning the entire economy. It is important to have the main outlines of those interconnections in mind before considering the Soviet energy balance. I discuss those here solely with reference to the Soviet economy, although most of my observations apply to any country.

The Energy Balance and the Economy

Energy production is determined by the factor inputs—capital and labor—used in the production process. The capital stock (machinery, mines, infrastructure) is itself a reflection of years—sometimes decades—of previous investments. The productivity of the labor and capital is determined not only by geographical conditions but also by the intensity and success of years of exploratory efforts. Energy supplies change over time primarily because of actions taken over many years; little can be done in any particular year to increase energy supplies the following year unless most of the necessary measures were taken some time earlier. Similar limitations apply to the ability to transform energy into, for example, electric power or petroleum products; the capital investments involved can take years.

The same is true of the demand side of the balance. Energy is used by machinery and equipment, which have a long life in any country, and a particularly long life in the USSR, where depreciation rates are extraordinarily low. Consequently, apart from whatever retrofitting can be done to improve energy consumption subsequent to a major rise in the cost of energy, further changes in energy demand come through replacing old equipment with new equipment, a process that takes years. Aside from simply not using old equipment (which will decrease GNP), the USSR can do little in the short run to reduce energy consumption. In the longer term it may substitute capital or labor for energy and reduce energy consumption. As a result, a change in energy consumption that is not explainable by a reduction in economic activity must reflect measures taken over a considerable time.

Net exports of total energy are the residual between energy consumption and production. Planners may set a target for net energy exports, but to realize it the operational variables will be energy consumption and production. To increase net exports, increments to consumption must be lower than increments to production. In the long term that can be realized through the capital-investment decisions that underlie energy production and consumption. In the short run the only important variables that allow maneuver in net exports of all energy are energy inventories and the level of economic activity. With no change in energy-supply growth rates, a sudden drop in the growth rate for economic activity will reduce consumption and increase net exports (or increase inventories). There is, however, room for maneuver among energy carriers in consumption and therefore in net exports. The USSR can, for example, increase the consumption of natural gas under boilers and reduce the consumption of petroleum products, enabling a switch in total energy exports from natural gas to petroleum (within a constant total for net energy exports).

The energy balance and the economy overall are inextricably intertwined in several important ways. Net energy exports are an important source of foreign currency earnings, which in turn can be used to import products the Soviets produce relatively expensively by world standards. The energy the Soviet Union exports for dollars has in recent years financed large purchases of grain and other food products from world markets, allowing the Soviet Union to attain significant gains from trade.

The investment process forms another important set of links between the energy balance and the economy. It is helpful—and it is hoped not excessively simplified—to divide up Soviet planners' choices in the energy sector into the following issues.

1. What should be the level of net energy exports? This is determined by the need for foreign currency (which in turn is determined by the judgment of the contribution to the economy of imports) and the costs of producing energy relative to other possible export commodities.

2. What should be the level of energy consumption and production that generates those net exports? A given level of net exports can be the difference between an infinite number of consumption-production combinations. Which combination is economically the most prudent is a function of the total costs of expanding energy supplies relative to the costs of reducing consumption.

3. What should be the structure of energy production, consumption, and therefore net exports? This issue, although the least important of the three for the total energy balance, is still not inconsequential in a country such as the USSR with so much room for maneuver in its energy supplies.[1]

Investment is the common thread uniting these three issues. If planners wish to expand net exports in the future, and simultaneously to maintain GNP growth rates, they will have to invest either in expanded energy supplies or in energy conservation, in the process providing an answer to the first two questions. Long lags create inertia on both the supply and demand sides, and the investment decisions of any one year can do little to change that. It is rather the cumulation of investment decisions over time that finally affects the energy balance—for example, through a deceleration of energy-demand growth rates when investments targeted at energy conservation begin to affect the capital stock significantly.

These investment decisions influence the performance of an economy over time. If planners decide to expand net energy exports primarily by

1. There are two important points here. First, if a country switches from coal to hydrocarbons, energy consumption appears to fall because the latter are more efficient than solid fuels for the same uses. There was a good example of this in chapter 3 in the discussion of the effects on Soviet energy consumption in transport when the railroads were switched from coal to oil and electricity. Second, the structure of net energy exports (determined by the structure of energy consumption) will influence foreign-currency earnings because a kilocalorie of petroleum sells for more than a kilocalorie of gas, which sells for more than a kilocalorie of coal.

investing in expanded energy supplies, they may be ignoring the much cheaper (although less certain and more complicated) alternative of investing in energy conservation. As a result, over a number of years the investment necessary to support a given net energy export level is higher than it need have been. Depending on how planners handle it, that in turn will either lead immediately to reductions in private and public consumption (the latter being government expenditures, including defense), or lead to a reduction in nonenergy investment, which will slow the rate of capacity expansion in nonenergy sectors and ultimately reduce goods available for private or public consumption. GNP will probably be lower over time than it might have been because the value added lost by reducing consumption or investments in the nonenergy sectors probably exceeds the value added created by new investments in energy.

There is a very important lesson in this. Even though the USSR probably has a significant comparative advantage in the production of energy, Soviet planners may still be wasting some of the potential gains from trade by their preoccupation with the supply side of the balance.

The third on the list of issues also has important ramifications for the investment requirements of a given combination of energy supplies and consumption. Because planners can choose among coal, oil, and gas, they may make a mistake and invest too heavily in one when it would have been cheaper in the long run to invest in another; or they may tarry too long in old fields when they should be moving on to new ones. The effect is the one already discussed: both private consumption and public consumption fall now or later, meaning that consumption is lower than it might have been had the correct investment decisions been made.

Investment decisions that influence the energy balance are important not only because they affect macroeconomic performance but also because those effects on macroeconomic performance influence the energy balance. Lower levels of GNP arising from the investment mistakes discussed here will lead to lower growth rates for energy demand, higher net exports, and therefore a chance to reduce investments in expanding energy supplies or conservation. Also, a higher share of investment in GNP arising from excessively large investments in energy-supply expansion will probably affect the structure, and possibly the level, of energy consumption as industrial users grow in importance relative to other final consumers.

These interconnections between macroeconomic activity and the energy balance are important to planners when they seek to reconcile their objectives for macroeconomic performance and the structure of capital accumulation with their objectives for the energy sector. Similarly, in any projection of the energy balance into the future it is necessary to take account of these interconnections by seeking to forecast jointly economic activity and the energy balance.

Even taking account of these macrolevel interconnections between economic activity and energy is not sufficient for developing a complete notion of the prospects for the energy sector. There are several important microeconomic issues that either are not evident in an analysis relying solely on the overall energy balance or are obscured.

One of those issues has already been discussed: the question of the structure of energy consumption and production—hence, net exports. Other important microeconomic issues involve the energy-transformation sectors—electric power, petroleum refining, and fuel enrichment— and the energy-transportation infrastructure—pipelines, rail transport, and storage facilities. It is possible to forecast energy supplies, demands, and net exports consistent with macroeconomic activity and miss the fact that because of failure to make the necessary infrastructural investments there will still be energy shortages. It is possible that those shortages will result from a lack of sufficient conventional power stations or an inability to transport the energy from the point of production to the point of final use.

This is the major weakness of the energy balance as an analytical concept. It implicitly assumes that a calorie of energy produced is automatically available in the right form at the right place. In fact, there is no guarantee of such a felicitous outcome; it will happen only if the energy infrastructure is up to the tasks implied by the composition of energy supplies and energy demands within the balance.

Although the preceding chapters have not devoted special attention to the energy infrastructure, the most important constraints of that sort on the energy balance have played a role in the analysis. The main constraint on natural gas output is the ability to build new pipelines; the main reason for a slowdown of development of the Kansk-Achinsk and Ekibastuz coal fields is, again, a transportation problem. These are two good examples of how primarily microeconomic constraints can have an overall effect on the energy balance. The purpose of this chapter is to develop a forecast of the energy balance for 1985 and 1990 that takes into account the important interconnections with macroeconomic activ-

ity and the important constraints arising from microeconomic considerations.

The Energy Balance since 1960

Table 4-1 presents data on the energy balance for selected years from
1960 to 1982, with the bulk of the information covering the period since
1975. The balance itself is in the first three sections of the top panel, all
in mbdoe, starting with production and then going on to consumption
and finally to net exports (exports minus imports). The last section of
this top panel shows the ratios of net exports to production. The middle
panel gives percentage shares within production, consumption, and net
exports for three years that span the period. The bottom panel presents
average annual growth rates for the entire period and various subperiods.

In 1960 net energy exports were 0.69 mbdoe, accounting for 6.7
percent of total energy production. Most of the exports were oil, and the
remainder was coal. Throughout the period energy production grew
more rapidly than energy consumption, and consequently net energy
exports grew more rapidly than either production or consumption.
During 1960–81 energy production grew at an average of 4.9 percent a
year, energy consumption at 4.5 percent, and energy exports at 9.0
percent (I have calculated average growth rates only through 1981
because the 1982 data are incomplete). Even in recent years when
energy-supply problems have emerged, energy-production growth rates
have continued to exceed those for energy consumption, leading to
relatively rapid increases in energy exports. In 1981, 15.2 percent of
USSR energy production was exported, which makes this one of the
preeminent export sectors of the Soviet economy. Estimates for the
main components of the 1982 balance are included in the table; however,
they are only a first guess at what the balance might be and are not used
in the growth rates.

Previous chapters discussed the changing composition of energy
demand and supply. Here the implications are brought together in the
changing composition of exports. In 1960, when coal was still providing
one-half of Soviet energy supplies, it accounted for less than 20 percent
of exports. It was oil that accounted for most of Soviet energy exports,
which presumably reflected the relative ease with which it can be shipped.

Table 4-1. *Soviet Energy Balances, Selected Years, 1960–82*
Million barrels per day of oil equivalent (mbdoe)

Year	Production				Consumption				Net exports[d]				Net export/production (percent)			
	Total[a]	Oil	Gas	Coal	Total[a,b]	Oil[c]	Gas[c]	Coal[c]	Total[e]	Oil	Gas	Coal	Total	Oil	Gas	Coal
1960	10.25	2.96	0.76	5.22	9.49	2.38	0.75	5.10	0.69	0.58	0.00	0.12	0.067	0.196	0.000	0.025
1965	14.17	4.85	2.10	5.78	12.57	3.61	2.11	5.54	1.51	1.26	0.01	0.24	0.107	0.260	0.005	0.042
1970	17.83	7.04	3.27	6.06	15.64	5.23	3.28	5.79	2.15	1.83	0.00	0.27	0.121	0.260	0.000	0.045
1975	22.81	9.83	4.80	6.61	19.77	7.37	4.67	6.35	2.83	2.45	0.11	0.25	0.124	0.249	0.023	0.039
1976	23.93	10.40	5.32	6.71	20.95	7.57	5.08	6.44	3.35	2.83	0.23	0.27	0.140	0.272	0.043	0.040
1977	25.05	10.93	5.74	6.80	21.30	7.93	5.40	6.51	3.71	2.99	0.32	0.29	0.148	0.274	0.056	0.043
1978	26.01	11.44	6.18	6.82	22.29	8.33	5.77	6.59	3.80	3.10	0.39	0.23	0.146	0.271	0.063	0.034
1979	26.94	11.72	6.75	6.81	22.71	8.58	6.05	6.57	4.03	3.13	0.68	0.24	0.150	0.267	0.101	0.034
1980	27.58	12.08	7.22	6.68	23.38	8.88	6.31	6.39	4.25	3.18	0.89	0.29	0.154	0.263	0.123	0.043
1981	28.21	12.19	7.71	6.59	23.69	9.08	6.78	6.25	4.29	3.15	0.91	0.34	0.152	0.258	0.118	0.051
1982	28.95	12.26	8.29	6.71	24.25	n.a.	n.a.	n.a.	4.46	n.a.	n.a.	n.a.	0.154	n.a.	n.a.	n.a.

Percentage share

1960	100	29	7	51	100	25	8	54	100	84	0	17
1970	100	39	18	34	100	33	21	37	100	85	0	13
1980	100	44	26	24	100	38	27	27	100	75	21	7
Average annual growth rate (percent)												
1960–81	4.9	7.0	11.7	1.2	4.5	6.6	11.1	1.0	9.0	8.4	n.a.	5.1
1960–70	5.7	9.1	15.7	1.5	5.1	8.2	15.9	1.3	12.0	12.2	n.a.	8.4
1970–81	4.3	5.1	8.1	0.8	3.8	5.1	6.8	0.7	6.5	5.1	n.a.	2.1
1970–75	5.0	6.9	8.0	1.5	4.6	7.1	7.3	1.9	5.7	6.0	n.a.	−0.8
1975–81	3.6	3.7	8.2	0.0	3.2	3.5	6.4	−0.1	7.2	4.3	142.2	5.3

Sources: *Narkhoz*, various issues, unless otherwise indicated. Numbers in parentheses are author's estimates.

n.a. Not available.

a. Includes, in addition to the subcategories shown, all firewood, shale, peat, nuclear, and hydro production.

b. Excludes stock changes.

c. This is apparent consumption (stock changes are included), which is obtained by subtracting net exports from production.

d. Through 1976 these are conversions of data in natural units given in *Vnesh. torg. SSSR*, various issues. From 1977 on this source does not publish the quantity data on energy trade, and it is necessary to guess. Here the oil-trade figures are CIA estimates, the gas estimates are based on various statements in the Soviet press and scholarly literature, and the coal estimates are taken from WEFA Energy Data Bank.

e. Subcomponents do not always add to the total because the total is a figure directly out of *Narkhoz* in calorific terms, whereas the trade figures for individual energy carriers are available only in natural units and must be converted. Errors in this conversion are one potential source of any discrepancies that arise. Furthermore, since 1977 the Soviets have ceased publication of data on energy trade in natural units, so it is necessary to estimate those, which is another potential source of error.

This illustrates the flexibility Soviet planners enjoy in setting a structure for energy consumption that differs from the structure of production.

Twenty years later oil was still prominent in Soviet energy exports; however, natural gas exports have been rising rapidly in recent years, accounting by 1980 for 21 percent of total energy exports. Natural gas and oil together now account for over 90 percent of all Soviet energy exports.

Soviet Energy Trade

One of the most important reasons for Western interest in Soviet energy prospects is their implications for Soviet energy trade. Energy exports to the West provide a major source of the hard currency that is necessary to finance Soviet imports of food, intermediate products, and machinery and equipment; energy exports to Eastern Europe and Cuba at subsidized prices promote those countries' dependence on the Soviet Union. The trade flows to the West and the East naturally compete with each other. Every ton of oil sent to the Council for Mutual Economic Assistance is a ton not available to earn hard currency. If net energy exports begin to fall in the Soviet Union—as some predictions suggest—Soviet leaders will have to make the difficult choice between supporting Eastern Europe and earning dollars; indeed they are already in the early stages of making just that choice.

The implications of the options available to Soviet leaders and the choices they will have to make are the subject of chapter 5. In preparation for that, this section reviews what is known about the two most important portions of Soviet energy trade: exports to CMEA and exports to the rest of the world (in essence, exports for hard currency). Energy imports, primarily oil and some gas, are a relatively minor part of the story and are not discussed here.[2]

Energy Trade with the West

Table 4-2 presents data on the dollar value of Soviet trade with the developed West from 1960 through 1981. It does not capture all hard-

2. Soviet energy imports have in recent years accounted for only 5 to 10 percent of gross energy exports. *Narkhoz* (1982). Most of those imports are oil from the Middle East; coal (mainly from Poland until 1981) and natural gas (from Iran until 1979 and from Afghanistan) account for the remainder.

Table 4-2. *Soviet Exports to the Developed West, by Main Product Group, Selected Years, 1960–81*
Million of current dollars

Year	Total	Machin-ery	Energy	Raw materials	Food	Con-sumer goods
1960	1,014.8	21.1	269.0	593.8	122.8	8.1
1970	2,393.4	104.1	706.4	1,324.9	179.0	79.0
1975	8,511.3	384.3	4,737.1	2,784.1	312.4	293.3
1977	11,965.9	374.2	7,466.1	3,494.3	229.0	402.3
1979	19,081.8	590.5	13,088.0	4,643.9	287.1	472.3
1980	24,436.4	499.4	17,672.4	5,236.8	285.3	742.5
1981	23,994.0	625.0	18,670.0	4,138.0	210.0	351.0
			Percentage share			
1960	100	2	27	59	12	1
1970	100	4	30	55	7	3
1975	100	5	56	33	4	3
1981	100	3	78	17	1	1

Source: Jan Vanous, "Soviet Participation in Western Trade and Its Impact on the Domestic Economy," statement prepared for the workshop on "The Premises of East-West Commercial Relations," Washington D.C., December 14–15, 1982, p. 9. The 1981 figures are estimates by Vanous.

currency proceeds from energy exports because it excludes those portions of energy sales to less developed countries and socialist countries for dollars; however, it captures most such earnings. Energy has always played a prominent role in exports; in 1960 it accounted for a quarter of all dollar earnings. Nevertheless, in the years before the OPEC price increases, it was raw materials that accounted for the bulk of Soviet export proceeds—almost 60 percent in 1960.

The OPEC price changes radically transformed the structure (in dollars) of Soviet trade with the West. By 1975 rising energy prices had already increased energy's share in total exports to 56 percent; by 1981 that share had risen to 78 percent. Although price increases explain most of the increased value of Soviet energy sales to Western markets over that time, some of the increase reflects an expansion of the quantity of energy exported, as oil, and especially gas, exports rose.

Oil and gas account for most of Soviet energy exports to the West. The mixture of exports between oil and gas, and the dollar earnings from them, will play a role in the forecasts for the 1980s that will be discussed later. Therefore, it is useful at this point to summarize what is known about the quantities of those two energy carriers and the way the Soviets price them. For both energy carriers it is possible only to approximate the prices and quantities of exports.

Soviet trade data are all in rubles; they do not distinguish between exports sold for dollars or convertible currencies (hereafter "dollars") and those for which the compensation was some clearing currency that is part of a bilateral agreement, for example, the transferable ruble (TR) in intra-CMEA trade. This is an important distinction. Oil sold for dollars generates income that can be used to buy anything for sale (to the USSR) on world markets. Oil sold for a clearing currency can be used only to buy goods for sale in the country buying the oil, and possibly not even all those goods.[3] To estimate the dollar earnings from energy exports, it is necessary to guess country-by-country which customers pay in dollars. Because of different guesses, different researchers produce varying estimates of the size of Soviet hard-currency earnings from energy exports. Some (for example, the CIA) limit the estimate to Soviet exports to the developed West, excluding Finland, because Finland and the Soviet Union have a special bilateral clearing agreement governing their trade. Others (for example, Wharton Econometrics) include Finland, which yields a larger dollar figure.

I have decided here to count all Soviet energy exports to countries other than the CMEA members as energy exports for dollars. This includes not only the developed West, but Finland and all less developed countries. The justification for this broad definition is twofold. First, Soviet trade with many less developed countries is settled in dollars. Second, even when trade does occur in the general framework of a bilateral clearing agreement, the Soviet Union probably continues energy exports in any large quantity only because it is obtaining in exchange goods that approximate standards for goods selling on world markets for hard currency. For example, in the case of Finland—the most important bilateral trading partner to which significant quantities of oil are sold outside CMEA—the Soviet Union is purchasing with its earnings highly sophisticated ships, including ice breakers and drilling ships capable of operating in Arctic waters. Although this broad classification will pick up some oil exports for "soft" currencies, it is unlikely that the amounts are significant.

A further complication was added in 1977, when the Soviets ceased publishing information on the quantity of their energy exports, giving

3. Oil sold to Czechoslovakia, for example, generates earnings in TRs. which are in fact not transferable: they are good only as credits against the purchase of a limited range of Czechoslovakian goods.

Table 4-3. *Soviet Oil Exports to the West, 1971–82*
Prices in dollars per barrel

| | | | | World oil prices | |
| | Gross oil exports | | | Spot price, Mideast Light Crude– 34° | Official price, Mideast Light Crude– 34° |
Year	Quantity (mbd) (1)	Value (thousands of dollars) (2)	Average price[a] (3)	(4)	(5)
1971	1.08	954,916	2.42	1.69	1.75
1972	1.08	952,731	2.42	1.82	1.90
1973	1.12	1,873,259	4.58	2.81	2.64
1974	1.01	4,141,355	11.23	10.98	9.56
1975	1.16	4,847,319	11.45	10.43	10.46
1976	1.42	6,378,040	12.31	11.63	11.51
1977	1.51	7,648,126	13.88	12.57	12.40
1978	1.60	7,831,399	13.41	12.91	12.70
1979	1.46	13,599,135	25.52	29.19	17.84
1980	1.42	18,013,678	34.76	35.85	29.38
1981	1.41	18,431,757	35.81	34.29	33.16
1982	1.68	19,753,800[b]	33.00[c]	31.76	33.51

Sources: Quantities are CIA estimates of gross oil exports minus imports to CMEA, in CIA, *Handbook of Economic Statistics*, various issues. Value of exports through 1976 are from Ed A. Hewett, "Soviet Primary Product Exports to CMEA and the West," Discussion Paper 9 (Washington, D.C.: Association of American Geographers, May 1979), p. 54. After 1976 the values are from *Vnesh. torg. SSSR*. Rubles have been converted by using the official ruble-dollar rate reported in CIA, *Handbook of Economic Statistics, 1982*, p. 66. World oil prices are from *Petroleum Intelligence Weekly*, April 12, 1982, p. 11, and March 7, 1983, supplement, p. 8.

a. Column 2 ÷ (column 1 × 365 days). All Soviet export data are f.o.b., so this should be the price at the Soviet border, excluding transport costs.

b. Derived from price and quantity estimates.

c. An estimate based on reported price changes for Urals crude (32°) in 1982. *Petroleum Intelligence Weekly*, December 6, 1982, supplement, p. 4.

only value data.[4] As a consequence it is necessary to estimate those quantities and—by dividing them into the reported-value data—the prices of Soviet fuel exports. Still, as becomes apparent, the estimates appear to be reliable enough to allow generalizations on the question of the price and quantity of Soviet oil and gas trade with the West.

OIL TRADE. Table 4-3 contains data on Soviet oil exports to the West, defined here broadly to include all countries other than the members of CMEA. The oil-export figure represents an estimate of gross exports to the West that, when divided into the value data, yields an average price

4. They discontinued publication of information on export and import quantities for all major fuels and raw materials, which has made it considerably more difficult than before to follow the USSR's terms of trade with all its trading partners.

(the third column).[5] Soviet oil exports increased about 5 percent a year
from 1971 to 1978, at which point they peaked at 1.6 mbd. They fell to
1.4 mbd in 1981 and then apparently rose back to 1.7 mbd in 1982, in part
because oil imports (primarily from Libya) rose and oil exports to
Eastern Europe fell. In the early 1970s (through 1976) about 40 percent
of these exports were oil products, the remainder being crude. Although
no official data are available on the mix since then, there is no evidence
that it has changed radically.

The third column of table 4-3 presents an estimate of the average price
of Soviet oil; the last two columns give the spot and official prices for
Mideast Light Crude–34°. The average Soviet price and the other two
prices are not, strictly speaking, comparable. Aside from the fact that
the average Soviet price is a mixture of a price for products and crude,
the qualities of Soviet crude oil differ from those of Mideast Light Crude–
34°. Furthermore, the average spot and official prices represent an
unweighted average of twelve-month prices. When prices are changing
rapidly, the Soviets will probably sell more at higher prices than lower
prices and thus attain an average price better than the simple average in
the last two columns.

With those cautions in mind, it still seems clear that the Soviets follow
the spot price on world markets. They probably do so because they
actually sell some of their oil on spot markets (how much I do not know)
and the rest on short-term (probably annual) contract for a price closely
linked to the spot price. In some years, for example 1973, they may have
played the spot market carefully, which gave them a considerably higher
average price than the simple average spot price for that year. In other

5. Before 1977 data published in *Vnesh. torg. SSSR* give actual figures for the
quantity of oil exports. After that one must estimate the figure. Oil exports to CMEA
are fairly easy to estimate, because of frequent discussions in the economics literature
on CMEA energy trade. The problem is to estimate total oil exports, and therefore
(after subtracting CMEA oil trade) oil exports to the West. There are two estimates
available, one in WEFA, Centrally Planned Economies Energy Data Bank, and one in
the CIA's annual handbook. There is a third estimate implied in total Soviet energy
balances, which report total energy-export figures in standard fuel. Because coal, gas,
and electricity exports are known with fair certainty, the residual should be oil exports.

I have experimented with all three estimates and explored the implications they hold
for the average price of Soviet oil on Western markets. My conclusion is that, although
one cannot be sure, the CIA estimate is probably the most reliable. The estimate using
the Soviet energy balances produces a very high implied price for oil exports to the
West in recent years; the WEFA estimate has the same problem, in particular for 1981.
Therefore, the CIA estimate is used here.

Table 4-4. *Soviet Natural Gas Exports to the West, 1971–81*[a]

Year	Quantity (billion cubic meters) (1)	Value (thousands of dollars) (2)	Average price (dollars per 1,000 cm)[b] (3)	Average price (dollars per barrel of oil equivalent)[c] (4)	Average price of Soviet oil exports to West (dollars per barrel)[d] (5)	Gas price/oil price (6)
1971	1.43	20,141	14.08	2.33	2.42	0.95
1972	1.63	23,000	14.11	2.33	2.42	0.90
1973	1.98	29,946	15.12	2.50	4.58	0.55
1974	5.48	114,098	20.82	3.44	11.23	0.30
1975	8.04	256,032	31.84	5.26	11.45	0.46
1976	12.34	400,732	32.47	5.36	12.31	0.43
1977	15.81	627,908	39.72	6.56	13.88	0.47
1978	20.57	1,156,740	56.23	9.28	13.41	0.69
1979	25.30	1,553,709	61.41	10.14	25.52	0.40
1980	29.52	3,126,878	105.92	17.49	34.76	0.50
1981	29.50[e]	4,522,581	153.31	25.31	35.81	0.70

Sources: Through 1976 quantities and values are from Hewett, "Soviet Primary Product Exports," p. 54. After 1976 the values are from *Vnesh. torg. SSSR*, and the quantities are from various Soviet and Western sources. Exchange rates are official ruble-dollar rates from CIA, *Handbook of Economic Statistics, 1982*, p. 66.

a. All countries except CMEA.
b. (Column 2/column 1) × 1,000.
c. Column 3 × [1/(0.8297 × 7.3)], where 0.8297 converts to mtoe, and 7.3 converts to barrels.
d. Table 4-3, column 3.
e. Author's estimate.

years, most notably 1979, a combination of contracts and tight oil supplies at home seems to have kept them from capitalizing fully on movements in spot markets, although they did not do badly—their price doubled in one year.[6] They obviously caught up by 1980–81. World oil prices have fallen since 1981, and so therefore have Soviet oil prices on Western markets.

GAS TRADE. Table 4-4, which reports Soviet natural gas exports to the West, is arranged similarly to table 4-3. The first two columns, which report quantity and value, yield an average price in the third column. Although there is no world market price for natural gas, what is interesting here is the price the Soviets obtain from a calorie of gas exports relative to that obtained through a calorie of oil imports. The last three columns

6. Thomas Wolf also concludes that the Soviets follow oil spot markets in his article "Soviet Market Power and Pricing Behaviour in Western Export Markets," *Soviet Studies*, vol. 34 (October 1982), pp. 529–46.

make that comparison, giving the average price of gas in barrels of oil equivalent, the average price of Soviet oil exports to the West, and the ratio of the gas to the oil price.

Soviet gas exports to the West, all of which go to Western Europe, have risen from practically nothing to 30 bcm over the last decade. In 1971 dollar proceeds from natural gas sales were 2 percent of proceeds from oil sales. By 1981 the figure was 25 percent.

The price movements reported in the last four columns of this table tell an interesting story that will prove important in discussing the hard-currency consequences of the mixture of gas and oil in Soviet exports. Except for the pre-OPEC years, Soviet natural gas export prices (in calorific terms) have been far below those for oil. The reason is probably that natural gas contracts—at least those in force in the 1970s—had lags in their price escalators or used prices other than those for oil products, and therefore the gas price followed the oil price only with a lag. Thus, in 1973–74, when world oil prices first jumped up, so did Soviet oil export prices. However, gas prices hardly changed in 1973, and their 38 percent change in 1974 (from $2.50 to $3.44 per bdoe) was well below the oil price change that year of 245 percent. By 1974 Soviet dollar earnings per calorie of gas were 30 percent of those received from oil exports. The gas price slowly began to catch up in the mid-1970s, until the 1978–79 price changes once again drove up oil prices.

Two important points bear emphasis. First, whenever oil prices change in the world market, the effect on the Soviets' dollar earnings from energy will be felt almost immediately in their oil exports, but only with a lag in their gas exports. Judging from the mid-1970s, the lag could be quite long; however, it is likely that new contracts (and renegotiated old contracts) now have shorter lags. Because information is scarce on the precise provisions in these contracts, I have not ventured a guess about Soviet gas prices and earnings from gas in 1982.

Second, gas will probably never sell on parity with oil, either in the world market or in Soviet exports to Europe.[7] Therefore, it will always be true that when the Soviets switch from oil to gas in their exports, they will have to increase gas exports in calorific terms by more than they decrease oil exports if they wish to maintain hard-currency earnings. In 1981 a reduction of Soviet oil exports by one barrel would be compensated

7. Because natural gas is far more expensive to transport than oil (on a caloric basis), in general the free-on-board (f.o.b.) price of gas should always be below that for oil.

in dollar terms only by increasing gas exports by 1.43 (1/0.70) bdoe. Consequently, although net exports in the energy balance are in a common unit (mbdoe), it matters for hard-currency receipts whether those units are gas or oil.

In the new gas contract the Soviets have negotiated with various European customers for the Urengoi–Western Europe line, the price of gas will possibly be more closely linked to the price of oil, but with a shorter lag; that will make Soviet dollar receipts from gas more responsive to changes in the world market than heretofore. Unfortunately, the details of that price contract, as well as earlier gas price contracts, are not publicly available. What is known about these provisions is discussed below.

Energy Trade with the CMEA Countries

Socialist countries comprise the other main group of countries with which the Soviet Union trades all products—including energy. The most important socialist trading partners of the Soviet Union are the other nine members of CMEA.[8]

Table 4-5 summarizes data on Soviet trade with all socialist countries in recent years. Fuels and raw materials have always accounted for a major share of those exports, and in recent years that share has grown as the relative price of energy has grown in Soviet exports to socialist countries. By 1981, 44 percent of Soviet ruble earnings in its trade with socialist countries was accounted for by energy. Almost all this trade is with the CMEA countries, and the discussion here is confined to Soviet trade with them.[9]

The critical issue in Soviet energy trade with CMEA is the price charged for that energy. Before discussing this issue, however, it is useful to summarize generally how CMEA pricing is arranged. This

8. Aside from the Soviet Union, the other members of CMEA are Bulgaria, Cuba, Czechoslovakia, East Germany, Hungary, Mongolia, Poland, Romania, and Vietnam. In Soviet foreign trade statistics, the other socialist countries are China, North Korea, and Yugoslavia. Soviet trade turnover (exports plus imports) with socialist countries accounted for 53 percent of total trade in 1981. That figure would be somewhat lower if proper adjustment had been made for the fact that the official exchange rate used to convert intra-CMEA trade flows is overvalued; however, the figure would still be close to one-half.

9. The CMEA countries account for 90 percent of all Soviet trade with socialist countries; much of the remainder is with Yugoslavia.

Table 4-5. *Soviet Exports to Socialist Countries, by Main Product Group, 1975, 1981*[a]

Millions of current rubles

Year	Total	Machin-ery and equip-ment	Energy	Raw mate-rials	Food	Con-sumer goods	Unspe-cified
1975	14,584	3,427	3,792	4,506	817	481	1,604
1981	31,191	5,864	13,818	6,706	873	686	3,119
		Percentage share					
1975	100	23	26	31	6	3	11
1981	100	19	44	22	3	2	10

Sources: *Vnesh. torg. SSSR, 1975*, p. 18; and ibid., *1981*, p. 18. Ruble amounts are derived from the total trade figures and percentage shares.
a. Includes CMEA countries and other countries defined as socialist: currently China, Korea, and Yugoslavia.

summary is limited to the 1970s because it is necessary to understand only the most recent period in setting the foundation for forecasting the future.[10]

Most transactions in CMEA occur under bilateral trade agreements negotiated every year, governed in a loose way by five-year trade agreements that coincide with the five-year planning cycle in CMEA countries. Transactions negotiated under these agreements are denominated in transferable rubles, an accounting currency with the same official exchange rate as the Soviet domestic ruble. The prices of the commodities traded under these agreements are also set in bilateral bargaining sessions, governed in principle by a complex set of rules that seek to guarantee correspondence between intra-CMEA prices and those that have prevailed in recent years on world markets. There are considerable efforts to have bilaterally balanced trade; consequently, the price negotiations are a device for setting the terms in a complex barter trade.[11]

10. For a general discussion of these issues, see Ed A. Hewett, *Foreign Trade Prices in the Council for Mutual Economic Assistance* (Cambridge University Press, 1974). An important recent monograph, on which I draw heavily here, is Michael Marrese and Jan Vanous, *Soviet Subsidization of Trade with Eastern Europe: A Soviet Perspective*, Research Series 52 (Berkeley: University of California, Institute of International Studies, 1983).

11. The formal justification for using world market prices is that they reflect (in the main) an impartial valuation of the relative value of traded commodities. As a practical matter world prices should be used to avoid the need to close CMEA off fully from the world economy to prevent arbitrage, which would otherwise be possible because goods selling within CMEA for below world prices could be purchased by one member and

In the 1960s, and up until 1975, prices used in intra-CMEA trade were negotiated at five-year intervals on the basis of world market prices that prevailed in some previous period, usually also a five-year period. For example, prices in intra-CMEA trade for 1971–75 trade agreements were in principle based on world market prices that prevailed during 1966–70. In 1975—in response to rapidly rising energy prices—the system switched to its current form of a "moving average" price base, according to which intra-CMEA prices are negotiated annually on the basis of world prices of the preceding five years.[12]

There is, in fact, considerable evidence that actual intra-CMEA prices have never accurately reflected world market prices, as best those can be identified. It is generally agreed that the dollar exchange rate for the TR is overvalued as a conversion coefficient, meaning that products traded between CMEA countries sell (on average) for more than the dollar price for that product multiplied by the official TR-dollar exchange rate. There are many reasons why this seems endemic to the system, most of them related to the bilateral bargaining process that encourages "mutual" inflation.

Even more important, relative prices in intra-CMEA trade do not correspond to those prevailing on world markets, which implies that the terms of trade among CMEA countries are different in TRs than they would be if actual dollar prices were used. Historically this has worked to the advantage of Eastern Europe because energy and materials tend to be relatively cheap in intra-CMEA trade, while manufactured goods (which are Eastern Europe's main exports to the Soviet Union) are relatively expensive by world standards. In recent years, when the oil price rose rapidly on world markets, this subsidy to Eastern Europe grew very rapidly. The intra-CMEA energy price lagged behind that on world markets and indeed has never caught up. In effect the Soviet Union is giving Eastern Europe what Michael Marrese and Jan Vanous

---

sold on world markets at a profit. Because in fact intra-CMEA prices do not correspond to world market prices, such arbitrage does occur—for example, when Eastern Europe imports Soviet crude paid for in TRs and exports products to Europe for dollars.

12. There was a one-year transition to the new system. The CMEA countries decided that prices for the 1975 annual trade agreements would be negotiated on the basis of world market prices during 1972–74. Then, from 1976 on, the price basis was the previous five-year period. For example, the prices on trade in 1977 were to be negotiated on the basis of world market prices during 1972–76. See Kalman Pecsi, *A Magyar-Szovjet gazdasági kapcsolatok 30 éve* [On the thirty-year anniversary of Hungarian-Soviet relations] (Budapest: Kozgazdasági es jogi konyvkiadó, 1969), p. 168.

have called an "implicit subsidy." Energy and materials are sold to Eastern Europe at below world market prices in exchange for machinery and equipment that is purchased for higher than world market prices.[13] That subsidy could be reduced by raising the CMEA price for energy to world market prices; indeed that is now happening. However, there is still a subsidy if the oil is sold for TRs because the Soviets can use those only to "buy" machinery and equipment through bilateral trade agreements with each Eastern European country (assuming that the machinery and equipment remain overpriced by world standards). To eliminate the subsidy, the Soviets would have to ask that energy be purchased only for dollars, which would be tantamount to dismantling the current procedures governing intra-CMEA trade. Indeed, evidence exists of a Soviet decision beginning in 1982 to reduce the subsidy to Eastern Europe through energy deliveries, a subject discussed later at greater length.

Some portion of intra-CMEA trade—there are no published figures on how much, but it could be over 10 percent—is transacted for hard currency and therefore occurs, in effect, outside the bilateral trading framework. The Hungarians sell meat to the Soviets under these conditions; the Soviets will sell energy and raw materials over and above that stipulated in the trade agreements only for dollars. The share of hard-currency trade in total intra-CMEA trade is probably growing as countries become increasingly eager to earn as much hard currency as possible.

OIL TRADE. In the 1960s and 1970s Soviet oil exports to the CMEA countries expanded rapidly, allowing the Eastern Europeans to industrialize while they switched important portions of industry away from solid fuels and on to the much more efficient hydrocarbons imported from the Soviet Union. In the 1970s, however, the growth rate of Soviet oil exports began to fall as the Soviets became more concerned about rising production costs for oil and the opportunity cost of selling oil to CMEA for inconvertible TRs, rather than to the West for convertible currencies. The OPEC price increases naturally enhanced the inclination of Soviet planners to reduce subsidized oil deliveries to Eastern Europe, and since the mid-1970s Soviet leaders have been pressuring Eastern

13. Marrese and Vanous have estimated that in 1980 that subsidy amounted to $17.8 billion. *Soviet Subsidization of Trade*, p. 52.

Table 4-6. *Soviet Oil Exports to CMEA, 1971–82*

Year	Quantity of oil exports (mbd) (1)	Average price (transferable rubles per barrel) (2)	Average price in dollars at official exchange rate[a] (3)	World spot price of oil[b] (dollars per barrel) (4)
1971	1.03	2.06	2.28	1.69
1972	1.06	2.25	2.73	1.82
1973	1.26	2.19	2.96	2.81
1974	1.33	2.49	3.29	10.98
1975	1.43	4.61	6.40	10.43
1976	1.55	5.04	6.68	11.63
1977	1.62	6.54	8.61	12.57
1978	1.70	7.59	11.15	12.91
1979	1.82	8.51	13.01	29.19
1980	1.85	9.47	14.59	35.85
1981	(1.85)	12.37	17.20	34.29
1982	(1.72)[c]	. . .	. . .	33.51

Sources: Through 1976 quantities and average prices are from Hewett, "Soviet Primary Product Exports," p. 53. After 1976 the quantities are from various Soviet and Western sources; and average prices are derived from total values for oil trade with CMEA, reported in *Vnesh. torg. SSSR*, divided by the quantities in column 1. The numbers in parentheses are author's estimates.

a. Based on official ruble-dollar exchange rates in CIA, *Handbook, 1982*, p. 66.
b. Table 4-3, col. 4.
c. This assumes that Soviet oil shipments to CMEA (except Poland and Cuba) were cut 10 percent.

Europe to take measures (that is, to find alternative energy supplies and to conserve) that will permit a stagnation in Soviet oil deliveries at their late-1970s levels. Simultaneously the price of Soviet oil exported to CMEA has risen, although not as rapidly as on world markets.

Table 4-6 contains data on these developments for the most important period, 1971–82. In 1971 the Soviets were shipping 1.03 mbd of oil to CMEA, 49 percent of all their oil exports. By 1981 they were shipping approximately 1.85 mbd, 59 percent. Most of the shipments to CMEA have been crude oil.

The average price of the shipments is reported in the second column of the table in TRs. The third column reports the price converted at the official exchange rate into dollars, and the fourth column gives a spot world price for reference. Because, as already noted, the official exchange rate for the TR is overvalued, the dollar values in column three are overstated somewhat; however, their trend is about what it would be if an adjustment were made for that fact. Precisely how much they are overstated is hard to say, but based on the best estimates available (from Marrese and Vanous), in 1980 the average price of oil at the effective exchange rate for the TR was probably about $10.51 a barrel, as opposed to $14.59 at the official exchange rate.[14]

Even appropriately converted into dollars, the average price of Soviet oil shipments to CMEA should not be expected to equal that of spot oil. There are some products in the mix and therefore in the average price. Also the CMEA price negotiations supposedly attempt to expurgate all world market prices of "monopoly elements." Although that is obviously difficult to do in a practical way, it is easy to imagine that Eastern European officials could argue effectively against the spot price as a legitimate indicator of longer-term evaluation by world markets of the relative price of oil.

As seen in table 4-6, the price of Soviet oil exported to CMEA has lagged behind the world market price. By 1978 it was fairly close (at the official exchange rate), although even then the differential was substantial ($1.76 a barrel). The 1979 price changes on world markets widened the gap, and the price formula again began to work away the difference through the five-year moving average.

Because of that formula a sustained drop in world market prices could cause the price of Soviet oil in CMEA (converted at official exchange rates) to rise above world market prices. But one must remember that, even then, it could be profitable for Eastern Europe to buy from the Soviet Union as long as the Soviets allow Eastern Europe to pay in TRs. That means, in effect, that the Soviets allow payment with machinery and equipment the Eastern Europeans have trouble selling on world markets. Without that subsidy the price of Soviet oil sold to CMEA should never rise (at official exchange rates) by more than the cost savings realized in transporting oil from the USSR by pipeline versus the costs of transporting it from the Middle East. That differential will vary among Eastern European countries, but it is unlikely to be more than $0.50 a barrel.

The Soviets are well aware of this implicit subsidy, and in 1982 they

14. Marrese and Vanous give an implicit ruble-dollar rate for Eastern European exports to the Soviet Union in 1980 of $0.85. I am grateful to Vanous for pointing out to me that this is the appropriate rate for converting the Soviet oil price to dollars, rather than the implicit rate on Soviet exports to Eastern Europe (which Vanous-Marrese estimated at $1.88 for 1980). Because Eastern Europe must export goods to obtain oil, it is the cost (in dollars) of earning TRs that, when divided into the TR price of oil, yields the implicit dollar cost of oil. The official rate that year was $1.54. Ibid., pp. 52–53.

Table 4-7. *Soviet Natural Gas Exports to CMEA, 1971–81*

Year	Quantity[a] (bcm) (1)	Average price (rubles per bcm) (2)	Average price (rubles per boe)[a] (3)	Average price (transferable rubles per barrel)[b] (4)	Ratio of col. 3 to col. 4
1971	3.13	0.0138	2.28	2.06	1.11
1972	3.44	0.0143	2.36	2.25	1.05
1973	4.07	0.0144	2.38	2.19	1.09
1974	8.56	0.0149	2.46	2.49	0.99
1975	11.29	0.0237	3.91	4.61	0.85
1976	13.44	0.0321	5.30	5.04	1.05
1977	15.42	0.0364	6.01	6.54	0.92
1978	15.71	0.0436	7.20	7.59	0.95
1979	22.27	0.0482	7.96	8.51	0.94
1980	30.48	0.0544	8.98	9.47	0.95
1981	30.48[c]	0.0720	11.89	12.37	0.96

Sources: Through 1976 quantities and average prices are from Hewett, "Soviet Primary Product Exports," p. 54. After 1976 quantities are from various Soviet and Western sources, and prices are from *Vnesh. torg. SSSR*, various issues.
a. Column 2 × [1/0.0008297 × 7.3)].
b. Table 4-6, column 2.
c. Author's estimate.

took rather dramatic action to begin reducing it. Apparently they announced to all major CMEA oil customers except Cuba and Poland that in 1982 the amount of oil they could buy for TRs would be reduced by approximately 10 percent, or about 0.13 mbd for all CMEA. If they still wanted to buy that oil, they would have to pay dollars.[15] Given the financial difficulties of all Eastern European countries in 1982, that was tantamount to cutting oil deliveries by 10 percent, which is what has been assumed in the figure given for Soviet oil exports to CMEA in 1982 (1.72 mbd).

GAS TRADE. Only in the last decade has the Soviet Union developed significant gas exports to Eastern Europe, in a process more or less parallel with the growth of those sales to the West. By 1981 Soviet gas exports were approximately evenly split between East and West at 29.50 bcm to the West and 30.48 bcm to the East.

Table 4-7 documents the expansion in gas trade with CMEA. The first column gives the quantity of gas exports, and the second gives the value in rubles per bcm. Again, because there is no world price for natural gas, that comparison cannot be made here. What is interesting, however, is

15. This was never officially announced by the Soviets. My information is based on interview material confirmed by newspaper accounts.

the price of gas in calorific terms relative to the price of Soviet oil sold to CMEA. That comparison is made in the last three columns, which report the average price of gas in TRs per boe, the average price of oil in TRs per barrel, and the ratio between the two. The striking point here is that—unlike the price of Soviet gas sold on the world market, or indeed of any gas sold on world markets today—the intra-CMEA price of gas is virtually the same as the price of oil. The few years in which the price of natural gas falls more than 10 percent below the price of oil are probably explained by special gas pricing contracts or errors in the data; in general, the gas price is well within 10 percent of the price of oil.

As a result, the Soviet Union offers Eastern Europe lower subsidies on gas than it does on oil. That is the major significance of recent Soviet efforts to channel all increments in energy shipments to Eastern Europe into gas, and indeed to induce substitution of gas for current oil shipments. To the extent the Soviets succeed, they will manage to reduce somewhat their energy subsidy to Eastern Europe.

The Soviets will not, however, eliminate the subsidy. The boe price of gas in CMEA at official (overvalued) exchange rates was $16.53 in 1981; at implicit ruble-dollar rates, that is $10.11. The Soviet price of gas to the West that year (see table 4-4) was $25.31, and the price of oil that year was $35.81. Assuming that on world markets gas prices tend toward about 0.75 percent of oil prices, the "world market" price of gas in 1981 might have been $27.00, close to what the Soviets were earning in the West and well above the Soviet price to CMEA.

Energy Plans for 1985

To project Soviet energy exports in the 1980s, one must project the energy balance. Among the options available for projecting Soviet energy balances, the easiest one would be to accept the plans outlined by Soviet leaders in FYP XI. There is a fairly well-defined plan for the supply of energy, and one can guess at the plan for energy demand, which implies a net energy export figure for 1985. That implied export figure is certainly one possible candidate for "projected" net energy exports in 1985.

There are many reasons, however, for not relying on plans as reliable projections of what will actually occur. The plans are incomplete, at least in their published form. Nowhere in the FYP XI document or in the supporting discussion is a planned energy balance outlined for 1985.

Consequently, even if it were advisable to use plans as projections, it would still be necessary to draw out of existing data an implied plan for the balance in 1985. This does not mean that such a planned balance has not been constructed. There may be such a balance, but it is not public information.

The plans are also incomplete in a temporal sense. Even though the FYP XI has in its title "1985 and 1990,"[16] the period after 1985 is not seriously discussed. Therefore, any attempt to project beyond 1985 must rely on something other than plan figures. Indeed in this case such figures probably do not exist. Planning in the Soviet Union is wedded to five-year cycles, and only now are serious preparations under way for constructing the FYP XII (1986–90).

Even when plans give explicit targets for 1985, those targets are generally not trustworthy as projections. Targets are an expression of what Soviet leaders *wish* would happen, and there need not be a close connection between their desires and what is feasible. This was more of a problem during the Stalin years, when plans were frequently regarded as a way to induce economic units to stretch their productive capabilities to the limit by asking them to do more than they possibly could. Even today, however, it is common for Soviet plans to embody unrealistic assumptions about the economy. In FYP XI a good example seems to be the assumption that it is possible to cut dramatically the gestation period for capital projects to maintain the expansion of the capital stock at a fairly rapid pace while investment growth rates fall. There is no reason to believe that such a shortening in gestation periods is possible, in which case the plans for the capital stock in 1985, for the level of national income produced, and for energy demand may be unattainable.

Five-year plan targets, even if they are well founded when they are constructed (typically the last year before the new plan comes into effect), may soon become obsolete, as external factors out of the planners' control develop in unanticipated ways. Planners probably assumed, for example, that, at least during the first few years of FYP XI, the weather would return to the normal patterns of the 1960s and 1970s, allowing agricultural output to improve over what it has been in 1978–80. That did not occur, and therefore targets for agricultural output during FYP XI are for the most part useless, which in turn affects national income.

16. The full title of the plan is "Basic Directions of the Economic and Social Development of the USSR during 1981–85, and during the Period to 1990."

Annual plans provide some information useful in following adjustments to reality as five-year plans go awry, and they can therefore help in arriving at more realistic projections for particular figures. For example, FYP X set a target of 620 million to 640 million tons for oil output in 1980. By 1977, when it was obvious that the target would not be met, planners began to adjust annual plans. The new plans implied by those targets (the first major revision being in 1978) gave a fairly accurate projection of what would be possible by 1980.[17]

Nevertheless, annual plans are of only limited assistance in deciding how planners are "calibrating" the five-year plan, because they leave out—or include sporadically—some important information. For example, a main point of discussion here is investment allocations among sectors for 1981–85, for which there are fairly detailed five-year-plan data but much less current information in the annual plans.

For FYP XI the position for making projections for 1985 is about as good as can be expected. Annual plans through 1984 are available, and there are many discussions in the Soviet press and economic literature about the progress of plan fulfillment. One may therefore form a fairly accurate picture of what Soviet planners hoped would happen in 1985 when they constructed FYP XI and to project what will actually occur.

There is, practically speaking, no useful information on plans for 1990. Therefore, although I venture a forecast for that year later in the chapter, it cannot be considered as reliable as the projection for 1985. Of course, five more years adds a great deal of uncertainty to any projection. But in the Soviet Union planners play such a critical role in determining what occurs in this sector that, without any information on what they plan to do, it is necessary to guess, which is a major additional source of uncertainty.

This section discusses the plans for 1985. The main focus is the energy balance and economic activity, which exerts a strong influence on the balance. In the realm of economic activity, there are two critical sets of variables: macroeconomic performance and investment. The former

17. Even for these annual plans, wishful thinking may influence some figures. Recall, for example, how the FYP X figure for coal output in 1980 (790 million to 810 million tons) was obviously an unattainable dream; even the annual plan figures for every year from 1976 to 1980 were consistently too high, as they followed acutal output down from its 1977–78 peak. Toward the end of the plan period, when major problems are too obvious to hide, the annual plans are a fairly reliable source for projections; however, by then the date for which the projection is being made is only one or two years away and the projection is of less use.

determines the demand for energy; the latter determines capabilities to expand energy supplies at the rate indicated in the plans, as well as the capabilities to buy new machinery and equipment that conserve energy. Because macroeconomic activity and the energy balance are so obviously connected, plans for them are discussed here before plans for investments.

Plans for Macroeconomic Indicators

Table 4-8 presents data on economic performance and the energy sector for the two five-year-plan periods of the 1970s, the plans for 1981–85, the annual plans through 1983, and data on performance to date. The main macroeconomic indicators are GNP (CIA estimate), NI utilized (official Soviet estimate), and NI produced (also an official Soviet estimate).[18] These are all useful indicators of macroeconomic performance and normally agree on general trends (for example, falling growth rates); it is sufficient to rely on one or another of them. The other macroeconomic indicators are for industrial and agricultural production, labor productivity in those sectors, total and state capital expenditures,[19] and real per capita income.

Both the data on GNP and NI show the growth rate decline of the 1970s. In fact, the decline was more dramatic than evident here because 1976–78 were relatively good years, and in 1979–80 NI growth rates averaged under 3 percent. FYP XI calls for a continued slowdown in NI growth rates during 1981–85, but for higher growth rates than those of 1979–80. Through 1983, actual NI growth rates have been close to plan. But almost all of the remaining indicators are growing at a substantially slower pace than planned.

18. NI produced is the value added in the production of material goods and those services directly related to that production. NI utilized differs from NI produced, mainly by excluding losses (for example, agricultural produce lost during shipment) and including net imports of goods and services. Both NIs exclude most services, which is one reason the GNP estimate usually differs from NI estimates. Also, the GNP estimate is based on prices more closely reflecting actual factor costs of production, whereas the NI estimates are based on existing wholesale prices.

19. Unlike "total capital expenditures," "state capital expenditures" exclude those by collective farms and those by individuals building private houses and apartments. The differences are small (total capital expenditures in 1980 were R133.5 billion; state capital expenditures that year were R120.0 billion); nevertheless, both series are shown here because sometimes information is available on one but not the other.

Table 4-8. *Soviet Macroeconomic and Energy Indicators, Actual and Planned, 1971–85*
Average annual growth rate (percent)

Indicator	1971–75, actual	1976–80, actual	1981–85, planned	1981 Planned	1981 Actual	1982 Planned	1982 Actual	1983 Planned	1983 Actual
Macroeconomic									
Gross national product	3.7[a]	2.7[a]	n.a.	n.a.	1.8[b]	n.a.	n.a.	n.a.	n.a.
National income utilized	4.9[c]	4.4[c]	3.4	3.4	3.2	3.0	3.5[d]	3.5	3.1
National income produced	5.7	4.2	n.a.	n.a.	3.2	n.a.	3.9	n.a.	n.a.
Industrial production	7.4[e]	4.5[e]	4.7	4.1	3.4	4.7	3.3	4.3	4.0
Agricultural production	0.6[f]	1.3[f]	4.7[g]	n.a.	-2.0	n.a.	5.1	10.5	5.0
Labor productivity in industry	6.0	3.2	3.6	3.6	2.7	3.3	1.9	2.9	3.5
Labor productivity in agriculture	1.4	2.8	n.a.	n.a.	-2.0	n.a.	6.1	n.a.	6.0
Total capital expenditures	7.0[e]	3.4[e]	n.a.	5.0	3.8[h]	n.a.	3.5	4.4	5.0
State capital expenditures	7.1[e]	3.6[e]	1.1	3.4	4.2[h]	n.a.	3.4	n.a.	n.a.
Real per capita income	4.4[i]	3.3[i]	3.1	2.9	3.4[h]	2.1	0.1	3.0	2.2
Energy									
Production of primary energy	5.0	4.2	3.1[j]	n.a.	2.3	n.a.	2.7	n.a.	n.a.
Major primary fuels	5.4	4.2	3.0	n.a.	2.0	n.a.	3.0	n.a.	2.3
Oil	6.9	4.2	0.9	1.2	1.0	0.8	0.7	1.0	0.6
Natural gas	8.0	8.5	7.7	5.3	6.9	5.8	7.6	5.6	7.1
Coal	1.8	0.5	1.3[k]	n.a.	-1.3[l]	n.a.	1.9	n.a.	-0.3[m]
Other energy	0.8	4.2	7.0[n]	n.a.	n.a.	n.a.	-9.3	n.a.	n.a.
Total primary energy consumption	4.8[o]	3.5[o]	3.4[p]	n.a.	1.4[q]	n.a.	2.5	n.a.	n.a.
Energy-GNP elasticity	1.30	1.30	n.a.	n.a.	n.a.	n.a.	n.a.	n.a.	n.a.
Energy-NI elasticity[r]	0.84	0.83	n.a.	n.a.	0.44	n.a.	0.76	n.a.	n.a.

Sources: Average annual growth rates for 1971–80 are from *Narkhoz* (1922–82), pp. 112, 205, 333, 380; planned growth rates for 1981–85 are from *Pravda*, November 20, 1981, unless otherwise noted; plans for 1981, 1982, and 1983 were announced by N. Baibakov in *Ekon. gaz.*, no. 44 (October 1980); *Pravda*, November 20, 1981, and *Pravda*, November 24, 1982; actual 1981 growth rates are largely from plan-fulfillment reports in *Ekon. gaz.*, no. 5 (January 1982); actual 1982 growth rates are from *Narkhoz* (1982), and actual 1983 growth rates are from the plan-fulfillment report, *Ekon. gaz.*, no. 6 (February 1984), p. 7. Unless otherwise indicated, data for energy production for 1971–80 are from table 2-1; the 1981–85 figures are based on targets for 1985 reported by Baibakov in *Pravda*, November 18, 1981.

n.a. Not available.

a. CIA, *USSR: Measures of Economic Growth and Development, 1950–80*, prepared for the Joint Economic Committee, 97 Cong. 1 sess. (GPO, 1982), p. 68.

b. CIA, *Handbook for Economic Statistics, 1982*, p. 68.

c. In 1973 prices.

d. Preliminary figures for the growth of NI produced in 1982 ranged from 2 to 2.6 percent. No reason has been given for what, by past standards, is an unusually large revision. For the 2 percent figure, see Baibakov's speech in *Pravda*, November 24, 1982. The 2.6 percent figure is given in the 1982 plan fulfillment report. *Pravda*, January 23, 1982.

e. In fixed (1973) prices.

f. No price base given.

g. No official figure is available for 1985 relative to 1980. But there is a stated goal of increasing the value of 1981–85 agricultural output over that of 1976–80 by 13 percent. I have used that and the 1980 value of agricultural output to estimate a growth rate relative to 1980 that ensures that the sum of agricultural output 1981–85 is equal to 1.13 times that figure for 1976–80 (both in 1973 prices). *Narkhoz* (1980), p. 206.

h. Revised figures from *Narkhoz* (1922–82), p. 365, 418.

i. Presumably in fixed prices because it is labeled "real" income of the population.

j. Using the figure by Lalaiants of 2,300 million tons standard fuel (mtst) planned for primary energy production in 1985, and a figure from *Narkhoz* of 1977 mtst in 1980. A. Lalaiants, *Pravda*, December 30, 1981.

k. There is no official figure for 1985 coal output in calorific terms. I am guessing that the planned increase in coal output in natural units of 716 million tons in 1980 to 770 in 1985 would imply an increase in mtoe of about 28, or 0.56 mbdoe. This assumes that the calorific content of coal increments equals the average for all coal in 1980. If anything it is a little high.

l. *Narkhoz* (1922–82), p. 181.

m. Assumes caloric content of coal declined in 1982 at the same rate as in 1981 (45 percent).

n. Residual.

o. Table 4-1.

p. *Ekon. gaz.*, no. 49 (December 1982), p. 17.

q. *Narkhoz* (1982), p. 49.

r. NI produced.

Part of the difficulty here is obviously agricultural production, which grew quite slowly in the 1970s and actually fell during 1979–80. The plan for 1985 for NI growth rates includes a planned increase in agricultural production of 4.7 percent a year, way above trend. There is already ample evidence that this part of the plan is unattainable, the result, in part (but probably not totally), of a continued run of weather conditions unfavorable to grain production.

Economic difficulties are also showing up in industry in ways probably unrelated to the weather. Planned industrial-production growth rates for FYP XI are 4.7 percent a year; so far actual rates have fallen well below that. The annual plans for 1981–83 average below 4.7, and the apparent intention to speed up industrial-output growth rates during the later years of the plan appears to be unrealistic.

During FYP X there was an obvious and conscious decision to cut investment growth rates considerably, while endeavoring to shorten gestation periods on capital projects. This was to meliorate the effects of the investment slowdown on capital stock actually being introduced.[20] There is no evidence that the policy succeeded in 1976–80, but nevertheless planners are once again attempting it during 1981–85. Investment growth rates are to be cut to 1.1 percent a year, yet it is clear in discussions of the plan that capital stock is to grow faster than that.[21] Again, evidence shows that the policy is not working, which is no surprise because it was not accompanied by the reforms necessary to improve performance in the Soviet construction industry. As a result, what appears to be happening (not atypically) is that actual investment growth rates are exceeding planned growth rates as new investments are being used to compensate (in part) for the inability to shorten gestation periods.

Investment growth rates are still quite low by historical Soviet standards, and labor-force growth rates are extraordinarily low (below 1 percent). This means that factor inputs into the production process are expanding slowly, and that any significant increments to NI must come through higher factor productivity and not through increments to inputs.

20. Average gestation periods in the Soviet Union for large projects approach ten years. That means that as a project nears completion, it can represent the accumulation of, say, ten years of investments, none of which comes into the capital stock until the project is fully completed. By speeding up completions, it is theoretically possible to maintain the growth rate of additions to the capital stock while the growth rate of investments falls, and that is what Soviet planners intended.

21. See Boris Rumer, "Soviet Investment Policy: Unresolved Problems," *Problems of Communism,* vol. 31 (September–October 1982), pp. 53–68.

In FYP XI, as in FYP X, the major theme—indeed the major assumption—is that factor-productivity growth rates will account for most of total growth of NI.

The series on industrial productivity in table 4-8 indicates clearly that productivity growth rates are low and falling. The average growth rate of labor productivity in industry was halved in the second half of the 1970s relative to the first. Planners intended to halt that downward slide in FYP XI, but in fact actual growth rates have been below the five-year plan for the first three years, and the annual plan figures—which began in 1981 at the five-year plan target—are sliding downward. This is obviously a part of FYP XI that cannot be met, which means that the NI growth-rate targets are in doubt.[22]

Agricultural productivity growth rates have been higher than those for industry, reflecting the effect on agricultural output of improved weather in 1982–83. Plans for 1981–85 were not published for this indicator, but if agricultural output is planned to grow at 4.7 percent a year while the labor force continues to grow slowly, the target must be about what it is in industry (3.6 percent). In the first three years of the plan, agricultural productivity has increased an average of 3.3 percent a year, so it is probably close to plan.

The decline in industrial productivity growth rates in the Soviet economy is a prime concern of Soviet planners, yet it is only a symptom whose causes are not yet fully understood either in the Soviet Union or in the West. Even after allowing for the influence of cyclical factors such as the weather, there is still obviously a secular decline in productivity growth rates that is continuing into the 1980s, totally contrary to plan. Surely a major underlying cause is the inability of leaders during much of the Brezhnev period to agree on and introduce economic reforms necessary to stimulate economic units significantly to improve their efficiency. However, it is also possible that policy mistakes (most notably in investment policy) led to bottlenecks in transport, steel, and energy, for example. Those in turn caused output growth rates to fall because managers were forced to operate at less than full capacity. There is as yet no general agreement on the relative contributions of the system itself and the policies pursued within the system to the growth slowdown;

22. Notice that while the industrial labor productivity target is sliding, the NI target is not. This is a good example of implicit assumptions that are overoptimistic. Industry accounts for one-half of NI, and if industrial-productivity growth rates falter, and if factor-input growth rates are not increased above plan, NI growth rates are also likely to fall.

there will not be agreement until much more research has been done. For purposes of this inquiry into the energy sector, the most important point is that, whatever the causes, no obvious solution is in sight; therefore, growth rates will probably remain low and below plan in the near future.

The implications of this for real per capita income can be seen in the last of the macroeconomic indicators listed in table 4-8. Real-income growth rates were lower than those for NI throughout the 1970s—mainly because of the relatively high investment growth rates—and they had been falling throughout the decade. FYP XI calls for only a moderate further decline to an annual average of 3.1 percent, 0.2 percent below the 1976–80 average. During 1981–83 in fact the average was 1.9 percent growth of real personal income.

Plans for the Energy Balance

The bottom part of table 4-8 outlines plans for the energy sector through 1985 and actual results and annual plans through 1983. Energy-production growth rates were falling in the 1970s as oil-production growth rates fell. FYP XI calls for a further decline because oil and coal output grow slowly. Virtually all the increment to energy production will come from natural gas, which is scheduled to continue to grow at 7.7 percent a year, almost as rapidly as in the 1970s. Other energy (nuclear, hydroelectric, and minor fuels) is to grow at 7 percent a year; however, this is—and will remain—a small part of total energy.

Annual plan-fulfillment reports contain no data on total energy production; therefore, it is difficult to say with precision if the total energy output plan is being met. However, the production of primary fuels—which accounts for most of energy production—seems to be lagging only a little behind plan. Oil is not quite meeting its modest output targets, but natural gas is more than compensating for that by overshooting its annual targets.[23] The main problem with meeting primary production targets seems to be in coal output.

Primary energy-consumption growth rates fell in the 1970s, but mainly because economic-activity growth rates fell off, which is indicated by

23. In 1981–83 the overfulfillment of the annual plan for gas output more than compensated for the underfulfillment of the oil plan. For those three years in total, the plans called for a combined gas and oil output of 61.13 mbdoe; actual 1981–83 output was 61.63 mbdoe.

the fairly stable elasticities noted in the last two rows of the table. There are no published plans for energy consumption in 1985, but as noted in chapter 3, the Soviet press has indicated recently that the plan is for energy consumption to grow 18 percent over 1981–85, or 3.4 percent a year. There is no information on the planned growth rate for NI produced and therefore no way to estimate precisely the planned energy-NI elasticity. NI utilized is planned to grow at 3.4 percent a year, the same as energy consumption. However, it is quite possible that NI produced is set to grow more rapidly (the result of an export surplus reflecting, among other things, good weather and lowered agricultural imports), in which case the energy-NI elasticity planned for FYP XI could well be about what the elasticity was in the 1970s—0.8.

In 1981–82 energy consumption grew 1.9 percent, well below the planned rate. That may reflect a slower-than-expected growth in industrial production. Particularly important here is that output in several of the energy-intensive sectors either fell (transport and steel) or stagnated (building materials). In 1983 output in those sectors accelerated along with the growth rate of industrial output, and energy-consumption growth rates were probably also higher than in previous years.

The slow energy-consumption growth rates of 1981–82, combined with energy-production growth rates close to plan, have allowed planners to increase net energy exports. In assessing whether these favorable trends in the energy sector will persist through 1985, the key unknown is investments in energy production. If those are slowing down in response to a general slowdown in growth rates, then energy-supply growth rates will fall farther below plan.

Plans for Investments in the Economy and in Energy

Table 4-9 presents data on actual capital expenditures in the 1970s, by five-year plan period, and planned investments during 1981–85. The percentage change of each five-year period from the previous one is computed for the latter two plan periods. The main body of the table indicates investment by major sectors, emphasizing data on industry. The addendum divides investment into the major energy-related subsectors and into other investment.

The most striking facts about the table are that the investment-growth slowdown is very large (investment in 1976–80 was 29 percent above that for 1971–75; investment in 1981–85 is planned to be only 10 percent

Table 4-9. *Soviet Investments by Major Sector, 1971–85*
Billions of 1973 rubles

Item	1971–75, actual	1976–80		1981–85	
		Actual	Percent increase over 1971–75	Planned	Percent increase over 1976–80
Total capital expenditures	**493.0**	**634.1**	**29**	**700**	**10**
Industry	172.5	223.6	30	275	23
Fuel	31.6	46.3	47	77	66
Oil	16.0	26.2	64	43	64
Natural gas	7.3	10.3	41	22	114
Coal	8.3	9.8	18	12	22
Electric power	17.0	19.4	14	23	19
Machine building and metalworking	37.7	53.9	43 }	175[a]	14
Other	82.4	99.8	21 }		
Transport and communication	53.3	75.9	42	(100)	32
Pipelines	9.5[b]	22.3[c]	135	32	43
Oil	3.0[a]	n.a.	. . .	5	
Gas	6.5[d]	n.a.	. . .	27	
Other	43.8	59.2	35	(68)[e]	15
Agriculture	99.1	128.5	30	138	7
Other	168.1	206.1	23	187[a]	−9
Addendum					
Investment in fuel-energy complex	n.a.	88.0[f]	. . .	132	50
Fuels	31.6	46.3	47	77	66
Electric power	17.0	19.4	14	23	19
Pipelines	9.5	22.3[c]	135	32	43
Investment in other sectors	n.a.	546.1	. . .	568.0[a]	4

Sources: Unless otherwise indicated, data for 1971–80 are from *Narkhoz* (1980), pp. 333, 337, 338; data for 1981–85 are from Robert Leggett, ''Soviet Investment Policy in the 11th Five-Year Plan,'' in Joint Economic Committee, *Soviet Economy in the 1980's: Problems and Prospects* (GPO, 1982), pt. 1, p. 137. Numbers in parentheses are author's estimates.

n.a. Not available.

a. Number derived by subtraction.

b. L. I. Kolesov, *Mezhotraslevye problemy razvitiia transportnoi sistemy Sibiri i Dal'nego Vostoka* [Intrasectoral problems in the development of the transport system of Siberia and the Far East] (Novosibirsk: Sib. Otd. Nauka, 1982), p. 56.

c. Number derived by subtraction. It may include some infrastructural investment.

d. R. D. Margulov, E. K. Selikova, and I. Ia. Furman, *Razvitie gazovoi promyshlennosti i analyiz tekhniko-ekonomicheskikh pokazatelei* [Development of the gas industry and analysis of technical-economic indicators] (Moscow: VNIIEGAZPROM, 1976), p. 21.

e. A guess. Railroad investment is to increase 22 percent, and I am assuming the remainder (nonpipeline, nonrailroad) rises at the average for the overall economy, about 10 percent.

f. N. Baryshnikov and G. Galakhov, ''Kapitalnoe stroitel'stvo—reshaiushchii uchastok sotsialisticheskogo vos-proizvodstva'' [Capital construction—a decisive component of socialist reproduction], *Plan. khoz.*, no. 3 (March 1982), p. 30.

above that for 1976–80) and that it is heavily concentrated in the nonindustrial sector of the economy. Industrial investment itself is to grow 23 percent, not much more slowly than in FYP X. Agricultural investment is to grow about as rapidly as total investment and at a much slower pace than in FYP X. Investment in other sectors (construction, industry, housing investment, construction of various public institutions, and trade outlets), which grew at 23 percent during 1976–80, is to fall 12 percent during 1981–85.

Within industry the fuel industries—which in 1976–80 accounted for 7 percent of all investment in the economy and 21 percent of industrial investment—are to increase investment by 66 percent, with the largest increases scheduled for gas (114 percent) and oil (64 percent). Investment in electric power is slated to grow 19 percent. The other industrial sectors as a whole are scheduled to increase investment by 14 percent over the five-year period, below average for all industrial investment. Investment in the total *fuel-energy complex* (a Soviet term covering fuels, electric power, and pipelines) is to increase 50 percent during FYP XI (while total investment goes up 10 percent). This means that its share of total investment during 1981–85 is to be 18.9 percent, up from 13.9 percent during 1976–80. All nonenergy investment will rise 4 percent. Of the increment to investment in the total economy, the fuel-energy complex is claiming 67 percent.

The investment strategy for FYP XI emerges clearly from these data. Energy is the highest-priority sector. Other industrial investments have a lower, but still relatively high, priority. To attain growth rates in investments for the fuel-energy complex five times total investment growth rates, while protecting other industrial investments, service-sector investments are actually being cut. Where these cuts are being made is not revealed in the plans, but it would appear that they will show up as dramatic slowdowns in construction projects for schools, hospitals, roads, trade establishments, apartment houses, and so on—all in the service sector.

This discussion, along with the earlier one about plans for macro-economic performance, indicates that planners hope to protect current consumption from the effects of dramatic increases in investments in the energy sector by shifting the costs onto investments in capacity to increase (or maintain) communal consumption growth rates in the future. If that is indeed the strategy, the costs of investments in energy in FYP XI will show up primarily in slower growth rates for the consumption of public services in the future.

It is difficult to follow the actual developments in the structure of investments during the first three years of FYP XI. Total investment grew faster than planned, 4 percent a year rather than 1 percent. In 1981–82, investment in industry grew an average of 3.4 percent per year, below the rate for total investment and well below the planned rate of 4.6 percent. This underfulfillment of the plan for industrial investment, combined with a large overfulfillment of the plan for total investment, suggests that the entire investment plan for 1981–85 may have been abandoned and that the investments in communal consumption have been given a far higher priority than originally planned. A few more years' data and possibly revisions of the 1982 data are necessary before any definite conclusion can be drawn.

Investment in fuels in 1981–82 grew 9.5 percent over 1980, about on target with the intentions for 1981–85.[24] There are no data on pipeline investments in 1981–83—which are a very important part of this plan.

Feasibility of the 1985 Plans

In developing a projection of the 1985 energy balance, several judgments must be made.

1. If the energy industries receive the investment and labor resources they are allocated in FYP XI, what will energy production be in 1985?

2. Will energy industries receive all of the funds called for in the plan? If not, what will be the consequences?

3. Will the energy-NI (or GNP) elasticity be as planned in FYP XI?

4. Will economic activity expand at the growth rate called for in the plan? If not, what will the consequences be for energy-demand growth rates?

Table 4-10 answers these four questions, giving the energy balance for 1980, the plan and projection for 1985, and a projection for 1990. The rest of this section discusses the assumptions underlying the projections.

24. Virtually all the increment was in investments in the oil industry (from R6.8 billion in 1980 to R8.7 billion in 1982), while investment in other energy sectors stagnated. This could indicate that difficulties in the oil industry (and successes in the gas industry) are drawing investments away from other sectors; however, two years are a slim basis on which to build such an inference.

Table 4-10. *Soviet Energy Balance for 1980, 1985, and 1990, Actual, Plan, and Projected*
Mbdoe

Item	1980 Actual (1)	1985 Plan (2)	1985 Projected[a] (3)	1990 Projected[a] (4)
Total production	27.6	32.2	29.6–30.9	32.2–34.5
Oil	12.1	12.6	11.5–12.0	10.0–11.0
Gas	7.2	10.4	9.5–10.0	13.0–13.5
Coal	6.7	7.1	6.6– 6.8	6.5– 7.0
Other[b]	1.5	2.1	2.0– 2.1[c]	2.8– 3.0[d]
Total consumption[e]	23.3	27.5[f]	26.3–25.9[g]	29.2–27.9[h]
Oil[i]	8.9	9.7	9.9– 8.7[j]	9.8– 7.2
Gas[i]	6.3	8.9	8.1– 8.6[j]	10.5–11.0
Coal[i]	6.5	6.8	6.3– 6.5[j]	6.2– 6.7
Total (net) exports	4.4	4.7	3.3– 5.0	3.0– 6.6[j]
Oil	3.2	2.9	1.6– 3.3[j]	2.4– 3.8
Gas	0.9	1.5[k]	1.4[l]	0.2[m]
Coal	0.3	0.3[n]	0.3[n]	0.3

Sources: Actual data are from table 4-1; unless otherwise indicated, plan data are based on A. Lalaiants, "Bazovyi kompleks" [The base complex], *Pravda*, December 30, 1981.

a. Author's projections.

b. This is a residual that includes peat, shale, firewood, nuclear, and hydroelectric. The latter two are converted at their energy equivalents of 0.0861 grams of oil equivalent per 1,000 kwh. At those conversion rates nuclear and hydro accounted for, respectively, 0.13 and 0.23 mbdoe in 1980. Under the 1985 plans the respective figures for that year are 0.38 and 0.40 mbdoe.

c. The main issue here is whether nuclear power plans will be met. The range reflects the high and low case for nuclear power discussed in chapter 2. Otherwise I have accepted official plan figures.

d. This assumes nuclear will grow at 20 percent a year during 1986–90 (I have projected that it will grow at 24 percent in 1981–85), that hydro will grow at 10 percent a year (I have projected 12 percent during 1981–85), and that the rest stagnates at the 1981–85 level.

e. Actual consumption, net of stock changes.

f. See note o, table 4-8.

g. Both consumption figures assume an energy-NI elasticity of 0.7. The higher figure assumes an NI growth rate of 3.5 percent; the lower figure assumes an NI growth rate of 3 percent. For every 1 percent drop in the 1981–85 NI growth rate, 1985 energy consumption falls about 1 mbd (assuming an energy-NI elasticity of 0.7).

h. This assumes an energy-NI elasticity of 0.6 and NI yearly growth rates averaging, respectively, 3.5 percent and 2.5 percent.

i. Apparent consumption (production minus net exports); it includes stock changes.

j. Numbers derived by subtraction.

k. This assumes plans called for gas exports to the West in 1985 to be 20 bcm above those in 1980 (one-half the original projected size of the new Soviet–Western European gas agreements) and an additional 10 bcm to CMEA (I am guessing on this).

l. This assumes gas sales to Western Europe and CMEA will rise a total of 25 bcm, say 15 to Europe and 10 to CMEA.

m. This assumes that by 1990 natural gas exports to Western Europe are 90 bcm (up from 30 bcm in 1980 and a projected 45 bcm in 1985) and 60 bcm to Eastern Europe (up from 30 bcm in 1980 and a projected 40 bcm in 1985).

n. I am simply assuming the plan is for coal exports to stagnate.

Projections for 1985

The first column in table 4-10 gives the actual balance in 1980, with data from table 4-1. The second column outlines the plan for 1985 drawn from various sources. FYP XI calls for an increase in production of all energy of 3.1 percent a year, with most of the increments coming from new gas production. Total consumption is to increase at a slightly faster pace—3.4 percent a year. That implies that net energy exports will rise very slightly from 4.3 to 4.7 mbdoe.

No data are published on planned net energy exports or their major components. For the latter I have ventured a guess based on the assumptions that coal exports are probably not scheduled to rise and that gas exports are scheduled to rise according to plans for new sales to Western Europe and on what (I presume) were plans to increase sales to Eastern Europe by encouraging a switch from oil to gas. That leaves a residual for oil sales that is about what it was in 1980. Those numbers imply that oil and coal consumption are to rise slowly, with most of the increase in consumption coming from gas.

There are many guesses, probably of differing reliability, behind these data; nevertheless, the end result seems reasonable. The general picture is one of planners acknowledging the reality of a slower growth rate for energy supplies, which would—in light of slower NI growth—allow net energy exports to grow slightly. Oil exports would fall only slightly, and gas exports would more than make up for the difference.

The third column of the table contains projections for 1985. On the supply side these are the projections discussed in chapter 2. In total they make it clear that even as a best case the Soviets will not produce the amount of energy they plan to by 1985. In fact, none of the primary energy carriers' 1985 output is likely to be on target. The reasons for likely plan underfulfillment are discussed for each energy carrier in chapter 2. If the actual energy-production growth rates were to fall in the range projected here, and consumption of energy were to accord with the plan, Soviet energy exports would be no more than 3.4 mbdoe, and probably less. In fact, however, there is every reason to believe that energy consumption will also grow more slowly than planned because NI will not expand as rapidly as planned. The plan for 1985 is for an NI-utilized growth rate of 3.4 percent and an NI-produced growth rate possibly higher than that. The implication seems to be that the energy-NI elasticity will remain constant (on average) during 1981–85 at its value for the 1970s (about 0.8).

On the basis of 1981–83 economic performance it seems likely that NI-produced growth rates will average 3.0 to 3.5 percent during 1981–85. Because the energy-NI elasticity was so low in 1981–82 (0.55), even if it rises somewhat above the recent average of 0.8 for 1983–85, it could well average somewhat less than that for 1981–85. I will assume that the average energy-NI elasticity for 1981–85 is about 0.7.[25] The two NI growth rates, combined with the 0.7 elasticity, provide the range of energy-consumption possibilities shown in table 4-10. They suggest that in fact energy consumption could fall 1.2 to 1.6 mbdoe below plan by 1985. That, combined with the projections for supply, implies a possible range for energy exports of 3.3 to 5.0 mbdoe, a range that includes the estimated 1985 planned figure. Therefore, Soviet plans for net energy exports could be fulfilled, or even overfulfilled, while energy-supply plans are underfulfilled. The reason is somewhat lower-than-expected NI growth rates and lower energy-NI elasticities. In fact, for every 1 percent that the NI growth rate falls below plan, given an energy-NI elasticity of 0.7, energy consumption in 1985 falls about 1 mbdoe.

Column 3 also explores the implications of these projections for the composition of net exports and therefore of consumption. Gas is constrained here by the slowness with which Western Europeans are signing gas contracts and the ability of Eastern Europe to absorb more gas. I have guessed on each of these to arrive at the 1.4 mbdoe figure for gas exports in 1985.[26] Oil is the "swing" fuel here because it is the most flexible in export markets, and there are many possibilities of gas-for-oil switches under boilers (given the appropriate investments).

These export figures imply consumption figures that seem reasonable. Gas consumption is still growing quite rapidly, while coal consumption is virtually stagnating. Oil consumption will probably fall, how much depending on whether energy-consumption growth rates are high or low. High energy-consumption growth rates will have to translate into a high domestic demand for oil, which will crowd out total energy exports and therefore oil exports.

Several important unknowns are not apparent in the total balance

25. It is not clear yet why the energy-NI elasticity was so low in 1981–82. It is probably just the usual cycle around the trend, in which case elasticities should be higher in 1983–85. An additional reason to expect elasticities to rise in 1983–85 is the recovery in output of energy-intensive industries—steel and building materials. I have, nevertheless, assumed an elasticity slightly below trend to allow for the possibility that administrative conservation measures will have some effect.

26. Actually it is now clear that gas sales to Western Europe in 1985 will rise over 1980 by no more than 10 to 15 bcm. I have chosen 15 bcm under the assumption that the Soviets will cut prices in an effort to stimulate sales. It is not clear how much gas Eastern Europe can and will take in this decade, and more research is needed to reach a well-founded projection. I have simply guessed here that the Soviets will successfully push Eastern Europe to accept approximately 10 bcm of new gas deliveries, primarily as a replacement for diminished oil deliveries.

because they relate to microeconomic decisions in the energy sector. One involves the ability of the Soviet capital stock to be flexible enough to absorb up to a 1.1-mbd swing in oil use. Soviet under-boiler use of oil is about 3.8 mbd; obviously much of that could be gas, or it could be dual fired.[27] Whether that possibility for flexibility will in fact become reality is a question of the current state, and plans for the expansion, of the gas-distribution network, gas-storage facilities, and the capital stock, which could use both oil and gas. If there are investments under way now that by 1985 will allow the Soviet Union to reduce oil consumption by 1 mbd and substitute gas (the low total-consumption scenario), then it will be possible to export the 4.2 mbd of oil suggested in the high-production–low-consumption case. If those investments are not occurring at the necessary pace, then the capital stock could itself constrain the structure of Soviet energy consumption in a way that would create an excess supply of gas and an excess demand for oil. That in turn would drive the Soviets to seek additional export outlets in Europe for their natural gas, which would be a difficult proposition in either Eastern or Western Europe. Left with a choice either to dump that gas on Western markets or to reduce production planners might choose the latter option, which would force gas production down even below the low end of the projection discussed here.

There is no detailed information available concerning whether Soviet investments in the economy are expanding the gas-for-oil flexibility of the system with sufficient rapidity to handle the range indicated in these 1985 projections. However, Soviet planners are obviously aware of the need to realize gas-for-oil switches rapidly where possible, and they are surely making serious efforts in the right direction. Whether they will manage to do all that needs to be done in the next few years is uncertain; and this is an important caveat on a total energy-balance projection.

The electric power sector presents a similar problem. The FYP XI investment allocation for electric power (23 billion rubles) is almost certainly too low. Table 4-11 compares Soviet investment plans with projections by Judith Thornton and me. The reason capital costs are likely to be above plan is primarily the ambitious nuclear power program.

---

27. In 1980 Soviet electric power stations burned 2 mbd of oil products. Soviet industry and households used another 1.8 mbd. Robert W. Campbell, "Energy," in Abram Bergson and Herbert S. Levine, eds., *The Soviet Economy: Toward the Year 2000* (London: Allen and Unwin, 1983), p. 196. I am assuming most of that is under boilers.

Table 4-11. *Capital Costs in Soviet Electric Power, 1976–85*
Billions of current rubles

		1981–85		
			Projections	
Item	1976–80	Plan	Thornton	Hewett[a]
Total capital costs	20.3	23.9[b]	28.4	31.8
Power stations	14.2	n.a.	15.0	21.9
Nuclear	4.0	n.a.	5.9	10.7
Thermal	6.7	n.a.	5.1	6.8
Hydro	4.2	n.a.	4.0	4.4
Network and other	5.4	n.a.	9.9	9.9

Sources: Data for 1976–80 are from A. M. Nekrasov and A. A. Troitskii, eds., *Energetika SSSR v 1981–1985 godakh* [Energy in the USSR in 1981–1985] (Moscow: Energoizdat, 1981), p. 267; Thornton projections are from Judith Thornton, "The Impact of Nuclear Power on the Cost of Capital Formation in Soviet Electric Power," Report to the National Council for Soviet and East European Research, 624-3 (May 1982), p. 14.

n.a. Not available.

a. The figures for power stations were derived by estimating the capital costs per unit of new capacity added in nuclear, thermal, and hydro for 1971–75 and 1976–80, derived from data on capital costs and capacity expansion in Nekrasov and Troitskii, *Energetika SSSR v 1981*, pp. 267 and 282, and Thornton, table 3. I then assumed that capital costs per unit of new capacity for each of the energy carriers would grow at the same rate in 1981–85 relative to 1976–80, as they had in 1976–80 relative to 1971–75. That yielded an estimate of unit capital costs of new capacity in 1981–85, which when multiplied by planned capacity expansion for the three types of power stations (Nekrasov and Troitskii, ibid., p. 141) yields the figure here. For network and other investments, I accepted Thornton's 9.9, which yields the total of 31.8.

b. These data are in current prices and therefore are not comparable to the data in 1973 prices in table 4-9. For example, the total capital costs figure here of R20.3 billion for 1976–80 is R19.4 billion in 1973 prices. I have used the implied growth rate in investment in electric power from table 4-9 (18.6 percent over the five-year period) to derive the planned figure here.

During 1976–80 the Soviets added 54.3 mw of new generating capacity, of which 7.9 mw, or 15 percent, was additional capacity in nuclear stations. During 1981–85 electric power generating capacity is to expand by 68.9 mw, of which 21.3 mw (31 percent) is to be new nuclear capacity.[28] The capital cost of a nuclear power plant is about triple that of a conventional plant in the USSR (per unit of new capacity) and about double that for hydroelectric stations. Thus, the shift to nuclear power will cause a substantial increase in total capital costs. Soviet planners may be hoping for substantially lower capital costs coming from learning by doing, but I see no reason to believe that such optimism is warranted. To make the capacity additions projected for 1981–85 would probably require an increase in investment in electric power of 50 percent, not the 18 percent now planned.

Given the tight investment situation, and allowing for delays not related to a shortage of funds or materials, it is unlikely that the Soviets

28. A. M. Nekrasov and A. A. Troitskii, eds., *Energetika SSSR v 1981–1985 godakh* [Energy in the USSR in 1981–1985] (Moscow: Energoizdat, 1981), p. 141.

will meet their goals for expanding electric generating capacity. From the point of view of the total energy balance, the most important consequence of this underfulfillment will be an expansion of electric generating capacity in the European USSR at less than the planned pace (because it is there that nuclear power plants are to provide the bulk of additional electric generating capacity). This means that the shortfall below target in nuclear power output, while having a modest effect on the overall balance, could well mean serious electricity shortages in the European USSR. That could lead to constraints on economic activity. Indeed, there is already evidence that it is occurring.

In attempting to analyze where in the ranges projected for 1985 the USSR energy balance is likely to fall, one of the most important considerations is how the tight investment situation will affect the availability of funds to the energy sector. As the plans stand, energy is being given an extraordinarily high priority in investment allocations, at the expense of the remainder of industry and of social expenditures. There are probably pressures from electric power and coal for even more investment resources. Some tremendous bureaucratic battles must be raging now as other ministries seek more investment resources, claiming that without them they cannot meet their plans.

In this situation, and in view of deteriorating economic performance and an apparent increase in net energy exports in 1981–82, it seems unlikely that Soviet planners will allocate any major new investment funds to the energy sector above the already ambitious plans. On the contrary, what they will probably do is hold back some of the investment funds in the plan as they see energy-demand growth rates falling, with an attendant fall in the pressure on the energy balance. This means certainly that the coal industry will receive no more than planned. Minenergo may be able to force through some increases because of the high priority for nuclear power in the European USSR, but nothing like the increases projected in table 4-11. The main competition will be between the gas and the oil industries, and here I think the oil industry will probably lose, meaning that investments there will not grow as rapidly as planned. The marginal cost of oil delivered to the European USSR is far higher than it is for gas. As Soviet planners see that their projected energy needs are lower than originally anticipated, it would make good economic sense to let up on the expensive investments in Siberian oil and to use the freed resources for nuclear power and investments in the rest of the system.

If I am right in these conjectures, total energy production will most likely come out somewhere below the midpoint of the 1985 projections (say 30 mbdoe), and exports will come out about 4 mbdoe (assuming consumption hits the middle of its range). That would mean oil exports of about 2.5 mbd, below those of 1980 but sufficient to meet Eastern European needs and to export some to the West. What that implies for Soviet hard-currency earnings and for Eastern Europe is explored later.

There is one caveat to this judgment. If world oil prices continue their recent behavior and fall into a range of, say, $25 to $30 a barrel, then Soviet hard-currency earnings from energy will fall below what was surely anticipated when FYP XI was first constructed. Conceivably planners will respond to lower energy prices by endeavoring to move to the high end of the production ranges outlined in the 1985 projections, which would probably require more capital expenditures than are now allotted to energy. That would increase even further the considerable sacrifices being made elsewhere in the system, but planners might still judge that a ruble spent on new energy for export is worth more to the Soviet economy than a ruble spent on industrial investment. Whether they think in those terms, and if so whether they will respond as outlined here, cannot be said with any certainty. However, it is my judgment that, on balance, investment constraints are now so tight on the non-energy portion of the economy that leaders will not permit above-plan investments in energy. Indeed, they will regard it as prudent economically and politically to invest less than planned.

Projections for 1990

Projections for 1990 are much more difficult than those for 1985. There is no good information on plans for the second half of the 1980s; in fact there is no plan. The discussions necessary to develop such a plan are only now beginning in the bureaucracy. Because there is so much room for maneuver in this sector, the possible range of output and consumption is large. Less is known about Soviet economic prospects—in part because it is not yet clear how far the leadership will go to introduce changes in the system—so that it is difficult to estimate what energy demands might be. Table 4-10 outlines a set of guesses that at best provides a rough notion of what could occur by the end of the decade.[29]

29. For more details on the projections, see Ed A. Hewett, "Soviet Energy Prospects and Their Implications for East-West Trade," in Abraham S. Becker, ed., *Economic Relations with the USSR: Issues for the Western Alliance* (Lexington, Mass.: D. C. Heath, 1983), pp. 49–75.

I have assumed on the supply side that the economics of the oil industry will lead to a gradual decline in output as investment resources are diverted to natural gas production. Natural gas is projected to grow at approximately the rate projected for the first half of the 1980s, so that by 1990 it could account for 40 percent of total energy production. Coal continues to stagnate in calorific terms as the industry struggles with the introduction of the new technologies necessary to bring Siberia's rich coal deposits to use in the European USSR. Among the other fuels, nuclear power continues to expand at a respectable pace (20 percent a year). This suggests a growth rate in energy production of about 1.8 to 3.1 percent a year, consistent with the projected range for 1981–85 of 1.4 to 2.3 percent.

Assuming that NI growth stabilizes in the range of 2 to 3 percent during the rest of the decade, but that energy-NI elasticities fall slightly (from 0.7 to 0.6) as a result of some successes in conservation, total energy consumption will be about 27.9 to 29.2 mbdoe. That yields a possible range for net energy exports that suggests almost certainly that the USSR will remain a net energy exporter throughout the decade. Precisely how much they will export, however, depends on a great many things about which one cannot say much at present.

Some rough guesses at the composition of those exports are shown in the table; they are based primarily on a guesstimate of how much gas the Soviets will be selling Europe in 1990 and then of how much oil they will be using as a residual. The main, and important, message here is that the USSR is highly unlikely to become a net importer of oil by the end of the decade; it will certainly continue as a net exporter of energy.

Those export figures imply that gas consumption will continue to rise rapidly and will probably continue to push oil onto export markets. Oil consumption will fall, how much being determined by the rate of growth of energy demand.

There is one other important implication of these projections up to 1990. If somehow Soviet leaders manage to accelerate Soviet NI growth rates without any major improvements in the efficiency with which inputs (particularly energy) are used, by 1990 energy exports will fall below the lower bound forecast here. Right now the energy balances for the 1980s look fairly satisfactory (from the point of view of net exports) because the economy is performing poorly by the standards of previous decades. If Soviet economic performance returns to growth rates of, say, the 1970s, the energy balance will emerge once again as a major source of concern.

Implications of the Energy-Balance Projections for Soviet Energy Exports

The most important consequences of the projections made in the preceding section are in their implications for Soviet capabilities to export energy to the West and to CMEA. Energy exported to the West earns the hard currency necessary to finance imports of food, intermediate products, and machinery. Energy exported to CMEA earns TRs useful in buying machinery and food, but more important it seals a bond between Eastern Europe and the Soviet Union that the Eastern Europeans find it difficult to break.

Table 4-12 explores the possibilities for Soviet energy exports to CMEA and the rest of the world by comparing actual exports in 1980 with projected exports in 1985 and 1990. There are many assumptions behind this table, to reflect the many options open to the Soviets. I discuss the major assumptions here in order to provide a notion of the limitations in the reliability of the projection.

The table presents data for all energy exports and for gross exports of the three energy carriers for 1980, 1985, and 1990—the latter two being projections. The first three columns give the quantity, average price, and value of exports to CMEA, the latter two in TRs; the last three columns present the same data for Soviet exports to other countries, almost all of which are for hard currency. All the data are for gross exports, and therefore they differ slightly from the data in table 4-10 (which are net exports).

The methodology behind these projections is similar to that used in dividing up energy exports in the total balance. The natural gas total in the energy balance (table 4-10) is apportioned according to the assumed ability of Western and Eastern Europe to absorb it. For Western Europe the demand for gas is fairly clear for 1985, and one may guess the demand for 1990. (I have "built" a second pipeline to be in place by 1990.) Very little is known about the ability of Eastern Europe to absorb gas, and the projection here is, if anything, too conservative. It is an attempt to ensure that their ability to absorb natural gas is not overestimated. (I have assumed approximately 20 bcm of additional gas to Eastern Europe during 1980–90.) Coal shipments to the East and West, which are a small portion of the Soviets' total energy trade, are assumed constant throughout the 1980s. If they do change, they will probably fall.

For oil the quantity ranges are a guess of how Soviet leaders would

Table 4-12. *Soviet Energy Exports to CMEA and Other Countries, 1980, 1985, 1990*

	CMEA			Other countries		
Energy export and year	Quantity (mbdoe) (1)	Average price (TR/ boe)[a] (2)	Value (billions of TRs) (3)	Quantity (mbdoe) (4)	Average price (dollars/boe)[a] (5)	Value (billions of dollars) (6)
All[b]						
1980	2.56	9.33	8.8	2.08	28.91	21.8
1985	2.10–2.30	21	16–18	1.45–2.85	28	14–30
1990	1.20–2.85	22	10–24	2.05–4.00	32	21–48
Oil						
1980	1.85	9.47	6.4	1.42	34.76	18.0
1985	1.25–1.55	21[c]	10–12	0.50–1.90[d]	32	6–22
1990	0.15–1.80	22[c]	1–15	0.20–2.15[d]	38	3–30
Gas						
1980	0.51	8.98	1.7	0.49	17.49	3.1
1985	0.65[e]	21[f]	5	0.75[e]	24[g]	7
1990	0.85[e]	22[f]	7	1.65[e]	29[g]	17
Solid fuels						
1980	0.20[h]	8.90[i]	0.7	0.17[j]	11.00	0.7
1985	0.20[k]	20[l]	1	0.20[k]	16[m]	1
1990	0.20[k]	21[l]	2	0.20[k]	18[m]	1

Sources: For 1980, oil data are from tables 4-3 and 4-6; gas data are from tables 4-4 and 4-7; and solid fuel value data are from *Vnesh. torg. SSSR* (1981). Data for 1985 and 1990 are author's projections.

a. Weighted average, rounded (in the projections) to the nearest dollar or ruble. When the quantities are given as a range, the midpoint is used as the weight.

b. Excludes electricity trade, which is minor. These are gross exports and therefore are slightly above those in table 4-10.

c. Spot oil prices in the 1980s are assumed to move on the following path (dollars per barrel): 1980, 36.01; 1981, 34.17; 1982, 31.75; 1983, 30.00; 1984, 31; 1985, 32; 1986, 33; 1987, 34; 1988, 36; 1989, 38. The 1985 CMEA price is a simple average of the 1981–84 spot prices, multiplied by 0.65 ruble/dollar. The 1990 CMEA price is an average of the 1985–89 spot prices. Both are rounded to the nearest ruble.

d. I have added 0.15 mbd to estimate gross exports to the West.

e. Following the assumptions in table 4-10.

f. This assumes gas-for-oil price parity.

g. Assumed at 0.75 × oil price.

h. By dividing total value by the estimated average price.

i. A guess that the actual unit value is close to, or only slightly below, that of the other two energy carriers.

j. The difference between the 0.2 mbdoe of coal exports to CMEA and WEFA's Energy Data Bank estimate of gross coal exports in 1980 equal to 0.37 mbdoe.

k. By assumption.

l. This assumes a slight price differential between gas/oil and coal.

m. Assumed to maintain the same ratio to gas prices as in 1980.

apportion their potential net oil exports between the CMEA and other countries. In 1982–83 the Soviets were willing to cut oil exports for TRs to CMEA when economic pressures forced them to do so. I assume that should oil exports develop along the low net export path outlined in the balance, the Soviets will cut back on shipments for TRs to Eastern

Europe to avoid becoming a net oil importer on hard-currency markets. If, by 1985, the Soviet exportable surplus of oil is as low as 1.75 mbd (equivalent to net oil exports in the balance of 1.6 mbd), shipments to CMEA will conceivably be cut to 1.25 mbd from 1.85 mbd in 1980. If, on the other hand, Soviet oil export surpluses are near the top end of the 1985 projection (3.45 mbd gross), exports to Eastern Europe will still be below their 1980 level (by 1982 they were already down to about 1.77 mbd). How Eastern Europe would be affected by such cutbacks is one of the subjects of the next chapter.

On the projections oil assumes all the burden associated with uncertainty over energy consumption and production in the 1980s, which means that the projected export quantities and their earnings span a wide range. However unsatisfactory that might be for arriving at a judgment about Soviet oil exports in the 1980s, it nevertheless reflects several important, and unavoidable, considerations. Soviet abilities to export coal are limited by domestic production and the transport network. Gas exports are limited by European demand. That means that virtually all of any deviation of the energy balance from the plan will fall on oil exports. An unforeseen increment to the exportable surplus of energy will be realized primarily through oil exports; an unforeseen reduction in the surplus will show up primarily as a cut in oil exports. Oil is truly the swing fuel both in the projections and in fact.

The second column of the table gives the average price in TRs per boe for each of the energy carriers and an overall average for all energy. For 1985 and 1990 I have guessed at what the price might be if the current CMEA pricing formula were to stay in effect throughout the decade. The third column shows the resulting value of energy exports in TRs.

It is conceivable, indeed likely, that the current CMEA pricing formula will last out this decade essentially intact. However, that does not necessarily mean that the average prices and export values shown here will actually evolve, even should world oil prices be as assumed. If Eastern Europe finds it extremely difficult, or in some cases impossible, to pay these prices for energy, the Soviets will most likely follow past patterns and either allow deficits to develop or slow down the rate of increase in energy prices. That is not to say the Soviets will not try to attain the prices implied by the formula and the goods theoretically available in exchange for the TR earnings. If that is impossible, however, they are unlikely to cut Eastern Europe abruptly off the "dole," for good political reasons.

Exports of each energy carrier to other countries is a residual between the total energy export (gross) for that carrier and exports to CMEA. I have assumed that the price of oil (in current dollars) dips down to a low of $30 (annual average) in 1983 and then begins to climb up to $38 in 1990. There are no truly reliable forecasts of oil prices for this decade. This projection follows the spirit of the recent International Energy Agency report in assuming that economic recovery will reinvigorate oil demand, and eventually the price will again begin to rise. The nominal oil-price path here implies a price increase of 3.4 percent a year during 1983–90, which probably implies a constant, or gradually falling, real price.

The gas price is a complicated matter. The Soviets sell gas to Europe according to several contracts whose common features seem to be a pricing formula linking the price of gas to that for crude and selected oil products. Table 4-4 shows that the effect of those formulas was to maintain a gas price in recent years that lagged considerably behind oil prices and averaged a boe price no more than 70 percent of the price of oil. For the new pipeline going to Western Europe, there is yet another pricing formula (applying only to that new gas). It has an escalator linked to crude and products, but it also has a price floor of something between $5.40 and $5.70 per million British thermal units (mBtu) in 1981 exchange rates. At current exchange rates that floor would be $5.00 to $5.25, or $27.20 to $28.50 per boe, which is about the current spot price for crude.[30]

According to the contracts that various European buyers signed with the Soviet Union, they must pay for up to 80 percent of the gas they have contracted for, whether or not they take it. Nevertheless, if the oil price stays at its present low level through 1984, it is doubtful that the Soviets

30. The pricing formulas are not public, and the press reports conflict on important points. The agreement about which the most was reported was that between Ruhrgas and the USSR signed during fall 1981. According to that agreement all prices in the contract are set in deutsche marks. That base price (the price in effect at the time of contract signing) was the equivalent of $4.75 per mBtu. Because there are no gas shipments scheduled until 1984, this base price is merely an accounting device starting the "clock" running in the contract. The actual price at which gas is scheduled to sell in 1984 is to be the higher of two prices: the base price multiplied by an escalator formed as a weighted average of price changes in crude and a "cocktail" of petroleum products or a floor price, reportedly set in domestic currencies at what was in 1981 the equivalent of $5.40 to $5.70 per mBtu. At today's exchange rates (with a stronger dollar), that range is about $5.00 to $5.25, which works out to about $27.18 to $28.54 per boe. The pricing formula for agreements with France and other small customers has not received even the scant coverage of the German formula, but what is known suggests that it is close to the German formula because Ruhrgas was regarded as the price leader in the negotiations.

will rigidly force Europe to adhere to the letter of the contract. It seems far more plausible to suppose that some hard negotiations will occur in 1984, and that as a result the price of Soviet gas will fall to what will probably be a norm for gas-oil price ratios in large contracts in the mid-1980s. The assumption here is that the norm will average out at 75 percent.

It is assumed that the quantities of gas sold to Western Europe will rise 15 bcm between 1980 and 1985, as the first of the gas flows through according to the new gas contracts. This may be an optimistic assumption because the Soviets are encountering great difficulty in signing up customers for the new line, but it is probably not too far off.[31] It is assumed that a second line will be completed by 1990, leading to 100 bcm in Soviet gas exports to Western Europe by then (30 bcm in 1980).

The last column of table 4-12 shows the dollar values projected for Soviet energy exports in 1985 and 1990 based on the price and quantity assumptions. Soviet dollar earnings from exports of energy to the non-CMEA countries were valued at almost $22 billion in 1980. The range of possibilities indicated here shows that they could double or halve by 1985, and by 1990 they are likely to be at least as large as they are now (in current dollars). They could double.

The most important conclusion from this rather wide range of possibilities is that Soviet hard-currency earnings from energy are likely to be large throughout the decade. This is true because the energy balances projected for 1985 and 1990 show positive net energy exports. I also am assuming that if the energy balance comes out in the low end of the export range, the Soviets will cut energy exports to Eastern Europe in order to share with them the resulting balance-of-payments burden. If the energy balance tends towards the high end of the range projected in table 4-10, the Soviets might be willing to increase exports to Eastern Europe.

It is difficult to say precisely what these hard-currency earnings will

31. The original Soviet intention was to contract for new gas shipments beginning in 1984 and rising gradually to a flow in 1986–87 totaling 40 bcm. This would fill up the new line now under construction and also use about 10 bcm of excess capacity in existing lines projected to be available by 1985. Currently there are only two major contracts signed with West Germany for 10.5 bcm per year at full flow and France for 8 bcm. Italy has tentatively agreed to 8 bcm, but the contract has not been signed, and indeed it has been pending for some time. There are also 1- to 2-bcm contracts with a number of small Western European countries, but most of those are still under negotiation. I assume that eventually the Soviets will sign up all 40 bcm, but that by 1985 they will be selling only 15 bcm; the rest will come in during 1986–90.

mean for Soviet ability to sustain imports of machinery, intermediate products, and food. That depends on Soviet terms of trade with the West and on the development of other Soviet exports. There will be no attempt here at a full balance-of-payments projection for the USSR; that subject deserves its own book. Nevertheless, the general prospect is clear: energy exports will continue in the 1980s to be a major source of hard currency, enabling the USSR to import a substantial amount of goods from the West.

As much as it would be satisfying to narrow the range of possible outcomes here, that would be difficult to accomplish without resorting to some arbitrary assumptions concerning variables about which there is uncertainty. The range of possible Western exports is about 2 mbdoe wide. One way to think of that range is that 1 mbdoe is the result of uncertainty about what Soviet energy consumption will be in 1985; that reflects uncertainty about whether Soviet annual growth rates will be 2 or 3 percent during 1981–85. Choosing a specific growth rate would eliminate 1 mbdoe of the uncertainty; but in fact it is impossible to be certain within 1 percentage point what Soviet growth rates will be. The remainder of the range reflects uncertainties on the supply side that arise either because outsiders cannot know with certainty what is possible, or because Soviet planners have several options and one cannot be sure which of them they will choose. For 1990 the uncertainty is even greater, reflecting the even wider range of options. It would be misleading to narrow that range arbitrarily because it is a real reflection of what could occur.

It is, of course, possible that the energy prices chosen here are too high or too low, and table 4-12 is set up so that it is easy to follow through the implications of different energy prices. Whatever energy prices may be in the 1980s, the Soviet Union will receive net hard-currency earnings from energy; however, a low price could mean very low hard-currency earnings, which would considerably limit Soviet abilities to import goods and services from the West.

CHAPTER FIVE

Energy and
Foreign Policy

With the Soviets becoming an energy-importing nation in the next few years, the worry is that they would move down through Iran, Iraq, and Afghanistan and try to seize the oil fields.

Caspar W. Weinberger[1]

ANYONE who thought carefully about the predictions in the April 1977 CIA reports would quickly realize that the implied choices Soviet leaders would face in the early 1980s would be both unpleasant and of great consequence for the cohesion of the empire. The rapid switch from net exporter to net importer of oil would not only eliminate the Soviet Union's main source of hard-currency earnings, but also create new demands for hard-currency purchases of oil necessary to sustain domestic oil use and therefore economic activity. It would also mean that either Soviet leaders would rapidly have to restructure economic relations with Eastern Europe and Cuba—eliminating or substantially reducing subsidized trade in transferable rubles—or they would have to find even more hard currency to purchase oil for resale at a loss to Eastern Europe and Cuba.

It is not difficult to understand the fear of those who accepted the CIA predictions that the Soviet Union might choose to use its military might to acquire through force the oil that the economy could not otherwise

1. Quoted in Richard Halloran, "Weinberger Says Outlay Is Needed," *New York Times*, February 8, 1982.

produce at an acceptable cost. The CIA reports generated such fears, and they linger on into the present, as can be seen by Secretary of Defense Caspar Weinberger's statement.[2]

It is now clear that the premise underlying this scenario was mistaken. Oil output will probably stagnate in the Soviet Union, but energy output will not. The range of possibilities outlined in the previous chapter suggests that Soviet energy exports may, and probably will, increase throughout the 1980s. Even in the worst case the Soviet Union will be a net exporter of energy throughout this decade. By their own actions Soviet planners can exert considerable influence on the energy balance, and in particular on the size of net energy exports. The energy balance is for Soviet planners a choice variable, not a "given"; and as they make their necessary, complicated political-economic decisions in this decade, a prime concern will be what they *choose* to be their energy balance.[3]

The reason the initial premise was mistaken highlights the mechanical and oversimplified chain of reasoning, which begins with severe and unavoidable energy problems and ends with a Soviet resort to military means to acquire oil. The forecasts in 1977 regarding the production of oil, and of energy, in the early 1980s may well have been correct, *given* the assumption that planners would not or could not react quickly enough to avoid a drastic reduction in energy production. Such a view ignores the room for maneuver the Soviets have in the energy sector. Since 1977 the Soviets have illustrated just how adroitly they can exploit that flexibility to avoid the forecasted crisis in energy supplies and hard currency: they allocated additional funds to oil production and sped up gas-for-oil substitution. In addition, the growth slowdown of the last few years clearly shows how easy it is to maintain or even increase net exports of energy by relatively modest reductions in GNP growth rates.

The important lesson of this confrontation between projection and reality is that the Soviet economy is a complex system, richly endowed with resources and managed with enough skill to make it unlikely that

2. Some analysts interested in Soviet energy or national security apparently share Secretary Weinberger's pessimistic assessment of Soviet energy prospects and their consequences for a Soviet presence in the Middle East. See, for example, Charles K. Ebinger, ed., *The Critical Link: Energy and National Security in the 1980s* (Cambridge, Mass.: Ballinger for the Center for Strategic and International Studies, 1982), pp. 193–206.

3. As the previous analysis has suggested, Soviet planners do not have complete control over the energy balance; some factors are out of their control, such as unforeseen geological conditions and the weather. My point is that planners have substantial influence over the balance.

economic performance in any sector will ever collapse so rapidly and so dramatically as to put immediate and unavoidable demands on the foreign policy and military establishments. Whatever the links may be between economic performance and foreign policy in the Soviet Union, they are neither so visible nor so tight as this short-lived proposition implied.

Nevertheless, there surely are issues facing Soviet leaders that touch on both foreign policy and domestic economic policy; and energy is one of the most important sectors in the Soviet economy where developments will have foreign policy implications. The state of East-West relations—on which Soviet foreign policy is one major influence—has important implications for the ability of the energy ministries to acquire and pay for Western technology useful in minimizing the costs to them of meeting supply plans. The state of the energy sector influences the costs the Soviet Union must bear in meeting its commitments to Eastern Europe, commitments whose basic rationale stems from the fundamental importance of Eastern Europe in Soviet foreign policy.

Also of interest in recent years has been the effect of Soviet energy developments on world energy markets. In April 1977, when the CIA was predicting that the Soviets could be coming onto world oil markets for an additional 3.5 to 4.5 mbd of oil, the concern was that they would drive up oil prices significantly, given what was projected to be a tight oil market in the 1980s. Now the concern is the opposite. The Soviet Union is increasing oil exports to the West in the context of a weak oil market; Soviet gas supplies to Europe could expand rapidly, driving down gas prices there. Although the earlier projection and the current situation differ diametrically in their views of Soviet energy prospects and their implications for world energy markets, they share the important point that the Soviet Union is now so prominent in world energy markets that it cannot be ignored.

U.S. policy toward trade with the Soviet Union has in recent years increasingly focused on energy technologies. At various times the United States has sought to control credits for energy technologies, as well as the exports of the products themselves. The most prominent and recent example of policies in this area concerns the various measures imposed (and then removed) by the United States in an attempt to prevent the Soviet Union from obtaining Western equipment for use on the Urengoi–Western Europe pipeline. The larger issue here is how U.S. policy can affect Soviet energy developments, and in light of that how whatever leverage is available might be used to meet important U.S. policy goals.

Although the focus of this study has been on the Soviet energy sector, to consider merely the links between foreign policy and Soviet energy would be artificial. The energy sector and the rest of the Soviet economy are so intertwined that the real issue is how economic performance and foreign policy interact in the Soviet Union. Yet, energy is such an important link between policy in the two areas that it does require special attention. The approach here will be to use energy as a useful way to understand how economic performance and foreign policy interact in the Soviet economy.

The issues involve what political scientists studying the Soviet Union refer to as the domestic determinants of foreign policy. That literature is rich with suggestions concerning the basic domestic forces that may influence foreign policy decisionmaking, but it is lean on details, which is understandable given the paucity of information available on how even the most important decisions on foreign and domestic policy are arrived at in the Soviet Union.[4] It is therefore not possible to offer much more than hypotheses on how the energy–foreign policy links might operate, hypotheses that subsequent research or events could well refute.

It is useful to treat the various interconnections of foreign policy and the economy—particularly the energy sector—according to the primary direction of causality. Certainly Soviet foreign policy decisions influence the economy, including the energy sector. The Soviet commitment to Eastern Europe imposes costs on the economy, particularly on the energy sector, that could be considerably reduced under a different set of policies. The pursuit of important foreign policy goals in Poland and Afghanistan may have cost the Soviet Union credits and access to technology through East-West trade that would have improved economic performance, and particularly performance in the energy sector.

Whether the flow of causality also moves in the opposite direction is the crux of the matter, and far more problematical. In the past there have been no obvious cases in which economic considerations significantly influenced foreign policy decisions on issues important to the Soviet Union.[5] Of course one is hampered by an absence of information on

4. See, for example, Seweryn Bialer, ed., *The Domestic Context of Soviet Foreign Policy* (Boulder, Colo.: Westview Press, 1981), particularly the essays by Alexander Dallin and Bialer.

5. Probably the most obvious case in which the Soviet Union seemed to allow economic considerations to influence policy was in the tacit trade-off of Jewish emigration

policy alternatives considered and rejected, possibly because the economic consequences were important enough to warrant consideration.
It is conceivable (although unlikely), for example, that economic considerations connected with the pipeline acted as a deterrent to a Soviet
invasion of Poland. We will probably never know, both because the key
decisionmakers have not discussed what considerations led to the policy
course finally chosen on Poland and because it is difficult to disentangle
economic from political considerations in such large issues.[6]

In the future economic issues could come to influence Soviet foreign
policy significantly. Such a concern generated the "Soviet energy-crisis
invasion of the Persian Gulf" scenario. Although that scenario does not
stand up to scrutiny, others deserve serious consideration: one is that
the costs of the current economic arrangements between the Soviet
Union and the rest of CMEA (particularly Eastern Europe) are high
enough to require arrangements to be modified, even if certain foreign
policy goals are threatened.

The Influence of Foreign Policy on the Soviet Energy Sector

Two of the most important foci of Soviet foreign policy are East-West
relations and relations with Eastern Europe, and the policies pursued in
both areas have had important implications for the Soviet energy sector.

East-West Relations and the Energy Sector

Many of the most important issues in East-West relations are political
and military, not economic. The balance in strategic and conventional
forces between the Soviet Union and the United States, between the
Warsaw Treaty Organization (WTO) and the North Atlantic Treaty

---

for most favored nation (MFN) treatment during the Nixon administration. Even there
the granting of MFN was quite possibly regarded more as a symbolic issue than as a
potential important boost to Soviet export earnings. In any event what the Soviet
leadership changed was policy on a decidedly secondary goal from their point of view.

6. Discussions about a possible invasion of Poland must have taken into consideration
the "NATO response," which included economic responses, but also military and
diplomatic ones. Because there were other issues on the agenda at that time (most
notably intermediate-range missiles in Europe), it would be difficult to isolate economic
considerations in the decisions actually reached.

Organization (NATO), are of primary importance in this area; economic relations seem more to follow than to lead those issues. That is also true of the ways in which fluctuations in the state of East-West relations influence the Soviet economy. During periods in which East-West relations are benign enough for East and West to coincide in their desires to expand trade rapidly, the result is an inflow of capital and goods into the Soviet Union and Eastern Europe that has the potential to loosen significantly some important bottlenecks. Consequently, Soviet foreign policy, although it focuses on the leading military and political issues at the core of East-West relations, also has implications for the Soviet economy.

Consider the critical link between energy and the economy through investment. Because of the tight constraints under which the Soviet economy now operates, total investment is growing quite slowly. High growth rates for energy investments mean low growth rates for investments in everything else. But that need not be the case. If the state of East-West relations were far better than it is now, the Soviet Union might be able to generate a large net capital inflow as Western banks and governments invested in Soviet energy and raw material production. Such a capital inflow would be the normal consequence of a capital scarcity combined with the abundance of resources in commodities that are scarce in world markets.

Loans for the Urengoi–Western Europe pipeline were the beginning of such an inflow, but apparently there will be no more than a beginning— at least not soon. The deterioration of East-West relations has dimmed the immediate prospect for a significant flow of funds from the rest of the world to the USSR. The inflow of funds in this case could have made a relatively substantial contribution to reducing the immediate capital costs of expanding energy production, thus freeing up investment resources for uses in the remainder of the economy.

It is impossible to be precise about this, but consider by way of illustration the contribution Western capital is now making to the Soviet gas-pipeline-expansion program. That program is projected to cost 32 billion rubles, which works out to 6.4 billion rubles a year. The Urengoi gas-pipeline financing from Western banks and governments was apparently $5 billion to $6 billion (including supplier credits), which at the official 1981 exchange rate is 3.6 billion to 4.3 billion rubles.[7] That one

7. The appropriate rate for converting from dollars to domestic rubles is that which reflects the true ratios between dollar and domestic prices for the equipment involved.

financing arrangement accounts for 11 to 13 percent of the ruble value of the capital costs of the pipeline program for 1981–85, which has the effect of freeing up those resources for investments elsewhere in the economy.

If the current environment in East-West relations were more accommodative to expanding East-West commerce, 40 to 50 percent, not 11 to 13 percent, of the pipeline program could conceivably be financed by foreign capital. Other projects in the coal and oil industries also might have attracted Western financing. Although there is no way to know what, in fact, the level of capital inflows might have been, it is easy to imagine their having been significant enough to reduce noticeably the current tight constraints on nonenergy investments.

Nevertheless, it is doubtful that the Soviet leadership ever thought seriously in the last few years about the consequences for the economy of the deterioration of East-West relations. First, the purported economic benefits of East-West trade to the Soviet Union can be dismissed as being small and variable. In the latter half of the 1970s, for example, a general dissatisfaction apparently developed with the impact of imported machinery and equipment on economic performance.[8] If so, there were surely those who argued that not a great deal would be lost for the economy through the deterioration in East-West relations. Second, despite the deterioration in Soviet-U.S. relations, the Soviets still enjoy satisfactory access to governmental credits and private credit markets.[9] Furthermore, the issues involved in the deterioration are of such primary importance to the Soviet leadership (the arms balance, Poland, Afghan-

---

In general it is dangerous to assume that the official Soviet exchange rate is close to the proper conversion rate. However, for imported machinery and equipment, the available evidence suggests that in fact this has been true in recent years. See Vladimir G. Treml and Barry L. Kostinsky, *Domestic Value of Soviet Foreign Trade: Exports and Imports in the 1972 Input-Output Table,* U.S. Bureau of the Census, Foreign Economic Report 20 (Government Printing Office, October 1982), pp. 21–22.

8. Philip Hanson, "The Role of Trade and Technology Transfer in the Soviet Economy," in Abraham S. Becker, ed., *Economic Relations with the USSR: Issues for the Western Alliance* (Lexington, Mass.: D. C. Heath, 1983), pp. 23–48.

9. Certainly the present state of U.S.-Soviet relations precludes broad energy agreements accompanied by U.S. financing. However, Europe did go ahead and finance the pipeline in spite of U.S. objections. More recently the Astrakhan gas-field developments have been financed with Western credit, and apparently the Soviets are initiating discussions regarding large imports of Western capital for synfuels at Kansk-Achinsk. On the latter see John Tagliabue, "Soviet Still Seeks Bonn Energy Deal," *New York Times,* April 17, 1983.

istan) that it is virtually certain those considerations greatly outweighed economic considerations in the final decisions.[10]

CMEA and the Energy Sector

The other important area in which foreign policy affects the Soviet economy lies in its economic relations with the other members of CMEA, particularly Eastern Europe and Cuba. The longstanding commitment to Eastern Europe and Cuba to export significant quantities of fuels and raw materials in exchange for relatively high-priced manufactured goods and foodstuffs has become costly in recent years. The immediate root of those costs has been the Soviet decision to allow the price system that determines Soviet-CMEA terms of trade to retain some structural biases (overpriced machinery and underpriced raw materials and fuels) that have been aggravated by the lag with which CMEA prices have adjusted to changes in world market prices. Although the decision to allow the price system to operate in this fashion is consistent with the rules governing intra-CMEA transactions, in fact that is not much more than a formality. The important point is that in recent years Soviet leaders have made the political judgment that they would rather bear the costs of the existing intra-CMEA trade and price system than seek to lower them, in the process jeopardizing the economic and political stability of other CMEA economies.

The costs of following this path have been substantial. As noted earlier, Marrese and Vanous estimate that in 1980 implicit subsidies had reached $17.8 billion.[11] That figure represents a little under twice the net Soviet hard-currency debt to all Western banks and governments at that time and is roughly commensurate with the dollar value of all investment in Soviet energy sectors in that year.[12]

10. It is not farfetched, for example, to imagine Soviet leaders pondering the economic consequences of an invasion of Poland, or even of the imposition of martial law. But it seems inconceivable that they would be in any serious way influenced by such considerations in light of the primary role Poland plays in the WTO. This seems a perfect case in which political considerations were so important that no economic considerations of practical significance in East-West relations could possibly loom as large.

11. See Michael Marrese and Jan Vanous, *Soviet Subsidization of Trade with Eastern Europe: A Soviet Perspective* (Berkeley: University of California, Institute of International Studies, 1983).

12. In 1980 investment in the primary fuel industries was R10.9 billion, or $16.39 billion at the official exchange rate. Investments in the pipeline may have added another R4 billion to R5 billion, or $6 billion to $8 billion at official exchange rates.

Although the size of subsidies that year were unusual by historical standards in Soviet trade with CMEA, substantial subsidies had existed for most of the 1970s. Soviet leaders' reluctance to remove those subsidies reflects the importance they attach to the political and economic stability of Eastern Europe and to maintaining Eastern European dependence on the Soviet Union. That paramount foreign policy goal generates costs for the Soviet economy that in recent years have easily exceeded whatever direct economic costs may have resulted from the deterioration in East-West relations.

Soviet leaders are obviously aware of these costs of empire. Indeed, at times Soviet economists close to the leadership have discussed with Western economists internal estimates of Soviet subsidies to Eastern Europe. Now apparently there is the beginning of a move to reduce the subsidies.

The Influence of the Economy on Soviet Foreign Policy

Conceivably the link between economic performance and foreign policy could operate in both directions. Large windfalls to the economy (for example, from rises in gold and oil prices) would generate unforeseen increments to resources that could embolden the Soviet Union to pursue policies it otherwise might refrain from for fear of not having the reserves to weather the economic consequences of those policies. On the other hand, a rapid deterioration in economic performance could induce Soviet leaders to moderate their foreign policy to improve their access to credits and technology from the world economy useful in counteracting the downward pressure on economic performance. Although both these links are of potential interest, I focus on the second because it describes situations potentially relevant to the foreign policy implications of developments in the energy sector in the 1980s.

I assume that Soviet political leaders have always sought to insulate foreign policy from the pressure of domestic political and economic considerations. This implies that economic considerations will influence Soviet foreign policy only when there is no way to avoid such influences. Stated in a more extended, and careful, way, it implies that deteriorating economic performance will play a role in the foreign policy decision-making process only if the four following criteria are met.

1. The deterioration in economic performance is of sufficient political

importance to capture the attention of the leadership. The prospect of a dramatic reduction in food supplies would qualify; the continued dismal performance in developing new technologies probably would not. The latter is a serious problem, but it is a chronic one and has proved to be politically manageable.

2. One feasible alternative for dealing with this problem in economic performance would have to be a change in Soviet foreign policy that would have relatively unambiguous, significant, and quick consequences for economic performance. It would have to be clear to policymakers that, by changing foreign policy in some way, they could materially affect the bottleneck they face.

3. Outside of changes in foreign policy, no other alternatives could be feasible for dealing with the politically important difficulty in economic performance. Soviet leaders would have to be assured by their economic advisers that the measures they could take without foreign assistance would be inadequate to deal with the problem.

4. Soviet leaders would have to be convinced that it would be more in their long-term interest to change foreign policy and improve the economic situation than it would be to accept the economic costs of an unchanged foreign policy. Here the calculus would be extraordinarily complicated: it would rest on judgments concerning the domestic political consequences of continued difficulties in economic performance, balanced against judgments concerning the consequences in Soviet foreign relations (and possibly consequences within the leadership itself) of changing Soviet foreign policy in response to economic pressures.

These four criteria together constitute a formidable barrier insulating the foreign policy process from influences emanating out of economic considerations. Few economic issues would even make it past the first three criteria. In an economy in which the leadership has such tight political control, economic-performance difficulties are rarely so severe that the political consequences cannot be managed. The patience with which the Soviet population tolerates chronic problems in the supply of consumer goods testifies to the inertia built into links between economic performance and domestic political forces.

As for the relatively few acute economic problems that have the potential of generating difficult-to-manage political pressure, many would be amenable to policy and systemic adjustments that would not crucially depend in their outcome on the state of Soviet relations with the outside world. Energy may provide the best example here. Difficulties in the oil industry in the late 1970s had the potential to create serious shortages in hard currency and cutbacks in hard-currency imports. The consequent problems in economic performance could have generated political problems for Soviet leaders. Nevertheless, there were enough alternatives within the domestic economy to avoid significant reductions in oil-production growth rates. As a result, it was never even necessary to contemplate whether changes in Soviet foreign policy would be necessary to head off a politically significant deterioration in economic performance.

Even those few issues, if any, that satisfy the first three criteria face the final and formidable barrier of the political preferences of the Soviet leadership and their judgments regarding the benefits and costs of changes in foreign policy. When high-priority foreign policy goals are involved (say the preservation of a Polish state loyal to the Soviet Union), the Soviet leaders would probably choose to risk the political consequences of their economic difficulties in an attempt to preserve the core of their foreign policy "platform," rather than change that platform.

The only area in which it seems even remotely plausible to suppose that economic considerations could force hard political decisions on Soviet leaders relates to economic relations with Eastern Europe, an important component of which involves energy exports. Over the last two decades the Soviet willingness to provide Eastern Europe with a relatively cheap and expanding flow of energy and raw materials in exchange for manufactured goods has contributed substantially to the ability of Eastern European regimes to achieve satisfactory—if not spectacular—records of economic performance. The rapid increase in the relative price of energy in the 1970s presented the Soviet Union with a dilemma. If it insisted that Eastern Europe pay the full world price for energy (which would have involved changing intra-CMEA pricing rules to eliminate the long lags in the adjustments of CMEA prices to world price changes), Eastern European growth rates would have probably fallen in much the same way that growth rates fell in Western industrial countries.

The actual policy was more favorable to Eastern Europe. Adjustments to world market price changes did not begin until 1974, and since then adjustments have continued to occur only with a long lag. As a consequence, throughout the 1970s Eastern European terms of trade with the world were considerably more favorable than they might have been had Soviet–East European terms of trade constantly adjusted to reflect

Table 5-1. *Terms of Trade of Eastern Europe and All Soviet Hard-Currency Trade Partners with the USSR, 1971–82*[a]
Index 1970 = 100

| | Eastern Europe's terms of trade[b] | | World terms of hard-currency trade |
| | Alternative A | Alternative B | |
Year	(1)	(2)	(3)
1971	99	102	101
1972	99	99	102
1973	101	98	91
1974	99	98	62
1975	86	94	70
1976	87	92	68
1977	n.a.	88	62
1978	n.a.	88	80
1979	n.a.	86	59
1980	n.a.	85	50
1981	n.a.	78	43
1982[c]	n.a.	73	n.a.

Sources: Data in column 1 are author's computations based on a large sample of Soviet data on quantities and values in trade with individual Eastern European countries. See Ed A. Hewett, "The Impact of the World Economic Crisis on Intra-CMEA Trade," in Eson Neuberger and Laura D'Andrea Tyson, eds., *The Impact of International Economic Disturbances on the Soviet Union and Eastern Europe: Transmission and Response* (Pergamon, 1980), p. 335 (Hewett A index inverted). Column 2 is based on indexes for Soviet terms of trade with all of CMEA, including Vietnam and Cuba (after they joined CMEA). Because Cuba and Vietnam account for a small proportion of total Soviet trade with CMEA, these indexes should approximate Soviet–Eastern European terms of trade. Indexes through 1978 are reported in Ed A. Hewett, "Foreign Economic Relations," in Abram Bergson and Herbert S. Levine, *The Soviet Economy: Toward the Year 2000* (London: Allen and Unwin, 1983), p. 278. In this table the indexes have been inverted to estimate Eastern Europe's terms of trade with the Soviet Union. Data in column 3 are from Joan Parpart Zoeter, "U.S.S.R.: Hard Currency Trade and Payments," in Joint Economic Committee, *Soviet Economy in the 1980's: Problems and Prospects*, 97 Cong. 2 sess. (GPO, 1982), pt. 2, p. 486.

a. Net barter terms of trade (index of prices received by the countries for exports to the Soviet Union divided by an index of prices paid by the countries for imports from the Soviet Union).

b. Eastern Europe as defined here comprises Bulgaria, Czechoslovakia, East Germany, Hungary, Poland, and Romania.

c. WEFA, *CPECA*, May 10, 1982, p. 2, projected that Eastern Europe's terms of trade with the USSR would decline 6.6 percent in 1982. This figure is that projected decline multiplied by the 1981 terms-of-trade figure (78 × 93.4 percent).

changes in world market prices. It would require a considerable research effort to establish the benefits that accrued to Eastern Europe as a result of this policy. Nevertheless, one may gain a rough idea of the magnitudes involved by using available data.

Table 5-1 reports three data series. The first two are on Eastern European terms of trade with the Soviet Union since 1970. Column 1 reports on my own computations based on detailed quantity and value information from the Soviet foreign trade yearbooks covering commodity trade with each Eastern European country. It is probably a more reliable index than column 2—which is derived from quantity indexes published in Soviet foreign trade yearbooks covering all trade with CMEA—not because the data are better, but because the weighting scheme in my indexes is stable and well known, whereas weights in the Soviet indexes change frequently (annually since the mid-1970s). Unfortunately, my indexes cannot be calculated after 1976 because Soviet foreign trade yearbooks ceased reporting important segments of the quantity data beginning in 1977. Therefore, it is necessary to rely on the official Soviet quantity indexes for recent years.[13]

When Eastern Europe's terms of trade fall as they have since 1973, every TR's worth of exports to the Soviet Union purchases fewer imports from the Soviet Union than the year before. In 1975, for example, Eastern Europe's terms of trade with the Soviet Union were 14 percent below what they were in 1970, indicating that over that five-year period the purchasing power of Eastern European export proceeds earned in trade with the Soviet Union dropped 14 percent.[14]

Eastern Europe's terms-of-trade decline with the Soviet Union in the 1970s was primarily driven by energy-price changes beginning in 1975— the first year in the 1970s in which a significant decline in Eastern Europe's terms of trade with the Soviets occurred. Over the entire period from 1970 to 1982, Eastern Europe's terms of trade declined more than 27 percent, which reversed the 25 percent improvement in 1960–70.[15]

Column 3 of table 5-1 shows the world's terms of hard-currency trade with the Soviet Union over approximately the same period.[16] This is primarily trade with developed Western countries (I will call it Western

13. Vanous does compute Soviet–Eastern European terms-of-trade series that rely heavily on Hungarian and Polish data to estimate terms-of-trade movements. Those indexes come out somewhat differently from the Soviet indexes, but the basic trends are the same. See, for example, WEFA, *CPECA,* May 10, 1982.

14. The official Soviet indexes for 1974 and 1975 indicate a far smaller (4 percent) drop in Eastern Europe's terms of trade for that year. This is one point where I suspect the weights used in the Soviet indexes (which were for 1970) acted to bias the results considerably. My indexes, based on a mixture of 1970 and current-year weights (a "Fisher ideal" unit-value index), probably give a much more accurate picture of what actually happened.

15. For a discussion of terms of trade in the 1970s, see Ed A. Hewett, "The Impact of the World Economic Crisis on Intra-CMEA Trade," in Egon Neuberger and Laura D'Andrea Tyson, eds., *The Impact of International Economic Disturbances on the Soviet Union and Eastern Europe: Transmission and Response* (Pergamon Press, 1980), pp. 322–48.

16. This includes trade with most Western countries, except those (almost all LDCs) with which Soviet trade is handled in a bilateral trade and payments framework.

countries' terms of trade with the Soviet Union). Although the composition of that trade differs from the composition of Soviet–Eastern European trade, there is enough similarity to gain an approximate notion of what would have happened to Eastern European terms of trade with the Soviet Union if the prices there had closely, and contemporaneously, followed changes in world market prices.

Western countries' terms of trade with the Soviet Union declined 40 percent between 1972 and 1974, as energy prices rose rapidly on world markets; concurrently, Eastern Europe's terms of trade with the Soviet Union remained unchanged. When those terms of trade did decline in 1975, they fell far less than those of Western countries because the Soviets allowed intra-CMEA prices to adjust slowly, and with a lag, to changes in world market prices. Again in 1979, as a result of OPEC's second price changes, Western terms of trade with the Soviet Union declined 26 percent, while Eastern Europe's fell only slightly. The implication is that the 22 percent decline in Eastern Europe's terms of trade with the Soviet Union between 1970 and 1981 could have been 55 percent.[17] Futhermore—given the way intra-CMEA pricing now works—Eastern Europe's terms of trade will in the 1980s continue to fall as world market prices work into the intra-CMEA pricing system with a lag. Therefore, it is possible that by the mid-1980s Eastern Europe's terms of trade with the Soviet Union will be about 50 percent of what they were in 1970. The preliminary estimate for those terms of trade in 1982, and what is known about trends for the terms of trade in 1983, suggests that indeed that is the direction in which the terms of trade are moving.

It is particularly important and favorable to Eastern Europe that its terms of trade with the Soviet Union are falling so slowly because almost all its net energy imports come from the Soviet Union. Table 5-2 reports the data for 1979, which are representative in a general sense of the 1970s. As a group the Eastern European countries actually imported in the 1970s more energy (net) from the USSR than they imported from the world. This indicates that in effect they were reexporting Soviet energy obtained for TRs in order to earn dollars and therefore to earn profits

17. The proper way to do this would be to compare the actual terms of trade in column 1 with an estimate of what Eastern Europe's terms of trade with the Soviet Union would have been if they had traded the commodities they actually traded, but if the prices on those commodities had changed according to changes in world market prices. Nevertheless, I suspect that column 2 is a fair approximation of what that alternative index would yield.

Table 5-2. *Eastern Europe's Net Energy Imports from the World and the USSR, 1979*

| | Net imports | | | | |
| | Amount (million barrels per day of oil equivalent) | | | As percent of energy consumption | |
Country	World (1)	USSR (2)	Rest of world (3)	World[a] (4)	USSR[b] (5)
Bulgaria	0.49	0.45	0.05	75	69
Czechoslovakia	0.62	0.53	0.09	39	33
East Germany	0.57	0.51	0.06	33	29
Hungary	0.31	0.30	0.01	52	50
Poland	−0.32[c]	0.22	−0.54[c]	−13[c]	9
Romania	0.31	0.05	0.26	22	4
Total	1.98	2.06	−0.08	24	25

Source: Office of Technology Assessment, *Technology and Soviet Energy Availability* (GPO, 1981), pp. 304, 306. Figures are rounded.
a. Column 1 divided by total energy consumption.
b. Column 2 divided by total energy consumption.
c. Indicates net exports.

through arbitrage. In fact, Poland was the only country actually doing that, by maintaining total net exports of coal to the world, while importing energy from the USSR. Nevertheless, it has been true that virtually all the *net* energy imports for the other countries has come from the USSR.[18]

The fourth and fifth columns of this table indicate the critical role energy imports play in sustaining Eastern European energy consumption at current levels. Poland was (and is today) the only country that is a net energy exporter; the others are all net importers of energy. Of those, Czechoslovakia and East Germany manage to keep import consumption ratios relatively low through heavy reliance on brown coals for under-boiler uses. Bulgaria and Hungary depend significantly on energy imports. Romania, once a net energy exporter, is now rapidly increasing its net energy imports.

18. I emphasize net imports here because in gross terms Eastern Europe has at various times imported significant amounts of energy from countries other than the Soviet Union; however, they also have exported energy—coal and oil products—to Western Europe. Vanous estimates that in 1978 Eastern Europe imported from the dollar area $2.4 million in energy and exported $2.9 million worth of energy. The relevant figure here is the dollar balance, just as the relevant figure in physical units is that Eastern Europe was a net energy exporter to the West in the 1970s. See Jan Vanous, "Eastern European and Soviet Fuel Trade, 1970–85," in Joint Economic Committee, *East European Economic Assessment*, 97 Cong. 1 sess. (GPO, 1981), pt. 2: *Regional Assessments*, p. 547.

Because of the prominent Soviet role in Eastern Europe's energy imports, most of those countries depend heavily on Soviet energy shipments to maintain energy consumption at current levels without expending hard currency for oil imports from the Middle East. In 1979 energy imports from the Soviet Union accounted for one-half or more of the total energy consumption of Bulgaria and Hungary and approximately one-third for Czechoslovakia and East Germany.

The tendency is for these ratios between net imports and energy consumption to grow because it is virtually impossible for Eastern European energy-production growth rates to approach, let alone surpass, growth rates for energy consumption. Whether the USSR will be willing to fill that growing gap is a key question.[19]

Combining the information on Eastern Europe's terms of trade with the Soviet Union and the prominence of the Soviet Union as Eastern Europe's source of energy makes it clear that, from the Eastern European point of view, there was no tangible evidence of the energy crisis until the Soviets insisted on price increases for energy in 1975. When the energy "crisis" did come to Eastern Europe, it came in a gradual way by world standards and is still working its way into the CMEA pricing system.

Because the energy crisis was postponed for Eastern Europe, it proved possible also to postpone its impact on macroeconomic performance, as can be seen from table 5-3. The top part of the table gives NI growth rates for Eastern Europe for 1970–82, broken down to 1970–72, 1973–77 (after the first OPEC price increase, but before the second), and 1978–81. Preliminary data for 1982 are also included. Growth rates for 1973–77 were approximately the same—and in many cases higher—than they were for 1970–72, reflecting the fact that (among other things) there was no need to slow GNP growth rates because the growth in energy demand resulting from GNP growth could easily be covered through additional imports from the Soviet Union at highly subsidized prices. Only in the later part of the 1970s—when Eastern Europe's terms of trade with the Soviet Union fell and increments in Soviet energy exports to Eastern Europe for TRs fell to zero—did NI growth rates begin to reflect the effects of high energy prices.

Western Europe could not rely on the Soviet Union to postpone and

19. For more details on Eastern European energy prospects, see the chapter on "East European Energy Options," in Office of Technology Assessment, *Technology and Soviet Energy Availability* (GPO, 1981), pp. 283–309.

Table 5-3. *National Income Average Annual Growth Rates,*
Selected Countries, 1970–82

Country	1970–72	1973–77	1978–81	1982
	Eastern Europe and Soviet Union[a]			
Bulgaria	7.2	7.5	5.7	4.0
Czechoslovakia	5.3	5.1	2.4	0.2–0.8
East Germany	5.1	6.0	3.2	3.0
Hungary	5.5	6.4	1.9	1.5–2.0
Poland	8.1	8.3	−4.4	−8.0
Romania	10.1	11.3	4.7	2.6
Soviet Union	6.2	5.8	3.4	2.8
	Western Europe and United States[b]			
Austria	5.9	3.5	2.1	n.a.
France	5.7	3.4	2.1	n.a.
Great Britain	2.4	2.1	0.3	n.a.
Italy	3.4	3.0	2.8	n.a.
West Germany	4.1	2.3	2.3	n.a.
United States	2.9	2.9	2.3	n.a.

Sources: Eastern Europe: *Statisticheskii ezhegodnik stran-chlenov Soveta Ekonomicheskoi Vzaimopomoshchi* [Statistical yearbook of the member countries of the Council for Mutual Economic Assistance], various issues, and WEFA, *CPECA,* March 17, 1983, p. 8. Western European countries and the United States: Organization for Economic Cooperation and Development, *Quarterly National Accounts Bulletin, 1968–82* (Paris: OECD, 1983).

n.a. Not available.

a. National income produced; value added in the production of goods, in constant prices.

b. Gross domestic product; value added in all goods and services produced within the country's boundaries, in constant prices.

soften the impact of the energy crisis. As a result it was necessary to adjust fairly quickly, which was accomplished in several ways, including a growth slowdown. The bottom part of table 5-3 shows that in every Western European country growth rates after the first OPEC price hike were lower than before, and after the second price hike they were lower still.

In the last few years the external economic environment probably has been as unfavorable to the Eastern European economies as at any time in the last twenty-five years. In response both to Polish economic problems and to the effects on Eastern Europe of the world recession, Western banks have virtually stopped lending new money to Eastern Europe; and many Eastern European countries are finding it difficult even to roll over the loans they now have. Therefore, to service its debts, Eastern Europe as a whole has had to move quickly from deficit to surplus in its balances of trade, which it has accomplished. In 1980 the Eastern European countries belonging to CMEA were running a deficit of \$3.07 billion in their hard-currency trade; in 1981 they ran a collective surplus of $0.41 billion; and in 1982 the surplus was $5.11 billion.[20] The turnaround has primarily been accomplished by cutting imports, which in turn is the result of dramatic cuts in investment growth rates. Planners are seeking to manage the macroeconomic adjustment while minimizing the effect on consumers. This turnaround has also caused a slowdown in GNP growth rates—because investment has slowed and possibly also because cuts in materials inputs may have created idle capacity (as seen in table 5-3).[21]

The decline in terms of trade with the Soviet Union has presented an analogous adjustment problem to Eastern European planners. As the terms of trade with the Soviet Union decline, Eastern Europe is required to realize some combination of increasing real exports with no increase in real imports, or decreasing real imports while maintaining real exports at their current rate. Either way the macroeconomic effect of the adjustment would be identical to the effect of moving the balance on hard-currency trade from deficit to surplus: consumption and investment must in some combination give way to net exports, and in addition the growth rate of GNP may fall as import reductions affect key inputs and create idle capacity.[22]

Besides the terms-of-trade decline, the other main source of economic pressure applied by the Soviet Union on Eastern Europe is a stagnation, and now apparently a decline, of oil shipments at subsidized prices. In 1980–81 Soviet oil exports to Eastern Europe for TRs stagnated, and in 1982 they fell slightly when the Soviets announced to selected Eastern European countries (Hungary, Czechoslovakia, East Germany, and possibly Bulgaria) that 10 percent of the oil previously sold for TRs at below world market prices would now be available only for dollars at

20. WEFA, *CPECA,* March 17, 1983, p. 3.

21. Ibid., p. 8, reports on 1971–82 growth rates for NI and its final demand components. In almost all of Eastern Europe, the adjustment is falling on investment more than on consumption.

22. Eastern Europeans could have their terms of trade with the Soviet Union fall, yet simultaneously avoid these macroeconomic adjustments, only if the Soviets would be willing to allow them to increase their TR trade deficits continually to counteract the effects of falling terms of trade. If, for example, every year that the terms of trade fell, Eastern Europeans were allowed to maintain real exports and imports at their old levels and take the growing nominal deficit as a "loan" from the USSR, then the effect on the domestic economy would be nil. In 1975–77, when Eastern European terms of trade with the Soviet Union began to decline, the deficit with the Soviet Union rose and softened considerably the immediate impact of the decline. However, in recent years the trade balance with the Soviet Union—while in deficit—has been fairly stable (excluding Poland); therefore, Eastern Europe has been forced to adjust real trade flows to the changing terms of trade. Hewett, "The Impact of the World Economic Crisis."

world prices.[23] By doing this Soviet leaders broke a clear promise that Aleksei N. Kosygin made to CMEA members in spring 1980: that Soviet energy exports—and in particular oil exports—to CMEA would remain at their 1980 levels from 1981 to 1985.[24] Eastern Europe seems to have absorbed that decrease fairly well, probably in part because natural gas deliveries had just doubled in 1980–81 and were still being absorbed in 1982.

It is not clear what the Soviets intend to do over the next few years. If they continue to decrease subsidized shipments, the adjustment problem for Eastern Europe will be identical to that posed by a terms-of-trade decline. Every barrel of oil the Soviets withdraw from subsidized shipments, which nevertheless the Eastern Europeans need, must be purchased at the higher world price (causing the terms of trade to decline) and for dollars. Payment in dollars represents a second source of declining terms of trade because the machinery sold to the Soviets for high prices can be sold on Western markets—if at all—only for much lower prices. If Eastern Europe cannot borrow the money to buy the oil and cannot generate sufficient dollar exports to pay for it, oil imports, and therefore oil consumption, will have to fall.

Domestic production will not be able to substitute for any rapid loss of imports; therefore, the only two viable options are a reduction in GNP or substantial successes in energy conservation. Energy-conservation possibilities in Eastern Europe are probably no better in the near term than they are in the Soviet Union. Indeed the investment squeeze in Eastern Europe is far more severe than in the Soviet Union. Investment levels are falling in Eastern Europe, while in the Soviet Union investment is still growing, though slowly. Thus, it is unlikely that sufficient funds will be available to finance major capital projects with energy conservation as the goal.[25] The only possibility is that some Eastern European governments, when faced with major declines in Soviet energy shipments, and with no way to replace them with imports from elsewhere, will somehow manage to use central controls to force reduced energy use in a way that will have only modest effects on GNP growth rates. The true possibilities there are unknown, not only in the West, but most likely also—and much more important—in the Soviet Union.

In sum, Eastern Europe is so dependent on energy imported from the

23. Interview material.
24. OTA, *Technology and Soviet Energy Availability*, p. 305.
25. For a discussion of energy-conservation prospects in Eastern Europe, see ibid., pp. 283–312.

Soviet Union, and is encountering such difficulties in its dollar accounts, that even a leveling off of total Soviet energy shipments to them could translate into the stagnation of their GNPs. A sustained decline in Soviet-subsidized energy shipments could well trigger a decline in Eastern European national incomes. In either case investment cannot be used indefinitely to protect consumption from the adjustment costs; investment reductions borrow from the future, and a sustained low level of investment will gradually bring down the rate of expansion of productive capacity. Consumption will, therefore, eventually stagnate along with GNP; if GNP actually falls in Eastern Europe, consumption is likely to fall.

The political consequences of such changes are unpredictable but could be significant. Eastern European regimes derive much of their popular support from their combined ability to strike a moderately good political and economic "deal" with the Soviets and to improve living standards. Soviet actions to cut energy deliveries to Eastern Europe could—particularly for the four northern countries—lead to the rapid erosion of even the illusion of a good deal and of the substance of economic progress. At the very least that would lead to widespread popular discontent; it could in some countries lead to strikes or other signs of unrest.

Given the importance Soviet leaders attach to a stable and loyal Eastern Europe, they cannot relish the prospect of popular unrest triggered—however skillfully it may be camouflaged—by their increasing economic pressure. On the other hand, Soviet leaders are under economic pressure to reduce subsidized shipments of oil to Eastern Europe in order to free up some oil to earn hard currency and to have the option of decreasing exports, and therefore production, of oil to reduce the costs of producing and exporting energy. Is the undoubtedly strong and growing economic pressure on the Soviet leadership strong enough to induce them to change their policy toward Eastern Europe, or at least to take the chance that somehow they can reduce subsidies to Eastern Europe while maintaining control? If there is one situation in which economic pressure associated with the energy sector will influence Soviet foreign policy, this is it.

What in fact the Soviets intend to do will become clear to the Eastern Europeans as policies continue to change and as negotiations begin for the 1986–90 trade agreements. However, it will be some time before we in the West have anything approaching a complete picture of how the

Soviet–Eastern European economic relationship has developed. For the present it is possible only to identify the issues and to guess at how they are being resolved.

There is no evidence that the Soviets have decided on any fundamental change in their basic goals in Eastern Europe. They still seek to maintain control by ensuring that the regimes are loyal to them. Nevertheless, the Soviet leadership does have a problem. Having allowed Eastern Europe to postpone its response to the effects of the energy crisis—at considerable cost to the Soviet economy—the issue now is how gradually to force Eastern Europe to come to terms with the new price of energy. Not to do that would be tantamount to a Soviet commitment to maintain subsidies to Eastern Europe indefinitely. Economic pressure—particularly the need for hard currency and the rising capital costs of even maintaining energy production and exports—makes that an increasingly costly affair.

As a result, it appears that in 1982 Soviet leaders began to experiment with the Soviet–Eastern European relationship to see in what ways, and how rapidly, it could be transformed into one in which Soviet subsidies are much lower than now, possibly at the level of the early 1970s, or even lower.[26] The Eastern European countries will probably be seeking to prove to the Soviets that subsidies should not fall, and that if they do, dire political consequences will follow.

This experiment could fail. Any of several Eastern European countries could, in response to Western and Soviet economic pressure, be forced to lower living standards so rapidly that there would be a political reaction of some magnitude. If so, Soviet leaders would have to rethink their strategy. But right now the experiment is only beginning, and until the results are in there is no foundation for saying that basic Soviet foreign policy goals have been influenced by economic considerations. At most what has happened is an attempt to achieve the same goals with a riskier, but cheaper, policy.

If the policy begins to create serious political problems, and if energy balances are developing along the high end of the range identified in table 4-12, the Soviets may well maintain energy deliveries to CMEA, attempting to maximize the share of gas in those deliveries. If, however, economic and political difficulties in Eastern Europe coincide with a

26. Marrese and Vanous estimate that in 1980 dollars subsidies to Eastern Europe in 1970 were $2.23 billion, considerably less than the 1980 subsidies of $17.8 billion, *Soviet Subsidization of Trade with Eastern Europe*, p. 44.

gradual reduction in the exportable energy of the USSR, the choice will be more difficult for Soviet leaders. Right now the first situation seems far more likely than the second. That is, the most likely scenario is continued economic pressure on Eastern Europe as world terms of trade work fully into its relations with the Soviet Union, but with the Soviet Union always alert to (and able to counteract) unwanted political consequences of excessive pressure.

The Soviet Union in World Energy Markets

It is clear from the energy-balance projections for the 1980s that the Soviet Union will probably be a net supplier of energy to the West for the rest of the 1980s and even through the 1990s. The important question is how significant the Soviet role will be in world energy markets, and what that may imply for the price of energy in the 1980s. The two most important energy carriers are oil and gas; Soviet coal exports to the West are small and will remain so. This section discusses oil and gas, focusing on trade with the West. Oil and gas are treated separately in the discussion, not because they do not compete with each other, but because the Soviet role is so dramatically different in each.

Oil Markets

As table 5-4 shows, the Soviet Union is an important—though far from the leading—exporter of oil to Western countries. In 1981 it tied the United Arab Emirates for third place in total oil exports, close behind Venezuela, but far below Saudi exports.

Table 5-4. *Oil Exports of Major World Exporters, 1981*
Mbdoe

Country	Amount	Country	Amount
Saudi Arabia	9.3	Libya	1.1
Venezuela	1.7	Kuwait	1.0
United Arab Emirates	1.4	Iran	0.9
Soviet Union	1.4[a]	Iraq	0.8
Nigeria	1.2	Algeria	0.7
Indonesia	1.2		

Sources: British Petroleum Company, *BP Statistical Review of World Energy 1981* (London: British Petroleum, 1982), p. 14.

a. Table 4-3. These are gross exports to nonsocialist countries.

Even though the Soviets are one of the world's major oil exporters, they still play a relatively minor role in world oil trade. Soviet oil exports in 1981 accounted for no more than 5 percent of the 28.7 mbd of oil traded that year on nonsocialist markets.[27] That share is large enough so that the Soviet Union can, and does, make its presence felt on spot markets when it seeks to maintain—or even expand—oil exports while OPEC exports are falling (as in 1982–83). On the other hand, the Soviets can in no way determine the oil price; the OPEC countries—particularly Saudi Arabia—are the only ones with sufficient capacity and flexibility to control the price. The Soviet Union is a significant marginal supplier able to reap the benefits of world oil price increases but forced to accept price drops when they occur.

The projected balances for the 1990s suggest that this role for the Soviet Union will continue, whatever happens on world energy markets. There is no prospect of a large increase in net Soviet oil exports; under the best conditions oil exports could rise from 1.9 mbd in 1980 to 2.3 mbd in 1985 and 2.85 in 1990 (see table 4-12).

Although there are no truly momentous issues regarding the near-term prospects for the Soviet role in world oil markets, the Soviet relationship with OPEC will probably continue to be an interesting and complicated one. When the demand for oil is high and growing rapidly, the Soviet-OPEC relationship is fairly simple: the Soviets can market virtually all the oil they can free up for export at the going (and rising) price without great fear that the market cannot absorb it.

When demand softens, the relationship grows more complicated. To maintain prices, OPEC members must agree to cut back on export quantities; ideally they should also induce non-OPEC members to concur, so that market shares are approximately preserved and losses are fairly evenly distributed according to previous export shares. During 1982–83 this became a serious issue as OPEC exports fell significantly; there was a tremendous struggle within OPEC to arrive at a set of mutually satisfactory production cutbacks. Simultaneously the Soviet Union increased oil exports, apparently to maintain (and even increase) hard-currency earnings despite falling prices. There were rumors that the Soviets were cutting oil export prices and threatening the $29 marker price for Saudi crude. As a result, OPEC apparently initiated discussions

27. British Petroleum Company, *BP Statistical Review of World Energy, 1981* (London: British Petroleum, 1982), p. 14.

with all non-OPEC members who are important oil exporters (the USSR, the United Kingdom, and Mexico) in an effort to gain control over total world oil supplies.[28]

OPEC is unlikely to obtain much of substance from the Soviets, although one cannot exclude the possibility that for political reasons both sides will come to some sort of agreement of primarily symbolic importance. The Soviet interests in this matter seem clear. They want on balance to have as high a world oil price as is sustainable (the only cost to them being in the economic consequences for Eastern Europe). Furthermore, there are obvious political benefits from cooperating with OPEC in a matter of primary importance to Middle Eastern countries. On the other hand, it would be wholly out of character for Soviet leaders to agree on any coordination with OPEC regarding the quantity of Soviet oil exports to the world. Oil is such an important source of hard currency that the main determinants of the quantity of oil exported will be supply capabilities and the needs of the domestic economy for foreign exchange. Therefore, if Soviet leaders entered into any formal agreement with OPEC, they would probably do so to aid OPEC in maintaining the fixed price in every way short of cutting export quantities solely for purposes of stabilizing that price.

That, however, would be a meaningless agreement. Oil is a homogeneous commodity (or at least the prices of various grades of oil can be easily compared with each other, and refiners are fairly flexible in the broad range of crudes they can use). Thus, if the Soviets want to increase their oil exports when total world demand is stagnant or falling, they will have to charge a price slightly below that for comparable crudes from other suppliers. As a result, all OPEC can hope to obtain from the Soviets is a promise that they will try to market whatever quantities of oil they decide to market in such an orderly fashion as to minimize market disruption.

This is likely to be the situation for some time to come. If there is a world recovery and the demand for oil rises rapidly, the incentive for OPEC to worry about nonmember exports grows weaker. But even if world economic activity and the demand for oil remain fairly stagnant, the Soviet role in world oil markets will continue to be small enough to enable them to continue to enjoy the benefits and costs of being a marginal supplier of a homogeneous commodity.

28. "OPEC Persisting in Efforts to Woo Other Oil Exporters," *Petroleum Intelligence Weekly,* April 25, 1983, p. 2.

Gas Markets

The role of the Soviet Union in world gas trade is a far more prominent one than it is in oil. There is no world gas market and no world gas price. Gas either has to be shipped by pipe or by liquefied natural gas (LNG) tanker, and each involves such high capital costs that trade tends to occur only when user and producer have agreed on a long-term contract involving sometimes not only commitments to buy gas but also financing and equipment sales. It is the complexity of those agreements that has retarded the development of world gas trade. In 1981, when 46 percent of the world's oil production was traded, only 11.7 percent of the world's natural gas production entered international trade.[29] There is currently no spot market for gas and there is no world market price, although increases in the magnitude of gas trade may be changing that situation.[30]

Because the links between producers and users are so important in gas trade, it is useful to look at the main links, which are reported in table 5-5. In 1981 the Soviet Union accounted for 31 percent of world gas exports, all of those going to Europe (East and West). For Western Europe as a whole, net gas imports in 1981 were 0.49 mbdoe; Soviet gas exports to Western Europe that year were 0.42 mbdoe. Of course the Netherlands and Norway are important gas exporters, and therefore the Soviet Union accounted for only 26 percent of Western Europe's gross gas imports that year.[31]

Soviet leaders will be induced by the consequences of their energy-production strategy to seek expanding markets for their gas exports. As a practical matter—at least for the 1980s—those markets will have to be primarily in Europe because trade with other countries would involve expensive transportation systems and large capital investments. This means that whatever the Western European demand for gas imports may be by the end of this decade—and there is an uncertainty about that—the Soviet Union will be making considerable efforts to capture a

29. The natural gas figures are adapted from Ruhrgas, *Annual Report, 1981*, p. 10. The oil figures are from British Petroleum Company, *BP Statistical Review of World Energy, 1981*, pp. 6, 14.

30. Actually the Soviets are apparently seeking to create a type of spot market for gas in Europe in order to fill their excess pipeline capacity. In 1982 there reportedly were offers to France and Germany by Soiuzgazeksport for spot gas sales in low quantities at way below the contractual price. Interview materials.

31. I am neglecting small European countries in this computation because my only purpose here is to establish general orders of magnitude.

Table 5-5. *World Gas Trade, 1981*
Mbdoe

Exporting country	Importing country										
	West Germany	France	Italy	United Kingdom	Belgium	Austria	Nether- lands	Japan	United States	Others	All
Soviet Union	0.18	0.07	0.12	..	..	0.05	..	..	..	0.54	0.96
Netherlands	0.28	0.14	0.11	..	0.13	..	..	..	..	0.01	0.68
Norway	0.14	0.04	..	0.18	0.04	..	0.05	..	..	..	0.45
Canada	..	..	..	..	..	..	..	..	0.31	..	0.31
Indonesia	..	..	..	..	..	..	..	0.21	..	..	0.21
Brunei	..	..	..	..	..	..	..	0.13	..	..	0.13
Algeria	..	0.07	..	0.01	..	..	..	0.07	0.01	0.02	0.11
Others	..	..	..	..	..	..	..	..	0.05	0.14	0.26
All	0.60	0.32	0.23	0.19	0.17	0.05	0.05	0.41	0.37	0.71	3.11

Source: Adapted from Ruhrgas, *Annual Report, 1981*, p. 11.

large share of that market.[32] The Soviet Union will also be alert for opportunities to export such gas-based products as methanol.

Therefore, the Soviet Union is, and will continue to be, a leading force in the natural gas trade. This position does not, however, confer on the Soviet Union any special influence on the world price of natural gas. It has important competitors (Algeria and the North Sea producers). More important, in most of the major uses for gas, oil is a substitute (chiefly under boilers); therefore, the "landed" price of gas is heavily influenced by world oil prices. Because world oil trade has in recent years amounted to almost 30 mbd, while world gas trade has been about 3 mbdoe, it is oil that sets hydrocarbon price trends. Furthermore, because coal is also a potential substitute for gas, coal prices also influence (and depress) gas prices.

What the Soviet Union can, and probably must, do in its competition with other potential suppliers of Europe's gas is to maintain a low enough price to make gas preferred to oil under boilers. This means that, if anything, the emerging prominence of the Soviet Union as a supplier of Europe's gas will cheapen the prices of gas (and to some extent energy) in the world.

The 1990s

In the 1990s the Soviet Union should maintain its role as a major supplier of Europe's natural gas. Soviet natural gas reserves, the economics of exploiting them, and the likely costs of transporting them to Europe suggest that the USSR will continue as a competitive supplier of gas for the rest of the century.

The unknown here is coal. Coal from the major new fields in Siberia and Kazakhstan (Kansk-Achinsk and Ekibastuz) is too expensive to transport to the European USSR, or to European export markets, with current technologies. However, there are two known technologies that, when they are improved, might enable the Soviets to turn coal into

32. The International Energy Agency has recently completed a fairly comprehensive effort to project OECD's demand for imported gas during the remainder of this century. They conclude that OECD Europe—which was importing net 26 bcm of gas in 1980—could be importing about 125 to 145 bcm in 1990 and 129 to 259 bcm by 2000. Since that forecast was completed, economic prospects for Europe in this decade have deteriorated somewhat, and the price of oil has fallen, both of which may serve to diminish the demand for imported natural gas. IEA, *Natural Gas: Prospects to 2000* (Paris: IEA, 1982), p. 101.

usable energy and to ship it to the European USSR, which would free up oil or gas (probably oil) for export. One is the slurry technologies, which the Soviets have been talking about for some time. A new technology such as methacoal (a methanol-coal mixture) could conceivably be shipped by pipe to the European USSR for use under boilers.[33]

The second possibility, and a somewhat more probable one, is that the Soviets will proceed with large-scale liquefaction of Kansk-Achinsk coal, which would allow them to expand oil production without stretching any further their depleted natural oil reserves. The Soviets have purchased experimental liquefaction plants from West Germany, and they reportedly are now engaged in serious discussions about large equipment and financing contracts for liquefaction plants, with the repayments to be in crude oil.[34]

If this second possibility were to come to fruition, in the 1990s the Soviets might be able to expand their oil exports significantly. At least they would have the choice between oil and gas exports, a choice they could make based on economic considerations.

Issues for U.S. Policy toward the Soviet Union

The prospects for Soviet energy are such that little credibility remains for the concern once voiced by Secretary Weinberger over an energy shortage and an ensuing attempt by the Soviets to use force in the Middle East to augment their dwindling oil supplies.[35] In fact, the situation is

33. Apparently in 1982 there were preliminary discussions between the Soviets and Armand Hammer regarding a coal-slurry line to Moscow from Kansk-Achinsk, which was to be a methacoal line. These were evidently preliminary discussions that have gone no further. "Soviet Project and U.S. Aid, "*New York Times*, October 7, 1982.

34. *New York Times*, April 17, 1983.

35. That no energy crisis will occur in the Soviet Union in the 1980s does not eliminate the possibility of a Soviet threat in the Middle East. There are still several reasons why the Soviet Union might be provoked, or drawn into, military or covert actions designed to seize control of all or part of several Middle Eastern countries. Political and economic instability in Iran could create a vacuum the Soviets would find quite tempting to exploit. They could conceivably move to seize at least the northern parts of Iran, which would give them access to some oil and gas fields. Or Soviet relations with the West could continue to deteriorate, causing the Soviet Union to try to take control of the Persian Gulf shipping lanes. Neither of these events—particularly the latter—seems to have a high probability attached to it. Nevertheless, to say that the Soviet Union will not face an energy crisis in the 1980s is not the same as saying that it might not regard it in its own interest to take military actions in the Middle East consistent with larger political-economic considerations.

much more complicated, and on the whole of a rather different cast, than that early concern would suggest.

The 1980s will be a period in which increments to energy production and energy exports will be increasingly expensive for the USSR. Yet the costs will be manageable, particularly if the Soviets can gradually switch from oil to gas and then to coal. The higher costs, in the context of a relatively slow growth of NI, will act as a continuous source of pressure on Soviet leaders to recast their relationship with Eastern Europe. Throughout the 1980s the Eastern Europeans will most likely have to contend with a series of experiments designed to wean them off Soviet subsidies.

From the U.S. perspective there are three areas of interest associated with these prospects. The first area of interest is the rising costs of increments to Soviet energy supplies as one of many elements behind a deterioration in Soviet economic performance. If such a deterioration has political implications inside the Soviet Union, or implications for Soviet capabilities to sustain high growth rates for military expenditures, then it is a legitimate source of U.S. interest. Furthermore, the prospects for Soviet energy exports are a major component in determining Soviet hard-currency earnings, and that too influences economic performance.

The second area of interest is the implications of a rapid expansion in Soviet gas supplies for their economic relations with Europe. If the Soviet Union and Western Europe agree to a rapid expansion of Soviet gas sales, that will create increasingly strong bonds between Europe and the USSR. The Soviet role in European trade will grow, and its role as an energy supplier will become quite substantial. Although scenarios of Soviet energy blackmail against Europe in the 1990s seem farfetched, it is easy to imagine that an increasingly close economic connection will foster relationships between European countries and the Soviet Union with political ramifications. Indeed that was one of the obvious elements of the dispute between Europe and the United States over the Soviet–Western European gas pipeline.

The third issue of interest is the political implications of changing Soviet–Eastern European economic relations. If the Soviet Union continues to increase economic pressure on Eastern Europe, political problems could arise in Eastern Europe that would once again draw the Soviet Union and the United States into conflict over Soviet control of the region.

The logical question is whether the United States can do anything substantial to influence developments in these areas to favor U.S. policy interests. In fact, there is probably little the United States can do to influence the development of the Soviet energy sector, and through that economic performance and Soviet economic relations with the two Europes. Almost all the energy technologies the Soviets are actively seeking to acquire are either made in the USSR or are available in Europe and Japan. It is true that in many cases Western equipment is superior to Soviet equipment (for example, turbines, submersible pumps, 56-inch pipe, and off-shore equipment). However, the United States has a qualitative edge over other potential Western suppliers in only a few technologies, and none that are critical to prospects for the Soviet energy sector.[36] As U.S. leaders learned in the course of the conflict with Europe over equipment for the Soviet–Western European gas pipeline, Europe and Japan are reluctant to agree to embargo energy-equipment exports to the Soviet Union. Irrespective of what U.S. leaders would like to do to slow the development of the Soviet energy industry, in fact the Soviet Union can count on Europe and Japan for most of the new equipment it wants to purchase.

The easy availability of the relevant energy technologies, combined with the abundant supplies of state-supported and private export credits from Europe and Japan, relegates the United States to primarily "observer status" over the East-West component of Soviet energy developments. The United States may, and indeed it probably will, find itself drawn into conflict with the Soviet Union over increasing energy exports to Europe or over political and economic difficulties in Eastern Europe that stem from stagnation or cutbacks in energy deliveries. Any efforts U.S. leaders may wish to make to avoid some of the conflicts will probably be best handled through diplomatic means, rather than by exerting economic pressure in an ineffectual way. Certainly any consequences of Soviet energy developments that touch on U.S. policy interests will have to be dealt with through diplomacy. However unpleasant it may be to admit it, U.S. leaders must realize that Soviet energy prospects are—in all important ways—a matter about which the Soviets themselves will decide.

36. See OTA, *Technology and Soviet Energy Availability*, pp. 225–45.

Index

223